D1161497

Je veux voir DIEU

Aux Éditions du Carmel

DU MÊME AUTEUR

Jésus, Contemplation du mystère pascal, 1986, Centre Notre-Dame de Vie, Série P. M.-Eugène de l'E.-J., 1.

Ton amour a grandi avec moi. Un génie spirituel, Thérèse de Lisieux, 1987, Série P. M.-Eugène de l'E.-J., 2.

La Vierge Marie toute Mère, 1988, Série P. M.-Eugène de l'E.-J., 3.

Au souffle de l'Esprit, Prière et action, 1990, Série P. M.-Eugène de l'E.-J., 4.

Jean de la Croix, Présence de lumière, 1991, Série P. M.-Eugène de l'E.-J., 5.

SUR LE PÈRE MARIE-EUGÈNE

R. RÈGUE, *Le Père Marie-Eugène de l'Enfant-Jésus, maître spirituel pour notre temps,* 1978.

Je veux demander pour vous l'Esprit Saint,
Réalisation : Institut Notre-Dame de Vie, 1992.

Une figure du XXᵉ siècle, le Père Marie-Eugène de l'Enfant-Jésus. Colloque du Centenaire 1894-1994, 1995.

P. MARIE-EUGÈNE DE L'E.-J.

O. C. D.

Je veux voir
DIEU

Nouvelle édition revue et corrigée

63ᵉ mille

ÉDITIONS DU CARMEL
84210 Venasque

Cum opus, cui titulus « Je veux voir Dieu » a R. Adm. P. N. Maria Eugenio a Puero Jesu Ordinis nostri Sacerdote professo compositum deputati censores examinaverint, praeloque dignum probaverint, concedimus licentiam ut typis edatur, servatis omnibus de jure servandis.

Datum Romae ex Aedibus nostris Generalitiis die 13 decembris 1947.

Fr. Silverius a Sancta-Teresia
Proepos. Gen.

Fr. Simeon a Sancta Familia
Secr.

IMPRIMATUR
Aquis Sextiis. die VIII aprilis 1949

† CAROLUS
Archiep. Aquensis, Arelatensis et Ebredunensis

ISBN : 2-900-424-42-9

TABLEAU

LA SPIRITUALITÉ THÉRÉSIENNE :

JE VEUX VOIR DIEU

PREMIÈRE PHASE
Dieu intervient par le *Secours général.*

	ACTION DE DIEU	ACTIVITÉ DE L'AME	LE CHRIST
Ires Demeures. Vie spirituelle presque éteinte.	Aucune manifestation	Évite le péché mortel.	
IIes Demeures. Effort vigoureux et douloureux d'ascension.	Consolations sensibles et sécheresses.	S'applique à l'oraison, au recueillement, à la correction des défauts, à l'organisation de la vie spirituelle par un règlement, et le détachement. L'effort vigoureux et persévérant est soutenu par les lectures, la direction et les amitiés.	Étudier le Christ Jésus dans l'Évangile et s'attacher à son Humanité.
IIIes Demeures. Triomphe de l'activité raisonnable.	Facilités de recueillement.	En une vie de piété bien organisée, elle évite le péché et pratique les oraisons de simplicité.	

DEUXIÈME PHASE
Dieu intervient par le *Secours particulier.*

Demeures				
Introduction.	…vivent dans l'âme par les dons du St-Esprit. Il l'envahit jusqu'à la transformation d'amour.	…ivre à Lui dans l'humilité, la patience ; elle favorise le développement de son action par une ascèse énergique.	…u amour agissante.	2. Les dons du Saint-Esprit. 3. Le don de soi. 4. L'humilité. 5. Le silence. 6. Solitude et contemplation. 7. La contemplation. 8. Appel à la vie mystique. 9. Théologie et contemplation. 10. Foi et contemplation.
IVᵉˢ *Demeures.* Nuit du sens. Quiétude.	Présence intérieure de Dieu manifestée par une lumière aveuglante (Nuit), par une emprise savoureuse (recueillement passif, quiétude).	Respecter l'action de Dieu dans l'oraison : la compléter : paix, silence, activité modérée. En dehors de l'oraison, ascèse énergique pour détruire les vices capitaux spirituels.	Lumière du Verbe éblouissante. Sagesse savoureuse.	**IV. — JUSQU'A L'UNION DE VOLONTÉ** 1. Premières oraisons contemplatives. 2. Dieu-lumière et Dieu-Amour. 3. Les Nuits. 4. Nuit passive du sens. 5. Nuit active du sens pendant l'oraison. 6. La sécheresse contemplative. 7. Nuit active en dehors de l'oraison. 8. L'obéissance. 9. L'union de volonté. 10. Le mystère de l'Église.
Vᵉˢ *Demeures.* Union de volonté.	Emprise habituelle de la volonté, parfois après grâce d'union mystique.	Fidélité dans la foi et l'obéissance.	La Sagesse prend possession de la volonté pour la réalisation de son dessein éternel : l'Église.	
VIᵉˢ *Demeures.* Nuit de l'esprit : Formation du saint et de l'apôtre.	Dieu purifie et enrichit par ses touches dans l'esprit et dans les facultés opératives.	Abandon et patience silencieuse. Pauvreté, espérance et enfance spirituelle.	Union au Christ Sauveur et à Marie toute Mère.	**V. — SAINTETÉ POUR L'ÉGLISE** 1. Enrichissements divins. 2. Faveurs extraordinaires. 3. La nuit de l'esprit : le drame. 4. La conduite de l'âme : Pauvreté, Espérance et Enfance spirituelle. 5. Secours et modèles : le Christ Sauveur et la Vierge Mère. 6. Effets de la nuit. 7. Fiançailles et mariage spirituels. 8. L'union transformante. 9. Le saint dans le Christ total.
VIIᵉˢ *Demeures.* Union transformante.	Envahissement divin complet, utilisation pour l'Église.	Chasteté et charité parfaites. Au service de l'Église.	Union au Christ total.	

Pour les éditions utilisées dans les citations du présent ouvrage, voir p. 1125.

Avertissement pour la huitième édition

Le xxᵉ siècle aura vu la proclamation successive comme Docteurs de l'Église, des trois grands Maîtres du Carmel réformé : Jean de la Croix en 1926, Thérèse de Jésus en 1970 et Thérèse de l'Enfant-Jésus et de la Sainte-Face en 1997. Le plus haut magistère de l'Église donne ainsi une réponse expressive à la quête de vie mystique authentique qui marque notre époque. La convergence de l'enseignement des trois saints, étroitement liés dans la grâce du Carmel, est également mise en relief.

C'est toute cette richesse doctrinale que le Père Marie-Eugène avait découverte dans sa propre expérience de Carme, et que, dès 1947, il a voulu proposer aux chrétiens dans l'ouvrage *Je veux voir Dieu*. Diffusée largement en six langues, cette « Somme » de théologie spirituelle a trouvé sa place parmi les grands classiques de l'Église.

Le Père Marie-Eugène, dont la cause de canonisation est en cours, présente cette synthèse de l'enseignement des Maîtres du Carmel avec la sûreté que donne une longue et profonde expérience contemplative.

Cet enseignement pratique montre les chemins de l'oraison et de la contemplation à laquelle aspirent tant de chrétiens dans leur vie ordinaire. Il apporte ainsi une doctrine très actuelle qui répond à l'appel à la sainteté que le Concile Vatican II adresse à tous. Sainteté, c'est-à-dire : vocation chrétienne et mission dans l'Église.

En effet, le chrétien est fils de Dieu et apôtre. Ces deux mouvements de la grâce baptismale sont fortement mis en relief par le Père Marie-Eugène au long des étapes de l'itinéraire thérésien suivi dans cet ouvrage.

Les deux parties de l'œuvre, *Je veux voir Dieu* et *Je suis fille de l'Église* publiées séparément en 1949 et 1951, furent réunies par l'auteur en un seul volume pour la troisième édition en 1957. La huitième édition de *Je veux voir Dieu* conserve cette forme. Elle respecte aussi le texte intégral de l'auteur avec ses notes.

On retrouvera donc en tête du volume le tableau synoptique qui rapproche la spiritualité thérésienne du plan général de *Je veux voir Dieu*. Ce tableau comparatif est important pour la compréhension de l'ouvrage : il en dégage les lignes de force et les jalonne de points lumineux aux étapes décisives.

Les avant-propos des deux parties demeurent à la place qu'ils avaient dans les premières éditions. La table analytique réalisée sous la direction du Père Marie-Eugène groupe et ordonne autour des mots importants la doctrine spirituelle de l'ouvrage.

Les index de citations ont été revus, et celui des citations de sainte Thérèse de l'Enfant-Jésus a été modifié selon le système de références de l'Édition du Centenaire des *Œuvres Complètes* (Cerf, 1992).

L'index des noms propres de personnes, déjà établi dans l'édition précédente, a fait l'objet d'une relecture qui a introduit quelques modifications.

ÉDITIONS DU CARMEL

Avant-propos
de la première édition

Ce qu'on peut chercher en ce volume « *Je veux voir Dieu* », et ce qu'on peut attendre de celui qui suivra sous le titre de « *Je suis fille de l'Église* », un mot sur la façon dont ils furent composés le dira clairement.

Il y a une quinzaine d'années, un groupe dans lequel se trouvaient plusieurs professeurs de l'enseignement secondaire et supérieur, vint en notre couvent solitaire nous demander la science de la prière carmélitaine. Objections, hésitations, refus même, laissèrent voir notre embarras devant une demande si simple. Les instances délicates se firent pressantes et il fallut céder.

Une hospitalité généreuse, récompensée divinement par une demande de sacrifice complet, nous permit d'organiser un cours d'oraison dans la grande ville voisine. Les conférences, à raison de sept ou huit par an, réunissaient un auditoire choisi. Elles étaient suivies d'une demi-heure d'oraison et se prolongeaient en des entretiens particuliers et des échanges de vues généraux.

Ces contacts avec l'auditoire révélèrent promptement qu'il s'agissait moins de satisfaire une curiosité intellectuelle ou un désir d'information, bien légitime d'ailleurs sur un sujet d'actualité, que d'éclairer une expérience spirituelle qui prenait conscience d'elle-même et aspirait à pénétrer plus profondément en Dieu. Même chez ces esprits vigoureux et brillants, cette expérience, chose étonnante au premier abord, s'attachait peu aux problèmes spéculatifs du dogme ou de théologie spirituelle qui étaient agités dans les revues, mais manifestait un goût marqué pour un enseignement pratique et vivant, pour un témoignage simple mais authentique d'une doctrine vécue.

9

Ces désirs nous ramenaient vers l'enseignement des grands
maîtres du Carmel réformé, tel qu'ils l'ont donné, éclairé
par une haute expérience de Dieu et une merveilleuse
pénétration psychologique des âmes, appuyé sur une doctrine théologique qui dissimule sa puissante structure sous
des formules simples et parfois symboliques, et tout orienté
en ses développements vers l'ascension des âmes qu'il
veut conduire jusqu'aux sommets. Il apparut clairement que
cet enseignement simple et absolu, direct et savoureux,
répondait aux besoins de ces âmes et aux exigences de ces
esprits modernes, imprégnés peut-être d'un certain scepticisme à l'égard des idées, mais prêts à accueillir un témoignage vécu et à s'incliner devant ces affirmations lorsqu'elles
sont garanties par une efficience pratique.

Une conclusion s'imposait : il fallait présenter en son
intégrité le témoignage et l'enseignement des maîtres que
furent les Réformateurs du Carmel ; éviter pour cela de
l'emprisonner en un système ou de le mettre au service
d'une thèse ; disparaître autant que possible pour les laisser
parler eux-mêmes ; se borner à recueillir leurs affirmations,
à les éclairer par les passages parallèles, à les ordonner en
une synthèse qui reste la leur, sauf à les traduire en une
forme adaptée aux besoins de notre temps.

Parmi ces maîtres il fallait choisir un guide. L'auditoire
manifestait des préférences pour saint Jean de la Croix.
Nous avons choisi sainte Thérèse. Parce que d'abord, elle
est la Mère du Carmel réformé ; surtout parce que seule,
en son dernier traité, son chef-d'œuvre, le *Château Intérieur,*
elle donne le processus complet de l'ascension d'une âme.
Son genre descriptif, son langage concret nous placeraient
dans l'atmosphère vivante et pratique dans laquelle nous
voulions rester ; cette route divisée en étapes ou Demeures,
outre qu'elle nous fournirait le plan de notre travail, créerait le cadre et la perspective dans lesquels chaque chose
trouverait sa place et sa valeur. Il serait facile d'y inscrire
aux points dangereux l'enseignement particulier que saint
Jean de la Croix leur réserve et d'y faire briller partout la
lumière que ses principes projettent vers l'infini. Ce compartimentage en Demeures nous permettrait aussi de mieux
apprécier la rapidité étonnante des ascensions de sainte
Thérèse de l'Enfant-Jésus et la simplicité sublime de sa
petite voie.

Données en des milieux bien différents avant d'être
rédigées dans leur forme actuelle, ces conférences nous ont
permis de constater que la soif de Dieu n'est point
l'apanage de la culture, que Dieu l'allume heureusement en
bien des âmes à notre époque et qu'il suffit de l'avoir reçue

pour saisir le langage des maîtres qui nous ont tracé les sentiers escarpés qui conduisent à la source d'eau vive.

Avant de livrer ces pages à un public plus large, qu'il nous soit permis de remercier ceux qui nous ont obligé et si efficacement aidé à les écrire. Analyser pour eux l'enseignement des Saints du Carmel nous fut une grâce inappréciable ; le faire en leur compagnie ajouta à ce profit une joie surnaturelle profonde, celle de respirer abondamment ce parfum qui monte des champs fécondés par la bénédiction du Seigneur.

En la fête de sainte Thérèse, 15 octobre 1948.

PERSPECTIVES

CHAPITRE PREMIER

Le Livre des Demeures

Avant de nous engager dans l'étude directe de la spiritualité thérésienne, prenons contact avec le guide que nous avons choisi pour nous y introduire : le *Livre des Demeures* ou *Château Intérieur* de sainte Thérèse.

A. Dans quelles circonstances fut composé ce traité ?
B. Avec quelle méthode et quelle en est la division ?
C. Quelle en est la valeur ?

Ces préliminaires nous montreront l'originalité singulière de notre guide et la confiance qu'il mérite.

A. — *CIRCONSTANCES HISTORIQUES*

Sainte Thérèse écrivit le *Château Intérieur* ou *Livre des Demeures* en 1577. La Sainte est âgée de soixante-deux ans. A l'en croire elle est « vieille et fatiguée, mais non quant aux désirs [1] ». Son ouvrage nous la montre en pleine possession de sa grâce et de son génie.

Il y a quinze ans (1562) elle fondait le premier monastère réformé de Saint-Joseph d'Avila. Il y a dix ans (1567) qu'à la suite de la visite du R.P. Rubéo, Général des Carmes, elle a commencé à étendre sa Réforme.

En ces dix années (1567-1577) que de travaux et de souffrances ! Que de grâces aussi !

Pendant quatre ans sainte Thérèse a travaillé avec succès à ses doubles fondations. En 1571 le Père Visiteur l'arrache à ses consolants travaux pour l'envoyer comme prieure en ce monastère de l'Incarnation d'Avila, où elle a vécu vingt-huit ans et d'où elle est sortie pour commencer sa Réforme. Les religieuses ne veulent pas de

---

1. Lettre au P. Gratien, 14 mai 1578 (*Lettres*, T. III, p. 11).

cette prieure qui leur est imposée et Thérèse voudrait bien pouvoir se dérober à cette croix. Notre-Seigneur lui impose de se soumettre. Elle va à l'Incarnation, triomphe des oppositions violentes et bruyantes, et réussit à rétablir la régularité en gagnant tous les cœurs. Dieu la récompense de son sacrifice en lui accordant la grâce du mariage spirituel.

Libérée de sa charge en 1574, la Sainte peut reprendre ses fondations qui vont se multipliant pendant les deux années suivantes (1575-1576). En Andalousie où elle a vu pour la première fois le P. Gratien, le premier Supérieur de la Réforme carmélitaine, « un homme accompli, à mes yeux » écrit-elle, « et qui dépasse tout ce que nous saurions demander à Dieu [1] », commencent pour elle les difficultés les plus douloureuses que dut connaître son cœur de fille du Carmel.

La confiance affectueuse que lui a toujours témoignée le P. Rubéo a été un des ses plus sûrs réconforts. Mais voici qu'on a fait au Père Général des rapports sur l'extension de la Réforme au-delà des limites qu'il a fixées, et sur le malaise qu'elle crée dans les couvents non-réformés. En effet la tiédeur troublée des uns, la ferveur ardente des autres, le zèle réformateur du Roi et du Nonce, les conflits de pouvoir entre les Supérieurs de l'Ordre et les Visiteurs nommés par le Nonce à l'instigation du Roi, ont créé une situation des plus confuses. Un Chapitre général de l'Ordre s'est tenu à Plaisance, en Italie. Les Carmes espagnols non-réformés ont présenté leurs griefs contre la Réforme thérésienne : leur quiétude est troublée par cette ferveur, et leur tiédeur blessée jusqu'à l'irritation. Le Chapitre déclare que les Réformés doivent être traités comme rebelles, que la réformatrice Thérèse de Jésus doit cesser ses fondations et se retirer dans un monastère de son choix. Des Visiteurs sont nommés pour faire exécuter ces décisions.

Sainte Thérèse apprend en Andalousie la sentence qui la frappe. Elle est couverte par les ordres du Visiteur qui a reçu les pleins pouvoirs du Nonce ; elle se soumettra cependant aux ordres du Chapitre général, « très heureuse de pouvoir enfin demeurer tranquille », dit-elle, mais « sensible à ce précepte qui lui est imposé comme à une personne désobéissante [2] ». Elle a choisi le monastère de Tolède pour se retirer ; elle s'y rendra l'hiver passé et y sera en juillet 1576.

---

1. Lettre à M. Inès de Jésus, prieure à Medina, 12 mai 1575 (*Lettres*, T. I, p. 288).
2. Lettre au T.R.P. Rubéo, Général des Carmes, février 1576 (*Ibid.*, pp. 381-382).

La tempête gronde. Que va devenir la Réforme thérésienne ? Le nonce Ormaneto la protège, il est vrai ; aussi les Visiteurs nommés par le Chapitre n'osent pas agir. Mais Ormaneto meurt le 18 juin 1577. Son successeur arrive, prévenu contre l'œuvre thérésienne, et se dispose à la détruire. Les Chaussés peuvent agir audacieusement : en décembre 1577 ils pourront faire enlever saint Jean de la Croix. La Réforme carmélitaine connaît en 1577 et 1578 des heures d'agonie. Nul ne peut en souffrir comme Thérèse. Toutefois la tempête a donné des loisirs à la réformatrice ; Dieu en profite pour faire travailler l'écrivain.

C'est en effet à l'heure où grossit la menace, que sainte Thérèse reçoit l'ordre d'écrire. Le P. Gratien lui avait demandé de compléter son œuvre spirituelle. La Sainte avait fait des objections : n'avait-elle pas écrit déjà plusieurs relations de sa « *Vie* », la dernière, complète, en 1565, où elle exposait et expliquait les grâces qu'elle avait reçues, le *Chemin de la Perfection* (1562 et 1569-1570) dans lequel elle donnait les conseils les plus utiles à ses filles, le livre des *Exclamations* (1566-1569), et n'écrivait-elle pas en ce moment encore le traité sur la *Visite des Couvents* (1576) et des chapitres du livre des *Fondations* ? Que pouvait-elle dire de plus ?

Cette fois c'est un ordre qui lui est donné par son confesseur de Tolède, le Dr Velasquez [1]. La Sainte est trop obéissante pour se dérober, mais elle a trop de simplicité pour cacher la difficulté qu'elle éprouve. Elle écrira donc dans le Prologue :

Parmi les choses que l'obéissance m'a commandées, il y en a peu que j'aie trouvées aussi difficiles que celle d'écrire maintenant sur l'oraison. D'abord, il me semble que Notre-Seigneur ne m'en donne ni l'inspiration ni le désir. En second lieu, il se fait un tel bruit dans ma tête depuis trois mois, et elle est tellement fatiguée, que je puis à peine écrire, même pour les affaires indispensables...

Il me semble qu'il y aura peu à ajouter à d'autres écrits que j'ai composés par obéissance ; je crains plutôt de me répéter presque toujours. Je suis absolument comme ces oiseaux à qui l'on apprend à parler : ils ne savent que ce qu'on leur enseigne ou ce qu'ils entendent, et ils le répètent à satiété [2].

Cette pauvreté spirituelle [3] recouvre d'immenses richesses : l'obéissance va les faire jaillir.

La Sainte se met en prière pour demander au Seigneur de lui indiquer ce qu'elle doit dire. La vision d'une âme

---

1. Le Docteur Velasquez, confesseur de la Sainte à Tolède, était chanoine de Tolède ; il fut plus tard évêque d'Osma.
2. *Château de l'Âme*, Prologue, pp. 811-812.
3. Cette pauvreté spirituelle semble être un effet de l'emprise de l'Esprit Saint sur son âme (cf. pp. 313-318, « Expérience des dons du Saint-Esprit »).

juste, dont elle est favorisée en la fête de la sainte Trinité, le 2 juin 1577[1] : telle est la réponse divine qui lui fournit le sujet de son écrit.

Sainte Thérèse se met aussitôt à l'œuvre ; elle travaillera jusqu'à fin juillet. Une affaire importante[2] l'appelle alors à Avila. Elle y trouvera de nouveaux soucis auprès des Carmélites de l'Incarnation qui, malgré elle et surtout malgré l'opposition des Supérieurs, veulent la réélire comme prieure, et supportent pour cela une violente persécution[3]. A partir de la mi-octobre, la Sainte peut reprendre cependant la composition de son ouvrage, depuis le chapitre quatrième des cinquièmes Demeures[4]. Il est terminé le 29 novembre 1577[5].

Le *Château Intérieur* a donc été écrit dans l'espace de six mois (2 juin-29 novembre), et en trois mois de travail effectif, puisqu'il y a eu interruption. Et encore faut-il

---

1. Le dominicain Diego de Yepès a déposé au procès de canonisation de sainte Thérèse :
« La sainte Mère avait désiré voir la beauté d'une âme en état de grâce... Tandis qu'elle se sentait pressée de ce désir, elle reçut l'ordre d'écrire sur l'oraison. La veille de la fête de la sainte Trinité, tandis qu'elle était à se demander quelle serait l'idée fondamentale de ce traité, Dieu, qui dispose tout avec sagesse, exauça ses vœux et lui fournit le plan de l'ouvrage. Il lui montra un magnifique globe de cristal en forme de Château, ayant sept Demeures. Dans la septième, placée au centre, se trouvait le Roi de gloire, brillant d'un éclat merveilleux, dont toutes ces Demeures jusqu'à l'enceinte se trouvaient illuminées et embellies. Plus elles étaient proches du centre, plus elles participaient à cette lumière... Tandis que la sainte Mère s'émerveillait de cette beauté qui réside dans nos âmes, lorsqu'elles sont en état de grâce, la lumière disparut soudain. Alors, sans que le Roi de gloire quittât sa Demeure, le cristal se couvrit d'obscurité, il devint noir comme du charbon et répandit une insupportable odeur. Aussitôt les bêtes venimeuses qui se trouvaient au-dehors de l'enceinte reçurent la liberté de pénétrer à l'intérieur du Château. » (Déposition pour la canonisation. Informat. de Tarragona). Cité dans Introduction au *Château Intérieur*, traduction des Carmélites de Paris, pp. 5 et 6.
2. Elle voulait faire passer sous la juridiction de l'Ordre le monastère de Saint-Joseph qui, depuis sa fondation, se trouvait sous la juridiction de l'évêque d'Avila.
3. A ce sujet la Sainte écrit d'Avila, fin octobre, à M. Marie de Saint-Joseph, prieure à Séville :
« Le P. Provincial des Mitigés est venu, sur l'ordre du P. Tostado, pour présider les élections il y a environ quinze jours. Il a menacé de frapper de censures et d'excommunications les religieuses qui me donneraient leur voix. Malgré cela, cinquante-cinq d'entre elles, loin de se laisser intimider, agirent comme si on ne leur avait rien dit, et votèrent pour moi. A chaque suffrage qui m'était donné, il excommuniait la religieuse qui lui remettait et l'accablait de malédictions ; puis il froissait les bulletins, les frappait du poing et les brûlait. Ces religieuses sont donc excommuniées depuis quinze jours. Il leur a interdit d'entendre la messe et d'aller au chœur, même quand on n'y récite pas l'office divin... Pour moi, je pardonne de bon cœur à celles qui m'ont donné leur suffrage, pourvu qu'elles me laissent en paix. » (*Lettres*, T. II, pp. 353 et 355).
4. « Voilà environ cinq mois que j'ai commencé ce travail, et comme mon mal de tête ne me permet pas de le relire, je crains que cet écrit soit sans ordre aucun et ne contienne des redites. » (Vᵉ Dem., ch. IV, p. 920).
5. « Cet écrit a été achevé au monastère de Saint-Joseph d'Avila en 1577, la veille de Saint André » (VIIᵉ Dem., ch. IV, p. 1063).

songer que la Sainte ne trouve généralement la liberté pour écrire que le soir et la nuit ; les parloirs, la correspondance et le travail auquel elle s'astreint, occupant les instants que les exercices religieux laissent libres au cours de la journée.

B. — *MÉTHODE DE COMPOSITION ET DIVISION DE L'OUVRAGE*

Tandis que je priais aujourd'hui Notre-Seigneur de parler à ma place, parce que je ne savais que dire, ni de quelle manière je devais commencer ce travail que l'obéissance m'impose, il s'est présenté à mon esprit ce que je vais dire maintenant, et qui sera en quelque sorte le fondement de cet écrit.

On peut considérer l'âme comme un château qui est composé tout entier d'un seul diamant ou d'un cristal très pur, et qui contient beaucoup d'appartements, ainsi que le ciel qui renferme beaucoup de demeures [1].

Tel est l'exposé discret de la Sainte, au début du *Château Intérieur*. Mieux renseignés par ses confidences à Diego de Yepès, nous savons qu'elle a eu la vision d'une âme juste.

Cette âme juste lui a été montrée comme un globe de cristal ou un diamant très pur, tout resplendissant des clartés d'un foyer divin, Dieu lui-même, qui se trouve au centre. Cependant la Sainte a remarqué que le globe devient de plus en plus resplendissant, à mesure qu'on se rapproche du foyer. Les différences d'intensité de la lumière y créent des régions distinctes qui pourraient aisément être délimitées par une série de cercles concentriques à l'intérieur du globe. Ces zones séparées, de plus en plus lumineuses à mesure qu'elles sont plus intérieures, constituent des « Demeures » distinctes, chacune d'elles en contenant d'ailleurs beaucoup d'autres [2].

Tel est le schéma de la vision de sainte Thérèse. Nous pourrions en tracer la figure géométrique. Que sont ces symboles morts auprès de la lumière vivante qui en jaillit pour la Sainte, et de toutes les richesses spirituelles qu'elle y découvre ?

Il y a un instant elle ne savait que dire ni comment commencer ce travail ; voici qu'elle se met aussitôt à l'œuvre. Elle va d'abord décrire le château qui « n'est pas autre chose qu'un paradis où Notre-Seigneur, selon qu'il l'affirme lui-même, trouve ses délices [3] ».

---

1. Iᵉ Dem., ch. I, p. 814.
2. VIIᵉ Dem., ch. IV, p. 1062.
3. Iᵉ Dem., ch. I, pp. 814-815.

Perspectives

Sous la lumière de la vision initiale, sainte Thérèse pénètre successivement en chaque Demeure pour décrire, narrer, conseiller en maîtresse familière des lieux. Elle écrit rapidement, avec aisance, sans ratures, ne prenant même pas le temps de se relire [1]. Les comparaisons, les images, les termes précis se pressent sous sa plume pour exprimer ce qu'elle voit et ce qu'elle veut faire comprendre. Elle a distingué sept Demeures : son traité aura donc sept parties, chacune d'elles divisée en plusieurs chapitres.

Cependant lorsque la Sainte est parvenue aux Demeures plus intérieures où règne une lumière plus éblouissante, elle s'arrête un instant pour demander le secours particulier dont elle a besoin [2]. Comment, sans une grâce spéciale de Dieu, pénétrer dans l'obscurité du mystère, y découvrir les opérations délicates et suaves de l'Esprit Saint, et surtout en parler avec précision et exactitude ? Dieu répond à la prière de la Sainte. Elle revit les états qu'elle doit décrire ; à l'instant elle est favorisée des grâces dont elle veut souligner les effets. Aussi, ses filles, que l'affection rend parfois indiscrètes, l'ont-elles vue écrire la face irradiée ou en extase [3].

La sainte Mère s'attardera donc en ces Demeures où abondent les marques extraordinaires de l'action de Dieu dans les âmes. Les sixièmes Demeures comporteront onze chapitres, tandis que deux ou trois, quatre au maximum, lui suffiront pour les autres Demeures. Si nous lui en faisions reproche, elle en serait étonnée. Ne lui a-t-on pas demandé d'écrire ce qu'elle sait et ce qu'elle a expérimenté ? Son traité contient, il est vrai, une doctrine très haute, mais c'est bien son intention d'éclairer ces régions dont peu d'auteurs ont parlé. Elle n'ignore pas, et elle l'a noté [4], que ces faveurs ne sont point nécessaires au progrès spirituel et en sont distinctes. Elles sont des chemins de traverse et l'on peut marcher vers les sommets par d'autres voies. Aussi bien sa doctrine spirituelle est-elle indépendante de ces grâces extra-

---

1. « O mon Dieu, dans quelle digression me suis-je engagée ! J'oubliais déjà le sujet dont je traitais, parce que les affaires et mon peu de santé m'ont obligée à l'interrompre au moment le plus favorable ; comme j'ai peu de mémoire, tout sera écrit sans suite, parce que je n'ai pas le temps de me relire. » (IVᵉ Dem., ch. II, p. 873).

2. IVᵉ Dem., ch. I, p. 863 ; Vᵉ Dem., ch. I, p. 892 ; VIIᵉ Dem., ch. I, p. 1027.

3. « Je l'ai vue souvent, raconte Marie de la Nativité, environnée de splendeur tandis qu'elle écrivait cet ouvrage ; c'était d'ordinaire après la communion. Elle écrivait avec une extrême rapidité, et elle était si absorbée que nous avions beau faire du bruit autour d'elle, jamais elle ne s'interrompait et ne se plaignait qu'on la dérangeât. » (Déposit. juridique. Informat. de Madrid). Cité dans Introduction au *Château Intérieur*, traduction des Carmélites de Paris, p. 7.

4. Vᵉ Dem., ch. III, p. 912.

20

ordinaires et on pourrait l'en séparer [1]. Mais ne convient-il pas d'éclairer les âmes que Dieu conduit par ces chemins de traverse souvent dangereux ? D'ailleurs, ces faveurs, qui effrayent d'abord notre timidité, deviennent, pour qui les étudie sans préoccupation d'analyse personnelle, des jalons lumineux qui marquent les étapes sur la route de l'union, des signes qui révèlent l'activité merveilleuse de Dieu dans ses saints, des symboles qui expliquent la nature de cette action cachée [2].

La Sainte coupe sa narration de multiples digressions. Faut-il l'en excuser ? Elle le fait elle-même, et avec quelle grâce charmante ! Tandis qu'elle décrit une Demeure, un souvenir précis ou une comparaison se présente à son esprit, une analyse plus approfondie lui paraît nécessaire : elle se laisse entraîner. N'étant ni théologienne ni philosophe, elle ne voit pas comment ce nouveau développement est lié à ce qui précède, et croit à un hors-d'œuvre. Elle s'en excuse donc, mais sans sérieux ferme-propos, croyons-nous. Comment pourrions-nous lui en tenir rigueur lorsqu'un examen plus approfondi nous révèle que la digression n'est qu'apparente et nous donne le point le plus important de la doctrine, le trait psychologique le plus précis, l'explication la plus claire du problème traité !

Son ouvrage terminé, sainte Thérèse écrit, s'adressant à ses filles :

> J'ai dit, au début de l'écrit ci-joint, avec quelle répugnance je l'ai commencé ; mais depuis qu'il est terminé, il me cause la joie la plus vive. Je regarde en effet comme bien employée la peine, d'ailleurs très légère je le reconnais, qu'il m'a coûtée. Quand je considère, mes sœurs, l'étroite clôture où vous êtes, le peu d'agrément qui s'y trouve et l'insuffisance si manifeste du local qui serait nécessaire pour quelques-uns de nos monastères, il me semble que ce sera une consolation pour vous de vous délecter dans ce Château intérieur ; car vous pourrez y entrer et vous y promener à toute heure, sans avoir besoin d'en demander la permission à vos Supérieurs [3].

---

1. En rapprochant, au cours de la présente étude, la doctrine de sainte Thérèse de celles de saint Jean de la Croix et sainte Thérèse de l'Enfant-Jésus, nous espérons pouvoir montrer qu'aucune grâce extraordinaire (sous la forme décrite par sainte Thérèse) n'est indispensable au progrès spirituel ; et que d'autre part, les descriptions psychologiques précisent très heureusement l'enseignement de saint Jean de la Croix.
2. Nous n'entendons pas dire que les grâces extraordinaires soient seulement des signes et des symboles, elles portent en effet en elles une efficacité particulière, mais que le phénomène sensible qui les caractérise symbolise et explique habituellement la grâce intérieure qui les accompagne : par exemple l'extase montre l'emprise de Dieu sur tout l'être, les sens y compris ; le mariage spirituel, avec les signes et les paroles qui l'accompagnent, nous parle d'union constante et définitive, etc...
3. *Château de l'Ame,* Épilogue, p. 1061.

La Sainte est heureuse. Il est visible qu'elle a trouvé elle-même de la joie à se promener dans ce « Château » de son âme, résidence et propriété de son Maître, à y revoir l'œuvre miséricordieuse de son Dieu, à s'attarder devant ses dons les plus précieux et les plus rares, à le remercier de tout. Sa joie a été plus grande encore de pouvoir nous introduire en ce domaine mystérieux et réservé, de nous en faire admirer les richesses pour que nous les désirions, et de nous montrer les voies qui donnent accès jusqu'aux Demeures les plus secrètes afin que nous nous y engagions à sa suite.

C. — *VALEUR DE L'OUVRAGE*

La joie de la Sainte a un autre motif : elle est contente de la perfection de son ouvrage et ne s'en cache pas. Quelques jours après, elle écrit en effet au P. Gaspar de Salazar, S.J. :

> ... Si M. Carillo (P. Gaspar) venait, il verrait un autre bijou qui est bien supérieur à l'autre (le livre de sa Vie). Ce bijou (livre des Demeures) est enrichi d'émaux plus délicats que le premier, et son travail est plus parfait ; car l'orfèvre quand il fit celui-ci n'en savait pas autant que maintenant. De plus, l'or de ce bijou est d'une qualité plus excellente que le précédent, bien que les pierres précieuses n'y soient pas aussi à découvert [1].

Critiques littéraires et auteurs spirituels ont tous souscrit à ce jugement. Le *Château Intérieur* ou *Livre des Demeures* est par excellence le bijou de sainte Thérèse : c'est son chef-d'œuvre.

Le « travail est plus parfait » car cet écrivain de race qu'est Thérèse s'est perfectionné dans l'art délicat d'analyser et d'expliquer les opérations de Dieu dans l'âme. Son vocabulaire spirituel est devenu plus riche. Sa plume souple obéit mieux à la pensée ; elle peut la laisser courir : elle sera toujours fidèle, précise, délicieuse de vie et d'entrain.

Autrefois « l'orfèvre n'en savait pas autant que maintenant ». Depuis en effet qu'elle écrivait le livre de sa *Vie*, l'expérience et la science spirituelles de la Sainte se sont considérablement enrichies [2].

---

1. Lettre au P. Gaspar de Salazar, S.J., 7 décembre 1577 (*Lettres*, T. II, pp. 373-374).
2. La Sainte écrit aux premières Demeures du *Château* :
« Le Seigneur, il est vrai, a jeté quelque lumière sur ce point (faveurs surnaturelles) par d'autres écrits que j'ai composés ; cependant, je le reconnais, il y a depuis lors certaines particularités que je comprends beaucoup mieux, et ce sont surtout les plus difficiles. » (Iᵉ Dem., ch. II, p. 825).

Que d'âmes elle a rencontrées qui lui ont fait des confidences et qu'elle a dirigées dans les voies spirituelles : âmes de ses filles dans ses monastères, personnes du monde pour qui elle est un oracle, religieux qui lui témoignent une grande confiance ! Elle les a vues s'engager dans les chemins de la perfection, marcher avec courage, poursuivre leur route à sa suite malgré les tempêtes, ou s'arrêter ici ou là devant telle difficulté, spécialement en ces fourrés obscurs des quatrièmes Demeures que beaucoup atteignent mais que bien peu dépassent. La sainte Mère connaît les écueils de la route et la faiblesse des âmes.

Elle a fréquenté de nombreux théologiens et des meilleurs. De les avoir rencontrés et d'avoir pu les consulter est, à son avis, une des grandes grâces de sa vie. La science de ces maîtres de l'Université a apaisé bien des doutes et projeté de la lumière en de nombreux problèmes. Pendant près de trois ans saint Jean de la Croix a été son confesseur au monastère de l'Incarnation, où il est venu sur sa demande. Ils ont confronté leurs expériences et mis en commun leurs biens spirituels. Thérèse a donné de sa grâce de Mère, Jean de la Croix a usé de son autorité de Père et communiqué sa science de docteur mystique. Leurs entretiens se terminent parfois dans l'extase ; et c'est après la communion reçue des mains du P. Jean de la Croix que sainte Thérèse est élevée au mariage spirituel (18 novembre 1572).

Cette grâce marque la transformation complète de l'âme en Dieu. Ainsi que la Sainte l'explique elle-même aux septièmes Demeures [1], elle jouit alors d'une façon habituelle, par vision intellectuelle, de la présence de la Trinité sainte au centre de son âme. Ce n'est donc plus d'une façon transitoire et fugitive, mais constamment que son regard peut plonger dans la lumière du mystère de Dieu, et y puiser de nouvelles richesses. Elle est assise au banquet de la Sagesse qui lui communique les biens innombrables dont elle est la source : la lumière de vérité qui met chaque chose en sa place dans la perspective de l'Infini et en détermine ainsi la valeur, avec la charité qui déborde en zèle ardent.

La science de Thérèse est devenue plus profonde et plus vaste, plus élevée et plus simple. Des sommets où elle est parvenue, elle découvre mieux les droits de Dieu et les devoirs de la créature, les exigences de l'absolu et la faiblesse de l'homme ; elle peut considérer le chemin parcouru, mesurer les étapes, apprécier les difficultés et compatir à la souffrance des âmes qui peinent sur les pentes. Elle peut décrire avec précision, conseiller avec

---

1. VIIᵉ Dem., ch. I, pp. 1030-1031.

autorité, se pencher avec amour : le mariage spirituel a donné à sa maternité de grâce toute sa puissance de fécondité.

C'est au monastère de l'Incarnation, avant la fondation du carmel de Saint-Joseph d'Avila, que sainte Thérèse a subi l'assaut du séraphin qui lui a transpercé le cœur [1]. Il nous importe relativement peu de savoir si la blessure fut alors réellement physique [2], mais il est certain que la Sainte a reçu à cette heure les prémices de l'esprit que Dieu donne aux chefs de famille, ainsi que des trésors et des grandeurs en rapport avec l'étendue de sa descendance spirituelle [3]. C'est ce que nous appelons sa grâce de maternité spirituelle.

Cette grâce charismatique assure, entre autres privilèges, la puissance de donner l'enseignement nécessaire au développement de l'esprit qui doit être transmis. Nous ne saurions douter que cette grâce ne soit particulièrement active dans la composition du *Château Intérieur*, et, prenant à son service les ressources du talent de sainte Thérèse, les lumières de son expérience et les richesses de son âme, n'ait contribué à cette synthèse lumineuse et complète de la doctrine thérésienne.

On trouvera peut-être que dans la production d'une œuvre humaine nous faisons intervenir d'une manière bien gratuite et inutile ces éléments surnaturels ? Certes il est difficile de faire la part du naturel et du surnaturel dans une œuvre où ils sont si étroitement unis, mais en nous tenant seulement à l'examen objectif du *Château Intérieur,* nous ne voyons pas comment, sans une assistance surnaturelle particulière, sainte Thérèse aurait pu écrire en si peu de temps, d'un premier jet, sans ratures, un ouvrage remarquable par son ordonnance parfaite et la finesse de ses analyses psychologiques, par la sûreté de sa doctrine et la précision des termes en des sujets très élevés et jamais traités d'une façon si complète, par le souffle enfin qui en anime les pages et la fécondité de son enseignement à toutes les époques et chez tous les peuples.

A n'en pas douter, c'est éclairé et soulevé par une abondante lumière mystique que le génie de sainte Thérèse a écrit le *Château Intérieur* ; c'est sous l'influence de sa double grâce d'épouse du Christ et de mère des âmes qu'elle a donné à la littérature chrétienne un des ses chefs-d'œuvre, parmi les traités de spiritualité, le plus élevé, croyons-nous, le mieux ordonné et le plus complet qu'elle possède.

---

1. *Vie*, ch. xxix, pp. 308-309.
2. Cf. *Études Carmélitaines*, octobre 1936, pp. 208-242 : « Les blessures d'amour mystique » par le P. Gabriel de Sainte-Marie-Madeleine.
3. *Vive Fl.*, str. II, p. 951.

CHAPITRE DEUXIÈME

« *Je veux voir Dieu* »

Thérèse n'était qu'une enfant lorsqu'elle entraîna son frère Rodrigue vers le pays des Maures dans l'espoir qu'on y ferait tomber leurs têtes [1]. Les deux fugitifs furent rencontrés par un de leurs oncles qui les ramena à la maison paternelle. Aux parents déjà inquiets qui s'enquéraient du motif de cette fuite, Thérèse, la plus jeune des deux enfants mais le chef de l'expédition, répond : « Je suis partie parce que je veux voir Dieu, et que pour le trouver il faut mourir. » Mot d'enfant qui déjà révèle son âme et annonce l'heureux tourment de sa vie [2].

Thérèse veut voir Dieu, et pour le trouver elle partira vers l'héroïsme et l'inconnu.

Elle va construire d'abord « de petits ermitages dans un jardin attenant à la maison (de son père), en plaçant les unes sur les autres de petites pierres qui tombaient aussitôt [3] ». Les échecs ne la découragent pas : ils l'orientent vers des pistes plus sûres.

Dans la vie religieuse, dès l'année de noviciat, Dieu révèle sa présence en des grâces d'union. Ces rencontres ne font qu'aviver les désirs de Thérèse :

Les hautes faveurs (que l'âme reçoit), écrit-elle, produisent dans l'âme un tel désir de jouir complètement de Celui qui les lui

---

1. *Vie*, ch. I, p. 19.
2. On peut rapprocher ce mot de Thérèse, à l'âge de sept ans, de la question posée inlassablement par le jeune Thomas d'Aquin aux moines du Mont-Cassin : « Qu'est-ce que Dieu ? »
Ces deux âmes d'enfants sont tendues vers Dieu, mais une différence dans leurs désirs marque déjà la différence de leurs voies cependant convergentes :
Thomas d'Aquin veut savoir ce qu'est Dieu, et sa vie se consumera à étudier sous les lumières de la foi et de la raison ; il sera le prince de la théologie dogmatique.
Thérèse veut « voir » Dieu, le saisir avec toutes ses puissances d'appréhension, serait-ce dans l'obscurité, pour s'unir à Lui ; elle sera la maîtresse des voies intérieures qui conduisent à l'union transformante.
3. *Vie*, ch. I, pp. 19-20.

accorde, qu'elle vit dans un tourment indicible et savoureux tout à la fois [1].

Le tourment délicieux augmente. Il indique à la Sainte la direction dans laquelle elle doit chercher son Maître, la région où elle pourra le trouver :

Considérez ce que dit saint Augustin, écrit-elle. Après avoir cherché Dieu en beaucoup d'endroits, il le trouva au-dedans de lui-même. Croyez-vous qu'il importe peu à une âme qui se distrait facilement, de comprendre cette vérité et de savoir qu'elle n'a pas besoin de monter au ciel pour parler à son Père Éternel et trouver ses délices auprès de lui ?... elle n'a qu'à se mettre dans la solitude et à le considérer au-dedans d'elle-même [2].

C'est vers les profondeurs de son âme que Thérèse va s'orienter pour voir Dieu.

Toute la spiritualité thérésienne est dans ce mouvement vers Dieu présent dans l'âme, pour s'unir parfaitement à Lui.

Examinons-en successivement les éléments essentiels :

A. La présence de Dieu dans l'âme – qui en est la vérité fondamentale.

B. L'intériorisation progressive de l'âme – qui en exprime le mouvement.

C. L'union profonde avec Dieu – qui en est le but.

A. — *DIEU EST PRÉSENT DANS L'ÂME*

C'est ce qu'a remarqué et signalé en tout premier lieu sainte Thérèse dans la vision initiale du *Château Intérieur* : Dieu se trouve au centre, dans les septièmes Demeures. Il est la grande réalité du Château, il en fait tout l'ornement. Il est la vie de l'âme, il est la source qui la féconde, et « sans laquelle elle perdrait toute sa fraîcheur et tous ses fruits [3] », le soleil qui l'éclaire et en vivifie les œuvres. L'âme ne peut se soustraire à son influence sans perdre son éclat, sa beauté et sa fécondité, car

toutes nos bonnes œuvres ne viennent pas de nous comme de leur principe, mais de cette source où est planté l'arbre de nos âmes et de ce soleil divin dont la chaleur vivifie nos œuvres [4].

---

1. VIe Dem., ch. VI, p. 974.
2. *Chem. Perf.*, ch. XXX, pp. 721-722.
3. I^e Dem., ch. II, p. 822.
4. *Ibid.*, p. 824.

D'ailleurs elle est faite pour Dieu. L'âme n'est pas autre chose que le « paradis » de Dieu [1].

Cette présence de Dieu dans le château n'est pas un symbole, une création de l'imagination : c'est une réalité. Dieu habite vraiment dans l'âme, sainte Thérèse en a la certitude. Mais les certitudes intérieures qu'elle a rapportées de ses grâces d'union mystique [2] ne lui suffisent jamais. A plus forte raison ne saurait-elle s'en contenter pour cette habitation de Dieu dans l'âme, qui doit être la base de toute sa doctrine spirituelle. Elle a besoin des certitudes de la foi et des précisions de la théologie.

Elle consulte longuement. Écoutons le récit qu'elle fait de son enquête avant d'en donner les résultats, nous verrons l'importance qu'elle y attache :

Il y a un point que j'ignorais au début. Je ne savais pas que Dieu est réellement dans toutes les créatures. Et il me semblait qu'une présence qui me paraissait si intime à mon âme était impossible. D'un autre côté, cesser de croire qu'il fût là, je ne le pouvais pas. Car d'après ce que je croyais avoir clairement compris, Dieu était là vraiment présent. Des gens peu instruits me disaient qu'il s'y trouvait seulement par sa grâce. Pour moi, je ne pouvais me ranger à leur avis ; car, je le répète, il me semblait qu'il était là présent lui-même. Je me trouvais donc dans l'angoisse, quand un religieux très instruit... (le P. Baron, O. P.) vint dissiper mon doute. Il me dit que Dieu était véritablement présent en moi [3].

Essayons de retrouver l'enseignement du savant dominicain et même de le compléter à l'aide des études plus fouillées faites dans la même ligne thomiste.

Dieu est présent dans l'âme juste suivant deux modes qui se complètent et que nous appellerons : « présence active d'immensité » et « présence objective ».

I. — *Présence active d'immensité.*

Les esprits, n'ayant pas le corps qui les localise dans l'espace, sont dits présents là où ils agissent. Notre ange gardien est près de nous, bien que n'ayant pas de corps, parce qu'il nous assiste en agissant sur nos sens et sur nos puissances intellectuelles à la manière des esprits.

Les esprits peuvent agir en même temps en des lieux différents, dans un rayon proportionné à leur puissance.

Dieu, l'Être infini, a créé toutes choses et il doit par une action continuelle soutenir sa créature pour la maintenir

---

1. I^e Dem., ch. I, pp. 814-815.
2. Ve Dem., ch. I, pp. 898-899.
3. *Vie*, ch. XVIII, pp. 179-180.

en l'existence. Que Dieu cessât un seul instant cette action conservatrice, que l'on appelle création continuée, et la créature tomberait dans le néant.

Dieu a créé et soutient toutes choses par la puissance de son Verbe. « En lui toutes choses subsistent » dit l'Apôtre[1]. Dieu est donc présent partout par sa puissance active.

Cette présence de puissance qui entraîne la présence réelle d'essence est désignée sous le terme générique de « présence d'immensité ».

Universelle et active en toute la création, cette présence d'immensité produit en chaque être des effets divers et un degré différent de participation à l'être et aux perfections de Dieu. Dans la création inanimée elle inscrit une simple similitude de Dieu qui n'est qu'un vestige : « Il est passé en hâte » dira saint Jean de la Croix dans le *Cantique Spirituel*[2]. Dans l'homme elle met une véritable ressemblance de Dieu. C'est le souffle de Dieu qui anime le limon pétri de ses mains. La grâce, participation de la nature divine, est une œuvre, la plus haute, réalisée par la présence d'immensité. La qualité différente des effets produits, depuis le vestige de Dieu jusqu'à la participation de sa nature, ne change pas le mode de la présence d'immensité qui reste identique sous les manifestations diverses et plus ou moins éloquentes de sa puissance[3].

Dieu est donc présent substantiellement dans l'âme juste, à laquelle il donne l'être naturel et la vie surnaturelle de la grâce. Il nous soutient, non pas comme une mère soutient et porte son enfant dans ses bras, mais il nous pénètre et nous enveloppe. Il n'est pas un atome de notre être où il ne soit, pas un mouvement de nos membres ou de nos facultés qu'il n'ait animé. Il est autour de nous, en nous, et jusqu'en ces régions plus intimes et plus profondes que notre âme elle-même. Dieu est l'âme de notre âme, la vie de notre vie, la grande réalité dans laquelle nous sommes comme immergés et qui pénètre tout ce que nous avons et tout ce que nous sommes de sa présence active et de sa puissance vivifiante : « En lui nous vivons, nous avons le mouvement et l'être[4] ».

Et cependant cette présence active d'immensité n'explique pas nos relations avec notre Dieu intérieur ; nous devons recourir à un autre mode de présence que nous appellerons « présence objective ».

---

1. Col 1, 17.
2. *Cant. Spir.*, str. v.
3. Les modes distincts de présence de Dieu dans les créatures ne sont point créés par la diversité des dons de Dieu, mais par la diversité des relations avec les créatures.
4. Ac 17, 28.

II. — *Présence objective.*

La grâce en effet produite par la présence d'immensité est une participation de la nature divine qui nous fait entrer dans le cycle de la vie trinitaire comme enfants de Dieu. Cette grâce établit donc, entre l'âme et Dieu, des relations nouvelles et distinctes de celles de la présence d'immensité.

L'activité divine de la présence d'immensité soutenait et enrichissait l'âme, mais la laissait passive sous ses dons. Elle créait entre Dieu et l'âme des relations de Créateur à créature.

La grâce, par contre, donne puissance à l'âme pour réagir sous les dons de Dieu, pour revenir vers Lui, le connaître directement comme il se connaît, l'aimer comme il s'aime, l'étreindre comme un père. Elle établit entre l'âme et Dieu des rapports réciproques d'amitié, des relations filiales.

Par la présence d'immensité Dieu comblait l'âme mais résidait en elle comme un étranger. A l'âme enrichie de la grâce Dieu se livre Lui-même comme un ami et un père. Par la présence d'immensité Dieu révélait indirectement par ses œuvres, sa présence et sa nature. A l'âme devenue son enfant par la grâce, Dieu découvre sa vie intime, sa vie trinitaire et l'y fait entrer comme une véritable fille pour la lui faire partager.

A ces relations nouvelles créées par la grâce correspond un mode nouveau de présence divine que nous appellerons « présence objective » parce que Dieu y est saisi directement comme objet de connaissance et d'amour [1].

Présence objective et présence active d'immensité, loin de s'exclure, se superposent et se complètent dans l'âme juste. En cette âme, Dieu réside comme en son temple préféré ici-bas, parce que « ses délices sont d'être avec les enfants des hommes ». L'engendrant à la vie surnaturelle par le don de la grâce, il lui communique sa vie comme un père à son enfant, et avec sa vie il lui livre ses secrets et ses trésors. Devenue fille de Dieu par la participation à la vie divine, l'âme juste peut recevoir en elle son Dieu comme un père, remonter vers Lui et l'aimer d'un amour filial comme un enfant.

---

1. « Comme à notre intellectualité naturelle correspond l'essence des choses naturelles, et à l'intellectualité de l'ange, son essence spirituelle, ainsi à l'intellectualité de la grâce, participation de Dieu, correspond directement l'essence divine et donc l'Acte pur, et donc l'Être divin s'offrant à être saisi intellectuellement par elle tel qu'il est en soi » (Jean de Saint-Thomas, cité par le P. Gardeil dans *La structure de l'âme et l'expérience mystique*, IIᵉ Partie, conclusion, Tome I, p. 39.).

Perspectives

Du mystère de cette habitation substantielle de Dieu dans l'âme, de l'activité d'amour qu'il y déploie, des relations entre l'âme et Dieu qui en découlent, l'Écriture nous parle avec une précision et un charme qui nous en disent l'intimité : « Ne savez-vous pas, écrit saint Paul aux Corinthiens, que vous êtes le temple de Dieu et que l'Esprit de Dieu habite en vous ? La charité est diffusée en nos cœurs par l'Esprit Saint qui nous est donné [1] » ; saint Jean souligne une parole de Notre-Seigneur dans le discours après la Cène : « Si quelqu'un m'aime, mon Père l'aimera, et nous viendrons en lui et nous y établirons notre demeure [2] ».

III. — *Localisation de la présence objective dans le centre de l'âme.*

Dans la vision initiale du *Château*, cette présence de Dieu est localisée dans la partie la plus profonde de l'âme, « au centre du Château ; c'est là qu'est la demeure, le palais où habite le Roi [3] ». Certes il n'est douteux pour personne que Dieu se trouve dans toutes les parties du composé humain. Cette localisation de la présence de Dieu serait-elle donc une pure fiction imaginaire créée pour justifier et illustrer le mouvement de l'âme vers Dieu ?

---

1. 1 Co 3, 16 et Rm 5, 5. La présence et l'œuvre sanctificatrice de Dieu dans l'âme, bien que communes aux trois Personnes, sont attribuées spécialement par appropriation à l'Esprit Saint. L'Esprit Saint est en effet l'Amour au sein de la Trinité ; le don de Dieu fait à l'âme par amour. Les œuvres de sanctification qui procèdent de l'amour lui conviennent donc spécialement.

2. Jn 14, 23. Une comparaison peut être établie entre la présence de la Trinité sainte dans l'âme et la présence eucharistique dans le communiant :

Présence Eucharistique	*Présence de la Trinité sainte.*
Jésus : humanité et divinité unies par l'union hypostatique dans la personne du Verbe.	Trois Personnes divines.
Présence localisée par les accidents du pain et du vin.	Pénètre tout l'être et chaque partie.
Disparaît avec les accidents du pain et du vin.	Permanente comme la grâce.
Donne le Christ Jésus, Médiateur unique, répandant la vie divine en son immolation.	Donne la vie, le mouvement, l'être et la grâce.
En répandant la grâce, permet de mieux saisir la Trinité sainte : développe donc la présence objective.	Ne peut être obtenue sans au moins le désir de recevoir le corps du Christ. Ne répand la grâce que par la médiation du Christ.

En nous unissant au Christ Jésus, nous prenons notre place de fils dans la Trinité sainte. Nous sommes au Christ et le Christ est à Dieu.

3. Iᵉ Dem., ch. II, p. 825.

Nous avons le droit d'en douter car sainte Thérèse nous a habitués à un symbolisme plus objectif.

Remarquons d'abord que cette localisation de la présence de Dieu traduit l'expérience spirituelle de sainte Thérèse et de la plupart des mystiques qui perçoivent l'action de Dieu la plus haute, et par conséquent sa présence dans la partie la plus profonde de l'âme, en des régions qui semblent la dépasser en intériorité et qu'elle n'atteint elle-même que par sa plus fine pointe.

Ainsi déjà dans l'oraison de quiétude sainte Thérèse déclare que

cette eau céleste se répand dans toutes les demeures du Château, ainsi que dans toutes les puissances de l'âme, et arrive enfin jusqu'au corps. (Cette eau qui jaillit de la source même qui est Dieu)... n'a pas son origine dans le cœur ; elle vient d'une partie plus intime, comme d'une profondeur ; je pense que ce doit être du centre de l'âme, ainsi que je l'ai compris depuis et que je le dirai à la fin [1].

Dans l'union mystique des cinquièmes Demeures, au témoignage de la Sainte, il plaît

à Sa Majesté de nous introduire et de nous placer dans le centre de notre âme [2], où elle est unie d'une manière si étroite à l'essence de l'âme que le démon n'ose pas s'approcher et qu'il ne doit même pas connaître ce secret... si profond que Dieu ne confie même pas à notre entendement [3].

Quand l'âme revient à elle-même, elle ne saurait avoir le moindre doute qu'elle n'ait été en Dieu, et que Dieu n'ait été en elle [4].

Vous verrez plus loin dans la dernière Demeure, ajoute la Sainte, comment Sa Majesté veut que l'âme goûte sa présence dans le centre d'elle-même beaucoup mieux qu'ici [5].

Cette expérience mystique si claire nous invite à une enquête. Nous découvrons ainsi que, loin de reposer sur une illusion, cette expérience illustre au contraire admirablement une vérité, à savoir que si Dieu agit dans tout notre être comme auteur de l'ordre naturel, il ne saurait déposer sa grâce que dans la partie la plus spirituelle de notre âme, seule capable de recevoir cette participation de la nature divine [6]. C'est dans l'essence de l'âme, sur laquelle la grâce est insérée au titre de qualité entitative,

---

1. IVᵉ Dem., ch. II, p. 875.
2. Vᵉ Dem., ch. I, p. 900.
3. *Ibid.*, pp. 895-896.
4. *Ibid.*, p. 898.
5. *Ibid.*, p. 900.
6. La grâce et les vertus infuses qui nous permettent de réaliser les opérations de connaissance et d'amour de la vie trinitaire, sont greffées sur l'âme et les facultés dont elles utiliseront l'activité. L'âme et les facultés ne peuvent recevoir efficacement cette greffe divine que si elles possèdent déjà la puissance naturelle de connaître et d'aimer.

dans les racines des facultés sur lesquelles sont greffées les vertus théologales, que Dieu se communique directement à l'âme et que se fait le contact avec Lui. C'est donc en ces régions profondes d'elle-même, au centre du Château, que l'âme expérimentera à juste titre la présence active du Dieu sanctificateur, et vers ces régions qu'elle se portera pour Le trouver et s'unir parfaitement à Lui.

Nous pouvons donc conclure que si Dieu est véritablement présent dans tout notre être, qu'il soutient comme l'âme de notre âme et la vie de notre vie, toutefois sa présence comme hôte et ami est très heureusement localisée dans les profondeurs de l'âme, parce que c'est en la partie spirituelle la plus haute de l'âme qu'il diffuse directement sa vie divine, et par son intermédiaire qu'il réalise dans tout l'être humain ses opérations spirituelles.

B. — *LA VIE SPIRITUELLE EST UNE INTÉRIORISATION PROGRESSIVE*

Vers ce Dieu signalé ou découvert dans les profondeurs vont se porter toutes les ardeurs qui le désirent. Pour le voir et le trouver, l'âme va s'orienter et marcher vers les profondeurs d'elle-même. La vie spirituelle sera par excellence une vie intérieure ; la marche vers Dieu sera une intériorisation progressive jusqu'à la rencontre, l'étreinte, l'union dans l'obscur, en attendant la vision du ciel. En cette marche d'approche, chaque étape dans l'intériorisation sera une « Demeure » qui marquera en fait un progrès dans l'union. Telle est la conception de la vie spirituelle que livre la vision du Château. Faisons la part de l'image et discernons la réalité et ses enseignements.

Dieu qui habite le palais des septième Demeures est Amour. Or l'Amour est toujours en mouvement pour se donner. Il ne saurait cesser de se répandre sans cesser d'être lui-même : *bonum diffusivum sui*. Essentiellement dynamique et dynamogène il entraîne dans le don de lui-même tout ce qui lui appartient et il aspire à conquérir pour donner davantage.

Dans les septièmes Demeures Dieu est un soleil qui envoie constamment ses rayons, un brasier toujours ardent, une fontaine toujours jaillissante. Il est toujours en activité d'amour dans l'âme où il réside. Cette âme est le champ de Dieu : *agricultura Dei estis*[1]. Dieu s'en fait le laboureur, le vigneron : *Pater meus agricola est*[2]. Artisan

1. 1 Co 3, 9.
2. Jn 15, 1.

de notre sanctification, il la réalise par la diffusion de la grâce qu'il répand suivant nos mérites ou simplement pour satisfaire le besoin de sa miséricorde : *Caritas Dei diffusa est in cordibus nostris per Spiritum sanctum qui datus est nobis*[1]. Il aspire à régner sur nous et cette grâce est son instrument de conquête pacifique et de domination suave.

Cette grâce en effet répandue dans l'âme est de même nature que Dieu : vie, amour, bien diffusif de soi comme Lui, conquérante comme Lui. Deux différences cependant : l'amour en Dieu engendre et donne ; la charité surnaturelle dans l'âme est engendrée et remonte vers sa source ; le premier est paternel, la seconde est filiale[2]. De plus l'amour de Dieu est éternel et immuable. La grâce au contraire, bien que déjà unissante en son degré le plus infime telle qu'elle est reçue au baptême, ressemble à un germe si on considère les accroissements dont elle porte la puissance et la destinée. Le royaume de Dieu, nous dit Notre-Seigneur, est semblable à un grain de sénevé, qui est la plus petite des graines et qui deviendra le plus grand des arbrisseaux[3] ; ou mieux encore pour ce qui concerne la grâce dans nos âmes : le royaume de Dieu est semblable au levain qu'une femme met dans trois mesures de farine et qui transforme toute la pâte[4].

Envahissante et filiale, la grâce va accomplir son œuvre de transformation et de conquête.

Greffée sur la nature humaine, avec son organisme vivant de vertus infuses et de dons du Saint-Esprit, la grâce épouse parfaitement les formes du complexe humain, en saisit toutes les puissances et toutes les activités. Envahissante, elle pénètre et domine progressivement les facultés humaines en les libérant de leurs tendances égoïstes et désordonnées. Filiale, elle les entraîne, après les avoir conquises, dans son mouvement vers ce Dieu intérieur, Père de lumière et de miséricorde, et les Lui offre désormais purifiées et fidèles, toutes soumises à ses lumières et à son action.

Il ne sera pas inutile de signaler dès maintenant qu'en cette action conquérante de la grâce, Dieu semble tout d'abord laisser beaucoup à l'initiative et à l'activité de l'âme. Il affirme plus tard sa maîtrise, parfois en révélant

---

1. Rm 5, 5.
2. « Vous n'avez pas reçu un esprit de servitude qui vous replonge dans la crainte ; vous avez reçu l'esprit des fils d'adoption, qui nous fait nous écrier : Abba, Père ! Ce même esprit se joint au nôtre pour attester que nous sommes les fils de Dieu... Nous sommes en possession des prémices de l'Esprit, nous poussons des soupirs intérieurs dans l'attente de cette parfaite filiation adoptive. » Rm 8, 15. 16 et 23.
3. Mt 13, 31-32.
4. Mt 13, 33.

sa présence, se réserve l'initiative et impose à l'âme une activité de soumission et d'abandon jusqu'à ce que, transformée par la charité en vraie fille de Dieu, elle n'obéisse plus qu'aux motions de l'Esprit de Dieu qui vit en elle : *Ii sunt filii Dei, qui... spiritu Dei aguntur*[1].

Ainsi s'établit le règne de Dieu dans l'âme et s'opère l'union transformante par l'envahissement de la grâce qui progressivement conquiert, transforme et soumet au Dieu intérieur. En se libérant des exigences extérieures des sens et de ses tendances égoïstes, en obéissant à des lumières et des motions de plus en plus spirituelles et intérieures, l'âme s'intériorise elle-même jusqu'à appartenir complètement à Celui qui réside en la fine pointe d'elle-même. Telle est la vie spirituelle et son mouvement.

La marche, décrite par sainte Thérèse, de l'âme à travers les diverses Demeures, pour s'unir à Dieu dans les septièmes où il réside, est à peine un symbole, un symbole cependant, mais combien précis et riche d'enseignements.

C. — *L'UNION TRANSFORMANTE :*
BUT DE LA SPIRITUALITÉ THÉRÉSIENNE

L'union divine, terme de la vie spirituelle, est différente suivant les âmes. Elle comporte des degrés en nombre quasi indéfini, depuis celle qui est réalisée chez l'enfant qui meurt immédiatement après son baptême, jusqu'à l'union ineffable de la Sainte Vierge au jour de son Assomption.

Sainte Thérèse aspire à une union très élevée et dont elle fixe les caractères. Nous l'étudierons plus complètement en son temps ; dès maintenant nous devons nous y arrêter un instant pour connaître le but de l'activité spirituelle carmélitaine.

Des faveurs mystiques (vision intellectuelle de la Trinité sainte et vision du Christ Jésus qui lui remit un clou, signe de son alliance) mirent en relief chez sainte Thérèse ces sommets de la vie spirituelle qui consistent essentiellement en une union complète de l'âme avec Dieu par une transformation qui la fait semblable à Lui, d'où le nom d' « union transformante » ou union par ressemblance d'amour :

L'union dont il s'agit, écrit la Sainte, peut être comparée à celle de deux cierges de cire qui sont si bien unis que leur lumière n'en est plus qu'une ; ou bien à la mèche, à la lumière et à la cire qui ne sont qu'un seul cierge. Néanmoins on pourrait très bien

---

1. Rm 8, 14.

ensuite séparer un cierge de l'autre, et ainsi il y aurait deux cierges ; on pourrait également séparer la mèche de la cire [1].

Il me parut, dit-elle dans ses *Relations*, que semblable à une éponge toute pénétrée et imbibée d'eau, mon âme était imprégnée de la Divinité, et que, d'une certaine manière, elle jouissait vraiment de la présence des trois Personnes et les possédait en elle [2].

Cette union a son siège en la substance de l'âme, mais ne peut être perçue en elle-même. Seul le *lumen gloriæ*, qui nous permettra de voir Dieu, nous découvrira la grâce qui est de même nature [3]. Les facultés laisseront voir cette union par les dispositions et les actes qui en découleront.

La volonté, envahie par la charité, abdique ses propres vouloirs pour adopter, par amour, la volonté de Dieu, et cela avec une perfection et une souplesse suaves. « J'aime mieux ce qu'il veut ; c'est ce qu'il fait que j'aime ! » disait sainte Thérèse de l'Enfant-Jésus [4]. « La perfection consiste à faire sa volonté [5] ».

L'âme en cet état est embrasée d'un tel désir que la volonté de Dieu s'accomplisse en elle, qu'elle trouve bon tout ce qu'il ordonne. S'il veut qu'elle souffre, elle est contente ; s'il ne le veut pas, elle ne s'en tourmente plus comme elle le faisait [6].

Savez-vous quand on est vraiment spirituel ? ajoute la Sainte. C'est quand on se fait l'esclave de Dieu, et que, à ce titre, non seulement on porte son empreinte qui est celle de la Croix, mais qu'on lui remet sa liberté afin qu'il puisse nous vendre comme les esclaves de l'univers tout entier, ainsi qu'il l'a été lui-même [7].

Le désir de glorifier Dieu complète cette soumission :

Ces âmes ont un tel désir de le servir (Dieu) et de le faire glorifier, d'être utiles si elles le peuvent à quelque âme, que non seulement elles n'ont plus le désir de mourir, mais qu'elles voudraient vivre de longues années encore au milieu des plus terribles tourments, afin de procurer ne serait-ce qu'un tout petit peu de gloire à Notre-Seigneur [8].

L'intelligence est attirée vers le centre de l'âme par un foyer lumineux, qui y brille à travers un voile d'obscurité :

L'âme comprend clairement qu'il y a dans son intérieur quelqu'un qui... donne la vie à cette vie où elle est élevée ; qu'il y a en

---

1. VIIe Dem., ch. II, pp. 1036-1037.
2. *Relat*. XI, juin 1571, pp. 540-541.
3. 1 Jn 3, 2.
4. *Dern. Ent.*, CJ 27.5.4.
5. Lettre à Céline, 6 juillet 1893.
6. VIIe Dem., ch. III, p. 1043.
7. VIIe Dem., ch. IV, p. 1054.
8. *Ibid.*, ch. III, p. 1044.

outre un soleil d'où procède cette éclatante lumière qui, de son intérieur, est envoyée à ses puissances [1].

Cette expérience quasi constante du Dieu intérieur peut
prendre des formes diverses. Sainte Thérèse la note comme
une vision de la Trinité sainte, plus ou moins claire suivant les moments [2]. Pour saint Jean de la Croix, l'âme sent
toujours le Verbe Époux comme se reposant en elle, et

quand un de ces réveils a lieu, il semble à l'âme que le Bien-Aimé,
qui était comme endormi dans son sein, sort de son sommeil [3].

Quant à sainte Thérèse de l'Enfant-Jésus, elle a une expérience constante de la miséricorde divine qui la pénètre et
l'environne [4].

De ce foyer vient une lumière diffuse qui assure à l'intelligence une merveilleuse pénétration des profondeurs de
Dieu et des hommes, et l'éclaire si bien en ses jugements
qu'ils semblent portés sous une lumière d'éternité.

L'union transformante étend son influence sur les puissances sensibles et rayonne jusque sur le corps :

L'âme n'éprouve plus, ce semble, les agitations qu'elle ressent
d'ordinaire dans les puissances et l'imagination ; du moins elle n'en
reçoit plus aucun préjudice, et sa paix n'en est pas altérée [5].

Ce sont cependant des puissances volages et qui le restent, mais l'âme est établie fermement en son centre et ne
saurait être troublée profondément par l'agitation naturelle
des facultés.

Le corps lui-même est sanctifié par le rayonnement de
la grâce et c'est à ce titre qu'il est honoré chez les saints
et que Dieu lui-même parfois le glorifie dès ici-bas.

Cette transformation si complète satisfait les désirs de
sainte Thérèse, ces désirs ardents qui s'expriment par « Je
veux voir Dieu » et qui traduisaient la soif de toutes
ses puissances de saisir Dieu et de s'unir à Lui parfaitement.

---

1. VIIe Dem., ch. II, p. 1038.
2. *Ibid.*, ch. I, p. 1031.
3. *Vive Fl.*, str. IV, p. 1045.
4. *Man. Autob.*, A fol. 84 r°. Ces expériences qui semblent porter sur
des Personnes divines différentes sont foncièrement les mêmes. Saint Jean
de la Croix, qui expérimente surtout la présence du Verbe Époux, expli-
citant son expérience, signale l'action spéciale de chacune des trois Personnes
divines. De même sainte Thérèse de l'Enfant-Jésus, qui semble n'expérimenter que l'action purifiante de l'Esprit d'amour, dévoilant les richesses
ardentes de sa grâce filiale, s'adresse à Jésus son « Aigle divin », et lui
demande de l'emporter au sein de la Trinité, dans le foyer de l'amour
(*Man. Autob.*, B fol. 5 v°).
Comme sainte Thérèse donc, saint Jean de la Croix et sainte Thérèse
de l'Enfant-Jésus découvrent en eux toute la Trinité sainte.
5. VIIe Dem., ch. II, pp. 1039-1040.

Si une grâce particulière ne lui eût point fait expérimenter le dynamisme de la grâce qui veut remonter vers Dieu, la raison et la foi eussent suffi pour lui faire estimer cette union réalisée à un degré si élevé.

Cette union en effet répond aux plus chers désirs de Dieu Lui-même. Dieu-Amour a besoin de se répandre et y trouve sa joie, et une joie à la mesure du don qu'il fait. La béatitude infinie de Dieu a sa source dans le don parfait de Lui-même qu'il fait en engendrant le Verbe et en produisant le Saint-Esprit. Dans la création Dieu ne peut donner rien de plus parfait que la grâce, participation créée de sa nature. Il n'est donc pas de joie supérieure pour Dieu à celle qu'il trouve dans la diffusion de sa grâce.

Quelle ne sera donc pas la joie de Dieu lorsqu'il trouvera une âme qui Lui laisse toute liberté et en qui il peut se répandre selon toute la mesure qu'il désire ! Les confidences faites par Notre-Seigneur à certains saints nous laissent deviner cette joie de Dieu. « Il y aura plus de joie dans le Ciel pour un pécheur qui se convertit que pour quatre-vingt-dix-neuf justes qui persévèrent [1] » car la conversion du pécheur donne à Dieu l'occasion de répandre une plus large mesure de grâce. Et quand une âme appelée à recevoir de grandes grâces trompe l'attente divine, le malheur est plus grand que la perte d'une foule d'âmes vulgaires [2].

C'est pour réaliser cette union de l'homme avec Dieu que le Verbe s'est incarné. Avant la passion le Christ Jésus précise les intentions de son sacrifice. Ces intentions sont l'union des Apôtres et de tous ceux qui croiront à leur parole avec Lui et par Lui avec le Père. La prière sacerdotale précise la mesure, la qualité et l'extension de cette union : *Ut sint unum sicut et nos...*

Le but de l'Incarnation et de la Rédemption nous est dévoilé. Le sang qui va couler est le sang de la nouvelle alliance entre Dieu et le peuple de ceux qui ont été choisis, qui seront sanctifiés et consommés dans l'unité.

---

1. Lc 15, 7.
2. Saint Jean de la Croix parle de ces petits riens qui arrêtent les onctions délicates de l'Esprit Saint, et dit : « ...le dommage qui en résulte est plus grand, plus douloureux et plus déplorable que si l'on jetait dans le trouble et si l'on perdait une foule d'âmes vulgaires, qui ne sont pas en état de recevoir des émaux si riches et si variés. Figurez-vous qu'un tableau qui est un chef-d'œuvre d'art et de délicatesse, soit retouché sans goût et sans art par une main maladroite. Est-ce qu'il n'y aurait pas là un dommage plus grand, plus important et plus fâcheux que si l'on abîmait et perdait une foule de peintures vulgaires ? » (*Vive Fl.*, str. III, p. 1002).

Perspectives

Cette unité, imposée par Dieu à l'homme comme sa fin surnaturelle, fait déjà ici-bas sa valeur. La puissance effective de l'âme dans le monde surnaturel est à la mesure de sa charité unissante. Sainte Thérèse parvenue au mariage spirituel obtient normalement de Dieu beaucoup plus par un soupir, que des âmes imparfaites par de longues prières.

Le bonheur du ciel est réglé lui aussi par cette union. Dans l'océan de la divinité chacun puise, dit saint Jean de la Croix, avec le vase qu'il y apporte. C'est le degré de charité unissante qui détermine la capacité de ce vase, et donc la puissance de la vision et la mesure de la jouissance béatifique.

C'est vers cette vision de Dieu, commencée ici-bas dans la foi vive et réalisée parfaitement dans le Ciel, que se portaient les aspirations de sainte Thérèse lorsqu'elle disait : « Je veux voir Dieu ». Ce désir de puiser en l'océan infini par une saisie aussi immédiate que possible, avec toutes les puissances de son être, et de s'unir ainsi parfaitement à Lui, a soulevé son âme, donné à sa spiritualité sa force et son dynamisme, sa direction et son but. Thérèse d'Avila appelle autour d'elle et entraîne les âmes qui ont soif de Dieu et qui acceptent de se livrer complètement à Lui pour être transformées par son amour et faire toute sa volonté. Cette primauté de Dieu, qui s'exprime par la recherche constante de l'union avec Lui, domine la spiritualité thérésienne et constitue un de ses caractères essentiels.

CHAPITRE TROISIÈME

Connaissance de soi

> *La connaissance de nous-mêmes est le pain avec lequel il faut, dans cette voie de l'oraison, prendre tous les autres mets, si délicats qu'ils soient...* [1]

Dans le globe de cristal qui représente l'âme juste, Dieu est, pour sainte Thérèse, la grande réalité, l'aimant qui des septièmes Demeures attire irrésistiblement son regard et son cœur.

Dieu cependant, estime-t-elle, ne doit pas faire oublier complètement l'âme qui lui sert de temple. Il est de la plus haute importance pour l'âme de se connaître elle-même, assure-t-elle :

Quelle ignorance ne serait pas, mes filles, celle d'une personne à qui l'on demanderait qui elle est, et qui ne se connût pas elle-même ou qui ne sût pas quel est son père, quelle est sa mère, ni quel est son pays ! Ce serait là une insigne stupidité. Or, la nôtre est incomparablement plus grande dès lors que nous ne cherchons pas à savoir ce que nous sommes, et que nous ne nous occupons que de notre corps [2].

C'est le bon sens réaliste de sainte Thérèse qui parle. Il veut savoir avant d'agir ; il exige de connaître les réalités qui l'entourent, d'avoir toute la lumière qui peut l'éclairer dans sa marche vers Dieu : « nous ne devons jamais négliger de considérer ce que nous sommes par nature [3] ».

Comment en effet pourrait-on organiser prudemment et mener sa vie intérieure sans connaître le cadre intérieur

---

1. *Vie*, ch. XIII, p. 131.
2. Iᵉ Dem., ch. I, p. 815.
3. *Vie*, ch. XIII, p. 131.

Perspectives

dans lequel elle doit se dérouler ? Ce serait se vouer sinon
à un échec complet, du moins à de grandes souffrances :

> O Seigneur, s'écrie la Sainte, daignez nous tenir compte de
> tout ce que le manque de connaissance nous fait souffrir dans
> ce chemin spirituel. Le malheur c'est que, ne nous imaginant pas
> qu'il faille avoir d'autre science que celle de penser à Vous, nous
> ne savons même pas interroger les savants, et nous ne croyons pas
> en avoir besoin. Nous endurons de terribles épreuves parce que nous
> ne nous comprenons pas ; et ce qui n'est pas mauvais mais plutôt
> bon, nous le regardons comme une faute considérable.
> De là proviennent les afflictions dans lesquelles tombent beau-
> coup de personnes qui s'occupent d'oraison ; elles se plaignent de
> leurs épreuves intérieures, spécialement une grande partie de celles
> qui ne sont pas instruites ; elles tombent dans la mélancolie, elles
> perdent la santé, elles arrivent même jusqu'à tout abandonner [1].

On ne saurait en effet marcher vers Dieu sans connaître
la structure de l'âme, ses possibilités, ses déficiences, les
lois qui règlent son activité.

C'est encore la connaissance de ce que nous sommes
et de ce que nous valons, qui nous permettra de prendre
devant Dieu l'attitude de vérité qu'il exige :

> Je me demandais un jour pour quelle raison Notre-Seigneur
> était si ami de la vertu d'humilité. Et, à un moment où je n'y
> pensais plus, ce me semble, il me vint tout à coup la suivante :
> c'est parce que Dieu est la suprême Vérité, et que l'humilité
> consiste à marcher selon la vérité. Or, c'est une très haute vérité
> que de nous-mêmes nous n'avons rien de bon, mais plutôt la
> misère et le néant. Quiconque ne le comprend pas marche dans le
> mensonge ; mais plus on le comprend, plus on se rend agréable à
> la souveraine Vérité, parce que l'on marche dans ses sentiers [2].

Cette connaissance de soi-même qui fait triompher la
vérité dans les attitudes et dans les actes est indispensable
en tout temps, au début comme en tous les degrés de la
vie spirituelle :

> Cette connaissance de nous-mêmes est tellement importante,
> écrit-elle, que je ne voudrais jamais voir en vous la moindre négli-
> gence sur ce point, quelque élevées que vous fussiez dans la
> contemplation des choses célestes [3].

Aussi elle doit être l'objet de nos préoccupations
quotidiennes :

> Ayez toujours soin, quelque élevée que soit votre contemplation,
> de commencer et d'achever votre oraison par la connaissance de
> vous-mêmes [4].

1. IVᵉ Dem., ch. I, pp. 868-869.
2. VIᵉ Dem., ch. X, p. 1016.
3. Iᵉ Dem., ch. II, p. 827.
4. *Chem. Perf.*, ch. XLI, p. 789.

40

La Sainte résume son enseignement par cette affirmation claire et frappée comme une maxime :

La considération de nos péchés et la connaissance de nous-mêmes est le pain avec lequel il faut, dans cette voie de l'oraison, prendre tous les autres mets, si délicats qu'ils soient ; sans lui l'âme ne pourrait se soutenir [1].

C'est cette connaissance de soi-même à la lumière de Dieu qui assurera à sa vie spirituelle son équilibre, qui la fera humaine en même temps que sublime, pratique en même temps que très haute.

A. — *OBJET DE LA CONNAISSANCE DE SOI*

Toutes les paroles citées nous montrent que sainte Thérèse ne veut se connaître qu'afin d'atteindre plus sûrement Dieu. C'est quasi exclusivement à la lumière de Dieu qu'elle va demander ce pain nécessaire de la connaissance d'elle-même. Dieu est à la fois le but et le principe de la connaissance de soi.

Ce trait, d'une haute importance pratique, sera souligné comme il convient dans un instant. Il était nécessaire de le signaler dès maintenant pour préciser l'aspect particulier sous lequel va se développer la double connaissance de soi que sainte Thérèse demande pour son disciple, à savoir : une certaine connaissance *psychologique* de l'âme, et une connaissance que nous pouvons appeler *spirituelle* et qui porte sur la valeur de l'âme devant Dieu.

I. — *Connaissance psychologique.*

Dans une introduction aux *Œuvres de sainte Thérèse*, M. Emery, restaurateur de Saint-Sulpice après la Révolution française, assurait que la Réformatrice du Carmel avait fait progresser la science psychologique plus que n'importe quel philosophe. En ses traités en effet abondent les descriptions précises et nuancées du monde intérieur de l'âme et de la vie qui s'y agite. La Sainte nous y découvre sa riche nature, qui vibre aux impressions du monde extérieur, plus encore aux chocs puissants comme aux onctions délicates de la grâce. Ces régions de l'âme, qui nous sont habituellement obscures, lui sont toutes lumineuses :

Il nous importe beaucoup, mes sœurs, écrit-elle, de comprendre que l'âme n'est pas quelque chose d'obscur ; comme nous ne la

_____

1. *Vie*, ch. XIII, p. 131.

voyons pas, nous devons nous imaginer ordinairement qu'il n'y a pas une lumière intérieure distincte de celle qui frappe nos regards, et qu'au-dedans de notre âme il règne quelque obscurité [1].

A n'en pas douter, cette lumière est celle de Dieu lui-même qui éclaire les profondeurs de l'âme et agissant sur les diverses puissances y produit des effets, de même que les rayons du soleil, se jouant à travers les branches d'un arbre, les enrichissent de tonalités diverses.

Grâce à son sens spirituel affiné et sa merveilleuse puissance d'analyse, sainte Thérèse pénètre dans ce monde intérieur, en recueille toutes les vibrations, distingue l'activité et les réactions de chacune des facultés, dissèque en quelque sorte l'âme elle-même jusqu'en ses profondeurs.

Des œuvres de sainte Thérèse on pourrait extraire un traité de psychologie intéressant et vivant comme une leçon de choses. Nous nous bornerons à signaler les vérités psychologiques qui paraissent les plus importantes pour la vie spirituelle.

1. La première est la distinction des facultés. « Nous ne considérons pas qu'il y a tout un monde intérieur au-dedans de nous » écrit la Sainte [2]. Tout n'y est pas aussi simple que semblerait le comporter la simplicité de notre âme. Ce monde est complexe et mouvant. Des forces s'y agitent dans des sens divers. La violence et la diversité de ces mouvements sous l'action de Dieu furent pour sainte Thérèse cause d'angoisses. Une explication sur la distinction des facultés, qui ont chacune leur activité propre, lui fut lumineuse :

Pour moi, j'ai grandement souffert parfois de ces divagations d'esprit, et il n'y a guère plus de quatre ans que j'ai compris par mon expérience personnelle que la pensée, ou pour que l'on me comprenne mieux : l'imagination, n'est pas la même chose que l'entendement. Je consultai un savant, et il me dit que c'était vrai ; cette réponse ne fut pas d'une petite consolation pour moi. Comme l'entendement est une des puissances de l'âme, j'étais désolée de le voir parfois si distrait, tandis qu'ordinairement l'imagination prend son vol de suite ; il n'y a que Dieu qui puisse l'enchaîner [3].

2. L'action de Dieu lui permet de distinguer deux régions dans son âme : une région *extérieure* et ordinairement plus agitée, dans laquelle se meuvent l'imagination qui crée et fournit des images, et l'entendement qui raisonne et discourt (ces deux facultés sont volages et ne sauraient rester longtemps enchaînées, même par une action puissante de Dieu) ; une région *plus intérieure* et

---

1. VIIᵉ Dem., ch. I, p. 1028.
2. IVᵉ Dem., ch. I, p. 869.
3. *Ibid.*, p. 868.

plus paisible où se trouvent l'intelligence proprement dite, la volonté et l'essence de l'âme, qui sont plus rapprochées des sources de la grâce, plus dociles aussi à son emprise, et lui restent plus aisément soumises malgré les agitations extérieures.

Cette distinction entre l'extérieur et l'intérieur, entre sens et esprit, que nous retrouvons avec des terminologies différentes chez tous les auteurs mystiques [1], lui permettra de donner un enseignement précis sur l'attitude intérieure à garder dans la contemplation lorsque le fond de l'âme est pris par Dieu, tandis que l'entendement et surtout l'imagination sont agités :

D'un côté je voyais, ce me semble, toutes les puissances de mon âme absorbées en Dieu et recueillies en Lui, d'un autre côté l'imagination se trouvait dans un trouble complet ; j'en étais tout interdite...

Or, de même que nous ne pouvons pas arrêter le mouvement du ciel qui est emporté avec une rapidité prodigieuse, de même nous ne pouvons arrêter notre imagination. Nous mettons aussitôt toutes les autres puissances de l'âme avec elle, et alors il nous semble que nous sommes perdus et que nous employons mal le temps que nous passons en la présence de Dieu. Peut-être cependant que l'âme lui est unie tout entière dans les demeures qui sont les plus rapprochées de la sienne, tandis que l'imagination est dans les avenues du château où elle souffre de se trouver au milieu de mille bêtes féroces et venimeuses...

Tandis que j'écris ces lignes, je réfléchis à ce qui se passe dans ma tête... il me semble entendre le bruit d'une foule de fleuves qui se précipitent, d'oiseaux qui chantent et de sifflements ; je le perçois non dans les oreilles, mais dans la partie supérieure de la tête où, dit-on, réside la partie supérieure de l'âme...

Quel que soit ce trouble, il ne m'empêche pas de me livrer à l'oraison, ni d'être attentive à ce que je dis en ce moment ; l'âme au contraire est tout entière occupée de sa quiétude, de son amour, de ses désirs et de sa claire connaissance [2].

De cette expérience la Sainte tire la conclusion qu'« il n'est donc pas bien de nous laisser troubler par les pensées importunes ou d'en éprouver de la peine [3] ».

3. Le vol de l'esprit met sainte Thérèse en face d'un autre problème psychologique, moins important que les précédents pour la vie spirituelle, mais plus ardu, et dont le seul énoncé révèle la pénétration de son regard. Ce problème est celui-ci : Y a-t-il une distinction entre l'âme et l'esprit, entre l'essence de l'âme et la puissance intellectuelle ?

---

1. Saint Jean de la Croix décrit une expérience très haute de cette distinction de la partie spirituelle élevée et de la partie sensitive inférieure, dans la *Nuit Obscure*, Livre II, ch. XXIV, p. 664.
2. IVᵉ Dem., ch. I, *passim*, pp. 868-870.
3. *Ibid.* p. 870.

Certaines philosophies lui répondent que c'est une même chose. Et cependant, dans le vol de l'esprit elle se rend compte à la fois que « l'esprit semble véritablement sortir du corps » et que l'âme ne l'a point quitté puisque la personne « n'est pas morte [1] ». Comment expliquer ce phénomène ? Elle voudrait bien avoir la science pour y parvenir. A son défaut elle éclairera le problème avec une comparaison :

Celui qui a l'expérience de cette faveur pourra en parler ; si de plus il possède la science, il y trouvera un grand secours. Voici une pensée qui m'est venue bien souvent. Dès lors que le soleil de notre firmament peut, sans se déplacer, envoyer ses rayons avec une telle puissance qu'ils arrivent jusqu'à nous en un instant, est-ce que l'âme — qui n'est qu'une même chose avec l'esprit, comme le soleil avec ses rayons — ne pourrait pas, tout en demeurant où elle est, et par la force de la chaleur qui lui vient du vrai Soleil de justice, s'élever au-dessus de sa propre substance par quelque partie supérieure d'elle-même ? [2]

II. — *Connaissance spirituelle.*

Quelques notions psychologiques sont nécessaires au spirituel pour éviter des souffrances et des difficultés ; il lui importe cependant beaucoup plus de posséder cette connaissance que nous avons appelée « spirituelle » et qui lui révèle ce qu'il est devant Dieu, les richesses surnaturelles dont il est orné, les tendances mauvaises qui entravent son mouvement vers Dieu.

Si la connaissance psychologique est utile à la perfection, la connaissance spirituelle en fait partie car elle alimente l'humilité et se confond avec elle. Aussi est-ce de cette dernière que sainte Thérèse affirme qu'elle est le pain avec lequel il faut manger tous les autres aliments, si délicats qu'ils soient.

L'action divine, par les effets divers produits dans l'âme, a révélé l'organisation du monde intérieur. C'est uniquement sous la lumière de Dieu que nous pouvons maintenant explorer le triple domaine de cette connaissance spirituelle de soi.

a) *Ce que nous sommes devant Dieu.*

Dieu est ami de l'ordre et de la vérité, dit sainte Thérèse. L'ordre et la vérité exigent que nos rapports avec Dieu soient basés sur ce qu'il est et sur ce que nous sommes.

Dieu est l'Être infini, notre Créateur. Nous sommes des êtres finis, ses créatures, qui dépendent en tout de Lui.

---

1. VIᵉ Dem., ch. v, p. 970.
2. VIᵉ Dem., ch. v, pp. 971-972 ; *Vie*, ch. XVIII, p. 172.

Entre Dieu et nous : l'abîme qui sépare l'Infini du fini, l'Être éternel et subsistant par Lui-même, de la créature venue à l'existence dans le temps.

L'intimité à laquelle Dieu nous appelle ne comble pas cet abîme. Maintenant et toujours, Dieu sera Dieu ; et l'homme, même divinisé par la grâce, une créature finie.

Sur cet abîme de l'Infini la raison jette quelques lueurs, la foi quelques lumières. Les dons du Saint-Esprit en donnent une certaine expérience. En se penchant sur cet abîme, l'âme apprend obscurément ce qu'elle est elle-même dans la perspective de l'Infini. « Sais-tu, ma fille, qui tu es et qui je suis ? » disait Notre-Seigneur à sainte Catherine de Sienne, « Tu es celle qui n'est pas ; Je suis Celui qui suis [1] ».

Sainte Thérèse appelle royales, les âmes qui dans l'éclair d'une illumination ou l'étreinte rapide d'une emprise divine ont perçu quelque chose de cet abîme de l'Infini divin. Elle souhaite cette connaissance aux rois pour qu'ils y apprennent la valeur des choses humaines et découvrent leur devoir dans cette perspective de l'Infini.

Sur cet abîme nulle créature n'a jamais pu se pencher comme le Christ Jésus, dont le regard éclairé dès ici-bas par la vision intuitive pénétrait prodigieusement, mais se perdait lui aussi, dans l'immensité infinie de la divinité qui habitait corporellement en Lui. Ce spectacle le plongeait en des profondeurs d'adoration jamais atteintes : « Apprenez de moi que je suis doux et humble de cœur » disait-il sous l'écrasement suave de l'onction qui le pénétrait.

Nul ne saurait être humble devant Dieu comme le Christ Jésus ou même comme la Vierge Marie, parce que personne n'a mesuré comme eux l'abîme de l'Infini qui sépare l'homme de son Créateur.

Et encore Jésus et Marie étaient-ils d'une pureté parfaite. Or nous sommes pécheurs. Nous avons usé de notre liberté pour refuser d'obéir à Celui dont nous dépendons d'une façon absolue à tous les instants de notre existence. La créature, qui mérite d'être appelée « néant » devant l'Être infini, brave Dieu en méconnaissant volontairement ses droits, et cette bravade paraîtrait ridicule si Dieu ne lui avait pas laissé le privilège de troubler la réalisation de ses desseins providentiels. Le péché, qui est une ingratitude, un crime de lèse-majesté, devient aussi un désordre dans la création.

Le péché disparaît sous le pardon divin. Avoir péché reste un fait qui montre la perversité de notre nature.

1. Dialogue X.

45

Cette science de la transcendance divine, dans laquelle apparaît le néant de la créature et le vrai visage du péché, est la science par excellence du contemplatif. Qu'a-t-il donc contemplé s'il ne connaît pas Dieu ? Et s'il ne connaît point son néant, c'est qu'il n'a pas trouvé Dieu. Car qui a vraiment touché Dieu, a expérimenté en son être la petitesse extrême et la misère profonde de notre nature humaine.

Cette double connaissance du tout de Dieu et du rien de l'homme est fondamentale pour la vie spirituelle, se développe avec elle, et, au dire de sainte Angèle de Foligno, en son degré éminent constitue la perfection [1]. Elle crée en l'âme une humilité de fond que rien ne saurait troubler ; elle la place en une attitude de vérité qui attire tous les dons de Dieu.

En lisant les écrits de sainte Thérèse on a l'impression qu'elle est penchée constamment sur le double abîme. En de multiples contacts avec Dieu, elle le connut expérimentalement jusqu'à ce que, parvenue au mariage spirituel, elle en eût la vision intellectuelle quasi constante.

C'est en cette double lumière qu'elle trouve ce respect profond pour Dieu, cette crainte touchante d'humble sujette de Sa Majesté, cette horreur du péché, qui s'allient si heureusement aux ardeurs et aux élans de son amour audacieux de fille et d'épouse. Cette science de l'Infini, exprimée parfois en termes puissants, inspire toutes ses attitudes, se révèle dans ses jugements et ses conseils, et fait monter constamment de son âme ce parfum suave d'humilité simple et profonde, libre et savoureuse, qui est un de ses charmes les plus prenants.

b) *Richesses surnaturelles.*

La connaissance de soi ne doit pas nous révéler un seul aspect de la vérité, cet aspect serait-il fondamental comme celui du néant de la créature devant l'Infini de Dieu. Elle doit assurer en nous le triomphe de toute la vérité, celle-ci accuserait-elle des contrastes déconcertants. Ces contrastes existent en effet dans l'homme.

Créature si petite devant Dieu et souvent révoltée, elle est cependant faite à l'image de Dieu et a reçu une participation de la vie divine. Elle est fille de Dieu et capable de faire les opérations divines de connaissance et d'amour, et elle est appelée à devenir parfaite comme son Père céleste qui est parfait.

---

1. « Se connaître ! connaître Dieu ! voilà la perfection de l'homme... Ici toute immensité, toute perfection et le bien absolu ; là : rien ; savoir cela, voilà la fin de l'homme... Être éternellement penchée sur le double abîme, voilà mon secret ! » (Sainte Angèle de Foligno, trad. Hello, chap. LVII).

Ces vérités qui font la grandeur de l'âme, sainte Thérèse demande qu'on ne les diminue en aucune façon :

Quand il s'agit des choses de l'âme, dit-elle, il faut toujours les voir dans leur plénitude, dans leur largeur et dans leur amplitude, sans craindre d'exagérer, car la capacité de l'âme dépasse de beaucoup tout ce que nous pouvons imaginer [1].

Aussi pour donner une « idée de l'inestimable valeur [2] », de la dignité sublime et de la beauté de l'âme qui est « le palais où habite le Roi [3] », la Sainte n'hésite pas à employer les comparaisons les plus brillantes. L'âme est « un Château composé tout entier d'un seul diamant ou d'un cristal très pur [4] ». Dieu en fait un cristal éblouissant de clarté, un « Château rempli de splendeur et de beauté, une perle orientale, un arbre de vie planté au milieu des eaux vives de la vie qui est Dieu [5] ». « Pour moi, ajoute-t-elle, je ne vois rien à quoi l'éminente beauté d'une âme et sa vaste capacité puissent être comparées [6] ».

Le chrétien doit connaître sa dignité. Il ne doit pas ignorer non plus la valeur des grâces spéciales qu'il a reçues.

Sainte Thérèse ne minimise jamais les faveurs spirituelles, les progrès réalisés, même lorsqu'ils laissent place encore à de nombreux défauts comme aux troisièmes Demeures. Parlant de l'âme qui jouit de l'oraison de quiétude, elle dit « l'éminente dignité à laquelle elle est élevée et la faveur insigne qu'elle a reçue [7] ». Elle ne lui laisse pas ignorer les grandes espérances contenues dans la grâce reçue :

Quand une âme reçoit de telles marques d'amour, c'est un signe que Dieu l'appelle à de grandes choses. Si elle n'est pas infidèle à la grâce, elle réalisera les plus beaux progrès [8].

L'âme qui a reçu de si grandes faveurs doit se tenir en haute estime. La véritable humilité triomphe dans la vérité, tant pis pour « ces demi-savants qui ont peur de tout, écrit la Sainte, et qui m'ont tant coûté ! [9] »

La vérité délivre des dangers, aide à « se prémunir contre les embûches du démon dans le cas où il viendrait à se transformer en ange de lumière [10] » ; elle alimente l'action de grâces et provoque à l'effort de fidélité qu'exige la grâce reçue.

---

1. I^e Dem., ch. II, pp. 825-826.
2. I^e Dem., ch. I, p. 815.
3. *Ibid.*, ch. II, p. 825.
4. *Ibid.*, ch. I, p. 814.
5. *Ibid.*, ch. II, p. 821.
6. *Ibid.*, ch. I, p. 815.
7. *Vie*, ch. XV, p. 146.
8. *Chem. Perf.*, ch. XXXIII, p. 744.
9. Ve Dem., ch. I, p. 897.
10. *Ibid.*, p. 892.

47

Perspectives

c) *Tendances mauvaises.*

En ce Château intérieur irradié par la présence de Dieu, auprès des richesses surnaturelles, sainte Thérèse découvre une « foule de couleuvres, vipères et reptiles venimeux [1] », « si venimeux, si dangereux et si remuants qu'il est impossible qu'elles (les âmes aux deuxièmes Demeures) ne trébuchent pas et ne soient pas exposées à tomber [2] ».

Ces reptiles représentent les forces du mal installées dans l'âme, les tendances mauvaises, conséquences du péché originel. Ces tendances sont des puissances redoutables qu'on ne peut méconnaître. Aussi à juste titre constituent-elles un des objets les plus importants de la connaissance de soi.

Créés dans l'état de justice et de sainteté, nos premiers parents avaient reçu non seulement les dons surnaturels de la grâce, mais des dons préternaturels (domination des passions, préservation de la maladie et de la mort) qui assuraient la rectitude et l'harmonie des puissances et facultés de la nature humaine. Privée par le péché de désobéissance des dons surnaturels et préternaturels, la nature humaine resta intacte mais fut blessée cependant par cette privation. Désormais la dualité des forces divergentes du corps et de l'esprit s'affirme et s'étale. En attendant la mort qui va les séparer, chacune d'elles réclame des satisfactions propres. L'homme découvre en lui la concupiscence ou forces désordonnées des sens, l'orgueil de l'esprit et de la volonté ou exigences d'indépendance de ces deux facultés. Un désordre foncier est installé dans la nature humaine.

A leur descendance Adam et Ève vont transmettre la nature humaine telle que l'a laissée leur péché, donc privée des dons supérieurs qui la complétaient. Cette privation, avec les tendances désordonnées qu'elle libère, est appelée péché originel.

Ces tendances prendront des formes particulières suivant l'éducation reçue, le milieu fréquenté, les péchés commis, les habitudes contractées. Les tendances ainsi précisées seront à leur tour fixées dans l'être physique par l'hérédité, comme des forces très puissantes sinon comme des lois inéluctables.

En chaque âme par conséquent, parmi les tendances qui accompagnent le péché originel, il en est de dominantes qui semblent devoir capter les énergies de l'âme à leur profit. Leur exigence peut devenir extrême ; même moins violentes, elles restent des puissances si redoutables qu'il

---

1. I^e Dem., ch. II, p. 830.
2. IIe Dem., ch. I, p. 836.

48

est impossible que l'âme ne soit pas entraînée à de nombreuses chutes [1].

Ces tendances exercent un règne quasi paisible sur l'âme dans les premières Demeures. Combattues aux deuxièmes Demeures, elles s'irritent et font souffrir. La victoire obtenue sur le domaine extérieur aux troisièmes Demeures leur laisse leur force intérieure. Elles se nourrissent alors d'aliments de moindre apparence et reparaîtront vivaces sur le plan spirituel lorsque la lumière de Dieu le découvrira.

Saint Jean de la Croix nous signalera alors leurs effets, spécialement cet effet privatif de la tendance qui élimine Dieu et son action dans la région où elle domine :

Qu'importe que l'oiseau soit retenu par un fil léger ou une corde ? Le fil qui le retient a beau être léger, l'oiseau y reste attaché comme à la corde, et, tant qu'il ne l'aura pas rompu, il ne pourra voler [2].

Quelle que soit la tendance volontaire et la petitesse de son objet, l'union ne pourra être réalisée.

Le Saint nous dira aussi en détail comment les tendances fatiguent l'âme, la tourmentent, l'obscurcissent, la souillent et l'affaiblissent [3].

Toute l'ascèse spirituelle est motivée par les tendances. Pour voir la nécessité de cette ascèse, pour la guider efficacement, le spirituel doit connaître ses tendances, spécialement ses tendances dominantes.

La connaissance de soi n'aura pas de domaine plus complexe et plus changeant, plus difficile à explorer, plus douloureux et plus utile en même temps à connaître que ces tendances mauvaises, ces « reptiles venimeux, si venimeux, si dangereux et si remuants » que chaque homme porte en soi, qui ont fait gémir les saints et qui, nous rappelant sans cesse notre misère, nous provoquent à un combat incessant.

B. — *COMMENT ACQUÉRIR LA CONNAISSANCE DE SOI ?*

L'exposé précédent suffirait à répondre à cette question : c'est l'action de Dieu en son âme qui révèle à sainte Thérèse la structure du monde intérieur ; c'est la lumière

---

1. Il est de ces tendances fixées en nous par l'hérédité, qui semblent avoir plusieurs siècles d'existence. Elles paraissent résister à tous les assauts, et, même mortifiées en toutes leurs manifestations extérieures, elles soulèvent parfois des raz-de-marée qui semblent devoir tout emporter.
2. *Montée du Carm.*, Liv. I, ch. XI, p. 74.
3. *Montée du Carm.*, Liv. I, ch. VI.

de Dieu qui lui découvre ce qu'elle est, la valeur des richesses surnaturelles et la nocivité des tendances. La conclusion est nette : c'est dans la lumière de Dieu que l'âme apprend à se connaître.

Ce point important de la doctrine spirituelle de sainte Thérèse mérite d'être souligné.

Ne reproche-t-on pas aux contemplatifs leur égocentrisme, qui les fait parler constamment d'eux-mêmes, étaler complaisamment les grâces reçues, leurs sentiments, et ne leur laisse découvrir le monde qu'à travers le voile de leurs lumières intérieures et de leurs impressions ?

N'y a-t-il pas en effet un grand danger pour le contemplatif qui doit chercher Dieu dans les profondeurs de son âme, de ne trouver fréquemment que lui-même ou du moins de ne percevoir dans l'obscurité silencieuse qui entoure la vie du Dieu intérieur, que les émotions de la sensibilité et l'agitation confuse des facultés amplifiées par ce silence ?

Ces reproches et ces dangers donnent un relief singulier aux conseils de sainte Thérèse qui demande à l'âme de ne pas chercher à se connaître en s'analysant directement, mais de se chercher sous la lumière de Dieu. C'est d'ailleurs le meilleur moyen pour bien se connaître :

> A mon avis nous n'arriverons jamais à nous connaître nous-mêmes si nous ne cherchons à connaître Dieu. La vue de sa grandeur nous montrera notre bassesse ; celle de sa pureté, nos souillures ; et son humilité nous montrera combien nous sommes loin d'être humbles.
>
> Il y a deux avantages à cette considération. Le premier, c'est que si une chose blanche paraît beaucoup plus blanche quand elle est à côté d'une noire, et si une noire au contraire paraît beaucoup plus noire à côté d'une blanche, il en est de même des perfections divines ; elles paraissent beaucoup plus éclatantes quand elles sont mises en regard de notre bassesse. Le second, c'est que notre intelligence et notre volonté acquièrent une plus haute noblesse et se disposent mieux pour toutes sortes de biens, quand l'âme jette les yeux tour à tour sur Dieu et sur elle-même, tandis qu'il y a beaucoup d'inconvénients à ne considérer jamais que le limon de nos misères [1].

Ces avis s'adressent aux âmes qui sont dans les premières Demeures et qui doivent user de considérations et de réflexions pour se connaître. Plus tard, dans les Demeures supérieures, chaque fois que la lumière divine révélera la grandeur de Dieu, elle révélera en même temps la petitesse et la misère de la créature. La connaissance de soi ainsi acquise est plus qualifiée et plus profonde :

> Quand l'esprit de Dieu agit en nous il n'est pas nécessaire de rechercher péniblement des considérations pour nous exciter à

---

1. Iᵉ Dem., ch. II, p. 827.

l'humilité et à la confusion de nous-mêmes. Le Seigneur met en nous une humilité bien différente de celle que nous pouvons nous procurer par nos faibles pensées. La nôtre en effet n'est rien en comparaison de cette humilité vraie et éclairée que Notre-Seigneur enseigne alors et qui produit en nous une confusion capable de nous anéantir... plus ses faveurs sont élevées, plus cette connaissance (de nous-mêmes) est profonde [1].

Cette connaissance de soi est précieuse ; « elle est le pain avec lequel il faut prendre tous les autres mets », et cependant, ajoute la Sainte,

qu'on le prenne avec mesure. Dès que l'âme se voit subjuguée par la grâce, et bien persuadée de son impuissance... quelle nécessité a-t-elle de perdre là son temps ? pourquoi ne se porterait-elle pas plutôt à d'autres mets que le Seigneur lui présente [2] ?

La Sainte s'apitoie sur le sort d'une personne que son directeur

tenait enchaînée depuis huit ans, sans la laisser sortir de la connaissance d'elle-même... [3]

Donc pas d'examens inutilement prolongés, pas de retours sur soi répétés qui nourriraient les tendances naturelles peut-être mélancoliques de l'âme et permettraient au démon de suggérer sous couleur d'humilité toutes sortes de pensées qui paralysent, car ainsi

la connaissance de nous-mêmes est déviée ; et si nous ne sortons jamais de la considération de nos misères, il n'y a pas lieu de s'en étonner. On peut s'attendre à cela et à quelque chose de pis. Aussi, mes filles, je vous en conjure, portez vos regards sur le Christ notre bien ; c'est là que vous apprendrez la véritable humilité... et la connaissance de vous-mêmes ne vous rendra plus rampantes et pusillanimes [4].

Cette action du démon dans la connaissance de soi est assez notable pour que la Sainte la signale plusieurs fois :

Gardons-nous bien aussi, mes filles, de certaines humilités que nous suggère le démon. Il nous jette dans les plus vives inquiétudes en nous représentant la gravité de nos péchés. C'est là un des points sur lesquels il trouble les âmes de beaucoup de manières...

Tout ce qu'elles font leur semble entouré de dangers ; toutes leurs bonnes œuvres, si excellentes qu'elles soient, leur paraissent inutiles. Un tel découragement leur fait tomber les bras, elles se sentent impuissantes à accomplir aucun bien, parce qu'elles s'imaginent que tout ce qui est louable chez les autres est mauvais en elles [5].

1. *Vie*, ch. XV, pp. 154-155.
2. *Ibid.*, ch. XIII, pp. 131-132.
3. *Ibid.*, p. 131.
4. Iᵉ *Dem.*, ch. II, p. 828.
5. *Chem. Perf.*, ch. XLI, p. 787.

Perspectives

Comment distinguer la lumière de Dieu de la lumière du démon, et les formes de la connaissance de soi qui en procèdent ? Sainte Thérèse nous le dira, car en ces questions importantes mais délicates et souvent subtiles, les précisions sont très utiles :

L'humilité si grande qu'elle soit, écrit-elle, n'inquiète pas, ne trouble pas, n'agite pas l'âme ; elle est accompagnée plutôt de paix, de joie et de repos. Sans doute, la vue de sa misère lui montre clairement qu'elle a mérité l'enfer et la jette dans l'affliction ; il lui semble qu'en justice toutes les créatures doivent l'avoir en horreur ; elle n'ose pas pour ainsi dire demander miséricorde. Mais quand l'humilité est véritable, cette peine répand en l'âme une telle suavité et un tel contentement que l'âme ne voudrait pas en être privée ; elle ne trouble point l'âme et ne la resserre point ; elle la dilate au contraire, et la rend plus apte au service de Dieu. Il n'en est point ainsi de l'autre peine. Elle trouble tout, elle agite tout ; elle bouleverse complètement l'âme, elle est remplie d'amertume. A mon avis, le démon voudrait nous faire croire que nous avons de l'humilité, et s'il le pouvait, nous amener en échange à perdre toute confiance en Dieu [1].

Nous voici bien loin, presque au pôle opposé, de l'égocentrisme stérile suivi de son cortège de rêveries vagues, d'analyses subtiles, parfois d'introspections angoissées et des vains étalages de soi souvent ridicules et toujours orgueilleux.

Sainte Thérèse ne veut se connaître que pour mieux servir et atteindre Dieu, qui est ami de l'ordre et de la vérité. Acquise sous la lumière de Dieu, cette connaissance de soi se développe avec la connaissance même de Dieu. Elle se confond avec l'humilité, et soit qu'elle explore la structure de l'âme, soit qu'elle révèle à l'homme sa petitesse devant l'Infini des grandeurs divines ou sa misère pécheresse, elle n'aspire qu'à faire régner la lumière et à faire triompher la vérité. Lorsqu'elle nourrit dans une âme la contrition douloureuse en même temps qu'un amour ardent, l'adoration profonde et les aspirations les plus élevées, le sentiment de son impuissance et les résolutions les plus généreuses, on peut l'affirmer vraie : elle porte le signe divin de son origine qui est paix, équilibre, liberté et fécondité.

---

1. *Chem. Perf.*, ch. XLI, p. 788.

CHAPITRE QUATRIÈME

L'Oraison

La porte qui donne entrée dans ce Château...
c'est l'Oraison[1].
L'Oraison est un commerce d'amitié...[2]

Connaître Dieu, se connaître soi-même dans la lumière de Dieu : telle est la double connaissance qui constitue le fondement de la vie spirituelle, en règle le mouvement, en indique les progrès, en assure la perfection.

Par quels moyens l'âme va-t-elle se porter vers les profondeurs d'elle-même pour s'unir au Dieu qui y habite ? Dès les premières pages du *Château Intérieur* sainte Thérèse l'indique :

Revenons, écrit-elle, à notre splendide et délicieux Château et voyons comment nous pouvons y pénétrer... D'après ce que je puis comprendre, la porte qui donne entrée dans ce Château, c'est l'oraison et la considération[3].

Ce mot nous laisse entrevoir le rôle essentiel de l'oraison dans la spiritualité thérésienne.

Précisons ce rôle ; nous expliquerons ensuite sa définition de l'oraison et des classifications qu'elle en donne.

A. — *RÔLE DE L'ORAISON DANS LA SPIRITUALITÉ THÉRÉSIENNE*

« La porte qui donne entrée dans ce Château... c'est l'oraison ».

Sainte Thérèse écrit d'abord pour ses filles, qui vivent sous la règle carmélitaine de saint Albert. Cette règle, qui a codifié les usages des ermites du Mont-Carmel, contient un précepte autour duquel tous les autres gravitent : « méditer la loi du Seigneur, nuit et jour ».

---

1. Iͤ Dem., ch. I, p. 819.
2. *Vie*, ch. VIII, p. 82.
3. Iͤ Dem., ch. I, pp. 817-819.

Perspectives

C'est simple, net et absolu. Telle était la vie des ermites du Carmel. Ils étaient venus sur la sainte montagne pour vivre de l'esprit du grand prophète Élie, dont l'âme tout entière s'était exprimée en son cri de guerre : « *Vivit Dominus in cujus conspectu sto* ! Il est vivant le Seigneur en présence de qui je me tiens[1] ».

Ce cri de guerre inscrit dans la devise du Carmel fixe l'attitude foncière de l'âme carmélitaine. La présence de Dieu est le port d'attache auquel elle doit revenir dès que sont terminées les tâches particulières qui lui sont imposées. Ainsi faisaient les prophètes au désert, et les ermites au Mont-Carmel.

Sainte Thérèse se réclame de sa filiation à leur égard et veut en revivre la grâce en toute sa ferveur première :

Nous toutes qui portons ce saint habit du Carmel, écrit-elle, nous sommes appelées à l'oraison et à la contemplation. Telle a été en effet notre première institution. Nous descendons de cette race de saints religieux du Mont-Carmel, qui ne s'enfonçaient dans une solitude si profonde et ne vouaient au monde un mépris si absolu que pour aller à la recherche de ce trésor, je veux dire de cette perle précieuse dont nous parlons (la contemplation)[2].

Fille de ces ermites, sainte Thérèse a comme eux faim et soif de Dieu. Elle réclame, elle aussi, le silence et la solitude du désert. Ne pouvant s'y rendre, elle va le créer au sein des villes en fondant le monastère réformé de Saint-Joseph d'Avila. La vie y sera érémitique, grâce à une étroite clôture, des grilles, des voiles, un petit nombre de religieuses et la retraite en cellule. C'est le triomphe de son génie organisateur, qui excelle à réaliser une grande pensée au moyen d'une foule de détails.

Dans ce silence désertique les âmes peuvent et doivent revivre l'idéal primitif de l'oraison continuelle. La Sainte le leur rappelle en toutes occasions.

Dès leur entrée dans la vie religieuse, elles ont à s'exercer à vivre constamment en compagnie du bon Maître qui les y a appelées. Elles n'y sont point venues elles-mêmes pour autre chose. Pour prendre cette habitude, un temps plus ou moins long sera nécessaire suivant la facilité que la grâce leur en donnera. Quelles que soient les difficultés rencontrées, elles doivent y travailler jusqu'à ce qu'elles y soient parvenues.

Sans ce commerce habituel avec le bon Jésus, ce cadre désertique n'aurait point de sens et aurait perdu son âme. Il n'offrirait plus qu'ennui ou, pis encore, refuge à la misanthropie et à la paresse.

---

1. 1 R 17,1.
2. Vᵉ Dem., ch. I, p. 893.

54

Lorsque sainte Thérèse ayant trouvé sa vocation apostolique se décide à fonder des monastères sur le modèle de Saint-Joseph d'Avila, elle est guidée par le désir de rassembler les âmes généreuses qui veulent prier

pour les défenseurs de l'Église, pour les prédicateurs et les savants qui la soutiennent...

C'est pour cette œuvre qu'il vous a réunies ici, ajoute-t-elle ; c'est là votre vocation, ce sont là vos affaires ; tel doit être l'objet de vos désirs, le sujet de vos larmes, le but de vos prières [1].

La mission de la Réforme thérésienne sera de prier pour l'Église, en même temps que d'y maintenir un haut esprit d'oraison et d'en enseigner pratiquement les voies.

Pour les âmes carmélitaines l'oraison n'est donc pas seulement un moyen de perfection, un exercice de la vie spirituelle, c'est l'occupation essentielle qui doit remplir la journée, qui doit faire la trame de la vie spirituelle. Elle est le chemin de perfection que sainte Thérèse va tracer et décrire en résumant dans un traité les conseils qu'elle donnait à ses filles.

C'est d'ailleurs le chemin de perfection qu'elle a suivi elle-même. Sa vie spirituelle personnelle a été tellement liée à son oraison que l'une a suivi les vicissitudes de l'autre et que leur histoire se confond. Elle a progressé tant qu'elle a été fidèle à l'oraison, et les périodes de moindre ferveur ont été marquées par un relâchement en cet exercice. Le livre de sa *Vie* en apporte le témoignage précis, et reste la meilleure illustration pratique de son enseignement.

Mais ces circonstances historiques, qui expliquent l'enseignement thérésien, n'en font-elles pas une doctrine d'école ? Cette nécessité de l'oraison, le rôle qui lui est attribué, ne correspondent-ils pas seulement à une forme de vie particulière, à une conception carmélitaine de la perfection axée sur l'oraison comme d'autres semblent s'appuyer sur la prière liturgique ou les œuvres de charité ?

A n'en pas douter, l'enseignement de sainte Thérèse s'adresse à tous les chrétiens, ou plutôt à toutes les âmes intérieures. N'est-ce-pas ce que semble reconnaître l'Église en la proclamant *Mater spiritualium* ?

Sainte Thérèse affirme en effet que l'oraison est aussi nécessaire que la prière vocale dont on ne saurait la séparer.

Je désire vous voir parfaitement convaincues de cette vérité, dit-elle à ses filles, que pour bien réciter le « Pater » vous devez vous tenir près du Maître qui nous l'a enseigné.

---

1. *Chem. Perf.*, ch. I, pp. 584-585.

Vous me direz encore que prier ainsi c'est méditer et que vous ne pouvez ni par conséquent ne voulez autre chose que prier vocalement... J'avoue que vous avez raison d'appeler oraison mentale la méthode dont j'ai parlé. Mais je vous déclare en même temps que je ne comprends pas comment la prière vocale, bien faite, peut en être séparée. Nous devons en effet savoir à qui nous parlons : c'est même un devoir de s'appliquer à prier avec attention[1].

Mieux encore l'oraison s'identifie à tout mouvement vital de la grâce en notre âme. Cette grâce est filiale ; son mouvement essentiel est de remonter vers Dieu. Quand l'âme ne peut plus ou ne sait pas esquisser ce geste qui constitue l'oraison proprement dite, c'est que la grâce est morte ou bien près de mourir :

Les âmes qui ne font pas oraison, me disait il y a peu de temps un grand théologien, écrit sainte Thérèse, sont comme un corps paralysé ou perclus, qui a des pieds et des mains, mais qui ne peut pas s'en servir. Certaines âmes en effet sont tellement... habituées à ne s'occuper que des choses extérieures qu'on ne saurait les en tirer et qu'elles semblent dans l'impuissance de rentrer en elles-mêmes[2].

Ceci dit, nous pouvons énumérer quelques-uns des bienfaits que l'oraison procure à l'âme. Elle fortifie les convictions et soutient les résolutions généreuses de travailler et de souffrir[3]. Elle est source de lumière et remplit à l'égard de la charité le rôle de l'intelligence vis-à-vis de la volonté ; elle la précède, l'oriente et l'éclaire à chaque pas.

Devenue contemplative, l'oraison transforme l'âme, suivant la parole de l'Apôtre, de clartés en clartés jusqu'à la ressemblance de Dieu[4].

Ainsi sainte Thérèse peut conclure :

Or, si l'oraison procure tant de bien et est même très nécessaire à ceux qui ne le servent pas, mais l'offensent au contraire, si personne ne peut en réalité y trouver le moindre inconvénient, tandis qu'il y en aurait un très grand à ne s'y point livrer, pourquoi donc ceux qui servent Dieu et veulent l'honorer laisseraient-ils cet exercice ? En vérité je ne saurais le comprendre...[5]

De ces diverses considérations nous pouvons souligner :

1° que pour sainte Thérèse l'oraison, porte du Château et chemin de la perfection, est moins un exercice particulier que l'exercice même de la vie spirituelle, se

---

1. *Chem. Perf.*, ch. XXVI, pp. 706-707.
2. Iᵉ *Dem.*, ch. I, p. 818.
3. *Fondat.*, ch. V, p. 1099.
4. 2 Co 3, 18.
5. *Vie*, ch. VIII, p. 85.

confondant avec elle, en réglant et encadrant tous les autres éléments (mortifications, lectures, œuvres de charité). L'ascèse sera guidée par l'oraison et aura pour but de purifier le regard de foi et de détruire ce qui fait obstacle à une intimité plus profonde. L'étude fournira un aliment à l'oraison et cherchera les voies spirituelles les meilleures. Les œuvres seront le fruit du débordement de la contemplation.

2° que cette voie de l'oraison n'est pas un chemin de perfection exclusivement carmélitain, mais une voie qui s'ouvre, lumineuse et pratique, devant toutes les âmes qui aspirent à pénétrer dans les profondeurs de l'intimité divine, seraient-elles vouées à des œuvres d'apostolat. Sainte Thérèse, maîtresse ès science spirituelle d'oraison, n'est pas seulement la Mère du Carmel réformé, mais la Mère de toutes les âmes intérieures : *Mater spiritualium.*

On ne peut attribuer à l'oraison ce rôle prépondérant dans la vie spirituelle, on ne peut l'imposer à toutes les âmes désireuses d'intimité divine, qu'à la condition de briser les cadres un peu étroits dans lesquels semblent l'enfermer certaines définitions particulières. Laissons ce soin à sainte Thérèse qui va nous dire ce qu'elle entend par « oraison ».

B. — *QU'EST-CE QUE L'ORAISON ?*

Dans le livre de sa *Vie* sainte Thérèse répond :

L'oraison mentale n'est, à mon avis, qu'un commerce intime d'amitié où l'on s'entretient souvent seul à seul avec ce Dieu dont on se sait aimé [1]

Définition bien connue, à juste raison, parce qu'en une simplicité étonnamment précise elle met en relief les éléments constitutifs de l'oraison. Il nous suffira d'en expliquer les termes.

« L'oraison n'est qu'un *commerce d'amitié avec Dieu* » dit la Sainte ; elle est donc une prise de contact avec Dieu, une actualisation de l'union surnaturelle que la grâce établit entre Dieu et notre âme, ou encore, un échange entre deux amours : celui que Dieu nous porte, celui que nous avons pour Lui.

Dieu est Amour. Il nous a créés par amour, il nous a rachetés par amour et nous destine à une union très étroite avec Lui. Dieu Amour est présent dans notre âme, d'une présence surnaturelle, personnelle, objective. Il y est en

---

1. *Vie*, ch. VIII, p. 82.

activité constante d'amour, foyer répandant constamment sa chaleur, soleil ne cessant de diffuser sa lumière, fontaine toujours jaillissante.

Pour aller à la rencontre de cet Amour qui est Dieu, nous avons la grâce sanctifiante, de même nature que Dieu, par conséquent amour comme Lui. Cette grâce qui nous fait ses enfants est une aptitude à l'union, à l'échange ou au commerce intime avec Dieu, à la pénétration réciproque.

Dieu Amour, toujours en action, nous sollicite et nous attend. Mais il est immuable : c'est notre amour qui doit aller vers Lui. L'orientation de cet amour vers Dieu, sa recherche amoureuse, la rencontre de notre amour avec Dieu-Amour, le commerce affectueux qui s'établit aussitôt : voilà ce qu'est l'oraison d'après sainte Thérèse.

L'oraison suppose l'amour surnaturel, donc la grâce sanctifiante. Elle exige que cet amour soit mis en action ; mais cette activité de l'amour surnaturel suffit, car, ainsi que le souligne sainte Thérèse, l'oraison *n'est qu'un* commerce d'amitié avec Dieu.

Toutefois cet amour ne se meut pas seulement dans le domaine purement surnaturel, il s'entoure des formes les plus variées de l'activité humaine.

Par l'intermédiaire de la volonté, en laquelle il réside, l'amour surnaturel prend à son service toutes les puissances et toutes les facultés naturelles, et il les utilise telles qu'il les trouve en chacun de nous. L'oraison devient ainsi un commerce d'amitié de l'être vivant tel que nous sommes avec le Dieu vivant qui habite en nous.

Si nous considérons donc les activités naturelles mises en jeu, ce commerce d'amitié, déjà différencié par les modes divers de l'action divine en chaque âme, trouvera une nouvelle et étonnante variété dans la diversité des tempéraments, les différences d'âge et de développement, et jusque dans la multiplicité des dispositions actuelles des âmes qui font oraison.

Suivant les tempéraments, ce commerce d'amitié prendra une forme intellectuelle, affective ou même sensible. L'enfant mettra son amour surnaturel pour Jésus dans un baiser, un sourire envoyé au tabernacle, une caresse à l'Enfant-Jésus, une expression de tristesse devant le crucifix. L'adolescent chantera son amour pour le Christ et le développera en utilisant les expressions et les images qui frappent son imagination et ses sens, en attendant que son intelligence plus développée lui permette d'utiliser les fortes pensées pour faire une oraison plus intellectuelle et plus nourrissante.

L'oraison épousera les formes mouvantes de nos dispositions. La tristesse, la joie, les préoccupations, la maladie ou seulement la fatigue qui rendent impossible l'activité ou du moins la maîtrise de telle ou telle faculté, diversifieront ce commerce qui doit toujours rester sincère et vivant pour réaliser sa définition de commerce d'amitié.

Sous ces formes diverses et à travers toutes ces vicissitudes, le commerce restera essentiellement le même. Souple et actif, l'amour qui l'anime utilisera tour à tour moyens et obstacles, ardeur et impuissance, intelligence ou imagination, sens extérieurs ou foi pure, pour assurer un aliment à sa vie ou des modes nouveaux à son expression. Suivant les tempéraments ou même les heures, il sera triste ou joyeux, ému ou insensible, silencieux ou expansif, actif ou impuissant, prière vocale ou recueillement paisible, méditation ou simple regard, oraison affective ou impuissance douloureuse, élévation d'esprit ou étreinte d'angoisse, enthousiasme sublime dans la lumière ou écrasement suave dans l'humilité profonde ; et parmi ces modes ou oraisons diverses, la meilleure pour lui sera celle qui l'unira le mieux à Dieu et lui assurera l'aliment le meilleur pour son développement et pour l'action, car, en définitive :

l'amour ne consiste pas à répandre des larmes ni à goûter ces douceurs et ces tendresses que l'on désire ordinairement pour y trouver de la consolation : il consiste à servir Dieu dans la justice, dans la force d'âme et dans l'humilité [1].

Indépendante des formes extérieures déterminées d'avance, l'oraison thérésienne ne connaît d'autre loi que la libre expression de deux amours qui se rencontrent et se donnent l'un à l'autre. Cette liberté n'oppose-t-elle pas l'enseignement thérésien à celui de grands maîtres de la vie spirituelle ? On pourrait le croire.

Les maîtres de l'école ignatienne précisent en effet que c'est par une activité de l'imagination et des sens que l'âme doit aller à la rencontre de Dieu, et que de fortes impressions reçues procèdent les résolutions fécondes. Les maîtres de Saint-Sulpice demandent que l'on utilise des considérations pour parvenir à cette communion avec le Christ qui est la véritable oraison et qui doit avoir comme fruit la coopération efficace de l'âme avec Lui. Les premiers s'adressent à l'ensemble des personnes de piété ; les seconds s'occupent des prêtres et des séminaristes. Les uns et les autres veulent conduire leurs disciples au commerce avec Dieu et leur déterminent le mode d'oraison qui convient le mieux à leur tempérament moral et spirituel. De même, s'adaptant aux exigences de l'esprit de notre temps, les maîtres spirituels modernes nous invitent à nous arrêter simplement devant une attitude de Jésus

---

1. *Vie*, ch. XI, p. 112.

ou une parole riche de sens pour trouver un contact direct et vivant avec le Christ Jésus.

De ces modes d'oraison transformés en méthodes adaptées aux besoins des diverses catégories d'âmes, sainte Thérèse ne parle pas en sa définition. Son silence n'est point mépris, pas plus qu'ignorance. Il a pour but de mettre en relief les éléments constitutifs et essentiels de l'oraison [1]. « L'oraison n'est qu'un commerce d'amitié » dit-elle. Sa définition, qui embrasse aussi bien l'humble récitation de formules apprises que les ravissements qui font pénétrer les secrets divins, universelle en sa portée, n'en est que plus lumineuse et plus pratique. Elle est celle d'un maîtresse de vie spirituelle, qui parle non point seulement pour une catégorie d'âmes, mais pour l'Église universelle.

Cette définition, si large à la fois et si précise, a le souci enfin de respecter la souveraine liberté de Dieu et celle de l'âme dans leurs rapports, souci maintes fois affirmé par sainte Thérèse. Cette liberté lui semble nécessaire pour l'épanouissement de l'âme et sa parfaite soumission à l'action de Dieu. Aussi sainte Thérèse la défend contre toute tyrannie, qu'elle vienne de méthodes trop rigoureuses [2] ou de la direction qui l'opprimerait. Si on trouve

---

1. Sainte Thérèse prit conseil des Pères de la Compagnie de Jésus presque dès leur installation à Avila (1555). Elle eut le P. Balthasar Alvarez S. J. comme directeur pendant six ans. Elle connut donc certainement les Exercices de saint Ignace et la méthode d'oraison propagée par la Compagnie.

Avide de tout ce qui concernait l'oraison elle connut très probablement aussi la méthode d'un certain abbé de Montserrat, qui était très répandue en Espagne.

Les méthodes peuvent être très utiles, surtout au début de la vie spirituelle car, adaptées au tempérament de chacun, elles soutiennent et guident judicieusement les efforts des âmes.

Elles ne restent bienfaisantes qu'à la condition qu'on sache abandonner les actes multiples et ordonnés qu'elles prescrivent lorsqu'on est parvenu au but, c'est-à-dire à l'intimité avec Dieu.

Parfois, malheureusement, ces méthodes sont mal comprises. On considère le travail des facultés qu'elles demandent, beaucoup plus que le commerce d'amitié auquel elles doivent conduire. On confond le mode d'oraison avec l'oraison elle-même. Faire oraison, pense-t-on, c'est construire un cadre imaginaire, sentir, entendre, voir, avoir de fortes impressions, ou encore faire des considérations ou avoir devant les yeux une vérité à contempler. On consacre tous ses efforts pour réaliser le mode qui a été imposé ou qui a été choisi ; on se prive de la liberté d'âme nécessaire à la vie d'amour. L'accessoire est devenu l'essentiel au point que l'on oublie que l'oraison est un échange et qu'on ne pense même plus à Dieu à qui l'on doit parler. L'âme s'enferme dans un mode d'oraison particulier, ou plutôt fait de vains efforts pour s'y astreindre, et, n'y parvenant pas ou ne trouvant aucune grâce dans un si rude effort elle reste stérile, elle se retire découragée avec la conviction qu'elle n'est pas faite pour une vie d'oraison.

2. Dans le *Chemin de la Perfection* sainte Thérèse donnera elle-même une méthode qui est l'oraison de recueillement. Cette méthode n'est liée à aucune forme précise d'activité des facultés et n'affirme que la préoccupation de conduire l'âme à Dieu par le Christ Jésus.

dans l'âme les signes de l'action de Dieu, à savoir l'humilité et le progrès dans la vertu, on ne doit point l'inquiéter dans ses modes d'oraison : elle a droit à sa liberté et il est du devoir de tous de la respecter.

« Commerce *intime* d'amitié où l'on *s'entretient souvent seul à seul avec Dieu...* » : ce commerce est essentiellement intime, car l'amour a besoin d'intimité.

Le contact avec Dieu s'établit dans les profondeurs de l'âme, en ces régions où Dieu réside et où se trouve l'amour surnaturel diffusé en nous. Dans la mesure où cet amour sera puissant et actif, le commerce sera à la fois fréquent et intime.

L'oraison est aussi une prière personnelle. Même lorsqu'elle se revêt des formes de la prière publique, dont l'expression extérieure est harmonisée dans un groupe, elle reste un commerce seul à seul avec Dieu qui vit en chaque âme, et elle garde son souffle et sa note personnelle.

« Commerce d'amitié avec *Dieu dont on se sait aimé* » termine la Sainte. Ces paroles si simples dissimulent un grave problème : celui de la nature de l'amour qui nous unit à Dieu et des lois qui le régissent.

Les premiers termes de la définition « commerce intime d'amitié avec Dieu » évoquent en nous la pensée ou le souvenir de l'intimité affectueuse qui nous unit à des personnes. Nous rêvons d'une intimité semblable avec Dieu. Est-elle possible ?

Le commerce d'amitié avec Dieu dans l'oraison et les relations affectueuses avec un ami sont tous deux inspirés par l'amour, mais les deux amours ne sont pas du même ordre. Le premier est surnaturel ; le second est naturel. Nous voyons l'ami que nous aimons, nous apprécions par expérience ses qualités, nous sentons son affection pour nous et la nôtre pour lui. Cette affection, même très pure, se développe dans le plan naturel et affecte nos facultés humaines. Tandis que je ne vois pas Dieu auquel m'unit l'oraison : il est pur Esprit, l'Être infini, insaisissable à mes facultés humaines, « personne ne l'a vu et c'est son Fils unique qui est dans son sein qui nous a parlé de Lui[1] ».

L'amour surnaturel qui m'unit à Dieu est de même nature que Dieu, donc aussi éloigné d'une appréhension quelconque de mes puissances naturelles que Dieu lui-même.

---

1. Jn 1, 18.

Le commerce d'amitié de l'oraison se développe entre des réalités surnaturelles qui sont hors du domaine des facultés humaines. Seule la foi nous les révèle avec certitude, mais sans dissiper le mystère qui les entoure. C'est donc grâce aux certitudes de la foi, mais à travers l'obscurité qu'elle laisse, que se fera ce commerce d'amitié avec Dieu « dont on se sait aimé ». L'amour de Dieu pour nous est certain ; la prise de contact avec Lui par la foi est une vérité certaine, mais la pénétration surnaturelle en Dieu peut se produire sans nous laisser une lumière, un sentiment, une expérience quelconque de la richesse que nous y avons puisée.

Car ce commerce d'amitié avec Dieu par la foi nous enrichit certainement. Dieu est Amour toujours diffusif. De même qu'on ne peut plonger sa main dans l'eau sans se mouiller, ou dans un brasier sans se brûler, de même on ne peut prendre contact avec Dieu par la foi sans puiser en sa richesse infinie. La pauvre femme malade qui essayait d'arriver jusqu'à Jésus à travers la foule dense, dans les rues de Capharnaüm, se disait en elle-même : « Si je réussis à toucher les franges de son vêtement, je serai guérie ». Elle y parvient enfin et arrache, par un contact qui fait tressaillir le Maître, la guérison désirée [1]. Tout contact avec Dieu par la foi a la même efficacité. Indépendamment des grâces particulières qu'il a pu demander et obtenir, il puise en Dieu une augmentation de vie surnaturelle, un enrichissement de charité. L'amour va à l'oraison pour y trouver un aliment, un développement et l'union parfaite qui satisfait tous ses désirs.

Parlant de l'oraison, sainte Thérèse de l'Enfant-Jésus écrit :

> Pour moi la prière, c'est un élan du cœur, c'est un simple regard jeté vers le Ciel, c'est un cri de reconnaissance et d'amour au sein de l'épreuve comme au sein de la joie ; enfin c'est quelque chose de grand, de surnaturel, qui me dilate l'âme et m'unit à Jésus.
>
> ... Quelquefois, lorsque mon esprit est dans une si grande sécheresse qu'il m'est impossible d'en tirer une pensée pour m'unir au Bon Dieu, je récite très lentement un « Notre Père » et puis la salutation angélique ; alors ces prières me ravissent, elles nourrissent mon âme bien plus que si je les avais récitées précipitamment une centaine de fois... [2]

On ne saurait mieux dire ce que le commerce d'amitié présente de simple et de profond, de vivant et de surnaturel, sous les formes multiples dont il se revêt pour se nourrir et s'exprimer.

---

1. Mc 5, 25-34.
2. *Man. Autob.*, C fol. 25 r° et v°.

C. — *DEGRÉS D'ORAISON*

L'oraison qui, pour sainte Thérèse, est l'exercice essentiel de la vie spirituelle, doit normalement se développer et progresser avec elle en perfection. Une classification par degrés de perfection doit donc être possible et s'impose. Mais comment apprécier la perfection de l'oraison ? Sur quelles bases établir cette classification ? Sainte Thérèse reste fidèle à sa définition qui met en relief le commerce d'amitié avec Dieu comme l'élément essentiel de l'oraison. C'est sur la qualité de ce commerce d'amitié, c'est-à-dire sur la qualité de l'activité d'amour surnaturel et ses effets de vertu et d'union qu'elle va juger de la perfection de l'oraison elle-même.

Dans le livre de sa *Vie* elle a donné une classification bien connue des degrés d'oraison, illustrée par la gracieuse comparaison des quatre façons d'arroser un jardin :

Il me semble qu'il y a quatre manières d'arroser un jardin. D'abord en tirant de l'eau d'un puits à force de bras, ce qui exige une grande fatigue de notre part ; ou bien en tournant, à l'aide d'une manivelle, une noria garnie de godets, comme je l'ai fait moi-même quelquefois : avec moins de travail on puise une plus grande quantité d'eau ; ou bien en amenant l'eau soit d'une rivière, soit d'un ruisseau : la terre est alors mieux arrosée et mieux détrempée, il n'est pas nécessaire d'arroser aussi fréquemment et le jardinier a beaucoup moins de travail ; enfin il y a la pluie abondante : c'est le Seigneur qui arrose alors sans aucun travail de notre part, et ce mode d'arrosage est, sans comparaison, supérieur à tous ceux dont nous avons parlé.

Appliquons maintenant à notre sujet ces quatre manières d'arroser et d'entretenir ce jardin qui, sans eau, ne pourrait rien produire. Cette comparaison me semble très à propos pour donner quelque idée des quatre degrés d'oraison, où le Seigneur dans sa bonté a daigné quelquefois élever mon âme [1].

La Sainte explique sa comparaison :

...Les âmes qui commencent à s'adonner à l'oraison... sont celles qui tirent péniblement l'eau du puits. Elles se fatiguent, en effet, pour recueillir leurs sens habitués à se répandre... Leur devoir est de s'appliquer à méditer la vie de Jésus-Christ, et cet exercice n'est pas sans fatigue pour l'entendement... C'est là ce que j'appelle commencer à tirer l'eau du puits, et Dieu veuille qu'il y en ait [2].

Le jardinier, en faisant marcher une noria, puise une quantité d'eau plus grande, il se fatigue moins ; il n'est pas obligé de travailler sans cesse et peut prendre du repos. C'est de cette manière d'arroser le jardin en l'appliquant à l'oraison qu'on

1. *Vie*, ch. XI, p. 107.
2. *Ibid.*, p. 108.

appelle oraison de quiétude que je veux m'occuper maintenant...
C'est un recueillement des puissances au-dedans de nous pour jouir
de ce contentement... Mais les puissances ne sont ni perdues ni
endormies. La volonté seule est occupée, sans savoir comment, à
se rendre captive. Elle ne peut que donner son consentement pour
que Dieu l'emprisonne...[1]

La troisième eau... est une eau qui coule du ruisseau ou de la
fontaine. Le Seigneur en effet veut aider si bien le jardinier qu'il
prend pour ainsi dire sa place et fait presque tout le travail. Cet
état est un sommeil des puissances qui, sans être entièrement ravies,
ne comprennent point cependant comment elles opèrent[2].

Lorsque la quatrième eau tombe du ciel, l'âme sent au
milieu des délices les plus profondes et les plus suaves,
une défaillance presque complète. Cette quatrième eau produit parfois l'union complète ou même l'élévation d'esprit
dans laquelle « le Seigneur prend l'âme, et... l'élève complètement de terre, comme les nuées ou le soleil attirent
les vapeurs[3] ».

Au moment où sainte Thérèse écrivait le livre de sa *Vie*
(1565), elle n'était pas parvenue au mariage spirituel. La
classification des oraisons qu'elle donne dans le *Château
Intérieur* — alors qu'elle est dans la plénitude de sa grâce
et de son expérience — est plus précise et plus nuancée,
plus détaillée et plus complète.

L'oraison étant un commerce d'amitié avec Dieu, par
conséquent le fruit de la double activité de l'amour de
Dieu pour l'âme, et de l'amour surnaturel de l'âme pour
Dieu, sainte Thérèse distingue deux phases dans le développement de cette double activité.

Dans la première phase, Dieu témoigne son amour par
un secours général ou grâce ordinaire accordée à l'âme ;
c'est l'âme elle-même qui garde l'initiative et la part
principale d'activité dans l'oraison. Dans la deuxième
phase, Dieu, intervenant dans l'oraison par un secours
particulier de plus en plus puissant, affirme progressivement sa maîtrise sur l'âme et la réduit peu à peu à la
passivité.

La première phase, qui correspond à la première façon
d'arroser le jardin en tirant péniblement l'eau du puits,
comprend les trois premières Demeures du *Château
Intérieur*.

La deuxième phase, qui correspond aux trois autres
façons d'arroser le jardin, comprend les quatre autres
Demeures plus intérieures. L'oraison de quiétude

---

1. *Vie*, ch. XIV, pp. 137-138.
2. *Ibid.*, ch. XVI, p. 157.
3. *Ibid.*, ch. XX, p. 194.

(deuxième eau) et le sommeil des puissances (troisième eau)[1], oraisons contemplatives imparfaites, font partie des quatrièmes Demeures. La quatrième façon d'arroser le jardin, qui comporte toute une gamme d'oraisons d'union de plus en plus parfaites, est étudiée avec grand soin et une merveilleuse richesse de détails dans les cinquièmes, sixièmes et septièmes Demeures.

A considérer la classification donnée par le livre de la *Vie* on aurait pu croire que le progrès de l'oraison s'établissait sur l'intensité des effets sensibles et la diminution de l'effort de l'âme. En étudiant le *Château Intérieur*, il apparaît nettement que sainte Thérèse n'a considéré que la qualité de l'amour et l'excellence des effets produits. Elle déclare une oraison plus haute lorsqu'un amour divin plus qualifié l'anime, et que la qualité de cet amour s'affirme par une efficacité plus grande sur les activités humaines qu'il doit régler et soumettre à Dieu qui habite dans l'âme[2]. L'oraison sera parfaite lorsque, dans l'âme transformée par l'amour, toutes les énergies seront constamment, fortes et souples, à la disposition des délicates motions de l'Esprit de Dieu.

---

1. Dans le *Château Intérieur*, sainte Thérèse ne distingue plus comme degré spécial d'oraison cette troisième eau ou sommeil des puissances. Probablement, fortement impressionnée tout d'abord par les effets de cette oraison, d'intensité sensible notablement plus grande que ceux de la simple quiétude, elle se rendit compte plus tard, dans une vision plus précise et plus complète de tous les degrés d'oraison, que le sommeil des puissances n'était qu'un débordement dans le sens des goûts divins de la quiétude, et, comme union imparfaite, pouvait être rattachée à la quiétude.

2. « L'oraison la mieux faite et la plus agréable à Dieu est toujours celle qui laisse après elle les meilleurs effets. Je n'entends point parler des grands désirs, car, quoique ce soit une bonne chose que les désirs, ils ne sont pas toujours tels que notre amour-propre nous les présente. J'appelle "bons effets" ceux qui s'annoncent par les œuvres, de sorte que l'âme fasse connaître le désir qu'elle a de la gloire de Dieu par son attention à ne travailler que pour Lui. » (Lettre au P. Gratien, 23 octobre 1576, *Lettres*, T. II, p. 18).

CHAPITRE CINQUIÈME

« *Le bon Jésus* »

> *Tel est le mode d'oraison par lequel tous doivent commencer, continuer et finir [1].*

Sainte Thérèse a une manière à elle pour établir ce commerce d'amitié de l'oraison :

> Pour prier comme il convient, vous savez ce qu'on fait tout d'abord : on examine sa conscience, on récite le *Confiteor* et on fait le signe de la croix. Aussitôt après, mes filles, appliquez-vous puisque vous êtes seules, à trouver une compagnie. Et quelle meilleure compagnie pouvez-vous trouver que celle du Maître lui-même qui a enseigné la prière que vous devez réciter (le Pater) ? Représentez-vous ce Seigneur auprès de vous... croyez-moi, ne négligez rien pour n'être jamais sans un ami si fidèle [2].

Après s'être recueillie et purifiée dans l'humilité, l'âme doit, pour trouver Dieu, aller vers le Christ Jésus.

Nous sommes en présence d'un point de l'enseignement de sainte Thérèse qui doit prendre place à cause de son importance, parmi les notes fondamentales de sa spiritualité. Après l'avoir exposé, nous en présenterons une justification théologique pour en souligner la valeur.

A. — *LE CHRIST JÉSUS DANS L'ORAISON THÉRÉSIENNE* [3]

Il ne suffit pas de commencer l'oraison avec Jésus, il faut la poursuivre en sa compagnie :

---

1. *Vie*, ch. XIII, p. 130.
2. *Chem. Perf.*, ch. XXVIII, p. 711.
3. Sainte Thérèse avait donné sa doctrine sur ce point en maints endroits du livre de sa *Vie* (ch. XII, XXII) et du *Chemin de la Perfection* (ch. XXXVIII) en parlant de l'oraison. Parvenue au mariage spirituel elle en découvrit mieux la haute importance. Aussi elle y revint dans le *Château Intérieur* (VIe Dem., ch. VII) avec plus de précision et plus de fermeté.

Croyez-moi, écrit la Sainte, ne négligez rien pour n'être jamais sans un ami si fidèle. Si vous vous habituez à le considérer près de vous, s'il voit que vous faites cela avec amour et que vous vous appliquez à lui plaire, vous ne pourrez plus, comme on dit, vous en débarrasser [1].

Pour lui tenir compagnie, il n'y a pas à chercher de grandes pensées, ni à s'embarrasser de belles formules. Il suffit de lui parler simplement :

Êtes-vous dans la joie ? contemplez-le ressuscité... Êtes-vous sous le poids de la tristesse et de la douleur ? Regardez-le au jardin des Oliviers... Parlez-lui alors non au moyen de prières toutes faites, mais en lui disant la prière qui remplit votre cœur [2].

Emportée par son amour, la Sainte s'entretient familièrement devant nous avec le bon Jésus et illustre ainsi d'une façon à la fois délicieuse et pratique son enseignement :

O mon Seigneur et mon Bien, êtes-vous donc réduit à une telle extrémité que vous daigniez agréer une aussi pauvre compagnie que la mienne ? A l'expression de votre physionomie, je vois que vous êtes consolé de me voir près de vous. Comment est-il possible, Seigneur, que les Anges vous laissent seul, et que votre Père lui-même ne vous console pas ? Puisqu'il en est ainsi, Seigneur, et que vous consentez à endurer tant de souffrances par amour pour moi, qu'est-ce que j'endure pour vous ? De quoi puis-je me plaindre ? [3]

Cette méthode n'est pas seulement bonne pour quelques âmes ou propre à quelques états de la vie spirituelle ; elle est excellente pour tous, affirme sainte Thérèse :

Cette méthode d'oraison qui consiste à se tenir dans la compagnie du Sauveur, écrit-elle, est profitable dans tous les états. Elle est un moyen très sûr pour faire des progrès dans le premier degré d'oraison et arriver au second en peu de temps ; elle sert aussi dans les derniers pour nous protéger contre les tentations du démon [4].

La Sainte ajoute :

Tel est le mode d'oraison par lequel tous doivent commencer, continuer et finir. Cette voie est excellente et très sûre, jusqu'à ce que le Seigneur nous élève à d'autres choses surnaturelles [5].

Sainte Thérèse ne se borne donc pas à conseiller ce mode d'oraison, elle le déclare obligatoire ; tout le monde doit faire oraison avec le Christ jusqu'à ce que Dieu élève l'âme en d'autres régions. Cette affirmation sous la plume

---

1. *Chem. Perf.*, ch. XXVIII, p. 711.
2. *Ibid.*, p. 713.
3. *Ibid.*, p. 714.
4. *Vie*, ch. XII, pp. 117-118.
5. *Ibid.*, ch. XIII, p. 130.

de sainte Thérèse habituellement si large, si compréhensive des besoins divers des âmes, toujours si soucieuse de respecter leur liberté et les volontés de Dieu sur elles, prend une force singulière et nous étonne presque.

Elle a entendu elle-même des protestations et des objections :

> On a critiqué ma manière de voir, remarque-t-elle en effet ; on m'a déclaré que je ne comprenais pas la question[1].

Elle ne s'en émeut pas, mais son souci d'éclairer les âmes en un sujet aussi important lui fait recueillir avec soin difficultés et objections pour y répondre avec précision.

Tout d'abord il est des esprits qui ne peuvent pas se représenter Notre-Seigneur ; comment pourront-ils se placer auprès de Lui et Lui parler ?

La Sainte trouve la réponse dans son expérience personnelle : elle n'a jamais pu elle-même utiliser son imagination pour l'oraison, ce qui ne l'a pas empêchée de pratiquer ce qu'elle enseigne. Écoutons les explications qui précisent sa méthode :

> D'autres, écrit-elle, ont une imagination qui les aide à entrer dans le recueillement. Pour moi, je ne pouvais que penser à Notre-Seigneur dans son humanité. Et encore il ne m'a jamais été possible de me le représenter. En vain je lisais la description de sa beauté, ou je contemplais ses images, je n'y parvenais pas. Figurez-vous quelqu'un qui est aveugle ou qui est dans l'obscurité. Il parle à une personne. Il sait qu'il est en sa présence parce qu'il a la certitude qu'elle est là, mais il ne la voit pas. Ainsi en était-il de moi quand je pensais à Notre-Seigneur[2].

D'autres ont un esprit qui ne peut se fixer et ne saurait produire de longs raisonnements pour s'entretenir avec le Maître. S'adressant à ces derniers la Sainte écrit :

> Je ne vous demande pas en ce moment de fixer votre pensée sur Lui, ni de faire de nombreux raisonnements, ou de hautes et savantes considérations. Ce que je vous demande, c'est de porter le regard de votre âme sur Lui. Qu'est-ce qui peut vous empêcher de l'élever, ne serait-ce qu'un instant, vers ce Seigneur ?[3]

Ce regard de foi est toujours possible. La Sainte en témoigne avec son expérience :

> Prenez l'habitude que je vous indique, insiste-t-elle. Je sais que vous le pouvez. Durant de longues années j'ai moi-même souffert de ne pouvoir fixer mon esprit sur un sujet durant l'oraison[4].

---

1. VIᵉ Dem., ch. VII, p. 985.
2. *Vie*, ch. IX, pp. 90-91.
3. *Chem. Perf.*, ch. XXVIII, p. 712.
4. *Ibid.*, p. 711-712.

En somme peu importe la façon dont on prend contact avec Notre-Seigneur : représentation imaginaire, discours de l'entendement, simple regard de l'intelligence ou de la foi ; tous les modes sont bons, et il est toujours possible d'utiliser l'un ou l'autre. Le contact établi, il faut converser avec Lui :

> Vous savez bien vous exprimer quand vous parlez aux créatures, pourquoi ne trouveriez-vous pas des paroles lorsqu'il s'agit de vous entretenir avec Dieu ? Ne vous imaginez pas que cela est au-dessus de vos forces ; pour moi je ne puis le croire, mais il faut vous y exercer [1].

Mais voici une difficulté plus grave. Elle est présentée par des spirituels « qui ont pour eux la science et la vertu, et qui savent ce qu'ils affirment [2] ».

Ce sont des contemplatifs qui s'adressent aux contemplatifs qui ont franchi les premiers stades de la vie spirituelle. Ils disent : puisque le contemplatif a appris à dépasser les choses corporelles pour trouver directement Dieu qui nous pénètre et nous environne, pourquoi l'obliger à revenir vers l'humanité de Notre-Seigneur, intermédiaire excellent pour les débutants, mais qui ne saurait que retarder ceux qui ont déjà trouver le chemin de l'esprit :

> Il est mieux, disent-ils, pour les âmes qui ont franchi les premiers degrés de la vie spirituelle, de s'occuper des choses de la divinité et de fuir les corporelles [3].

Que l'humanité du Christ soit comprise dans les choses corporelles dont il faut s'éloigner, c'est ce qui ressort selon eux, des paroles de Notre-Seigneur lui-même à ses apôtres : « Il vous est bon que je m'en aille [4] », et de l'expérience des apôtres qui de fait, après l'Ascension, découvrirent mieux la divinité du Christ qui leur avait été voilée jusque-là par son humanité.

Ces spécieux arguments impressionnèrent sainte Thérèse. Elle avait expérimenté que le recueillement passif l'entraînait au-delà de toutes les formes sensibles. Désireuse de retourner souvent et de vivre en ces régions, elle avait cherché et lu avec une pieuse avidité les traités qui, comme le *Troisième Abécédaire* de François de Osuna, enseignaient l'art de se préparer à ces emprises surnaturelles et de les utiliser. La Sainte voulut donc mettre

---

1. *Chem. Perf.*, pp. 715-716.
2. *Vie*, ch. XXII, p. 220.
3. VI⁰ Dem., ch. VII, pp. 985-986.
4. Jn 16, 7.

à profit les conseils d'hommes qui paraissaient si savants et si vertueux :

> Je ne prenais plus de plaisir à penser si longtemps à Notre-Seigneur Jésus-Christ, dit-elle, je m'entretenais dans cette ivresse (de la quiétude) en attendant le retour des délices dont j'avais joui [1].

Mais promptement elle se rendit compte « clairement que cette voie n'était pas la bonne [2] ».

Cette erreur passagère lui laisse de cuisants regrets :

> Il me semble que c'était de ma part une grande trahison... Comment est-il possible, ô mon Dieu, que j'aie pu avoir une heure seulement la pensée que vous deviez être pour moi un obstacle à un plus grand bien ! [3]

Elle voudrait bien ne pas avoir à contredire de si graves auteurs, mais la vérité a ses droits, surtout lorsqu'elle met en jeu le bien des âmes. Aussi elle va discuter vigoureusement les affirmations dangereuses de ces maîtres et prouver sa doctrine, à savoir qu'il faut en tous les états de la vie spirituelle revenir à l'humanité de Notre-Seigneur et ne jamais s'éloigner tant que la grâce ne nous entraîne pas ailleurs. En effet

le même Seigneur, qui a dit qu'il est la voie [4], a dit aussi qu'il est la lumière [5], et que personne ne peut aller à son Père si ce n'est par Lui [6]. Il a dit encore : « Qui me voit, voit aussi mon Père [7] » [8].

Ces paroles de Notre-Seigneur sont claires et absolues. Il n'est pas d'état dans lequel elles ne conservent leur valeur.

Quant à la parole « Il vous est bon que je m'en aille [9] » :

je ne puis souffrir qu'on me fasse cette objection, dit la Sainte... le Sauveur n'a pas dit cette parole à sa très sainte Mère, parce qu'elle était ferme dans la foi. Elle savait qu'il était Dieu et homme tout ensemble ; et bien qu'elle lui portât plus d'amour qu'eux, elle y mettait tant de perfection que la vue de la sainte humanité lui servait encore de stimulant. Les apôtres ne devaient pas être alors aussi fermes dans la foi qu'ils le furent plus tard, et que nous devons l'être nous-mêmes maintenant [10].

En d'autres termes l'humanité ne voile la divinité qu'à ceux qui, comme les apôtres avant l'Ascension, ont une foi

---

1. VIᵉ Dem., ch. VIII, p. 993.
2. *Ibid.*
3. *Vie*, ch. XXII, p. 221.
4. Jn 14, 6.
5. *Ibid.*, 8, 12.
6. *Ibid.*, 14, 6.
7. *Ibid.*, 14, 9.
8. VIᵉ Dem., ch. VII, p. 987.
9. Jn 16, 7.
10. VIᵉ Dem., ch. VII, pp. 992-993.

timide. Pour ceux au contraire qui croient fermement en la divinité à l'exemple de la Sainte Vierge, l'humanité apporte un stimulant à cette foi.

Après cette réfutation serrée et précise, voici maintenant les arguments de la Sainte à l'appui de son enseignement. Ils sont dictés par l'expérience et la saine raison.

D'abord c'est perdre son temps que de placer ses facultés dans le vide alors que Dieu ne les a pas saisies. En effet, « rester dans la sécheresse, et attendre comme notre Père saint Élie le feu du ciel qui doit consumer le sacrifice que l'âme fait d'elle-même à Dieu [1] », c'est attendre un miracle que le Seigneur fera quand il lui plaira et quand l'âme s'y sera convenablement préparée. Cette attente est stérile ; sainte Thérèse l'a expérimenté :

Comme je ne pouvais goûter toujours ces délices, ma pensée s'en allait ici et là, et mon âme, semblable à l'oiseau qui voltige et ne trouve pas où se poser, perdait beaucoup de temps ; elle ne faisait point de progrès dans les vertus et ne profitait point de l'oraison [2].

La Sainte constate qu'elle ne faisait de progrès ni dans la vertu, ni dans l'oraison. A quoi attribuer la stérilité de cette méthode ? Certainement à « un petit défaut d'humilité qui est si caché, si déguisé qu'on ne le sent même pas [3] ». « L'âme veut s'élever avant que le Seigneur ne l'élève [4] », et ce désir lui fait mésestimer la faveur d'être admise « au pied de la Croix comme saint Jean [5] ». Cet orgueil subtil qui « ne paraît rien, cause cependant le plus grand préjudice à l'âme qui veut avancer dans la contemplation [6] », car la miséricorde divine ne répand habituellement ses dons gratuits que sur les humbles.

Dans tout orgueil il y a au moins un grain de sottise. Celui-ci n'échappe pas à cette loi générale.

En effet le Verbe s'est incarné pour nous sauver, mais aussi pour se mettre à notre portée, adapter ses enseignements à la dualité de notre nature qui est faite de corps et d'esprit. Jésus a habité parmi nous et s'y est fixé. Or, voici que cette âme ne veut plus chercher Dieu que dans les régions spirituelles et par des moyens purement spirituels. Le bon sens réaliste de sainte Thérèse proteste avec énergie :

Nous ne sommes pas des anges, nous avons un corps, écrit-elle. C'est donc une folie de vouloir faire l'ange quand on est sur la

---

1. VIe Dem., ch. VII, p. 988.
2. *Ibid.*, p. 993.
3. *Vie*, ch. XXII, p. 222.
4. *Ibid.*, p. 226.
5. *Ibid.*, p. 222.
6. *Ibid.*, p. 226.

terre... D'une manière habituelle notre pensée a besoin d'un appui. Parfois sans doute l'âme sort d'elle-même, bien qu'elle se trouve si souvent remplie de Dieu qu'elle n'a besoin d'aucun objet créé pour se recueillir. Mais cet état n'est pas habituel. Aussi quand arrivent les affaires, les persécutions, les épreuves, quand on ne peut goûter les douceurs d'une quiétude si parfaite ou qu'on est dans les sécheresses, c'est un très bon ami que le Christ [1].

Exception faite pour l'âme parvenue aux septièmes Demeures qui « ne sera que rarement ou presque jamais obligée d'user d'une telle diligence », toutes doivent revenir à l'humanité de Notre-Seigneur. Telle est la loi :

Nous qui vivons dans un corps mortel, nous avons besoin de traiter avec les Saints, de penser à eux... ; à plus forte raison ne devons-nous pas nous éloigner volontairement de la très sainte Humanité de Notre-Seigneur Jésus-Christ, qui est pour nous la plénitude des biens et le remède à tous les maux [2].

Mais revenir constamment à Notre-Seigneur n'est-ce pas se condamner à ne pas dépasser l'oraison mentale et renoncer pratiquement à la contemplation ? Nullement, car pour se préparer à la contemplation, le meilleur moyen est

que nous nous considérions comme si misérables que nous ne méritons point que sa Majesté nous en favorise, mais que nous nous aidions en tout ce qui dépend de nous. Pour moi, ajoute la Sainte, je suis persuadée que telles doivent être nos dispositions jusqu'à la mort, quelque parfaite que soit notre oraison [3].

On ne peut y progresser qu'en utilisant la médiation du Christ Jésus. Cette médiation est plus spécialement nécessaire après les grâces contemplatives des quatrièmes Demeures.

Si l'âme ne revient pas alors vers le Christ Jésus, elle ne trouvera pas la liberté d'esprit et ne fera pas de progrès :

Si beaucoup d'âmes parvenues à l'oraison d'union (cinquièmes Demeures), écrit la Sainte, ne font pas plus de progrès et ne parviennent pas à une plus grande liberté d'esprit, c'est à cause de cette erreur [4].

L'erreur, on le devine, c'est d'avoir abandonné le Christ Jésus.

Les âmes victimes de cette erreur pourront peut-être rester en ces Demeures, mais certainement elles n'entreront pas dans les Demeures supérieures (sixièmes et septièmes).

---

1. *Vie*, ch. XXII, p. 226.
2. VIe Dem., ch. VII, pp. 986-987.
3. *Ibid.*, p. 988.
4. *Vie*, ch. XXII, p. 222.

Je puis les assurer, écrit la Sainte, qu'elles n'entreront point dans les deux dernières Demeures ; car si elles perdent le guide qui est le bon Jésus, elles n'en trouveront point le chemin ; ce sera beaucoup si elles habitent les précédentes en sécurité[1].

L'affirmation est grave : elle précise l'importance de la discussion et le soin qu'y a apporté la Sainte.

D'ailleurs clairvoyante et charitable, elle n'hésite pas à conclure :

Je ne puis croire que ces personnes font ce qu'elles disent ; il me semble plutôt qu'elles ne se comprennent pas elles-mêmes, et ainsi elles se nuisent et elles nuisent aux autres[2].

Ces réflexions, qui respirent le réalisme le plus sain et le plus équilibré, ont-elles convaincu tous les contemplatifs — car ils sont nombreux ceux qui ont traité de cette question avec la Sainte[3] — ? Non, pas complètement. Certains ont encore des objections que la Sainte ne veut pas négliger.

Ils prétendent, et ce sont des spirituels authentiques, qu'après avoir été élevés à la contemplation parfaite, ils « ne peuvent plus discourir, comme précédemment, sur les mystères de la Passion et de la vie du Christ[4] ».

Cette impuissance existe, reconnaît sainte Thérèse[5], mais elle n'est pas complète. Ces âmes ne peuvent plus faire la méditation, c'est-à-dire les « raisonnements nombreux que nous faisons avec l'entendement[6] », mais

elles auraient tort de dire qu'elles ne peuvent s'arrêter à ces mystères, ni les avoir souvent présents à l'esprit, surtout lorsque l'Église catholique les célèbre... Ces personnes ne doivent pas se comprendre elles-mêmes. Elles considèrent en effet ces mystères d'une manière plus parfaite ; elles les ont tellement présents à l'esprit et imprimés dans la mémoire que la simple vue du Sauveur prosterné au jardin des Oliviers... suffit pour les entretenir non seulement une heure, mais plusieurs jours... Tel est, à mon avis, le motif pour lequel elles ne peuvent s'appliquer à discourir davantage sur la Passion... Si elles n'y pensent pas, il est bon qu'elles s'efforcent de le faire ; car je le sais, l'oraison la plus sublime ne les en empêchera point[7].

Quant à l'âme « qui déclarerait qu'elle est toujours dans les délices et qu'elle ne peut jamais faire ce que j'ai dit », ajoute la Sainte, « pour moi, je considérerais

1. VIe Dem., ch. VII, p. 987.
2. *Ibid.*
3. *Ibid.*
4. *Ibid.*
5. *Ibid.*, pp. 987-988.
6. *Ibid.*, pp. 989-990.
7. *Ibid.*, pp. 990-991.

comme suspect son état[1] », et nous pensons aux états maladifs qu'elle décrit aux quatrièmes Demeures[2].

Les affirmations de la Sainte sont donc fort nettes : le contemplatif qui, à certaines heures, sera emporté par la grâce au-delà de l'humanité du Christ, pourra et devra, chaque fois que cela lui sera possible, revenir à ses mystères non pour les méditer, ce qui pourrait lui nuire, mais pour les considérer d'un simple regard et s'en nourrir. Il convenait de préciser cette doctrine importante qui n'est plus discutée de nos jours, mais reste soumise à des interprétations pratiques différentes.

On a cru pouvoir affirmer que les enseignements de saint Jean de la Croix différaient notablement de ceux de sainte Thérèse, le Docteur mystique insistant beaucoup plus sur le détachement de toutes les formes créées. C'est oublier que le Saint prend l'âme au début des oraisons contemplatives et devait par conséquent marquer avec vigueur la nécessité du détachement des créatures. La place qu'il donne au Christ Jésus nous est montrée par le chapitre de la *Montée du Carmel* intitulé : « On répond à un doute et on montre comment sous la Loi nouvelle il n'est pas permis comme sous la Loi ancienne, d'interroger Dieu par voie surnaturelle[3] », et par les récits de sa vie qui nous le montrent passant de longues heures devant le tabernacle et devant l'image de Jésus en croix. Saint Jean de la Croix, comme sainte Thérèse, buvait aux sources jaillissantes des mystères du Christ et y conduisait ses disciples[4].

La doctrine des deux Réformateurs du Carmel trouve une gracieuse illustration en sainte Thérèse de l'Enfant-Jésus. Fatiguée par les savants exposés et de vaines tentatives, la petite Sainte de Lisieux cherche une petite voie simple pour parvenir à la perfection, un moyen rapide pour gravir la montagne de l'amour. Elle rêve d'un ascenseur comme chez les riches. La réponse lui est donnée : « l'ascenseur... ce sont vos bras, ô Jésus ![5] ». Elle s'y installe par la confiance et l'abandon. Il y a longtemps, en effet, qu'elle considère Jésus Enfant dans sa crèche ; elle s'est ensuite attachée à la sainte Face dont le mystère douloureux lui a été révélé. Depuis lors, elle marche à la clarté qui descend de cette Face voilée. La sainte Face est « l'astre qui éclaire » ses pas, son unique dévotion. Et cet ascenseur la conduit promptement au

---

1. VIe Dem., ch. VII, p. 992.
2. IVe Dem., ch. III, pp. 888-889.
3. *Montée du Carm.*, Liv. II, ch. XX, p. 230.
4. Voir sur ce sujet l'excellent article du R. P. Élisée dans *Études Carmélitaines*, avril 1934, pp. 186-192.
5. *Man. Autob.*, C fol. 3 r°.

sommet de la montagne de l'amour, comme elle l'avait désiré et espéré.

La réussite merveilleuse de sainte Thérèse de l'Enfant-Jésus apporte à ce point de doctrine spirituelle une précieuse confirmation. La vérité dogmatique qui l'appuie peut seule cependant en montrer toute l'importance et l'illustrer parfaitement.

B. — *JUSTIFICATION THÉOLOGIQUE*

Dans le paradis terrestre, nos premiers parents ornés du don surnaturel de la grâce conversaient familièrement avec Dieu et l'atteignaient sans intermédiaire. Leur péché les a séparés de Dieu et a creusé entre la divinité et l'humanité un abîme infranchissable.

Dieu élabore alors un plan nouveau pour remplacer celui que le péché a rendu irréalisable. Dans ce plan nouveau, le Verbe Incarné est établi médiateur universel et unique. Dieu, qui avait tout créé par son Verbe, décrète que tout sera restauré par le Verbe Incarné. Médiateur par l'union réalisée en lui de la nature divine et de la nature humaine qui auparavant étaient séparées, le Christ Jésus est constitué médiateur par le mandat divin qui lui est confié ; suivant le mot de l'Écriture, il a été créé « Prêtre pour l'éternité, selon l'ordre de Melchisédech [1] ».

Au cours de sa vie publique Notre-Seigneur révèle et explique progressivement sa médiation : « Je suis la voie, la vérité et la vie » dit-il [2]. Ce langage nous est plus clair qu'aux Juifs qui l'entendaient avec surprise.

Fils de Dieu, à la fois engendré éternellement comme Verbe du Père et prononcé dans le temps comme Verbe incarné, Jésus porte en Lui la lumière incréée qui est Dieu et toute la lumière que Dieu a voulu manifester au monde [3], la vie qui est au sein de la Trinité et la vie que Dieu veut répandre dans les âmes [4].

En Lui sont tous les trésors de la sagesse et de la grâce et c'est de sa plénitude que nous les recevons.

Par les mérites de sa Passion il a acquis le droit de les répandre et nous a rendus dignes de les recevoir. Par Lui seul la lumière et la grâce divine peuvent descendre ici-bas ; par Lui seul nous pouvons accéder jusqu'au trône

---

1. Ps 109,4 ; He 7,17.
2. Jn 14, 6.
3. *Ibid.*, 1, 9.
4. *Ibid.*, 1, 16.

du Père de lumière et de miséricorde. Médiateur universel et unique, réalisant notre rédemption, notre sanctification, il peut dire : « Je suis la voie... Je suis la porte du bercail céleste ; celui qui ne passe pas par la porte est un voleur[1] ».

Et pour que l'effusion de cette vie divine soit plus abondante, il a voulu que le contact avec son humanité, qui en est la cause instrumentale physique, fût aussi intime que possible. Il s'est placé sous les apparences du pain et du vin, et nous donne ainsi en nourriture son humanité vivante et immolée. Par elle ce sont tous les flots de la vie divine qui pénètrent en notre âme et s'y répandent selon toute la mesure de notre capacité de réception : « Je suis le pain de vie... Celui qui mange ma chair et boit mon sang aura la vie en lui. Celui qui ne mange pas ma chair et ne boit pas mon sang n'aura pas la vie en lui[2] ». Les paroles sont nettes : on ne peut avoir la vie que par la communion au Christ Jésus. Les autres sacrements eux-mêmes n'ont d'efficacité que par leur relation avec l'Eucharistie, tel le baptême qui n'a d'efficacité que par le vœu chez le baptisé de recevoir l'Eucharistie[3].

La communion a un effet de transformation. Mais ce n'est pas la nourriture céleste qui est transformée en celui qui la mange, c'est le Christ Jésus qui se donne, qui vient en conquérant pour transformer dans sa lumière et dans sa charité. Nous parvenons au mystère de l'union du Christ avec les âmes et toute son Église.

Après la Cène, Jésus le laisse entrevoir à ses apôtres qui ont communié pour la première fois et ont été ordonnés prêtres : « Je suis la vigne, vous êtes les rameaux. Le rameau séparé du cep n'est plus qu'un sarment qui sera jeté au feu. Sans moi vous ne pouvez rien faire[4] ». Toute notre vie surnaturelle est liée à notre union au Christ Jésus. Séparés de lui nous ne sommes plus rien et n'avons plus de valeur ni d'existence dans l'ordre surnaturel.

Aussi en sa prière sacerdotale avant la Passion, le Christ Jésus ne fait qu'une demande pour ses apôtres et pour ceux qui croiront en leur parole : qu'ils soient un avec Lui, comme Lui et son Père sont un[5], afin qu'ils

---

1. Cf. Jn 10, 7-13.
2. *Ibid.*, 6, 48-55.
3. « Même la grâce première n'est accordée à personne s'il ne reçoit ce sacrement (Eucharistie) en désir et en vœu : l'Eucharistie est en effet la fin de tous les sacrements. » *Catéchisme du Concile de Trente*, De Sacr. Euch. n° 50.
4. Cf. Jn 15, 5.6.
5. *Ibid.*, 17, 21.

puissent voir sa gloire [1]. Cela, le Christ Jésus l'exige comme le prix de son sacrifice. Cette unité est le but de l'Incarnation et de la Rédemption. Elle est vitale pour nos âmes et pour l'Église.

L'apôtre saint Paul va expliciter cet enseignement et en faire la synthèse. Il se proclame le héraut du grand mystère qui est le mystère du Christ, de ce dessein éternel de la miséricorde divine qui, après la chute, restaurant tout par son Verbe incarné, lui a donné la primauté en toutes choses, a rassemblé en Lui tout ce que le péché avait séparé, nous a donc tous réunis en Lui afin que par Lui et en Lui nous ayons la purification, le salut et la sainteté, et qu'avec Lui nous formions un seul corps qui est le Christ total ou l'Église. *In Christo Jesu* : telle est l'idée maîtresse de l'enseignement de saint Paul ; c'est l'essence du christianisme.

L'Église c'est le Christ diffusé ou le Christ répandu en ses membres. Elle le prolonge en lui fournissant des humanités de surcroît dans lesquelles il étale les richesses de sa grâce et par lesquelles il continue sa mission sacerdotale ici-bas. La grâce divine, qui ne peut nous venir que du Christ, nous enchaîne au Christ et nous fait du Christ. Ainsi nous sommes au Christ et le Christ est à Dieu.

La nature de notre grâce nous découvre sous un autre aspect notre dépendance du Christ et notre unité avec Lui. Notre grâce est en effet filiale ; c'est une note essentielle. Nous avons reçu un esprit filial « qui nous fait crier vers Dieu : Père [2] ». Au sein de la Trinité sainte nous sommes fils ou nous ne sommes pas. Or le Père n'a qu'un Fils, c'est son Verbe. Le rythme éternel de la vie au sein de la Trinité sainte est immuable : Dieu le Père, par la connaissance qu'il a de Lui-même, engendre le Verbe qui l'exprime ; le Père et le Fils, par une spiration commune d'amour, produisent le Saint-Esprit. Les siècles, pas plus que l'éternité, ne changeront rien à ce mouvement. Comment pourrons-nous y entrer et y participer ainsi que l'exige notre vocation surnaturelle ? Pas autrement qu'à la faveur d'une adoption et d'une emprise telle, qu'elle crée une certaine unité avec l'une des Personnes divines. Le Verbe s'est incarné, a pris une humanité qu'il a entraînée, heureuse captive, au sein de cette gloire que le Verbe avait avant que le monde fût [3]. Par cette humanité sainte du Christ, le Verbe saisit et entraîne tous les hommes qui se laissent saisir par sa grâce. Tout le Christ diffusé et complet est placé, par son

---

1. Jn 17, 24.
2. Rm 8, 15.
3. Jn 17, 5.

unité avec le Verbe, sous la paternité éternellement féconde du Père de lumière et de miséricorde, et avec Lui spire l'amour de l'Esprit Saint qui, Esprit du Père et du Fils, devient par conséquent l'Esprit de l'Église et le nôtre.

Tel est le plan de Dieu qui nous enveloppe et les desseins qu'il veut réaliser en nous et par nous. Nous serons du Christ ou nous n'aurons pas de vie surnaturelle ; nous serons Fils avec le Verbe incarné au sein de la Trinité sainte ou nous serons exclus du royaume des cieux.

Ces vérités ne doivent pas seulement fournir un aliment à notre contemplation. Puisqu'elles commandent toute l'œuvre divine de la Rédemption et de l'organisation de l'Église, elles doivent présider à la coopération qui nous est demandée à cette œuvre divine. Ces vérités si hautes sont parmi les plus pratiques pour la vie spirituelle et pour l'apostolat.

Par conséquent le philosophe doit renoncer à trouver l'intimité divine au terme de sa spéculation intellectuelle, serait-elle la plus haute. Lui arriverait-il par un bond ou une défaillance de son esprit de toucher à l'intellectualité pure et en reviendrait-il l'intelligence lourde d'intuitions profondes, il ne devrait pas croire avoir touché Dieu s'il n'est point passé par la foi au Christ Jésus. Dieu Esprit ne peut pas être saisi directement dans la ligne de la recherche intellectuelle pure.

Le contemplatif lui-même ne parviendra pas à la perfection de sa contemplation amoureuse uniquement en s'enfonçant dans l'obscurité de la nuit savoureuse. Pour trouver leur place en la Trinité sainte, l'un et l'autre devront aller au Christ Jésus et solliciter humblement la médiation toute puissante mais nécessaire de Celui qui est la voie, la porte du bercail et le bon Pasteur. Berger ou Mage, on ne peut atteindre Dieu ici-bas qu'en s'agenouillant devant la crèche de Bethléem et en l'adorant caché dans la faiblesse d'un enfant.

Que le spirituel avide d'ascensions spirituelles ne cherche point d'autre voie que le Christ. Considérer le Christ, l'imiter dans ses actes, dans ses pensées, dans ses sentiments et ses vouloirs, le suivre de Bethléem au Calvaire est la voie la plus sûre et la plus courte. Réaliser le Christ et le faire vivre en soi est la perfection la plus haute. Unis à Jésus et fixés en Lui, nous sommes au terme de nos ascensions et déjà en notre place d'éternité.

Toute doctrine ou toute voie qui éloignerait du Christ ou n'y conduirait pas serait une doctrine fausse ou une voie suspecte.

Avoir établi vigoureusement les conséquences pratiques de cette vérité dans le domaine spirituel constitue pour sainte Thérèse un de ses titres de gloire, un de ceux qui légitiment son autorité de maîtresse de vie spirituelle [1].

A égale distance de la timidité qui ne veut pas s'éloigner des formes actives de l'oraison et de l'orgueil subtil qui ne rêve que vide et dépassement des choses sensibles pour entrer dans la nuit, tenant compte à la fois des exigences de la grâce et de notre faiblesse, de la nature spirituelle de Dieu et de son plan de miséricorde, elle nous apprend à nous attacher fortement à l'humanité du Christ « voie, vérité et vie », de même qu'à ne point résister au souffle de la grâce lorsqu'il veut nous emporter dans les profondeurs obscures de la Sagesse.

Nous retrouverons son enseignement détaillé et précis dans les diverses Demeures. En parcourant les trois premières, le regard de l'âme devra inlassablement fixer le bon Jésus. La Sagesse du Verbe se manifestera, obscure ou savoureuse, dans les quatrièmes et cinquièmes Demeures. Dans le dépouillement et la pauvreté complète des sixièmes Demeures l'âme devra communier aux mystères douloureux du Christ, en attendant qu'elle communie au triomphe de sa vie en elle dans l'union transformante des septièmes Demeures.

---

1. Nulle part l'enseignement de sainte Thérèse n'eut, semble-t-il, une influence plus profonde sur la spiritualité qu'en France où il fut rapidement propagé par la traduction de ses écrits, dès le début du XVIIᵉ siècle, et par les nombreux monastères de Carmélites. L'École mystique française du XVIIᵉ siècle, dont les chefs furent des fervents du Carmel, lui doit son caractère christocentrique.

CHAPITRE SIXIÈME

Ascèse thérésienne

Pour voir Dieu il faut mourir.

« Pour voir Dieu il faut mourir » expliquait Thérèse enfant à ses parents, au retour de son expédition manquée chez les Maures. Seule, en effet, la mort peut ouvrir le regard de notre âme à la vision de l'Infini.

C'est par une mort aussi, mais plus lente, faite de continuelle mortification, qu'on entre dès ici-bas dans l'intimité divine. Sainte Thérèse ne l'ignore pas :

Quand on commence à servir Dieu véritablement, écrit-elle, le moins qu'on puisse lui offrir c'est le sacrifice de sa vie [1].

La primauté qu'elle donne à l'oraison dans sa spiritualité ne lui fait pas oublier l'importance de l'ascèse : « La mollesse et l'oraison ne vont pas ensemble » écrit-elle [2].

L'âme placée sous la lumière de Dieu doit en effet mieux découvrir les exigences de la pureté divine. Pour parvenir à une union parfaite avec Dieu il faut se soumettre à une ascèse énergique et absolue. Pour que cette ascèse reste efficace en même temps que proportionnée aux forces humaines, elle devra être adaptée et progressive.

Absolue, adaptée et progressive : tels sont les trois caractères de l'ascèse thérésienne que nous allons examiner.

1. *Chem. Perf.*, ch. XIII, pp. 638-639.
2. *Ibid.*, ch. IV, p. 600.

A. — *ASCÈSE ABSOLUE*

Un souffle d'énergie guerrière anime les écrits de sainte Thérèse. Elle est fille de chevaliers et originaire d'Avila qui, au cours d'un siège mémorable, fut défendue par l'héroïsme de ses femmes.

Le monastère de Saint-Joseph d'Avila est « une petite place forte où se sont retranchés de vaillants chrétiens[1] », protégée par les fortes murailles que sont la pauvreté et l'humilité[2]. On n'y soutient que des luttes spirituelles, mais elles sont « très pénibles et exigent plus de courage que beaucoup d'autres travaux[3] ».

Voyez le porte-drapeau dans les batailles. Il ne se bat point ; mais il ne laisse pas pour cela de courir de grands dangers. Il doit souffrir intérieurement plus que tous les autres, parce que, comme il porte l'étendard, il ne peut parer les coups et doit se laisser mettre en pièces plutôt que de le lâcher.

Ainsi les contemplatifs doivent arborer l'étendard de l'humilité et supporter tous les coups qu'on leur donne, sans en rendre aucun ; leur office est de souffrir comme le Christ, de tenir toujours la croix bien haut, sans jamais l'abandonner[4].

En maints endroits de ses écrits, mais spécialement dans les vingt premiers chapitres du *Chemin de la Perfection*, sainte Thérèse explique en détail les vertus à pratiquer et les souffrances à supporter. Ce sont les vertus de pauvreté, de charité, d'humilité, de détachement de sa famille et de soi-même, et toutes avec ce caractère d'absolu qui est vraiment la note de l'ascèse thérésienne. Écoutons la Sainte :

Travaillez à Lui plaire (à Dieu), et si malgré cela vous venez à mourir de faim, je dirai : Heureuses les Sœurs du couvent de Saint-Joseph ![5]

Si nous ne nous déterminons pas à mépriser une bonne fois la mort et la perte de la santé, nous ne ferons jamais rien. Tâchez de ne plus redouter la mort, abandonnez-vous complètement à Dieu, et arrive que pourra[6].

Elle veut que ses filles soient viriles et sachent supporter sans se plaindre « ces petits maux de femme » qui « vont et viennent[7] ». « Quand le mal est grave, dit-elle, il se plaint lui-même, il a une autre plainte que les vôtres : on le reconnaît tout de suite[8] ».

---

1. *Chem. Perf.*, ch. III, pp. 593-594.
2. *Ibid.*, ch. II, pp. 590-591.
3. *Vie*, ch. XI, p. 110.
4. *Chem. Perf.*, ch. XX, p. 669.
5. *Ibid.*, ch. II, p. 587.
6. *Ibid.*, ch. XII, p. 637.
7. *Ibid.*, ch. XII, pp. 635-636.
8. *Ibid.*, ch. XII, p. 635.

C'est dès le début de la vie spirituelle que la générosité est nécessaire :

> Comment doivent-ils commencer ? Voici un point important et même capital. Ils doivent prendre la résolution ferme et énergique de ne point cesser de marcher qu'ils ne soient arrivés à la source de vie. Ainsi donc, qu'ils avancent malgré toutes les difficultés, malgré tous les obstacles, malgré tous les travaux et malgré tous les murmures ; que leur ambition soit d'atteindre le but. Qu'ils meurent plutôt sur le chemin qui y conduit, que de manquer de courage à supporter les épreuves de la route, dût le monde entier s'abîmer avec eux ! [1]

Beaucoup en effet ne sont jamais arrivés pour n'avoir pas « embrassé la croix dès le principe [2] ».

Dans le *Château Intérieur* la Sainte résume et précise :

> L'unique ambition de celui qui commence à s'adonner à l'oraison doit être de travailler à s'affermir dans les bonnes résolutions et de ne négliger aucun moyen pour rendre sa volonté conforme à celle de Dieu. C'est en cela... que consiste la plus haute perfection à laquelle on puisse arriver dans le chemin spirituel [3].

Toute cette ascèse doit aboutir en effet au don complet de la volonté et de soi-même :

> Tous les conseils que je vous ai donnés dans ce livre n'ont qu'un but, celui de vous amener à vous livrer complètement au Créateur, à lui remettre votre volonté et à vous détacher des créatures [4].

Sainte Thérèse ne voue pas cependant à l'enfer ceux qui, dans le chemin spirituel, apportent une générosité moindre. Si déjà Dieu leur a accordé quelque faveur surnaturelle, il ne leur « enlève pas complètement ce qu'il leur avait donné, lorsqu'ils gardent une conscience pure [5] ». Sinon, ils restent définitivement dans l'oraison mentale. La contemplation a en effet des exigences absolues :

> Si vous ne voulez ni les écouter, ni les mettre en pratique, restez avec votre oraison mentale toute votre vie, dira la Sainte [6].

Quant à elle, elle ne veut s'adresser qu'à ceux qui ont le désir des sommets, qui veulent boire à la source d'eau vive. C'est pour qu'ils se préparent à cette grâce qu'elle leur demande le don absolu de leur volonté [7]. Ceux-là

---

1. *Chem. Perf.*, ch. XXIII, p. 689.
2. *Vie*, ch. XI, p. 113 ;
3. IIe Dem., ch. I, p. 841.
4. *Chem. Perf.*, ch. XXXIV, p. 750.
5. *Ibid.*, ch. XXXIII, p. 745.
6. *Ibid.*, ch. XVIII, p. 657.
7. *Vie*, ch. XI, pp. 103-104 ; *Chem. Perf.*, ch. XXX, p. 727 ; ch. XXXIV, p. 750.

seulement sont les disciples de sainte Thérèse et réalisent la définition qu'elle donne du spirituel :

Savez-vous quand on est vraiment spirituel ? C'est quand on se fait l'esclave de Dieu, et que, à ce titre, non seulement on porte son empreinte qui est celle de la croix, mais qu'on lui remet sa liberté, afin qu'il puisse nous vendre comme les esclaves de l'univers tout entier [1].

Saint Jean de la Croix présente le même idéal que sainte Thérèse. Il pose les mêmes exigences, avec des formules plus incisives et, sur certains points, plus précises.

Au début de son traité : *La Montée du Carmel*, il a placé un graphique qui indique l'itinéraire à suivre. Trois voies se présentent au débutant : à droite et à gauche deux avenues larges et sinueuses ; la première qui est le chemin de l'esprit égaré, va à la recherche des biens de la terre : liberté, honneurs, science, repos ; la deuxième, appelée chemin de l'esprit imparfait, conduit vers les biens du ciel : gloire, sainteté, joies, savoir. Parce qu'elle les a recherchés, l'âme les a moins trouvés, et elle n'a pas gravi la montagne de la perfection. Au milieu du graphique et montant tout droit vers le sommet de la montagne, un étroit sentier sur lequel le Saint a écrit quatre fois répété « rien, rien, rien, rien ». Ce sentier conduit à la plénitude des dons de Dieu, au banquet de la Sagesse divine.

Le dessin est suggestif. Saint Jean de la Croix le commente par l'enseignement de la *Montée du Carmel* :

Que l'âme s'applique sans cesse :
non à ce qui est plus facile, mais à ce qui est plus difficile...
non à ce qui plaît, mais à ce qui déplaît...
non à ce qui est repos, mais à ce qui donne du travail...
non à vouloir quelque chose, mais à ne rien vouloir,
non à rechercher ce qu'il y a de meilleur dans les choses, mais ce qu'il y a de pire, et à désirer entrer pour l'amour du Christ dans un dénuement total, un parfait détachement et une pauvreté absolue par rapport à tout ce qu'il y a dans le monde [2].

Ce détachement, remarque le Saint, s'applique aux biens spirituels comme aux biens de ce monde. Il précise ses avis dans le sens spirituel :

Pour arriver à goûter tout, veillez à n'avoir goût pour rien ;
Pour arriver à savoir tout, veillez à ne rien savoir de rien ;
Pour arriver à posséder tout, veillez à ne posséder quoi que ce soit de rien ;
Pour arriver à être tout, veillez à n'être rien en rien [3].

---

1. VIIe Dem., ch. IV, p. 1054.
2. *Montée du Carm.*, Liv. I, ch. XIII, p. 84.
3. *Ibid.*, p. 86.

Il est inutile de poursuivre les citations. Il est clair que les pentes du Carmel sont abruptes et qu'il n'y a point de sentiers en lacets pour les gravir, pas de plateau où l'on puisse s'établir, à peine de temps en temps quelques paliers où l'on peut s'arrêter un instant non pour considérer le chemin parcouru, mais pour contempler la cime d'où vient la lumière et vers laquelle il faut pointer tout droit en s'aidant du seul appui permis et utile pour cette ascension : le bâton de la croix.

Le pauvre monastère de Saint-Joseph d'Avila, la masure de Durvelo que Jean de la Croix ornera de croix et de têtes de morts à faire pleurer de dévotion, la vie qu'on y mène, offrent au regard la réalisation vivante de cette ascèse de l'absolu.

Cette spiritualité ne fait point parade de sa force austère. Elle ne la dissimule point cependant, car elle ne veut attirer que les forts :

Ce que je demande instamment, mes filles, disait sainte Thérèse, c'est que si quelqu'une d'entre vous ne se reconnaît pas capable de suivre ce qui se pratique dans ce monastère, qu'elle le dise. Il y a d'autres monastères où l'on sert également le Seigneur [1].

...Je désire, mes filles, que vous ne soyez et ne paraissiez femmes en rien, mais que vous ressembliez à des hommes forts [2].

Mais n'est-ce point là exagérations de vaillants qui veulent faire de l'héroïsme une loi, et s'isolent ainsi un peu orgueilleusement de la foule ? Pour en juger consultons l'Évangile :

« Si vous ne faites pénitence, vous périrez tous ! [3] » nous dit Notre-Seigneur. Voilà déjà une loi bien austère. Jésus précise la qualité de l'effort qu'il exige : « Le royaume de Dieu souffre violence ; seuls les violents l'emportent [4] ».

Tous les disciples du Christ doivent donc être des violents, car on ne peut en effet, sans se faire violence à soi-même, réaliser le précepte formel du Maître : « Si quelqu'un veut venir après moi, qu'il fasse abnégation de lui-même, qu'il prenne sa croix et qu'il me suive [5] ».

Il n'est donc point d'autre voie d'ascension vers Dieu que le chemin du Calvaire, âpre et sanglant comme la montée du Carmel.

Aux disciples d'Emmaüs, encore scandalisés du drame du Calvaire, Jésus dira : « Ne fallait-il pas que le Fils de l'homme souffrît et entrât ainsi dans la gloire ? [6] ». Il

---

1. *Chem. Perf.*, ch. IX, p. 625.
2. *Ibid.*, ch. VIII, p. 622.
3. Lc 13, 3.
4. Mt 11, 12.
5. *Ibid.*, 16, 24.
6. Lc 24, 26.

proclame une loi : celle qu'il s'est imposée, celle qu'ils devront subir. Il l'a annoncé :

Le disciple n'est pas au-dessus du Maître. Le monde m'a haï et il vous haïra. Ils vous persécuteront comme ils m'ont persécuté... Je vous envoie comme des agneaux au milieu des loups [1].

Cette loi douloureuse est une loi de vie. Le Christ Jésus reste parmi nous sous les espèces eucharistiques dans un état d'immolation, le pain et le vin séparés sur l'autel. C'est en cet état qu'il répand la grâce unissante dans l'Église.

Cette grâce est vie et mort, comme le Christ immolé qui la verse par ses plaies béantes. Elle nous donne la vie débordante du Christ qui ne meurt pas et elle annonce en nous sa passion, sa souffrance, la nécessité de participer à son sacrifice, de compléter ce qui manque à sa passion pour l'application de ses mérites à nos âmes. Elle ne se développera en nous que dans la souffrance unie au Christ, et ne s'épanouira parfaitement dans la vision et la jouissance que lorsque, par la mort, elle nous aura fait rejoindre le Christ immolé et ressuscité d'entre les morts.

Sur le Calvaire, le Christ était seul immolé ; sur l'autel, chaque jour il s'offre avec toute l'Église, qui participe à son sacrifice, et c'est le sacrifice de tous ses membres qu'il réclame. Jésus crucifié est le type parfait de l'humanité régénérée, l'idéal et le modèle sur lequel Dieu forme les âmes. La messe est célébrée chaque jour devant nous. L'Église dresse partout l'image du Christ en croix. Ces réalités augustes, cette présence constante ne parviennent pas à dissiper les mirages de bonheur temporel et les espérances de triomphes terrestres qu'inlassablement nous unissons à la réalisation de nos désirs de perfection chrétienne.

Nous voulons oublier que le Christ Jésus n'a point annoncé d'autre victoire que celle de la croix sur le Calvaire, pas d'autre revanche sur ses ennemis que celle du jour où il viendra sur les nuées du Ciel avec sa croix, pour juger les vivants et les morts. En ce jour ne triompheront avec Lui que ceux qui auront passé par la grande tribulation et seront purifiés dans le sang de l'Agneau [2].

---

1. Mt 10 et Jn 15.
2. On ne saurait affirmer cependant que seule la souffrance soit sanctifiante et méritoire ici-bas. « Les douceurs enchaînent » souligne sainte Thérèse de l'Enfant-Jésus.
Les saveurs débordantes purifient comme les blessures douloureuses. Le degré de charité importe plus au mérite d'un acte que la souffrance dont il est l'occasion.
Le Christ crucifié qui se dresse sur le Calvaire comme le type exemplaire de l'humanité régénérée était le plus douloureux des hommes par les

Perspectives

Ces vérités profondes, douloureuses, mais pratiques, les Maîtres du Carmel les ont comprises et les ont acceptées. Aux âmes avides de christianisme intégral groupées autour d'eux ils se devaient de proclamer la loi rude et féconde de la croix, et de les mettre en garde contre les mauvais bergers :

Si quelqu'un vient à vous, vous prêchant une doctrine large, fût-il un ange et fît-il des miracles à l'appui, ne le croyez pas. Mettez votre confiance dans une pénitence austère et le détachement de toutes choses[1].

Unis au Christ crucifié par la participation à sa vie divine et à sa passion, ils ont mérité de pouvoir communier à ses sentiments, de pouvoir réaliser ses attitudes devant la souffrance et devant la mort. N'a-t-il pas dit un jour : « J'ai à être baptisé d'un baptême de sang, et comme je suis consumé d'ardeur jusqu'à ce que cela s'accomplisse ![2] ». Avec toutes les ardeurs de son âme de Sauveur, Jésus se portait vers les réalisations magnifiques du Calvaire.

Aux heures où leur âme sera embrasée d'amour, les saints du Carmel vont eux aussi soupirer vers la souffrance qui rapproche de Dieu, qui sauve les âmes, vers la mort qui fait entrer dans la grande vision et libère pour les missions fécondes :

Ou souffrir ou mourir ! s'écrie sainte Thérèse ;
Souffrir et être méprisé ! demande saint Jean de la Croix ;
La souffrance a été mon ciel ici-bas, proclame sainte Thérèse de l'Enfant-Jésus.

Et cependant ils furent des hommes comme nous : « Élie était comme nous un homme sensible à la souffrance, *Elias homo erat similis nobis passibilis*[3] ». Ils souffrirent

---

tourments qu'il porte et à la fois le plus heureux par la vision béatifique dont il continue de jouir et par le triomphe que la souffrance lui assure.

Ainsi le saint qui réalise le Christ connaît ici-bas les joies les plus hautes et les plus pures en même temps que les immolations intérieures ou extérieures les plus douloureuses.

Sur son lit de mort sainte Thérèse de l'Enfant-Jésus disait : « Voyez-vous là-bas le trou noir... c'est dans un trou comme cela que je suis pour l'âme et pour le corps ». « Le calice est plein jusqu'au bord !... Jamais je n'aurais cru qu'il était possible de tant souffrir ». Presque aussitôt elle ajoutait non pour rectifier les affirmations précédentes mais pour les préciser : « J'y suis dans la paix... Je ne me repens pas de m'être livrée à l'Amour » (Cf. *Dern. Ent.*, CJ 28.8.3 ; 30.9).

Mais comme la souffrance est la porte nécessaire du bonheur suprême et que notre appétit de bonheur tend constamment à diminuer les exigences divines et à concilier pacifiquement humanisme et christianisme, on comprend l'insistance des maîtres spirituels sur la nécessité de la croix et l'équivalence qu'ils établissent entre le sacrifice et la perfection.

1. Saint Jean de la Croix, *Maximes* 124. (Traduction P. Cyprien, édit. P. Lucien ; Desclée).
2. Lc 12, 50.
3. Jc 5, 17.

douloureusement, parfois avec tristesse, sans courage, faiblement.

A travers tout, même quand les ardeurs avaient disparu, leur générosité fut à la hauteur de leur enseignement.

De cet enseignement on ne saurait rien effacer sans atteindre la perfection chrétienne qu'il garantit, sans diminuer la beauté, la puissance et la fécondité de la spiritualité du Carmel dont il fait partie.

B. — *ASCÈSE ADAPTÉE*

« Spiritualité de géants ! Spiritualité pour des êtres d'exception de la taille de sainte Thérèse et de saint Jean de la Croix ! » redira-t-on après avoir entendu les cris sublimes qui montent de leurs âmes embrasées.

« Spiritualité qui, à force d'être sublime, n'est plus humaine » ajoute-t-on. « Heureusement qu'il est des maîtres de vie spirituelle plus compréhensifs, tels saint François de Sales par exemple ou même sainte Thérèse de l'Enfant-Jésus, de la famille carmélitaine elle aussi, qui savent tenir compte de la faiblesse humaine et des besoins de notre temps ».

Objection spécieuse, souvent entendue, dont l'examen va nous permettre de mettre en relief la vivante souplesse d'adaptation de l'ascèse absolue des Maîtres du Carmel.

Notons d'abord que ce serait faire une grave injure à la spiritualité de saint François de Sales ou de sainte Thérèse de l'Enfant-Jésus, que d'affirmer qu'elles ne sont point armées d'une ascèse absolue. Autant affirmer qu'elles ne sont point chrétiennes. La violence qu'elles imposent est peut-être dissimulée, elle s'y trouve nécessairement puisque seuls les violents emportent le royaume de Dieu. En fait nous savons la violence que se fit à lui-même le doux François de Sales pour maîtriser son tempérament emporté, l'héroïsme qu'il exigea de sainte Jeanne de Chantal, spécialement au moment où elle dut quitter son foyer et passer sur le corps de son fils pour fonder la Visitation.

Nous sommes encore mieux éclairés sur sainte Thérèse de l'Enfant-Jésus, qui avait comme principe qu'il faut tout prendre dans la vie spirituelle [1], et qu'il faut aller jusqu'au bout de ses forces sans se plaindre, et dont sa sœur Céline, sa compagne de toujours, disait que la vertu de force était sa vertu caractéristique.

---

[1]. « Je choisis tout ! » (*Man. Autob.*, A fol. 10 r°).

La douceur de saint François de Sales, de même que le sourire de sainte Thérèse de l'Enfant-Jésus, abritent donc des vertus pratiquées à un degré héroïque. L'un et l'autre, comme Thérèse de Jésus et Jean de la Croix, sont des pèlerins de l'absolu. Des différences notables marquent cependant leur forme de sainteté et leur enseignement. Il est nécessaire de le reconnaître et plus utile encore de l'expliquer.

La mortification peut avoir un double but : la destruction du péché en nous et la rédemption des âmes. Pour l'instant, seul le premier but nous importe puisque nous parlons d'ascèse.

Pour que cette ascèse soit efficace, elle devra s'adapter au tempérament afin d'atteindre les tendances dominantes à détruire.

Or nous savons que les tendances, différentes en chaque individu, se retrouvent cependant avec une certaine constance chez les hommes d'une même époque, d'une même classe de la société. Nous connaissons en effet l'Espagnol du XVIᵉ siècle, le Français du XVIIᵉ ; nous pourrions dire leurs qualités et leurs défauts, qui s'étalent dans les œuvres politiques, littéraires ou sociales de leur temps.

Les maîtres de vie spirituelle, des saints ordinairement, dont l'Esprit Saint pourvoit l'Église en tout temps, sont à la fois des esprits éclairés sur les exigences de Dieu et des psychologues pénétrants. Ils connaissent les principes de la vie spirituelle et en tirent des conseils précis adaptés aux besoins des âmes qu'ils doivent guider. Leur enseignement trouve dans la fidélité aux principes traditionnels et dans son adaptation aux besoins du temps, sûreté doctrinale, originalité et efficacité.

Saint Jean de la Croix et sainte Thérèse sont docteurs de l'Église universelle. Leur science mystique est pour tous les temps. Ils appartiennent toutefois à une époque et à une nation : ils sont espagnols du XVIᵉ siècle et parmi les représentants les plus qualifiés de ce brillant siècle classique de l'Espagne. Ils ont parlé avec leur génie espagnol et pour les auditeurs vivants qui les écoutaient, donc en tenant compte de leurs besoins dans les commentaires pratiques de leur doctrine.

Nous connaissons le tempérament de l'Espagnol du XVIᵉ siècle. Il a une foi profonde et de la piété, comme son roi Philippe II, qui vit comme un religieux, est très préoccupé de la réforme des divers Ordres et veut à tout prix préserver ses sujets de l'erreur protestante qui sévit en Europe. Il entretient le zèle de l'Inquisition qui, sans pitié et sans acception de personne, met en ses prisons l'étranger obscur, le professeur célèbre ou même l'archevêque imprudent en son langage. La foi est protégée : le péché ne sera pas dans l'intelligence, qu'elle soumet.

Le péché sera dans les sens et les puissances sensibles. L'Espagnol du XVIᵉ siècle est débordant de vie et d'ardeurs. Finies les luttes avec les Maures dans la péninsule, il est parti partout où l'on se bat, ou plutôt il porte la guerre partout, dans les Pays-Bas, en Italie, en Amérique. Ses sens s'exaltent dans la piété comme à la guerre. L'illuminisme les menace.

Tous les maîtres de vie spirituelle mèneront le combat contre ces ardeurs sensibles qui trouveront un apaisement dans les mortifications physiques les plus violentes. Sainte Thérèse et saint Jean de la Croix y excellent, et cependant ils sont sur ce point parmi les modérateurs[1]. Leur doctrine s'en ressent. La *Montée du Carmel* est pleine de la préoccupation de répondre dans le détail aux besoins des contemporains, et plus spécialement de signaler le danger de l'illuminisme. Saint Jean de la Croix y traite d'une façon distincte de la purification de la mémoire et de la volonté. La mortification de l'entendement n'y est abordée que dans les explications données sur la nature de la foi et encore en fonction des dangers de l'illuminisme.

Saint François de Sales écrit quelque trente ans plus tard. Le Français du début du XVIIᵉ siècle ne diffère pas notablement de l'Espagnol du XVIᵉ, le Français du moins qui a échappé à l'influence protestante. Les annales du Carmel de France à cette époque étalent complaisamment les mêmes brillants excès dont se parait la Réforme espagnole.

Mais saint François de Sales s'adresse à un public spécial, composé de ses visitandines et de dames du monde. Les premières, par hypothèse, n'ont pas les forces physiques suffisantes pour porter les austérités du Carmel ; les deuxièmes sont maîtresses de maison et vivent, en leurs châtellenies isolées ou dans leurs hôtels bourgeois des villes, une vie souvent encombrée d'obligations de famille ou de société.

Les mortifications physiques à un rythme violent leur sont impossibles ou du moins ne leur conviennent pas. Ces chères Philothées ne peuvent pas cependant se sanctifier sans violence sur elles-mêmes. Elles courent des dangers ; elles ont leurs tendances. En fin psychologue saint François de Sales les discerne fort bien.

---

1. Sainte Thérèse s'effraye des austérités des premiers Carmes déchaussés à Durvelo et craint qu'elles ne cachent une ruse du démon qui veut détruire ainsi la Réforme naissante (*Fondat.*, ch. XIV, p. 1175).
   Saint Jean de la Croix, nommé maître des novices à Pastrana, commence par supprimer les pénitences extraordinaires qu'y avait établies son prédécesseur le P. Gabriel Espinel.

Il va donc leur imposer une ascèse du cœur, que sainte Thérèse eût trouvée peut-être trop sévère, mais qui doit les mettre à l'abri des dangers souvent nombreux en leur situation. Ce sont des maîtresses de maison qui ont le sens et le goût du détail et de l'ordre, des âmes racées faites pour exercer l'autorité. Le doux évêque de Genève, avec une rigueur avisée et persévérante, imposera la mortification de la volonté par l'obéissance, et de tous les goûts personnels par un détachement qui atteindra les détails et les menus objets. Les âmes seront ainsi libérées pour l'exercice du parfait amour.

Depuis le XVIIᵉ siècle le mal a pris d'autres formes. En proclamant le principe du libre-examen, la Réforme protestante a soustrait l'intelligence à l'autorité de l'Église, l'a dégagée progressivement des dogmes et de toutes les contraintes. Ainsi libérée, la raison s'est déifiée sous la Révolution française et a proclamé ses droits absolus. Reine en tous les domaines, elle est devenue successivement déiste, athée, et dans son isolement a fini par douter d'elle-même et de toutes les perceptions des sens. Elle a renoncé au surnaturel et perdu le goût des spéculations métaphysiques. Elle est revenue vers la matière pour améliorer la vie terrestre de l'homme. Les découvertes scientifiques qui ont récompensé son nouveau zèle ont augmenté sa confiance en elle-même, mais en augmentant le bien-être et en diminuant l'effort, ont contribué à anémier le corps qu'elles devaient servir. Un individualisme orgueilleux, ennemi de toute contrainte d'autorité, exaltant l'égoïsme personnel, s'est implanté dans les mœurs ; un individualisme inquiet, car même des plaisirs toujours nouveaux ne sauraient apaiser le besoin profond de notre âme créée pour l'Infini. Tel est le mal moderne, qui a sa source en un orgueil de l'intelligence que nous sentons à peine, tellement il est passé dans nos mœurs, et qui, mis au service des sens, a tari nos énergies morales et parfois physiques. Est-il possible de faire entrer du surnaturel sur des maux si graves et si profonds ?

Sainte Thérèse de l'Enfant-Jésus est venue apporter la lumière à notre temps, nous indiquer d'abord l'ascèse qui convient à nos maux.

Elle nous dira donc que l'ascèse physique violente de l'école espagnole du XVIᵉ siècle ne convient pas généralement à nos tempéraments anémiés ; que le désir que nous pourrions en avoir pourrait bien procéder en nous soit de cet orgueil spirituel qui veut parvenir promptement vers les sommets et se délecte dans l'effort, soit de la mélancolie maladive, assez fréquente à notre époque, qui recherche la souffrance pour elle-même.

Sainte Thérèse de l'Enfant-Jésus ne condamne pas

certes la mortification physique, nécessaire à notre époque comme en tout temps. Sa fidélité à recueillir toutes celles que lui présentaient les règles du Carmel et les circonstances providentielles, nous traduit clairement sa pensée. Elle ne blâmait que l'excès, mis trop souvent en relief dans la vie des Saints et dans l'histoire des débuts du Carmel réformé.

La violence que l'Évangile nous réclame, nous devons la réserver pour l'orgueil sous toutes ses formes, dont nos âmes sont imprégnées comme d'un gaz délétère. La perfection, proclame la Sainte, est dans l'humilité du cœur.

Pour combattre l'orgueil généralisé, elle construit une spiritualité d'humilité, sa « voie d'enfance spirituelle ». Rester un enfant, cultiver soigneusement en soi le sentiment de sa petitesse et la faiblesse confiante, se réjouir de sa pauvreté, l'étaler devant Dieu avec complaisance comme un appel à sa miséricorde, agir dans le plan surnaturel comme un enfant dans le plan naturel, telle est à son avis, l'attitude la plus propre à attirer sur soi le regard de Dieu et la plénitude de son Amour transformant et consumant.

Réaliser cette attitude et la conserver exige une immolation complète. Aussi sainte Thérèse ne réclame pas de ses disciples une énergie moins persévérante, un don moins absolu que les Réformateurs du Carmel eux-mêmes. Elle est de leur race et de leur sang, leur fille authentique, l'interprète fidèle de leur pensée. Il nous plaît de penser que sainte Thérèse et saint Jean de la Croix, sous une forme probablement différente, ne nous eussent point donné pour notre époque une interprétation autre des principes de spiritualité qu'ils ont posés pour tous les temps.

Sainte Thérèse de l'Enfant-Jésus, indépendamment de ses mérites personnels et de sa mission particulière dans le monde, nous fait ainsi admirer la souplesse vivante de la spiritualité du Carmel, qui, pour remplir sa tâche à travers les siècles et garder sa fécondité, se penche maternellement sur les âmes de chaque époque, et, pour guérir leurs maux, puise dans ses trésors, des richesses nouvelles et anciennes [1].

---

1. Un Ordre religieux ne peut conserver son esprit et remplir sa mission à travers les siècles qu'en adaptant ses formes extérieures aux changements et vicissitudes des diverses époques. Sainte Thérèse n'a pu faire revivre l'esprit primitif du Carmel au XVIe siècle qu'en créant une forme de vie érémitique adaptée aux mœurs et aux besoins de son temps.

Dans les formes extérieures qui enveloppent l'esprit d'un Ordre qui doit survivre aux vicissitudes des temps et aux bouleversements des civilisations parce qu'il incarne une fonction essentielle du sacerdoce du Christ, il en est qui doivent changer et d'autres qui sont immuables parce qu'inséparables de l'esprit. C'est ainsi que sainte Thérèse rétablit

C. — *ASCÈSE PROGRESSIVE*

Dans le livre de sa *Vie* sainte Thérèse raconte que, lorsque les oraisons surnaturelles lui devinrent habituelles, elle éprouva le besoin de trouver un directeur qui l'aidât à se débarrasser de « certaines affections qui, sans être en soi très coupables, étaient cependant de nature à tout entraver[1] ». On lui indiqua un saint prêtre d'Avila qui

prit immédiatement une sainte résolution : il me traita en âme forte, telle que j'aurais dû être d'après l'oraison qu'il trouvait en moi. Il voulut me faire éviter toute offense contre Dieu. Pour moi... je ne me sentais pas la force de pratiquer immédiatement une si haute perfection, je fus extrêmement affligée. Je vis qu'il considérait les affaires de mon âme comme une œuvre qui devait se conclure d'un seul coup. Mais, à mon avis, il fallait la conduire avec beaucoup plus de prudence... J'étais très avancée dans les faveurs divines, mais j'étais tout à fait au début dans les vertus, et la mortification. A coup sûr, si je n'avais pas eu d'autre guide, je crois que mon âme n'aurait jamais réalisé le moindre progrès[2].

Le saint prêtre d'Avila, maître Daza, avait considéré uniquement les exigences absolues des faveurs surnaturelles reçues et nullement les forces de l'âme. Sainte Thérèse le lui reproche. Cela nous indique clairement la pensée de la Sainte à ce sujet.

L'ascèse qui tend au détachement absolu doit procéder par des réalisations progressives, sinon elle échouera complètement. Une direction prudente et éclairée doit régler ces réalisations en considérant les forces actuelles de l'âme et les exigences de Dieu qui, elles aussi, sont progressives. Pendant les trois années de sa vie publique Jésus supporta la rudesse morale et spirituelle de ses apôtres, les lenteurs de leur esprit ; progressivement il fit pénétrer dans leur âme la lumière sur le royaume de Dieu.

---

le silence du désert dans ses monastères, mais elle est vêtue de bure et établit la clôture tandis que le prophète était vêtu de peaux de bêtes et allait de-ci de-là.

Le culte de l'antique et la fidélité à la tradition qui s'attacheraient indifféremment à toutes les formes primitives de l'esprit, risqueraient donc de cristalliser cet esprit en une rigidité mortelle et, en l'empêchant de s'adapter et de s'épanouir, lui feraient perdre ce qu'il désire si fort conserver.

Distinguer entre les formes extérieures à conserver et celles qui doivent disparaître à une époque donnée n'appartient pas plus à la ferveur inexpérimentée qu'à la routine paresseuse qui tend constamment à minimiser l'effort ; ce n'est pas un droit de l'autorité du Supérieur qui a charge de conserver plutôt que de modifier ; c'est le privilège exclusif de la sainteté, qui est seule capable de mouler dans une forme vivante et authentique, l'esprit dont elle possède la plénitude.

1. *Vie*, ch. XXIII, p. 236.
2. *Ibid.*, p. 237.

Dans l'exposé de sa doctrine spirituelle sainte Thérèse affirmera dès le début les exigences divines et la nécessité pour l'âme d'une résolution généreuse, mais à travers les Demeures elle se montrera toujours maternelle, compréhensive, encourageant la faiblesse, soulignant le mérite des efforts fournis et la valeur des résultats obtenus, provoquant ainsi à de nouvelles résolutions généreuses pour des réalisations plus hautes, suivant une progression continue et ordonnée [1].

Saint Jean de la Croix, dont la logique de dépouillement nous paraît si terrifiante et presque inhumaine, est un confesseur patient, un directeur condescendant, un père compatissant pour la faiblesse humaine. Il effrayait d'abord, mais quand on le connaissait « on l'aurait suivi jusqu'en Turquie ».

Sainte Thérèse de l'Enfant-Jésus, si vigoureuse avec ses novices [2] et qui leur donnait le culte d'une générosité forte, disait qu'il est des âmes que la miséricorde divine ne se lasse pas d'attendre, et que, parmi ses novices, il en est qu'elle doit prendre par le bout des ailes, d'autres par la peau.

Les Maîtres du Carmel connaissent la pureté de Dieu et dans sa lumière ils découvrent la faiblesse humaine. Ils aiment l'une et l'autre du même amour. Leur science pratique n'est pas faite seulement de logique de la pensée, mais aussi de l'amour compatissant de leur cœur. Et si dans leurs traités c'est surtout la lumière puissante et un peu rude qui brille, dans les contacts avec les âmes c'est la charité aimante qui déborde. Leurs contemporains l'affirment. Leur science spirituelle est en effet une science d'amour.

---

1. Dans le tableau inséré au début du volume, on trouvera la progression de l'ascèse thérésienne à travers les Demeures.
2. Au Procès de béatification, sœur Geneviève de la Sainte-Face (sa sœur Céline) dépose que s'il eût fallu indiquer ce qui lui plaisait moins en sainte Thérèse de l'Enfant-Jésus, elle aurait signalé sa sévérité à l'égard des novices.

CHAPITRE SEPTIÈME

Le démon

Il agit à la façon d'une lime sourde... [1]

Dans ce combat qu'est la vie spirituelle un autre personnage intervient : le démon. Bien que son action se déroule dans l'ombre, le regard pénétrant de sainte Thérèse en a discerné toute l'importance. Fréquemment elle en parle pour signaler sa présence, pour dévoiler ses ruses aux carrefours, aux passages dangereux, partout où il y a assez d'obscurité pour le dissimuler. Pour sainte Thérèse le démon n'est pas une mystérieuse puissance malfaisante, c'est un être vivant, bien connu parce que souvent rencontré, un ennemi personnel.

Profitons de son expérience et de son enseignement pour étudier la nature et la puissance du démon, la fréquence de ses interventions et ses modes d'agir dans la vie spirituelle, les moyens de déceler sa présence et de combattre son action [2].

---

1. I^e Dem., ch. II, p. 832.
2. Dans les traités de saint Jean de la Croix on trouve aussi maintes allusions au démon, comme l'écrit le P. Lucien dans l'Introduction à la *Nuit obscure* (*Œuvres complètes*, traduction du P. Cyprien de la Nativité, p. 475) :
« Souvent il a fait allusion au rôle du démon : rarement afin d'en faire craindre les manifestations extraordinaires, et presque toujours pour en montrer l'action cachée, parallèle à celle de Dieu (comme fait un voleur qui suit pas à pas le voyageur qu'il espère détrousser au bon moment). Quiconque collectionnerait tous les traits épars dans l'œuvre du Docteur mystique sur le démon ... aurait un riche traité de démonologie, où les principes généraux voisineraient — chose rare — avec les descriptions psychologiques les plus fouillées ».
Voir l'étude exhaustive du R. P. Nil, o.c.d. « Demonio e Vita spirituale » dans *Sanjuanistica* apud Collegium Intern. Carm. Disc.
En nous appuyant surtout sur sainte Thérèse, dans notre étude succincte, nous ne négligerons pas le riche enseignement de saint Jean de la Croix.

A. — *NATURE ET PUISSANCE DES DÉMONS*

Les démons sont des anges déchus. En même temps que le monde matériel Dieu créa les anges, purs esprits, êtres de lumière, doués d'intelligence et de volonté, en nombre incalculable, tous différents, groupés en hiérarchies, échelonnés en perfection suivant leur puissance et la lumière qui les constitue, communiquant entre eux à la façon des esprits par un simple acte de volonté. Ils formaient la cour céleste de Dieu qui les destinait à la participation de sa vie.

Pour la leur faire mériter, Dieu les soumit à une épreuve dont nous ne pouvons préciser la nature. Le plus grand d'entre eux, Lucifer, fasciné par sa propre lumière, refusa de se soumettre. Il entraîna dans sa révolte une multitude d'anges, peut-être le plus grand nombre.

Tandis que les anges fidèles trouvaient dans leur soumission à Dieu la vision face à face et la béatitude éternelle, les anges révoltés, fixés dans leur attitude de révolte par la simplicité de leur nature, se trouvaient pour l'éternité dans la haine de Dieu, dans la privation du souverain Bien et de l'Amour infini.

A ces anges devenus des démons et des puissances de haine Dieu donnait permission d'intervenir dans le monde. Ils pourraient ainsi contribuer providentiellement aux épreuves que devaient subir les hommes appelés à les remplacer dans la cour céleste.

Avec quelle puissance les démons peuvent-ils intervenir dans ce combat ? Avec la puissance de leur nature angélique qui, en ce qui la constitue essentiellement, n'a pas été diminuée par leur chute.

En tant que pur esprit le démon domine le monde inférieur de la matière et des sens. Il en connaît les lois et les réactions. Il peut les mettre en action et les utilise intelligemment pour ses fins. A ce titre tout ce que l'homme possède de matériel et sensible, le corps, les puissances sensibles (sensibilité, imagination, mémoire), n'échappe pas à une certaine action ou influence du démon.

Par contre cet ange déchu, bien que pur esprit, ne peut pas pénétrer dans les facultés de l'âme, à moins que la volonté ne les lui ouvre. Il ne pourra pas lire les pensées dans l'intelligence, ni agir directement sur elles. La volonté lui sera aussi un asile inviolable et inviolé, même dans la possession, à moins qu'elle-même ne se livre à son emprise.

Le monde surnaturel, dans lequel on ne pénètre que par la foi amoureuse, lui est complètement fermé. Le démon a cependant une certaine connaissance de Dieu et croit malgré lui aux vérités divines qui le tourmentent. Mais les lois du monde surnaturel que seule livre l'expérience, les opérations de Dieu dans les âmes, les rapports spirituels de l'âme avec Dieu lui sont un mystère impénétrable.

Toutefois, au moyen d'impressions et d'images sensibles qui seront présentées à l'intelligence et à la volonté et auront normalement une influence sur leur activité, le démon pourra intervenir indirectement dans l'activité de l'âme et la vie spirituelle. L'image sensible sera parfois si subtile et le passage de l'image à l'idée si rapide que l'âme elle-même pourra s'y tromper aisément et ne pas soupçonner une intervention de l'esprit malin.

De même le démon pourra connaître les pensées de l'intelligence, les vouloirs et désirs de la volonté et même les mouvements surnaturels de l'âme s'il en recueille l'expression écrite ou parlée ou s'il réussit à interpréter les phénomènes sensibles qui les accompagnent [1].

Il ne semble pas douteux que, grâce à certains indices extérieurs et à sa pénétration merveilleuse, le démon ne puisse deviner l'orientation habituelle d'une âme au point de vue surnaturel, l'efficacité profonde des grâces qu'elle a reçues, sa puissance présente et surtout future, et conclure par conséquent à la nécessité de combattre plus violemment cette âme tandis qu'elle n'a point encore toute sa force surnaturelle et ne lui est point devenue dangereuse. C'est ainsi que le démon, ignorant probablement sa divinité, a discerné cependant la puissance singulière de Jésus, qu'il aborde au désert avec des tentations qui lui paraissent à la taille de son adversaire. Sainte Thérèse de l'Enfant-Jésus dit que la maladie mystérieuse, dont elle souffrit à l'âge de neuf ans, était produite par le démon, « il voulut, dit-elle, se venger sur moi du tort que notre famille devait lui faire dans l'avenir [2] ».

La puissance de chaque démon est proportionnée à la perfection de sa nature, et variée comme ses dons personnels. Les démons ne se présentent point comme une force hostile et uniforme, mais comme une armée redou-

---

1. « Il arrive très souvent que ces communications spirituelles faites à l'âme étant très secrètes et très intérieures, le démon n'arrive pas à connaître leur nature et leurs qualités ; mais, au calme et au profond silence que quelques-une d'entre elles causent dans les sens et les puissances de la partie sensitive, il soupçonne qu'il y en a et que l'âme a reçu quelque faveur de choix » (*Nuit Obscure*, Liv. II, ch. XXIII, p. 656).
2. *Man. Autob.*, A fol. 27r°.

table certes par le nombre, plus redoutable encore par la haine intelligente de chacun des ennemis qui la composent, par les ressources multiples et la puissance différente que cette haine trouve en chacun pour son œuvre malfaisante.

B — *INTERVENTIONS DU DÉMON DANS LA VIE SPIRITUELLE*

Parmi les paraboles dites « du royaume de Dieu », il en est une qui dévoile le rôle du démon dans la vie de l'Église et des âmes :

> Le royaume des Cieux, dit Notre-Seigneur, est semblable à un homme qui avait semé du bon grain dans son champ. Pendant que ses serviteurs dormaient, son ennemi vint, sema de l'ivraie au milieu du froment et s'en alla. Quand l'herbe eut poussé et fut montée en épis, on aperçut l'ivraie. Alors les serviteurs s'approchèrent du Père de famille : « Maître, lui dirent-ils, n'est-ce pas du bon grain que vous aviez semé dans votre champ ? D'où vient donc l'ivraie ? — C'est, répondit-il, l'ennemi qui a fait cela. — Voulez-vous que nous allions l'arracher ? — Non ! répondit-il, de peur qu'avec l'ivraie vous n'arrachiez aussi le froment. Laissez croître l'un et l'autre jusqu'à la moisson. Et alors je dirai aux moissonneurs : Ramassez d'abord l'ivraie et liez-la en gerbes pour la brûler. Vous recueillerez ensuite le froment et le mettrez dans mon grenier[1] ».

En quelques mots, cette parabole nous dévoile les mœurs du démon, son activité toujours en éveil pour contrefaire l'activité divine et la détruire, son habileté à profiter de l'obscurité pour se dissimuler, la patience divine enfin qui permet à son action de se développer en même temps que l'œuvre divine de la grâce.

Il nous suffira de préciser les traits caractéristiques suivants :

I. — *Fréquence des interventions du démon.*

Chaque soir au début de Complies la sainte Église nous fait entendre l'exhortation de l'apôtre saint Pierre[2] :

« Mes frères, veillez et priez, parce que le démon, votre ennemi, rôde autour de vous, comme un lion rugissant, cherchant une proie à dévorer ».

L'exhortation est pressante ; elle nous est répétée chaque jour, parce que certainement la menace est constante.

---

1. Mt 13, 24-30.
2. 1 P 5, 8.

Perspectives

La haine des démons est puissante et toujours en éveil. Il est normal qu'ils usent de toutes les occasions pour entraver l'action de Dieu dans les âmes. Les ressources des démons sont variées, ils sont nombreux : personne ne peut prudemment se croire à l'abri de leurs attaques.

Telle est l'opinion de sainte Thérèse, exprimée en maints passages de ses écrits. En ses ascensions spirituelles il n'est pas d'étape où elle ne les ait rencontrés et n'ait eu à les combattre. Dès les premières heures elle nous avertit :

> Comme l'intention du démon est toujours si perfide, il doit mettre dans chacune de ces Demeures plusieurs légions de mauvais esprits, afin d'empêcher les âmes de passer aux autres Demeures ; et comme les pauvres âmes ne le comprennent pas, il leur dresse toutes sortes d'embûches pour les tromper. Son pouvoir toutefois est moins grand vis-à-vis de celles qui sont plus rapprochées de la Demeure où habite le Roi[1].

Les premières emprises divines des cinquièmes Demeures irritent la jalousie du démon et éveillent ses craintes pour l'avenir :

> En cet état, écrit la Sainte, l'âme n'est pas tellement forte qu'elle puisse s'exposer aux dangers, comme elle le pourra après les fiançailles dont nous parlerons dans la Demeure suivante. Elle n'a eu qu'une seule entrevue avec l'Époux ; aussi le démon ne négligera aucun effort pour la combattre et la détourner de ces fiançailles...
> Je vous l'assure, mes filles, j'ai connu des âmes très élevées qui étaient arrivées à cet état (cinquièmes Dem.). Or le démon, à force de ruses et de pièges les a fait tomber ; tout l'enfer se ligue pour les séduire et, comme je l'ai dit souvent, si le démon perd une seule de ces âmes, il en perd en même temps une foule d'autres, comme l'expérience le lui a prouvé[2].

A partir des sixièmes Demeures, le démon devient moins dangereux pour l'âme :

> Lorsque dans la suite le démon la voit complètement soumise à l'Époux, il n'a plus autant d'audace vis-à-vis d'elle, car il la redoute ; d'ailleurs l'expérience lui montre que, si parfois il ose alors l'attaquer, il n'en retire que plus de confusion, et l'âme plus de profit[3].

Toutefois c'est bien en ces sixièmes Demeures que le démon s'acharne à reproduire les grâces extraordinaires, et cela avec la permission de Dieu et une grande fréquence qu'affirme saint Jean de la Croix :

---

1. I⁰ Dem., ch. ii, p. 829.
2. V⁰ Dem., ch. iv, p. 922.
3. *Ibid.*

Les faveurs que Dieu confère par le moyen du bon Ange, Dieu permet d'ordinaire que le démon en ait connaissance, pour qu'il s'y oppose de toutes ses forces d'après les proportions de la justice et ne puisse alléguer de son droit en prétextant qu'on ne lui permet pas de vaincre l'âme, comme il l'a dit de Job[1]. Et il en serait de la sorte si Dieu ne laissait une certaine chance de succès entre les deux adversaires, le bon Ange et le mauvais, pour la conquête de l'âme[2].

Les plus hautes communications divines, celles que Dieu lui-même fait à l'âme, ne sauraient toutefois être connues du démon :

La cause, dit le Saint, vient de ce que Sa Majesté demeure substantiellement dans l'âme, où ni le bon Ange ni le démon ne peuvent arriver à comprendre ce qui se passe, ou à connaître les communications intimes et secrètes qui ont lieu entre Dieu et l'âme[3].

Ces affirmations nous montrent que les âmes qui aspirent à la perfection sont tout spécialement l'objet de ses attaques. Les pécheurs, livrés à leurs passions, lui sont une conquête plus facile ; c'est ainsi que le démon règne pacifiquement sur une foule immense d'âmes qu'il ne trouble en aucune façon. Le tiède lui est une proie aisée. Seuls les fervents échappent à son influence et c'est contre eux que s'acharne sa haine rageuse et persévérante.

De cet acharnement Notre-Seigneur nous donne une idée lorsqu'il dit :

Lorsque l'esprit immonde est sorti d'un homme, il erre par les lieux arides, cherchant le repos, mais il n'en trouve point. Il dit alors : Je retournerai dans ma demeure d'où je suis sorti. Et revenant il la trouve inhabitée, purifiée de ce qui la souillait et ornée. Il va prendre alors sept autres esprits plus pervers que lui. Ils entrent tous ensemble dans la demeure et s'y établissent[4].

Les retours offensifs du démon n'obtiennent pas toujours une pareille victoire, mais cette description de Notre-Seigneur nous dit la persévérance de ses attaques contre ceux qui l'ont vaincu et dont les progrès ne peuvent qu'augmenter la violence de sa haine.

L'action du démon contre les âmes soucieuses de perfection n'est point par conséquent un fait rare, réservé à l'hagiographie ; elle est normale et fréquente. Elle devient particulièrement intense

quand le démon comprend que, par ses qualités et ses pratiques

---

1. Jb 2, 4-6.
2. *Nuit Obsc.*, Liv. II, ch. XXIII, p. 658.
3. *Ibid.*, p. 661.
4. Mt 12, 43-45.

de vertu, une âme est apte à monter très haut. Tout l'enfer est alors conjuré pour l'obliger à sortir du Château,

assure sainte Thérèse [1].

Mais conclure de ces affirmations que les attaques du démon prendront fréquemment une forme extérieure visible serait méconnaître complètement les mœurs démoniaques. Le démon est essentiellement une puissance des ténèbres. Il travaille dans l'obscurité pour surprendre et tromper. Le succès de ses agissements auprès des âmes ferventes dépend de son habileté à dissimuler ce qu'il est et ce qu'il fait. Aussi il ne se dévoile par des signes extérieurs que lorsqu'il y est contraint pour contrefaire des charismes ou des grâces extraordinaires qu'il veut discréditer, ou encore lorsque sa haine étant exaspérée par de multiples défaites, il semble abdiquer toute prudence, et, faisant tomber le masque, se montre tel qu'il est en sa rage impuissante pour effrayer encore si possible par sa seule présence. Ces manifestations sont alors le signe des victoires d'une âme, et, par conséquent, la preuve de sa sainteté [2]. Ainsi s'explique l'action visible du démon dans la vie de certains saints tels que sainte Thérèse et le Curé d'Ars.

Très rare aussi est la possession, par laquelle le démon avec la permission de Dieu, s'empare d'un corps et des facultés sensibles et y agit en maître. La volonté de l'âme reste libre, mais le corps est soustrait à son empire, au moins en certaines heures. L'Église, dans sa prudence, exige des signes certains de la présence du démon avant de procéder aux exorcismes publics destinés à lutter contre cette emprise toute spéciale [3].

---

1. IIe Dem., ch. unique, p. 839.
L'homme a été créé pour remplacer l'ange déchu : c'est ce qui fonde la jalousie du démon à notre égard. Le plan divin se réalisera malgré tout, et la Sagesse en a prévu et organisé chaque détail.
Il ne semble pas douteux que, dans la pensée de Dieu, tel et tel être est destiné à remplacer dans la cour céleste tel et tel ange déchu. Le démon peut-il, par quelques indices ou affinités spirituelles, deviner ce dessein particulier de Dieu, sinon sur toutes les âmes, du moins sur certaines d'entre elles ? Si on pouvait l'affirmer, on pourrait en conclure que ces âmes ont un démon personnellement jaloux de leur grâce, et donc spécialement acharné à leur perte.
Sans aller aussi loin dans un domaine qui ne se livre guère à nos investigations, on doit pouvoir affirmer qu'il y a entre certains démons et certaines âmes des affinités qui facilitent les tentations et leur assurent plus d'efficacité.
2. *Vie*, ch. XXXI, pp. 327-333, où la Sainte décrit plusieurs manifestations du démon dans lesquelles il se montre impuissant et rageur.
3. Nous n'avons pas à traiter longuement ici des possessions diaboliques, parce qu'elles n'intéressent pas directement la vie spirituelle. Dans la possession, le démon, par une permission spéciale de Dieu, prend possession du corps et des puissances sensibles et, sans pénétrer dans la volonté et l'intelligence (à moins que l'âme ne le lui ait permis), exerce son empire par suggestion et emprise physique.

La plupart des prétendues possessions se réduisent à une certaine action du démon sur des imaginations surexcitées, sur des facultés sensibles affaiblies par la maladie ou sur des tempéraments mélancoliques [1]. Le démon peut d'autant mieux exercer sa puissance que le contrôle de la raison est plus faible en ces âmes. Faiblesse de l'âme souvent pathologique et tentation du démon sont mélangées à un point qu'il est quasi impossible de les distinguer.

A propos des paroles intérieures sainte Thérèse note :

Parfois et même souvent il peut y avoir illusion, surtout chez les personnes faibles d'imagination ou mélancoliques, je dis notablement mélancoliques. A mon avis, il n'y a pas à faire cas de ce que disent ces deux sortes de personnes, alors même qu'elles affirmeraient qu'elles voient, qu'elles entendent et qu'elles comprennent. On ne doit pas non plus les troubler en leur disant que c'est le démon qui leur parle. Il faut seulement les écouter comme des personnes malades...

Il faut néanmoins avoir soin de les éloigner de l'oraison, et les engager le plus possible à ne point faire cas de ces choses, car le démon a coutume de se servir de ces personnes malades pour nuire à d'autres, s'il ne peut leur nuire à elles-mêmes [2].

Rares en tout temps, ces manifestations extérieures de la puissance du démon semblent moins fréquentes encore à notre époque, peut-être parce que les grâces charismatiques sont moins visibles, et parce que surtout l'athéisme généralisé et l'apostasie des masses assurent au démon une domination extérieure pacifique [3]. Cette paix extérieure ne doit pas nous faire oublier que dans les âmes la lutte reste âpre, quotidienne, habituellement silencieuse, contre cet ennemi qui rôde sans cesse autour de nous et qui, nous dit sainte Thérèse, « agit à la façon d'une lime sourde [4]».

II. — *Modes et but de l'action du démon.*

Le démon, notre ennemi, s'efforce de porter les âmes au mal par la tentation, de les gêner dans leur marche vers Dieu en les troublant et en les trompant.

---

1. Dans ces cas le démon exerce son action par suggestion imaginaire. Au début utilisant la faiblesse physique du sujet, ou un désir de grâces extraordinaires, il suggère des mortifications épuisantes. La faiblesse physique augmentant, il trouve dans les puissances sensibles une docilité plus grande à ses suggestions imaginaires et aux impressions sensibles qu'il crée.

2. VIe Dem., ch. III, pp. 944-945.

3. Il ne semble pas douteux cependant que, même à notre époque, il existe des âmes ou même des sociétés vouées au démon, faisant profession de lui rendre un culte ou du moins de servir ses intérêts dans le monde. Ces personnes jouissent d'une certaine puissance qui les rend particulièrement nuisibles.

4. I^e Dem., ch. II, p. 832.

Perspectives

a) *la tentation*

proprement dite est rarement l'œuvre exclusive du démon. Habituellement il utilise sa connaissance des tendances dominantes d'une âme et sa puissance sur les sens pour faire plus séduisante une image, pour provoquer une impression, augmenter une jouissance, aviver ainsi un désir, faire plus prenante et plus actuelle une sollicitation qui envahira le champ de la conscience et emportera le consentement de la volonté.

La sainte Écriture nous décrit la tentation de nos premiers parents au paradis terrestre. Le serpent, le plus rusé des animaux, note l'auteur inspiré, mélange la vérité et le mensonge, aiguise l'appétit des sens, nourrit l'orgueil de l'esprit, réussit à créer une certaine évidence et obtient ainsi le consentement qui consomme le péché. Les yeux s'ouvrent ensuite, mais le péché est commis [1]. Adam et Ève ont perdu les dons surnaturels de la grâce et les dons préternaturels d'intégrité.

Sous des formes diverses la tentation reste la même et le péché produit des effets semblables.

Mises à part les trois premières Demeures, sainte Thérèse parle assez peu de la tentation proprement dite. Mais elle insiste sur les obstacles que le démon excelle à créer pour empêcher l'âme de marcher vers l'union divine.

b) *le trouble*

est la première arme dont se sert le démon contre les âmes désireuses de perfection.

Le trouble arrête en effet, au moins pour quelques instants, fait hésiter sur le parti à prendre, paralyse et diminue les moyens d'action et de résistance ; les terreurs qui l'accompagnent peuvent même arrêter définitivement. Mais surtout le trouble crée autour de l'âme l'obscurité qui permet au démon de dissimuler et de déployer toute sa puissance.

Impressions dans les sens, fantômes dans l'imagination, craintes irraisonnées dans toutes les puissances sensibles : tels sont les moyens dont le démon se sert pour créer et entretenir le trouble. C'est ainsi que sainte Thérèse signale que, chez les débutants, il provoque toutes sortes de terreurs sur les sacrifices à faire, sur l'avenir, la perte de la santé :

> Les démons lui représentent alors, écrit-elle, les biens du monde, et lui montrent que les plaisirs d'ici-bas sont en quelque sorte éternels ; ils lui rappellent l'estime dont elle y jouit, ses amis, ses

---

1. Gn 3, 1-7.

parents ; ils lui parlent de sa santé qu'elle va compromettre par les pénitences... Ô Jésus ! quel vacarme que celui que les démons font alors, et dans quelle affliction ne plongent-ils pas la pauvre âme ? Elle ne sait si elle doit avancer ou retourner à la première Demeure [1].

Parfois, dit ailleurs la Sainte, le démon

nous jette dans les plus vives inquiétudes en nous représentant la gravité de nos péchés. C'est là un des points sur lesquels il trouble les âmes de beaucoup de manières [2].

Parfois aussi

quand les distractions et les troubles de l'entendement sont excessifs... c'est le démon qui en est l'auteur [3].

L'expérience de sainte Thérèse sur ce point est très étendue. Elle nous dit comment à certains moments le démon assaille

tout à coup l'entendement de choses parfois frivoles... Il le trouble à son gré ; l'âme n'est plus maîtresse d'elle-même, mais enchaînée ; elle ne peut penser qu'aux choses folles qu'il lui représente et qui sont pour ainsi dire inutiles... Parfois il m'a semblé que les démons s'amusaient à se renvoyer mon âme comme une balle, sans qu'elle pût s'échapper de leurs mains [4].

L'expérience de saint Jean de la Croix vient confirmer celle de sainte Thérèse. Dans la *Nuit obscure* le saint Docteur décrit la tactique du démon pour produire le trouble :

Le démon, voyant qu'il ne peut s'opposer à ce qui se passe dans la fond de l'âme, écrit le Saint, n'omet rien pour agiter et troubler la partie sensitive qui est à sa portée. Il suscite en elle des souffrances, des fantômes horribles, des craintes pour inspirer de l'inquiétude et du trouble dans sa partie supérieure et spirituelle, là où sont les biens qu'elle reçoit alors et dont elle jouit...

Quand la communication n'est pas très infuse dans l'esprit et que les sens y participent, le démon arrive plus facilement à troubler l'esprit et à l'agiter de terreurs par l'intermédiaire des sens [5].

Dans la *Vive Flamme* il résume et complète la description :

Quand parfois une âme entre dans un profond recueillement surnaturel et que le démon ne réussit pas à la distraire... du moins

---

1. IIe Dem., ch. unique, pp. 837-838.
2. *Chem. Perf.*, ch. XLI, p. 787.
3. *Vie*, ch. XI, p. 114.
4. *Vie*, ch. XXX, p. 318.
5. *Nuit Obsc.*, Liv. II, ch. XXIII, pp. 656-657.

il lui inspire des terreurs, des craintes, il l'accable de souffrances corporelles ; il produit des bruits étranges, des clameurs effroyables à l'extérieur ; son but est de frapper ses sens, de l'arracher à son recueillement intérieur, jusqu'à ce que voyant l'inutilité des ses efforts, il finisse par la laisser en repos [1].

On le voit, le bruit fait par le démon peut devenir extérieur [2]. L'agitation qu'il crée ainsi peut s'étendre à tout un groupe, à une ville entière et affecter des gens fort bien intentionnés :

Dans les temps de trouble et de zizanie dont il est l'auteur, il (le démon) semble entraîner à sa suite tous les hommes qui sont pour ainsi dire aveuglés par les apparences d'un beau zèle. Mais Dieu suscite alors un élu qui leur ouvre les yeux, et leur montre comment le démon les a séduits pour les empêcher de voir le chemin [3].

Ces paroles de sainte Thérèse sont une allusion évidente à l'agitation que créa le démon autour de la fondation du premier monastère de la Réforme, Saint-Joseph d'Avila. Toute la ville s'émut, le conseil de ville s'assembla et convoqua une assemblée de tous les ordres religieux ; on ne parlait de rien moins que de détruire le monastère. La Sainte elle-même avait subi un assaut du démon qui lui présentait toutes les difficultés à la fois, sans qu'il fût en son pouvoir de penser à autre chose et lui fit passer une des plus terribles heures de sa vie [4].

Le démon avait deviné l'importance de l'œuvre qui commençait et son zèle destructeur nous paraît aujourd'hui bien justifié.

c) *Menteur et père du mensonge* [5].

Le trouble est une préparation. Il crée l'atmosphère favorable à l'action décisive du démon, au même titre que le recueillement précède et prépare l'action de Dieu. Cette action décisive, le démon la réalise par le mensonge. Reprenant la parole de Jésus, sainte Thérèse l'appelle « l'ami du mensonge et le mensonge même [6] ». Auprès des âmes soucieuses de perfection il n'aura quelque chance

---

1. *Vive Fl.*, str. III, § xiv, p. 1020.
2. « Une autre fois, me trouvant au chœur je fus saisie d'un très grand transport de recueillement. Je sortis pour qu'on ne s'en aperçût pas. Mais on entendit frapper de grands coups dans la pièce voisine où je m'étais retirée. Pour moi, j'entendis parler près de moi comme si l'on s'était concerté pour un complot et ne saisis que des cris menaçants. J'étais tellement absorbée dans l'oraison que je ne pus rien comprendre ; aussi je n'éprouvai aucune crainte » (*Vie*, ch. xxxi, pp. 329-330).
3. *Chem. Perf.*, ch. xxiii, p. 693.
4. *Vie*, ch. xxvi, p. 269 et ch. xxxvi, p. 398.
5. Jn 8, 44.
6. *Vie*, ch. xxv, p. 266.

de succès que s'il réussit à couvrir le mal des apparences du bien. La dissimulation, le mensonge sont des moyens dont il ne saurait se passer et constituent toute sa tactique de combat.

Pour assurer à ses simulations toutes les chances de succès, il s'appuie sur les tendances de l'âme et sur ses désirs, en donnant au mal les apparences du bien spirituel particulier convoité par l'âme. En effet la tendance aveugle et la joie du désir satisfait semblent empêcher tout contrôle de la raison. C'est ainsi que le démon donne des consolations spirituelles qui nourriront la gourmandise spirituelle d'une âme, la portant à des excès dans les exercices de piété et les mortifications, ou du moins lui feront trouver si pénibles les sécheresses qui suivront qu'elle se découragera. Sainte Thérèse nous parle des fausses humilités suggérées par le démon, qui paralyseront l'âme et l'éloigneront de la perfection.

Contrefaire les grâces surnaturelles de Dieu est une œuvre plus difficile à laquelle cependant le démon ne manque pas de s'employer. Il est peu de faveurs extraordinaires qui n'aient pas leur contrefaçon et dont, en fait, le démon ne s'efforce de reproduire les effets sensibles dès qu'il les a observés[1]. Même si elle est promptement découverte, la supercherie laisse une impression de malaise chez celui qui en est la victime. Le démon ne manque pas d'ailleurs de l'orchestrer bruyamment pour la faire connaître, jeter ainsi un certain discrédit et répandre une sorte de terreur sur tous les phénomènes merveilleux de ce genre.

Si la contrefaçon n'est point découverte, elle peut entraîner l'âme en des erreurs d'une importance pratique considérable pour elle et pour son entourage. Pour le moins elle soustrait progressivement l'âme à l'action de Dieu jusqu'au moment où dépouillée des biens spirituels qui brillaient en elle, elle tombe dans un découragement que le démon s'efforce d'aggraver pour le transformer en désespoir.

Saint Jean de la Croix signale en la *Vive Flamme* comment le démon

se poste avec toute sa perfidie sur le passage qui va du sens à l'esprit... Il la trompe (l'âme contemplative) en l'attirant par le

---

1. Saint Jean de la Croix semble affirmer qu'il n'y a pas de grâces extraordinaires sans que le démon soit autorisé à produire la contrefaçon :

« Si l'âme est favorisée de visions véritables de la part du bon Ange,... Dieu permet également à l'ange mauvais de représenter de fausses visions, et ces visions, d'après leurs apparences, peuvent facilement jeter dans l'illusion l'âme imprudente, comme cela est fréquent » (*Nuit Obsc.*, Liv. II, ch. XXIII, p. 659).

sens même ; il lui représente... des choses sensibles pour qu'elle s'y arrête et ne lui échappe pas [1].

En ces même régions le démon profite des lumières et des ardeurs reçues dans la contemplation pour retirer l'âme des régions obscures où elle s'unit à Dieu et l'attirer vers l'activité des facultés réconfortées par un tel secours surnaturel.

D'une façon générale d'ailleurs le démon est plus particulièrement actif dans les périodes de transition qui, par l'obscurité douloureuse qui y règne et la nouveauté des phénomènes qui s'y produisent, lui offrent des occasions plus nombreuses et des facilités plus grandes pour tendre ses pièges.

En d'autres circonstances il se dissimule sous des causes naturelles à l'action desquelles il substituera peu à peu la sienne propre, qui deviendra ainsi progressivement malfaisante.

Pour l'instant nous n'avons pas à préciser ces pièges et contrefaçons démoniaques dont nous retrouverons le détail dans l'exposé des diverse Demeures. Mais cela nous suffit pour deviner combien les tromperies du démon supposent chez leur auteur d'observation attentive et suivie, de pénétration psychologique, d'habileté pour reproduire, d'audace pour tenter.

« *Serpens erat callidior omnibus animantibus*. Le serpent était le plus rusé des êtres vivants [2] », dit l'auteur inspiré en parlant du serpent qui tenta Ève. Cette caractéristique lui reste et c'est ce qui le rend redoutable pour nous comme il le fut pour nos premiers parents.

C. — MOYENS DE RECONNAÎTRE L'ACTION DU DÉMON

Les ruses et les artifices du démon sont tels qu'il est souvent malaisé de discerner son action. Pour limiter et préciser l'usage que l'on doit faire des exorcismes publics, le Rituel donne les signes de la possession diabolique. En exposant les grâces extraordinaires, sainte Thérèse indique les caractères qui prouvent leur origine surnaturelle. Une étude détaillée ne serait point ici en sa place. Pour l'instant recueillons auprès de sainte Thérèse les conseils qui permettent dans l'ensemble des cas de discerner les interventions du démon dans la vie spirituelle.

1. *Vive Fl.*, str. III, § xiv, p. 1020.
2. Gn 3, 1.

106

1) Dans le doute, assure la Sainte, il faut se défier et attendre :

qu'il s'agisse de personnes malades ou saines, il faut toujours se défier de ces choses jusqu'à ce que l'on comprenne quel en est l'esprit. Aussi je dis que, dans les débuts, le mieux est de les combattre [1].

Cette défiance n'offense pas Dieu qui nous doit la preuve de son action surnaturelle. Elle ne nuira point à l'âme qui, si elle est sous l'action de Dieu, trouvera dans cette lutte un moyen de montrer sa vertu et de faire des progrès :

Si elles viennent de Dieu, ajoute en effet sainte Thérèse, cette résistance sera un moyen de réaliser de plus notables progrès ; plus on met ces faveurs à l'épreuve, plus elles augmentent ; oui, il en est vraiment de la sorte [2].

Le temps est nécessaire pour observer le fruit de ces faveurs, et c'est aux fruits surtout que l'on reconnaît leur origine : « *A fructibus eorum cognoscetis eos.* Vous les reconnaîtrez à leurs fruits [3] », nous dit Notre-Seigneur.

2) Le premier fruit qui signale l'action du démon, c'est le mensonge, nous dit sainte Thérèse :

Lorsque c'est le démon qui agit, il ne tarde pas à se trahir par les innombrables mensonges où on le surprend [4].

Ce faux ange de lumière ne peut pas soutenir pendant longtemps son rôle sans se montrer sur quelque point en contradiction avec lui-même, soit par ignorance des choses surnaturelles, soit par l'exagération qu'il met dans l'expression de la vérité, soit par les étrangetés qu'il mêle à son action, soit par les mensonges particuliers que ce père du mensonge éprouve le besoin d'ajouter à sa supercherie encore dissimulée.

Ce signe du manquement à la vérité apparaît très important à sainte Thérèse :

Quant à la moindre parole, dit-elle, qui ne serait pas absolument conforme à la sainte Écriture, vous n'en ferez pas plus de cas que si vous l'entendiez de la bouche même du démon [5].

3) Les interventions directes du démon ne sauraient produire dans l'âme les effets de paix et d'humilité qu'y apporte l'action de Dieu. Jésus a dit : « Apprenez de moi que je suis doux et humble de cœur [6] ». Cette humilité et

---

1. VIe Dem., ch. III, p. 945.
2. *Ibid.*
3. Mt 7, 16.
4. VIe Dem., ch. IX, p. 1007.
5. VIe Dem., ch. III, p. 946.
6. Mt 11, 29.

la douceur de la paix sont le parfum de sa présence et le signe de son action directe. Le démon, ennemi et privé de Dieu, produit normalement les effets contraires :

> Quand le démon nous parle, il ne procure à l'âme aucun calme intérieur. Il la laisse plutôt comme saisie de frayeur et en proie à un grand dégoût, affirme sainte Thérèse [1].

> Ce qui dépasse son pouvoir (du démon), c'est de contrefaire les effets dont j'ai parlé ; il ne produit ni cette paix, ni cette lumière qu'apportent les paroles divines, mais plutôt l'inquiétude et le trouble... Il est certain que quand elles viennent de Dieu (les paroles) l'âme conçoit d'autant moins d'estime d'elle-même que ces faveurs se multiplient [2].

Seule l'expérience peut donner un sens précis à ces mots de lumière, de paix, de trouble et d'inquiétude, employés par sainte Thérèse. Aussi un vrai don de discernement des esprits, don lié à cette expérience, est habituellement nécessaire pour discerner l'action du démon, non pas seulement dans les phénomènes extraordinaires, mais dans les manifestations ordinaires où elle se dissimule sous les causes naturelles et s'unit à elles d'une façon subtile pour produire les effets particuliers qu'il recherche. Les saints furent terribles au démon parce que, dès l'abord, leur sens spirituel affiné discernait sa présence et son action.

D. — *COMMENT COMBATTRE L'ACTION DU DÉMON*

La première condition pour triompher du démon, c'est de ne point s'abandonner à une crainte exagérée. Certes, il est un adversaire redoutable par sa puissance dans le domaine sensible et par son habileté ; mais nous ne devons pas oublier ses déficiences, son ignorance du monde surnaturel, son impuissance à pénétrer dans les facultés de notre âme, sa qualité enfin de réprouvé qui ne lui permet que des victoires temporaires et en fait un éternel vaincu.

Se laisser prendre par la terreur serait aussi irraisonnable que dangereux. Le démon utilise en effet savamment ce trouble pour dissimuler son infériorité et dresser ses pièges. Ce serait perdre nos avantages et augmenter sa puissance et ses chances de succès que de le craindre démesurément.

---

1. *Vie*, ch. xxv, p 259.
2. VIᵉ Dem., ch. iii, p. 953.

C'est ce que nous a enseigné sainte Thérèse, avec toute l'autorité que lui donnent ses nombreux démêlés avec les mauvais esprits. Après avoir dit que les démons l'ont tourmentée très souvent, et avoir narré quelques-unes de leurs attaques, elle ajoute :

Cet exposé pourra servir au véritable serviteur de Dieu et l'aider à mépriser tous ces fantômes dont les démons se servent pour l'effrayer. Soyons-en bien persuadés, chaque fois que nous les méprisons, nous leur enlevons de leurs forces, et notre âme acquiert encore sur eux un plus grand empire. De plus, il en découle toujours quelque grand avantage pour nous.

... Le fait est que je comprends si bien leur peu de pouvoir quand je ne suis point infidèle à Dieu, que je n'en ai pour ainsi dire aucune crainte. Tous leurs efforts sont vains, s'ils ne rencontrent pas des âmes qui se rendent à discrétion. C'est contre ces lâches qu'ils montrent leur pouvoir [1].

Ce mépris, si sensible au démon, doit être accompagné de prudence. Cette prudence, lorsqu'elle devra combattre le démon, utilisera les armes surnaturelles qui assurent notre supériorité, à savoir les sacramentaux dont plus spécialement l'eau bénite, ainsi que la prière et le jeûne.

Aussi souvent qu'elle le pourra, elle rompra le combat et échappera à toute atteinte du démon en se portant, par des actes de foi et d'humilité, dans des régions où le démon ne saurait pénétrer.

Disons un mot de ces armes de combat et de cette tactique de fuite.

I. — *Armes pour combattre le démon.*

a) *Prière et vigilance.*

La vigilance dans la prière est un moyen indispensable pour lutter contre le démon. Sainte Thérèse dit qu'un motif pour lequel nous devons nous adonner à l'oraison, c'est que le démon n'a plus autant de prise pour nous tenter. Si les démons

remarquent que nous ne nous tenons plus sur nos gardes, ils peuvent nous porter un grave préjudice. Dès qu'ils voient qu'une âme est chancelante, et qu'elle n'est ni constante dans le bien ni fermement résolue d'y persévérer, ils ne lui laissent de repos ni jour ni nuit, lui suggèrent mille craintes, et lui représentent sans cesse de nouvelles difficultés. C'est ce que l'expérience m'a fort bien appris ; voilà pourquoi j'ai pu en parler. J'ajoute que personne ne sait combien l'avis que je viens de donner est sérieux [2].

---

1. *Vie*, ch. XXXI, pp. 332-333.
2. *Chem. Perf.*, ch. XXV, p. 702.

L'Église, pour marquer l'importance de la lutte contre les puissances infernales, a approuvé des prières spéciales : prières des grands exorcismes, exorcismes de Léon XIII, prière à saint Michel après les messes privées.

L'invocation de certains saints qui ont une puissance particulière sur les démons est spécialement recommandée. La prière à l'ange gardien est certainement efficace : il a reçu mission de nous protéger, et contre qui nous protègerait-il sinon contre les anges déchus qu'il peut affronter avec la puissance de sa nature angélique et les privilèges de l'ordre surnaturel.

b) *Jeûne.*

Aux apôtres qui s'étonnaient de n'avoir pu chasser un démon Notre-Seigneur disait : « Ce genre de démons ne peut être chassé que par la prière et par le jeûne [1] », indiquant ainsi l'efficacité spéciale du jeûne contre les puissances infernales.

L'hagiographie montre en effet que les saints qui eurent une action spéciale sur les démons furent tous de grands pénitents : saint Basile, saint Antoine, saint Jean de la Croix, sainte Thérèse, le saint Curé d'Ars.

Il semble normal que la mortification du sens, sur lequel les démons agissent habituellement, libère d'abord de leur influence. En nous faisant dominer la nature elle nous rend semblables aux anges et nous confère ainsi une certaine puissance sur les anges déchus.

c) *L'eau bénite.*

L'Église a institué des sacramentaux, rites ou objets auxquels une bénédiction particulière confère une vertu spéciale de préservation contre l'influence du démon. Parmi les sacramentaux, sainte Thérèse aimait tout spécialement utiliser l'eau bénite :

Je l'ai vu bien des fois par ma propre expérience, écrit-elle, il n'y a rien de plus efficace que l'eau bénite pour repousser les démons et les empêcher de revenir. La croix aussi les met en fuite, mais ils reviennent. La vertu de l'eau bénite doit être bien grande. Pour moi, j'en éprouve une consolation très particulière et très sensible lorsque j'en prends. Et je l'affirme, elle me fait éprouver d'ordinaire un bien-être que je ne saurais exprimer, et une joie intérieure qui fortifie toute mon âme. Cela n'est point une illusion ; ce n'est pas une fois, mais très souvent que je l'ai éprouvé et examiné avec soin [2].

---

1. Mc 9, 28.
2. *Vie*, ch. XXXI, p. 328.

Elle demande en effet de l'eau bénite chaque fois qu'elle est en butte à une attaque du démon et elle le chasse ainsi. En voici un exemple :

Une autre fois il me tourmenta durant cinq heures par des douleurs si terribles et un trouble physique et moral si profond, que je ne croyais pas pouvoir y résister plus longtemps. Les personnes présentes étaient épouvantées ; elles ne savaient que faire, ni moi comment me défendre... Le Seigneur daigna me faire entendre que c'était le démon. Je vis en effet près de moi un petit nègre d'aspect abominable ; il grinçait des dents comme désespéré d'avoir essuyé une perte là où il croyait trouver un gain. Dès que je l'eus aperçu, je me mis à rire et je demeurai sans crainte, car il y avait près de moi quelques religieuses...
Je leur demandai de l'eau bénite. Elle m'en apportèrent et en jetèrent sur moi, mais ce fut sans effet. J'en jetai moi-même du côté où était le démon et il disparut aussitôt : tout mon mal me quitta comme si on l'avait enlevé avec la main ; mais je restai aussi brisée que si j'avais été rouée de coups de bâton[1].

L'Église en effet, dans les diverses oraisons de la bénédiction de l'eau, demande avec instance qu'à cette eau soit accordé le pouvoir de « mettre en fuite toute la puissance de l'ennemi, de déraciner cet ennemi avec tous les anges rebelles, et de le chasser... de détruire l'influence de l'esprit immonde et d'éloigner le serpent venimeux...[2] »

« Cela montre combien est grand tout ce qui est établi par l'Église » commente sainte Thérèse[3].

On comprend dès lors ce qu'à déposé la Vénérable Anne de Jésus au procès de béatification, à savoir que la Sainte ne se mettait jamais en voyage sans emporter de l'eau bénite. Elle avait beaucoup de peine si l'on venait à l'oublier. Aussi nous portions toutes, suspendue à la ceinture, une petite gourde pleine d'eau bénite et elle voulait avoir la sienne[4].

II. — *Tactique.*

Lutter avec de telles armes contre les démons, c'est s'assurer la victoire. Mais les saints semblent ne pas désirer cette lutte et ne la recherchent pas. Le voyageur qui traverse le désert infesté de brigands ne cherche pas à les rencontrer, même s'il est sûr de les vaincre ; il n'est préoccupé que d'atteindre le but de son voyage. Ainsi,

---

1. *Vie*, ch. XXXI, p. 327-329.
2. « *Ad effugandam omnem potestatem inimici, et ipsum inimicum eradicare et explantare valeas, cum angelis suis apostaticis... omnis infestatio immundi spiritus abigatur, terrorque venenosi serpentis abigatur* » (Rituel, bénédiction de l'eau).
3. *Vie*, ch. XXXI, p. 329.
4. *Vie* (Traduction du P. Grégoire, Éditions de la Vie spirituelle ; p. 149, en note).

l'âme en route vers son Dieu ne cherche pas les démons qui pourraient sinon l'arrêter, du moins la retarder dans sa marche en lui causant quelques dommages, mais elle les fuit volontiers.

Excellente tactique que celle de la fuite, qui met à l'abri des atteintes, des coups et des ruses des démons. On la réalise en se portant par la foi et l'humilité dans les régions surnaturelles où il ne saurait parvenir lui-même.

a) *L'exercice de la foi ou actes anagogiques.*

Dans l'épître aux Éphésiens, l'apôtre saint Paul décrivant l'armure que doit revêtir le chrétien pour les combats spirituels, indique spécialement la foi comme arme défensive contre le démon :

> Revêtez-vous de l'armure de Dieu pour pouvoir résister aux embûches du diable. Car nous n'avons pas à lutter contre la chair et le sang, mais contre les principautés, les puissances, contre les maîtres de ce monde de ténèbres, contre les mauvais esprits répandus dans les airs. C'est pourquoi prenez l'armure divine pour pouvoir résister au jour mauvais, et rester debout en remportant une complète victoire. Debout donc, les reins ceints de vérité, revêtus de la cuirasse de la justice, les pieds chaussés du zèle de l'Évangile de paix, tenant en outre le bouclier de la foi contre lequel viendront s'éteindre les traits enflammés du méchant[1].

Dans la *Nuit obscure*, saint Jean de la Croix commente très heureusement et gracieusement cet enseignement de l'Apôtre. En entrant dans la contemplation par l'exercice de la foi, l'âme, dit-il, se déguise sous une nouvelle livrée. Cette livrée, faite des vertus théologales, la dissimule à ses ennemis. C'est le vêtement blanc de la foi qui la soustrait au démon :

> La foi, écrit-il, est une tunique intérieure d'une blancheur tellement éclatante qu'elle éblouit la vue de tout entendement. Quand l'âme s'avance revêtue de la foi, le démon ne peut ni la voir, ni lui nuire ; elle marche alors en toute sécurité. Cette vertu la protège beaucoup plus que les autres contre le démon qui est son ennemi le plus redoutable et le plus rusé. Aussi saint Pierre, qui n'a pas trouvé de meilleur bouclier pour le repousser, nous dit : « *Cui resistite fortes in fide*[2] », résistez-lui en demeurant fermes dans la foi[3].

La foi en effet fait dépasser le domaine du sens, sur lequel le démon peut exercer sa puissance, et introduit l'âme dans le domaine surnaturel dans lequel il ne saurait pénétrer. L'âme y devient donc inaccessible à son ennemi, et par suite à l'abri de ses attaques et de ses coups.

---

1. Ep 6, 11-16.
2. 1 P 5, 9.
3. *Nuit Obsc.*, Liv. II, ch. XXI, p. 647.

Dans ses *Souvenirs*, le P. Élisée des Martyrs, confident de saint Jean de la Croix, assure que le saint Docteur recommandait la méthode des « actes anagogiques » ou actes des vertus théologales pour échapper à toutes les tentations. Il nous donne en ces termes l'enseignement du Saint :

Aussitôt que le premier mouvement ou que la première attaque d'un vice se fait sentir... il ne faut pas s'y opposer par acte de la vertu contraire, selon la première manière, mais recourir aussitôt à un acte ou mouvement d'amour anagogique qui s'oppose à l'attaque. En unissant ainsi notre affection à Dieu, il se fait que l'âme, en s'élevant, quitte les choses de la terre, se présente devant Dieu et s'unit à Lui. De ce fait le vice, la tentation de l'ennemi se trouvent frustrés, la tentative échoue, l'idée de faire du mal manque d'objet. L'âme, plus forte là-haut où elle aime, que dans le corps qu'elle anime, soustrait divinement la chair à la tentation, ce qui fait que l'adversaire ne sait plus l'atteindre ni la blesser ; elle ne se trouve plus là où il comptait la frapper et la ruiner. Chose merveilleuse ! l'âme semble alors étrangère au mouvement vicieux ; près du Bien-Aimé et unie à Lui, elle est entièrement libre de ce mouvement sur lequel le démon fondait ses espérances[1].

Ces actes anagogiques ne peuvent ordinairement avoir la puissance d'abstraire l'âme et de la soulever dans les régions surnaturelles qu'après un certain exercice. Aussi, ajoutait le saint Docteur au témoignage du même auteur, s'il arrive aux débutants

que malgré l'acte et le mouvement anagogique, ils s'aperçoivent que l'effort vicieux de la tentation n'est pas complètement écarté, qu'ils aient bien soin, pour y résister, de recourir à toutes les armes et considérations en leur pouvoir...

Saint Jean de la Croix soulignait

l'excellence et l'efficacité de cette méthode qui réunit tout ce que la stratégie offre de nécessaire et d'essentiel pour triompher[2].

Cette stratégie, qui assure à la fois les avantages psychologiques de la diversion et le secours surnaturel du prompt recours à Dieu, devient d'une application très facile à l'âme qui en a pris l'habitude. La fuite devant l'ennemi lui devient un réflexe normal dont elle expérimente le

---

1. *Souvenirs* du P. Élisée des Martyrs, *Œuvres* de saint Jean de la Croix, trad. Hoornaert, tome II, Intr., p. XL.
2. *Ibid.*
Sainte Thérèse de l'Enfant-Jésus indique aussi la désertion comme un moyen excellent de vaincre le démon :
« Souvent aussi... lorsque mes combats étaient trop violents, je m'enfuyais comme un déserteur [...].
Ma Mère bien-aimée, je vous l'ai dit, mon dernier moyen de ne pas être vaincue dans les combats, c'est la désertion, ce moyen je l'employais déjà pendant mon noviciat, il m'a toujours parfaitement réussi » (*Man. Autob.*, C fol. 14 r° et v°).

grand bienfait. Dans la *Nuit obscure* saint Jean de la Croix écrit, de l'âme purifiée :

> Chose admirable, dès qu'elle sent la présence de l'ennemi perturbateur, et sans qu'elle sache ce qui se passe ou fasse rien par elle-même, elle s'enfonce dans la partie la plus intime d'elle-même ; elle se rend très bien compte qu'elle pénètre dans un certain refuge où elle est plus éloignée et cachée de son ennemi ; de la sorte elle augmente la paix et la joie que le démon prétendait lui ravir [1].

Spécialiste de cette méthode, saint Jean de la Croix l'utilisera non seulement contre les attaques du démon, mais contre l'agitation des facultés et les impressions désordonnées des puissances sensibles.

b) Pour échapper aux ruses du démon sainte Thérèse recommande surtout la *vertu d'humilité*. Cette vertu semble jouir d'une sorte d'immunité : elle excelle en effet à discerner son action, et n'en éprouve quasi aucun dommage lorsqu'elle doit la subir :

> Il (le démon) nuira peu à l'âme, ou même il ne lui portera aucun dommage si elle est humble [2],

affirme sainte Thérèse en parlant des paroles que prononce le démon.

> Dieu ne permettra pas au démon de tromper une âme qui se défie absolument d'elle-même, dit-elle ailleurs [3].

Le démon en effet est fixé dans une attitude d'orgueil par sa révolte contre Dieu. Il ne sait pas être humble et ne comprend pas l'humilité. Toutes ses contrefaçons, même ses contrefaçons d'humilité, portent toujours des marques visibles d'orgueil. L'humble, habitué au parfum du Christ, les discerne promptement à ce signe. Par contre, l'humble vit en des régions que le démon ne connaît pas. Celui-ci ignore les réactions de l'humilité. Il est toujours déconcerté et vaincu par elle.

La veille de sa profession, sainte Thérèse de l'Enfant-Jésus subit les assauts du démon :

> ...Le démon m'inspirait l'assurance qu'elle [la vie du Carmel] n'était pas faite pour moi, que je tromperais les supérieures en avançant dans une voie où je n'étais pas appelée [...] cependant je voulais faire la volonté du bon Dieu et retourner dans le monde, plutôt que rester au Carmel en faisant la mienne ; je fis donc sortir ma maîtresse et remplie de confusion, je lui dis l'état de mon âme... Heureusement elle vit plus clair que moi et me rassura complètement ; d'ailleurs l'acte d'humilité que j'avais fait venait de mettre en fuite le démon [4].

---

1. *Nuit Obsc.*, Liv. II, ch. XXIII, p. 657.
2. VIe Dem., ch. III, p. 953.
3. *Vie*, ch. XXV, p. 260.
4. *Man. Autob.*, A fol. 76 r° et v°.

Il n'est pas en effet d'adversaires plus redoutables au démon que les âmes à la fois faibles et humbles, car

Dieu a choisi les choses faibles du monde pour confondre les forts ; et Dieu a choisi les choses viles du monde et les choses méprisables, et celles qui ne sont rien, pour détruire celles qui sont [1].

Aussi, malgré la puissance dont peuvent user les démons, sainte Thérèse ne les redoute pas :

Je ne puis concevoir, écrit-elle, les craintes qui provoquent ces exclamations : « Le démon ! le démon ! », quand nous pouvons dire : « Mon Dieu ! Mon Dieu ! », et faire ainsi trembler l'esprit de ténèbres. Ne savons-nous pas qu'il ne peut faire le moindre mouvement si Dieu ne le lui permet ? Pourquoi donc ces frayeurs ? Pour moi, je l'affirme, je redoute bien plus ces hommes si timides devant le démon, que le démon lui-même. Lui ne me peut nuire en rien ; les autres, dont je parle, surtout s'ils sont confesseurs, jettent l'âme dans les plus grandes inquiétudes [2].

Chasser les terreurs ne suffit pas. Il faut reconnaître le rôle providentiel du démon dans notre épreuve d'ici-bas. Certes, il peut nous entraîner au mal, mais, comme le note saint Jean de la Croix :

Il faut savoir que quand l'Ange bon permet au démon de prévaloir contre l'âme... il a pour but de la purifier ; il la dispose par cette préparation spirituelle à quelque grande fête ou grâce céleste que veut lui accorder Celui qui ne mortifie que pour donner la vie et n'humilie que pour exalter [3].

C'est donc pour faire plus grands nos mérites, plus pures et plus hautes nos vertus, plus rapide notre marche vers Lui que Dieu permet au démon de nous tenter et de nous éprouver [4].

---

1. 1 Co 1, 27-28.
2. *Vie*, ch. xxv, p. 267.
3. *Nuit Obsc.*, Liv. II, ch. xxiii, p. 660.
4. En une page imagée et puissante, Tauler décrit ainsi les avantages des tentations et le moyen de les vaincre :
« Quand le cerf est vivement chassé par les chiens à travers forêts et montagnes, son grand échauffement éveille en lui une soif et un désir de boire plus ardents qu'en aucun autre animal. De même que le cerf est chassé par les chiens, ainsi le débutant (dans les voies de la charité) est-il chassé par les tentations. Dès qu'il se détourne du monde, il est en particulier pourchassé avec ardeur, par sept forts mâtins vigoureux et agiles... Plus cette chasse est vive et impétueuse, plus grande devrait être notre soif de Dieu et l'ardeur de notre désir. Parfois il arrive qu'un des chiens rattrape le cerf et s'accroche avec ses sabots au ventre de la bête. Quand alors le cerf ne peut se débarrasser du chien, il l'entraîne avec lui près d'un arbre et le frappe si fort contre l'arbre qu'il lui brise la tête et ainsi s'en délivre... Voilà précisément ce que l'homme doit faire. Quand il ne peut pas se rendre maître de ses chiens, de ses tentations, il doit en grande hâte courir à l'arbre de la Croix et de la passion de Notre-Seigneur Jésus-Christ, et y cogner son chien, c'est-à-dire sa tentation et lui briser la tête. Cela veut dire que là, il triomphe de toute tentation et s'en délivre complètement » (*Sermons* de Tauler, lundi avant les Rameaux, traduct. du P. Hugueny, tome I, page 258).

CHAPITRE HUITIÈME

Esprit thérésien

> *Vivit Dominus in cujus conspectu sto...*
> *Zelo zelatus sum pro Domino...* [1]

Mère des spirituels, *Mater spiritualium*, sainte Thérèse ne s'adresse qu'aux âmes qui cultivent la vie intérieure, à celles qui du moins « finissent par entrer dans le Château [2] ».

Spiritualité aristocratique ! dit-on parfois. Serait-ce vrai ? Sainte Thérèse se désintéresse-t-elle des âmes qui vivent dans le péché, paralysées et percluses spirituellement comme l'était physiquement

cet homme qui depuis trente ans était sur le bord de la piscine [3],

ou qui même

se trouvant dans l'enceinte extérieure du Château, là où se tiennent les gardes, ne se préoccupent point d'y entrer, ni de savoir ce qu'il y a dans un si riche palais, ou quel est celui qui l'habite ou quelles en sont les Demeures [4] ?

Un tel reproche témoignerait d'une méconnaissance complète non seulement de l'âme thérésienne, mais de l'esprit qui anime toute son œuvre.

Sainte Thérèse ne délaisse point les âmes qu'elle ne peut entraîner à sa suite parce que le péché les a fixées dans l'immobilité de la mort. A mesure qu'elle s'éloigne, son regard chargé de tendresse revient plus fréquemment vers elles. Parvenue sur les sommets, sa pitié est devenue immense et son amour si grand qu'il l'absorbe. Un esprit nouveau en jaillit, esprit de zèle qui transforme la vie de Thérèse et passe dans sa spiritualité.

Ignorer cet esprit serait méconnaître la grande richesse de l'âme thérésienne et le souffle vivant qui fait la puissance de sa spiritualité et lui impose son mouvement et son orientation.

---

1. Cris de guerre d'Élie (1 R 17, 1 ; 19, 10) adoptés comme devise par l'Ordre du Carmel.
2. Iᵉ Dem., ch. I, p. 819.
3. *Ibid.*
4. *Ibid.*, p. 818.

I

En fondant le monastère réformé de Saint-Joseph à Avila, sainte Thérèse ne songeait qu'à nourrir ses aspirations à l'union parfaite avec Dieu ; en s'enfermant dans une si stricte clôture, elle ne rêvait qu'intimité avec le bon Jésus.

Dans ce cadre si bien fait pour soutenir les élans de l'âme et les orienter vers Dieu seul, les cœurs s'embrasent promptement au point de faire deviner à la Sainte que Dieu a des desseins particuliers.

Voici qu'en effet des nouvelles viennent de France où sévissent les guerres de religion ; des récits leur sont faits de la misère morale et spirituelle des Indiens du Nouveau Monde. Nouvelles et récits font plus que fournir un aliment nouveau aux ardeurs croissantes de l'amour divin, ils leur ouvrent de nouveaux horizons et leur font dépasser les désirs d'intimité avec le Christ Jésus :

Ayant appris vers cette époque, écrit la Sainte, de quelles terribles épreuves souffrait la France, les ravages qu'y avaient faits les luthériens, et les effroyables développements que prenait leur malheureuse secte, j'éprouvai une peine profonde. Comme si j'eusse pu ou que j'eusse été quelque chose, je répandais mes larmes aux pieds du Seigneur et le suppliais d'apporter un remède à un tel mal [1].

Je ne puis voir tant d'âmes se perdre sans que mon cœur soit brisé de douleur, continue-t-elle... Je voudrais au moins que le nombre des réprouvés ne s'augmente pas chaque jour davantage [2].

Ce zèle qui consume Thérèse au récit des dévastations protestantes est le même qui embrasait l'âme du prophète Élie, le Père du Carmel : « Que fais-tu, Élie ? » lui dit l'ange du Seigneur. Et le prophète de répondre : « Je suis consumé par le zèle pour le Seigneur, Dieu des armées, car les fils d'Israël ont brisé votre alliance, ils ont détruit les autels et massacré les prophètes, *Zelo zelatus sum pro Domino Deo exercituum* [3] ». L'aveu du prophète est devenu la devise du Carmel thérésien.

Sainte Thérèse a donc retrouvé la plénitude de l'esprit d'Élie. S'il est vrai que le prophète est consumé par des ardeurs de justice et Thérèse par des ardeurs d'amour, cela tient aux lois différentes sous lesquelles ils ont vécu :

---

1. *Chem. Perf.*, ch. I, p. 583.
2. *Ibid.*, p. 585.
3. 1 R 19, 10.

Perspectives

Élie appartient à la loi de crainte ; Thérèse a vécu sous la loi d'amour. Mais une attitude identique de prière contemplative devant Dieu a accumulé en eux les mêmes ardeurs divines que le choc d'événements semblables fait jaillir en flammes dévorantes.

Ces ardeurs d'amour sont lumineuses pour sainte Thérèse. Elles élargissent ses horizons spirituels. Voici qu'en effet elle a dépassé le Christ Jésus dont elle était venue cultiver l'intimité au Carmel, elle a trouvé au-delà le Christ total, l'Église, les âmes qui en font partie, celles même qui en sont éloignées et qui y sont cependant appelées. Elle expérimente ce qui se passe dans le Christ Jésus, elle sent la souffrance de l'amour refusé, du sang rédempteur inutilisé, la grande pitié des âmes qui tombent en enfer pour avoir méconnu l'amour de leur Dieu. Elle a réalisé le dogme de l'Église ; elle est entrée dans le mystère des souffrances et des angoisses de l'Église militante, en pénétrant dans les profondeurs du Cœur du Christ.

L'amour de l'Église va dominer désormais toute la vie de sainte Thérèse. C'est une passion puissante qui absorbera tous les désirs personnels, et la soif d'intimité et le besoin d'union, qui prendra à son service toutes les énergies de l'âme et toute l'activité extérieure, qui inspirera toutes ses œuvres jusqu'à ce qu'il trouve en son dernier souffle sa plus simple et plus sublime expression : « Je suis fille de l'Église ».

Travailler pour l'Église est la vocation de Thérèse, le but de sa Réforme :

> Le jour où vos prières, vos désirs, vos disciplines, vos jeûnes ne tendraient pas à la fin dont je viens de parler, sachez que vous ne faites pas et que vous n'accomplissez pas le but pour lequel le Seigneur vous a réunies ici [1].

Ces paroles si nettes par lesquelles sainte Thérèse conclut le chapitre troisième du *Chemin de la Perfection* nous fixent sur ce que nous avons appelé son esprit, le dynamisme de sa spiritualité et le but de son œuvre.

Le Christ Jésus lui-même donnait à ces paroles une illustration magnifique le jour où il s'unissait Thérèse par les liens du mariage spirituel. Comme signe de son union définitive il lui remit un clou et lui fit entendre ces paroles :

> Vois ce clou, c'est un signe que à partir de ce moment tu seras mon épouse... à l'avenir, tu auras soin de mon honneur comme ma véritable épouse [2].

---

1. *Chem. Perf.*, ch. III, p. 599.
2. *Relat.* XXV, trad. des Carmélites de Paris (Beauchesne), p. 536.

118

Au sommet du Carmel on est crucifié avec le Christ et on est tout donné aux travaux pour sa gloire. C'est vers ce sommet entrevu dans la lumière que la spiritualité thérésienne dirige dès le début les regards de ceux qui se mettent à son école, oriente leurs efforts et leurs désirs : « Je suis venue pour sauver les âmes et surtout afin de prier pour les prêtres [1] » disait sainte Thérèse de l'Enfant-Jésus à son entrée au Carmel. La petite Sainte avait compris sa vocation.

Il importait que nous le sachions nous aussi pour placer dans sa véritable perspective tout l'enseignement thérésien.

II

Il ne s'agit plus de joies à savourer au contact du Maître, mais de combats à soutenir pour l'amour du Christ et pour le salut des âmes.

Mais comment, dans une clôture si étroite, satisfaire de telles ardeurs et servir utilement l'Église ? La Sainte se pose la question :

Mais étant femme et bien imparfaite encore, je me voyais impuissante à réaliser ce que j'aurais voulu pour la gloire de Dieu [2].

Parce qu'il est surnaturel, cet amour n'est point égaré par ses ardeurs : la Sainte est plus réaliste que jamais ; pour réparer et servir elle commencera par accomplir parfaitement ses devoirs de religieuse :

Tout mon désir était et est encore que, puisqu'il (Dieu) a tant d'ennemis et si peu d'amis, ceux-ci du moins lui fussent dévoués. Je me déterminai donc à faire le peu qui dépendait de moi, c'est-à-dire à suivre les conseils évangéliques dans toute la perfection possible et à porter au même genre de vie les quelques religieuses de ce monastère [3].

La passion qui s'est levée dans son âme l'oblige à repenser en quelque sorte son idéal de vie religieuse et les obligations qui en découlent.

La prière était déjà la fonction principale du Carmel dans l'Église. Combien elle est nécessaire à ceux qui luttent pour l'Église, sainte Thérèse l'expose tout au long de ce chapitre troisième du *Chemin de la Perfection* que nous citons. Cette prière doit leur obtenir « les qualités

---

1. *Man. Autob.*, A fol. 69 v°.
2. *Chem. Perf.*, ch. I, p. 583.
3. *Ibid.*, p. 584.

requises pour cette lutte » et la préservation des dangers du monde.

Sans quitter sa clôture sainte Thérèse va pouvoir intervenir dans les rudes combats qui se livrent et assurer la victoire du Christ :

> Nous nous mettrions toutes en prière pour les défenseurs de l'Église, pour les prédicateurs et les savants qui la soutiennent, et nous aiderions dans la mesure de nos forces ce Seigneur de nos âmes [1].

Le but apostolique qui lui est offert va contribuer à faire cette prière plus haute. Pour qu'elle soit puissante, il faut en effet qu'elle soit parfaite.

L'efficacité de la prière tient surtout au degré de sainteté de l'âme qui la fait. L'amour des âmes pousse à un travail d'union à Dieu :

> Travaillons, écrit la Sainte, à être telles que nos prières puissent aider ces serviteurs de Dieu [2].

Au lieu de distraire l'âme carmélitaine de sa prière contemplative, le zèle des âmes va augmenter son élan vers les profondeurs de Dieu. Elle utilisera tous les moyens naturels et surnaturels que lui offrent la technique et la grâce pour saisir de plus près Dieu, cause première, et puiser en sa toute-puissance.

Ce zèle ouvre des horizons de sacrifice que le désir d'intimité divine ignorait. Certes « pour voir Dieu il faut mourir » proclamait sainte Thérèse. Et cependant elle avouait elle-même qu'en fondant le monastère de Saint-Joseph d'Avila elle n'avait point songé à y pratiquer des austérités :

> Lorsqu'on traita de la fondation (du monastère de Saint-Joseph d'Avila), mon but n'était pas qu'il y eût tant d'austérités extérieures ni qu'on y vécût sans revenus. J'aurais voulu au contraire tout disposer pour que rien n'y manquât [3].

Le zèle des âmes immole d'abord une certaine recherche de soi que gardait le désir d'intimité divine.

Mais surtout, auprès du Christ Jésus entrant dans sa passion pour le sacrifice suprême après avoir fait la prière sacerdotale, il comprend que la prière pour l'Église ne trouve son efficacité que dans le sacrifice.

Depuis que Thérèse a découvert l'Église et que la grande pitié des âmes s'est levée dans son âme, la pénitence au Carmel s'est faite plus austère et l'immolation complète y est devenue un besoin et une loi.

---

1. *Chem. Perf.*, p. 584.
2. *Ibid.*, ch. III, p. 594.
3. *Ibid.*, ch. I, p. 583.

III

Le grand prophète dont sainte Thérèse a retrouvé l'esprit en plénitude quittait parfois sa solitude pour aller à l'action. Parmi ces prophètes que l'on a appelés prophètes d'action, en les opposant aux prophètes écrivains, Élie est le plus grand. Ses interventions dans la vie d'Israël sont fréquentes et retentissantes.

Que va faire sainte Thérèse ? Va-t-elle se lancer dans l'action ? Comment n'en éprouverait-elle pas le désir ?

Je fus si affligée de la perte de tant d'âmes que je ne savais que devenir. Je me retirai dans un ermitage où je répandis des larmes en abondance. Je suppliai Notre-Seigneur, à grands cris, de me procurer le moyen de travailler un peu à Lui gagner quelques âmes... Je portais beaucoup d'envie à ceux qui, animés de son amour, avaient la liberté de se consacrer à cette œuvre, même au prix de mille morts [1].

A ces désirs ardents de travaux apostoliques, Jésus va répondre lui-même :

Je me trouvais plongée dans ce profond chagrin dont je viens de parler, quand un soir, étant en oraison, je vis Notre-Seigneur m'apparaître sous la forme ordinaire. Il me témoigna beaucoup d'amour ; puis, comme s'il voulait me consoler il me dit : Attends un peu, ma fille, et tu verras de grandes choses [2].

Que signifie cette promesse ? Que seront ces grandes choses ? La visite du P. Rubéo, Général des Carmes, va les révéler à la Sainte. Le P. Général, au cours de son séjour à Avila (1566), manifeste à sainte Thérèse le plus affectueux intérêt pour ce monastère de Saint-Joseph d'Avila qui réalise ses plus chers désirs de père de l'Ordre. Il ordonne à la Sainte de fonder sur le même modèle tous les monastères qu'on lui demandera.

Dieu a parlé par le supérieur de l'Ordre. Thérèse ne saurait hésiter. D'ailleurs cet ordre cadre avec ses nouveaux désirs. Le monde est en feu et le Christ n'est pas aimé. Puisque le nombre est un élément de puissance, il faut que se multiplient ces forteresses où se rassembleront les chrétiens courageux, et d'où montera l'hymne de la prière parfaite qui sauvera les âmes et assurera le triomphe de l'Église.

---

1. *Fondat.*, ch. I, p. 1075.
2. *Ibid.*

Elle sacrifie donc les joies de la solitude et la douce paix des premières années de Saint-Joseph d'Avila, pour les rudes labeurs de ses fondations, qu'elle commence dès 1567 à Medina del Campo.

Elle fait passer ses ardeurs dans l'âme de ses filles, leur communique ses intentions en même temps que sa science de la prière. Elles seront des contemplatives et des orantes dont la prière est toute donnée à l'Église :

> O mes sœurs en Jésus-Christ, aidez-moi à adresser cette supplique au Seigneur. C'est pour cette œuvre qu'il vous a réunies ici, c'est là votre vocation, ce sont là vos affaires, tel doit être l'objet de vos désirs, le sujet de vos larmes, le but de vos prières [1].

Quant à elle, elle chemine par toutes les routes d'Espagne, et poursuivra vaillamment sa tâche austère jusqu'à ce que la mort l'arrête à Albe de Tormès, au retour de la fondation de Burgos, la plus pénible de toutes à son témoignage. Cette sublime contemplative est devenue une femme d'action dont la compétence en toutes matières, les audaces réalisatrices et les œuvres prodigieuses font l'égale du plus entreprenant des apôtres.

Dans les grandes choses promises par Notre-Seigneur sainte Thérèse a vu autre chose que la fondation de monastères de Carmélites. Ces fondations ne suffisent pas à son zèle. Elle rêve de prolonger son action conquérante en étendant la Réforme aux religieux.

Rubeo, qui a accordé de larges permissions pour les fondations de moniales, se montre hésitant quand il s'agit des religieux. Mais la Sainte se fait instante solliciteuse. Le Père Général enverra donc après son départ les patentes demandées. Elles sont restreintes et cependant remplissent la Sainte de joie.

Sans retard elle va travailler à exécuter le plus cher de ses projets. C'est celui dont la réalisation est devenue une femme le plus de souffrances et soulèvera le plus de tempêtes. Mais l'œuvre lui apparaît si importante ! N'est-ce pas par les Carmes déchaussés que toute sa pensée sera réalisée, que tout son zèle conquérant pourra se déployer, que tout son idéal prendra corps enfin ?

« Étant femme et bien imparfaite » dit-elle, elle se voit impuissante à réaliser ce qu'elle aurait voulu pour la gloire de Dieu. Dans sa pensée, ses fils qui seront des religieux, des savants, des contemplatifs et des apôtres, vont suppléer à son impuissance et prolonger son action. Elles les veut tels qu'ils puissent soutenir ses filles, gouverner ses monastères, mais aussi lutter pour l'Église et traverser les mers pour aller à la conquête des âmes. Elle les entoure

---

1. *Chem. Perf.*, ch. I, p. 585.

de respect et de sollicitude maternelle. Après avoir tremblé devant les austérités de Durvelo, dans la pensée que le démon veut peut-être par ces excès anéantir son rêve, sa joie est sans bornes lorsqu'elle trouve en Gratien les talents et la grâce du Carmel tels que son zèle l'a voulu.

Dans peu de temps Gratien sera le premier supérieur de la province séparée des Carmes déchaussés. Les promesses divines sont réalisées. Dans les grandes choses qui ont été faites par le génie créateur de sainte Thérèse, s'épanouit la plénitude de son esprit et de son zèle.

IV

Nous ne nous sommes arrêtés aux désirs et aux œuvres de sainte Thérèse que pour mieux comprendre sa doctrine spirituelle. Oeuvre de réforme et doctrine spirituelle ont jailli simultanément de l'âme de sainte Thérèse : ce sont les fruits du même souffle vivant de l'esprit thérésien qui se complètent et s'éclairent mutuellement. De leur rapprochement se dégagent dans une lumière plus nette les caractères et l'orientation de la doctrine spirituelle de sainte Thérèse.

1. L'organisation extérieure donnée à la Réforme et les écrits thérésiens nous montrent en premier lieu que la Sainte conduit l'âme vers les sommets de la perfection par la voie de l'oraison et de la contemplation. Il n'est pas d'autre voie pour elle et pour ses disciples. Tous doivent être des contemplatifs.

2. Ces contemplatifs doivent tous devenir des apôtres. Sainte Thérèse n'admet pas à sa suite les âmes qui n'y viendraient que pour apprendre les voies de l'oraison et le secret de l'intimité divine ; au-delà du Christ Jésus, elle découvre à toutes l'Église, et les voue toutes à son service. L'union transformante ou mariage spirituel s'épanouit dans la maternité spirituelle. C'est la fécondité de l'union que sainte Thérèse met en relief comme le but principal et dernier à atteindre. Les textes cités plus haut, de même que les œuvres de sainte Thérèse, le prouvent surabondamment.

Sainte Thérèse de l'Enfant-Jésus, la plus célèbre des filles de sainte Thérèse, déclare elle-même avoir trouvé sa vocation le jour où elle a compris que dans l'Église elle sera l'amour et remplira ainsi la fonction vitale du cœur.

3. Cette fécondité sera d'abord celle de la prière, qui est puissante parce que parfaite et immolée. Après avoir fait sa prière sacerdotale pour l'Église, Jésus s'enfonce

123

dans la grotte de Gethsémani et s'y livre, Lui la pureté infinie, aux tourments du péché. Prosterné à terre sous le poids du péché du monde, il nous en délivre, priant douloureusement dans l'angoisse, et répandant une sueur de sang il assure l'efficacité de sa prière d'union pour les Apôtres et pour nous.

Élie, le père du Carmel, avait déjà, lui aussi, gémi douloureusement dans la caverne de l'Horeb sous le poids du péché d'Israël :

Ils ont détruit les autels et massacré les prophètes, répondait-il à l'ange ; et moi, je suis consumé par le zèle pour le Seigneur Dieu des armées [1].

Thérèse, dans le chœur de Saint-Joseph d'Avila ou dans les ermitages, pleurait et gémissait aussi sur le péché du monde :

Je fus si affligée de la perte de tant d'âmes, que je ne savais que devenir. Je me retirai dans un ermitage où je répandis des larmes en abondance [2].

Sainte Thérèse et ses filles vont continuer pour l'Église la prière de Jésus à Gethsémani. Et le cadre de leur vie et la spiritualité qui les guide les préparent à remplir cette fonction du sacerdoce du Christ. Leur fidélité à la grâce de leur vocation doit les conduire dans ces régions où l'âme purifiée mérite de recevoir en même temps les flammes de l'amour qui consume et le manteau du péché qui opprime, et où, auprès de l'Agneau qui porte le péché du monde, elle apprend à murmurer la prière ardente et douloureuse qui purifie et sauve.

C'est ainsi que sainte Thérèse de l'Enfant-Jésus, à la fin de sa vie, baignée dans les flots de la miséricorde divine qui la pénètre et l'environne, mange le pain noir de l'incrédulité moderne en supportant des tentations douloureuses contre la foi.

Cette prière hautement contemplative et éminemment efficace est la première forme de l'apostolat thérésien, le premier but de la spiritualité thérésienne.

4. Serait-il le seul ? La doctrine spirituelle de sainte Thérèse ne serait-elle propre qu'à former de grandes contemplatives, des orantes parfaites au service de l'Église ? Certains semblent le croire.

En effet la merveilleuse réussite des monastères de Carmélites en France depuis trois siècles, leur profonde influence, ont contribué à créer la conviction que le Carmel tout entier est dans l'enceinte des monastères que de

---

1. 1 R 19, 14.
2. *Fondat.*, ch. I, p. 1075.

hautes murailles et des grilles austères isolent des contacts et des bruits, que la doctrine spirituelle de sainte Thérèse n'est destinée qu'à des contemplatifs qui peuvent se créer un cadre spécial de recueillement et n'est nullement adaptée à un apostolat dans le mouvement et l'action.

C'est une erreur d'autant plus regrettable qu'elle dissimule aux yeux de beaucoup une doctrine spirituelle d'apostolat des plus simples et des plus hautes, particulièrement apte à former des apôtres parfaits.

Sainte Thérèse fut une femme d'action remarquable. Sa spiritualité la trouva toute adaptée à cette vie de travaux qu'elle mena pendant quinze ans. C'est en cette période de travaux que sa doctrine trouva sa formule parfaite.

Pour entraîner dans les voies de la perfection ceux qu'elle considérait comme ses pères et ses fils, et qui tous menaient une vie d'apostolat, les carmes déchaussés qu'elle avait engendrés à la vie carmélitaine parfaite, et ses directeurs qui lui avaient ordonné d'écrire : les jésuites Balthasar Álvarez et Gaspar de Salazar, les dominicains Bañez et Garcia de Toledo, elle n'avait qu'à donner, comme à ses carmélites, sa science spirituelle vécue.

Mais où trouver cette doctrine spirituelle et en quoi se distingue-t-elle de sa doctrine contemplative ? Pour répondre à ces questions on pourrait souligner de-ci de-là dans ses écrits quelques conseils particuliers à ceux qui ont mission de travailler pour l'Église, et remarquer que dans le livre de sa *Vie* et le *Chemin de la Perfection*, écrits avant l'extension de la Réforme carmélitaine, c'est la contemplative qui expose sa doctrine sur l'oraison, tandis que dans le *Château Intérieur* c'est la contemplative apôtre, devenue l'épouse du Christ, qui parle et donne une doctrine plus haute, plus large et plus complète sur la vie spirituelle.

En réalité, on ne saurait, dans l'enseignement thérésien, séparer ni distinguer la doctrine spirituelle d'apostolat de la doctrine contemplative. En cette spiritualité, contemplation et apostolat sont solidaires l'un de l'autre, s'y fondent et s'y complètent heureusement. Ce sont deux aspects d'un tout harmonieux, deux manifestations d'une vie même profonde [1].

Tout au plus, apparemment, correspondent-ils à deux phases de la vie spirituelle. Tout d'abord l'âme est invitée surtout à se garder pour Dieu, car il importe avant tout qu'elle lui soit unie ; plus tard il lui est permis, et enfin elle

---

1. Nous ne pouvons actuellement qu'affirmer. Ces affirmations trouveront leur développement et leur preuve dans l'exposé de la doctrine thérésienne, et sont déjà soulignées dans le tableau général que l'on trouvera au début du volume.

a le devoir, de travailler au bien des âmes. Phase contemplative et phase active ! dira-t-on. Ne nous hâtons pas de classifier en usant d'appellations que promptement nous reconnaîtrions inexactes. Le recueillement de la première période n'est destiné qu'à accumuler des forces pour l'apostolat. Quant à l'activité de la deuxième période, elle profite en premier lieu à la contemplation qu'elle purifie de tous les égoïsmes et elle prépare l'union transformante.

Ayant jailli de son âme et de sa vie, la spiritualité de sainte Thérèse en porte le double caractère hautement contemplatif et étonnamment actif. Elle forme des spirituels, qui sont toujours des apôtres au zèle dévorant lorsqu'ils ont appris à se tenir constamment en présence du Dieu vivant, selon la double parole du Prophète qui est devenue la devise du Carmel thérésien : *Vivit Dominus in cujus conspectu sto... Zelo zelatus sum pro Domino Deo exercituum* !

CHAPITRE NEUVIÈME

Croissance spirituelle

*Si l'âme grandit, comme nous l'affirmons...
elle ne croît pas à la manière des corps*[1].

La vie divine se développe comme « le grain de sénevé qui, mis en terre, est la plus petite des graines, mais... poussé, devient plus grand que toutes les plantes potagères et fait de grandes branches[2] », ou encore comme « le levain qu'une femme prend et mêle à trois mesures de farine jusqu'à ce que le tout ait fermenté[3] ».

Ces paraboles évangéliques affirment la croissance de la grâce dans l'âme et soulignent sa force d'expansion.

Comment se fait cette croissance ? A quels signes la reconnaître ? Il y a là un mystère qu'a sondé le regard de sainte Thérèse habitué aux complexités de notre nature et aux obscurités divines. Son enseignement, que nous allons recueillir, laisse subsister l'obscurité du mystère, mais, parce qu'à l'aide de quelques jalons lumineux, il fixe les étapes classiques de la marche vers Dieu, il reste éminemment précieux.

A. — *ASPECTS DIVERS ET ÉTAPES*

La vision du *Château*, ou de l'âme juste, éclaire le point essentiel de l'enseignement thérésien sur la croissance spirituelle.

Sainte Thérèse a vu un globe de cristal qui présente des régions de plus en plus éclairées à mesure qu'on se rapproche du centre où se trouve Dieu, le foyer lumineux.

---

1. *Vie*, ch. xv, p. 153.
2. Mc 4, 31-32.
3. Mt 13, 33.

Perspectives

De la périphérie, l'âme part vers le centre d'elle-même pour s'y unir parfaitement à Dieu et vivre complètement dans sa lumière et sous sa motion.

La perfection est donc dans l'union parfaite avec Dieu, union transformante ou mariage spirituel. Le progrès spirituel est marqué par un progrès dans l'union, qui est indiqué d'une manière symbolique dans la vision par une plus ou moins grande intensité de lumière. Tel est l'enseignement de sainte Thérèse, ferme et précis : Dieu est notre fin ; l'atteindre c'est la perfection ; l'âme est parfaite dans la mesure où elle est rapprochée de Lui.

1. En cette marche d'approche vers Dieu, depuis l'union de grâce en son minimum de vitalité qui en est le point de départ, jusqu'à l'union transformante qui en est le terme, sainte Thérèse distingue sept étapes ou Demeures, marquées dans la vision du *Château* par une intensité croissante de la lumière, en réalité par un progrès dans l'union à Dieu :

J'ai parlé de sept Demeures seulement, écrit la Sainte. Mais chacune d'elles en contient beaucoup d'autres : il s'en trouve en bas, en haut et sur les côtés[1].

Ailleurs elle fait remarquer que les sixièmes et septièmes Demeures « pourraient très bien être unies ; de l'une à l'autre en effet il n'y a point de porte fermée[2] ». Sainte Thérèse aurait pu diminuer ou augmenter le nombre des Demeures, mais il fallait choisir, et le nombre sept, qui est le nombre parfait, permet un compartimentage logique et rationnel.

Parmi ces sept Demeures, si nous omettons la première, qui peut être considérée comme base de départ, nous en distinguons trois qui marquent des états d'union nettement caractérisés : les troisièmes Demeures, où triomphe l'activité naturelle de l'âme aidée de la grâce ; les cinquièmes Demeures dans lesquelles se réalise l'union de volonté ; les septièmes Demeures, éclairées par l'union transformante. Les trois autres Demeures sont des périodes de transition ou mieux de préparation.

Ces dernières sont normalement plus pénibles et plus obscures que les précédentes. La sécheresse règne aux deuxièmes Demeures, la nuit du sens aux quatrièmes, et la nuit de l'esprit aux sixièmes. Plus pénibles et plus dangereuses elles retiennent parfois très longtemps les âmes, ou même les voient tomber dans les écueils qui s'y dressent. La sollicitude du directeur devra donc se faire plus attentive et plus paternelle. Elle y trouvera pour

1. VIIᵉ Dem., ch. IV, p. 1062.
2. VIᵉ Dem., ch. IV, p. 958.

s'éclairer les descriptions et les conseils de saint Jean de la Croix qui s'est fait le docteur des nuits pour conduire à l'union d'amour. Dans l'itinéraire spirituel ces étapes d'ascension deviennent ainsi les plus importantes.

2. Ce serait trop simplifier l'étude de la croissance spirituelle que de se borner à considérer le progrès dans l'union qui en est la caractéristique essentielle. Cette croissance présente bien d'autres aspects. En premier lieu l'activité des deux forces vivantes qui la réalisent : l'amour de Dieu pour l'âme et l'amour de l'âme pour Dieu.

Ces deux amours harmonisent progressivement leur action de plus en plus puissante au cours de la croissance spirituelle. Deux phases bien distinctes apparaissent en cette progression considérée sous cet aspect.

Dans une première phase, qui comprend les trois premières Demeures, Dieu, assurant à l'âme sa grâce ordinaire ou secours général, lui laisse la direction et l'initiative en sa vie spirituelle. Dans la deuxième phase, qui commence aux quatrièmes Demeures et va jusqu'aux septièmes, Dieu intervient progressivement dans la vie de l'âme par un secours dit « particulier » qui se fait de plus en plus puissant, enlève l'initiative à l'âme, lui impose la soumission et l'abandon, jusqu'à ce qu'ayant établi enfin le règne parfait de Dieu, l'âme, devenue vraie fille de Dieu, soit mue par l'Esprit de Dieu.

Cette double activité de Dieu et de l'âme se modifie en s'harmonisant à travers les diverses Demeures.

L'action de Dieu se fait de plus en plus profonde et qualifiée dans l'âme, et lui manifeste progressivement le Christ Jésus.

Pendant la première phase, soit pendant les trois premières Demeures, Dieu assure à l'âme le secours général de sa grâce et laisse aux facultés leur pleine indépendance, leur offrant l'humanité du Christ Jésus pour qu'elles s'en nourrissent et s'attachent à ce médiateur unique, qui peut seul les conduire vers les sommets.

Pendant la deuxième phase, Dieu intervient par son secours particulier, qui est son action directe dans l'âme. Dès le début (quatrièmes Demeures) il introduit l'âme dans la lumière du Verbe qui, en se manifestant, voile images et pensées. Par le recueillement, la quiétude ou la sécheresse contemplative, il oriente le sens vers l'esprit, l'adapte aux opérations surnaturelles dont ce dernier est le siège et l'habitue à en supporter paisiblement le mystère toujours obscur et souvent douloureux.

L'union de volonté est réalisée aux cinquièmes Demeures par la Sagesse d'amour, qui pourra désormais, grâce à cette emprise sur la faculté maîtresse, purifier et former l'âme pour la réalisation du dessein éternel de Dieu.

Perspectives

Ce dessein éternel de Dieu est le Christ total ou l'Église. Il inspire toute l'activité de Dieu et enveloppe chaque âme en particulier.

Aux sixièmes Demeures, la Sagesse fait entrer l'âme dans ce mystère de l'Église et lui communique les richesses du Christ Jésus et ses souffrances rédemptrices, à la fois dans les profondeurs de l'esprit par des touches substantielles et des délaissements cruels, et dans les facultés opératives par des faveurs et des épreuves extérieures.

Ce travail d'enrichissement et de purification, dont la présence et l'action de la Vierge Marie toute Mère adoucissent la rude souffrance, prépare directement aux sommets de la contemplation et à la fécondité de l'apostolat exercé sous la motion de Dieu.

Aux septièmes Demeures, dans l'union transformante, tandis que son regard purifié peut jouir de la présence divine, le contemplatif a trouvé sa place dans l'Église et y remplit parfaitement sa mission.

L'action de l'âme suit cette activité sanctificatrice de Dieu pour y coopérer, tant dans l'oraison que dans la pratique des vertus. Au cours de la croissance elle prendra elle aussi des formes différentes.

Pendant la première phase, l'initiative de l'âme en l'oraison se déploie dans une recherche de Dieu par des modes qui se simplifient progressivement. Le soin de l'oraison est prédominant, au point que l'ascèse portera surtout sur le recueillement et sur ce qui peut le favoriser. L'âme s'attachera aussi à la correction des défauts extérieurs.

Pendant la deuxième phase, l'ascèse deviendra à la fois plus intérieure et plus énergique pour détruire les vices capitaux qui paraissent sur le plan spirituel, tandis que pendant l'oraison contemplative l'âme devra coopérer énergiquement à l'action de Dieu par l'abandon dans un silence souvent douloureux.

En ces régions, où les exigences divines deviennent à la fois plus impérieuses et plus délicates, les vertus de l'âme sont plus spirituelles, plus profondes et plus souples. On peut caractériser les formes mouvantes de ces exigences et de ces vertus, et pour ainsi dire l'atmosphère qui semble régner en chacune de ces Demeures, en attribuant spécialement la foi comme vertu des quatrièmes Demeures, l'obéissance et l'amour de Dieu pour les cinquièmes Demeures, l'espérance et la pauvreté aux sixièmes, la chasteté et la charité parfaites aux septièmes Demeures [1].

---

1. On ne trouve pas formulée chez sainte Thérèse la division en voie purgative, voie illuminative et voie unitive. Si on voulait appliquer au schéma de la progression thérésienne cette classification commode,

3. Cette action de Dieu et cette coopération de l'âme, en si étroite dépendance l'une de l'autre, produisent une véritable transformation dont sainte Thérèse se plaît à signaler les effets profonds et qu'elle illustre par la comparaison du ver à soie :

> Vous aurez entendu parler, écrit-elle, de la façon merveilleuse dont se fait la soie et dont Dieu seul peut être l'inventeur. Vous aurez appris en outre comment elle vient d'une semence qui ressemble à de petits grains de poivre. Pour moi, je n'ai jamais vu cette semence, mais j'ai entendu parler de ce que je vous raconte, et si ce que je vous dis n'est pas exact, je n'en suis pas responsable. Or, dès que les mûriers commencent à se couvrir de feuilles, cette semence aussi commence à prendre vie sous l'action de la chaleur ; et, tant que l'aliment qui doit la soutenir n'est pas prêt, elle demeure comme morte. C'est donc avec les feuilles de mûrier que se nourrissent les vers qui viennent de cette semence. A peine ont-ils grandi qu'on place devant eux de petites branches où avec leurs petites bouches ils filent la soie qu'ils tirent d'eux-mêmes ; ils font ainsi de petites coques très étroites où ils se renferment. C'est là que ces vers, qui sont grands et difformes, trouvent la fin de leur vie ; puis de cette coque elle-même sort un papillon blanc très gracieux [1].

Cette comparaison « très appropriée » au dire de sainte Thérèse, et sur laquelle elle revient plusieurs fois, montre l'action transformante de la charité qui divinise en se développant, crée des vertus nouvelles, perfectionne les puissances naturelles et produit un type nouveau et parfait d'humanité qui est une âme transformée en Dieu.

Un des effets les plus notables de cette transformation est la formation de l'apôtre réalisée progressivement.

Tandis que dans la première phase, correspondant aux trois premières Demeures, l'âme exerce sa mission apostolique avec son activité naturelle secondée par la grâce, dans la deuxième phase Dieu la saisit pour en faire un instrument parfait de ses desseins. Alors que son règne s'établit en elle aux quatrièmes Demeures, il serait nuisible à l'âme de vouloir distribuer les trésors spirituels qu'elle reçoit et dont elle ne saurait ainsi se priver sans danger.

---

il faudrait distinguer trois périodes purgatives et illuminatives préparant aux trois états d'union qui ont été signalés. Nous aurions ainsi :

Pér. *purgative* :	Sécheresses des IIᵉ Demeures	Nuit du sens IVᵉ Demeures	Nuit de l'esprit VIᵉDemeures
Pér. *illuminative* :	Orais. de simplicité IIIᵉ Dem.	Orais. de quiétude et illumination contemplatives	Fiançailles spirituelles. Touches substantielles.
Pér. *unitive* :	Union des IIIᵉ Demeures	Union de volonté	Union transformante.

1. Vᵉ Dem., ch. II, p. 901-902.

Aux cinquièmes Demeures, Dieu, ayant établi son règne dans la volonté, peut déjà utiliser l'âme comme instrument et lui confier une mission : instrument imparfait que les épreuves extérieures et les purifications intérieures des sixièmes Demeures perfectionneront. L'union transformante fait l'apôtre parfait, embrasé de zèle, docile aux motions divines, et de ce fait étonnamment puissant.

Ces transformations intérieures ont des échos perçus dans la conscience psychologique. Indépendamment des faveurs extraordinaires qui y produisent de véritables chocs et y laissent leur blessure bienfaisante, silencieusement et lentement, à travers les joies passagères et quelquefois débordantes, à travers les souffrances souvent violentes et avec elles, la grâce crée dans les profondeurs de l'âme une région de paix : refuge que n'atteignent que rarement le bruit et les tempêtes, oasis aux sources de force et de joie dont le bienfaisant rayonnement s'étend progressivement, assurant stabilité et équilibre, jusqu'à la plénitude, et l'épanouissement des septièmes Demeures.

La croissance spirituelle se présente, on le voit, comme un développement vivant et complexe dont on peut distinguer, mais non dissocier, les multiples aspects. Le désir d'en montrer à la fois l'unité et la richesse vivantes nous a fait établir un tableau synthétique qui indiquera aussi la division de notre travail et justifiera le choix des sujets traités [1].

B. — *MYSTÈRE DE LA CROISSANCE*

Une étude attentive du tableau qui, par des signes variés et précis, indique le processus régulier de la croissance spirituelle, pourrait donner l'impression qu'il est aisé de discerner les progrès d'une âme et de la situer en cette progression. Par contre, l'examen de multiples cas concrets découvre la complexité vivante des âmes et le mystère de la croissance spirituelle.

Toute croissance, depuis celle de la plante qui puise dans l'humus de la terre les éléments organiques qu'elle

---

1. On trouvera le tableau au début du volume. Le plus souvent l'enseignement donné n'intéresse pas seulement la période de vie spirituelle à laquelle il a été rattaché. Nous l'avons placé à l'endroit où il nous paraissait le plus nécessaire et répondait à la note dominante du moment. C'est ainsi que l'âme n'attendra pas les Vᵉ Demeures pour pratiquer l'obéissance mais, à ces Demeures, l'union de volonté la lui fait pratiquer parfaitement. De même le recours à la Sainte Vierge est en tout temps indispensable, mais la pauvreté désolée des VIᵉ Demeures fait exercer à la Sainte Vierge son rôle providentiel de Mère de miséricorde.

transforme et assimile, jusqu'à la croissance de Jésus-Enfant en qui se manifestaient progressivement les richesses de la sagesse et de la grâce qui étaient en Lui, reste mystérieuse.

1. Dans la croissance spirituelle le mystère est plus complet. Ailleurs, l'obscurité n'enveloppe que le mode suivant lequel la vie s'assimile et utilise pour ses fonctions vivantes la matière inanimée ; elle laisse apparaître les effets de la vie et donne des signes extérieurs de son développement. Dans la croissance spirituelle de l'âme, l'obscurité s'étend à la vie de la grâce elle-même qui, comme la vie même de Dieu dont elle est la participation, ne peut être observée ici-bas. Au ciel par le *lumen gloriæ* nous pourrons voir Dieu tel qu'il est et nous-mêmes tels que nous serons avec nos richesses divines. En attendant, ces réalités spirituelles restent, pour nous, ensevelies dans l'ombre du mystère, faute d'une puissance pour les saisir directement.

Il existe cependant des manifestations authentiques de la grâce, et les dons du Saint-Esprit en donnent une certaine expérience. Mais combien difficiles à observer, irrégulières, mélangées d'éléments étrangers, ces manifestations du surnaturel ! combien incomplète et intermittente, même chez les contemplatifs les plus favorisés, cette quasi-expérience réalisée par les dons !

En s'incarnant dans l'humain le surnaturel épouse les formes de la nature individuelle qui le reçoit. Il nous apparaît ainsi sous des visages aussi divers que les hommes eux-mêmes. Les réactions extérieures que produit son action sont aussi différentes que les tempéraments qui en sont les instruments [1]. Rarement en effet, nous semble-t-il, l'action de Dieu produit directement un phénomène sensible. Semblable à la lumière blanche du soleil qui éclaire le paysage et y fait briller toutes les couleurs, l'action de Dieu dans l'âme, la plupart du temps, n'a pas de forme sensible déterminée, mais la reçoit du tempérament du sujet en qui elle se produit [2].

Si nous admettons avec sainte Thérèse et saint Jean de la Croix que les manifestations sensibles de l'action de Dieu diminuent de fréquence et d'intensité à mesure que les facultés se purifient, nous devrons reconnaître que,

---

1. La vertu se présente extérieurement avec les formes particulières du tempérament : ici souriante, là plus austère, ailleurs timide ou entreprenante, sans qu'on puisse, en considérant uniquement ces traits extérieurs, conclure à une plus ou moins grande charité.

2. Cette remarque, que nous ne faisons qu'énoncer, sera développée plus longuement à propos des premières oraisons contemplatives (Dieu-Amour et Dieu-Lumière) et des réactions psychiques sous les chocs du divin (VIᵉ Demeures).

si certaines manifestations permettent d'affirmer l'existence de la grâce dans une âme, elles ne peuvent indiquer la puissance et la qualité de la cause spirituelle qui les produit[1].

Le mystère qui entoure le surnaturel et ses signes extérieurs explique que les habitants de Nazareth n'aient pas connu la divinité de Jésus, pas plus que la haute sainteté de Marie et de Joseph, et que sainte Thérèse de l'Enfant-Jésus ait pu être ignorée de la plupart des religieuses de son monastère attentives cependant à tout signe de sainteté. Dieu n'eut pas à voiler miraculeusement les merveilles réalisées en ces âmes, il lui suffit de laisser à la grâce le mystère qui l'enveloppe et d'assurer aux manifestations extérieures du surnaturel le voile de la simplicité qui est le caractère des plus hautes et des plus pures.

2. L'interprétation des signes de la croissance est rendue plus difficile encore par la mobilité de l'âme qui, au témoignage de sainte Thérèse, tour à tour sous l'action de Dieu ou de diverses causes, vit des états bien différents et avec une facilité étonnante va des régions élevées aux plus inférieures, donc d'une Demeure intérieure aux plus extérieures. Si souvent la Sainte revient sur ce point et avec une telle force, que nous ne pouvons négliger de l'entendre :

> Je l'ai dit et je voudrais qu'on ne l'oublie jamais. Si l'âme grandit, comme nous l'affirmons, et c'est la vérité, elle ne croît pas cependant à la manière des corps. Le petit enfant qui s'est développé et est arrivé à la taille de l'homme mûr, ne recommence pas à décroître et à reprendre un petit corps. Pour l'âme, le Seigneur veut qu'il en soit ainsi. C'est ce que j'ai constaté pour moi, car je ne le sais pas autrement... Il est des temps où ceux qui ont déjà leur volonté si parfaitement unie à celle de Dieu, qu'ils endureraient toutes sortes de tourments et souffriraient mille morts plutôt que de commettre une seule imperfection, sont parfois tellement assaillis par les tentations et les persécutions, qu'ils ont besoin, pour éviter l'offense de Dieu et ne point tomber dans le péché, de recourir aux premières armes de l'oraison. Ils doivent de nouveau considérer que tout finit ici-bas, qu'il y a un ciel, un enfer, et se servir d'autres considérations de ce genre[2].

Il n'y a pas d'âme, eût-elle la taille d'un géant dans cette voie

---

1. Pour apprécier la valeur de ces manifestations extérieures, il faut se rappeler que le progrès spirituel se fait en qualité beaucoup plus qu'en intensité. Un sentiment ou même un état spirituel, peut se retrouver aux diverses étapes ; il sera peut-être plus intense en ses manifestations dans les degrés inférieurs, mais il sera certainement plus pur et plus qualifié vers les sommets.

Une erreur sur la qualité peut créer et entretenir des illusions dangereuses, telle une âme qui, inondée de consolations sensibles, croirait avoir reçu une touche substantielle des VIe Demeures.

2. *Vie*, ch. xv, p. 153-154.

spirituelle, qui ne doive revenir très souvent à l'état de l'enfant et sucer comme lui à la mamelle. Qu'on n'oublie jamais ce point. Peut-être je le répéterai encore bien des fois, tellement il est important [1].

Cette instabilité de l'âme, qui ne saurait habiter d'une façon permanente en une région spirituelle ou Demeure déterminée, rendra plus malaisée encore la discrimination de la Demeure où elle se trouve habituellement [2].

3. Mais à n'en pas douter, c'est l'action de Dieu lui-même qui contribue le plus à la complexité de ce problème.

La miséricorde divine, qui préside à la sanctification des âmes, y affirme et y sauvegarde jalousement sa liberté dans ses choix et dans ses dons. Le Christ Jésus « appela à Lui ceux qu'il lui plut [3] » constate sainte Thérèse de l'Enfant-Jésus en lisant la page d'Évangile qui raconte la scène du choix des apôtres, et en considérant les privilèges dont elle a été l'objet. L'Esprit Saint donne à chacun la grâce selon la mesure qu'il a choisie.

Cette liberté de la miséricorde fait l'admiration de sainte Thérèse :

Ce sont là des dons de Dieu. Il les donne quand il veut et comme il veut, sans avoir égard au temps, ni aux services qu'on lui a rendus. Je ne veux pas dire cependant que ces motifs n'y contribuent beaucoup. Mais, bien souvent le Seigneur n'accorde pas après vingt ans le degré de contemplation qu'il accordera à d'autres au bout d'un an. Sa Majesté en sait la raison [4].

Cette raison divine peut être la mission particulière d'une âme, une intercession puissante qui s'exerce en sa faveur, ou simplement la libre volonté de Dieu qui veut se donner la joie de se répandre. Mais cette raison divine nous échappe et nous en sommes déconcertés :

Mais hélas ! ô mon Dieu, que de fois nous voulons juger des choses spirituelles comme des choses de ce monde, d'après nos propres lumières et des vues très opposées à la vérité ! Il nous semble que nous devons juger de notre avancement spirituel d'après les années passées dans quelque exercice d'oraison ; on dirait que nous voulons fixer une mesure à Celui qui, quand il lui

---

1. *Vie*, ch. XIII, p. 131.
2. Le mouvement de haut en bas signalé par sainte Thérèse, ou descente d'une âme des régions supérieures aux Demeures inférieures, peut être, en d'autres cas, spécialement au début de la vie spirituelle, un mouvement de bas en haut : une âme qui débute peut avoir une grâce d'union des Ve Demeures ou une vision des VIe, alors qu'elle est habituellement dans les IIe ou IVe Demeures. Bien naïve serait-elle si elle jugeait que cette faveur l'a élevée définitivement aux Ve ou VIe Demeures. On ne peut dire en effet d'une âme qu'elle se trouve dans telle ou telle Demeure que si, habituellement, elle en présente les signes et en vit les états.
3. *Man. Autob.*, A fol. 2 r°.
2. *Vie*, ch. XXXIV, p. 377-378.

plaît, donne sans mesure ses bienfaits et peut enrichir davantage une âme en six mois, qu'une autre en plusieurs années. C'est là un fait que j'ai pu constater bien souvent, et je me demande avec étonnement comment nous pouvons hésiter à le croire [1].

La raison humaine doit donc renoncer à imposer sa mesure et à retrouver sa logique dans les activités de la Miséricorde divine. Elle ne peut que constater comme un fait que Dieu appelle à son intimité, en peu de temps, des âmes qui en étaient notoirement indignes, que d'autres semblent ignorer certaines étapes et se trouvent soudain les ayant franchies, que Saul le persécuteur a été terrassé sur le chemin de Damas et est devenu en peu de temps Paul, le grand apôtre des Gentils.

Cette intervention directe de la Miséricorde divine dans la sanctification des âmes bouleverse le processus régulier et logique de la croissance spirituelle établi par la raison théologique. Elle transforme, au témoignage de saint Jean de la Croix, les régions où elle règne en régions sans sentiers où les voies particulières sont aussi nombreuses que les âmes. Chacune y chemine sans laisser plus de traces que le navire qui avance sur l'océan ou l'oiseau qui fend l'air de son vol rapide.

Mais puisque les signes de la croissance spirituelle sont si incertains, ou du moins si difficilement observables, que l'âme se meut si aisément à travers les Demeures, et que d'autre part la Sagesse divine semble trouver sa joie à déconcerter notre raison en bouleversant nos conceptions dans ce domaine, que vaut donc la belle progression thérésienne de l'âme à travers les sept Demeures ? Y a-t-il utilité à l'étudier et à s'y rapporter ?

C. — *JALONS DANS L'OBSCURITÉ*

Avant de répondre à cette question, soulignons le mérite de sainte Thérèse, qui avec insistance nous a signalé le mystère de la croissance spirituelle et nous met en garde contre toute interprétation par analogie facile mais erronée :

Je l'ai dit et je voudrais qu'on ne l'oublie jamais. Si l'âme grandit, comme nous l'affirmons, et c'est la vérité, elle ne croît pas cependant à la manière des corps [2].

Elle veut que nous prenions contact avec le mystère qui entoure la croissance spirituelle. Avoir découvert cette

1. *Vie*, ch. XXXIX, p. 449-450.
2. *Ibid.*, ch. XV, p. 153.

obscurité rend plus prudent, plus humble dans les jugements, apprend à respecter les droits de Dieu, à faire la part, incontestablement la première, de sa puissance et de sa liberté dans l'œuvre de notre sanctification. Ignorer ou négliger cette intervention divine, tout systématiser avec sa raison pour expliquer en formules claires et en tableaux apparemment lumineux, c'est tomber dans l'erreur d'un grand nombre qui « prétendent s'y connaître en spiritualité sans être spirituels [1] ». On ne saurait être spirituel en méconnaissant le mystère qui entoure l'action de Dieu.

En étalant en quelque sorte cette obscurité avec une telle insistance, sainte Thérèse a heureusement complété son enseignement précis sur la croissance spirituelle et, bien loin d'en diminuer l'intérêt, en a augmenté la valeur en indiquant dans quel sens il doit être interprété.

Les précisions de l'enseignement ne sombrent pas en effet dans l'obscurité du mystère ; elles subsistent et y brillent comme des points lumineux dans la nuit, indiquant la voie et marquant les étapes vers les sommets.

C'est qu'en effet tout n'est pas irrégulier et obscur dans l'action sanctificatrice de Dieu. La Sagesse divine, bien que transcendante, ne paraît pas toujours en désaccord avec notre raison humaine. Elle a ses modes habituels d'agir, fondés sur des lois que nous pouvons discerner.

Assez facilement nous découvrons que Dieu conduit les êtres selon leur nature en utilisant les lois qui leur sont propres. Les astres gravitent dans l'espace et chantent la gloire de Dieu en obéissant à la loi d'attraction mutuelle des corps. C'est par la soumission aveugle à l'instinct que Dieu fait réaliser à l'animal la fin naturelle qu'il lui a fixée. A l'homme, Dieu indique sa voie par la loi morale qui respecte sa liberté.

L'action de Dieu se fait chez l'homme beaucoup plus délicate dans le domaine surnaturel. La grâce se greffe sur la nature. Elle est coulée en quelque sorte dans l'âme et dans les facultés et en épouse parfaitement les formes. Par elle Dieu conduit l'âme à sa fin surnaturelle en utilisant ses modes naturels d'agir, en respectant la hiérarchie des facultés, sans violence inutile, suavement et fortement, au point que l'action de Dieu disparaît le plus souvent sous l'activité naturelle, et semble ne sortir qu'à regret de cet ensevelissement dans l'humain où sa simplicité lui permet de se mouvoir avec aisance et entière liberté.

Familière de Dieu, psychologue incomparable, sainte Thérèse pénètre les profondeurs de l'Esprit de Dieu et les

---

1. *Vie*, ch. XXXIV, p. 378.

profondeurs de notre nature. Elle connaît les mœurs de Dieu qui respecte notre nature et elle discerne les effets de son action dans nos facultés. C'est sur cette double connaissance qu'est basée la progression logique de la marche de l'âme vers Dieu.

Elle nous montre comment Dieu laisse d'abord l'âme à son initiative, se manifeste à elle d'une façon lointaine mais suave, enchaîne ensuite sa volonté, profite de cette emprise pour la purifier profondément, l'utiliser déjà et enfin se l'unir parfaitement.

A travers les faits particuliers ou grâces extraordinaires, elle indique un processus logique des étapes, fondé en raison sur la constitution de notre nature humaine et sur une emprise progressive de Dieu.

La Miséricorde pourra faire brûler les étapes, renverser ici ou là l'ordre des purifications, créer des formes nouvelles de sainteté, briser la belle ordonnance régulière des ascensions thérésiennes, le processus logique et classique reste avec ses repères lumineux qui, jalonnant les étapes de la croissance, permet de constater ici le travail lent et profond de la grâce et d'admirer là les jeux brillants de la miséricorde qui n'a tenu compte ni du temps, ni du travail, ni des obstacles.

Tel est l'enseignement de sainte Thérèse sur la croissance spirituelle, souple et vivant, précis et respectueux du mystère. Toute la grâce et le génie thérésiens très heureusement s'y étalent : sa merveilleuse science de l'homme et son sens éminent de Dieu, sa puissance pénétrante d'analyse qui discerne les moindres événements psychologiques de l'âme et les plus délicates onctions de Dieu, sa puissance de synthèse que les détails n'aveuglent point et qui sous la lumière divine garde toujours la vision large et précise du chemin à parcourir sur la route qui va vers l'Infini. Aussi bien cet enseignement dépasse-t-il une époque et une école de spiritualité. Il nous paraît avoir une portée universelle. Il suffirait à lui seul à placer sainte Thérèse parmi les plus grands maîtres de tous les temps.

PREMIÈRES ÉTAPES

PREMIÈRES ÉTAPES

Perspectives définissant le programme de la spiritualité
thérésienne nous a ouvert le sentier thérésien de la perfection. Nous pouvons nous y engager maintenant et suivre
pas à pas notre guide.

En cette route thérésienne, sept étapes ou « Demeures »
que l'on franchit en deux périodes ou phases. Dans la première phase, qui unit les trois premières Demeures, Dieu
intervient en la vie spirituelle de l'âme par un secours
appelé « général », et qui n'est autre que la grâce aidante
ordinaire. Le secours divin devient « particulier » dans la
deuxième période et désigne l'intervention directe de Dieu
par les dons du Saint-Esprit. Dans la première phase le
mouvement spirituel procède de l'âme et, avec le secours
de la grâce bien entendu, aboutit en Dieu ; l'eau, qui remplit ce bassin qu'est l'âme, est amenée de très loin par les
aqueducs de l'industrie humaine. Dans la deuxième phase,
le mouvement commence en Dieu et s'épanouit en l'âme ;
l'eau jaillit d'une source intérieure qui remplit sans bruit
le bassin [1].

Premières Étapes traitera de cette première phase.
Sainte Thérèse ne s'attarde pas en ces trois premières
Demeures. Sur les deux cent cinquante pages que comporte
notre édition du *Château Intérieur*, cinquante-deux lui
suffisent pour cette première période. Pourquoi cette
brièveté ? La Sainte explique elle-même que nombreux sont
les ouvrages qui ont décrit ces régions bien connues et ont
parlé excellemment de la façon de s'y comporter. La règle
et l'organisation de ses monastères donnent à ses filles
toutes directives pratiques nécessaires à cette phase. Il est
encore plus vrai de dire que le regard et le cœur de la
Sainte se portent déjà vers des régions plus élevées
parce qu'à son avis les voies de la perfection commencent
là où aboutissent ces premières étapes. Son domaine à

1. IVᵉ Dem., ch. I, p. 865 ; ch. II, p. 874.

elle, celui dans lequel elle est une maîtresse incontestée, s'étend des quatrièmes Demeures et au-delà.

Avons-nous, dès lors, le droit de négliger l'enseignement thérésien pour cette première période ? Certainement non. Il faudra certes, suivant les indications que la Sainte donne elle-même [1], le compléter par un traité d'ascèse plus détaillé, mais le tenir pour peu important serait une erreur.

Comme partout ailleurs la pensée thérésienne y est originale. Certaines pages, telles les descriptions symboliques de l'état de grâce, du péché, de l'enfer, sont uniques. Toutes sont précieuses parce qu'elles donnent la perspective vraie de la vie spirituelle et nous y maintiennent. Le but final, Dieu qu'il faut atteindre, y est constamment présent. L'importance des premiers efforts y est soulignée, mais ils ne sont que les premiers d'une longue lutte et d'une longue course. Il faut dès le principe être décidé à aller jusqu'au bout, dût-on mourir en chemin. Une tentation dangereuse serait de se contenter des premières victoires qui ne sont que des demi-succès, ou encore d'entreprendre cette marche de crapaud en se noyant dans des détails extérieurs qui fassent oublier le but qui est de boire à la source d'eau vive qu'est Dieu Lui-même.

Dès les premières pages du *Livre des Demeures* sainte Thérèse est égale à elle-même ; elle affirme les grands désirs de sa grande âme et s'y révèle la maîtresse qui oriente vers les sommets. Si elle laisse à d'autres le soin d'exposer par le menu ce que nous devons faire, elle dit puissamment en quel esprit et avec quelle vigueur nous devons mener ces premiers combats, vers quel but lumineux et lointain il faut déjà les orienter.

---

1. *Vie*, ch. XII, pp. 116-117.

CHAPITRE PREMIER

Les premières Demeures

> *Parlons... à ces âmes qui finissent par entrer dans le Château* [1].

Nous voici dans les premières Demeures auprès de « ces âmes qui finissent par entrer dans le Château ».

La Sainte les trouve bien dignes de sa sollicitude maternelle car elles sont bien faibles. Écoutons-la décrire leur état et leur parler le langage affectueux de la crainte pour les inviter à s'avancer en des régions moins exposées.

A. — *DESCRIPTION*
DES PREMIÈRES DEMEURES

Ces premières Demeures sont de vastes antichambres qui rayonnent dans toute la périphérie du Château :

Elles renferment non pas un petit nombre seulement, mais une infinité d'appartements. Les âmes y pénètrent de bien des façons [2].

Et il y a foule en ces vastes appartements. Certains ne font qu'y passer ; beaucoup y stationnent et ne vont pas plus avant. Ne trouverions-nous pas en ces Demeures la grande masse des chrétiens ? Écoutons, pour en juger, la description que sainte Thérèse fait de l'état de ces âmes :

1° Ce sont des âmes qui sont en état de grâce. Ceci est si évident pour la Sainte qu'il lui suffit de noter d'un trait vigoureux :

En parlant des âmes qui sont en état de péché mortel, nous avons déjà dit jusqu'à quel point elles sont semblables à des eaux noires

---

1. Iᵉ Dem., ch. ɪ, p. 819.
2. *Ibid.*, ch. ɪɪ, p. 829.

et infectes. Je ne dis pas que les âmes qui sont dans la première Demeure leur ressemblent ; Dieu nous en préserve ! il ne s'agit que d'une simple comparaison [1].

On ne peut entrer dans le Château qu'avec l'état de grâce, car la grâce seule permet d'établir avec Dieu ce commerce d'amitié qu'est l'oraison et la vie spirituelle.

2° Cette grâce a une certaine vie, mais combien anémiée ! Ces âmes y arrivent animées d'une bonne intention [2] ; « tout engagées qu'elles sont dans le monde, elles ont pourtant de bons désirs [3] ».

Bonne intention et bons désirs qui se manifestent parfois par un recours à Dieu :

Elles se recommandent parfois et de loin en loin à Notre-Seigneur. Elles considèrent ce qu'elles sont, bien que ce ne soit pas d'une manière très approfondie. De temps en temps dans le mois elles font des prières où elles apportent la pensée de mille affaires dont leur esprit est presque toujours occupé [4].

On le voit, leur vie spirituelle n'est pas intense. Elle est réduite au minimum qui leur permet de ne pas mourir. Saint Alphonse de Liguori ne dit-il pas en effet que le minimum vital de la charité, pour qu'elle ne succombe pas d'inanition, est de produire au moins un acte par mois ? La vie surnaturelle en ces premières Demeures gravite autour de ce minimum.

3° Qu'est-ce qui empêche le ferment de la vie chrétienne de se développer en elles ?

Ces âmes sont encore imprégnées de l'esprit du monde, plongées dans ses plaisirs, enivrées enfin par ses honneurs et ses prétentions [5].

Elles sont tellement attachées aux choses de ce monde, que leur cœur s'en va là où est leur trésor [6].

On devine avec quelle peine elles remontent vers Dieu. Cependant leur mouvement est sincère :

Elles s'arrachent parfois à toute préoccupation terrestre [7] ... Enfin ces âmes entrent dans les premières Demeures d'en-bas, mais elles y sont accompagnées de tant de reptiles qu'ils ne lui permettent ni de contempler la beauté du château, ni d'y trouver le repos. Néanmoins c'est déjà beaucoup qu'elles soient entrées [8].

4° Ce minimum de vie spirituelle que la Sainte souligne avec une miséricorde maternelle, cette étincelle qui

---

1. I[e] Dem., ch. II, pp. 827-828.
2. *Ibid.*, ch. II, p. 829.
3. *Ibid.*, ch. I, p. 819.
4. *Ibid.*, pp. 819-820.
5. *Ibid.*, ch. II, p. 829.
6. *Ibid.*, ch. I, p. 820.
7. *Ibid.*
8. *Ibid.*

brille à peine ne suffit pas à éclairer l'âme et à lui donner l'impression de la vie. Elle ne voit pas en effet la lumière de Dieu en elle. Et sainte Thérèse, habituée à la lumière claire et pure qui remplit son âme, souligne cette déficience :

Remarquez-le bien, ces premières Demeures ne reçoivent encore presque rien de la lumière qui sort du palais où réside le Roi ; elles ne sont pas cependant complètement dans les ténèbres ; elles ne sont pas noires non plus, comme quand l'âme est en état de péché, mais il y a quelque peu d'obscurité. Je ne m'explique pas bien : je veux dire que si celui qui est dans l'appartement ne peut voir cette lumière, ce n'est pas parce que la Demeure n'est pas éclairée, mais parce que toute cette foule de couleuvres, vipères et reptiles venimeux qui y sont entrés avec l'âme, ne la laissent pas profiter de la lumière. Voici quelqu'un qui entre dans une salle où le soleil darde vivement ses rayons. Mais ses yeux sont tellement couverts de boue qu'il ne peut presque pas les ouvrir ; or, bien que la salle soit éclairée, il ne jouit pas de son éclat à cause de l'obstacle qu'il porte sur les yeux ou à cause des bêtes féroces et des bêtes fauves qui l'empêchent de voir autre chose qu'elles-mêmes [1].

Cette demi-obscurité exclut non seulement toute expérience mystique proprement dite, mais tout besoin habituel de revenir vers Dieu, et pratiquement toute capacité de s'arrêter à le considérer un peu longuement et de rentrer un peu profondément en soi :

en fait, ajoute la Sainte, (l'âme) voudrait-elle se contempler et jouir de sa propre beauté qu'elle n'y réussirait pas et qu'elle serait impuissante, ce semble, à se débarrasser de tant d'obstacles [2].

5° Dans cette demi-obscurité, « dans la confusion de ces premières Demeures [3] », créée par le débordement des tendances et la liberté qui leur est laissée, les démons trouvent dans l'âme un terrain favorable à leur action ténébreuse :

Il doit mettre en chacune de ces Demeures plusieurs légions de mauvais esprits afin d'empêcher les âmes de passer aux autres Demeures ; et, comme les pauvres âmes ne le comprennent pas, il leur dresse toutes sortes d'embûches pour les tromper [4].

Et la Sainte indique à cette occasion quelques-unes des ruses du démon, qui utilise même les bons désirs de l'âme [5]. Dans les Demeures supérieures « les puissances de l'âme ont assez de force pour lutter contre lui [6] », mais

---

1. I^e Dem., ch. II, p. 830.
2. *Ibid.*, pp. 830-831.
3. *Ibid.*, p. 831.
4. *Ibid.*, p. 829.
5. *Ibid.*, p. 832.
6. *Ibid.*, p. 831.

Premières étapes

dans ces premières au contraire, le terrain est si favorable à l'action du démon, si « facilement... ces âmes sont vaincues, malgré leur désir de ne point offenser Dieu [1] », qu'au sentiment de la Sainte elles ne peuvent rester en ces régions « sans courir de grands dangers... car il est impossible qu'au milieu de bêtes si venimeuses (on) n'en soit pas mordu une fois ou l'autre [2] ». Cette morsure, on le devine, est le péché et le péché grave.

B. — *LE PÉCHÉ MORTEL*

Cette crainte de voir tomber les âmes dans le péché mortel semble hanter sainte Thérèse tandis qu'elle décrit les premières Demeures. Comment pourrait-elle en effet sentir l'âme si près du précipice sans trembler maternellement pour elle ? Elle n'a pas encore terminé la description de l'état de l'âme en ces premières Demeures qu'elle parle du péché mortel. Elle voudrait bien en inspirer la crainte pour qu'on l'évite.

Je connais une personne à qui Notre-Seigneur a voulu montrer ce qu'est une âme en état de péché mortel. D'après cette personne, si on comprenait bien ce que c'est, nul ne se laisserait jamais aller à commettre un seul péché, dût-il pour en fuir les occasions, s'exposer à tous les tourments imaginables. Voilà pourquoi elle a conçu un désir si ardent que tous comprennent cette vérité [3].

Nous connaissons nous aussi cette personne : il s'agit de sainte Thérèse elle-même, ainsi qu'en témoignent ses autres écrits [4]. Elle utilisera donc son expérience mystique pour nous donner du péché mortel une description si précise et si imagée que le théologien et le poète en seront satisfaits, et que chacun peut y trouver l'horreur de le commettre.

Voici d'abord l'état de l'âme :

Il n'y a pas de ténèbres plus profondes que celles où elle est plongée ; il n'y a rien de si obscur et de si noir qui puisse lui être comparé [5].

---

1. I^e Dem., ch. II, p. 829.
2. *Ibid.*, p. 831.
3. *Ibid.*, p. 822.
4. *Vie*, ch. XL, pp. 464-476 ; *Relat.*, XVIII, p. 544.
5. I^e Dem., ch. II, p. 821.

146

Les âmes qui sont en état de péché mortel... sont semblables à des eaux noires et infectes[1].

Comment expliquer cette obscurité et cette laideur ?

... qu'il vous suffise de savoir que ce Soleil qui lui (à l'âme) donnait tant de splendeur et de beauté et qui se trouve encore au centre d'elle-même, n'y est que comme s'il n'y était pas ; il est éclipsé pour elle[2].

Dieu en effet reste présent dans l'âme, souligne la Sainte. L'âme ne pourrait subsister sans cette présence active de Dieu qui continue à la soutenir :

Elle (l'âme) est dans les ténèbres ; ce n'est pas la faute du Soleil de justice, qui est au-dedans d'elle pour lui donner l'être, s'il ne l'éclaire pas, mais elle est incapable de recevoir sa lumière[3].

Ce soleil resplendissant qui se trouve au centre de l'âme ne perd ni son éclat ni sa beauté ; il est toujours au-dedans de l'âme, et rien ne peut lui ravir sa magnificence[4].

Dieu n'est donc pas atteint directement par le péché. Le péché n'affecte que les relations de l'âme avec Dieu ; l'âme seule en subit des dommages essentiels.

Créés par Dieu nous devons retourner vers Dieu. Dieu est notre fin. En retournant vers Lui par la voie qu'Il nous a fixée, nous réalisons sa volonté et procurons sa gloire, en même temps que nous trouverons notre bonheur. Cette voie nous est marquée par les obligations générales ou les préceptes particuliers qui nous sont imposés. Par l'obéissance l'âme maintient son orientation et poursuit sa marche vers Dieu. La face tournée vers Lui, elle en reçoit sa lumière, sa chaleur, sa vie. Lorsqu'au contraire, sciemment et volontairement, l'âme refuse d'obéir à Dieu pour satisfaire une passion et chercher un bien particulier, elle n'est plus orientée vers Lui. Le péché qu'elle commet alors est constitué par ce choix volontaire, et l'attitude d'éloignement qui en résulte, par lequel on préfère à Dieu un bien particulier[5]. Tant que l'âme, par la contrition et le ferme-propos, n'a pas rétracté son attitude de péché et n'est pas revenue vers Dieu, elle reste privée de tous les avantages spirituels que lui assurent son orientation et son union avec Lui.

Ces simples notions nous montrent la précision et la richesse de la description thérésienne.

---

1. I^e Dem., ch. II, p. 827.
2. *Ibid.*, p. 821.
3. VIIe Dem., ch. I, p. 1028.
4. I^e Dem., ch. II, p. 822.
5. « *Aversio a Deo per conversionem ad creaturas* ». Telle est la définition du péché donnée par la théologie à la suite de saint Thomas.

Premières étapes

Voici comment la Sainte explique les effets dans l'âme de cet éloignement de Dieu par la rupture du lien de la charité.

Après le péché, l'âme est par rapport à ce Soleil divin comme le cristal que l'on expose au soleil matériel après l'avoir recouvert d'un linge très noir ; il est évident que le Soleil a beau éclairer, sa lumière ne produit rien sur ce cristal [1].

Une âme qui commet le péché mortel, écrit-elle aussi dans le livre de sa *Vie*, recouvre ce miroir (de son âme) d'un épais nuage et le rend très noir [2].

L'âme en état de grâce ressemblait « à cet arbre de vie qui est planté au milieu des eaux vives de la vie qui est Dieu [3] ». En commettant le péché elle a perdu cette vie :

Elle est privée de tout pouvoir, semblable à une personne qui est complètement liée et attachée, qui a les yeux bandés, qui malgré ses efforts ne peut ni voir, ni marcher, ni entendre, et qui enfin se trouve dans d'épaisses ténèbres [4].

Cette impuissance s'entend évidemment de l'ordre surnaturel, car l'âme peut continuer à agir dans l'ordre naturel, et même poser des actes naturellement bons. Mais ces bonnes œuvres ne sont d'aucun mérite :

Rien ne lui profite alors... toutes les bonnes œuvres qu'elle fait en état de péché mortel ne sauraient lui mériter la gloire du ciel [5].

Seule la charité peut vivifier les bonnes œuvres, sans elle toute œuvre est morte. Cette charité n'est plus diffusée dans l'âme. L'âme, par le péché, a perdu contact avec cette source divine d'amour jaillissant qui est tout pour elle. Elle a, de fait, perdu « toute sa fraîcheur et tous ses fruits [6] ».

A la source de lumière et de vie qu'est Dieu s'est substitué un principe mauvais qui est le démon :

Enfin le but de quiconque commet un péché mortel n'est pas de contenter Dieu, mais de plaire au démon. Or le démon n'étant que ténèbres, la pauvre âme devient ténèbres comme lui [7].

Cette privation de la lumière n'est que le premier des effets de la destruction réalisée par le péché. L'âme perd encore les autres avantages spirituels de la présence de ce Dieu qui était sa vie et sa fécondité. Morte à la vie

---

1. I⁰ Dem., ch. II, pp. 822-823.
2. *Vie*, ch. XL, p. 464.
3. I⁰ Dem., ch. II, p. 821.
4. *Relat.*, XVIII, p. 544 ; voir aussi VII⁰ Dem., ch. I, p. 1028.
5. I⁰ Dem., ch. II, p. 821.
6. *Ibid.*, p. 822.
7. *Ibid.*, p. 821-822.

surnaturelle, elle est condamnée par son état à une stérilité complète :

> Toutes les bonnes œuvres qu'elle fait... ne sauraient lui mériter la gloire du ciel : ces œuvres ne procèdent plus de Dieu, qui est le principe de toute vertu digne de ce nom[1].

> Enfin, dès lors que l'arbre est planté sur un sol qui n'est autre que le démon, quels fruits peut-il donner ? Un homme de Dieu me disait un jour qu'il ne s'étonnait point de tout ce que pouvait faire celui qui est en état de péché mortel, mais plutôt de ce qu'il n'en faisait pas davantage[2].

Soustraite à l'action de Dieu l'âme n'est plus que ténèbres, stérilité, laideur, malfaisance, et tout cela au milieu d'une confusion, d'un désordre intérieur qui émeuvent profondément sainte Thérèse :

> Dans quel triste état ne se trouvent-elles pas, les pauvres Demeures du Château ! ajoute-t-elle. Quel n'est pas le trouble de ceux qui les habitent, c'est-à-dire des sens ! Quant aux puissances de l'âme, qui sont les chefs, les majordomes et les maîtres de ces Demeures, quel n'est pas leur aveuglement et leur mauvaise administration ![3]

La Sainte souligne le profit qu'elle avait tiré de la vision d'une âme en état de péché mortel, et dont le principal était qu'elle « en avait conçu une crainte extrême d'offenser Dieu[4] ».

À ceux nombreux qui sont moins favorisés que la Sainte, la foi offre un spectacle vivant et douloureux, qui étale horriblement la puissance du péché : celui de l'agonie de Jésus à Gethsémani. Jésus était venu ici-bas pour nous délivrer du péché en le prenant sur Lui : *Ecce Agnus Dei, ecce qui tollit peccatum mundi*[5], c'est en ces termes que Jean-Baptiste présentait le Christ Jésus à la foule sur les bords du Jourdain. L'humanité sainte du Christ, ointe de l'onction de la divinité, et de ce fait impeccable, avait pris sur elle le péché du monde.

Le poids du péché, Jésus le prit en venant en ce monde. Le péché du monde, comme un manteau d'ignominie, recouvrait dès le principe le Saint par excellence et en fit une victime. Entre les flots de lumière et de bonheur qui lui venaient par la vision béatifique de la divinité qui habitait en lui corporellement, et le lourd fardeau d'ignominie qui l'enserrait, le Christ Jésus cheminait vaillamment et s'en allait vers sa passion.

---

1. I^e Dem., ch. II, p. 821.
2. *Ibid.*, p. 823.
3. *Ibid.*
4. *Ibid.*, pp. 823-824.
5. Jn 1, 29.

Premières étapes

Après la Cène, ayant traversé le Cédron, Jésus accuse un changement en son âme : « Mon âme est triste jusqu'à la mort. C'est l'heure de la puissance des ténèbres [1] ». En entendant ce cri de tristesse, comment ne pas songer à la parole de saint Paul : *Stipendium peccati mors est*. La solde, l'œuvre du péché, c'est la mort [2].

Que s'est-il passé ? Par une opération qui nous reste mystérieuse, Jésus a renversé en quelque sorte l'équilibre en son âme. Il a permis aux flots du péché, qui étaient contenus par les flots de la vision, de déborder en son âme et d'y accomplir leur œuvre de destruction avec toute leur puissance. Les sens sont ainsi envahis ; les facultés de l'âme, intelligence, volonté, sont enveloppées. Rien ne saurait être souillé dans le Christ, mais il peut souffrir et mourir.

Cette humanité sainte va devenir le terrain de rencontre des deux plus grandes forces qui soient : celle de la divinité qui la sanctifie, celle du péché du monde de tous les temps. C'est l'enfer qui monte à l'assaut du ciel pour y répandre ses ténèbres, sa haine, sa mort. Pour mesurer la souffrance du Christ Jésus, son dégoût, ses ténèbres, le poids de la haine qu'il porte, il faudrait pouvoir mesurer la distance qui sépare sa sainteté du péché dont les flots destructeurs l'envahissent. La souffrance est dans le contraste et dans la vigueur avec laquelle ces forces s'étreignent, la sainteté étant passive, la haine paraissant avoir seule le droit de lutter et de détruire : c'est l'heure de la puissance des ténèbres.

Jésus qui, sans faiblir, avait porté le poids de la divinité, tombe à terre, gémit, répand une sueur de sang sous le poids du péché. Son humanité eût succombé si Dieu n'avait envoyé un ange pour le soutenir et lui assurer la force pour franchir toutes les étapes de son sacrifice.

Plus éloquemment que tous les discours et toutes les visions, le drame de Gethsémani dévoile la puissance destructrice du péché.

C. — *L'ENFER*

Mais le péché qui a été vaincu par le Christ peut l'être par nous aussi, tant que nous sommes ici-bas, car, malgré le voile épais qui la recouvre, l'âme reste « tout aussi apte à jouir de Sa Majesté, que l'est le cristal à recevoir les rayons de l'astre du jour [3] ». Qu'elle retrouve la charité par une humble confession ou par un acte

---

1. Mt 26, 38 et s.
2. Rm 6, 23.
3. I^e Dem., ch. II, p. 821.

d'amour, et aussitôt elle sera sous l'influence du soleil divin qui donne vie, lumière et beauté.

Mais si la mort sépare du corps une âme encore chargée du péché, elle ne peut plus désormais se débarrasser de cette « poix du péché qui est sur le cristal de l'âme [1] ». L'âme reste donc éternellement fixée dans l'attitude d'éloignement de Dieu. C'est l'enfer éternel, conséquence normale du péché et de l'immutabilité dans laquelle se trouve fixée l'âme dans l'éternité. Ici-bas les puissances de l'âme trouvaient dans les biens particuliers une certaine satisfaction, qui leur rendait la privation de Dieu peu douloureuse ou même indifférente. Dans l'éternité, il n'est pas de bien en dehors de Dieu. L'âme est dans le vide, et ses puissances, faites pour trouver leur repos et leur nourriture en Dieu, souffrent dans ce vide d'une faim et soif profondes et inextinguibles. C'est la peine du dam ou privation de Dieu, peine principale de l'enfer, créée par le péché lui-même et par l'attitude d'opposition qu'il a imposée à l'âme. Cette privation de Dieu fait frémir sainte Thérèse qui s'écrie :

O âmes rachetées par le sang de Jésus-Christ, comprenez donc l'état où vous êtes tombées et ayez pitié de vous-mêmes ! Comment est-il possible que, si vous le comprenez, vous ne fassiez aucun effort pour enlever la poix du péché qui est sur le cristal de votre âme ? Sachez donc que si vous mourez en cet état, vous ne pourrez jamais jouir de la lumière de ce soleil divin [2].

A cette peine du dam s'ajoute la peine du feu qui brûle sans consumer, d'un feu intelligent qui mesure ses ardeurs à la gravité et au nombre des péchés et en varie le point d'application suivant le genre du péché.

Une vision va permettre à sainte Thérèse d'illustrer cette description. Il s'agit d'une vision de l'enfer qui, nous dit-elle, fut « une des grâces les plus insignes que le Seigneur m'ait accordées [3] », et dont elle fait le récit dans le livre de sa *Vie* :

...un jour, étant en oraison, il me sembla que je me trouvais subitement sans savoir comment, transportée tout entière en enfer... Cette vision dura très peu ; mais alors même que je vivrais de longues années, il me serait, je crois, impossible d'en perdre jamais le souvenir.

L'entrée me parut semblable à une ruelle très longue et très étroite, ou encore à un four extrêmement bas, obscur et resserré. Le fond était comme une eau fangeuse, très sale, infecte et remplie de reptiles venimeux. A l'extrémité se trouvait une cavité creusée dans une muraille en forme d'alcôve où je me vis placée très

---

1. I^e Dem., ch. II, p. 823.
2. *Ibid.*
3. *Vie*, ch. XXXII, p. 347.

à l'étroit. Tout cela était délicieux à la vue, en comparaison de ce que je sentis alors ; car je suis loin d'en avoir fait une description suffisante.

Quant à la souffrance que j'endurai dans ce réduit, il me semble impossible d'en donner la moindre idée ; on ne saurait jamais la comprendre. Je sentis dans mon âme un feu dont je suis impuissante à décrire la nature, tandis que mon corps passait par des tourments intolérables... De plus, je voyais que ce tourment devait être sans fin et sans relâche. Et cependant toutes ces souffrances ne sont rien encore auprès de l'agonie de l'âme. Elle éprouve une oppression, une angoisse, une affliction si sensible, une peine si désespérée et si profonde, que je ne saurais l'exprimer. Si je dis que l'on vous arrache continuellement l'âme, c'est peu, car dans ce cas c'est un autre qui semble vous ôter la vie. Mais ici, c'est l'âme elle-même qui se met en pièces. Je ne saurais, je l'avoue, donner une idée de ce feu intérieur et de ce désespoir qui s'ajoutent à des tourments et à des douleurs si terribles. Je ne voyais pas qui me les faisait endurer ; mais je me sentais, ce semble, brûler et hacher en morceaux. Je le répète, ce qu'il y a de plus affreux, c'est ce feu intérieur et ce désespoir de l'âme.

Dans ce lieu si infect, d'où le moindre espoir de consolation est à jamais banni, il est impossible de s'asseoir ou de se coucher, l'espace manque ; j'y étais enfermée comme dans un trou pratiqué dans la muraille ; les parois elles-mêmes, objet d'horreur pour la vue, vous accablent de tout leur poids ; là tout vous étouffe ; il n'y a point de lumière, mais les ténèbres les plus épaisses. Et cependant, chose que je ne saurais comprendre, malgré ce manque de lumière, on aperçoit tout ce qui peut être un tourment pour la vue.

Le Seigneur ne voulut pour lors me montrer rien de plus de l'enfer. Il m'a donné depuis une vision de choses épouvantables et de châtiments infligés à certains vices ; ces tortures me paraissaient beaucoup plus horribles à la vue, mais comme je n'en souffrais pas la peine, j'en fus moins effrayée.

La Sainte termine sa description :

...Je fus épouvantée. Malgré les six ans environ écoulés depuis lors, ma terreur est telle en écrivant ces lignes, qu'il me semble que mon sang se glace dans mes veines ici même où je me trouve...

Elle conclut :

Depuis lors, je le répète, tout me paraît facile en comparaison d'un seul instant de ces tortures que j'endurai alors. Je m'étonne même qu'après avoir lu souvent des livres où l'on donne quelque aperçu des peines de l'enfer, je ne les aie point redoutées comme elles le méritent et ne m'en sois pas fait une idée exacte [1].

Ces descriptions empruntées à la *Vie* de la Sainte sont tout à fait dans l'atmosphère des premières Demeures et propres à inculquer aux âmes qui les habitent la crainte qu'elles doivent avoir de perdre le trésor de la grâce

---

1. *Vie*, ch. XXXII, pp. 344-347.

sanctifiante, trésor si exposé en ces régions. Aussi nous n'avons pas craint leur longueur.

En sainte Thérèse cette vision de l'enfer produit une pitié immense :

Cette vision m'a procuré... une douleur immense de la perte de tant d'âmes... elle m'a procuré aussi les désirs les plus ardents d'être utile aux âmes. Il me semble, en vérité, que pour en délivrer une seule de si horribles tourments, je souffrirais très volontiers mille fois la mort... Je ne sais comment nous pouvons vivre en repos quand nous voyons tant d'âmes que le démon entraîne avec lui en enfer [1].

Aussi, aux premières Demeures, elle adjure les âmes de se débarrasser ou de se préserver de ce péché qui produit de tels maux :

O âmes rachetées par le sang de Jésus-Christ, comprenez donc l'état où vous êtes tombées et ayez pitié de vous-mêmes ! Comment est-il possible que, si vous le comprenez, vous ne fassiez aucun effort pour enlever la poix du péché qui est sur le cristal de votre âme ? [2]

Plus loin elle ajoute :

Que Dieu dans sa miséricorde daigne nous préserver d'un tel mal ! Il n'y a rien ici-bas qui mérite le nom de mal, si ce n'est le péché, puisqu'il engendre des maux dont la durée sera sans fin [3].

Tel est le langage qui convient aux âmes des premières Demeures. Que la crainte salutaire les provoque à un effort pour sortir des régions qu'elles habitent et entrer résolument dans une vie intérieure plus profonde ; sinon un danger les menace, terrible, le mal du péché mortel avec le cortège de ses maux. Mais que l'âme comprenne l'enseignement de la Sainte, qu'elle prenne une résolution énergique et la voici déjà aux deuxièmes Demeures.

---

1. *Vie*, ch. XXXII, pp. 347-348. Voir aussi VII⁰ Dem., ch. I, p. 1028 où la Sainte, après avoir parlé de la prison obscure dans laquelle se trouvent liées les âmes en état de péché mortel, dit que c'est faire une aumône splendide que de prier pour elles.
2. I⁰ Dem., ch. II, p.823.
3. *Ibid.*

CHAPITRE SECOND

A la base de départ

L'âme ne doit pas songer à chercher des joies dans ces débuts [1].

Anémie spirituelle et désordre dans la pénombre : telle est l'impression que nous laissent les premières Demeures. L'âme y est une proie facile pour ses ennemis. Comment échapper à la confusion de ces régions et aux dangers qui nous y menacent ? Il n'est qu'un seul moyen : fuir vers les régions plus intérieures où brille la lumière, où s'épanche la vie, où règnent la paix et la fécondité.

L'âme doit fuir vers Dieu. Aussi bien la spiritualité thérésienne n'a point d'autre but que d'organiser cette fuite vers Dieu.

Fuir vers Dieu, telle est la première résolution que sainte Thérèse impose à l'âme. Mais cette fuite requiert dès le principe, de l'énergie, de la discrétion et de grands désirs. La Sainte exige ces dispositions de son disciple.

A. — *ORIENTATION VERS DIEU*

« Je veux voir Dieu ! » s'est écriée Thérèse, et ce n'est pas là un désir passager, le soupir d'un instant de ferveur, c'est l'aspiration de toute son âme, la passion de toute sa vie qui commande toutes ses attitudes spirituelles. La perfection d'ailleurs, consiste à s'unir parfaitement à Dieu notre fin. La logique réaliste de la Sainte intervient dès la base de départ pour imposer à l'âme comme première attitude et comme premier mouvement de tendre vers Lui avec les forces modestes dont elle peut disposer.

Cette recherche de Dieu devra régler la marche de son disciple et inspirer tous ses gestes. Ce point très ferme

---

1. IIe Dem., ch. I, p. 840.

de l'enseignement thérésien mérite d'être souligné à cause de son importance pratique et de son originalité.

Dans les premières pages de son traité des Demeures, sainte Thérèse, l'esprit rempli de sa vision lumineuse, présente le « splendide et délicieux Château » qu'est l'âme, et surtout la grande réalité qui le remplit, l'astre qui y brille et la source de vie qui y jaillit. Avec un enthousiasme communicatif, elle décrit ses splendeurs ; elle y revient à plusieurs fois pour accumuler et préciser les traits, et dit sa désolation de voir disparaître sous le voile des ténèbres du péché ce

soleil qui donnait à l'âme tant de splendeur et de beauté, et qui se trouve encore au centre d'elle-même [1].

Il importe en effet que l'âme sache dès le début

qu'elle n'est pas autre chose qu'un paradis où Notre-Seigneur, selon qu'il l'affirme, trouve ses délices [2].

Ignorer cela serait « une insigne stupidité », car ce serait ignorer ce que l'on est.

La Sainte invite aussitôt l'âme à entrer en elle-même par cette porte qu'est « l'oraison et la considération » [3], pour connaître et admirer les merveilleuses réalités spirituelles qu'elle contient. Ceux qui ne veulent pas faire cette démarche et dont toute « la sollicitude se porte sur la grossièreté de l'enchâssure du diamant ou enceinte de ce Château, c'est-à-dire sur notre propre corps [4] », ressemblent à des perclus ou des paralysés au point de vue spirituel, qui ont pris la ressemblance des reptiles et bêtes au milieu desquels ils ont l'habitude de vivre [5]. Peut-être ont-ils vraiment la vie surnaturelle, mais que dire d'une vie qui ne fait même pas le premier mouvement par lequel elle devrait s'affirmer ?

Connaître Dieu en soi et les richesses qu'il déverse dans l'âme est, à coup sûr, pour sainte Thérèse, la première connaissance à acquérir, le premier acte de la vie spirituelle à poser. On n'entre dans la vie spirituelle que par cette porte :

Je vous ai dit que la porte pour entrer dans ce Château, c'est l'oraison. N'allons donc pas croire que nous entrerons au Ciel si nous ne rentrons en nous-mêmes pour nous connaître, pour considérer notre misère, pour savoir quelles sont nos obligations envers Dieu et implorer souvent sa miséricorde ; ce serait une folie [6].

---

1. I^e Dem., ch. ii, p. 821.
2. *Ibid.*, ch. i, pp. 814-815.
3. *Ibid.*, p. 819.
4. *Ibid.*, pp. 815-816.
5. *Ibid.*, p. 818.
6. IIe Dem., ch. i, p. 844.

Mais qu'on ne se trompe point : c'est pour trouver Dieu qu'on franchit cette porte de l'oraison et qu'on entre en soi-même. La connaissance de soi dépend de la connaissance de Dieu :

> Qu'elle (l'âme) m'en croie, et prenne parfois son vol pour contempler la grandeur et la majesté de son Dieu. Là, elle découvrira sa propre bassesse beaucoup mieux qu'en elle-même... Sans doute c'est, je le répète, une grande miséricorde de Dieu qu'elle s'applique à se connaître, mais, comme on a coutume de le dire, le plus contient le moins.
>
> Aussi, croyez-moi, vous pratiquerez beaucoup mieux la vertu en considérant les perfections divines, qu'en tenant toujours le regard fixé sur votre propre limon[1].

Cette connaissance de Dieu et cette prise de contact avec Lui dans l'oraison est la source de tous les biens nécessaires à la vie spirituelle. On y découvre le but à atteindre, les exigences divines, les vertus à pratiquer et la force pour réaliser :

> Le Seigneur lui-même nous dit : Personne ne montera à mon Père si ce n'est par moi ; ... il a ajouté : Qui me voit, voit aussi mon Père. Or, l'âme qui ne jette jamais sur lui les regards, qui ne considère jamais ses obligations envers lui, ni la mort qu'il a endurée pour nous, comment peut-elle le connaître ? Je me le demande, comment peut-elle accomplir de bonnes œuvres à son service ?[2]

C'est donc à l'oraison que sainte Thérèse invite les débutants. C'est sur leur fidélité à chercher Dieu qu'elle va mesurer leurs progrès.

Les âmes des premières Demeures se contentent

> de temps en temps dans le mois, de prières où elles apportent la pensée de mille affaires dont leur esprit est presque toujours occupé[3].

Le progrès sensible réalisé par les âmes des deuxièmes Demeures c'est qu'elles

> ont déjà commencé à s'adonner à l'oraison... et entendent les appels que leur adresse le Seigneur, parce qu'(elles) sont plus rapprochées du palais où réside le Dieu de toute majesté[4].

Ce progrès n'a pu être réalisé que grâce à une ascèse de détachement.

Pour s'en rendre compte il suffit de se rappeler ce qu'était l'âme aux premières Demeures. Les tendances non mortifiées « couleuvres, vipères et reptiles venimeux »

---

1. Iᵉ Dem., ch. II, p. 826.
2. IIᵉ Dem., ch. I, p. 844.
3. Iᵉ Dem., ch. I, p. 820.
4. IIᵉ Dem., ch. I, pp. 835-836.

y étaient si vivantes qu'elles l'aveuglaient et l'empê-
chaient « de voir autre chose qu'elles-mêmes [1] ». Les
sollicitudes dominaient dans cette âme « très plongée dans
les choses du monde, préoccupée des biens terrestres, de
l'honneur et des affaires ». Les démons, très nombreux,
n'avaient point de peine, grâce à ce désordre et à cette
obscurité, à faire tomber la pauvre âme. Le palais étant
rempli « de petites gens et de bagatelles, comment le
Seigneur pourrait-il y trouver place avec sa cour ? [2] ».

Que faire ? L'âme n'est pas assez forte pour franchir de
tels obstacles et affronter de tels ennemis. Sainte Thérèse
lui conseille donc la fuite des occasions pour qu'elle
puisse trouver Dieu :

> Il convient beaucoup, si l'on veut entrer dans les secondes
> Demeures, que chacun, selon son état, s'applique à se dégager des
> soucis et des affaires qui ne sont point indispensables. Cette mesure
> est tellement importante pour celui qui veut parvenir à la Demeure
> principale, que je regarde comme impossible qu'il y arrive jamais
> s'il ne commence par le moyen dont il je parle. Il ne pourra même
> pas rester dans la Demeure où il est sans courir de grands dangers,
> bien qu'il soit déjà entré dans le Château [3].

S'adressant à ses filles la Sainte insiste :

> Abstenez-vous, mes filles, de ces sollicitudes qui vous sont
> étrangères [4].

C'est à cet effort de fuite que sainte Thérèse va employer
toute la bonne volonté de l'âme et ses forces en ces débuts,
car il est indispensable pour trouver Dieu.

Aussi c'est un progrès dans le dégagement des choses
extérieures que notre Sainte note avec joie comme un des
signes caractéristiques des progrès réalisés par les âmes
des deuxièmes Demeures :

> Sans doute ces âmes s'occupent encore de leurs passe-temps, de
> leurs affaires, de leurs plaisirs et des bruits du monde ; elles font
> des chutes, puis elles se relèvent de leurs fautes... C'est néanmoins
> une grande miséricorde de Dieu qu'elles s'appliquent de temps en
> temps à fuir les couleuvres et les bêtes venimeuses, et comprennent
> qu'il est bon de s'en détourner [5].

Cet effort de dégagement devra être poursuivi et ira de
pair avec le mouvement vers l'union dans les Demeures
suivantes. Il exige d'être soutenu par une certaine organisation de la vie extérieure. La Carmélite, fille de sainte
Thérèse, trouvera ce secours dans le cadre et la règle

---

1. I^e Dem., ch. II, p. 830.
2. *Chem. Perf.*, ch. XXX, p. 727.
3. I^e Dem., ch. II, p. 831.
4. *Ibid.*, p. 831.
5. IIe Dem., ch. I, p. 836.

monastiques qui endiguent et règlent toutes ses activités. Le spirituel dans le monde devra le demander normalement à un règlement de vie, cadre à la fois ferme et souple qui précisera ses obligations d'état et ses retours vers Dieu, le protègera non seulement des sollicitudes extérieures et de la violence tenace des tendances, mais aussi contre la fantaisie des vouloirs personnels et des sollicitudes exagérées.

On le voit, l'ascèse thérésienne, en cette première période, est toute subordonnée à la recherche de Dieu. Il en sera ainsi, au cours de toute la progression spirituelle. Sainte Thérèse n'a qu'un seul désir : voir Dieu et le servir dans son Église ; la perfection pour elle consiste à s'unir à Dieu. La logique simple et rigoureuse de ce désir et de cette conception exige qu'il en soit ainsi.

Cependant notons dès maintenant, qu'en la deuxième phase qui commence aux quatrièmes Demeures, elle semble donner le pas à l'ascèse sur la recherche de Dieu. Dans le *Chemin de la Perfection*, elle consacre les vingt premiers chapitres à l'exposé des vertus qui sont nécessaires au contemplatif et elle écrit :

> Vous me demanderez peut-être, mes filles, pourquoi je vous parle des vertus... quand vous désirez seulement que je vous entretienne de la contemplation. Je vous réponds que si vous m'aviez interrogée sur la méditation, j'aurais pu vous en parler et même la conseiller à tout le monde, même avant l'acquisition des vertus, puisque c'est vraiment le moyen de les obtenir toutes... Pour la contemplation, c'est autre chose... Le Roi dont il s'agit ne se livre qu'à celui-là seulement qui de son côté se livre entièrement à Lui [1].

Le débutant doit commencer à faire oraison avant d'acquérir les vertus, et le contemplatif doit pratiquer la vertu pour progresser en sa contemplation.

Comme les filles de sainte Thérèse, nous sommes un peu surpris nous aussi de ces affirmations, tellement nous sommes habitués à entendre dire que le débutant doit peiner dans les durs labeurs de l'ascèse, et que le contemplatif a le devoir de se perdre dans les profondeurs de sa contemplation. Et cependant, quelle logique admirable ! N'est-il pas normal en effet, qu'au milieu des dangers où il se trouve, le débutant se préoccupe avant tout de trouver Dieu, et qu'avant d'entreprendre la lutte contre ses défauts il cherche le contact intime de l'oraison, la lumière qui lui découvre à la fois les exigences divines et ses déficiences, et qu'il demande la force pour mener le combat ?

---

1. *Chem. Perf.*, ch. XVII, Ms de l'Escurial, Traduction des Carmélites de Paris (Beauchesne), t. III, pp. 97-98.

Lorsque, parvenu à la deuxième phase, il aura trouvé Dieu et aura expérimenté qu'après ses premières avances « le Roi ne se livre qu'à celui-là seulement qui de son côté se livre entièrement », il mettra tous ses soins à faire ce don complet de lui-même et à pratiquer cette ascèse de l'absolu qui doit le purifier et attirer le don parfait de Dieu.

Sainte Thérèse et saint Jean de la Croix, qui sont presque silencieux sur l'ascèse de la première phase écrivent le *Chemin de la Perfection* et la *Montée du Carmel* pour préciser l'ascèse libératrice de la deuxième phase, celle qui, par le détachement et la pauvreté absolue, l'humilité et la charité parfaites, doit attirer les effusions de l'amour divin et préparer l'âme à la divine union [1].

Tant dans la seconde que dans la première phase, l'ascèse thérésienne est subordonnée à la recherche de Dieu, et n'a d'autre but que de la faciliter et de la rendre efficace. Si elle est absolue et violente dans la deuxième phase, et mieux précisée par les maîtres carmélitains, c'est que l'âme peut alors donner cette réponse aimante aux avances divines, et que cette réponse est une exigence impérieuse de Dieu et la condition de l'union. Si cette ascèse paraît minimisée et secondaire dans les débuts, c'est que l'âme est encore faible et que pour sainte Thérèse il importe avant tout qu'elle se fixe en la recherche de son objet divin et y emploie toutes ses énergies.

Qu'on ne s'y trompe point cependant, et qu'en la comparant à l'âpre lutte contre les défauts recommandée par d'autres spiritualités, on se garde de juger tiède et négligeable cette ascèse thérésienne des débuts :

L'âme ne doit pas songer à chercher des joies dans ces débuts, proclame sainte Thérèse [2].

Les secondes Demeures sont des Demeures où règne la souffrance. Aussi pour y pénétrer et les franchir faut-il un mâle courage. C'est la première disposition que sainte Thérèse exige des débutants.

---

1. L'enseignement ascétique du *Chemin de la Perfection* et de la *Montée du Carmel* peut être utile à toutes les âmes. Mais il a été écrit et convient éminemment par le caractère absolu dont il est marqué, à des contemplatifs qui ont découvert le tout de Dieu et ses exigences absolues. A dire vrai, pour la première phase sainte Thérèse indique (*Vie*, ch. XII, p. 117) un ouvrage intitulé *L'art de servir Dieu* qui dit comment l'âme doit faire des actes pour favoriser l'accroissement des vertus. Elle pense donc que son disciple ira à d'autres ouvrages pour compléter son enseignement sur la pratique des vertus. Cet enseignement devra en toutes occasions, s'inscrire dans la ligne de sa doctrine qui subordonne l'ascèse à la recherche de Dieu.
2. IIe Dem., ch. I, p. 840.

B. — *DISPOSITIONS*
NÉCESSAIRES AUX DÉBUTANTS

Avant de se mettre en route sainte Thérèse examine ceux qui veulent la suivre en ses voies. L'examen ne sera point sévère ; il sera cependant sérieux et profond. Il portera moins sur les réalisations déjà acquises ou sur les qualités extérieures que sur les dispositions de fond.

I. — *L'énergie.*

Le regard maternel de Thérèse cherche d'abord dans l'âme du disciple, l'énergie. Cette énergie est nécessaire dès le début. La Sainte le dit et le répète avec insistance tant la chose lui paraît importante :

L'âme doit montrer un mâle courage et ne pas ressembler à ces soldats qui se couchaient sur le ventre pour boire lorsqu'ils marchaient au combat... Elle doit s'armer de courage, car elle va lutter contre tous les démons réunis et ne saurait avoir de meilleures armes que celles de la croix. Je l'ai dit d'autres fois, mais je le répète encore ici, tant je le regarde comme important, l'âme ne doit pas songer à chercher des joies dans ces débuts... ce n'est pas dans ces Demeures que tombe la manne...[1]

Loin de dissimuler les épreuves, sainte Thérèse va les détailler. Sa méthode est toute de franchise. L'âme prévenue pourra se préparer au combat. Elle ne sera pas surprise.

Voici d'abord un avertissement assez général. Les âmes qui habitent les deuxièmes Demeures « souffrent beaucoup plus que celles qui se trouvent dans les premières Demeures[2] ».

Si l'âme est bien douée, ses épreuves revêtiront probablement une acuité particulière :

L'âme, ajoute en effet la Sainte, endure vraiment ici des souffrances très vives, surtout quand le démon comprend que par ses qualités et par ses pratiques de vertu elle est apte à monter très haut[3].

Quelles seront ces souffrances ? Celles d'abord de la lutte qu'il lui faut soutenir contre ses tendances. Certes il a

_____

1. IIe Dem., ch. 1, p. 840.
2. *Ibid.*, p. 836.
3. *Ibid.*, p. 839.

fallu se faire violence pour revenir vers Dieu, renoncer à des habitudes, lutter peut-être contre son milieu familial et social, s'isoler pour trouver la liberté de chercher Dieu et vivre selon les exigences de sa lumière.

Certes, la grâce de Dieu a soutenu l'effort de l'âme, mais cette grâce n'a pas la suavité nourrissante et la pénétrante saveur que Dieu lui donnera plus tard. Elle ne soulève pas habituellement l'âme, mais la laisse à son travail pénible !

Je dis que c'est dans les débuts, écrit la Sainte, que l'on rencontre le plus de difficultés. Car si Dieu donne son secours, c'est nous qui faisons le travail [1].

Ce n'est point seulement dans l'action extérieure que le travail se révèle pénible, mais aussi dans les rapports avec Dieu. Nous devrions parler ici des sécheresses dans l'oraison qui sont une des plus lourdes épreuves de cette période, mais leur importance dans la vie spirituelle nous oblige à en traiter à part. Soulignons seulement la remarque de la Sainte, à savoir qu'aux deuxièmes Demeures la souffrance de l'âme dans ses relations avec Dieu est plus grande qu'aux premières Demeures. La raison qu'elle en donne paraît subtile et cependant elle est si juste ! Aux premières Demeures l'âme était comme anesthésiée en sa paralysie spirituelle ; aux deuxièmes Demeures la vie surnaturelle qui est sortie de sa torpeur la rend plus sensible :

J'ai dit qu'elle souffre beaucoup plus que celles qui habitent les premières Demeures ; ces dernières, en effet, sont comme des muets qui se trouvent en même temps privés de l'ouïe, et qui pour ce motif souffrent moins de l'impuissance de parler que s'ils entendaient sans pouvoir parler [2].

Cette sensibilité plus éveillée perçoit mieux les appels du Maître, mais elle découvre mieux aussi les déficiences nombreuses de l'âme :

Les âmes qui habitent les secondes Demeures entendent donc les appels que leur adresse le Seigneur, parce qu'elles sont plus rapprochées du palais où réside le Dieu de toute majesté. C'est en effet un très bon voisin ! et il a tant de miséricorde et de bonté !... Ce Seigneur de nos âmes estime tant que nous l'aimions et que nous recherchions sa compagnie, qu'il ne manque pas, à un moment ou l'autre, de nous appeler et de nous inviter à nous rapprocher de Lui. Sa voix est tellement suave que la pauvre âme est toute désolée de ne pas accomplir immédiatement ce qu'il lui commande. Aussi, je le répète, elle souffre davantage que si elle ne l'entendait pas.

---

1. *Vie*, ch. XI, p. 106.
2. IIᵉ Dem., ch. I, p. 836.

Premières étapes

Je ne dis pas que cette voix et ces appels du Seigneur ressemblent à ceux dont il sera question plus tard. Il nous parle ici par l'intermédiaire de gens de bien, de sermons ou de livres de piété que nous lisons[1].

A cette souffrance de lutte et de contrition s'ajoute celle qui vient *des démons*. Les démons en effet ne peuvent pas laisser cette âme s'échapper vers Dieu, sans faire tous leurs efforts pour la ramener en arrière ou lui barrer la route, surtout quand ils comprennent « que par ses qualités et ses pratiques de vertu, elle est apte à monter très haut[2] ».

Ils viennent nombreux en ces Demeures, et, bien que désormais ils ne soient pas toujours victorieux, ils ont la partie belle contre une âme faible encore et qui vit enchaînée en ces régions du sens qui sont leur domaine. Tant qu'ils ont l'avantage ils en profitent, aussi :

Les combats que les démons livrent de toutes sortes de manières sont terribles et affligent bien plus que dans les Demeures précédentes[3].
O Jésus, quel vacarme que celui que les démons font alors, et dans quelle affliction ne plongent-ils pas la pauvre âme ![4]

Il ne s'agit pas de manifestations extraordinaires, mais de luttes et de tentations intérieures :

Les démons lui représentent alors... les biens du monde et lui montrent que les plaisirs d'ici-bas sont en quelque sorte éternels ; ils lui rappellent l'estime dont elle y jouit, ses amis, ses parents ; ils lui parlent de sa santé qu'elle va compromettre par les pénitences... enfin ils lui suscitent toutes sortes d'obstacles[5].

Dans cette agitation intérieure à laquelle elle est plus sensible que précédemment parce que « son entendement est plus éveillé[6] », l'âme doit tenir, car cette énergie dans le support des épreuves des débuts, a noté sainte Thérèse dans le livre de sa *Vie*, permet à Dieu de reconnaître les vaillants qui « pourront boire son calice et l'aider à porter la croix, avant de leur donner de grands trésors[7] ».

A ces épreuves s'ajoutent celles qui viennent des faiblesses de l'âme, car Dieu, déclare sainte Thérèse,

permet même parfois que nous soyons mordus par les reptiles afin de nous apprendre à mieux nous en préserver ensuite ; il veut voir également si notre douleur de l'avoir offensé est profonde. Ne vous

---

1. IIe Dem., ch. I, pp. 836-837.
2. *Ibid.*, p. 839.
3. *Ibid.*, p. 837.
4. *Ibid.*, p. 838.
5. *Ibid.*, pp. 837-838.
6. *Ibid.*, p. 837.
7. *Vie*, ch. XI, p. 110.

découragez donc point quand il vous arrive de faire quelques chutes ; reprenez aussitôt votre marche en avant. Dieu saura tirer le bien de ces chutes mêmes... [1]

Le découragement aurait des conséquences désastreuses :

Quant à ceux qui ont commencé, qu'ils se gardent bien de se décourager et de retourner en arrière. Qu'ils sachent que la rechute est pire que la chute, et puisqu'ils reconnaissent ce qu'ils ont perdu, qu'ils mettent toute leur confiance en la miséricorde de Dieu et nullement en eux-mêmes [2].

L'âme doit employer son courage à persévérer malgré tout, car :

Sa Majesté sait attendre des jours et des années, surtout quand elle découvre en nous de la persévérance et des bons désirs. C'est la persévérance en effet qui est le plus nécessaire ici, dès lors qu'elle nous aide toujours à gagner beaucoup [3].

Persévérance dans les épreuves extérieures et les aridités ; persévérance pour supporter « les mauvaises pensées qui viennent nous assaillir et nous affliger sans que nous puissions les chasser [4] » ; persévérance pour retrouver le recueillement, car il n'y a pas d'autre remède que de le chercher de nouveau lorsqu'on l'a perdu ; persévérance pour continuer la lutte malgré tous les obstacles et « ne point cesser de marcher qu'on ne soit arrivé à la source de vie [5] ».

Seule cette énergie peut assurer le succès :

Une foule d'âmes, constate douloureusement la Sainte, n'arrivent jamais au but. Cela vient en grande partie de ce qu'elles n'embrassent pas généreusement la croix dès le principe [6].

C'est une volonté énergique que sainte Thérèse réclame de son disciple dès le début, une volonté ferme et droite qui d'un regard simple mais clair ait considéré les sommets de la perfection et soit décidée à s'y porter généreusement :

L'unique ambition de celui qui commence à s'adonner à l'oraison doit être de travailler à s'affirmir dans les bonnes résolutions, et de ne négliger aucun moyen pour rendre sa volonté conforme à celle de Dieu. C'est en cela... que consiste la plus haute perfection à laquelle on puisse arriver dans le chemin spirituel [7].

---

1. II⁰ Dem., ch. I, p. 842.
2. *Ibid.*, p. 843.
3. *Ibid.*, p. 837.
4. *Ibid.*, p. 842.
5. *Chem. Perf.*, ch. XXIII, p. 689
6. *Vie*, ch. XI, p. 113.
7. II⁰ Dem., ch. I, p. 841.

II. — *Discrétion et liberté d'esprit.*

Après avoir fait passer dans l'âme de ses disciples ce souffle d'énergie guerrière, sainte Thérèse craint qu'il ne soit mal utilisé. La discrétion doit régler l'exercice de la force dans le chemin spirituel. La persévérance est plus nécessaire et plus efficace que la violence dans les voies de l'oraison :

Il faut commencer à vous recueillir, non à force de bras, mais avec suavité, afin de jouir de la paix d'une manière plus constante [1].

La violence peut tout gâter au début en usant prématurément les forces et en sombrant ensuite dans le découragement [2]. Sous la générosité réelle qui les anime ordinairement, les ardeurs des débutants dissimulent un orgueil secret. Le démon le sait bien. Aussi a-t-il l'habitude de tromper les âmes sur ce point en utilisant à la fois leurs bons désirs et leur orgueil. Sainte Thérèse signale ces tentations :

il inspire à une sœur de si vifs désirs de pénitence qu'elle s'imagine ne pouvoir goûter de repos qu'à la condition de torturer son corps [3].

Elle le fait

en cachette, au point de perdre la santé et de ne pouvoir suivre la règle [4].

A une autre le démon suggère un zèle très ardent pour la perfection... et la pousse à regarder les moindres fautes commises par ses compagnes comme des manquements graves [5]...

Ces ruses du démon ont pour but d'user les énergies de l'âme en des efforts inutiles et présomptueux, d'étouffer sa bonne volonté dans la contrainte et de lui enlever la force et la liberté pour aller d'un pas ferme et assuré vers son Dieu.

Dieu, certes, est exigeant, mais il est liberté, joie et équilibre. Le chemin qui conduit vers Lui est étroit, mais pour y marcher avec rapidité il ne faut pas être encapuchonné ni dans la crainte ni dans la dévotion. Sainte Thérèse estime nécessaire de le rappeler aux débutants :

---

1. IIe Dem., ch. I, p. 843.
2. Chaque débutant porte en lui un capital de force et de bonne volonté. Si dès le début on dépense ce capital en austérités ou en efforts violents, l'âme risque d'être brisée définitivement. Elle sera désormais timide et incapable de grandes choses, ou encore s'attachera à ces prescriptions ou mortifications extérieures qui lui ont été si douloureuses, au détriment de l'esprit qu'elle sacrifiera aisément (cf. saint Jean de la Croix, *Maximes*).
3. I^e Dem., ch. II, p. 832.
4. *Ibid.*
5. *Ibid.*

On doit dès le début, s'appliquer à marcher avec joie et avec liberté d'esprit. Il y a des âmes qui s'imaginent que la dévotion va s'en aller si elles s'oublient elles-mêmes tant soit peu. Il est bon de marcher dans la crainte de soi pour ne pas s'exposer... mais il y a beaucoup de circonstances où... l'on peut se récréer, afin même de revenir avec de nouvelles forces à l'oraison [1].

La Sainte n'a point la dévotion triste ; elle plaisante aimablement les âmes qui ont toujours peur de la perdre et reprend sévèrement celles qui voudraient bien faire oraison quand c'est l'heure de se récréer.

Elle estime cette récréation nécessaire et, avant d'envoyer saint Jean de la Croix à Durvelo, elle l'entraîne à la fondation de Valladolid pour lui montrer surtout comment on se récrée en ses monastères.

Cette note de discrétion, de liberté et de joie est un trait de l'âme de la Sainte et de sa spiritualité. Pour la trouver il faut du bon sens et du jugement. Aussi la Sainte exige ce bon jugement de ses filles. Elle y tient plus qu'à la dévotion, car on peut acquérir celle-ci et on ne saurait remplacer ni donner celui-là. Elle examine ses postulantes sur ce point, car on ne saurait sans danger engager dans les voies de l'absolu une âme dont l'équilibre humain ne serait pas parfaitement assuré par un jugement droit et une saine raison.

III. — *Grands désirs.*

Le P. Jean de Jésus-Marie assure que la magnanimité est le trait caractéristique de sainte Thérèse. C'est la même opinion que traduisait Bañez d'une façon pittoresque en disant : « Elle est grande des pieds à la tête, de la tête au-dessus, elle l'est incomparablement plus ». Ce caractère de grandeur apparaît en toute l'œuvre thérésienne, spécialement en sa spiritualité qui conduit vers des régions sublimes par leur élévation.

Sainte Thérèse veut que le débutant qui n'a encore rien fait soit déjà grand par le désir. Il doit regarder les sommets de la vie spirituelle et aspirer ardemment à l'union parfaite avec Dieu qu'ils représentent :

Pour moi, écrit la Sainte, je suis étonnée quand je vois combien il importe dans ce chemin de l'oraison, de s'animer à accomplir de grandes choses. A coup sûr l'âme n'a pas beaucoup de forces au début ; semblable au petit oiseau qui n'a pas toutes ses plumes, elle se fatigue et s'arrête, mais si elle donne un coup d'aile, elle monte très haut [2].

1. *Vie*, ch. XIII, p. 122.
2. *Ibid.*, p. 123.

Premières étapes

Ces grands désirs sont le signe qui marque les âmes faites pour les grandes choses. Seuls ces grands désirs peuvent fournir la force nécessaire pour surmonter les difficultés de la route et tout dépasser. Ils sont le souffle qui emporte l'âme haut et loin. Sainte Thérèse apporte pour nous en convaincre le témoignage de son expérience :

> Il faut en outre s'animer d'une grande confiance ; car il nous est très avantageux de ne point ralentir nos désirs. Nous devons attendre de la bonté de Dieu que nos efforts nous amèneront, je ne dis pas de suite, mais au moins peu à peu, là où beaucoup de saints sont arrivés avec sa grâce. S'ils n'avaient jamais conçu de tels désirs et ne les avaient mis peu à peu à exécution, ils ne seraient point parvenus à un si haut état. Sa Majesté recherche et aime les âmes généreuses, pourvu qu'elles soient humbles et ne mettent aucune confiance en elles-mêmes. Je n'en ai jamais vu une seule s'arrêter dans les bas sentiers de la vie spirituelle. Je n'ai jamais vu non plus une âme pusillanime qui se cache sous le manteau de l'humilité, faire au bout de longues années autant de chemin que les autres en très peu de temps [1].

Ces grands désirs ne sont-ils pas le fruit de l'orgueil ? Oui, peut-être en certains cas ; mais alors ils sombreront dans les premiers échecs et les épreuves de la vie quotidienne. Mais a priori on n'a pas le droit de les juger tels, même si l'inexpérience du débutant les colore de quelques belles illusions. Grandeur d'âme et humilité vont bien ensemble et s'appuient toutes deux sur le sentiment de la faiblesse humaine et la foi en la miséricorde toute-puissante de Dieu. L'exemple et le témoignage de la plus célèbre des filles de sainte Thérèse, Thérèse de Lisieux, nous en apportent la preuve. Elle écrit dans le livre de son autobiographie :

> Je pensai que j'étais née pour la gloire et cherchant le moyen d'y parvenir, le Bon Dieu m'inspira les sentiments que je viens d'écrire. Il me fit comprendre que ma gloire à moi ne paraîtrait pas aux yeux mortels, qu'elle consisterait à devenir une grande Sainte !... Ce désir pourrait sembler téméraire si l'on considère combien j'étais faible et imparfaite et combien je le suis encore après sept années passées en religion, cependant je sens toujours la même confiance audacieuse de devenir une grande Sainte, car je ne compte pas sur mes mérites, n'en ayant aucun, mais j'espère en Celui qui est la Vertu, la Sainteté Même, c'est Lui seul qui se contentant de mes faibles efforts m'élèvera jusqu'à Lui et me couvrant de ses mérites infinis, me fera Sainte [2].

La petite Sainte écrit encore :

> Moi, je me considère comme un faible petit oiseau couvert seulement d'un léger duvet, je ne suis pas un aigle, j'en ai simplement les yeux et le cœur car malgré ma petitesse extrême j'ose

---

1. *Vie*, ch. XIII, pp. 122-123.
2. *Man. Autob.*, A fol. 32 r°.

fixer le Soleil Divin, le Soleil de l'Amour, et mon cœur sent en lui toutes les aspirations de l'Aigle... Le petit oiseau voudrait voler vers ce brillant Soleil...[1]

Grands désirs et humilité peuvent marcher de pair, se garantissent et se fécondent mutuellement. Seule l'humilité peut conserver aux grands désirs leur regard confiant vers les sommets à travers les vicissitudes intérieures et extérieures de la vie spirituelle. D'autre part, l'humilité serait fausse qui ferait renoncer une âme à ses grands désirs et la vouerait ainsi à la tiédeur ou à une honnête médiocrité.

C'est un art d'équilibrer harmonieusement l'énergie, la discrétion et les grands désirs, un art qu'ordinairement le débutant ne connaît point. Il demandera à un directeur de le lui apprendre. Celui-ci devra normalement au début conseiller la modération. Sainte Thérèse craint qu'il ne pèche par excès de discrétion et ne détruise ainsi ou ne diminue les grands désirs de l'âme. Aussi demande-t-elle au débutant qui prend un directeur

de veiller à ne pas en choisir un qui nous enseigne à imiter le crapaud ou qui est satisfait lorsqu'il nous a montré comment il faut faire la chasse aux lézards[2].

Pour que sainte Thérèse défende les grands désirs avec des termes si énergiques, il faut vraiment qu'elle les estime comme une richesse précieuse et bien menacée !

Assoiffée de Dieu et mettant à la disposition de cette soif immense une mâle énergie, un jugement droit et le désir de grandes choses, telle est la fille idéale de sainte Thérèse à la base de départ. Peut-être, les premières étapes franchies à la recherche de Dieu, paraîtra-t-elle à l'observateur superficiel moins vertueuse, moins réglée et moins ordonnée en ses gestes extérieurs que d'autres dont les efforts des débuts ont été dominés par le souci unique de la vertu. Les maîtres d'Avila ne trouvaient-ils pas sainte Thérèse, au temps de ses premières grâces mystiques, trop peu vertueuse pour recevoir de telles faveur ? La Mère consentira provisoirement à ce que ses filles lui ressemblent, pourvu que, le regard inlassablement fixé sur Dieu, pressées par la longue course qu'elles doivent fournir pour s'unir à Lui, elles ne se laissent pas arrêter par les obstacles ou les petits lézards rencontrés sur la route, mais qu'elles se hâtent avec toutes les énergies de leur âme et l'élan de leurs grands désirs vers ces sommets où brille la lumière de Dieu qui les a séduites.

---

1. *Man. Autob.*, B fol. 4v° et 5r°.
2. *Vie*, ch. XIII, p. 123.

CHAPITRE TROISIÈME

Les premières oraisons

*Pour bien réciter le Pater, vous devez vous
tenir près du Maître qui vous l'a enseigné...* [1].

Armée de vaillance et de grands désirs, dégagée des
entraves qui la retenaient dans les premières Demeures,
l'âme thérésienne s'est levée pour aller vers son Dieu. La
voici devant la porte qui s'ouvre sur les deuxièmes Demeures ;
cette porte qu'est l'oraison. Comment va-t-elle la franchir,
en d'autres termes : comment fera-t-elle oraison ?

Se porter vers Dieu c'est déjà faire oraison, puisque
l'oraison, commerce d'amitié avec Dieu, n'est pas autre
chose que ce mouvement filial de la grâce vers Dieu qui
est notre père. Rien ne semble plus aisé et plus simple
que de se livrer à cet instinct filial de la grâce et, par
conséquent, de faire oraison.

Mais ce mouvement filial doit être régularisé, éclairé et
soutenu. Il doit devenir assez puissant pour entraîner toutes
nos énergies, assez continu pour vivifier tous nos actes,
assez profond pour saisir toute notre âme et la faire
passer en Dieu grâce à une oraison devenue transformante.

L'oraison met en activité les facultés naturelles et les
puissances surnaturelles. Elle est un art, et des plus délicats,
qui exige une technique, et qui ne s'apprend que dans des
exercices persévérants menés avec des dispositions surnaturelles et une longue patience.

Considérons les premiers pas de l'âme dans cette voie
de l'oraison, soit les premières formes de prière qui
s'offrent à elle pour s'approcher de Dieu.

---

1. *Chem. Perf.,* ch. XXVI, p. 706.

A. — *PRIÈRE VOCALE*

Ces débutants à l'âme ardente et généreuse, remplie de grands désirs, dont parle sainte Thérèse, les voici à la suite de Jésus ; ce sont ses apôtres au début de la vie publique. Ils ont vu leur Maître plongé pendant de longues heures dans une oraison silencieuse qui l'absorbe complètement. Ils voudraient savoir réaliser cette attitude, suivre leur Maître jusqu'en ces profondeurs paisibles et mystérieuses.

Relisons la scène évangélique :

Un jour que Jésus était en prière en un certain lieu, un de ses disciples lui dit quand il eut fini : « Seigneur, apprenez-nous à prier comme Jean l'a appris à ses disciples ». Il leur dit : « Lorsque vous voulez prier, dites : Notre Père qui êtes aux cieux, que votre nom soit sanctifié, que votre règne arrive, que votre volonté soit faite sur la terre comme au ciel. Donnez-nous aujourd'hui le pain qui nous est nécessaire. Remettez-nous nos dettes comme nous les remettons à nos débiteurs. Et ne nous induisez pas en tentation, mais délivrez-nous du mauvais [1].

Ils demandaient la science de l'oraison et c'est une prière vocale que Jésus leur enseigne. Mais quelle prière vocale ! Simple et sublime qui, en ses formules concises, précise l'attitude filiale du chrétien devant Dieu, énumère les vœux et les demandes qu'il doit présenter.

Le *Pater* est la prière parfaite que l'Église met sur les lèvres du prêtre à l'instant le plus solennel du sacrifice. C'est la prière des petits qui n'en savent point d'autre, la prière des saints qui en savourent les formules si pleines.

Un jour, une novice entrant dans la cellule de sainte Thérèse de l'Enfant-Jésus, s'arrêta surprise de l'expression toute céleste de son visage. Elle cousait avec activité et cependant semblait perdue dans une contemplation profonde. « A quoi pensez-vous ? » lui demanda la jeune sœur. « Je médite le *Pater*, répondit-elle, c'est si doux d'appeler le bon Dieu, Notre Père... » et des larmes brillaient dans ses yeux [2].

Dans le *Pater* se trouve tout l'art et la science de la prière. Aussi sainte Thérèse, dans le *Chemin de la Perfection*, se propose seulement de « donner quelques considérations sur les paroles du *Pater*... car si vous vous attachez avec zèle au *Pater*, vous n'avez pas besoin d'autre chose [3] ».

---

1. Lc 11, 1-2 et Mt 6, 9-13.
2. *Conseils et Souvenirs*, p. 81.
3. *Chem. Perf.*, ch. XXIII, pp. 690-691.

Premières étapes

Souvent donc, à quelque degré de vie spirituelle que nous soyons, quelle que soit notre ferveur ou notre sécheresse, pour bien prier et pour apprendre à prier comme il faut, humblement et posément récitons le *Notre Père*, la prière que Jésus lui-même a composée pour nous.

En nous enseignant le *Pater*, Jésus a consacré l'excellence de la prière vocale.

Il avait lui-même prié vocalement sur les genoux de Marie sa mère le soir, en compagnie de Joseph son père nourricier ; fréquemment aussi à la synagogue avec les enfants de son âge et le jour du sabbat au milieu de l'assemblée des fidèles.

Au cours de sa vie publique, Jésus élève la voix parfois pour exprimer à Dieu ses sentiments, sa reconnaissance à l'occasion de la résurrection de Lazare ou pour les merveilles réalisées par ses apôtres ; il crie son angoisse au jardin de Gethsémani.

À certaines heures, en effet, l'âme éprouve le besoin de traduire extérieurement ses sentiments, et de prier avec tout son être pour donner à sa supplication toute la puissance possible. Nous sommes en effet corps et esprit, et si l'acte extérieur ne change pas la valeur surnaturelle de l'acte intérieur, il en augmente cependant l'intensité.

Ce besoin d'associer les sens à la prière intérieure répond d'ailleurs à une exigence divine. Dieu qui cherche des adorateurs en esprit et en vérité, et par conséquent la prière qui monte vivante des profondeurs de l'âme, veut aussi l'expression extérieure qui associe le corps à la prière intérieure, car elle lui apporte cet hommage parfait de tout ce à quoi il a droit.

Parce qu'extérieure et si parfaitement humaine, la prière vocale est par excellence la prière des foules. Lorsqu'elle est à la fois assez simple et assez profonde pour traduire les convictions de tous et les sentiments intimes de chacun, elle saisit les âmes, les emporte en son mouvement puissant pour les unir dans une atmosphère ardente et sublime : elle jaillit alors en une supplication d'une telle grandeur qu'on ne la croirait plus venue de la terre, mais du Christ Jésus lui-même diffusé en ses membres. C'est ainsi que de l'invitation silencieuse de la Vierge Immaculée apparaissant à Bernadette en égrenant son chapelet, est sortie cette prière des foules de Lourdes, un des hommages non seulement des plus impressionnants, mais encore des plus puissants qui puissent monter de la terre vers les cieux.

Les contemplatifs, si élevés qu'ils soient dans leur union silencieuse avec Dieu, ne sauraient mépriser ni négliger une forme de prière qui a une telle valeur et peut avoir une telle puissance auprès de Dieu et des hommes. Ils doivent donc y rester fidèles, quelles que soient les difficultés qu'ils puissent y rencontrer. La négligence sur ce point, qui cherche ordinairement une excuse dans l'impuissance, procède bien souvent d'un certain orgueil subtil et d'une habitude d'abandon passif devenu paresseux. La prière vocale leur sera donc un exercice énergique d'humilité et de simplicité très fructueux pour l'âme et très agréable à Dieu.

Pour que cette prière vocale mérite le nom de prière, elle doit être intérieure. Sainte Thérèse nous le rappelle :

Voici ce que je veux vous conseiller en ce moment, et je pourrais dire vous enseigner... c'est la manière dont vous devez prier vocalement. Il est juste que vous compreniez ce que vous dites... Quand je récite le *Credo*, il est raisonnable, ce me semble, que je me rende compte de ce que je crois et que je le sache.

Je désire vous voir parfaitement convaincues de cette vérité que, pour bien réciter le *Pater*, vous devez vous tenir près du Maître qui nous l'a enseigné...

Vous me direz encore que prier ainsi c'est méditer, et que vous ne pouvez ni par conséquent ni voulez autre chose que prier vocalement... J'avoue que vous avez raison d'appeler oraison mentale la méthode dont j'ai parlé. Mais je vous déclare en même temps que je ne comprends pas comment la prière vocale, pour être bien faite, peut en être séparée. Nous devons en effet savoir à qui nous parlons ; c'est même un devoir de s'appliquer à prier avec attention [1].

C'est ainsi que la prière vocale devient la première forme de l'oraison proprement dite.

Les débutants l'utiliseront. Ceux-là surtout y recourront plus fréquemment et plus longuement qui, peu familiarisés avec les activités intellectuelles pures, ont besoin d'une formule pour soutenir leur pensée, éveiller en eux des sentiments ou en prendre conscience, et ne savent leur donner toute leur force de prière qu'en les exprimant extérieurement.

Alors que pour certaines âmes le recours fréquent à la prière vocale pourrait favoriser un certain laisser-aller et la paresse devant l'effort à fournir pour l'oraison, pour d'autres âmes chez qui des habitudes d'activité ont créé des exigences de mouvement quasi continuel ou dont « l'esprit est si léger qu'elles ne sauraient se fixer à un sujet [2] », la prière vocale peut devenir une voie vers la contemplation et même la seule voie praticable.

---

1. *Chem. Perf.*, ch. XXVI, pp. 704-707.
2. *Ibid.*, ch. XIX, p. 663.

Premières étapes

Sainte Thérèse nous en donne un exemple typique :

Je connais en effet beaucoup de personnes qui prient vocalement comme je l'ai dit, et que Dieu élève, sans qu'elles sachent comment, à une haute contemplation. J'en connais une en particulier qui n'a jamais pu faire d'autre oraison que l'oraison vocale ; or, en y étant fidèle, elle avait tout à la fois. Si elle ne récitait pas, son esprit s'égarait de telle sorte que c'était un supplice. Mais plaise à Dieu que nous eussions toutes une oraison mentale aussi parfaite que l'était son oraison vocale ! Pour réciter quelques *Pater* en songeant aux mystères où Notre-Seigneur a répandu son sang, et dire quelques autres prières, elle employait plusieurs heures. Elle vint me trouver un jour toute désolée de ce que, ne sachant pas faire l'oraison mentale et ne pouvant se livrer à la contemplation, elle ne faisait que réciter des prières vocales. Je lui demandai ce qu'elle récitait, et je vis que, fidèle à réciter le *Pater*, elle était arrivée à l'oraison de pure contemplation ; Notre Seigneur l'élevait même jusqu'à l'oraison d'union [1].

Qui n'a songé, en écoutant sainte Thérèse, à tel malade cloué sur son lit depuis de longues années, à telle bonne personne usée par de rudes labeurs, utilisant ce qui leur reste de forces à réciter des rosaires sans fin, qui, loin de les fatiguer, les apaisent, les fortifient et les nourrissent savoureusement ?

C'est d'ailleurs à ses filles contemplatives que sainte Thérèse dira :

N'allez pas croire que l'on tire peu de fruit de la prière vocale bien faite. Je vous le dis, il est très possible que tandis que vous récitez le *Pater* ou une autre prière vocale, le Seigneur vous élève à la contemplation parfaite [2].

Même si la prière vocale n'est pas utilisée pour arriver au recueillement, elle sera pour le moins un secours, en certaines circonstances, pendant l'oraison.

Il n'est point de contemplatif qui n'ait expérimenté parfois dans les sécheresses de l'oraison ou dans les angoisses, combien les facultés trouvent de force et d'apaisement à égrener lentement des *Ave Maria* ou à réciter des versets du *Miserere* :

Quelquefois, écrit sainte Thérèse de l'Enfant-Jésus, lorsque mon esprit est dans une si grande sécheresse qu'il m'est impossible d'en tirer une pensée pour m'unir au Bon Dieu, je récite très lentement un « Notre Père » et puis la salutation angélique ; alors ces prières me ravissent, elle nourrissent mon âme bien plus que si je les avais récitées précipitamment une centaine de fois [3]...

---

1. *Chem. Perf.*, ch. XXXII, p. 735.
2. *Ibid.*, ch. XXVII, p. 708.
3. *Man. Autob.*, C fol. 25 v°.

B. — *LA PRIÈRE LITURGIQUE*

La prière vocale prend une valeur spéciale lorsqu'elle est prière liturgique. La prière liturgique prépare le saint sacrifice, l'acte religieux par excellence, et, pour l'entourer de la louange qui convient, elle emprunte habituellement les accents de l'Esprit Saint lui-même en utilisant les textes inspirés des saintes Écritures. Ses fonctions augustes et la qualité de ses accents suffiraient à assurer à la prière liturgique une dignité et une efficacité particulières. Sa dignité et son efficacité sont incomparablement accrues par le fait qu'elle est la prière officielle de l'Église, la prière du sacerdoce du Christ dans l'Église. C'est avec ce sacerdoce, que le baptême a déposé en nos âmes, que nous y participons.

La prière liturgique, par la beauté dont elle recouvre les rites sacrés, par la vie dont elle les anime, par la puissance de la grâce qu'elle en fait jaillir, excelle à faire prier les foules et à leur rendre sensibles les mystères qu'elle célèbre. Elle fournit à la prière individuelle les textes les plus savoureux qui soient, et la dispose très heureusement à entrer dans les profondeurs de la contemplation. Elle est une reine qui trône dans la beauté, respectée et aimée de tous.

Pourquoi faut-il que sa dignité même ait provoqué des dissensions ? Certains ont voulu lui assurer une suprématie absolue dans le domaine de la prière. D'autres se sont inquiétés de ses empiètements aux dépens de la prière silencieuse.

La discussion a été vive parfois. Tel liturgiste fameux aurait reproché à sainte Thérèse de ne pas avoir l'esprit liturgique parce qu'elle avait des extases pendant la messe. Par contre, les contemplatifs ont justifié parfois, par leur apparente négligence des formes extérieures et leur inobservance des règles liturgiques, l'indignation de leurs adversaires peut-être mieux stylés et surtout plus attentifs. Saint Joseph de Cupertino dut être exclu du chœur dont ses extases troublaient les exercices. Saint Jean de la Croix, un jour à Baeza, était si hors de lui pendant la messe qu'il quitta l'autel après la communion. Au témoignage d'une de ses maîtresses du pensionnat de l'Abbaye, sainte Thérèse de l'Enfant-Jésus ne suivait pas les textes liturgiques de la messe et se laissait aller à penser, malgré les recommandations de ses maîtresses religieuses bénédictines. Nous ne parlons pas de saint Philippe de Néri qui gardait à l'autel les pieuses mais déconcertantes libertés de l'Oratorio romain [1].

Liturgie ou contemplation ? Ces saints avaient choisi, semble-t-il. Mais vraiment, est-il nécessaire de choisir en opposant ?

Certes, il faut le reconnaître, la piété de certaines âmes, par attrait et par vocation, s'alimente presque uniquement de prière liturgique ; d'autres ont besoin de l'oraison silencieuse. Mais dans les deux camps il est des extrémistes : le liturgiste qui ne saurait prier qu'avec du chant, des textes anciens et dans la beauté austère d'une église monastique ; l'extatique livré au souffle de l'Esprit, qui va et vient sans souci des rubriques.

Auprès de ces deux personnages, il y a la foule des spirituels qui ont choisi selon leur goût et leur grâce, qui prennent là où ils trouvent et ne comprennent pas qu'on oppose liturgie et contemplation qui sont des formes différentes d'une même prière et doivent se servir mutuellement et charitablement.

Sainte Thérèse, la maîtresse de la prière intérieure, nous présente une heureuse conciliation.

Quoi qu'on en ait dit, en effet, la Sainte a la piété liturgique. Elle suit le cycle de la liturgie avec une attention telle que c'est par la fête liturgique que sont datées ses lettres, les événements importants de sa vie, de même que les menus incidents de voyage : « le jour de la sainte Madeleine », « un jour après la saint Martin », « le 17 novembre, dans l'octave de saint Martin ». Elle termine le *Château intérieur* en 1577, « la veille de saint André » ; elle a reçu des faveurs surnaturelles très hautes « le dimanche des Rameaux », « le jour de la conversion de saint Paul », « en la fête de saint Pierre et saint Paul ».

Elle savoure les textes du bréviaire : « Que de choses, dit-elle, n'y a-t-il pas dans les psaumes du glorieux roi David ! ».

C'est certainement dans les prières liturgiques qu'elle trouve ce texte latin du Cantique des Cantiques qui l'émeut et la recueille :

---

1. Les historiens de saint Philippe de Néri écrivent :
« Sans un compagnon pour le réciter avec lui, il (le saint) ne viendrait jamais à bout du bréviaire. A la messe, il oublie tout : oraisons, évangile, épître et l'élévation de l'hostie et du calice après la consécration... Il va vite comme pour devancer l'assaut de ferveur. A la consécration, il lui faut « expédier » les paroles, et se hâter d'élever et d'abaisser l'hostie et le calice, de peur de ne pas pouvoir retirer les bras. Parfois il s'interrompt pour faire une promenade le long de l'autel, s'oblige à regarder ailleurs, interpelle les gens, fait des observations au servant sur le luminaire ». (*Philippe de Néri et la société romaine de son temps*, par Louis Ponnelle et Louis Bordet, chap. III, « L'apôtre de Rome », pp. 73-78).

Le Seigneur, depuis quelques années, m'a donné une grande grâce à chaque fois que j'entends ou que je lis quelques paroles du Cantique de Salomon, tellement que sans comprendre clairement ce que veulent dire en espagnol, les mots latins, cela recueille et émeut mon âme bien plus que les livres les plus dévots que je comprends, et cela est très courant [1].

Sans doute la liturgie carmélitaine n'aura pas la splendeur bénédictine. Comme il convient au but du Carmel, c'est une « liturgie de pauvres et de solitaires », elle est « si dépouillée qu'il est impossible d'en saisir le sens et la beauté pour celui qui vient vers elle en quête d'une émotion artistique et peut-être même d'une simple émotion religieuse [2] ». Mais cette pauvreté n'est point mépris des rites. Le moindre d'entre eux ne laisse point la Sainte indifférente :

Je sais très bien, écrit-elle, que si l'on me disait que je manque à la moindre des cérémonies de l'Église, j'affronterais mille morts pour m'y conformer, aussi bien que pour une vérité quelconque de la sainte Écriture [3].

Elle nous dit que ses dévotions

consistaient à faire dire des messes et à réciter des prières très approuvées. D'ailleurs, ajoute-t-elle, je n'ai jamais aimé ces autres dévotions auxquelles se livrent quelques personnes, les femmes en particulier, qui y joignent certaines cérémonies de leur goût ; je ne pouvais les supporter [4].

Pour remercier saint Joseph, elle fait « célébrer sa fête avec toute la solennité possible [5] », comme étant le meilleur moyen de l'honorer.

Elle a compris surtout la valeur du sacrifice de la messe, qui est au centre de toute la vie liturgique, et elle désire que, pour ses filles, l'assistance à la messe soit une participation au sacrifice aussi active que possible. Voici ce que rapporte la Vénérable Anne de Jésus :

Elle (sainte Thérèse) désirait nous voir aider toujours à la célébration de la messe et cherchait comment nous pourrions le faire chaque jour, eût-ce même été dans le ton dans lequel nous récitions les heures. Et si une fois en passant il était impossible de le faire par manque de chapelain propre, ou parce que nous étions alors si peu nombreuses (car nous n'étions pas plus de treize), elle disait qu'il lui peinait que nous fussions privées de ce bien. Et de plus, quand on chantait la messe, rien ne l'empêchait d'aider, quand bien même elle eût à peine communié ou se trouvait très recueillie [6].

---

1. *Pensées sur l'Amour de Dieu,* Prologue, p. 1387.
2. *Les Carmes,* par Van den Bossche, pp. 165-167.
3. *Vie,* ch. XXXIII, Traduction des Carmélites de Paris, (Beauchesne), t. I, pp. 372-373.
4. *Vie,* ch. VI, p. 57.
5. *Ibid.,* p. 58.
6. Ribera, *Vida de santa Teresa de Jesus,* Barcelona, 1908, p. 633.

Ce désir de participation liturgique à la messe excusera la Sainte, espérons-le, auprès des liturgistes les plus exigeants, d'avoir eu parfois des extases après la communion, et lui permettra de se faire entendre d'eux jusqu'au bout.

La Sainte veut en effet que la prière liturgique, comme toute autre prière vocale, soit vivifiée par la prière intérieure. Si les gestes extérieurs qu'elle impose, l'art qu'elle cultive, l'attention soutenue qu'elle demande, gênaient et surtout détruisaient le recueillement qu'elle veut servir, les sentiments qu'elle veut nourrir, le souffle intérieur qu'elle veut exprimer, elle ne serait plus qu'un écrin, très beau peut-être, mais sans diamant, un corps à la beauté duquel on aurait sacrifié l'âme et la vie, un hommage extérieur que Dieu ne saurait agréer, suivant la parole de l'Écriture : « Ce peuple m'honore des lèvres, mais son cœur est loin de moi[1] ! »

A n'en pas douter, le débutant doit apprendre à prier avec l'Église, à goûter la beauté discrète et majestueuse des cérémonies, à pénétrer leur symbolisme, à savourer longuement les textes liturgiques. Il doit surtout chercher dans la prière liturgique les mouvements de l'âme du Christ dans l'Église, y écouter les gémissements de l'Esprit d'amour et apprendre ainsi à l'école du Christ Jésus, notre maître, ce que doit être chaque jour sa prière intime et silencieuse.

C. — *LECTURE MÉDITÉE*

C'est bien l'oraison que veut apprendre à faire le débutant et que nous devons lui enseigner.

Peut-être dès maintenant est-il saisi par une grâce douce et puissante à laquelle nous pouvons le livrer ; car dès lors tout lui est simple sinon facile en ce commerce d'amitié.

Mais s'il est sans appui surnaturel senti, comment pourrions-nous le lancer seul en ce commerce intime avec Dieu, si simple en sa définition mais pratiquement si complexe ? Certes, son amour pour Dieu est bien vivant, mais les facultés sont bien inhabiles à s'activer seules sur des sujets élevés et souvent mal connus. Elles ne sont point suffisamment nourries de doctrine, et le seraient-elles, elles ne peuvent tenir pendant un temps assez long en pieuses considérations auprès du Maître. Elles tombent alors dans des rêveries vagues ou dans l'impuissance, et

1. Is 29, 13.

la bonne volonté des débuts risque de sombrer dans le découragement.

Mais voici un moyen suggéré par sainte Thérèse et dont elle a usé largement elle-même : c'est la lecture méditée.

Parlant des âmes qui ne peuvent discourir dans l'oraison sainte Thérèse écrit :

> La lecture, si courte soit-elle, est d'un très grand secours... pour arriver à se recueillir. Elle est même nécessaire pour remplacer l'oraison mentale qu'elles ne peuvent faire. Si le maître qui les guide les oblige à demeurer longtemps à l'oraison sans ce secours, elle ne pourront y persévérer longtemps [1].

On pourra prendre un livre de méditations qui fournira des considérations développées, des sentiments exprimés, des résolutions à prendre, toute une oraison bien ordonnée, impersonnelle il est vrai, mais que l'âme pourra faire sienne en prenant ce qui lui convient et en l'adaptant à ses besoins.

Le livre à choisir pour la lecture méditée n'est pas le livre seulement instructif ou pieux, pas même le livre intéressant qui captive, mais le livre suggestif qui provoque la réflexion, stimule les sentiments, ou mieux encore le livre qui réveille et tient l'âme en présence de Dieu.

Une simple lecture ne serait pas une lecture méditée. La lecture méditée doit être interrompue pour réfléchir devant Dieu, pour lui exprimer des sentiments, pour s'entretenir avec lui. Elle sera courte ou prolongée selon les besoins, et ne sera reprise que lorsque l'âme défaille dans son impuissance.

Si la lecture enfin, par les flots de pensées et de sentiments qu'elle suggère, faisait oublier Dieu, elle manquerait son but. La lecture n'est ici qu'un moyen destiné à faciliter l'oraison. Son rôle exclusif est de fournir un sujet d'entretien avec Dieu, d'assurer un soutien pour s'unir à Lui ; elle est au service de ce commerce d'amitié avec Dieu qui est l'acte essentiel de l'oraison ; elle ne doit jamais s'en laisser distraire et c'est vers ce but que l'âme doit la ramener sans cesse.

La lecture méditée sera normalement l'oraison du novice dans les voies spirituelles. Le contemplatif lui-même y reviendra aux heures de fatigue physique ou morale pour soutenir ou reposer ses facultés, ou encore pour les arracher aux préoccupations trop vives ou obsédantes qui empêchent le recueillement.

---

1. *Vie*, ch. IV, p. 40.

Premières étapes

Écoutons les expériences douloureuses et concluantes de sainte Thérèse sur ce point :

Pour moi, je suis restée, dit-elle, plus de quatorze ans sans pouvoir même méditer, si ce n'est à l'aide d'un livre [1].

Dans le livre de sa *Vie*, elle précise le rôle de la lecture méditée pendant ses dix-huit années de sécheresses :

Durant toute cette époque, je n'osais jamais, si ce n'est après la communion, me mettre à l'oraison sans un livre... Le livre remédiait à mes craintes. Il me servait pour ainsi dire de compagnie. C'était un bouclier qui me protégeait contre les traits des nombreuses distractions. Il était ma consolation. La sécheresse n'était pas continuelle. Mais dès que le livre me manquait, j'y retombais toujours ; je me troublais aussitôt et mes pensées s'en allaient. Avec lui, je commençais à les ramener. Il était comme une amorce qui soulevait mon âme. Souvent même je n'avais qu'à ouvrir mon livre, et c'était assez. Quelquefois je lisais un peu ; d'autres fois, beaucoup, selon la grâce que le Seigneur daignait m'accorder [2].

Ces confidences de sainte Thérèse nous montrent l'importance de la lecture méditée dans le développement de sa vie d'oraison. Aussi on ne peut que s'étonner de la défiance dont on l'entoure en certains milieux où l'on oblige les novices à supporter les sécheresses inévitables des débuts dans une obscurité quasi complète, sans qu'ils puissent s'aider d'une lecture pour sortir du vide où les fait tomber leur inexpérience ou même leur ignorance. Le danger de paresse qui accompagne la lecture ne justifie pas cette défiance. La lecture est en effet un appui trop ferme et un bouclier trop précieux pour le débutant pour qu'on ait le droit de l'en priver par crainte que parfois il ne sache pas s'en servir ou en use mal.

D. — *LA MÉDITATION*

Lorsque les facultés sont suffisamment exercées et nourries pour se passer d'un soutien, l'âme peut aborder l'oraison en sa forme la plus traditionnelle qui est la méditation.

La méditation consiste à faire, sur un sujet choisi d'avance, des réflexions ou considérations pour créer en soi-même une conviction féconde ou résolution. Elle peut être guidée par diverses méthodes, qui comportent toutes un prélude de présence de Dieu et d'humilité, un corps

---

1. *Chem. Perf.*, ch. XIX, p. 663.
2. *Vie*, ch. IV, pp. 40-41.

de la méditation dans lequel se créent, par la réflexion, les convictions, une conclusion enfin où s'expriment les sentiments, les demandes, et se précisent les résolutions.

De ces méditations fort bien agencées, les livres fournissent des modèles adaptés aux besoins des diverses âmes. Les ouvrages expliquant les méthodes d'oraison discursive ou donnant des méditations avec les réflexions à faire, les affections à former, les actes à produire, furent nombreux à toutes les époques. Sainte Thérèse en connaissait déjà qui « renferment une doctrine excellente et des conseils appropriés pour le commencement et la fin de l'oraison [1] ».

Les personnes, écrit-elle, qui ont un jugement bien réglé et qui sont déjà exercées à la méditation et peuvent se recueillir, ont à leur disposition une foule de livres excellents, composés par des auteurs de mérite [2].

D'autres ont suivi. Dans le Carmel réformé certains maîtres élaborèrent pour les novices des méthodes qui indiquaient les divers actes à produire pendant l'oraison. L'école de spiritualité française a multiplié à l'usage des prêtres, des religieux et des personnes du monde cultivées, ces livres de méditation qui développent en un style d'une pureté classique des considérations pieuses et raisonnables, qui ont formé des générations d'âmes fortes et modérées, aussi ennemies du bien qui fait du bruit que du mal qui fait scandale.

Pour nos esprits modernes plus intuitifs que discursifs, plus avides de vivant et de concret que de longs raisonnements, ces méthodes et ces livres de méditations ont vieilli en peu de temps. Aussi sommes-nous heureux de constater que sainte Thérèse ne parle de la méditation qu'avec des éloges mesurés et un ton impersonnel sans enthousiasme. C'est qu'elle est aussi de ces âmes qui n'ont jamais pu discourir pendant l'oraison et pour qui la faculté raisonneuse, « l'entendement, est plutôt un obstacle qu'un secours [3] ».

Cette impuissance nous met en sympathie avec elle. Il nous sera facile d'adhérer à ses jugements.

Voici d'abord l'éloge :

Je n'ai rien à dire à celles qui suivent ce genre d'oraison ou qui y sont déjà habituées. Le Seigneur les conduira par un chemin aussi sûr au port de la lumière, et des commencements aussi bons les amèneront à une fin excellente. Quiconque suivra cette voie trou-

---

1. *Chem. Perf.*, ch. XXI, p. 673.
2. *Ibid.*
3. *Vie*, ch. XIII, p. 129.

vera repos et sécurité. L'entendement étant fixé, on goûte une paix véritable [1].

L'éloge est sincère ; mais qui a l'habitude des tressaillements de l'âme de sainte Thérèse le trouvera sans chaleur, raisonnable, et modéré comme la méditation qu'il loue. Un danger d'ailleurs menace ceux dont l'entendement est trop vif :

Revenant à ceux qui se servent du discours, je leur recommande de ne pas l'employer tout le temps de l'oraison. Comme cet exercice est très méritoire et plein de délices, il leur semble qu'il ne doit y avoir pour eux ni dimanche, ni un seul instant exempt de travail ; sans quoi ils s'imaginent aussitôt qu'ils perdent leur temps. Pour moi, je regarde cette perte de temps comme un gain très précieux. Qu'ils se tiennent donc, ainsi que je l'ai dit, en présence de Notre-Seigneur, sans fatiguer leur entendement ; qu'ils lui parlent et mettent leur joie à se trouver avec Lui ; qu'ils ne se préoccupent point de composer des discours, mais Lui exposent simplement les nécessités de leur âme et les motifs qu'il aurait de ne pas les souffrir devant Lui [2].

Sainte Thérèse a fréquenté les intellectuels et connaît bien leurs tendances. Le danger pour eux est que leur facilité à spéculer sur la vérité révélée, la satisfaction et le profit intellectuel qu'ils y trouvent ne les retiennent et leur fassent oublier que l'oraison est un commerce d'amitié avec Dieu [3].

Aussi la Sainte ne se lasse point de rappeler cette vérité

à ceux qui discourent beaucoup à l'aide de l'entendement, et qui savent déduire d'un sujet un grand nombre de pensées et de réflexions [4].

Ceux-là surtout doivent retenir l'enseignement de la sainte dans le *Château Intérieur* :

Si l'on veut réaliser de sérieux progrès dans cette voie et parvenir aux Demeures que nous désirons, l'important n'est pas de penser beaucoup, mais d'aimer beaucoup [5].

---

1. *Chem. Perf.*, ch. XXI, pp. 673-674.
2. *Vie*, ch. XIII, p. 129.
3. « J'ai rencontré en effet des âmes pour qui il semble que l'oraison n'est qu'un exercice de l'entendement. Et si elles peuvent tenir longtemps leur esprit fixé en Dieu, serait-ce même au prix des plus grands efforts, elles s'imaginent aussitôt qu'elles mènent une vie spirituelle. En sont-elles détournées involontairement, même pour s'occuper de bonnes œuvres, qu'elles en sont désolées et se croient perdues ». (*Fondat.*, ch. V, p. 1098).
4. *Vie*, ch. XIII, pp. 128-129.
5. IVᵉ Dem., ch. I, pp. 867-868. La Sainte dit de même dans le livre des *Fondations* (ch. V, p. 1099) : « Son progrès ne consiste donc pas à penser beaucoup, mais à aimer beaucoup ».

D'ailleurs, quelles que soient les douceurs que l'on trouve dans la méditation, on ne doit pas se faire illusion sur leur valeur ; elles sont

malgré tout comme une eau qui coule sur la terre. On ne la goûte pas à la source même ; elle rencontre forcément de la fange sur sa route. Elle n'est plus aussi pure ni aussi limpide. Le nom d'eau vive ne convient donc pas, selon moi, à cette oraison que l'on fait lorsqu'on discourt à l'aide de l'entendement [1].

Cette méditation, qui est un « bon commencement [2] », ne satisfait pas cependant sainte Thérèse. S'il fallait résumer les griefs ou plutôt les craintes de la Sainte à ce sujet, nous dirions qu'elle craint que la méditation ne retienne les âmes dans l'activité intellectuelle propre, et ne les oriente pas suffisamment vers Dieu, la source d'eau vive [3].

Mais la Sainte a-t-elle un mode d'oraison à conseiller aux débutants ?

---

1. *Chem. Perf.*, ch. xxi, pp. 677-678.
2. *Ibid.*, pp. 673-674.
3. Au témoignage du P. Joseph de Jésus-Marie Quiroga (+ 1629), les méthodes d'oraison enseignées aux novices du Carmel, au début du XVIIe siècle, peu de temps après la mort de saint Jean de la Croix, n'évitaient pas ces dangers. Dans son ouvrage « Don que saint Jean de la Croix avait pour guider les âmes », ce Père écrit :
« Quand cessa l'enseignement et l'influence de notre saint Père Fr. Jean de la Croix, vinrent d'autres maîtres qui préconisèrent la discursive et les opérations empressées de l'âme plus que ces actes spirituels très simples qui permettent de recevoir l'opération divine et les effets de l'influence divine par lesquels s'obtient la perfection. Ces maîtres faisaient dans leurs disciples une œuvre très différente ; car ces disciples sortaient de l'oraison avec la tête fatiguée, et se montraient rarement des esprits bien éclairés. Et, comme dans les noviciats on n'apprenait pas comment on doit entrer dans la contemplation lorsqu'on est mûr pour ce genre d'oraison, ils sortaient de l'école de formation sans savoir le principal de leur vocation, — et ils restaient toute leur vie sans le savoir - travaillant dans l'oraison avec les forces naturelles, sans donner lieu à l'opération divine qui introduit la perfection dans l'âme ». *Obras del Mistico Doctor San Juan de la Cruz*, edicion critica de Toledo, III, p. 569.

CHAPITRE QUATRIÈME

L'oraison de recueillement

*Celles d'entre vous qui pourront se renfermer
dans ce petit ciel de leur âme suivront, elles
peuvent m'en croire, une voie excellente* [1].

A ne considérer que la définition thérésienne de
l'oraison et la liberté qu'elle laisse aux âmes dans ce
commerce d'amitié avec Dieu dont on se sait aimé, on
pourrait croire à l'inutilité et à l'absence d'un
enseignement précis pour guider les débutants. Une étude
attentive du *Chemin de la Perfection* et du chapitre unique
des deuxièmes Demeures ne nous laisse plus aucun
doute à ce sujet. Sainte Thérèse y expose la méthode
d'oraison dont elle a toujours usé et qu'elle recommande
chaleureusement :

Que le Seigneur daigne apprendre cette manière de prier à celles
d'entre vous qui l'ignorent. Pour moi j'avoue que je n'ai jamais su
ce que c'était de réciter avec satisfaction, jusqu'au jour où le
Seigneur me l'a enseigné. C'est parce que l'habitude de ce
recueillement intime m'a procuré les plus grands profits que je me
suis tant étendue sur ce point [2].

Cette manière de prier qui a si bien réussi à sainte Thérèse
est l'oraison de recueillement. A n'en pas douter, c'est ce
mode d'oraison qu'elle désire nous voir adopter.

A. — DESCRIPTION
DE L'ORAISON DE RECUEILLEMENT

Nous connaissons déjà suffisamment sainte Thérèse
pour ne pas attendre d'elle un traité didactique, pas
même une définition *ex-professo*. Par contre, elle excelle

---

1. *Chem. Perf.*, ch. xxx, p. 723.
2. *Ibid.*, ch. xxxi, p. 730.

à décrire ; c'est dans ses descriptions imagées et précises que nous trouverons une véritable technique sur l'oraison de recueillement :

> On l'appelle (cette oraison) oraison de recueillement, écrit-elle, parce que l'âme y recueille toutes ses puissances et rentre au-dedans d'elle-même avec son Dieu [1].

Plus loin la description devient plus détaillée :

> On dirait que l'âme, comprenant enfin que les choses de ce monde ne sont qu'un jeu, se lève au meilleur moment et s'en va. Elle ressemble encore à celui qui se réfugie dans une place forte pour n'avoir plus à redouter les attaques de l'ennemi. Les sens se retirent des objets extérieurs et les méprisent tellement que les yeux du corps se ferment d'eux-mêmes pour ne plus considérer les créatures, et que le regard de l'âme s'éveille davantage. Voilà pourquoi ceux qui suivent cette voie ont presque toujours les yeux fermés quand ils prient. C'est là d'ailleurs une coutume excellente pour beaucoup de choses [2].

Il importe de remarquer qu'il ne s'agit point d'un recueillement passif produit par une emprise de Dieu, mais d'un recueillement réalisé par un effort de la volonté :

> Comprenez bien qu'il ne s'agit pas ici d'une chose surnaturelle ; elle (l'oraison de recueillement dont elle parle) dépend de notre volonté, et nous la pouvons réaliser avec l'aide de Dieu, sans lequel d'ailleurs on ne peut rien, pas même avoir une bonne pensée. Je ne parle pas ici d'un silence des puissances, mais d'une retraite de ces puissances au-dedans de l'âme [3].

Ce mouvement actif des puissances, qui s'arrachent aux choses extérieures pour se porter vers le centre de l'âme, est le premier temps de l'oraison de recueillement. Il ne suffit pas à la créer et n'en est que le geste préparatoire commandé par la présence de Dieu dans l'âme. Les facultés ne se retirent au centre de l'âme que parce que Dieu y habite d'une façon toute spéciale. L'âme est le temple de la Trinité sainte. C'est le temple préféré de sainte Thérèse :

> Considérez ce que dit saint Augustin. Après avoir cherché Dieu en beaucoup d'endroits, il Le trouva au-dedans de lui-même. Croyez-vous qu'il importe peu à une âme qui se distrait facilement de comprendre cette vérité, et de savoir qu'elle n'a pas besoin de monter au ciel pour parler à son Père éternel et trouver ses délices auprès de Lui ? Non, elle n'a pas besoin d'élever la voix pour Lui parler, car il est tellement près, que si bas qu'on Lui parle, il entend. A quoi bon avoir des ailes pour aller à sa recherche ? Elle

---

1. *Chem. Perf.*, ch. XXX, p. 722.
2. *Ibid.*, pp. 723-724.
3. *Ibid.*, ch. XXXI, p. 729.

n'a qu'à se mettre dans la solitude et à Le considérer au-dedans d'elle-même [1].

Le recueillement n'a point d'autre but que de conduire l'âme dans le temple le plus intime du Seigneur.

Pénétrer par le silence en ce temple vivifié par une présence si auguste ne suffit point encore. Il faut y prendre véritablement contact avec Dieu et s'y occuper avec Lui. L'oraison, en ces débuts, ne saurait être normalement qu'un commerce actif de l'âme avec Dieu :

Nous devons recueillir nos sens extérieurs au-dedans de nous-mêmes, écrit la Sainte, et leur donner de quoi s'occuper [2].

Sainte Thérèse craint l'oisiveté dans le recueillement et, maintes fois dans ses écrits, elle manifeste cette crainte ; c'est qu'en effet, tout recueillement, en arrêtant l'activité des facultés, produit une impression savoureuse de repos. La passivité naturelle de certaines âmes risque fort de confondre cette saveur avec la paix de l'action de Dieu, et de s'abandonner ainsi dans une inactivité paresseuse, à savourer une tranquillité qui n'a rien de divin. C'est pourquoi, enseigne notre maîtresse, à l'effort de recueillement doit succéder normalement un effort de recherche active de Dieu. Passage difficile, manœuvre délicate surtout dans les états plus élevés. Qu'on ne lui oppose point l'enseignement de saint Jean de la Croix, pas plus que celui de saint Pierre d'Alcantara, ils ne contredisent point le sien.

Pour l'instant, en ces débuts, point d'hésitation possible : l'âme doit chercher une occupation avec Dieu.

Il n'en est point de meilleure que de chercher la compagnie de Jésus et de s'entretenir avec Lui. Comme Verbe Il est présent dans l'âme avec le Père et l'Esprit Saint ; et comme Verbe incarné Il est le médiateur unique et la parole de Dieu que nous devons entendre dans le silence :

Recueillie au-dedans d'elle-même, elle (l'âme) peut méditer la Passion, se représenter Dieu le Fils, l'offrir au Père céleste, sans se fatiguer l'esprit à aller le chercher sur la montagne du Calvaire, au jardin ou à la colonne [3].

Il est bon de se servir du raisonnement pendant quelques instants (mais ensuite)... faisons taire le raisonnement et demeurons près du Sauveur ; si nous le pouvons, occupons-nous à considérer qu'il nous regarde, que nous Lui tenons compagnie ; parlons-Lui, exposons-Lui nos supplices, humilions-nous, réjouissons-

---

1. *Chem. Perf.*, ch. XXX, pp. 721-722.
2. *Ibid.*, ch. XXXI, Traduction P. Grégoire, Édit. Vie Spirituelle, p. 249, en note.
3. *Ibid.*, ch. XXX, p. 723.

nous avec Lui et souvenons-nous que nous ne méritons pas d'être en sa présence [1].

Nous sommes à la partie essentielle de l'oraison de recueillement. La retraite des puissances de l'âme n'avait pas d'autre but que de favoriser cette intimité vivante avec le Maître divin :

Traitez avec lui comme avec un père, un frère, un maître, un époux. Considérez-le tantôt sous un rapport, tantôt sous un autre. Il vous enseignera Lui-même ce que vous devez faire pour le contenter. Ne soyez plus si simples que de ne rien demander. Dès lors qu'il est votre époux, sommez-le donc au contraire de tenir parole et de vous traiter comme ses épouses [2].

Sur ce sujet de l'intimité avec Jésus, la Sainte est intarissable. On ne se lasse pas d'ailleurs de l'entendre, tellement il y a de variété dans ses descriptions, de délicatesse dans ses sentiments, de force et de richesse dans cette vie qui déborde :

Voyez ce que fait, dit-on, la femme qui veut vivre en bonne harmonie avec son mari ; s'il est triste, elle doit se montrer triste ; s'il est joyeux, elle doit, malgré la tristesse où elle se trouve, se montrer joyeuse... Or telle est la conduite que tient en toute vérité et sans l'ombre d'une feinte Notre-Seigneur vis-à-vis de nous. Il se fait votre sujet et il veut que vous soyez les souveraines. Il se soumet à vos désirs. Êtes-vous dans la joie ? Contemplez-le ressuscité. Vous n'avez qu'à vous imaginer avec quelle gloire il est sorti du sépulcre et vous serez dans l'allégresse. Et en effet, quelle clarté ! quelle beauté ! quelle majesté ! quelle gloire et quelle jubilation dans son triomphe !

...Êtes-vous dans le chagrin ou la tristesse ? Considérez-le lorsqu'il se rend au jardin des Oliviers. Quelle affliction profonde que celle qui remplissait son âme, puisqu'étant la patience même il manifeste ses souffrances et s'en plaint ! Ou bien encore, considérez-le attaché à la colonne, abreuvé de douleurs, ayant toutes les chairs en lambeaux, tant est grand l'amour qu'il vous porte !... Ou bien considérez-le lorsqu'il est chargé de la croix, et qu'on ne lui laisse même pas le temps de respirer. Il tournera vers vous ses yeux si beaux et si compatissants tout remplis de larmes. Il oubliera ses souffrances pour consoler les vôtres... O Seigneur du monde, ô véritable époux de mon âme ! pouvez-vous lui dire [3].

Cette intimité avec Jésus introduit dans la Trinité, car Jésus est notre médiateur. Par Lui nous sommes les fils du Père que nous pouvons appeler avec Lui « Notre Père » :

Notre Père qui êtes aux cieux, s'écrie Thérèse. O mon Seigneur, comme il paraît bien que vous êtes le Père d'un tel Fils ! et comme

---

1. *Vie*, ch. XIII, pp. 135-136.
2. *Chem. Perf.*, ch. XXX, p. 722.
3. *Ibid.*, ch. XXVIII, pp. 712-713.

votre Fils manifeste bien qu'il est le Fils d'un tel Père ! Soyez-en béni à jamais ! [1]

Unis au Père et au Fils nous trouverons certainement le Saint-Esprit qui en procède :

Tenez-vous entre un tel Fils et un tel Père, conclut la Sainte, et vous trouverez forcément le Saint-Esprit [2].

L'intimité divine réalisée pendant les heures d'oraison proprement dite doit se poursuivre dans le cours de la journée :

Au milieu de nos occupations, nous devons nous retirer au-dedans de nous-mêmes, ne serait-ce qu'un instant, en nous rappelant seulement Celui qui nous tient compagnie ; et cette pratique est extrêmement profitable [3].

Sainte Thérèse ne distingue que rarement dans son enseignement sur l'oraison entre le temps qui lui est spécialement consacré et le reste de la journée. A la présence de Dieu continuelle et toujours agissante en nous doit correspondre une recherche d'intimité aussi constante que possible. L'oraison de recueillement doit déborder progressivement en toute notre vie. Certes, il faut éviter avec soin une contention qui serait épuisante pour nos facultés et stérile. Mais, à nos efforts discrets et persévérants Dieu répondra par sa grâce. Lui-même se manifeste à celui qui le cherche. N'a-t-il pas dit : « Si quelqu'un m'aime nous viendrons à lui, et nous ferons en lui notre demeure [4] » ? Ce que sainte Thérèse explique à l'aide de son expérience :

Je termine en disant que celui qui voudra parvenir à cet état, qui est, je le répète, en notre pouvoir, ne doit pas se décourager. Qu'il s'habitue à ce que j'ai dit, et peu à peu il se rendra maître de lui-même ; au lieu de s'égarer en pure perte il se gardera pour son propre avantage en faisant servir ses sens eux-mêmes au recueillement intime de l'âme. S'il parle, il se souviendra qu'il a en lui-même quelqu'un à qui parler. S'il entend parler, il se rappellera qu'il doit prêter l'oreille à celui qui lui parle de plus près. Enfin il considèrera qu'il peut, s'il le veut, ne se séparer jamais d'une si bonne compagnie ; et il regrettera vivement tout le temps qu'il aura laissé seul un Père dont le secours lui est indispensable [5].

Telle est l'oraison de recueillement et son but. Elle n'est pas un exercice transitoire. Elle vise à l'union constante. Méthode des débuts, il est vrai, elle tend cependant directement vers les sommets de l'union divine

---

1. *Chem. Perf.*, ch. XXIX, p. 717.
2. *Ibid.*, p. 720.
3. *Ibid.*, ch. XXXI, p. 730.
4. Jn 14, 23.
5. *Chem. Perf.*, ch. XXXI, pp. 730-731.

B. — *COMMENT PARVENIR*
A L'ORAISON DE RECUEILLEMENT

Cette oraison de recueillement apparaîtra normalement au débutant comme dépassant notablement ses moyens et ses habitudes. S'il essaie de la réaliser, il se rend compte que ses puissances manquent de souplesse, ne sont pas habituées à la discipline et ne savent pas chercher le contact avec Dieu dans l'obscurité de l'âme.

Une expérience quelconque de la présence de Dieu dans l'âme serait un précieux secours :

Il importe beaucoup non seulement de croire cette vérité, écrit sainte Thérèse, mais de chercher à en avoir une connaissance expérimentale, car c'est là une des choses les plus propres à fixer l'entendement et à aider l'âme au recueillement[1].

Il n'est pas nécessaire que cette expérience soit donnée par une grâce mystique caractérisée, grâce d'union ou autre ; une simple manifestation intérieure de Dieu par une consolation ou un appel peut suffire pour faciliter à l'âme le recueillement et le lui apprendre définitivement. Ces manifestations divines sont assez communes dans la vie spirituelle des âmes ; est-il une âme pieuse qui, dans une communion fervente ou une prière, n'ait senti au moins la douceur révélatrice d'une présence divine ?

Cette expérience même minimisée est-elle nécessaire pour travailler à cette oraison de recueillement ? Non, certainement. Car si sainte Thérèse nous assure que cette expérience viendra plus tard, elle affirme avec force que « le Seigneur ne se manifeste pas à l'âme immédiatement[2] » mais du moins assez fréquemment pour tenir l'âme dans un recueillement habituel et que cette oraison de recueillement dont elle parle, dépend de notre volonté :

Comprenez bien en effet, qu'il ne s'agit pas ici d'une chose surnaturelle ; elle dépend de notre volonté et nous la pouvons réaliser avec l'aide de Dieu[3].

L'effort de l'âme doit être énergique. C'est une rude ascèse que celle du recueillement. À quoi bon le dissimuler, dût-on en être effrayé. Sainte Thérèse parle de « la fatigue des débuts, car le corps veut réclamer ses droits

---

1. *Chem. Perf.,* ch. XXX, p. 721.
2. *Ibid.,* p. 726.
3. *Ibid.,* ch. XXXI, p. 729.

et il ne saurait comprendre que son malheur est de ne pas s'avouer vaincu [1] ».

Dans le *Château Intérieur*, elle parle de « la terrible difficulté où nous sommes de pouvoir nous recueillir [2] ».

Son expérience, longuement exposée dans le livre de sa *Vie*, l'instruisait sur ce point :

Durant de longues années, j'ai moi-même souffert de ne pouvoir fixer mon esprit sur un sujet durant l'oraison ; et c'est là une épreuve très pénible [3].

Si l'énergie déployée était violente elle pourrait devenir nuisible, car le recueillement ne saurait être réalisé « à force de bras, mais avec suavité [4] ». La Sainte elle-même considéra comme une faveur d'avoir trouvé une méthode de recueillement dans le *Troisième Abécédaire* du franciscain François de Osuna. Elle nous donne le fruit de ses études et de son expérience.

Tout d'abord il convient de ne pas séparer les divers temps de l'oraison de recueillement. Dès que l'âme est seule, elle doit chercher la compagnie de Jésus et s'entretenir avec Lui :

Aussitôt après (avoir récité le *Confiteor*), mes filles, appliquez-vous, puisque vous êtes seules, à trouver une compagnie. Et quelle meilleure compagnie pouvez-vous trouver que celle du Maître lui-même qui a enseigné la prière que vous devez réciter ? Représentez-vous ce Seigneur auprès de vous... [5].

À n'en pas douter, le meilleur moyen de se fixer dans le recueillement, c'est de s'y occuper avec le Maître auprès de qui on se recueille. Se porter directement vers le but est le moyen le plus sûr pour l'atteindre et se recueillir en même temps.

Pour moi, déclare sainte Thérèse, j'en ai fait l'expérience plusieurs fois, le meilleur remède aux distractions est de m'appliquer à fixer ma pensée sur Celui à qui j'adresse mes prières [6].

Pour maintenir ce contact avec le Maître il faut recourir à l'activité des facultés ou même à toutes sortes de petites industries. Chacun prendra les moyens qui lui réussissent le mieux et font ce contact le plus intime et le plus vivant.

Nous retrouvons ici tous les modes d'oraison exposés précédemment qui ne constituent plus des formes

1. *Chem. Perf.*, ch. XXX, p. 724.
2. IIe Dem., ch. I, p. 842.
3. *Chem. Perf.*, ch. XXVIII, p. 712.
4. IIe Dem., p. 843.
5. *Chem. Perf.*, ch. XXVIII, p. 711.
6. *Ibid.*, ch. XXVI, p. 707.

d'oraison indépendantes, mais deviennent des moyens pour réaliser l'oraison de recueillement.

Certains utiliseront donc l'imagination, qui, construisant les scènes évangéliques ou représentant la physionomie et l'attitude du Maître, facilitera le commerce vivant avec Lui.

Les réflexions de l'entendement ou méditations discursives, peuvent favoriser l'oraison de recueillement, mais à la condition qu'on n'y passe pas trop de temps et que les raisonnements cèdent promptement la place au contact intime qu'ils doivent servir :

Il est bon de se servir du raisonnement pendant quelques instants, écrit la Sainte, mais ensuite faisons taire le raisonnement et demeurons près du Sauveur[1].

Il arrivera qu'on ne pourra utiliser dans l'oraison, ni l'imagination, ni l'entendement. Il est toujours possible de fixer sur le Maître un simple regard de foi et de se tenir ainsi en sa présence ; sainte Thérèse nous en donne l'assurance :

Je ne vous demande pas en ce moment de fixer votre pensée sur Lui, ni de faire de nombreux raisonnements, ou de hautes et savantes considérations. Ce que je vous demande, c'est de porter le regard de votre âme sur Lui.

Prenez l'habitude que je vous indique ; je sais que vous le pouvez. Durant de longues années, j'ai moi-même souffert de ne pouvoir fixer mon esprit sur un sujet durant l'oraison[2].

Ce regard établit un contact suffisant. Assez fréquemment toutefois, il laissera l'âme dans une impuissance douloureuse.

Pour parer à cette impuissance, comme d'ailleurs à toutes les autres d'où qu'elles viennent, sainte Thérèse indique quelques petites industries.

La prière vocale d'abord, dont nous connaissons déjà les avantages, et qui peut nourrir ainsi l'oraison de recueillement :

Cette manière de prier, bien que vocale, aide l'esprit à se recueillir beaucoup plus rapidement que toute autre, et produit aussi les biens les plus précieux[3].

La lecture méditée est aussi un moyen et des meilleurs pour aider au recueillement :

Un autre moyen excellent pour vous aider même à vous recueillir et à bien faire vos prières vocales, c'est de prendre un bon livre en langue vulgaire[4].

---

1. *Vie*, ch. XIII, pp. 135-136.
2. *Chem. Perf.*, ch. XXVIII, pp. 711-712.
3. *Ibid.*, ch. XXX, p. 722.
4. *Ibid.*, ch. XXVIII, p. 716.

Premières étapes

Pour affriander les facultés et les aider à considérer la personne de Jésus vivant, on pourra utiliser une image :

Voici un moyen qui pourra vous aider pour le point en question, écrit sainte Thérèse. Ayez soin d'avoir une image ou une peinture de Notre-Seigneur qui soit à votre goût. Ne vous contentez pas de la porter sur votre cœur, sans jamais la regarder, mais servez-vous en pour vous entretenir souvent avec Lui, et il vous suggérera ce que vous aurez à Lui dire [1].

L'expérience fera trouver à chacun bien d'autres « attraits ou artifices [2] » pour soutenir l'activité des facultés ou y suppléer et maintenir l'âme en contact avec le Dieu vivant.

A la persévérance qui saura en user, sainte Thérèse promet un succès assez prompt :

Si l'on continue de la sorte, dit-elle, durant quelques jours, et si l'on fait des efforts sérieux, on verra clairement quel profit en découle. Dès que l'âme se mettra à prier, elle verra ses sens se recueillir comme les abeilles qui retournent à leur ruche et y rentrent pour faire le miel [3].

Mais l'oraison de recueillement doit déborder sur la journée entière, dans la pensée de sainte Thérèse, et pénétrer toute la vie.

Pour poursuivre cette intimité divine à travers les diverses occupations, les moyens utilisés pour l'oraison ne suffiront plus ; il en faut trouver de simples et adaptés.

Ce sont des rappels de présence de Dieu attachés à des objets déterminés, images ou objets familiers quelconques, à un changement d'occupation, à tout autre point de repère qui rappelleront la présence divine et l'acte d'amour à faire. On cherchera cette présence divine sous les divers voiles qui la dissimulent à la fois et la livrent, dans le tabernacle, dans son âme, dans une personne déterminée.

Cette technique très simple s'unissant à l'amour, la présence divine devient promptement familière. A tout instant elle est signalée par ces points de repère devenus lumineux, un peu partout dans le cadre où l'on vit, dans les personnes qu'on fréquente, dans nos occupations ; elle remplit l'atmosphère et la vie, et quasi sans effort et sans bruit, elle devient constante et paisiblement lumineuse.

---

1. *Chem. Perf.*, ch. XXVIII, p. 715.
2. *Ibid.*, p. 716.
3. *Ibid.*, ch. XXX, p. 724.

C'est de cette présence de Dieu devenue constante, de cette intimité avec Jésus devenu le compagnon inséparable, bref de l'oraison de recueillement dans toute son extension dans la vie, que parle sainte Thérèse lorsqu'elle dit :

Dès lors que l'on n'apprend rien sans quelque peine, je vous en conjure, mes sœurs, pour l'amour de Dieu, regardez comme bien employés tous les efforts que vous ferez dans ce but. Je sais que si vous vous y appliquez vous réussirez avec l'aide de Dieu au bout d'un an, peut-être même au bout de six mois. Voyez combien ce temps est court pour acquérir une grâce si élevée que celle de poser un fondement solide à ces grandes choses auxquelles le Seigneur daignera peut-être vous appeler [1].

Précédemment elle avait dit :

Si nous ne recevons pas cette faveur au bout d'une année, travaillons plusieurs années pour l'obtenir. Ne regrettons pas un temps si bien employé. Et qu'est-ce qui nous presse ? Vous pouvez donc, je le répète, vous habituer à cette pratique et travailler à vous tenir dans la compagnie de ce véritable Maître [2].

En ces textes, la Sainte semble affirmer que le recueillement habituel exige une grâce particulière de Dieu. La méthode d'oraison prépare l'âme à recevoir cette faveur et la lui fait mériter. Cette méthode en effet met en œuvre toutes les activités de l'âme pour l'acquérir et provoque la miséricorde divine. C'est dire déjà son excellence et expliquer son succès.

C. — *EXCELLENCE DE L'ORAISON DE RECUEILLEMENT*

De n'être qu'une recherche du contact intime avec Dieu par l'union avec le Christ Jésus, c'est ce qui fait le mérite et la valeur de l'oraison thérésienne de recueillement.

De nos jours, cet enseignement semble ne pas pouvoir prétendre à l'originalité. Toutes les méthodes d'oraison que nous connaissons ne tendent point à un autre but que cette union et ne fixent pas d'autre voie que le Christ. Reconnaissons toutefois que cette unanimité est due en grande partie à l'influence exercée par sainte Thérèse sur la spiritualité française du XVIIe siècle.

---

1. *Chem. Perf.*, ch. XXXI, p. 731.
2. *Ibid.*, ch. XXVIII, p. 712.

Premières étapes

Mais alors que cette orientation christocentrique s'est revêtue dans la spiritualité française de grandes et nobles pensées, chez sainte Thérèse elle était et elle reste simple, vivante et directe. A ce point de vue, l'enseignement de sainte Thérèse reste original et a une saveur spéciale pour les âmes de notre époque, plus intuitives que discursives, plus avides de contact vivant que de lumière conceptualisée.

Dès que sainte Thérèse en effet se met en oraison, elle est en quête du Christ. Son besoin de Dieu et de Jésus ne supporte pas de retard. Point d'intermédiaire pour atteindre Jésus ; point d'arrêt sur la route ; elle ne cherche ni pensée à pénétrer, ni sentiment, ni impression spirituelle à savourer ; elle ne consent à considérer sur sa route que ce qui peut la conduire au but. Avoir trouvé Jésus, Lui parler ou simplement Le regarder lui suffit ; c'est son oraison. L'amour qui avait hâte de trouver est satisfait par ce simple contact.

Ce contact est vivant. Sainte Thérèse ne fait pas oraison en effet seulement avec la partie la plus haute de son âme ; elle va au Christ avec tout son être surnaturel et humain. Toutes les puissances se mettent en branle pour aller à un contact profond et complet, car toutes sont avides de divin et de Dieu. Seule l'impuissance, qu'elle vienne de la fatigue ou de l'emprise divine, peut arrêter l'élan de quelques-unes d'entre elles. Et le Christ Jésus, Verbe incarné, qui a pris la nature humaine pour s'adapter à nos besoins et à notre faiblesse, répond à tous ces désirs. Il en résulte un commerce vivant auquel participent les énergies divines et humaines et dans lequel chacune et toutes s'enrichissent en s'épanchant.

Ce commerce d'amitié ne peut être si vivant et fécond que parce qu'il est un échange réel. L'oraison thérésienne n'est point en effet un pur exercice d'école ; elle est un exercice réel de la vie surnaturelle qui s'appuie, en tous les mouvements qu'elle prescrit, sur la vérité dogmatique. Elle établit ainsi un contact entre deux réalités.

L'oraison de recueillement nous fait chercher Dieu au centre de notre âme. Où pourrions-nous le trouver plus intimement pour établir nos relations surnaturelles avec Lui, qu'en ces profondeurs de nous-mêmes où il communique sa vie divine, faisant de chacun de nous personnellement son enfant ? Ce Dieu présent et agissant en moi est véritablement mon Père, car il m'engendre sans cesse par la diffusion de sa vie ; je puis L'étreindre moi-même d'une étreinte filiale en ces régions où Il se donne. Mon Seigneur et mon Dieu réside véritablement en moi, et lorsque mon âme sera libérée de la prison du corps, et assez purifiée pour recevoir le *lumen gloriae* qui est la puissance de voir Dieu comme Il est, elle Le découvrira la pénétrant, l'enveloppant, en ces régions intimes où elle Le cherche maintenant avec la foi. Le ciel vit tout entier dans mon âme. En me faisant tenir compagnie à la Trinité sainte qui y habite, l'oraison de recueillement est plus qu'une préparation à la vie céleste, elle en est l'exercice réel sous le voile de la foi.

Dans cette Trinité sainte, dont les trois Personnes agissent en nous d'une opération unique donc commune, sainte Thérèse nous demande d'aller vers le Verbe incarné. C'est qu'en effet notre participation à la vie divine par la grâce ne nous laisse pas simples spectateurs des opérations de cette vie ; elle nous fait entrer réellement dans le mouvement de la vie trinitaire. Cette participation active et intime ne peut se faire au titre de personnes surajoutées, car la Trinité est immuable en son infinie perfection. Elle n'est possible qu'à la faveur d'une adoption par l'une des trois Personnes et d'une identification qui, nous faisant partager ses opérations propres, nous permette d'entrer dans le rythme éternel des Trois.

C'est Jésus, le Verbe incarné, qui est venu vers nous, nous a sauvés, purifiés, adoptés et identifiés à Lui, pour nous faire entrer comme fils avec Lui au sein de la Trinité sainte, nous faire partager ses splendeurs et ses opérations de Verbe et, nous donnant le même Père et le même Esprit, nous assurer son héritage de gloire et de béatitude. Par Lui, en Lui et avec Lui seulement, nous pouvons vivre notre vie surnaturelle. Nous sommes au Christ et le Christ est à Dieu.

Ne prétextons pas, pour nous éloigner de Jésus, des attraits particuliers pour le Père ou l'Esprit Saint, car nous ne pouvons être fils du Père que par l'union avec le Christ, son Fils unique, et l'Esprit Saint ne peut être en nous que par notre identification au Verbe, dont l'Esprit procède en même temps que du Père. C'est Jésus aussi qui nous donne Marie, et c'est de Lui seul que procède le véritable esprit filial à l'égard de celle qui est notre Mère, parce qu'elle est la sienne. Dans le Christ aussi est l'Église et donc toutes les âmes.

En nous attachant au Christ, l'oraison de recueillement nous met à notre place, nous fait découvrir toutes nos richesses, nous fixe en Celui qui est tout et nous donne tout dans l'ordre surnaturel.

Parce qu'elle nous fait vivre la vérité et nous introduit au cœur des réalités surnaturelles, cette oraison de recueillement a une efficacité surprenante. Sainte Thérèse nous indique elle-même quelques-uns des résultats pratiques que produit ce contact vivant avec le réel surnaturel.

C'est d'abord un apaisement des facultés qui devraient s'agiter dans ce vide apparent et qui, au contraire, s'y recueillent étonnamment. Sainte Thérèse nous a dit que fixer sa pensée sur Celui à qui on adresse sa prière est le meilleur remède aux distractions [1]. Elle écrit aussi :

Cette manière de prier aide l'esprit à se recueillir beaucoup plus rapidement que toute autre, elle produit aussi les biens les plus précieux [2].

L'habitude de ce regard sur Notre-Seigneur produit de tels effets que l'âme y revient constamment :

Si vous vous habituez à le considérer près de vous ; s'il voit que vous faites cela avec amour et que vous vous appliquez à Lui plaire, vous ne pourrez plus, comme on dit, vous en débarrasser [3].

Cette habitude de la présence de Jésus constitue, écrit la Sainte,

un fondement solide à ces grandes choses auxquelles le Seigneur daignera peut-être vous appeler [4].

Voici une autre parole d'espérance :

Par cette voie, elles (les âmes) feront beaucoup de chemin en peu de temps, comme ce voyageur qui, monté sur un navire que favorise un bon vent, arrive en quelques jours au but de son voyage, tandis que le trajet par terre eût été beaucoup plus long [5].

Ce but auquel tend la Sainte et qu'elle veut faire désirer, c'est la source d'eau vive, c'est-à-dire Dieu lui-même se donnant directement à l'âme par la contemplation. A cette contemplation l'âme se trouve préparée par cette oraison de recueillement :

Les âmes qui marchent par cette voie semblent voguer sur mer avec rapidité... elles sont à l'abri d'une foule d'occasions dangereuses. Elles s'embrasent très promptement du feu de l'amour divin. Comme elles sont près du foyer, il suffit du moindre souffle de leur entendement pour que tout s'embrase si la moindre étincelle les touche. Dégagées des objets extérieurs et seules avec Dieu, elles sont admirablement disposées à prendre feu [6].

---

1. *Chem. Perf.*, ch. XXVI, p. 707.
2. *Chem. Perf.*, ch. XXX, p. 722.
3. *Ibid.*, ch. XXVIII, p. 711.
4. *Ibid.*, ch. XXXI, p. 731.
5. *Ibid.*, ch. XXX, p. 723.
6. *Ibid.*, p. 725.

L'oraison de recueillement

Dieu en effet, qui a de grands désirs de se donner et qui appelle tout le monde à cette source d'eau vive, ne peut manquer de se donner à l'âme qui le cherche d'une façon si directe et si constante. Telle est la pensée de sainte Thérèse. Elle y joint l'assurance que l'âme qui pratique l'oraison de recueillement telle qu'elle l'enseigne, parviendra certainement à l'oraison de quiétude :

> Là (dans l'oraison active de recueillement), son Maître divin réussit plus tôt que par tout autre moyen à l'instruire et à lui donner l'oraison de quiétude... Celles d'entre vous qui pourront se renfermer ainsi dans ce petit ciel de leur âme où habite Celui qui l'a créée comme la terre, et prendront l'habitude de ne rien regarder au dehors, ni de rester là où les sens extérieurs trouvent un élément de distractions, suivront, elles peuvent m'en croire, une voie excellente ; elles arriveront sûrement à boire à la source d'eau vive [1].

Ces assurances si fermes nous ouvrent des horizons qui dépassent notablement les oraisons des débuts que nous étudions. Elles semblent résoudre déjà le problème ardu de l'appel à la contemplation.

Retenons ces assurances : l'oraison de recueillement donne un contact vivant avec Dieu ; elle est une voie sûre vers les intimités profondes et savoureuses dont elle porte déjà en elle le gage certain.

Le débutant ne saurait entendre promesse plus consolante ni encouragement plus précieux.

---

1. *Chem. Perf.*, ch. xxx, pp. 722-723.

CHAPITRE CINQUIÈME

Les lectures spirituelles

Je te donnerai un livre vivant... [1]

La bonne volonté et les petites industries ne sauraient suffire à l'oraison de recueillement pour qu'elle puisse pénétrer en toute la vie et y remplir son rôle vivifiant. Un autre appui lui est nécessaire que sainte Thérèse, éclairée par son expérience, va nous indiquer : la lecture spirituelle.

La Sainte dit avoir appris l'art de se recueillir dans le *Troisième Abécédaire* du franciscain François de Osuna, que lui avait remis son oncle Pierre tandis qu'elle séjournait chez lui à Ortigosa [2]. Auparavant, la lecture des romans de chevalerie trouvés à la maison paternelle avait refroidi ses bons désirs d'adolescente [3] ; par contre, c'est dans les *Lettres* de saint Jérôme qu'elle trouve le courage de parler de sa vocation à son père [4], et les *Morales* de saint Grégoire, qui lui firent connaître l'histoire de Job, la préparèrent à supporter ses maladies avec patience au cours de sa vie religieuse [5].

Elle écrit d'ailleurs elle-même :

Dans ces débuts, il me semblait qu'avec des livres et de la solitude, aucun danger ne pourrait me ravir le grand bien dont j'étais favorisée [6].

Cette affirmation dépasse l'expérience personnelle de la Sainte. Elle précise les besoins des débutants dans la vie d'oraison : la lecture et la solitude leur sont également nécessaires. La solitude assure à l'oraison son atmosphère ; la lecture lui fournit son aliment.

---

1. *Vie*, ch. XXVI, p. 272.
2. *Ibid.*, ch. IV, p. 38.
3. *Ibid.*, ch. II, pp. 22-23.
4. *Ibid.*, ch. III, p. 32.
5. *Ibid.*, ch. V, p. 50.
6. *Ibid.*, ch. IV, p. 41.

A. — *IMPORTANCE DE LA LECTURE*

« Celui qui connaît dans la vérité, celui-là aime dans le feu ! ». En ces termes ardents, sainte Angèle de Foligno traduit une loi, à savoir que l'amour procède de la connaissance.

Au sein de la Trinité sainte, la connaissance que Dieu a de Lui-même et par laquelle Il engendre le Fils, précède la spiration commune du Père et du Fils d'où procède le Saint-Esprit, l'Amour substantiel et personnifié. Dieu a inscrit cette loi dans l'homme qu'Il a fait à son image : l'homme ne peut aimer que ce qu'il connaît de quelque façon : *Nil volitum quin praecognitum* proclamait l'École. Chez l'homme l'amour n'est pas toujours à la mesure de la connaissance, mais il ne saurait se développer sans elle.

Cette loi, à la fois divine et humaine, régit la vie de la grâce, participation créée à la vie trinitaire : le développement de la charité qui la constitue est lié à celui de la foi qui lui fournit sa lumière ; et la foi elle-même a besoin de l'aliment de la vérité dogmatique pour s'épanouir.

On ne saurait en effet séparer la foi, *habitus* surnaturel, de l'intelligence sur laquelle elle est greffée. La foi ne peut adhérer à Dieu et entrer en son objet qui est le mystère divin que par l'adhésion de l'intelligence à la formule dogmatique qui exprime la vérité divine en langage humain.

Quelle que soit sa docilité pour accepter tout ce que Dieu a révélé, l'*habitus* ou vertu de foi a besoin de connaître la vérité révélée pour poser un acte de foi dans les conditions habituelles. Aussi l'apôtre saint Paul, après avoir indiqué que la foi vient de l'ouïe, ajoute : « Si on ne leur prêche pas, comment croiront-ils ? [1] » Il souligne ainsi comment la foi a ses racines dans les sens, qui, en recueillant l'expression de la vérité, lui fournissent son aliment.

Cet aliment qu'est la vérité révélée est nécessaire à la foi, à des degrés divers, à toutes les étapes de son développement, mais plus spécialement en ses débuts [2].

---

1. Rm 10, 14.
2. Ces affirmations ont toute leur valeur pour les débuts de l'oraison dont nous parlons. Plus tard, dans la contemplation surnaturelle, la connaissance distincte défaille (*Nuit Obsc.*, Liv. II, ch. XII, p. 597).

L'amour prend alors les devants, instruisant l'âme dans l'onction de la Sagesse. Cette sagesse savoureuse ne dispense pas l'âme du recours à la vérité révélée, mais elle diminue cependant ses besoins de lumière distincte.

Trop peu éclairée encore pour adhérer fermement, trop faible pour entrer dans l'obscurité du mystère divin, elle a besoin d'étudier pour asseoir les fondements raisonnables de son adhésion et la mettre à l'abri des tentations et du doute. Lorsqu'elle sera fortifiée par une nourriture abondante et substantielle de vérités dogmatiques, elle pourra plonger sa tige vigoureuse et affermie dans les profondeurs du mystère et savourer les clartés qu'y projettent les dogmes, en attendant que l'obscurité elle-même lui paraisse plus savoureuse encore.

L'amour devient d'ailleurs curieux de connaître ce qu'il aime. Pour satisfaire son besoin de savoir, il ne se lasse pas d'interroger et il use de tous les moyens d'investigation en son pouvoir. Notre amour de Dieu recueillera donc avec avidité ce qu'il Lui a plu de nous révéler de Lui-même. Il étudiera la vérité révélée pour la scruter, recueillera toutes les analogies qui la traduisent, les convenances qui l'expliquent, les commentaires autorisés qui l'éclairent, afin d'aller plus loin encore dans la vérité elle-même puiser un aliment qui nourrira la foi et l'amour. C'est ainsi que sainte Thérèse de l'Enfant-Jésus en ses oraisons cherchait, par les textes et les scènes de l'Évangile, à « connaître le caractère du Bon Dieu ». La connaissance est le principe de l'amour ; l'amour à son tour devient le stimulant de la connaissance.

Ceci nous montre combien l'oraison, spécialement en ses débuts, a besoin de la vérité révélée. Elle ne peut établir le commerce d'amitié avec Dieu que par la foi. Or si la foi ne peut atteindre Dieu que par l'adhésion à la formule de vérité révélée, à plus forte raison devra-t-elle, pour assurer ce contact habituel avec Dieu dans l'oraison, être nourrie d'une nourriture abondante et variée. Que serait ce commerce d'amitié s'il ne s'appuyait sur les vérités révélées, alors que l'âme ne peut compter encore sur l'action de Dieu par les dons du Saint-Esprit ? Il ne pourrait être qu'un long ou douloureux ennui dans le vide ou une oisiveté paresseuse aussi stériles l'un que l'autre.

Avec de bons livres au contraire, l'âme peut, comme sainte Thérèse, affronter la solitude et s'y occuper de Dieu. Les industries que recommande la Sainte pour tenir dans l'oraison de recueillement ne sont pour la plupart que des formes variées du recours nécessaire à la vérité révélée qui doit soutenir les facultés et entretenir par conséquent le commerce d'amitié.

Une certaine facilité pour le recueillement et pour ce commerce affectueux avec Dieu, le trouble que les pensées multiples puisées dans la lecture apportent en cette intimité, peuvent faire croire à certaines âmes que l'aliment intellectuel non seulement n'est pas un secours, mais devient un obstacle pour leur oraison. De là à supprimer toute lecture instructive ou à la sacrifier à toute autre occupation, il n'y a qu'un pas. Cette négligence expose ces âmes à un danger dont toute la gravité ne se découvrira que plus tard. Pour l'instant leur oraison affective peut être excellente. Normalement, faute de nourriture, elle deviendra de moins en moins savoureuse, s'anémiera et risque fort de s'égarer et de sombrer dans un sentimentalisme égoïste, parce que sans force et sans lumière. On croyait l'âme parfaitement unie à Dieu tant elle paraissait paisible ; on la retrouve perdue en elle-même, en ses préoccupations ou ses ressentiments, et dans les créations de son imagination. L'antenne de la foi n'a point été suffisamment étayée à la base par la vérité dogmatique pour pouvoir maintenir avec Dieu un contact qui eût arraché l'âme à l'égoïsme subtil dans lequel elle semble désormais ensevelie [1].

Certes, les besoins de lumière distincte sont différents suivant les âmes ; il n'en est point pourtant dont la foi puisse se développer sans la nourriture de la connaissance de la vérité révélée.

On cite volontiers l'exemple de grands saints peu doués au point de vue intellectuel et peu cultivés, pour minimiser l'importance de la culture spirituelle. Ces saints, merveilleusement éclairés, restent une exception. Il est nécessaire de remarquer d'ailleurs que si l'assistance divine a suppléé au défaut de moyens intellectuels elle ne les a pas dispensés de l'effort de l'étude. Le saint Curé d'Ars, après avoir fourni un travail acharné pour se préparer au sacerdoce, passait ensuite de longues heures à préparer ses prônes. Les lumières extraordinaires dont il fut favorisé plus tard peuvent être considérées non seulement comme des fruits de sa sainteté, mais comme la récompense du labeur acharné qu'il avait fourni pour nourrir et éclairer sa foi.

Comme corollaire pratique à ces considérations, nous pouvons affirmer que le premier obstacle à vaincre pour vulgariser la vie spirituelle à notre époque est l'ignorance religieuse qui est l'un des maux les plus graves de notre temps.

Cette ignorance laisse dans les ténèbres non point seulement des centaines de millions de païens pour qui n'a pas brillé la lumière de l'Évangile, mais aussi des

---

1. Ces oraisons dont nous parlons, sont des oraisons simplement affectives, dans lesquelles il y a peu ou point de contemplation véritable. Elles défaillent parce qu'elles ne sont soutenues ni par l'action de Dieu, ni par le travail des facultés.

millions d'intelligences tout près de nous, dans nos villes, là même où l'on se préoccupe le plus de la vulgarisation de toutes les sciences.

Les milieux cultivés ne sont pas à l'abri de cette ignorance ; nous ne craignons pas de l'affirmer. La plupart des hommes cultivés qui se disent incroyants ignorent presque tout de la vérité révélée. Quant à ceux qui sont restés fidèles aux pratiques religieuses, ils n'ont trop souvent gardé de l'instruction reçue autrefois que quelques notions morales pratiques, mais peu ou point de notions dogmatiques qui pourraient nourrir leur vie spirituelle. Comme ceux de leur milieu ils sont allés à leurs études et à leur tâche. Devenus hommes de loi, industriels, médecins, commerçants, professeurs ou artistes, ils pensent, agissent et vivent comme tels. De temps à autre, régulièrement peut-être, ils se montrent chrétiens pour remplir un devoir extérieur de la religion. Mais depuis leur adolescence ils n'ont jamais pris un contact réel avec la vérité révélée. Ils ne l'ont jamais pensée avec leur intelligence d'hommes faits et n'ont jamais placé leur âme et leur vie personnelle sous la lumière du Christ. Et ainsi leur instruction religieuse et leur vie chrétienne sont restées véritablement inférieures à leur culture générale et à leur formation professionnelle. Il en résulte dans leur âme un envahissement et une domination du naturel aux dépens du surnaturel. La foi reste ainsi que les habitudes chrétiennes que soutient la tradition, mais la vie profonde manque. Leur christianisme sans lumière, donc sans force, ne peut avoir d'influence réelle sur la pensée et sur l'activité humaines.

Pour rester vivante dans une âme et agissante dans une vie, la foi doit être assez éclairée et assez forte pour résister à tous les ferments qui la menacent et à toutes les pressions qui s'exercent sur elle. Elle ne peut remplir son rôle dans une âme que si la lumière qui l'éclaire est proportionnée à la vigueur et à la culture de l'esprit qui la possède. Si elle n'est pas nourrie selon cette sage mesure, à peine peut-elle échapper à la ruine ; à plus forte raison ne peut-elle pas aspirer à soutenir une vie spirituelle profonde [1].

---

1. Cette ignorance religieuse produit un phénomène au premier abord assez étrange : celui d'âmes droites qui, sous la pression des événements ou de l'inquiétude intérieure, ont retrouvé en elles-mêmes un besoin profond de vie spirituelle, et qui, pour le satisfaire, vont aux religions orientales parce qu'elles ignorent complètement la vie profonde de ce christianisme qu'elles ont côtoyé si longtemps et qui est la religion de leur baptême. Ce leur sera une heureuse mais souvent tardive surprise de découvrir les richesses débordantes du Christ, après s'être abreuvées à des sources séduisantes mais impures.

B. — *LE CHRIST JÉSUS, LE « LIVRE VIVANT »*

C'est à sainte Thérèse même que nous allons demander un principe directeur pour le choix de nos lectures.

En 1559, le grand Inquisiteur d'Espagne crut devoir interdire la lecture de la plupart des livres spirituels écrits en espagnol, pour arrêter la vague montante de l'illuminisme. Cette mesure radicale jeta sainte Thérèse dans la désolation. Elle s'en plaignit affectueusement à Notre-Seigneur :

Quand on prohiba, écrit-elle, la lecture d'un grand nombre de livres écrits en langue castillane, j'éprouvai une peine très vive car quelques-uns servaient de récréation à mon âme, et je ne pouvais plus les lire dès lors qu'on n'en autorisait plus que le texte latin. Notre-Seigneur me dit : « N'en aie point de peine ; je te donnerai un livre vivant ! » Je ne pus comprendre alors pourquoi cette parole m'avait été dite, car je n'avais pas encore eu de visions [1].

Dès lors commencent pour elle les visions de l'humanité du Christ. Visions d'abord intellectuelles dans lesquelles la Sainte ne voyait rien,

mais, écrit-elle, il me semblait que Jésus était près de moi et que c'était Lui qui me parlait... Il me semblait qu'Il marchait toujours à côté de moi, mais je ne voyais pas sous quelle forme [2].

Cette présence qui « dure plusieurs jours et même parfois plus d'un an [3] », non perçue par les sens, mais claire et certaine à l'âme « d'une certitude beaucoup plus grande que celle des sens [4] », produit dans l'âme

beaucoup de confusion et d'humilité... une connaissance particulière de Dieu, l'amour le plus tendre pour Sa Majesté, et maintient l'âme sans cesse en éveil, toujours attentive et sans distractions [5].

Vinrent ensuite des visions imaginaires, rapides comme un éclair, mais qui laissent imprimée dans l'imagination une image du Christ glorifié d'une telle beauté que la

---

1. *Vie*, ch. XXVI, pp. 271-272.
2. *Ibid.*, ch. XXVII, p. 274.
3. VIᵉ Dem., ch. VIII, p. 995.
4. *Ibid.*, p. 996.
5. *Ibid.*, p. 997, *passim*.

Premières étapes

Sainte considère comme impossible qu'elle s'en efface jamais.

> La vision intellectuelle, écrit-elle, est plus élevée à coup sûr, mais celle-ci (la vision imaginaire) a l'avantage d'être plus appropriée à notre faiblesse, car elle porte le plus grand secours à la mémoire [1].

Ce livre vivant qui s'ouvrait ainsi à l'âme de Thérèse, l'instruisait merveilleusement :

> Depuis qu'il m'a été donné de contempler la beauté ineffable du Sauveur, ajoute-t-elle, je n'ai pu voir une seule personne qui, comparée à Lui, pût avoir de l'attrait pour moi ou occuper mon esprit... La vue de Notre-Seigneur et les entretiens si fréquents que j'avais avec Lui, augmentèrent beaucoup mon amour et ma confiance. Je comprenais que, s'il est Dieu, il est homme aussi et qu'il ne s'étonne pas des faiblesses des hommes [2].

Ces visions eurent sur la vie spirituelle de sainte Thérèse une portée immense : nous l'avons vu, elle ne voulut point chercher autre chose que le Christ dans son oraison.

Saint Jean de la Croix dans la *Montée du Carmel* donne la même doctrine. Pour montrer qu'on ne doit pas interroger Dieu par voie surnaturelle, il rappelle la parole de l'Épître aux Hébreux : « Ce que Dieu a révélé à nos pères en divers temps et de diverses manières par l'intermédiaire des prophètes, il l'a dit maintenant par son Fils [3] ».

Et le saint Docteur commente :

> Dès lors que Dieu nous a donné son Fils, qui est sa parole, il n'a pas d'autre parole à nous donner. Il nous a tout dit à la fois et d'un seul coup en cette seule parole... Fixez seulement vos regards sur Lui et vous y trouverez les mystères les plus profonds, les trésors de la sagesse et des merveilles divines qui sont renfermés en Lui, comme l'Apôtre le dit : « En lui sont cachés les trésors de la sagesse et de la science de Dieu [4] ». [5]

Toute la science spirituelle est contenue dans le Christ Jésus car il est le Verbe éternel et en même temps le Verbe prononcé dans le temps, la lumière qui éclaire toute intelligence venant en ce monde et la lumière qui a brillé dans nos ténèbres et que nous pouvons suivre sans crainte de nous égarer.

Ainsi l'Apôtre ne veut pas savoir autre chose que le Christ et le Christ crucifié [6]. Il « estime tout comme

---

1. *Vie*, ch. XXVIII, p. 293.
2. *Ibid.*, ch. XXXVII, pp. 417-418.
3. He 1, 1-2.
4. Col 2, 3.
5. *Montée du Carm.*, Liv. II, ch. XX, pp. 232, 234.
6. 1 Co 2, 2.

préjudiciable eu égard à la valeur suréminente de la connaissance du Christ Jésus [1] », et il ne peut souhaiter rien de mieux à ses chers chrétiens que « de posséder cette science de la charité éminente du Christ, afin de parvenir par elle à la plénitude de Dieu [2] ».

Saint Augustin, que les élans de son âme portent vers la Sagesse incréée, avoue :

> Je cherchai le moyen d'acquérir assez de force pour jouir de vous, et je n'en trouvai pas jusqu'au jour où j'embrassai le Médiateur entre Dieu et les hommes [3] : le Christ-Homme Jésus.

Ces témoignages ne sont que des commentaires des affirmations de Jésus lui-même :

> La vie éternelle, c'est de vous connaître, Vous, ô Père, le seul vrai Dieu, et votre envoyé Jésus Christ [4].
> Je suis la porte : celui qui entre par moi sera en sécurité dans ses allées et venues, et il trouvera des pâturages [5].

La doctrine de la médiation universelle et unique du Christ, dont nous avons déjà vu l'importance dans la spiritualité thérésienne, impose aux débutants une obligation très nette et très ferme : celle de se mettre immédiatement à l'école du Christ Jésus, et de chercher dans ce livre vivant toute la science spirituelle qui leur est indispensable en ces débuts.

Les visions qui ouvrirent ce livre au regard spirituel de sainte Thérèse lui découvraient la beauté du Christ ressuscité, la majesté douloureuse de Jésus en sa passion, imprimaient profondément ses traits en sa mémoire, l'embrasaient d'amour, l'éclairaient sur les profondeurs mystérieuses de l'âme humaine et de la divinité du Verbe incarné ; en se prolongeant des semaines et des mois, elles créèrent entre Jésus et Thérèse ces rapports de familiarité vivante et respectueuse qui expliquent l'enseignement de la Sainte sur l'oraison de recueillement et sur l'union simple et constante au Christ Jésus qui en est le fondement.

L'étude doit suppléer aux visions. Elle n'y réussira que si elle cherche une science vivante du Christ Jésus. Pour que se crée et subsiste dans notre vie quotidienne cette intimité affectueuse et constante avec le Christ Jésus, qui est l'aliment de l'oraison de recueillement, il

---

1. Ph 3, 8.
2. Ep 3, 19.
3. 1 Tm 2, 5.
4. Jn 17, 3.
5. *Ibid.*, 10, 9.

faut connaître le Christ vivant, le voir tel qu'il a vécu, savoir comment et dans quelles conditions intérieures et extérieures il a agi et parlé, et il faut aussi que toutes nos puissances, depuis les sens jusqu'aux profondeurs de notre intelligence, soient remplies de cette connaissance vivante et concrète.

L'âme doit donc s'efforcer de recueillir ce que la révélation et la théologie nous disent du Christ, de sa divinité, de son humanité et de l'union hypostatique qui la fait subsister dans la personne du Verbe, de sa médiation et de son sacerdoce.

Puisque c'est comme Homme-Dieu que Jésus exerce sa médiation, c'est vers la sainte humanité que se portera la curiosité affectueuse de l'amour, sur les perfections de son corps, sa beauté, sa sensibilité, sur les richesses de son âme, la triple science intuitive, infuse et expérimentale qui ornait son intelligence, sur la vie débordante à la fois et ordonnée de son imagination et de ses sens, sur la force et la maîtrise admirable de sa volonté, l'équilibre harmonieux et la haute perfection de son être et de sa vie, enfin sur tout son entourage et son pays, sur les conditions matérielles et morales dans lesquelles s'est déroulée son existence ici-bas et qui ont préparé par la souffrance et la mort son triomphe définitif.

Une étude purement spéculative des plus beaux traités sur la personne du Christ, son histoire et sa vie, ne saurait suffire, on le devine, pour acquérir cette science vivante et profonde du Christ. Il y faut le souci constant, l'inlassable persévérance, la pénétration particulière de l'amour qui s'intéresse aux moindres détails, relève paroles et gestes sans importance apparente pour les utiliser comme des indices révélateurs, précise ainsi chaque jour les traits déjà connus de la physionomie aimée, découvrant de nouvelles richesses et pénétrant en une plus profonde intimité.

C'est ainsi que la foi et l'amour s'unissent pour puiser en ce livre vivant « en qui sont cachés tous les trésors de la sagesse et de la science [1] », ce qu'il plaît à Dieu de nous révéler.

Chez le débutant dont nous nous occupons, et qui se trouve aux deuxièmes Demeures, l'amour n'est point encore assez pénétrant, la foi reste faible. Comment va-t-il donc se mettre à l'école du Christ Jésus ? Par les bonnes lectures, moyen modeste et imparfait, mais indispensable en ces commencements.

---

1. Col 2, 3.

C. — *CHOIX DES LECTURES*

Le choix des lectures doit s'inspirer de cette vérité fondamentale à savoir que toute science spirituelle est contenue dans le Christ et nous a été révélée en Lui. Les livres spirituels ne peuvent et ne doivent qu'expliciter le Christ Jésus et nous conduire à Lui. Une lecture nous est profitable dans la mesure où elle nous donne la science du Christ. Tel est le principe pratique qui fixe pour chacun de nous la valeur des livres, et doit nous guider dans le choix des lectures.

I. — *La Personne du Christ : les saintes Écritures.*

Le souci de trouver le Christ Jésus nous conduit en tout premier lieu vers les saintes Écritures et leur donne la première place parmi les livres à lire et à méditer.

Leur mérite incomparable est d'avoir Dieu comme auteur principal. L'Esprit Saint a utilisé l'activité humaine et libre d'un auteur inspiré, pour nous dire ce qu'il veut et comme il le veut. La véracité de Dieu qui ne peut ni se tromper ni nous tromper garantit à la fois la vérité proposée et son expression. La parole inspirée nous offre donc la vérité divine elle-même dans sa traduction la plus sûre et la plus parfaite en langage humain. Pour le contemplatif qui cherche à s'unir à Dieu dans la lumière, les saintes Écritures ont une valeur inappréciable, car, en lui donnant la parole même de Dieu, sous le voile des mots, elles le font communier au Verbe et le livrent à l'action transformante de sa lumière.

A ces mérites transcendants qui font de la Bible un livre divin s'en ajoutent d'autres d'un ordre inférieur, mais qui les complètent heureusement.

Il n'est point de livre qui puisse lui être comparé tant pour l'intérêt, l'utilité, l'élévation et la variété des sujets qui y sont traités, que pour l'art et la poésie qui s'y étalent.

Les saintes Écritures en effet nous font le récit des origines de l'humanité et de ses débuts malheureux et nous donnent l'histoire étonnante du peuple hébreu, choisi pour garder le culte du vrai Dieu et préparer la venue du Messie. A côté de larges tableaux d'histoire, de monographies simples et pathétiques, de visions puissantes, de recueils de maximes qui résument les enseignements pratiques de la prudence humaine et de la sagesse divine, nous y trouvons les formules de prière les plus ardentes et les plus confiantes, les plus humbles et les plus sublimes que lèvres humaines aient jamais prononcées.

Mais nous y cherchons surtout le Christ Jésus à partir du moment où sa médiation rédemptrice est annoncée après la chute de nos premiers parents, jusqu'au moment où il consomme par ses apôtres sa mission de Verbe qui révèle la vérité divine. Sa vie terrestre nous est narrée, en un langage dépouillé, par les évangélistes qui nous redisent ses paroles, nous racontent ses gestes, et par mille traits observés nous décrivent même ses attitudes. Grâce à eux il n'est pas d'homme célèbre dont à vingt siècles de distance nous puissions retrouver plus aisément le langage, les formes vivantes, et dont l'intimité nous soit rendue plus facile et plus attrayante.

Enfin sur ce mystère du Christ qui répand sa vie sur le corps mystique dont il est la tête, l'apôtre saint Paul projette la lumière puissante de son incomparable enseignement, nous en découvre les profondeurs et les richesses.

Il n'est pas d'ouvrage qui puisse, au même degré que la sainte Écriture, nous éclairer sur Dieu et le Christ, assurer un aliment plus substantiel à notre méditation, favoriser le contact vivant avec Jésus et créer l'intimité avec Lui. Elle offre une nourriture qui convient au débutant ; le parfait ne veut point d'autre livre, car il est le seul dont les mots se chargent pour son âme de clartés toujours nouvelles et de saveurs toujours nourrissantes.

Aussi n'est-il point contemplatif, à qui les saintes Écritures ne deviennent très chères. Sainte Thérèse trouve que rien ne recueille comme les versets des saintes Écritures. Sainte Thérèse de l'Enfant-Jésus porte toujours sur elle le saint Évangile ; elle y cherche le caractère du bon Dieu. Elle trouve dans Isaïe, le grand voyant, les traits de la face douloureuse de son Christ bien-aimé. C'est en compagnie de saint Paul que sœur Élisabeth de la Trinité vit dans sa contemplation silencieuse et obscure.

Et cependant dans les milieux chrétiens, même cultivés et pieux, on se nourrit assez peu des saintes Écritures [1]. On met en avant, pour expliquer sinon excuser ce délaissement et parfois cette défiance, les simplicités dans les récits qui paraissent crudités à nos mœurs non pas plus pures mais plus raffinées, les obscurités qui viennent des variantes et des traductions imparfaites et surtout de la différence qui existe entre notre génie et le génie oriental qui a présidé à leur composition.

---

1. Depuis que ces lignes ont été écrites, il y a plus de quinze ans, on constate un retour vers les saintes Écritures, qui est une des grâces les plus précieuses de notre temps.

Pour l'âme qui ne vient chercher dans les saintes Lettres que la lumière et l'aliment pour sa vie spirituelle, ces difficultés disparaissent pour la plupart si elle use de commentaires appropriés et de livres d'introduction. Il en est à notre époque d'excellents qui, au prix de quelques efforts, donnent la clé d'un livre. Quelle magnifique et profitable récompense pour une âme d'oraison lorsqu'après quelques mois d'études elle peut puiser directement à la source inépuisable de lumière que sont les épîtres de l'apôtre saint Paul !

Toutes les âmes d'oraison doivent se nourrir des vies de Notre-Seigneur si heureusement multipliées et qui illustrent admirablement l'Évangile. Parce que ces lectures rendent Jésus familier, elles créent dans l'âme une atmosphère favorable à la vie d'oraison et lui sont ainsi une préparation particulièrement efficace.

Commentaires de l'Écriture et vies de Notre-Seigneur doivent nous conduire au texte inspiré lui-même. Lui seul donne la parole de Dieu même. Lui seul est divin et inépuisable. Le goûter et surtout savoir s'en contenter pour l'oraison est un signe qu'on y a fait des progrès.

II. — *Le Christ Vérité : les livres dogmatiques.*

Au diacre Philippe qui lui demandait s'il comprenait le passage d'Isaïe, relatif au Messie, qu'il lisait, l'eunuque de la reine Candace répondait : « Comment le pourrais-je sans le secours de quelqu'un [1] ? »

Les saintes Écritures ont besoin en effet d'un commentaire, et non seulement d'un commentaire qui explique le sens des mots, mais de ce commentaire plus large et plus profond qui explicite le Christ lumière qui y est contenu. C'est le rôle de la théologie, qui analyse, met en lumière, coordonne et expose les vérités révélées.

Le magistère infaillible de l'Église définit les vérités les plus importantes pour les imposer à notre foi, tandis que le théologien poursuit inlassablement son travail sur la révélation, afin de faire jaillir de son mystère pour notre intelligence des clartés nouvelles et de la traduire en formules plus précises. Dogmes définis et vérités théologiques expriment la lumière du Verbe en termes humains et analogiques. C'est par l'adhésion que nous leur donnons que notre foi remonte au Verbe Lui-même et l'atteint. Nous avons déjà dit la nécessité de cette adhésion à la formule dogmatique et de l'étude de la vérité, spécialement au début de la vie spirituelle. Il nous suffira d'indiquer comment il faut conduire l'étude de la vérité dogmatique en vue de l'oraison.

1. Ac 8, 31.

Premières étapes

1. La première qualité à exiger est l'orthodoxie. Seule la vérité, dont l'Église est la gardienne et la dispensatrice, peut donner à l'âme la nourriture substantielle et l'appui ferme dont elle a besoin pour aller à Dieu. Au contraire une erreur théologique même portant sur des points de détail, peut entraîner de notables écarts dans la conduite. Sainte Thérèse se déclare impuissante à dire le mal que lui ont fait certaines assurances erronées des demi-savants. En fait, nombre de mouvements spirituels ont été égarés par des expériences spirituelles mal ou insuffisamment éclairées.

La préoccupation sur ce point doit aller jusqu'au scrupule. Sainte Thérèse de l'Enfant-Jésus refusa de continuer la lecture d'un ouvrage lorsqu'elle apprit que l'auteur n'était pas soumis à son évêque.

2. Il sera excellent pour le débutant dans les voies spirituelles, quelle que soit sa culture générale et religieuse, d'aller à des livres de doctrine à forme très simple, le catéchisme par exemple, dont les formules dépouillées laissent à la vérité toute sa force. C'est qu'en effet la foi progresse en pénétrant profondément dans la vérité qui est son objet, et non en s'épanchant sur les beautés du verbe humain, si bien qu'à la foi vive les artifices littéraires et la verbosité apparaissent obstacles qui arrêtent son élan, écorce gênante qui lui dissimule son trésor. L'expression la plus simple est habituellement le miroir le plus pur des clartés du Verbe divin [1].

3. Cette recherche de la simplicité et cette marche de la foi en profondeur ne doivent pas limiter le progrès en extension. Chaque dogme est un rayon qui émane du Verbe divin. Nous n'avons le droit d'en négliger aucun, car, outre les richesses de lumière et de grâce que chacun nous apporte, c'est dans la synthèse vivante de l'ensemble que le regard affectueux trouve la plus exacte expression du Verbe lui-même.

4. Il n'est pas rare qu'un dogme soit source de grâce particulière pour une âme et qu'il lui offre son sillage lumineux comme une voie nettement caractérisée pour aller à Dieu. Une telle lumière doit être recueillie précieusement. Quelle que soit la culture de l'âme, elle doit creuser cette vérité par une étude approfondie, pour en extraire toute la substance nourrissante.

De même il ne faut pas résister à ce mouvement qui porte les théologiens et les fidèles d'une époque vers tel ou tel dogme particulier, comme le dogme de l'Église

---

1. L'expression la plus simple dont nous parlons sera, non la plus banale ou la moins imagée, mais celle qui disparaît en quelque sorte elle-même pour mettre en relief la vérité qu'elle exprime.

et les privilèges de la maternité divine en notre temps. Ce serait s'exposer à résister à l'Esprit Saint qui guide l'Église et lui procure à toutes les époques de son histoire la lumière adaptée à ses besoins.

5. On le voit, la culture dogmatique de l'âme d'oraison doit être à la fois étendue et profonde. C'est ordinairement la culture générale, ou encore les besoins particuliers de la grâce dans l'âme, qui en détermineront la mesure. Ces besoins pourront être différents aux diverses périodes de la vie spirituelle. Une sage direction les déterminera ; il n'est pas rare que pour une âme fidèle Dieu y pourvoie lui-même par des circonstances providentielles [1].

Les ouvrages de vulgarisation théologique sont nombreux à notre époque et facilitent d'autant la culture dogmatique. On ne peut que s'en louer et les utiliser, à la condition qu'on les choisisse adaptés à sa culture générale et à ses besoins, et qu'on ne s'égare point dans la multiplicité.

Chaque fois que cela sera possible, on gagnera à aborder le prince de la théologie lui-même, saint Thomas d'Aquin, dont le verbe plein et sobre offre à qui sait en percer l'écorce la forte nourriture des profondeurs du dogme.

Enfin la lecture des Pères de l'Église, ces grands maîtres qui étaient à la fois des théologiens et des contemplatifs, nous place aux sources les plus pures de la science sacrée et de la vie chrétienne.

III. — *Le Christ Voie : Spiritualités.*

En même temps que vérité, Jésus s'est proclamé la voie, la seule qui conduit à son Père. Cette voie qui est le Christ, a besoin d'être éclairée pour nous. Ce rôle est rempli par les maîtres de vie spirituelle, expliquant les préceptes et les conseils évangéliques, précisant les exigences des vertus et les moyens de les pratiquer, éclairant de science théologique et de lumière expérimentale les sentiers qui conduisent vers les sommets de la perfection chrétienne.

---

1. Cette action providentielle apparaît nettement dans la vie de saint Jean de la Croix. Le saint va à Durvelo après avoir fait de fortes études à l'université de Salamanque. Son rude apprentissage de la vie carmélitaine contemplative terminé, après avoir organisé le noviciat à Pastrana, il revient aux études comme recteur du collège théologique d'Alcala ; il y fait des provisions de lumière pour le long silence fécond d'Avila (1572-1577) qui se terminera dans la prison de Tolède. Parvenu au mariage spirituel et ayant retrouvé ses forces physiques, il est nommé recteur du collège de Baeza et les professeurs de l'université viennent fréquemment au couvent. Ce nouveau contact avec la vérité dogmatique prépare la période de fécondité littéraire qui a donné tous les grands traités du Saint.

Premières étapes

Les sentiers sont nombreux ; les diverses spiritualités les décrivent. Comment choisir ? Un attrait précis ou les circonstances providentielles y pourvoient d'une façon habituelle. Parfois une recherche est nécessaire.

Ordinairement une étude sommaire des diverses spiritualités est très utile. Chacune d'elles donne de très utiles conseils sur des points particuliers. L'école ignatienne montrera l'importance de l'ascèse et les moyens de la pratiquer ; l'école bénédictine nous instruira sur la vertu de religion et sur la valeur spirituelle de la liturgie ; sainte Thérèse et saint Jean de la Croix nous enseigneront le culte intérieur de l'oraison et élargiront nos horizons de vie spirituelle. Cette étude peut aussi très heureusement faire éviter les déformations qui risquent d'accompagner une spécialisation trop étroite ou prématurée.

Certaines âmes, destinées à devenir chefs d'école, puiseront à toutes les spiritualités, et, riches de ces emprunts, formeront leur spiritualité propre avec la grâce de leur mission. Ainsi sainte Thérèse, dirigée par des jésuites, des franciscains et des dominicains, greffe tout ce qu'elle en reçoit sur sa grâce carmélitaine et construit ainsi la synthèse vivante qu'est l'esprit thérésien. Sainte Thérèse de l'Enfant-Jésus prend contact aussi avec toutes les spiritualités de notre époque et revêtira ainsi de poésie et d'attraits pour les âmes de notre temps sa grâce forte et antique de fille d'Élie, patriarche du Carmel, et de saint Jean de la Croix son docteur.

Mais, habituellement, le contact avec les diverses spiritualités permet à l'âme de trouver sa voie.

Cette voie particulière découverte, il est nécessaire de faire une étude approfondie de la spiritualité qui la représente et de se familiariser avec les saints qui en sont les chefs. L'idéal trouvé doit polariser toutes les énergies de l'âme et leur faire rendre leur maximum de puissance et de fécondité.

La perfection de l'âme est en jeu, comme le bien de l'Église. C'est dans cette voie que l'âme trouvera les grâces que Dieu a préparées pour sa sanctification. C'est en servant l'Église à la place qui lui a été marquée qu'elle contribuera le plus efficacement au bien de l'ensemble. De même que la santé du corps humain dépend du bon fonctionnement de tous ses organes, ainsi la perfection de l'Église exige que chaque fidèle y soit en sa place et y remplisse la fonction qui lui a été assignée. Le dilettantisme ondoyant, qui touche à tout pour tout savourer est nuisible ; la spécialisation dans sa vocation est le moyen le plus efficace de servir.

Cette spécialisation dans une vocation ou une spiritualité, laisse subsister les missions et les grâces particulières. La grâce de Dieu est multiforme dans une même lumière, et les onctions délicates de l'Esprit Saint sont si diverses qu'à les choisir dans le même milieu et sous les mêmes influences il n'est pas deux âmes qui se ressemblent même par moitié. Si donc l'étude des spiritualités est nécessaire pour trouver sa voie et y marcher, c'est l'Esprit Saint lui-même en dernier ressort qui nous guide vers Dieu par cette voie qu'est le Christ Jésus.

IV. — *Le Christ Vie dans l'Église.*

Le Christ Jésus est la source de la vie divine, de cette vie qui s'épand tout d'abord dans l'Humanité sainte pour y régner en perfection et en plénitude, en faire une source toujours jaillissante de grâce et un modèle parfait dont les actes déterminent les lois de l'ordre moral et spirituel.

Cette vie du Christ se prolonge dans l'Église à travers l'histoire. Elle s'y manifeste en mouvements divers. Il est du devoir du chrétien, fils de l'Église immortelle par son baptême, mais appartenant à l'Église d'une époque par sa vie temporelle et la mission qu'il a reçue, d'étudier la vie du Christ dans l'Église à travers les siècles, de vivre profondément cette vie en son temps, d'en connaître les mouvements extérieurs et les émotions intérieures, les joies et les épreuves, les besoins et les intentions pour les faire siennes : *Hoc sentite in vobis quod et in Christo Jesu.* Réalisez en vous ce qui est dans le Christ Jésus [1]. La parole de l'Apôtre doit s'entendre du Christ dans l'Église.

La lecture de quelques revues et livres d'actualité servira heureusement la vie intérieure en la plaçant dans les horizons chrétiens d'un enfant de l'Église. Qu'on se rappelle l'influence immense qu'eurent sur sainte Thérèse les récits des guerres françaises de religion apportés en Espagne probablement par des marchands venus aux foires de Medina, ou encore la conversation avec le Père franciscain, commissaire de son Ordre aux Indes occidentales, qui lui dit la misère morale des peuplades évangélisées par ses religieux. Ces récits explicitèrent sa vocation de fille de l'Église, enflammèrent son zèle et lui ouvrirent d'immenses horizons.

La vie qui vient du Christ triomphe particulièrement dans les saints. Elle y étale les richesses et la puissance de la grâce, s'y découvre à nous vivante sous des formes

---

1. Ph 2, 5.

humaines plus proches, triomphant dans des difficultés que nous connaissons, détaillant à notre usage les efforts qu'elle exige, nous montrant aussi les joies et les triomphes qu'elle assure. La vie des saints explique, complète, met heureusement au point l'enseignement évangélique et les doctrines spirituelles. La valeur des principes qui y sont posés, leur applications aux divers cas concrets, l'équilibre de l'ensemble n'apparaissent parfois que dans les gestes mêmes du saint. La logique rigoureuse de saint Jean de la Croix se recouvre d'une humaine tendresse lorsqu'on a vu l'amour suave qu'il répandait autour de lui ; tandis que le sourire de sainte Thérèse de l'Enfant Jésus laisse voir la force qu'il dissimule lorsqu'on connaît sa patience dans ses épreuves et ses exigences pour les novices.

Selon l'adage bien connu : *verba movent, exempla trahunt*, les exemples ont une force d'entraînement à nulle autre comparable. A cette force qui vient à l'âme à travers les joies paisibles de la lecture s'ajoute pour la vie des saints la grâce surnaturelle qui est donnée par leur sainteté. Sainte Thérèse raconte l'influence décisive qu'eut sur sa vie la lecture des *Confessions* de saint Augustin [1].

Variés et nombreux, on le voit, sont les commentaires écrits à propos du Christ. Certes, ils n'épuisent pas les trésors de lumière et de sagesse qui sont en Lui. Cependant c'est par eux que l'âme les fait siens progressivement, et surtout apprend à lire dans le livre même du Christ vivant. Immense est l'influence de la lecture dans le développement de la vie spirituelle. Il est donc nécessaire de s'y appliquer avec soin, avec esprit de foi et avec persévérance.

---

1. *Vie*, ch. IX, p. 92.

CHAPITRE SIXIÈME

Distractions et sécheresses

> *Cette épreuve ayant été tellement pénible pour moi, j'imagine qu'elle le sera peut-être également pour vous ; voilà pourquoi je vous en parle ici* [1].

A propos de l'oraison de recueillement sainte Thérèse fait la remarque suivante :

Ce mode de procéder sans le discours de l'entendement a ceci de particulier que l'âme y est absorbée ou très égarée. Quand je dis qu'elle est égarée, j'entends parler des distractions où elle se trouve [2].

Les méthodes les plus vivantes, les prières les mieux ordonnées pas plus que la lecture assidue ne sauraient en effet mettre à l'abri des distractions et des sécheresses dans l'oraison.

Lourde épreuve dont l'ignorance contribue à accroître les souffrances et les dangers, note encore la Sainte. C'est à ce propos qu'elle écrit :

Le malheur c'est que, ne nous imaginant pas qu'il faille avoir d'autre science que celle de penser à Vous, nous ne savons même pas interroger les savants et nous ne croyons pas en avoir besoin. Nous endurons de terribles épreuves parce que nous ne nous comprenons pas... De là proviennent les afflictions dans lesquelles tombent beaucoup de personnes qui s'occupent d'oraison ; elles tombent dans la mélancolie, elles perdent la santé, elles arrivent même jusqu'à tout abandonner [3].

Pour nous éclairer sur un sujet si important, étudions la nature et les causes des distractions et sécheresses pour en découvrir les remèdes.

---

1. IVᵉ Dem., ch. I, p. 871.
2. *Vie*, ch. IX, p. 90.
3. IVᵉ Dem., ch I, pp. 868-869.

A. — *NATURE DES DISTRACTIONS ET DES SÉCHERESSES*

« Recueilli et distrait sont deux adjectifs qui s'opposent » a-t-on noté justement [1]. Le recueillement est une condition de la prière. Dans la prière les distractions sont donc en général en sens inverse du recueillement. Tandis que le recueillement dans la prière est une concentration de l'activité de nos facultés sur une réalité surnaturelle, la distraction est une évasion de l'une ou de toutes les facultés vers un autre objet qui supprime le recueillement.

Toute évasion d'une ou de plusieurs puissances n'est pas nécessairement distraction. Sainte Thérèse nous invite sur ce point à une analyse psychologique qui nous aidera à préciser la nature des distractions.

Effrayée des divagations en divers sens de ses facultés, la Sainte s'en fut consulter des savants qui confirmèrent ce que son expérience lui avait révélé sur la distraction et l'activité indépendante des facultés de l'âme :

Pour moi, j'ai grandement souffert parfois de ces divagations d'esprit, et il n'y a guère plus de quatre ans que j'ai compris par mon expérience personnelle que la pensée (ou pour que l'on me comprenne mieux, l'imagination) n'est pas la même chose que l'entendement. Je consultai un savant et il me dit que c'était vrai ; cette réponse ne fut pas d'une petite consolation pour moi [2].

Que les puissances de l'âme aient une activité indépendante et que certaines puissent s'évader isolément du recueillement sans le détruire : voilà les vérités qui ont consolé sainte Thérèse.

Quelles sont les puissances dont les divagations peuvent n'être que gênantes et ne point engendrer la distraction ?

En premier lieu, les sens extérieurs et intérieurs qui peuvent percevoir ou éprouver des impressions sans que le recueillement soit détruit. Je puis, en me promenant dans la campagne, voir un paysage familier, entendre le chant des oiseaux, éprouver une certaine souffrance

---

1. Dr Laignel-Lavastine, professeur à la Faculté de médecine de Paris, dans son article ; « Les distractions dans la prière ; étude physio-psychologique », *Études Carmélitaines*, avril 1934, pp. 120-142.
Nous renvoyons à cette remarquable étude dans laquelle l'éminent professeur, membre de l'Académie de médecine, uniquement soucieux de servir la vie spirituelle, a résumé les résultats de pénétrantes analyses physio-psychologiques, pour nous aider à lutter contre les distractions dans la prière.
2. IVᵉ Dem., ch. I, p. 868.

physique ou une peine d'âme, et poursuivre cependant mon oraison sur un sujet évangélique étranger à toutes ces perceptions ou sensations. L'abstraction hors du sens est fréquente dans le recueillement. En écrivant le *Château Intérieur*, sainte Thérèse note :

> Tandis que j'écris ces lignes, je réfléchis à ce qui se passe dans ma tête, c'est-à-dire à ce grand bruit dont j'ai parlé au début et qui me rendait presque impossible le travail que l'on m'a commandé. Il me semble entendre le bruit d'une foule de fleuves qui se précipitent, d'oiseaux qui chantent et de sifflements ; je le perçois non dans les oreilles, mais dans la partie supérieure de la tête... D'ailleurs, quel que soit ce trouble, il ne m'empêche pas de me livrer à l'oraison ni d'être attentive à ce que je dis en ce moment [1].

L'imagination, dont l'activité est liée si étroitement à celle des sens, peut, elle aussi, s'évader en laissant l'âme aux réalités surnaturelles qui la retiennent.

Écoutons encore sainte Thérèse dont les expériences éclairent si heureusement ces problèmes délicats :

> D'un côté, écrit-elle, je voyais, ce me semble, toutes les puissances de mon âme absorbées en Dieu et recueillies en Lui ; d'un autre côté l'imagination se trouvait dans un trouble complet ; j'en étais tout interdite [2].

Qu'en sera-t-il de l'entendement, c'est-à-dire de l'intelligence discursive par opposition à l'intelligence qui pénètre d'un regard simple et direct ?

Sainte Thérèse signale que tandis que la volonté est enchaînée suavement dans l'oraison de quiétude et jouit des goûts divins, l'entendement peut se trouver dans l'agitation :

> Les deux autres puissances (entendement et mémoire) viennent au secours de la volonté, pour la disposer à jouir d'un si grand bien (la quiétude). Parfois cependant, alors même que la volonté est unie à Dieu, elle est très gênée par ces deux puissances... qui vont et viennent dans l'espoir que la volonté leur fera part de ses délices [3].

Tous les textes de sainte Thérèse que nous avons cités jusqu'à présent pour prouver l'indépendance de l'activité des puissances de l'âme, décrivent des états nettement contemplatifs. C'est qu'en effet dans la contemplation, où Dieu apaise par son emprise une ou plusieurs puissances et laisse les autres dans l'agitation, la distinction des diverses puissances apparaît beaucoup plus clairement et se perçoit expérimentalement.

---

1. IVᵉ Dem., ch. I, pp. 869-870.
2. *Ibid.*, p. 868.
3. *Vie*, ch. XIV, p. 138.

Plus clairement perçue dans la contemplation, la distinction des facultés est un fait psychologique constant, qui existe par conséquent à toutes les étapes de la vie spirituelle. Notons cependant que l'intervention directe de Dieu dans l'activité des facultés qui produit la contemplation surnaturelle, modifie sensiblement les lois du recueillement pendant cette période.

Tandis que dans la contemplation il suffit au recueillement que la volonté adhère à l'emprise suave de Dieu, alors même que toutes les puissances seraient dans l'agitation, dans la phase active, l'attention volontaire de l'âme à une réalité surnaturelle qui n'est pas expérimentée, semble ne pas pouvoir exister sans une application de l'intelligence à cet objet, soit par raisonnement soit par simple regard.

En cette phase active qui nous occupe on peut donc admettre que l'attention ou le recueillement sont dissipés par l'évasion de l'intelligence.

En outre, en cette même phase, l'indépendance de l'activité des puissances, qui est moins aisément perçue, est aussi moins réelle. Les perceptions des sens et les divagations de l'imagination troubleront plus facilement l'application de l'intelligence et par conséquent le recueillement.

La distraction sera dite volontaire lorsque, volontairement et en pleine conscience, l'intelligence s'évade de son attention à la réalité surnaturelle pour la porter sur un autre objet. Elle sera involontaire lorsque ce mouvement se produit involontairement ou sans pleine conscience, ordinairement en cédant à la sollicitation d'une impression ou d'une image.

Lorsque la distraction n'est plus seulement passagère pendant l'oraison, mais que, par suite de l'impuissance de l'intelligence à se fixer sur un sujet quelconque et de sa mobilité, elle devient comme un état quasi habituel, elle constitue un état de sécheresse. La sécheresse s'accompagne ordinairement de tristesse, d'impuissance, de diminution des ardeurs de l'âme, d'agitation et d'énervement des facultés.

La distraction est une souffrance ; la sécheresse crée un état de désolation. Elles furent une des épreuves les plus sensibles à l'âme de sainte Thérèse. Elle les décrit volontiers, pour nous encourager. Pendant de longues années, dit-elle en parlant de la « première façon d'arroser le jardin » en puisant de l'eau avec un seau, ce qui correspond aux premiers degrés d'oraison, elle a connu la fatigue « de descendre fréquemment le seau dans le puits, pour le retirer vide ». Il lui arrivait que pour ce travail elle ne pouvait

plus lever les bras, c'est-à-dire avoir une seule bonne pensée... Aussi, ajoute-t-elle, je regardai comme une faveur de Dieu de pouvoir enfin tirer une goutte d'eau de ce puits béni. Ces souffrances sont très pénibles, je le sais, et à mon avis elles exigent plus de courage que beaucoup d'autres travaux du monde [1].

Voici un autre aveu de la sainte Maîtresse d'oraison qui nous consolera certainement en nos impuissances douloureuses :

Telles furent les vérités sur lesquelles je méditais quand je le pouvais. Mais très souvent pendant plusieurs années, j'étais beaucoup plus préoccupée du désir de voir s'achever l'heure d'oraison et d'entendre le coup de l'horloge, que d'autres pensées vraiment utiles. Souvent aussi il m'eût été moins dur de subir les pénitences les plus rigoureuses que de me recueillir pour faire oraison... Une telle tristesse s'emparait de moi, en entrant à l'oratoire, que pour me surmonter, j'avais besoin de tout mon courage, qui, dit-on, n'est pas petit. On a vu en effet que Dieu me l'a donné bien supérieur à celui d'une femme, quoique j'en aie mal usé... [2]

La souffrance inhérente à un état d'impuissance et à l'ennui qui accompagne le vide des facultés est augmentée par le sentiment de l'inutilité des efforts et l'impression de l'insuccès définitif dans les voies de l'oraison et par conséquent dans la vie spirituelle. L'âme d'oraison a besoin d'être éclairée et fortifiée. Elle ne saurait l'être plus utilement que par l'exposé des causes de cette sécheresse et de ses remèdes.

B. — *CAUSES DES DISTRACTIONS ET SÉCHERESSES*

Notre enquête ne portera pas sur les causes volontaires des distractions et des sécheresses, comme seraient la négligence à les chasser pendant l'oraison ou la complaisance qui les entretiendrait, des négligences notables dans la lecture spirituelle et dans la préparation qui doivent assurer à l'oraison son aliment, la dissipation de la vie et l'immortification habituelle des sens. Il est facile en effet de déterminer ici le remède. Négliger de l'appliquer serait se condamner à un insuccès dont on porterait la responsabilité.

Il s'agit seulement d'indiquer les causes qui rendent plus âpre et parfois même vaine la lutte contre les dis-

---

1. *Vie*, ch. XI, pp. 109-110.
2. *Ibid.*, ch. VIII, p. 84.

tractions et qui, par conséquent, ne relèvent pas directement de la volonté humaine.

1. *Le caractère des vérités surnaturelles* est la première cause des distractions et sécheresses. Ces vérités surnaturelles nous sont proposées en des formules dogmatiques qui en sont l'expression humaine la plus parfaite. La formule dogmatique exprime d'une façon analogique en concepts humains une vérité divine qui reste mystérieuse, étant d'un ordre supérieur à ces concepts.

Dans l'oraison la foi aimante adhère à la vérité elle-même qui est essentiellement obscure et ne se révélera ici-bas que plus tard à la quasi-expérience des dons du Saint-Esprit. En cette première phase le mystère reste tout d'obscurité.

En même temps l'intelligence adhère à la formule dogmatique, pénètre les concepts, raisonne, admire et savoure. Ce travail sur les vérités les plus belles et les plus hautes qui soient, présente un intérêt incomparable. Et cependant, la pénétration de l'intelligence étant limitée, assez rapidement elle a épuisé les lumières qu'elle peut percevoir ; retrouvant donc les mêmes formules et les mêmes lumières, elle ne les savoure plus : *assueta vilescunt*.

2. *L'instabilité des puissances de l'âme* est une autre cause des distractions et des sécheresses.

Les puissances sensibles ainsi que l'entendement dont l'activité est si étroitement liée aux sens sont des puissances instables et volages. La volonté peut les porter sur un objet et les y maintenir, mais dès que l'étreinte de la volonté a cessé ou s'est desserrée, ces puissances retrouvent leur indépendance pour suivre leurs penchants et se livrer à une activité apparemment désordonnée en cédant aux sollicitations des perceptions extérieures ou des souvenirs de la mémoire.

Une discipline patiente et persévérante, qui est celle de l'ascèse de recueillement, peut les rendre plus dociles à l'action de la volonté et les habituer au silence du recueillement, mais ne saurait changer leur nature. Dans le *Chemin de la Perfection*, sainte Thérèse constate en effet :

A peine a-t-elle (la volonté) manifesté qu'elle veut se recueillir, les sens obéissent et rentrent dans son sanctuaire. Ils sortiront de nouveau, mais c'est déjà beaucoup qu'ils se soient soumis [1].

Ni la purification du sens, qui adapte le sens à l'esprit, pas même la purification profonde de l'esprit, ainsi que

1. *Chem. Perf.*, ch. XXX, p. 724.

le prouvent les aveux de sainte Thérèse cités précédemment, ne fixent définitivement leur instabilité dans la soumission.

Il faut remonter jusqu'à l'humanité sainte du Christ Jésus et à la Sainte Vierge pour trouver des puissances sensibles étonnamment développées, mais dont les flots débordants de vie et d'ardeurs sont parfaitement soumis à la volonté et dont tous les mouvements sont réglés par elle.

C'est le péché originel qui a créé ce désordre en nous privant des dons préternaturels qui faisaient l'harmonie dans notre nature humaine en soumettant les puissances inférieures aux facultés supérieures et en les orientant vers Dieu. Depuis lors l'indépendance des puissances s'étale en nous ; la dualité de notre nature, qui est chair et esprit, se révèle dans une expérience intérieure de plus en plus douloureuse jusqu'à ce qu'elle s'affirme définitivement dans la mort qui est la dernière conséquence du péché : *stipendium peccati mors est* [1].

Sur ce désordre, inhérent à notre nature blessée par le péché, qui rend le recueillement difficile, sainte Thérèse gémit :

Je ne puis oublier le préjudice que nous a causé le péché de nos premiers parents ; c'est lui, ce me semble, qui rend nos facultés incapables de jouir d'un si grand bien d'une façon complète. Mes péchés personnels doivent aussi y contribuer... parfois aussi ma mauvaise santé y contribue pour beaucoup [2].

3. Cette dernière remarque de la Sainte signale le préjudice que peuvent causer à l'oraison *les maladies*, auxquelles nous devons ajouter *les tendances pathologiques* ou les défauts qui s'inscrivent dans le caractère ou le tempérament.

Toute activité intellectuelle subit l'influence du bien-être physique et des indispositions même bénignes. Les travailleurs intellectuels le savent bien qui, sans éprouver de malaises caractérisés, se sentent incapables de fournir à certains moments de la journée ou en certaines périodes un travail intellectuel déterminé, et sont obligés de disposer leur besogne suivant la qualité d'énergie intellectuelle qu'elle exige.

Le travail intellectuel de l'oraison porte sur des vérités à la fois très hautes et mystérieuses. Il exige pour être fait parfaitement que l'on soit en bonne forme.

---

1. Rm 6, 23.
2. *Vie*, ch. XXX, p. 323.

Il est vrai qu'il y faut beaucoup plus aimer que penser ; mais la sensibilité est encore plus liée au corps que l'entendement et en subit d'une façon plus immédiate les vicissitudes. Aussi nous entendons sans étonnement sainte Thérèse nous apporter son témoignage :

Très souvent, écrit-elle, ce trouble (des puissances) vient d'une indisposition du corps ; j'ai une grande expérience sur ce point. C'est un fait que j'ai constaté avec soin et qui m'a été confirmé par le témoignage de personnes spirituelles. Telle est notre misère ici-bas. Notre pauvre âme, cette petite prisonnière du corps, participe à ses infirmités. Les changements de temps et le bouleversement des humeurs empêchent souvent l'âme, sans faute de sa part, d'accomplir ce qu'elle veut et lui causent des souffrances de toutes sortes [1].

Un changement de l'heure de l'oraison, remarque-t-elle ensuite, permettra peut-être d'échapper à ces malaises.

On ne saurait être plus sainement réaliste et plus maternellement attentif pour guider les débutants dans les voies de l'oraison.

Plus nuisibles que ces indispositions passagères peuvent être les tendances pathologiques et les défauts qui s'inscrivent dans le tempérament.

Sainte Thérèse fait allusion à la tendance à la mélancolie et à des faiblesses de tête qui rendent le recueillement impossible [2].

Elle a soin d'écarter de l'oraison certaines personnes dont la faiblesse psychique ne peut supporter les moindres chocs sans évanouissement.

La psychiatrie moderne a étudié avec une pénétration qui eût ravi sainte Thérèse ces défauts constitutionnels qui peuvent avoir sur le développement de la vie spirituelle une influence si profonde [3].

Les cas cliniques relèvent quasi exclusivement de l'art médical. Mais les cas frontières sont nombreux. On a pu dire que chacun porte en soi telle ou telle tendance plus ou moins évoluée [4].

Tandis que dans l'activité ordinaire de la vie ces tendances se révéleraient à peine, elles manifestent leur force dans l'oraison. Dès lors le mélancolique qui s'accuse

---

1. *Vie*, ch. XI, pp. 113-114.
2. *Chem. Perf.*, ch. XXVI, pp. 705-706.
3. Cf. article cité du Dr Laignel-Lavastine dans les *Études Carmélitaines*, avril 1934.
4. Dans les cas frontières que nous envisageons, ces tendances ne vicient pas un tempérament et ne détruisent pas la fécondité d'une vie. Il importe surtout que l'âme s'y adapte si elle ne peut les détruire. L'obéissance surnaturelle est un des meilleurs compensateurs pour arrêter les funestes effets d'une tendance.

sans cesse, le scrupuleux continuellement préoccupé par ses doutes, l'imaginatif qui ne peut arrêter ses divagations imaginaires, l'agité instable dont les facultés sont toujours en mouvement, trouvent des difficultés spéciales pour se recueillir [1].

4. *Le démon.* « Quand les distractions et les troubles de l'entendement sont excessifs... c'est le démon qui en est l'auteur » déclare sainte Thérèse.

La Sainte éprouva mainte fois son action sur ce point :

Le démon me tentait particulièrement pendant la semaine sainte... Il vient tout à coup assaillir l'entendement de choses parfois si frivoles que j'en rirais dans toute autre circonstance. Il le trouble à son gré ; l'âme n'est plus maîtresse d'elle-même, mais enchaînée ; elle ne peut penser qu'aux choses folles qu'il lui représente et qui sont pour ainsi dire inutiles... Parfois il m'a semblé que les démons s'amusaient à se renvoyer mon âme comme une balle, sans qu'elle pût s'échapper de leurs mains [2].

La Sainte signale surtout l'inquiétude, qui est le signe de la présence du démon et qui cause du trouble pendant l'oraison :

Sans parler de la grande aridité qui lui reste, l'âme ressent alors une inquiétude... dont on ne peut découvrir la cause. Il semble que l'âme résiste, se trouble et s'agite sans savoir de quoi... Je me demande si cette inquiétude ne vient pas de ce qu'un esprit en sent un autre [3].

Cette présence de l'esprit impur ne saurait être perçue que par un esprit déjà purifié. De même il semble bien que cette action violente soit très rare et que le démon la réserve à des âmes puissantes dont il a beaucoup à craindre. Ces descriptions restent cependant très utiles car elles nous indiquent la tactique habituelle du démon et le style de son action.

Il semble normal que le démon profite de sa puissance et de la faiblesse relative des âmes dans les débuts de l'oraison, pour les arrêter dans leur marche vers Dieu en produisant, autant que cela lui est possible, sécheresses et distractions. Son action sur les débutants semble certaine et, bien qu'usant à leur égard de procédés plus bénins que pour sainte Thérèse, elle est probablement beaucoup plus efficace.

5. *L'action au moins permissive de Dieu.* L'action de ces causes naturelles et préternaturelles entre dans les

---

1. Les purifications, qui finalement font disparaître ou du moins atténuent notablement ces tendances, les portent d'abord à leur tension maxima, et posent ainsi un problème délicat de psychologie religieuse.
2. *Vie*, ch. XXX, p. 318.
3. *Ibid.*, ch. XXV, pp. 258-259.

desseins de la Sagesse divine qui utilise tout pour le bien de ceux qui l'aiment. La lumière surnaturelle et la grâce, qui sont les fruits de la souffrance et de la mort du Christ, ne peuvent pénétrer profondément dans une âme sans une participation à cette souffrance et à cette mort rédemptrices.

Ces souffrances apportent des lumières sur soi-même et établissent dans l'humilité :

C'est pour notre bien sans aucun doute que Sa Majesté veut nous conduire par cette voie. Il faut en effet que nous comprenions bien le peu que nous sommes. Les grâces qui nous seront accordées plus tard sont d'un ordre si élevé qu'il veut d'abord nous faire connaître par expérience l'abîme de notre misère, afin de nous préserver d'une chute semblable à celle de Lucifer [1].

Elles sont une épreuve qui permet de distinguer les vaillants :

Le Seigneur, j'en ai la conviction, dit en effet la Sainte, envoie souvent aux commençants et parfois à ceux qui approchent du terme, ces tourments et beaucoup d'autres tentations pour mettre à l'épreuve ceux qui l'aiment. Il veut savoir s'ils pourront boire son calice et l'aider à porter la croix, avant de leur donner de grands trésors [2].

Ces paroles de la Sainte nous livrent le dessein providentiel qui régit et utilise avec sagesse toutes les activités, même libres et ennemies, pour la sanctification des élus.

En ces sécheresses même des débuts, il y a souvent, semble-t-il, et par intermittence, une action de la lumière divine qui produit la sécheresse contemplative.

C'est ainsi qu'il nous semble certain que, chez sainte Thérèse, l'impuissance de l'entendement lui venait des grâces d'union qu'elle avait reçues précédemment, car ceux qui ont été élevés à la contemplation parfaite « ne peuvent plus comme précédemment discourir sur les mystères de la Passion et de la vie du Christ [3] ». Ses longues oraisons d'impuissance, avec les sentiments d'humilité et la tristesse qui l'accablaient, ne pouvaient pas ne pas être des états éclairés par une forte lumière divine qui adaptait le sens à l'esprit et préparait l'âme aux grâces merveilleuses qu'elle devait recevoir.

On ne saurait certes affirmer cela de toutes les sécheresses des débutants, cependant il ne semble pas trop osé de considérer la sécheresse contemplative comme possible par intermittence chez la plupart des âmes ferventes, même en leurs débuts dans les voies de l'oraison.

---

1. *Vie*, ch. XI, pp. 110-111.
2. *Ibid.*, p. 110.
3. VIᵉ Dem., ch. VII, p. 987.

C. — *REMÈDES*

C'est à une âme qui a prouvé sa bonne volonté par la fidélité au recueillement, à la lecture spirituelle et à l'oraison que sainte Thérèse adresse ses conseils pour remédier aux sécheresses. C'est contre les causes involontaires de ces distractions et sécheresses que la Sainte veut lui apprendre à lutter.

I. — *La discrétion.*

L'examen des causes des distractions nous montre qu'il en est plusieurs que nous ne pouvons pas dominer, même par un effort violent. Qu'il s'agisse de l'impuissance des facultés devant les vérités surnaturelles, de leur instabilité naturelle, des malaises physiques ou de l'action du démon, nous nous rendons compte que la violence que nous mettrions à les vaincre, serait irraisonnable et orgueilleuse. Cette conviction inspirera toute la lutte contre les distractions et nous y fera mettre la discrétion qui seule peut avoir raison de ces obstacles. Mais, écoutons notre sage Maîtresse :

A la peine qu'ils en éprouvent (des distractions) ils verront que ce n'est pas de leur faute. Qu'ils ne se tourmentent donc point, ce qui serait pire. Qu'ils ne se fatiguent pas à remettre à la raison leur entendement qui pour lors en est incapable. Qu'ils prient le mieux qu'ils pourront, et même qu'ils ne prient point. Puisque leur âme est malade, qu'ils s'appliquent à lui procurer quelque repos et s'occupent de quelque autre œuvre de vertu[1].

Elle précise ailleurs :

Plus on veut la forcer alors (l'âme), plus on aggrave son état et plus aussi on le prolonge. Il faut donc de la prudence pour découvrir quand le mal provient de cette cause (indisposition), et ne point achever d'étouffer la pauvre âme. Ces personnes doivent comprendre qu'elles sont malades. Elles changeront l'heure de l'oraison, et souvent elles seront obligées d'agir ainsi plusieurs jours de suite. Elles supporteront cet exil comme elles pourront. C'est une croix bien sensible pour une âme qui aime son Dieu de se voir au milieu de telles infirmités, et de ne pouvoir réaliser ses vœux, à cause d'un hôte aussi triste que ce corps[2].

---

1. *Chem. Perf.,* ch. XXVI, p. 706.
2. *Vie,* ch. XI, p. 114.

Premières étapes

La Sainte résume ses conseils :

Que l'âme alors serve le corps pour l'amour de Dieu, afin que le corps la serve à son tour dans beaucoup d'autres circonstances. On peut en outre chercher quelque distraction dans les conversations vraiment saintes ou aller respirer l'air de la campagne, selon le conseil que donnera le confesseur. En tout cela l'expérience est d'un grand secours : elle nous fait connaître ce qui nous convient ; d'ailleurs en tout état on peut servir Dieu [1].

Nous citons longuement, moins pour recueillir des conseils précis sur la conduite à tenir, car les cas sont bien différents, que pour apprendre à l'école de sainte Thérèse dans quel esprit il faut mener la lutte contre les distractions. On devine que, parfois, pour remédier à certaines impuissances, il faudra plus que de la discrétion dans l'effort, mais des soulagements et des soins éclairés. La collaboration du directeur et du médecin peut, dans certains cas, devenir nécessaire et contribuer heureusement à la santé du corps comme au progrès de l'âme.

II. — *La persévérance.*

La discrétion n'est pas destinée à favoriser la paresse, mais à rendre possible la persévérance. « C'est la persévérance qui importe le plus ici » proclame sainte Thérèse [2]. La Sainte ne se lasse pas de le répéter. N'avait-elle pas écrit sur un signet : « Tout passe. La patience obtient tout ! ». Ceci est vrai de l'oraison surtout.

C'est par la persévérance qu'elle a elle-même obtenu ses richesses surnaturelles : « En réalité peu de jours se sont passés, écrit-elle, sans que j'aie consacré beaucoup de temps à l'oraison, à moins que je fusse très souffrante ou très occupée [3] ».

La plus grande tentation de sa vie fut de rester une année et même davantage sans faire oraison, parce que cela lui paraissait plus humble [4].

Cette persévérance se portera non seulement sur l'exercice de l'oraison elle-même, mais aussi sur l'ascèse de recueillement qui doit l'accompagner. Il faut garder ses sens pendant la journée, se garder des frivolités qui dissipent et revenir aussi fréquemment que possible vers le Maître par des oraisons jaculatoires ou des actes des vertus théologales.

---

1. *Vie*, ch. XI, p. 114.
2. IIᵉ Dem., ch. I, p. 837.
3. *Vie*, ch. VIII, p. 80.
4. *Ibid.*, ch. VII, p. 70.

Ces oraisons de distractions et surtout de sécheresses sont lumineuses car elle montrent, avec la faiblesse foncière de l'âme, les causes précises des distractions. C'est une sympathie ou une antipathie vers laquelle on revient habituellement, telle impression qui trouble encore, telle perception qui s'impose avec persistance, tel souvenir qui empêche le recueillement. Mieux que par tous les examens détaillés, l'âme découvre ainsi le point précis sur lequel doivent porter les efforts de son ascèse de recueillement.

Serait-elle pécheresse, que l'âme persévère, assure sainte Thérèse, et Dieu aura pitié d'elle :

Les méchants qui ne sont point de votre condition, ô mon Créateur, vous les rendriez bons. Ils n'ont qu'à supporter que vous soyez près d'eux seulement deux heures par jour, alors même que leur esprit serait, comme jadis le mien, emporté loin de Vous et agité de mille soucis et de mille pensées frivoles. En récompense des efforts qu'on fait pour rester en si bonne compagnie, vous tenez compte de ce que dans les débuts et parfois même dans la suite nous ne saurions faire davantage [1].

Bref, seule la persévérance est capable d'assurer le succès dans l'oraison.

III. — *L'humilité.*

Une humilité patiente et confiante doit accompagner cette persévérance :

Mais que fera donc ici celui qui, après avoir travaillé longtemps, ne rencontre qu'aridité, dégoût, ennui et répugnance extrême à puiser de l'eau ? S'il ne considérait pas le plaisir qu'il procure et les services qu'il rend au Maître du jardin, s'il ne veillait pas à ne point perdre tous les mérites acquis, ni les récompenses qu'il attend encore d'un travail aussi pénible que celui de descendre fréquemment le seau dans le puits pour le retirer vide, il laisserait tout là... Mais je le répète, que fera le jardinier ? Il se réjouira, il se consolera, il considérera que déjà c'est une très haute faveur de travailler dans le jardin d'un si haut souverain. Il sait en effet que par là il Le contente, et son but est de rechercher non une satisfaction personnelle, mais celle de son Maître. Qu'il Lui adresse les plus vives actions de grâces de ce que ce Maître compte sur lui... Qu'il L'aide aussi à porter sa croix ; qu'il médite comment toute sa vie s'est passée au milieu des souffrances ; qu'il ne recherche pas son royaume ici-bas, qu'il n'abandonne jamais l'oraison ; et alors même que cette aridité devrait durer toute la vie, qu'il soit bien résolu à ne point laisser le Christ tomber sous le poids de la croix. Un temps viendra ou tous ses services lui seront payés à la fois [2].

---

1. *Vie*, ch. VIII, p. 83.
2. *Ibid.*, ch. XI, p. 109-110.

Premières étapes

De telles dispositions d'humilité aimante et patiente sont déjà un fruit des sécheresses. Parce qu'elles font communier l'âme au dessein providentiel qui permet et utilise les sécheresses pour la sanctification des élus, elles obtiennent promptement de Dieu les plus hautes faveurs :

Tous ces travaux ont leur prix... Mais, je l'ai vu avec évidence, Dieu ne manque pas de les récompenser largement même dès cette vie. Il est certain en effet qu'une seule de ces heures où le Seigneur s'est donné ensuite à goûter à mon âme, m'a surabondamment payée, ce me semble, de toutes les angoisses que j'ai endurées longtemps pour persévérer dans l'oraison[1].

Jésus a vaincu par une humble et amoureuse patience. C'est la même disposition qui assurera à l'âme le triomphe sur les obstacles intérieurs et extérieurs, qui la gênent dans son union avec Dieu.

Dans le *Château Intérieur* sainte Thérèse résume cette doctrine :

Cette épreuve ayant été tellement pénible pour moi, j'imagine qu'elle le sera peut-être également pour vous ; voilà pourquoi je vous en parle ici et là dans l'espoir que, une fois ou l'autre, je vous ferai comprendre qu'elle est inévitable. N'en soyez donc ni troublées ni affligées ; laissez aller ce traquet de moulin et sachons moudre notre farine en tenant notre volonté et notre entendement toujours occupés.

Ces troubles sont plus ou moins grands ; ils dépendent de la santé et des circonstances. La pauvre âme doit donc s'y soumettre quoiqu'il n'y ait aucune faute de sa part... Cependant ce que nous lisons et ce que l'on nous conseille pour nous porter à ne point faire cas de ces pensées importunes ne nous suffira pas à nous qui sommes peu instruites : voilà pourquoi il me semble que le temps que j'emploie à vous l'expliquer plus en détail et à vous consoler sur ce point ne sera pas perdu. Toutes ces explications cependant serviront de peu si le Seigneur ne daigne pas nous donner sa lumière. Mais il faut, et telle est la volonté de sa Majesté, que nous prenions les moyens d'atteindre ce but, nous connaître nous-mêmes et ne pas attribuer à notre âme les fautes qui viennent de la faiblesse de l'imagination, de la nature ou du démon[2].

---

1. *Vie*, ch. XI, p. 110.
2. IVᵉ Dem., ch. I, p. 871-872.

CHAPITRE SEPTIÈME

Les amitiés spirituelles

> *Quelle infortune pour une âme, quand elle se trouve seule au milieu de tant de dangers*[1].

Cette exclamation attendrie sous la plume de sainte Thérèse nous met en joie. La sublimité et l'ardeur de ses désirs, l'absolu qu'elle impose à l'orientation vers Dieu et l'effort soutenu qu'elle exige nous effraient parfois. Mais voici qu'en cette maîtresse d'une logique si rigoureuse en ses exigences nous découvrons une mère dont la tendresse compréhensive connaît notre faiblesse humaine et y compatit affectueusement.

Elle est grande en effet la faiblesse de l'âme, spéciale-ment dans les débuts de la vie spirituelle. Pour trouver Dieu elle s'est peut-être isolée de son milieu familial et social ; les consolations sensibles et les facilités des premiers jours ont cédé la place aux sécheresses dans l'oraison et aux difficultés dans la pratique de la vertu. Comment pourrait-elle rester fidèle dans son isolement ? Plus tard, lorsque Dieu la soutiendra par ce que sainte Thérèse appelle le secours particulier, elle pourra peut-être porter la solitude. En attendant, la compagnie et l'aide du prochain lui sont certainement nécessaires.

D'ailleurs Dieu a fait l'homme sociable. Après avoir créé le premier homme, Dieu, dit la Genèse[2], vit qu'il n'était pas bon que l'homme fût seul et il décida de créer une aide qui lui fût semblable. C'est une loi et une nécessité de sa nature : l'homme a besoin de l'aide et de la société de ses semblables. Non seulement l'isolement serait douloureux à son cœur, mais il le laisserait impuissant et stérile. La colla-boration est la condition nécessaire de son développement personnel et plus encore de la fécondité de l'activité créatrice qui le prolonge et le multiplie.

---

1. *Vie*, ch. VII, p. 76.
2. Gn 2, 18.

Premières étapes

Sainte Thérèse souligne volontiers la faiblesse particulière de la femme, son besoin réel et senti d'appui et de l'aide de l'homme qui doit la compléter et la soutenir.

Ces lois et ces exigences Dieu les a étendues au domaine surnaturel. Il s'y est soumis lui-même. Pour réaliser les mystères qui fondent ses relations avec l'humanité, il a pris une collaboratrice, la Vierge Marie, qu'il a associée comme mère à toute son œuvre de paternité spirituelle. Parce qu'elles régissent également le développement de la vie naturelle et de la vie surnaturelle, ces lois s'imposent à la grâce qui, greffée en nous sur la nature humaine, en subit les exigences. Notre sanctification ne peut donc être le fruit exclusif de notre activité personnelle ; elle exige la collaboration. C'est une loi générale, que les difficultés des débuts dans la vie spirituelle font expérimenter d'une façon plus aiguë. Le secours nécessaire, l'âme le trouvera dans les amitiés spirituelles et dans la direction.

Deux sujets importants sur lesquels les expériences et les écrits de sainte Thérèse jettent de singulières clartés. Cette femme en effet, ardente, entraîneuse d'âmes et fondatrice audacieuse fut, toute sa vie durant, en quête d'appuis et de secours. Recueillons d'abord son enseignement sur les amitiés spirituelles.

A. — *LES AMITIÉS DANS LA VIE DE SAINTE THÉRÈSE*

L'amitié est une échange affectueux. Sainte Thérèse était douée pour ces échanges. Aux charmes extérieurs qui attirent, elle joignait les qualités sérieuses de l'esprit et du cœur qui retiennent. La vie débordait de toute sa personne. Avec cela vive, spirituelle, délicate, aimable et aimante, telle qu'avec une sardine on gagnait son cœur, elle ne pouvait que conquérir et s'attacher elle-même. On le devine, les amitiés pouvaient être pour elle une grande force et un grave danger. Elles furent l'un et l'autre. La grâce en fit surtout un moyen d'ascension spirituelle.

Après la mort de sa mère, Thérèse adolescente peut satisfaire ses désirs passionnés de lecture. Elle lit des romans de chevalerie :

> Il me semblait qu'il n'y avait pas de mal à passer de longues heures du jour et de la nuit dans une occupation aussi vaine, même à l'insu de mon père [1].

---

1. *Vie*, ch. II, p. 23.

Les héros de ces romans deviennent ses modèles et ses amis. Ils créent l'atmosphère dans laquelle s'éveillent et s'exaltent ses puissances sensibles qui s'ouvrent à la vie :

Je commençai à porter des parures et à désirer plaire en paraissant bien. J'apportai beaucoup de soin à mes mains et à mes cheveux. J'usai de parfums et de toutes les vanités de ce genre qu'il m'était possible ; et elles étaient nombreuses, car j'étais très recherchée dans ma mise [1].

Certes, elle n'a point de mauvaise intention et elle n'aurait « voulu être pour personne l'occasion d'offenser Dieu [2] ».

Plusieurs cousins germains fréquentent la maison paternelle. Ils lui portent beaucoup d'intérêt « et nous étions toujours ensemble... je savais leur parler de tout ce qui leur était agréable [3] ».

Auprès d'elle il y a une grande sœur, Marie, plus âgée qu'elle, modeste et vertueuse. Thérèse l'admire mais il n'y a pas d'intimité entre elles.

Par contre, elle est plus attirée par une parente,

qui venait souvent à la maison. Ses manières étaient très légères... C'est avec elle que j'aimais à parler et à m'entretenir. Elle me secondait dans tous les passe-temps qui étaient de mon goût : elle m'y engageait même, et me faisait part de ses relations et de ses vanités...

Par ailleurs je trouvais pour tout ce qui était mal le plus grand concours dans les servantes de la maison. Si quelqu'une m'avait donné de bons conseils, je les aurais peut-être suivis. Mais elles étaient aveuglées par l'intérêt comme je l'étais par les inclinations de mon cœur [4].

Que pouvait-il advenir ? Oh certes, il n'y avait dans ces relations rien qui fût contre l'honneur. Elles avaient créé une ambiance autour de Thérèse, et elles devaient la conduire normalement « à une alliance honorable [5] ».

Le père, effrayé des relations avec cette parente, fait des reproches à sa fille. Il essaie de « faire disparaître les occasions qu'elle avait d'entrer dans notre demeure [6] ».

N'y réussissant pas, il prend une mesure énergique : il fait entrer sa fille au monastère des Augustines où l'on élevait des personnes de sa condition. Il y avait trois mois seulement que Thérèse vivait dans ces mondanités [7].

---

1. *Vie*, ch. ii, p. 23.
2. *Ibid.*
3. *Ibid.*
4. *Ibid.*, pp. 24-26.
5. *Ibid.*, p. 28.
6. *Ibid.*, p. 25.
7. *Ibid.*, pp. 26-27.

Premières étapes

Dans ce monastère, écrit-elle :

> Je commençai à reprendre les saintes habitudes de ma première
> enfance, et je compris quelle grâce insigne Dieu nous accorde quand
> il nous met dans la compagnie des gens de bien [1].

Il a suffi d'un changement de milieu pour changer les dispositions de Thérèse.

C'est l'influence affectueuse d'une maîtresse qui complète l'œuvre de conversion et conduit Thérèse devant les horizons de la vie religieuse. Cette religieuse « très prudente et très sainte », qui « dormait dans le dortoir des pensionnaires » s'appelait Marie de Briceño.

> Elle se mit donc à me raconter comment elle avait résolu de se
> faire religieuse à la seule lecture de ces paroles de l'Évangile : Il
> y a beaucoup d'appelés et peu d'élus. Elle me parlait de la récom-
> pense que le Seigneur réserve à ceux qui méprisent tous les biens
> d'ici-bas par amour pour Lui. Une si sainte compagnie ne tarda pas
> à faire disparaître les habitudes que j'avais contractées dans la
> mauvaise. Le désir des biens éternels se réveilla dans mon âme, et
> l'aversion si profonde que j'avais eue pour la vie du cloître, dimi-
> nua peu à peu [2].

Lorsqu'elle sortit de ce monastère, Thérèse était transformée et avait « un peu plus d'attrait pour la vie religieuse ». Mais elle ne veut point s'engager dans cette maison à cause de certaines difficultés qu'elle y découvre. Une autre amitié l'attire ailleurs :

> D'ailleurs, j'avais une amie intime dans un autre monastère, et
> c'était pour moi un motif, si je devais être religieuse, pour ne l'être
> que dans le monastère où elle se trouvait [3].

Cette amie intime, Jeanne Suarez, était religieuse carmé-lite au monastère de l'Incarnation.

C'est avec un de ses frères, Antoine, qu'elle mûrit cette décision :

> Nous résolûmes donc ensemble de nous rendre un jour, de grand
> matin, au monastère où se trouvait cette amie pour laquelle j'avais
> l'affection la plus vive. Toutefois cette dernière décision était de
> telle sorte que j'étais également disposée à aller dans tout autre
> monastère, si j'avais cru y mieux servir Dieu [4].

L'amitié a donc simplement fourni une indication pour préciser le choix du monastère.

Au chapitre suivant de sa *Vie*, sainte Thérèse raconte une expérience d'amitié qui fut bien douloureuse à son

---

1. *Vie*, ch. II, p. 28.
2. *Ibid.*, ch. III, p. 29
3. *Ibid.*, p. 30.
4. *Ibid.*, ch. IV, p. 34. Antoine devait aller au couvent des Frères Prêcheurs demander l'habit. Mais auparavant il devait accompagner sa sœur au monastère de l'Incarnation.

âme, en même temps qu'instructive. Peu de temps après sa profession, elle avait dû se rendre chez sa sœur, à Becedas, pour y subir un traitement :

> Dans cette localité où j'allai pour ma cure, écrit-elle, se trouvait un ecclésiastique d'une naissance distinguée et d'une très belle intelligence... Je commençai à me confesser à lui... et il s'affectionna beaucoup à moi... Son affection n'était pas mauvaise en soi, mais elle était excessive, et par suite, n'était plus bonne... Poussé par sa grande sympathie pour moi, il commença à me découvrir le mauvais état de son âme qui était en effet déplorable. Depuis environ sept ans il se trouvait dans une situation très dangereuse. Il entretenait une affection et des relations coupables avec une personne de la localité, et malgré cela, il disait la messe. La chose était si publique, qu'il avait perdu son honneur et sa réputation ; mais personne n'osait l'en reprendre. J'étais remplie de compassion pour lui, car je lui portais beaucoup d'intérêt [1].

Pour le délivrer, la Sainte lui manifesta un attachement profond. En racontant ce fait, elle s'accuse d'imprudence : « si mon intention était bonne, ma conduite fut mauvaise [2] ». Elle fut assez heureuse pour délivrer ce malheureux qui fit pénitence et mourut juste un an après le jour où la Sainte l'avait vu pour la première fois.

Au monastère de l'Incarnation où elle vivra près de trente ans, la Sainte ne tomba dans aucun des manquements graves auxquels expose le manque de clôture. Cependant, écrit-elle :

> Je commençai à m'engager peu à peu dans ces conversations du monde. Suivant en cela une coutume établie, je ne croyais pas que de tels entretiens dussent causer à mon âme les dommages et les distractions que j'ai compris dans la suite [3].

Il est surtout une personne, à laquelle elle porte la plus vive affection, qui la dissipe beaucoup. Notre-Seigneur lui reproche ces conversations en se montrant Lui-même avec un visage sévère. En une autre circonstance, c'est un crapaud énorme qui traverse le parloir et lui fait grande impression. Dieu ne veut plus pour Thérèse de ces amitiés mondaines.

Elle en cultive d'ailleurs de plus pures et de plus utiles. Elle est en relation avec

un saint gentilhomme... marié, mais d'une vie très exemplaire et d'une vertu profonde... (qui) a fait beaucoup de bien à un grand nombre d'âmes... Ce digne et saint homme, ajoute la Sainte, a été ce me semble,... le premier instrument de salut pour mon âme [4].

1. *Vie*, ch. v, pp. 44-46.
2. *Ibid.*, p. 48.
3. *Ibid.*, ch. vii, pp. 66-67.
4. *Ibid.*, ch. xxiii, p. 236.

Premières étapes

C'est grâce à ce gentilhomme, nommé François de Salcedo, qu'elle entrera en relation avec maître Daza, « un ecclésiastique instruit, qui se trouvait dans cette ville (Avila) et dont Dieu commençait à manifester au public la vertu et la sainteté[1] », et qu'elle pourra voir plus tard saint François de Borgia. Le P. Balthasar Alvarez S.J., qui la dirige, découvre l'obstacle que sont pour son avancement spirituel certaines amitiés qu'elle conserve encore. Comment décider la Sainte à les briser ? Elle n'y offense pas Dieu et « il ne me semblait pas possible de les rompre sans ingratitude ». La discussion s'engage. Le P. Balthasar Alvarez n'est sans doute pas de taille à discuter victorieusement avec la Sainte en ce domaine. Écoutons sainte Thérèse :

> ...Je disais à mon confesseur : puisque je n'offense pas Dieu, pourquoi devrais-je manquer de reconnaissance ? Il me conseilla de recommander cette affaire à Dieu pendant quelques jours et de réciter l'hymne *Veni Creator*, afin qu'il daignât m'éclairer sur ce qu'il y aurait de mieux. Or, un jour que j'étais restée longtemps en oraison et avais conjuré le Seigneur de m'aider à le contenter en tout, je commençai l'hymne ; pendant que je la récitais, il me vint un ravissement si subit, qu'il me tira pour ainsi dire hors de moi ; mais il était si manifeste que je ne pouvais nullement en douter. C'était la première fois que le Seigneur m'accordait la grâce du ravissement. J'entendis alors ces paroles : « Je ne veux plus que tu converses désormais avec les hommes, mais seulement avec les anges »... Cette parole s'est vérifiée d'une manière parfaite. Depuis lors je n'ai jamais pu avoir ni affection, ni goût, ni amour spécial, si ce n'est pour des personnes que je vois aimer Dieu et s'appliquer à le servir. Il n'est plus en mon pouvoir de faire autrement[2].

Le cœur de sainte Thérèse est purifié et ne saurait cultiver désormais que des amitiés purement spirituelles. La transverbération lui conférera prochainement la fécondité maternelle. Les amitiés gardent cependant la même importance dans la vie de sainte Thérèse.

C'est d'un cercle d'amies au monastère de l'Incarnation que va sortir l'idée de la fondation de Saint-Joseph d'Avila. Dans le groupe il y avait Marie de Ocampo, qui devint Mère Marie-Baptiste, doña Yomar de Ulloa, qui se chargea de maintes besognes délicates lors de la fondation. Et cependant, dans le petit monastère de Saint-Joseph, sainte Thérèse n'autorise pas les amitiés particulières, si saintes qu'elles soient.

Pareille ligne de conduite, qu'il sera aisé de justifier lorsque nous aurons exposé la doctrine thérésienne sur

---

1. *Vie*, ch. XXIII, p. 236.
2. *Ibid.*, ch. XXIV, pp. 249-250.

l'amitié, ne détruit pas l'affection. L'amour spirituel déborde du cœur maternel de Thérèse, plus ardent et plus puissant que jamais. Il va aux âmes, et s'il découvre en elles des dons pour travailler au règne de Dieu, il ne peut que les aimer fortement et désirer les voir toutes à Dieu.

C'est ainsi que sainte Thérèse écrit du P. Garcia de Toledo :

> J'avais toujours reconnu en lui une haute intelligence ; mais j'admirai alors les talents et les dons magnifiques qu'il possédait pour réaliser de grands progrès, s'il se donnait entièrement au service de Dieu. Car depuis quelques années voici quelle est ma disposition. Je ne puis rencontrer une personne qui me contente beaucoup, sans désirer aussitôt la voir se donner tout à Dieu...
>
> Je me souviens que je conjurai d'abord le Seigneur avec des larmes abondantes d'enchaîner cette âme tout entière à son service. Je la savais vertueuse, il est vrai, mais cela ne me suffisait pas ; je la voulais parfaite. J'ajoutai ensuite ces paroles : Seigneur, vous ne pouvez me refuser cette grâce ; considérez que c'est là un bon sujet pour être de nos amis [1].

Les amis du Christ, qui sont aussi les siens, et qu'elle entoure de sa sollicitude affectueuse, ce sont avec le P. Garcia de Toledo, les PP. Bañez, Mariano, Gratien et bien d'autres.

A toutes ses filles elle donne une affection maternelle, mais il en est que son cœur a distinguées comme plus agréables à Dieu ou plus aptes à Lui rendre service : ce sont Marie de Salazar, parente de la duchesse de la Cerda, qui devint Marie de Saint-Joseph, prieure de Séville, à qui elle témoigne une affection qui revit dans les nombreuses lettres qu'elle lui adressa et qui nous sont parvenues ; surtout Anne de Jésus, sa joie et sa couronne, et Anne de Saint-Barthélémy, la compagne de ses voyages, sa secrétaire, sa confidente et souvent sa conseillère : Anne de Jésus et Anne de Saint-Barthélémy, dont on ne se lasserait pas de parler de même que la Sainte ne se lassait pas de les aimer tellement elles étaient belles, l'une par l'éclat de ses dons naturels et surnaturels, l'autre par la simplicité de son âme et de sa grâce, égales d'ailleurs par leur attachement à leur Mère. La première hérita de l'esprit de la Réformatrice ; la deuxième, du dernier battement de son cœur. C'est ce qui les place à nos yeux parmi les plus grandes figures de la Réforme thérésienne.

A ces âmes privilégiées, sainte Thérèse donne une affection toute pure et féconde. Mais elle veut être payée de retour :

---

1. *Vie*, ch. XXXIV, p. 375-376.

Premières étapes

Si vous me chérissez beaucoup, je vous le rends, je vous assure, écrit-elle à Mère Marie de Saint-Joseph, et j'aime que vous le disiez. Oh ! qu'il est vrai que notre nature aime à être payée de retour ! Cela ne doit pas être mauvais puisque Notre-Seigneur même l'exige de nous [1].

Jusque sur les sommets de l'union transformante sainte Thérèse conserve des dilections particulières, et pour les justifier elle se prévaut de l'exemple du Christ Jésus.

B. — *SA DOCTRINE SUR LES AMITIÉS*

I. — *Importance des amitiés.*

La vie de sainte Thérèse nous révèle l'influence décisive des amitiés. Toutes les grandes décisions de la Sainte ont été inspirées ou du moins efficacement soutenues par des amitiés. Or la Réformatrice du Carmel est une âme exceptionnellement forte. Qu'en sera-t-il donc normalement de l'âme moins vigoureuse que sa faiblesse rend plus passive encore sous les influences extérieures ?

C'est d'ailleurs une loi générale que Dieu adapte la distribution de sa grâce aux conditions de notre nature. Dieu s'est fait homme pour nous apporter sa vie divine. Il a institué les sacrements, signes sensibles, qui en sont les canaux et il utilise d'une façon habituelle et continuelle les événements extérieurs, et plus encore les causes libres, comme des messagers de sa lumière et les plus authentiques intermédiaires de sa grâce.

« La foi vient de l'ouïe [2] » dit l'Apôtre, et dans le même sens nous pourrions ajouter : les sens sont à la vie surnaturelle ce que les racines sont à la plante, c'est par eux que la nourriture lui arrive. On conçoit dès lors l'influence que peut avoir sur le développement de la vie surnaturelle le milieu, l'ambiance dans laquelle se meuvent les sens, et surtout les amitiés par lesquelles il sont affectés d'une façon profonde et plus constante.

L'âme qui débute sera normalement plus sensible à cette influence de l'amitié. Sainte Thérèse souligne et explique combien elle peut lui être bienfaisante :

Je conseillerais à ceux qui font oraison de rechercher, surtout au début, l'amitié et le commerce des personnes qui s'y adonnent également. C'est là un point de la plus haute importance, alors même qu'il n'y aurait que le profit de prier les uns pour les autres. Mais il y a beaucoup d'autres avantages. Si dans le monde on recherche des conversations et des affections qui ne sont pas très parfaites, si on se procure des amis pour goûter près d'eux les

---

1. *Lettres*, Avila, 8 novembre 1581, T. IV, p. 181.
2. Rm 10, 17.

234

douceurs du repos et augmenter sa joie par le récit de vains plaisirs, je ne vois pas pourquoi celui qui se met résolument à aimer et à servir Dieu ne pourrait pas s'entretenir avec certaines personnes de ses joies et de ses peines, car les unes et les autres arrivent aux âmes d'oraison... Mon avis est qu'avec cette intention droite dans ses entretiens, il se procure les plus grands avantages à lui-même et à ceux qui l'écoutent. Il en sort avec des lumières plus vives, et même à son insu il instruit ses amis. Celui qui tirerait de la vaine gloire de tels entretiens, en tirerait également d'être vu quand il entend la messe avec dévotion et quand il pratique d'autres exercices qu'il doit accomplir sous peine de n'être pas chrétien et qu'on ne peut omettre par crainte de la vaine gloire.

Ce point est tellement important pour les âmes qui ne sont pas encore très affermies dans la vertu, que je ne saurais trop y insister. Car elles ont beaucoup d'ennemis et même d'amis pour les porter au mal... Aujourd'hui il y a si peu d'énergie pour tout ce qui concerne le service de Dieu, que ceux qui lui sont dévoués doivent se soutenir mutuellement... On trouve si naturel de se lancer dans les vanités et les joies mondaines que c'est à peine si on y fait attention. Mais quelqu'un vient-il à se donner à Dieu, il voit aussitôt s'élever tant de murmures qu'il lui faut nécessairement chercher une bonne compagnie pour se défendre, jusqu'à ce qu'il soit assez fort pour ne pas craindre la souffrance, sans cela il se verrait dans la plus grande détresse... C'est d'ailleurs un genre d'humilité que de se défier de soi-même et de croire que Dieu nous aidera par le moyen de nos confidents ; de plus, la charité grandit en se communiquant ; enfin, il y a mille autres avantages ; je n'oserais le dire si une longue expérience ne m'avait appris l'importance de cette conduite [1].

II. — *Choix des amitiés.*

L'influence profonde de l'amitié invite à la circonspection dans le choix de celles que nous devons cultiver.

Il y a lieu, en effet, de distinguer entre les amitiés.

Le Christ Jésus eut des amis pendant sa vie ici-bas. A ses apôtres il disait les secrets du royaume de Dieu, les mystères de sa vie intime. Parmi eux les trois préférés deviennent les témoins de sa transfiguration et de son agonie au jardin des Oliviers. Pendant les dernières semaines de lutte douloureuse à Jérusalem, Jésus allait le soir se reposer à Béthanie, dans l'atmosphère que faisait douce à son cœur l'affection de Lazare, Marthe et Marie. Homme comme nous, Jésus cultive des amitiés humaines pour sanctifier les nôtres.

En Jésus, l'amitié est le fruit d'un libre choix de sa tendresse miséricordieuse qui voulait se répandre. Chez les saints, elle procède à la fois de l'amour divin qui se donne en charité fraternelle, et du sentiment profond qui

---

1. *Vie*, ch. VII, pp. 76-78.

leur reste de leur faiblesse sous la vaillance de leur vertu. En nous, elle naît d'un besoin de soutien et d'épanchement, ainsi que d'un courant de sympathie.

On le voit, la qualité de l'amitié est faite du mouvement dont elle procède, de l'amour qui l'anime.

Experte en l'art d'aimer et psychologue pénétrante pour analyser les sentiments, sainte Thérèse va nous aider à discerner et à apprécier les amitiés en qualifiant l'amour qui les inspire. À ce point de vue pratique, l'enseignement qu'elle donne dans le *Chemin de la Perfection* est incomparable.

Remarquons d'abord que l'amour est la loi de toute vie, de tout être. Dieu a mis cette loi en toute créature pour régler sa marche vers sa fin providentielle, mais il l'a adaptée à la nature de chaque être. L'astre gravite dans l'espace en obéissant à cette loi de la gravitation universelle et de l'attraction mutuelle des corps qui est la loi d'amour de la matière. L'instinct est une autre forme de la même loi d'amour.

Dans l'homme nous trouvons trois formes de cette loi d'amour adaptées aux trois vies qui se superposent chez le chrétien baptisé : l'amour sensible propre à la vie du corps, l'amour raisonnable qui appartient à l'âme, et l'amour surnaturel qui est essentiel à la vie de la grâce. Chacun de ces amours doit conduire à son parfait développement la vie à laquelle il appartient. Tous procèdent de Dieu et sont donc bons en soi. On ne saurait en maudire, ni en détruire aucun, à les considérer isolément.

Aussi bien la vie ne nous présente-t-elle pas ces divers amours séparés comme en la division logique, mais unis à des degrés différents. Le jugement pratique doit porter sur le dosage de chacun d'eux dans une nature humaine individuelle, sur la synthèse vivante réalisée par leur union. C'est le dynamisme de cet ensemble, son mouvement, sa direction qu'il importe d'apprécier en fonction de la fin surnaturelle de l'homme et la vocation particulière de chacun. La valeur morale et spirituelle est faite de l'unité harmonieuse de ses énergies vitales et de leur convergence vers sa destinée providentielle.

C'est en les considérant sous cet aspect vivant et synthétique, que sainte Thérèse nous parle et juge des amitiés. La Sainte est aussi peu logicienne que possible, au sens scolastique du mot ; c'est la vie qui l'attire et la retient. Elle l'analyse avec une pénétration merveilleuse, et la présente telle qu'elle la voit. Aussi ses descriptions sont des tranches de vie taillées dans le réel. Et bien qu'en dissertant des amitiés la Sainte s'adresse à ses filles carmélites, ses jugements et ses conseils ont une valeur humaine qui leur assure une portée universelle.

a) *Amour sensible.*

Voici d'abord une amitié que la Sainte qualifie d'« amour mauvais » et dont elle ne consent pas à parler. Il s'agit de l'amour sensible qui a des exigences sensuelles. Il peut être légitime dans le mariage. Sainte Thérèse parle à des religieuses qui ont voué à Dieu leur virginité et la gardent comme un trésor divin. Pour elles, cet amour est mauvais. Il faut s'en préserver avec soin, car les moindres souffles peuvent ternir :

Dieu nous en préserve ! C'est un enfer. Nous n'avons pas à nous fatiguer à en décrire l'horreur. Il est impossible d'exposer le moindre de ses maux. Pour nous, mes sœurs, nous ne devons ni prononcer son nom, ni penser qu'il existe en ce monde, ni consentir à ce qu'on en parle devant nous [1].

Cette élimination faite avec une énergie que nous comprenons fort bien pour des religieuses, la Sainte nous dit son dessein. Elle veut

parler de deux sortes d'amour : l'un qui est tout spirituel semble n'avoir aucun lien avec la sensualité ou la tendresse naturelle et ne rien perdre de sa pureté ; l'autre, qui est spirituel aussi, mais où notre sensualité et notre faiblesse ont leur part ; cet amour paraît bon et licite, comme celui que l'on a pour les parents [2].

Le premier est dominé par l'amour spirituel. Dans le deuxième, les éléments spirituels, raisonnables, et sensibles s'unissent en des degrés divers qui le font honnête et même bon. Appelons ce dernier amour « spirituel-sensible » des deux extrêmes qu'il unit, et avec la Sainte parlons-en tout d'abord.

b) *Amour spirituel-sensible.*

L'amour spirituel est un fruit des sommets ; il est donc très rare. L'amour spirituel-sensible est de beaucoup le plus fréquent. C'est celui qui nourrit habituellement les amitiés entre personnes spirituelles. Leurs liens spirituels se greffent ordinairement sur des sympathies naturelles, et ils y trouvent leur force et leur stabilité. Comment pourraient-elles aimer d'amour purement spirituel alors que leurs facultés ne sont pas purifiées et que la charité surnaturelle n'a point établi sa domination sur les puissances inférieures ?

Sainte Thérèse nous rassure sur la moralité des amitiés spirituelles-sensibles en comparant l'amour qui les anime

---

1. *Chem. Perf.*, ch. VIII, p. 617.
2. *Ibid.*, ch. V, p. 605.

à celui que nous avons pour nos parents. Elles sont non seulement licites, mais elles peuvent devenir bienfaisantes. C'est cette forme spirituelle-sensible, plus adaptée à notre faiblesse, qu'utilisera le plus fréquemment l'apostolat de l'amitié qui se révèle si fréquent dans les mouvements spécialisés. Par l'atmosphère qu'elles créent autour des âmes, la force persuasive qu'elles ajoutent aux conseils donnés, le soutien affectueux qu'elles procurent, ces amitiés peuvent arracher les âmes à l'isolement, à une ambiance mauvaise ou à la médiocrité d'un milieu pour les élever en des régions plus pures et plus surnaturelles.

Les amitiés dont bénéficia sainte Thérèse avant son entrée au Carmel étaient de cette nature. L'affection qu'elle sut inspirer autour d'elle et qui lui permit d'entraîner à sa suite devait être aussi une affection spirituelle-sensible. Nous ne pouvons supposer en effet que ces âmes fussent élevées aussitôt à l'amour spirituel et que les charmes naturels de la Sainte n'eussent contribuer pour une large part à les attacher à ses pas.

Ne serait-il pas juste de faire la même remarque au sujet des foules qui oubliaient le boire et le manger pour suivre Jésus jusqu'au désert ? Elles étaient conquises par le reflet de la divinité qui paraissait sur l'humanité du Christ, mais aussi par la bonté, l'éloquence et tous les charmes extérieurs du Maître. C'est bien pour conquérir, ainsi, en s'adaptant à notre faiblesse, que le Verbe s'est incarné, et qu'en prenant notre nature humaine il l'a voulue revêtue de toute la perfection dont elle est capable.

En Jésus et chez Thérèse, l'affection était toute spirituelle, et elle préservait de tout danger l'affection moins parfaite des âmes qui avaient été conquises.

Il n'en est point de même lorsque deux amis n'apportent dans leur union qu'un amour imparfait. Comment alors ne pas craindre une rupture d'équilibre entre les deux éléments spirituel et sensible qui s'unissent en cette amitié ? C'est une loi que chacune de nos facultés se porte vers le bien qui lui est présenté pour y goûter sa satisfaction propre ; or les satisfactions des sens sont les plus violentes et risquent de dominer en l'âme non purifiée et de l'entraîner [1]. En notre nature blessée par le péché, l'amour tend à descendre vers les régions inférieures et à déborder par les sens. Cette rupture d'équilibre menace les recherches les plus sincères du bien spirituel et peut les faire sombrer dans les libertés coupables de l'amour sensible ou même les déviations déplorables du sensualisme mystique.

---

1. *Nuit Obsc.*, Liv. II, ch. XIV, pp. 611-612.

Sans tomber en ces excès, l'amitié spirituelle-sensible peut se transformer inconsciemment en une affection désordonnée ou amitié particulière et exclusive qui est déjà un désordre :

Les amitiés de cette sorte, écrit la Sainte, affaiblissent la volonté et l'empêchent de s'employer tout entière à aimer Dieu... produisent ordinairement l'effet d'un poison même entre frères... portent des préjudices considérables à une communauté... et sont suscitées par le démon pour créer des partis dans les familles religieuses [1].

Elles sont « un mal chez toute personne, et une peste chez une supérieure ».

La Sainte note à ce propos que « les consciences imparfaites sentent peu ces excès et les regardent comme des actes de vertu » ; aussi, pour les faire disparaître faut-il user de « plus de patience et d'amour que de rigueur ».

Il pourrait bien se glisser quelque pointe de sensibilité dans les relations avec le confesseur. La question est importante et délicate pour des religieuses ; aussi la Sainte en traite-t-elle assez longuement.

Il convient tout d'abord de se garder de tout scrupule exagéré sur ce point. Si le confesseur est saint, zélé, et s'il fait avancer l'âme :

Appliquez-vous, conseille sainte Thérèse, à ne pas examiner dans votre pensée si vous aimez ou non. Si vous aimez, continuez... pourquoi n'aimerions-nous pas celui qui travaille sans cesse au progrès de notre âme ? Un grand moyen pour réaliser des progrès notables, c'est, à mes yeux, d'aimer le confesseur [2].

Mais

si l'on découvre chez le confesseur quelque tendance vaine, que l'on regarde tout comme suspect... Cette vanité dans un confesseur est très dangereuse : c'est un enfer, une ruine pour toutes les sœurs... Le dommage que le démon peut causer ici est considérable [3].

Sainte Thérèse pense-t-elle à l'épisode douloureux de Becedas ? Peut-être. Les désordres dans un monastère ne peuvent pas se développer en de telles proportions, mais il peut y avoir de grands troubles, des « angoisses du corps et de l'âme » : « J'ai vu de grandes afflictions de ce genre dans quelques monastères, témoigne la Sainte, mais non dans le mien [4] ».

---

1. *Chem. Perf.*, ch. v, pp. 602-603.
2. *Ibid.*, note, Texte de l'Escurial, Éditions de la Vie Spirituelle, p. 48.
3. *Ibid.*, ch. v, pp. 605-607.
4. *Ibid.*, Éditions de la Vie Spirituelle, p. 52.

Premières étapes

Si c'est la « Supérieure qui a un attachement trop naturel pour le confesseur », les sœurs ne peuvent plus parler librement à l'un et à l'autre et

le démon se sert de ce moyen pour prendre les âmes dans ses filets, lorsqu'il n'y peut réussir par d'autres pièges [1].

Un seul remède à ces maux : que les religieuses aient la liberté de s'adresser à plusieurs confesseurs, et qu'elles en usent au moins de temps en temps, même si le confesseur ordinaire réunissait la science et la sainteté.

Mais enfin n'existe-t-il pas un critérium pour discerner si, dans ce mélange qui constitue l'amour spirituel-sensible, le sensible l'a emporté et mène le mouvement d'une façon dangereuse ?

On ne saurait se fier complètement aux manifestations extérieures dans lesquelles interviennent d'une façon assez notable le tempérament des personnes et les habitudes du milieu.

Sainte Thérèse donne quelques signes psychologiques plus profonds ; cette amitié qui dévie, se nourrit de futilités :

On est sensible à l'humiliation faite à une amie ; on désire avoir quelque chose pour le lui donner ; on cherche l'occasion de lui parler et souvent c'est pour lui dire qu'on l'aime et lui exprimer des banalités plutôt que pour lui parler de l'amour qu'on a pour Dieu... Elles sont innombrables les petitesses qui en découlent [2].

Ce problème du discernement des bonnes amitiés avait préoccupé sainte Thérèse de l'Enfant-Jésus. Saint Jean de la Croix lui en avait donné la solution. Au dos d'une image placée en son bréviaire, elle avait copié ce passage de la *Nuit Obscure* :

Quand l'amour que l'on porte à la créature est une affection toute spirituelle et fondée sur Dieu seul, à mesure qu'elle croît, l'amour de Dieu croît aussi dans notre âme ; plus alors le cœur se souvient du prochain, plus il se souvient aussi de Dieu et le désire, ces deux amours croissant à l'envi l'un de l'autre... [3]

L'arbre se reconnaît aux fruits. Le critérium donné par Notre-Seigneur pour discerner les vrais prophètes s'applique ici aussi et donne des certitudes. Les effets

---

1. *Chem. Perf.*, ch. VI, p. 608.
2. *Ibid.*, ch. V, p. 603.
3. *Nuit Obsc.*, Liv. I, ch. V, traduction des Carmélites de Paris (Douniol et Cie).

précisent la nature de l'affection, ou plutôt indiquent quelle est, dans cette synthèse, la force qui domine et impose son mouvement aux autres éléments. Si les amitiés spirituelles-sensibles font croître l'amour de Dieu, elles sont bonnes et doivent être encouragées. Telle est la conclusion qui s'impose.

Mais voici que sainte Thérèse semble se dérober devant cette conclusion. Elle n'accepte même pas celles-là pour ses monastères :

> Je voudrais, écrit-elle, que les amitiés de cette sorte fussent nombreuses dans les grands monastères. Mais dans cette maison où nous ne sommes et ne devons être que treize, toutes les Sœurs doivent être amies. Toutes doivent s'aimer, se chérir, s'entr'aider. Pour l'amour de Dieu, qu'elles se gardent bien de ces amitiés particulières, si saintes soient-elles [1].

La Sainte a un idéal plus élevé pour ses filles, celui de l'amour spirituel.

c) Amour spirituel.

C'est un amour hautement qualifié que l'amour spirituel dont parle sainte Thérèse dans les chapitres septième et huitième du *Chemin de la Perfection* :

> Il est le partage du petit nombre. L'âme à qui Notre-Seigneur en fait don est grandement obligée de le remercier, car ce doit être là le signe d'une très haute perfection [2].

Il est éclairé par une haute lumière sur Dieu et sur la créature, sur

> ce qu'elle gagne à aimer le Créateur ; ce qu'elle perd à aimer la créature, ce qu'est l'un, ce qu'est l'autre... Lorsque l'âme connaît cela, non seulement par son intelligence ou par la foi, mais par son expérience, ce qui est bien différent... alors elle aime d'une manière beaucoup plus parfaite [3].

Cet amour ne s'arrête pas aux avantages extérieurs :

> Les âmes que Dieu élève à cet état sont des âmes généreuses, des âmes royales. Elles ne mettent point leur bonheur à aimer quelque chose d'aussi misérable que nos corps, malgré la beauté et les grâces dont ils sont ornés. Elles pourront les trouver agréables à la vue, et se sentir portées à louer le Créateur. Quant à s'y arrêter avec complaisance, jamais... [4]

---

1. *Chem. Perf.*, ch. v, p. 603.
2. *Ibid.*, ch. VII, p. 612.
3. *Ibid.*, p. 613.
4. *Ibid.*

Premières étapes

S'ils n'aiment pas les choses qu'ils voient, sur quoi se porte leur affection ? A la vérité ils aiment ce qu'ils voient, et s'affectionnent à ce qu'ils entendent. Or, ce qu'ils voient est stable. Si donc ils aiment, ils ne s'arrêtent pas au corps : ils jettent le regard sur l'âme et examinent s'il y a en elle quelque chose qui mérite d'être aimé ; s'ils n'y découvrent encore rien à aimer, mais seulement quelque commencement de vertu ou quelque disposition au bien, qui permet de supposer qu'en creusant cette mine, on y découvrira de l'or, leur amour ne redoute aucune fatigue [1].

Seules les grandes capacités d'aimer et de servir Dieu justifient leurs préférences à l'égard de certaines âmes.

Cet amour n'est si pur dans son objet que parce qu'il est tout spirituel, et que dans l'âme il a dominé toutes les tendances naturelles.

Il est sans le moindre mélange d'intérêt propre [2].

Si parfois il leur arrive (aux âmes qui ont cet amour), par un premier mouvement naturel de se réjouir de l'affection qu'on leur porte, elles reconnaissent, aussitôt rentrées en elles mêmes, que c'est là une folie. Ce sentiment n'a pas lieu lorsqu'il s'agit de personnages qui peuvent les aider par leur science et leur oraison. Toute autre affection les fatigue : elles comprennent qu'elles n'en retireront aucun profit et pourraient en recevoir de graves dommages [3].

De même cet amour spirituel, en se portant sur le prochain

peut sans doute éprouver les premiers mouvements de sensibilité naturelle, mais aussitôt la raison examine si les épreuves où se trouve la personne aimée sont destinées à sa perfection, si elle grandit en vertu... La voit-il résignée, il n'éprouve plus aucune peine... Je le répète, cet amour semble être à l'image et à la ressemblance de celui qu'a eu pour nous Jésus, l'Amour infini [4].

Il est ardent et fort comme l'amour de Jésus pour nous :

C'est une chose merveilleuse que de voir combien cet amour est ardent. Que de larmes, que de pénitences, que de prières il coûte ! De quel zèle n'est-il pas animé près de ceux qu'il croit puissants sur le cœur de Dieu pour qu'on recommande à sa miséricorde la personne aimée ! Quel désir constant de son avancement ! Il n'a pas de repos tant qu'elle ne réalise pas de progrès... Qu'il mange ou qu'il dorme, cette préoccupation le poursuit. Il redoute toujours la perte de cette âme qu'il aime tant, et il craint d'en être séparé à jamais [5].

---

1. *Chem. Perf.*, ch. VII, p. 615.
2. *Ibid.*, ch. VIII, p. 617.
3. *Ibid.*, ch. VII, p. 614.
4. *Ibid.*, ch. VIII, p. 618.
5. *Ibid.*, p. 617.

Cet amour n'est ni aveugle, ni trop complaisant comme les autres ; ceux qui le possèdent

ne peuvent user avec elles (les personnes aimées) d'aucune dissimulation ; s'il les voit s'éloigner tant soit peu du droit chemin ou commettre quelque faute, aussitôt ils les préviennent ; ils ne sauraient faire autrement... chez leurs amis ils découvrent tout, ils voient les fautes les plus légères [1].

C'est ainsi que sainte Thérèse réprimande Anne de Jésus, Gratien et Mariano, avec une franchise qui paraîtrait rude si elle n'était affectueuse.

A Mariano, nature ardente, elle écrit :

Dieu vous garde, mon Père, malgré toutes vos fautes... Oh ! que vous êtes d'un caractère à faire perdre patience [2].

A Gratien, abattu par la tempête qui sévit contre la Réforme, elle dira :

De grâce, ne prophétisez pas tant avec vos pensées. Dieu fera tourner tout à bien. Si vous vous laissez aller à cette tristesse au milieu des soucis qui vous entourent, qu'auriez vous fait dans la prison du P. Jean de la Croix ? [3]

Quant à Anne de Jésus, qui, lui a-t-on dit, a manqué de discrétion dans la fondation de Grenade, elle reçoit cette réprimande vigoureuse :

Vraiment c'est une honte pour moi de voir mes filles donner tant d'attention à de si misérables petites choses (à propos du titre que le provincial donne à la prieure). Après cela on vante votre valeur. Ah ! que le Seigneur daigne rendre mes carmélites bien humbles et bien obéissantes [4].

N'y a -t-il plus rien d'humain en cet amour ? Ce serait mal le connaître. Il trouve en effet dans sa pureté même une délicatesse exquise et une liberté dans l'expression dont il a seul le privilège. Il sait « compatir aux souffrances des autres, si petites soient-elles [5] ». Il est gai à l'occasion et plein de sollicitude pour tous les besoins, même matériels.

La santé du P. Gratien préoccupe Thérèse. Elle écrit à Mère Marie de Saint-Joseph, prieure de Séville :

Ma fille, notre Père m'a parlé des soins que vous prenez de lui. Vous m'obligez ainsi de telle sorte que vous m'êtes devenue encore plus chère [6].

---

1. *Chem Perf.*, ch. VIII, p. 619
2. *Lettres*, Séville, 9 mai 1576.
3. *Ibid.*, Avila, 1578.
4. *Ibid.*, 30 mai 1582.
5. *Chem. Perf.*, ch. VIII, p. 620.
6. *Lettres*, Tolède, décembre 1576.

Premières étapes

Elle est affectée plus que personne des tourments que doit endurer saint Jean de la Croix dans sa prison, et écrit au roi. Il faudrait parcourir toute la correspondance de la Sainte pour voir comment elle reste délicatement humaine dans son amour spirituel du prochain.

Humaine ? Mais ne l'est-elle pas trop le jour où étant reçue par une communauté de carmes, son regard maternel distingue un jeune frère au regard sans doute plus limpide, elle l'appelle et l'embrasse devant toute la communauté. Geste spontané et combien expressif d'un amour maternel qui n'est si libre que parce qu'il est très pur et spirituel.

Elle a distingué la valeur d'Anne de Jésus et peut-être son rôle futur dans l'extension de sa Réforme, aussi elle profite de l'exiguïté du local en la fondation de Salamanque pour lui donner un lit dans sa cellule, et, le soir, elle s'approchait d'elle pour la bénir, couvrant son front de croix et de caresses, puis la regardait longtemps en silence.

Cet amour spirituel possède toutes les richesses divines et les délicatesses humaines. Nous comprenons dès lors l'exclamation de sainte Thérèse :

> Heureuses les âmes qui sont l'objet de l'affection de telles âmes ! Heureux le jour où elles les ont connues ! O mon Dieu, ne m'accorderez-vous pas la grâce de me voir ainsi aimée par un grand nombre ! Oui, Seigneur, je le désire plus volontiers que d'être aimée de tous les rois et princes du monde, et c'est juste, car ils ne négligent aucun moyen pour nous faire arriver à dominer le monde... Lorsque vous rencontrerez, mes Sœurs, un saint élevé à cet amour, que la Mère prieure ne néglige rien pour vous procurer la faveur de traiter de votre âme avec lui ; aimez-le tant que vous voudrez. Le nombre de ces saints doit être fort petit... On vous dira aussitôt que cela n'est pas nécessaire, qu'il vous suffit d'avoir Dieu. Je réponds qu'un moyen excellent pour jouir de l'intimité de Dieu, c'est de traiter avec ses amis... Je le sais par expérience. Car si je ne suis pas en enfer, je le dois après Dieu aux âmes élevées dont je parle [1].

Nous comprenons aussi pourquoi sainte Thérèse ne veut pour ses monastères et pour le cœur de ses filles que l'amour spirituel. Cet amour a l'avantage de ne pas causer de trouble comme les affections dans lesquelles la sensibilité a quelque part. Il est large, puissant et nullement exclusif. Mais surtout il est le propre des régions élevées où la Sainte veut conduire ses filles ; il est le seul qui puisse leur permettre de remplir leur vocation dans l'Église.

---

1. *Chem. Perf.*, ch. VII. Note manuscrite de l'Escurial, Éditions de la Vie Spirituelle, pp. 72-73.

Elles ont une vocation d'amour. Toute leur puissance d'aimer est entièrement vouée au Christ Jésus et à l'Église qui est son corps mystique. Elles doivent aimer parfaitement et la qualité de l'amour importe plus à sa perfection que son intensité. A n'en pas douter, c'est l'amour spirituel qui est le terme de leur vocation ; c'est vers lui qu'elles doivent tendre à travers toutes les purifications et sans s'arrêter aux formes inférieures d'affection qui pourraient les retenir et dont les flammes pourraient brûler leurs ailes [1].

En attendant que cet amour leur soit accordé, car il est une grâce, qu'elles se préparent à le recevoir et le méritent en gardant leur cœur, libre de toute affection particulière, et en usant déjà extérieurement, à l'égard de toutes et de chacune, de ce respect affectueux qui est la note extérieure de l'amour spirituel qu'elles désirent.

Plus que les descriptions ardentes qui en détaillent les richesses et la fécondité, le tableau de la Sainte expirant à Albe de Tormès peut nous faire désirer et aimer cet amour spirituel.

La bienheureuse Anne de Saint-Barthélémy, sa compagne inséparable, se prodiguait autour de la couche sur laquelle la sainte Mère agonisait. Après une nuit de veille,

le P. Antoine l'envoya prendre quelque nourriture. Thérèse, ne sachant où elle était partie, la chercha des yeux et n'eut de repos que lorsqu'elle la vit revenir. Alors d'un signe elle l'appela auprès d'elle, lui prit les mains et appuya sa tête sur l'épaule de sa chère infirmière [2].

A sept heures du matin l'agonie commença, paisible et radieuse comme une extase ; à neuf heures du soir, la Réformatrice du Carmel, toujours dans la même attitude, expirait dans les bras de sa chère Anne de Saint-Barthélémy. Tableau d'apothéose ! L'amour qui emportait l'âme de sainte Thérèse vers Dieu avait gardé ici-bas jusqu'au dernier instant une attitude et une expression délicatement humaines.

C'est du même amour parfait que Thérèse aimait Dieu et ses filles. En reposant pendant son extase sur le cœur d'Anne de Saint-Barthélémy, elle se préparait au repos éternel dans le sein de Dieu !

---

1. Cf. sainte Thérèse de l'Enfant-Jésus, *Man Autob.*, A fol. 38 v°.
2. *Vie de sainte Thérèse*, par une carmélite, T. II, p. 414.

CHAPITRE HUITIÈME

La direction spirituelle

J'ai perdu bien du temps faute de savoir comment me diriger... [1]

L'âme en marche vers Dieu trouve dans les amitiés spirituelles un réconfort ; elle demandera à la direction spirituelle la lumière pour se guider en ses voies. Tandis que l'ami est un égal, le directeur est un supérieur auquel on se soumet. Le rôle de ce dernier peut être distinct de celui du confesseur. Le confesseur est un médecin qui guérit et préserve la vie de la grâce contre les atteintes du péché ; le directeur assure le progrès spirituel de l'âme. C'est encore toute une doctrine que nous trouvons chez sainte Thérèse sur la direction spirituelle, sur son importance et sa nécessité en certains cas, sur le choix et les qualités du directeur et sur les dispositions du dirigé.

A. — *IMPORTANCE ET NÉCESSITÉ DE LA DIRECTION*

1. Le soin que mettait sainte Thérèse à se procurer le secours de la direction suffit à montrer l'importance qu'elle y attachait. Elle n'entreprend rien sans consulter théologiens et spirituels. Les nombreuses relations de sa vie ou des grâces qu'elle a reçues nous disent l'esprit de foi qu'elle mettait en ces consultations et l'importance qu'elle leur donnait dans la vie spirituelle :

Pour moi, écrit-elle, je bénis Dieu de tout mon cœur — et nous autres femmes, ainsi que toutes les personnes qui ne possèdent pas la science, nous devrions toujours lui adresser d'infinies actions de grâces — de ce qu'il nous procure les gens instruits qui, au prix des plus grands travaux, ont acquis la connaissance de la vérité que nous ignorons...

---

1. *Vie*, ch. XIV, p. 141.

Soyez béni, ô mon Dieu, de ce que vous m'avez créée si inhabile et si inutile ! Soyez béni surtout de ce que vous suscitez tant d'âmes qui, à leur tour, nous portent à la vertu. Nous ne devrions jamais cesser de prier pour ces savants qui nous donnent la lumière. Et que deviendrions-nous sans eux, au milieu de ces tempêtes si grandes qui, à l'heure actuelle, agitent l'Église ? [1]

Sa reconnaissance est bien justifiée. En effet, parmi les prêtres séculiers et les religieux de toutes robes qu'elle consulte à Avila et dans les villes où la conduisent ses voyages de fondation, on trouve les plus grands théologiens de son époque tels les dominicains Ibañez, Barthélémy de Medina, le grand Bañez son théologien attitré, les spirituels les plus qualifiés comme les premiers jésuites d'Avila, dont le Père Balthazar Alvarez, et quatre saints canonisés : saint Pierre d'Alcantara, franciscain, saint Louis Bertrand, dominicain, saint François de Borgia, commissaire général de la Compagnie de Jésus, et saint Jean de la Croix, le premier carme déchaussé.

Dans ses traités elle revient fréquemment sur l'importance ou même la nécessité de la direction :

Mon avis, écrit-elle, a toujours été et sera que tout chrétien doit s'appliquer, quand il le peut, à communiquer avec un guide instruit, et le plus éclairé sera le meilleur. Celui qui suit la voie de l'oraison en a plus besoin que tout autre : et plus on est avancé dans la spiritualité, plus il faut y avoir recours [2].

C'est dès le début de la vie spirituelle que cette direction est nécessaire :

Celui qui commence doit bien examiner ce en quoi il profite davantage. Pour cela un maître lui est très nécessaire pourvu qu'il ait de l'expérience [3].

Pour parer aux premières difficultés du recueillement elle écrit :

Je veux seulement vous faire remarquer qu'il est très important, à mon avis, de s'ouvrir alors à des personnes qui ont l'expérience de cet état [4].

Le besoin de directeur se fera spécialement sentir dans les périodes d'obscurité que sont les périodes de transition, c'est-à-dire aux deuxièmes, quatrièmes et sixièmes Demeures.

Voici pour l'oraison de quiétude des quatrièmes Demeures :

---

1. *Vie*, ch. XIII, p. 134-135.
2. *Ibid.*, p. 133.
3. *Ibid.*, pp. 130-131.
4. IIᵉ Dem., ch. I, p. 843.

Premières étapes

Lorsque Dieu la conduit par la voie de la crainte, comme il en a usé à mon égard, elle en éprouve de grandes souffrances, s'il n'y a pas de directeur qui la comprenne. Elle goûte au contraire une jouissance très vive à voir le portrait de son état retracé quelque part ; elle reconnaît alors clairement la voie qu'elle suit. C'est en outre un grand avantage pour elle de savoir ce qu'elle doit faire pour avancer en tout état d'oraison. Pour moi, j'ai souffert beaucoup, et j'ai perdu bien du temps faute de savoir comment me diriger ; aussi je suis touchée de compassion pour les âmes qui, arrivées à cet état d'oraison de quiétude, se trouvent isolées[1].

Quant aux sixièmes Demeures, où les manifestations surnaturelles peuvent devenir fréquentes, la direction devient indispensable.

2. La Sainte appuie ses recommandations en soulignant les difficultés de se guider soi-même dans les voies spirituelles.

Ces voies restent obscures et ne se livrent complètement qu'à l'expérience. Comment donc l'âme pourrait-elle les connaître avant de les avoir parcourues ? Dans le Prologue de la *Montée du Carmel*, saint Jean de la Croix déclare avoir entrepris d'écrire pour « subvenir à l'extrême nécessité où se trouve un grand nombre d'âmes » qui, après avoir commencé à marcher dans le chemin de la vertu, ne vont pas plus loin souvent « parce qu'elles ne comprennent pas leur état et qu'elles manquent de guides expérimentés et capables de les conduire au sommet de la perfection[2] ».

La science spirituelle ne suffit pas. Pour trouver sa voie et y marcher en sécurité il faut se connaître soi-même, ses aptitudes et ses défauts. Or il est bien difficile en son regard sur soi de ne pas se laisser tromper par les passions, par les impressions, et par le mouvement des facultés, qui nous dissimulent le fond de notre âme.

Saint François de Sales, très finement, souligne que nous sommes si peu clairvoyants sur nous-mêmes à cause d'une certaine complaisance « si secrète et imperceptible, que si on n'a bonne vue on ne peut la découvrir, et ceux-mêmes qui en sont atteints ne la connaissent pas si on ne la leur montre[3] ». Ailleurs, le saint docteur explique :

Hé pourquoi voudrions-nous estre maîtres de nous-mêmes pour ce qui regarde l'esprit, puisque nous ne le sommes pas pour ce qui regarde le corps. Ne sçavons-nous pas que les médecins, lorsqu'ils sont malades, appellent d'autres médecins pour juger des remèdes qui leur sont propres[4].

---

1. *Vie*, ch. XIV, pp. 140-141.
2. *Montée du Carm.*, Prologue, p. 20.
3. *Vie dévote*, III, ch. XXVIII.
4. *Sermons*. – Fête de N.-D. des Neiges.

Les mêmes affirmations trouvent sous la plume de saint Bernard une expression plus énergique. Au chanoine Ogier, le Saint déclare que celui qui se constitue son propre maître se fait le disciple d'un sot : *Qui se sibi magistrum constituit, stulto se discipulum facit.* Il ajoute :

J'ignore ce que les autres pensent d'eux-mêmes à ce sujet ; pour moi je parle d'expérience et je déclare qu'il m'est plus facile et plus sûr de commander à beaucoup d'autres que de me conduire moi-même [1].

Le directeur est d'ailleurs plus qu'un guide. Il est, au témoignage encore de saint Bernard, un père nourricier qui doit instruire, consoler, encourager. Il lui appartient de discerner la grâce particulière de l'âme, de la dégager des faux attraits, de la préserver de tous les dangers, spécialement aux heures d'obscurité, et de la faire triompher en utilisant toutes les énergies.

Cette action éclairée et persévérante est, en toute circonstance, d'un prix incomparable pour une âme généreuse ; la sympathie compréhensive peut lui être, pendant les périodes d'obscurité et d'épreuve, le secours le plus efficace.

3. La direction entre dans l'économie providentielle de la conduite des âmes.

Dieu en effet a établi son Église comme une société hiérarchique. Il y guide et sanctifie les âmes par l'autorité du pape et des évêques au for externe, le ministère du prêtre au for interne. Le Christ leur a donné ses pouvoirs : il lie dans le ciel ce qu'ils ont lié sur la terre, il délie dans le ciel ce qu'ils ont délié sur la terre.

C'est ce que souligne le Pape Léon XIII dans sa Lettre *Testem benevolentiae* (22 janvier 1899) :

Nous trouvons, écrit-il, aux origines mêmes de l'Église une manifestation célèbre de cette loi : bien que Saul, respirant la menace et le carnage, eût entendu la voix du Christ lui-même et lui eût demandé : Seigneur, que voulez-vous que je fasse ? c'est à Damas vers Ananie qu'il fut envoyé : « Entre dans la ville et là on te dira ce que tu dois faire [2] ».

Le Christ ne reprend pas les pouvoirs qu'il a donnés et renvoie à ceux qui les ont reçus les âmes qu'il saisit lui-même.

C'est l'argument que développe saint Jean de la Croix dans la *Montée du Carmel* :

---

1. *Epist.* LXXXVII, 7.
2. Ac 9, 6.

Dieu aime tant à voir l'homme gouverné et dirigé par un autre homme semblable à lui, et selon la raison naturelle, qu'il veut absolument que ce qu'il nous communique surnaturellement nous ne le donnions à comprendre, ou nous n'y donnions entière créance, ou n'ait de force et de sécurité en nous, qu'après avoir passé par ce canal humain de la bouche de l'homme. Chaque fois qu'il dit ou révèle quelque chose à l'âme, il le fait en inclinant cette âme à s'en rapporter à qui il convient. Jusqu'alors il n'a pas coutume de lui donner une pleine assurance sur la révélation ; il veut que l'homme la reçoive d'un autre homme semblable à lui [1].

Le Saint souligne que la parole de Dieu adressée directement à Moïse et à Gédéon n'eut de force pour eux que lorsqu'elle fut passée par un instrument humain.

C'est à cet instrument humain que Dieu confie le soin d'interpréter et de compléter son message. Malheur donc à celui qui même éclairé par Dieu, voudrait rester seul, car saint Paul a voulu être confirmé dans sa foi par les Apôtres ; saint Pierre lui-même éclairé par Dieu se trompait dans une cérémonie concernant les Gentils ; Moïse reçut d'excellents conseils de Jethro son beau-père ; enfin bien des thaumaturges au témoignage de Notre-Seigneur, ne seront pas reconnus par Lui au jour du jugement, bien qu'ils aient fait des merveilles en son nom [2].

4. L'hagiographie et l'histoire de l'Église confirment l'excellence et les bienfaits de la direction.

La direction fut en honneur chez les Pères du désert, qui se groupaient autour d'un ancien pour recevoir ses conseils. Cassien dit que les moines les plus détestables étaient les sarabaïtes qui s'adonnaient à des mortifications extra-ordinaires, mais n'obéissaient à personne ou changeaient constamment de maître.

Elle est en honneur et parfois d'obligation dans les Ordres religieux, spécialement pendant la période de formation.

Chez la plupart des saints, elle apparaît comme un élément important de leur vie spirituelle. Chez certains, les relations de directeur à dirigé ont abouti à une union intime dans laquelle les âmes ont trouvé, outre une lumière pour leur ascension, un enrichissement spirituel merveilleux et leur fécondité extérieure. Nous pensons à sainte Claire et saint François d'Assise, à saint François de Sales et sainte Jeanne de Chantal. On conçoit malaisément ce qu'eût été la fondatrice de la Visitation sans le saint évêque de Genève.

---

1. *Montée du Carm.*, Liv. II, ch. xx, p. 237.
2. *Ibid.*, pp. 241-242.

De ces considérations faut-il conclure à la nécessité d'un directeur spirituel particulier au sens moderne du mot ? La réponse à cette question exige quelques distinctions.

Reconnaissons d'abord que le problème ne se pose que pour le chrétien soucieux de perfection chrétienne. Le chrétien ordinaire ne saurait demander et, pratiquement, ne saurait que faire de conseils autres que ceux qui lui viennent par la prédication ou dans la réception des sacrements.

Par contre, le spirituel proprement dit a certainement besoin de conseils et de direction appropriés à son état. Mais l'Église a prévu ce besoin et y a pourvu. Il semble normal par conséquent que le religieux trouve des directives suffisantes dans les moyens mis à sa disposition : confesseurs habituels, supérieurs, règle et événements providentiels qui l'atteignent. Est-ce parce qu'elle marchait par une voie ordinaire, mais nous constatons que sainte Thérèse de l'Enfant-Jésus n'eut pas d'autre direction que celle qui lui vint des confesseurs habituels ou accidentels de la communauté et que Dieu semble avoir voulu la garder de toute autre influence.

Il est cependant assez fréquent que dans la vie religieuse, surtout dans la vie contemplative, l'âme ne trouve pas autour d'elle la direction appropriée dont elle a besoin, spécialement en certaines périodes plus difficiles. Dès lors, elle manquerait à la prudence et risquerait de compromettre son avancement spirituel si elle ne faisait diligence pour chercher le secours spécial qui lui est nécessaire.

Quant à l'âme qui vit dans le monde sans règle précise, on ne voit pas comment elle pourrait avancer dans les voies spirituelles sans l'aide d'une direction suivie.

Que l'on se contente des secours mis à notre disposition ou que l'on ait recours à un directeur particulier, il est nécessaire d'être aidé par quelqu'un qui porte la sollicitude de notre âme.

Croirait-on pouvoir s'en dispenser d'une façon habituelle, il faudrait pour le moins soumettre à un guide toute action surnaturelle de Dieu dans l'âme.

B. — *CHOIX ET QUALITÉS DU DIRECTEUR*

L'influence que la direction spirituelle peut avoir en une vie donne une très grande importance au choix du directeur.

Premières étapes

Il est difficile de dire, affirme saint Jean de la Croix, comment l'esprit du disciple se forme d'une manière secrète et intime sur le modèle de son maître spirituel [1].

L'orientation de la vie, la rapidité des ascensions spirituelles, la sanctification et peut-être même le salut peuvent dépendre du choix du directeur. On comprend dès lors que saint François de Sales recommande qu'on le choisisse non entre mille, mais entre dix mille.

Sainte Thérèse nous donne les mêmes graves avertissements :

> Je ne crains pas de le dire, écrit-elle, une âme qui veut se soumettre à un seul guide commet une grande faute en ne le choisissant pas tel que je l'ai représenté. Si elle appartient à un Ordre religieux, elle devra obéissance à un supérieur qui peut-être manquera des trois qualités dont j'ai parlé. Et ce sera assez d'une croix aussi lourde, sans aller de plein gré soumettre son jugement à celui qui en est dépourvu. Quant à moi, je n'ai jamais pu me résoudre à la faire, et, à mon avis, cela ne convient nullement. S'il s'agit d'une personne du monde, elle peut choisir le guide auquel elle doit se soumettre. Qu'elle en bénisse Dieu et ne perde point une liberté si précieuse. Je dis même qu'elle fera bien de demeurer sans guide, tant qu'elle n'aura pas trouvé celui qui lui convient. Le Seigneur le lui donnera si elle est profondément humble et désireuse de le trouver [2].

L'influence de la direction est telle que la Sagesse divine, si soucieuse de nos besoins, s'y intéresse tout particulièrement. Elle indique parfois elle-même le directeur à l'âme qu'elle a chargée d'une mission spéciale : saint Paul est envoyé à Ananie, sainte Marguerite-Marie devra s'adresser au P. de la Colombière. A toutes les âmes cette Sagesse donne, à défaut d'indications précises, une lumière pour ce choix.

S'inspirer pour ce choix uniquement d'une sympathie naturelle pourrait être une lourde imprudence. La raison et la foi doivent le guider. Sainte Thérèse indique sur quels critères :

> Il est très important, écrit-elle, que le directeur soit prudent, c'est-à-dire qu'il ait l'esprit sûr et de l'expérience. Si à cela il ajoute la doctrine, c'est un très grand bien [3].

La sainteté n'est pas mentionnée ; nous l'y ajouterons. Visiblement la Sainte veut insister sur les qualités morales du directeur. De fait, bien qu'elle soit une fonction du sacerdoce, la direction spirituelle se réfère spécialement

---

1. *Montée du Carm.*, Liv. II, ch. XVI, p. 194.
2. *Vie*, ch. XIII, p. 134.
3. *Ibid.*, p. 132.

aux qualités personnelles du prêtre et trouve en elles son efficacité. On pourrait pécher par imprudence, sauf cas urgent et nécessité, en comptant uniquement sur la grâce sacerdotale d'un prêtre pour lui demander des conseils importants ou une direction suivie, sans considérer ses aptitudes à ce ministère spécial.

I. — *Sainteté.*

Trouver un directeur qui soit un saint est une grâce précieuse. Exiger ou même désirer que sa sainteté éclate en manifestations extérieures, ou qu'il soit éclairé par des lumières extraordinaires, est un travers dangereux qui expose à bien des erreurs. Il doit nous suffire que la sainteté s'affirme par l'humilité et la charité. Ces deux vertus qui se complètent et s'éclairent mutuellement font les bons directeurs.

La charité surnaturelle, dégagée de toute recherche personnelle, ne cherche que Dieu dans les âmes et lui rapporte tout comme au maître absolu. Épanchement chez le directeur de la paternité du Père de lumière et de miséricorde, elle le rend patient et compréhensif, compatissant à toute misère et confiant en toute bonne volonté.

L'humilité éclaire la charité en attirant ces effusions de la miséricorde divine. Elle fait trouver au directeur sa place entre Dieu et l'âme, lui assure lumière et souplesse pour y remplir sa mission d'instrument de Dieu et de collaborateur humain à l'œuvre de la grâce.

Pénétré de son rôle d'instrument de Dieu, le directeur se remettra souvent entre les mains de Dieu pour implorer sa lumière, ses motions, et accomplir parfaitement son œuvre. Une humble défiance de soi et une grande confiance en Dieu attireront par le don de conseil les réponses divines dont il a besoin pour l'accomplissement de sa mission.

Collaborateur de Dieu, il doit travailler à faire réaliser la volonté de Dieu. L'âme appartient à Dieu ; c'est vers Dieu qu'elle doit marcher et par la voie que Dieu fixe. Il appartient au directeur de discerner cette volonté divine et d'aider l'âme à l'exécuter.

Les âmes sont diverses comme les fleurs. « C'est à peine si on en trouve une seule qui soit de moitié semblable à une autre » assure saint Jean de la Croix [1]. Chacune a sa mission dans le plan divin, sa place dans le Ciel et,

---

1. *Vive Fl.*, str. III, p. 1015.

ici-bas en sa grâce, une puissance, une beauté, des
exigences qui correspondent au dessein de Dieu sur elle.

Le même soleil divin les éclaire toutes ; elles se désaltèrent toutes à la même source et se nourrissent du même
pain de vie qui est le Christ. Et cependant la Sagesse se
penche maternellement sur chacune, l'appelle par son nom
divin et diversifie admirablement pour chacune les effets
de sa lumière, les saveurs de sa grâce, les ardeurs de ses
flammes et les jeux de son amour.

Mystère profond et admirable des âmes et de la vie de
Dieu en elles ! Qui pourrait dire les destinées divines de
la grâce que le baptême vient de déposer en l'âme de tel
enfant ? Ce germe donnera-t-il une fleur dont toute la parure
sera dans sa modestie et le charme dans la discrétion de
son parfum ? Deviendra-t-il un arbrisseau verdoyant qui
embellira le champ de l'Église et nourrira de ses fruits les
enfants de Dieu ? ou bien s'élèvera-t-il comme un arbre
de haute futaie dont la cime rejoindra les cieux ?

Sur ce mystère le directeur se penchera avec respect et
amour. La grâce de l'âme lui murmurera son nom divin.
Ce murmure est trop lourd de clartés et de mystère pour
s'exprimer en un terme précis. Il ne dévoilera pas
l'avenir, mais il découvrira les désirs de Dieu sur l'âme.
Il éclairera les attraits et les événements, et se précisera
sous leurs lumières. Il sera un fil conducteur à travers les
dédales des complications dont une vie est tissée, et, tant
dans la régularité de la vie ordinaire que dans le trouble
des événements qui déconcertent, il dictera le devoir
présent, précisera l'attitude à prendre et fera trouver la
ligne du plan providentiel.

La charité et l'humilité peuvent seules suivre l'âme en
cette pénombre mystérieuse, y trouver assez de lumière
pour s'y mouvoir avec aisance, y soutenir l'œuvre du divin
artisan et conduire l'âme vers la réalisation des desseins
divins. Elles seules peuvent soustraire le directeur aux
dangers qui le menacent, à savoir : l'accaparement des âmes
et leur utilisation pour des fins personnelles, les jalousies
mesquines, l'autoritarisme étroit qui impose ses vues et ses
méthodes et qui diminue la liberté de l'âme sous l'action
de l'Esprit Saint [1].

---

1. Dans la *Vive Flamme* saint Jean de la Croix flagelle vigoureusement
les directeurs qui tombent en ces défauts : « Ces directeurs, écrit-il, qui
ne consultent que leur propre intérêt ou leur goût personnel... sont placés
comme des barres de fer et des pierres d'achoppement à la porte du ciel
pour empêcher d'y entrer ceux qui leur demandent conseil... Ni les uns,
ni les autres n'échapperont aux châtiments qui les attendent ». (*Vive Fl.*,
str. III, § XIII, pp. 1017-1018).

La sainteté seule sait respecter parfaitement les droits absolus de Dieu sur l'âme, les servir jusqu'au bout en se retirant s'il y a lieu pour confier l'âme à des conseils plus avisés [1]. Elle ne cherche point d'autre joie et d'autre récompense que de pouvoir parfois contempler l'œuvre de Dieu dans les âmes et de toujours collaborer discrètement dans l'ombre pour que resplendissent et soient glorifiées la puissance, la sagesse et la miséricorde de Dieu, admirable en toutes ses œuvres mais surtout en ses saints.

II. — *Prudence.*

Ars artium regimen animarum, c'est un art et des plus délicats que la direction des âmes. Son domaine en effet est l'obscurité du divin et la complexité de la nature humaine. Il lui appartient de concilier les exigences de Dieu avec la faiblesse humaine. La prudence y joue un rôle très important. Un directeur ne saurait donc en être dépourvu.

1. La prudence s'exercera d'abord dans la recherche de la volonté de Dieu, dans le discernement des signes qui l'authentiquent. Elle doit savoir attendre des manifestations certaines avant de s'engager dans des réalisations qui peuvent être périlleuses. Dieu, qui est notre maître, ne saurait exiger l'accomplissement de sa volonté avant de nous l'avoir manifestée clairement. Il donne à Moïse des preuves de la mission qu'il lui confie. Il ne se fâche point lorsque Gédéon lui demande des assurances réitérées de sa vocation nouvelle. Si actuellement, au témoignage de saint Jean de la Croix, il serait présomptueux de demander des signes extraordinaires, nous gardons le droit d'exiger de Dieu la manifestation de sa volonté par les moyens de son choix. Dans l'incertitude, la prudence a le devoir d'attendre.

C'est d'ailleurs un art de savoir attendre, de ne pas interpréter hâtivement un attrait ardent, un événement qui paraît signe providentiel. C'est un art aussi de savoir

---

1. « Tous les directeurs en effet n'ont pas la science voulue pour surmonter les mille difficultés qui se rencontrent dans le chemin spirituel... Le premier venu qui sait dégrossir le bois n'est pas pour cela capable de sculpter une statue ; celui qui la sculpte ne saura pas la perfectionner, celui qui sait la perfectionner ne saura pas la peindre, et celui qui sait la peindre sera peut-être incapable d'y mettre la dernière main... Le directeur spirituel doit donc respecter la liberté des âmes et leur montrer un bon visage quand elles voudront avoir un guide meilleur, car il ne sait pas par quelles voies Dieu veut travailler au progrès d'une âme en particulier... » (*Vive Fl.*, str. III, § XII, pp. 1014-1016).

faire attendre sans décourager, sans diminuer l'élan d'une âme. L'attente fait tomber les fausses ardeurs de l'enthousiasme et le voile trompeur dont il enveloppe les obstacles à affronter. Elle fait éviter les échecs qui eussent brisé définitivement, elle éprouve et fortifie les attraits profonds, oblige Dieu à donner sa lumière et prépare les réalisations fécondes. Les grands réalisateurs, tels saint Vincent de Paul, furent souvent de patients temporisateurs.

La prudence met l'âme au pas de Dieu, qui a son heure pour toute œuvre et ne veut pas être devancé. Cette heure venue, et elle vient parfois soudainement, la prudence se fait prompte et énergique comme Dieu Lui-même, et exige qu'il n'y ait ni hésitation ni retardement dans l'accomplissement d'une volonté divine désormais certaine et pour laquelle la grâce reçue pourrait bien n'être que d'un jour.

2. La prudence choisit les modes de réalisation ; non point ceux que voudraient imposer les ardeurs des débuts ou les désirs d'une prompte réussite, mais ceux qu'imposent les forces limitées de l'âme et la longue persévérance nécessaire au succès. Sainte Thérèse nous narre combien faillit lui être funeste le désir de son directeur maître Daza, d'élever promptement sa vertu à la hauteur des faveurs divines qu'elle recevait [1].

Cette prudence, qui est discrétion, n'est point timidité ni paresse. Elle connaît les exigences divines et ne consent jamais, même devant les difficultés, à diminuer l'idéal entrevu. Elle vise seulement à adapter les possibilités actuelles de l'âme aux exigences divines, et à ne pas user prématurément les forces nécessaires pour une longue route. Elle pousse à un effort constamment soutenu, et, devant un obstacle plus grand, elle sait mobiliser toutes les énergies pour la violence nécessaire au succès.

Si le directeur, souligne sainte Thérèse, ne doit pas commander des choses impossibles, comme ce serait d'imposer des jeûnes nombreux et des pénitences rigoureuses à une personne faible, il ne doit pas se borner à enseigner « à imiter le crapaud » et être « satisfait, lorsqu'il a montré comment il faut faire la chasse aux lézards [2] ».

3. Les secrets de l'âme sont les secrets de Dieu. Le directeur à qui ils sont confiés doit les garder avec soin. La prudence lui en fait un devoir.

---

1. « A coup sûr, si je n'avais pas eu d'autre guide, je crois que mon âme n'aurait jamais réalisé le moindre progrès » (*Vie*, ch. XXIII, p. 237).
2. *Vie*, ch. XIII, pp. 123-124.

Dieu en effet entoure son action de silence et d'obscurité. Le Verbe incarné ensevelit trente ans de sa vie terrestre dans la pénombre de Nazareth, et ne se révèle ensuite Lui-même que dans la mesure exigée par sa mission. L'Esprit Saint agit silencieusement dans les âmes et dans l'Église au milieu des agitations du monde. Dieu aime le silence et la discrétion. Il semble parfois qu'il cesse d'agir lorsque des regards indiscrets le considèrent. Sainte Thérèse de l'Enfant-Jésus raconte que la joie causée par l'apparition de la sainte Vierge se changea en tristesse lorsque son secret eut été dévoilé[1].

Plusieurs fois en ses écrits sainte Thérèse parle des souffrances et des graves ennuis que lui causèrent les indiscrétions de ses directeurs :

> Il faut... leur recommander le plus profond secret, et le garder soi-même comme il convient. Je fais cette recommandation car j'ai eu beaucoup à souffrir de ce que plusieurs personnes, auxquelles j'avais parlé de mon oraison, n'ont pas gardé le secret ; elles s'en entretenaient entre elles dans un but louable, sans doute, mais elles m'ont causé un tort considérable[2].

Au chapitre XXVIIIe de sa *Vie*, la Sainte raconte quelques-uns de ces ennuis. Elle en vint à craindre de ne plus trouver de confesseur qui voulût l'entendre et de voir tout le monde la fuir. Aussi elle ne faisait que pleurer[3].

La prudence, qui impose la discrétion, fera aussi parfois au directeur une obligation de demander des conseils autorisés pour résoudre un cas particulier.

4. Elle le maintiendra aussi dans le domaine que la direction spirituelle assigne à son action et lui fera éviter dans les autres domaines toute intervention non justifiée, serait-elle autorisée ou même sollicitée par la soumission confiante du dirigé. Cette confusion de pouvoirs ne peut que nuire à l'autorité spirituelle proprement dite ; elle tend à un asservissement plutôt qu'à la libération progressive de l'âme, et va par conséquent à l'encontre du but de la direction spirituelle.

III. — *Expérience*.

L'expérience des voies spirituelles sera le guide avisé de la prudence. Tous les maîtres de vie spirituelle ont

---

1. *Man. Autob.*, A fol. 30 v°.
2. *Vie*, ch. XXIII, p. 241.
3. *Ibid.*, ch. XXVIII, p. 297. Voir aussi VIe Dem., ch. VIII, p. 1001 : « Alors, ce qui aurait dû rester très secret devient public ; l'âme est persécutée et tourmentée... il en résulte qu'une foule de tourments viennent fondre sur elle, et que l'Ordre lui-même pourrait avoir à en souffrir, avec les temps malheureux où nous vivons. »

parlé d'après leur expérience personnelle ou l'expérience des âmes qu'ils avaient pu observer de près.

L'action de Dieu dans l'âme est réglée par la miséricorde divine qui déconcerte notre logique humaine. Techniques et méthodes ne suffisent pas à la suivre et risquent, au grand détriment de l'âme, d'arrêter ou d'endiguer trop sévèrement ses flots bienfaisants.

Les explications les plus heureuses ne dissipent pas tout le mystère de l'action de Dieu dans une âme. Comment le directeur pourra-t-il, au-delà des phénomènes qui l'enveloppent et des mots qui veulent l'expliquer, saisir la vérité vécue, indiquer ensuite à l'âme la ligne de conduite à suivre, s'il ne connaît pas expérimentalement cette forme de l'action de Dieu ou du moins les régions spirituelles où elle se situe et les effets qu'elle produit ? Sans l'expérience il pourra être un témoin bienveillant et passif, il ne semble pas qu'il puisse, à moins d'être éclairé surnaturellement, encourager et diriger avec autorité comme sa fonction l'y oblige.

Ces remarques s'appliquent surtout à certains états et aux grâces surnaturelles. Elles gardent toute leur valeur dans le domaine plus modeste de la pratique de la vertu, de la mortification et des difficultés qui s'y rencontrent dès le début de la vie spirituelle.

Sainte Thérèse nous dit qu'elle ne fut pleinement rassurée sur ses visions et les paroles intérieures que par saint François de Borgia et saint Pierre d'Alcantara, qui pouvaient s'appuyer sur leur propre expérience. Il semble bien aussi que l'interprétation des signes de la contemplation donnés par saint Jean de la Croix et leur application à un cas concret exigent une certaine expérience.

De même la Sainte conseille au débutant de prendre un directeur qui ait l'expérience des difficultés qu'il rencontre et des grâces dont il a été favorisé :

Celui qui commence doit bien examiner ce en quoi il profite davantage. Pour cela un maître lui est très nécessaire, pourvu qu'il ait de l'expérience. Si le maître n'est pas tel, il peut commettre beaucoup d'erreurs. Il conduira l'âme sans la comprendre, et sans lui permettre de se comprendre elle-même ; et cette âme, connaissant les grands mérites qu'il y a à obéir au maître, n'osera pas sortir de la voie qui lui est prescrite. J'ai rencontré de ces âmes qui étaient dans le trouble et l'affliction à cause de l'inexpérience du directeur. Elles me faisaient pitié. J'en ai vu une en particulier qui ne savait plus que devenir. Quand un directeur ne comprend pas ces choses spirituelles, il afflige tout à la fois l'âme et le corps ; il arrête tout progrès. Une personne m'a raconté que le sien la tenait enchaînée depuis huit ans, sans la laisser sortir de la connaissance d'elle-même, et cependant le Seigneur l'avait déjà élevée à l'oraison de quiétude ; aussi eut-elle à souffrir de très grandes tortures [1].

Cette inexpérience risque de briser définitivement l'élan d'une âme par son incompréhension ou sa timidité, ou encore de l'user prématurément par des mortifications excessives dont cette inexpérience ne connaît pas la rigueur et les effets.

IV. — *La science.*

A l'expérience sainte Thérèse ne préfère-t-elle pas la science chez le directeur ?

Bien que la doctrine, écrit-elle, ne semble pas nécessaire ici, mon avis a toujours été et sera que tout chrétien doit s'appliquer à communiquer avec un guide instruit, et le plus éclairé sera le meilleur [2].

La science que sainte Thérèse demande au directeur n'est pas une science ordinaire. En plusieurs endroits [3] de ses écrits, elle rappelle le mal que lui firent ces demi-savants qui ne surent pas lui expliquer le mode de présence de Dieu dans l'âme ou la gravité de ses fautes, et elle les oppose aux vrais savants qui l'ont éclairée.

Ces vrais savants étaient pour la plupart des professeurs qui, possédant une connaissance approfondie du dogme, pouvaient contrôler les expériences spirituelles les plus élevées et ne pas s'en effrayer parce que nouvelles. Les expériences mystiques en effet s'appuient habituellement sur des vérités dogmatiques que, seuls, des hommes d'étude dominent avec assez de maîtrise pour en dégager toute la lumière et la valeur spirituelle :

Lorsque je parle de ces choses difficiles, et bien que je croie les comprendre et dire vrai, je me sers toujours de cette expression : « il me semble » ; car je suis toute disposée, si je me trompe, à m'en rapporter au jugement des vrais savants. Bien qu'ils n'aient point éprouvé les faveurs de cet état, ils ont je ne sais quelle lumière, parce que Dieu les destine à éclairer son Église ; et lorsqu'il s'agit d'une vérité, ils sont assistés pour la reconnaître. Quand, loin d'être adonnés à la dissipation, ils sont de vrais serviteurs de Dieu, ils ne s'étonnent jamais des merveilles que le Seigneur opère... S'ils en trouvent de moins connues ils doivent, en considérant celles qui sont rapportées dans les livres, juger qu'on peut les accepter. Voilà ce que m'a prouvé une longue expérience. Je connais aussi ces demi-savants qui ont peur de tout et qui m'ont tant coûté... [4]

---

1. *Vie*, ch. XIII, pp. 130-131.
2. *Ibid.*, p. 133.
3. Cf. *Vie*, ch. V, p. 45 ; XVIII, p. 180 ; Ve Dem., ch. I, pp. 898-899.
4. Vᵉ Dem., ch. I, p. 897.

Premières étapes

La science du directeur doit embrasser la théologie morale et la théologie mystique, c'est-à-dire la science des voies de Dieu et des principes qui les régissent. Cette étude est indispensable. Elle peut en certains cas suppléer à l'expérience, et servira toujours à en contrôler les données.

Le directeur n'a pas le droit d'ignorer complètement la psychologie religieuse et la psychiatrie qui lui fourniront des directives pour la conduite des âmes et qui, lui ouvrant le domaine mystérieux du subconscient, le rendront plus prudent dans l'étude des phénomènes surnaturels et dans l'appréciation des cas anormaux.

Sainte Thérèse estime tellement la science chez le directeur qu'elle n'hésite pas à la proclamer utile, même lorsqu'elle n'est pas accompagnée de l'esprit d'oraison :

> Qu'on ne se fasse donc point illusion en disant que les hommes instruits qui ne pratiquent pas l'oraison ne sauraient être utiles à ceux qui s'y adonnent. J'en ai connu un grand nombre. Depuis plusieurs années je les ai recherchés davantage, vu le besoin que j'avais de leurs lumières ; d'ailleurs je les ai toujours aimés. Quelques-uns, il est vrai, ne possèdent pas la connaissance expérimentale des voies de l'oraison, mais ils ne l'ignorent point ; l'étude de la sainte Écriture, à laquelle ils ne cessent de se livrer, leur fait découvrir la vérité du bon esprit. Pour moi, je suis persuadée qu'une âme d'oraison qui consulte des hommes éclairés ne sera pas victime des illusions du démon, si elle ne veut elle-même se tromper. A mon avis, le démon redoute souverainement la science humble et vertueuse ; il sait qu'alors ses ruses seront déjouées et qu'il sortira vaincu du combat [1].

On sent que ces affirmations traduisent une conviction profonde et jaillissent du cœur de la Sainte. Ne pourrait-on pas en conclure qu'elle préfère chez le directeur la science à l'expérience ? Écoutons-la préciser sa pensée par touches successives :

> J'ai parlé de la sorte, ajoute-t-elle, parce que d'après quelques-uns, les gens instruits ne sont pas aptes à diriger les personnes d'oraison, s'ils n'en possèdent pas eux-même l'esprit. Le maître doit être adonné à la spiritualité, comme je l'ai déjà dit ; et, s'il n'est pas un homme de doctrine, c'est un grand inconvénient. Au contraire le savant est d'un secours précieux quand il est vertueux ; alors même qu'il ne posséderait pas l'esprit d'oraison, il nous serait encore utile. Dieu lui fera comprendre ce qu'il doit nous enseigner ; il le rendra même spirituel et apte à nous faire avancer. Si je l'affirme, c'est que je le sais d'après mon expérience personnelle ; cela m'est arrivé avec plus de deux [2].

---

1. *Vie*, ch. XIII, p. 133.
2. *Ibid.*, pp. 133-134.

260

Sainte Thérèse n'établit pas de comparaison entre la valeur de l'expérience et celle de la science. Elle n'envisage que le cas précis d'un choix à faire entre un directeur pieux mais ignorant, et un directeur savant et vertueux qui ne serait pas homme d'oraison. Les affinités entre l'âme d'oraison et le directeur pieux doivent céder ; c'est le directeur savant qu'il faut consulter.

D'autres passages de ses écrits et son exemple personnel nous précisent mieux encore la pensée de la Sainte sur le choix du directeur.

Au début de la vie spirituelle, l'âme a besoin d'un directeur doué surtout de prudence et discrétion, qui fera éviter les excès du début et conseillera la modération sans toutefois détruire les grands désirs. L'âme en ces débuts a besoin aussi d'être comprise :

Celui qui commence doit bien examiner ce en quoi il profite davantage. Pour cela un maître lui est très nécessaire, pourvu qu'il ait de l'expérience [1].

La science sans l'expérience lui serait moins utile :

Les commençants retirent peu de profit, selon moi, des savants qui ne sont pas adonnés à l'oraison [2].

C'est encore un directeur expérimenté dont elle a besoin lorsqu'elle entre dans les oraisons contemplatives ou qu'elle reçoit les premières faveurs surnaturelles plus élevées :

Elle goûte alors une jouissance très vive à voir le portrait de son état tracé quelque part [3].

Sainte Thérèse elle-même, qui profitait à Avila des conseils du P. Ibañez, du P. Bañez et du P. Balthazar Alvarez, ne fut pleinement rassurée sur ses faveurs extraordinaires, spécialement les visions, que par saint Pierre d'Alcantara et saint François de Borgia, qui en avaient été eux-mêmes favorisés.

Lorsque l'âme est parvenue dans les hautes régions de la vie spirituelle, telle sainte Thérèse écrivant le *Château Intérieur*, elle a appris à discerner l'action de Dieu en elle. Dès lors elle réclame surtout les lumières de la science théologique pour éclairer son expérience.

Aussi pendant la dernière période de sa vie, sainte Thérèse manifestait une préférence marquée pour les hommes de doctrine. Bien que ses directeurs, saint Jean de la Croix et le P. Gratien, eussent toutes les qualités requises, elle

---

1. *Vie*, ch. XIII, pp. 130-131.
2. *Ibid.*, p. 132.
3. *Ibid.*, ch. XIV, p. 141.

ne négligeait pas de s'adresser de temps en temps aux savants théologiens qu'elle rencontrait, et spécialement au P. Bañez, son théologien consulteur.

Sainte Thérèse résume elle-même ses conseils sur le choix du directeur par cet avis :

> Il est donc très important que le directeur soit prudent, c'est-à-dire qu'il ait un esprit sûr et de l'expérience. Si à cela, il ajoute la doctrine, c'est un très grand bien. Mais si on ne peut en trouver un qui ait les trois qualités réunies, qu'on sache que les deux premières sont les plus importantes, car on peut dans un cas de nécessité trouver des hommes instruits et leur demander conseil [1].

C. — *DEVOIRS DU DIRIGÉ*

I. — *Esprit de foi.*

Le directeur est un instrument humain au service de l'œuvre de Dieu dans les âmes. Cette vérité, qui dicte au directeur ses devoirs, doit aussi régler l'attitude du dirigé.

La foi seule donne le contact avec Dieu à travers les voiles dont Il s'enveloppe ici-bas : voile de la création, voiles eucharistiques, voiles de la personnalité de ses instruments. « Celui qui veut s'approcher de Dieu doit croire [2] » dit l'Apôtre. C'est donc par la foi que le dirigé parviendra aux sources divines de la grâce en son directeur, et les fera jaillir sur son âme.

Cette foi inspirera son attitude à l'égard du directeur. Il en multipliera les actes positifs, spécialement lorsque le voile lui paraîtra plus opaque ou encore lorsque des liens très étroits d'affection risqueraient de mettre trop de facilité naturelle ou de passivité dans son obéissance.

II. — *Confiance affectueuse.*

Le directeur exerce en effet sa mission non seulement avec sa grâce sacerdotale, mais avec ses qualités personnelles. A la foi, qui atteint chez lui Dieu qu'il représente, doit s'ajouter chez le dirigé la confiance qui va à sa personne et à ses qualités, l'affection reconnaissante que mérite son dévouement. Sainte Thérèse appelle ses directeurs, les grands bienfaiteurs de son âme. Avec simplicité et souvent avec enthousiasme elle dit sa consolation de

---

1. *Vie*, ch. XIII, p. 132.
2. He 11, 6.

converser avec eux, sa joie de les retrouver, les sollicitudes et les attentions délicates dont elle les entoure, son
attachement profond et fidèle surtout lorsqu'elle trouve en
eux les dons naturels et surnaturels qui leur permettent de
servir très utilement le Seigneur. Il en est qui se montrent
un peu surpris de l'entendre mettre dans l'expression de
ses sentiments à leur égard tant de chaleur et de simplicité. Elle les rassure et avoue qu'elle rit de leurs terreurs.
Sa simplicité n'est point ignorance, mais pureté et maîtrise
de son cœur. Ce qu'elle a écrit dans le *Chemin de la
Perfection* sur les précautions à prendre dans les relations
avec le confesseur le prouve ; mais elle a écrit aussi
« qu'un grand moyen pour réaliser des progrès notables,
c'est, à ses yeux, d'aimer le confesseur [1] ».

III. — *Simplicité et discrétion.*

L'esprit de foi et la confiance se manifesteront en premier lieu par une ouverture d'âme sincère et complète, en
une forme aussi simple que possible. Le directeur ne saurait diriger une âme sans la connaître aussi parfaitement
que possible. Le dirigé ne peut compter sur les lumières
et la grâce de la direction qu'autant qu'il a fourni lui-
même tout ce qui peut éclairer le directeur. Il devra donc
faire connaître ses aspirations et ses tentations, ses faiblesses et ses actes de vertu, l'action de Dieu et ses réponses
de générosité, bref tout ce qui dans le présent ou le passé
peut révéler ses dispositions profondes et les desseins de
Dieu sur lui :

Traitez avec luy (le directeur) à cœur ouvert, écrit saint François
de Sales, en toute sincérité et fidélité, luy manifestant clairement
vostre bien et vostre mal, sans feinte ni dissimulation... ayez en
luy une extrême confiance meslée d'une sacrée révérence, en sorte
que la révérence ne diminue point la confiance et que la confiance
n'empêche point la révérence [2].

On retrouve les mêmes conseils sous la plume de sainte
Thérèse :

Ce qui est de la plus haute importance, mes sœurs, c'est de vous
ouvrir au confesseur en toute simplicité et en toute sincérité. Je ne
parle pas de vos péchés ; il est clair que vous devez les dire, mais
du rapport exact que vous lui ferez de votre oraison. Sans cela je
ne vous garantis pas que vous suiviez une bonne voie, ni que c'est
Dieu qui vous instruit, car Il aime beaucoup que nous ayons
avec ses représentants cette sincérité et cette clarté que nous

---

1. *Chem. Perf.*, ch. v (Éditions de la Vie Spirituelle, p. 48, note).
2. *Vie dévote*, III, ch. IV.

avons avec Lui-même comme aussi que nous désirions leur faire connaître jusqu'à nos moindres pensées et à plus forte raison nos œuvres [1].

La Sainte souligne l'importance de telles ouvertures pour les faveurs extraordinaires :

Voici, écrit-elle, la ligne de conduite la plus sûre et que je suis moi-même. Sans cela je n'aurais pas de repos et il est bon que nous autres, femmes, nous ne nous en écartions jamais puisque nous ne sommes pas instruites... Il ne faut pas manquer de faire connaître tous les secrets de l'âme et les faveurs divines à un confesseur très instruit et de lui obéir. Cela m'a été dit très fréquemment [2].

Notre-Seigneur l'avertit un jour, nous dit-elle, de ne pas suivre les conseils d'un confesseur qui lui avait demandé de taire complètement les faveurs divines :

Il me fut dit alors, écrit la Sainte, que j'avais été très mal conseillée par ce confesseur ; je ne devais pour aucun motif taire quoi que ce soit à celui qui me confessait, parce qu'il y avait en cela une grande sécurité ; en agissant autrement je pourrais me tromper quelquefois [3].

Saint Jean de la Croix insiste si fortement sur cette nécessité que nous ne pouvons pas ne pas résumer son enseignement :

... quelque communication que reçoive une âme et de quelque manière que ce soit, par voie surnaturelle, elle doit l'exposer tout de suite avec clarté, précision, perfection, simplicité et en toute vérité à son directeur spirituel... Il est très nécessaire d'en parler au directeur, alors même qu'on ne le croirait pas utile, et cela pour trois motifs [4].

Le premier de ces motifs est à souligner :

Dieu communique beaucoup de choses dont l'effet, la force, la lumière, la sécurité ne se font pas sentir complètement à l'âme, tant qu'elle ne s'en est pas, je le répète, entretenue avec celui que Dieu lui-même a voulu et établi comme son juge spirituel [5].

Le saint Docteur note :

Certaines personnes éprouvent une vive répugnance à cette ouverture ; il leur semble que ce n'est rien, et ne savent ce qu'en pensera le directeur... c'est là une marque de peu d'humilité... D'autres personnes éprouvent une grande confusion à les exposer, dans la crainte qu'on ne découvre en elles des faveurs qui les fassent passer pour saintes... or c'est précisément pour ce fait même qu'il convient qu'elles sachent se mortifier et parler [6].

---

1. VI° Dem, ch. IX, p. 1007.
2. *Vie*, ch. XXVI, p. 270.
3. *Ibid.*, p. 271.
4. *Montée du Carm.*, Liv. II, ch. XX, p. 243.
5. *Ibid.*, p. 243.
6. *Ibid.*, p. 244.

Ces conseils de saint Jean de la Croix s'adressent spécialement aux contemplatifs. Ils gardent cependant leur valeur pour toutes les âmes. On ne peut en effet recevoir une direction appropriée à ses besoins sans fournir au directeur les éléments raisonnables d'appréciation.

Pour autant cependant ces directives précieuses ne justifient pas les épanchements sentimentaux dans lesquels s'étaleraient la sensibilité plus que la foi, le besoin de faire occuper de soi, serait-ce par une insistance démesurée sur ses fautes, beaucoup plus que le désir sincère de se faire diriger. S'il est vrai en effet que pour débuter, une ouverture d'âme assez complète est ordinairement nécessaire, par la suite, des relations fréquentes, surtout écrites, sont assez rarement absentes des tendances qui risquent de les faire dévier, telle cette passivité qui, demandant lumière précise sur tout, paralyse toute réflexion et initiative personnelles, ou au contraire ce désir avoué ou parfois inconscient de faire approuver ses vues, d'imposer son sentiment, quand ce n'est pas celui de diriger le directeur lui-même.

Le dirigé lui-même ne doit pas ignorer que ses attitudes d'âme habituelles, ses réactions spontanées découvrent mieux au directeur les profondeurs de son âme et l'harmonie des desseins divins sur elle, que ce qu'il peut habituellement en saisir lui-même à travers le voile souvent trompeur de ses impressions et de ses jugements personnels.

Aussi une certaine discrétion doit accompagner la simplicité dans les ouvertures d'âme et lui faire trouver sa mesure. Cette simplicité ne serait plus elle-même si, en ses épanchements, elle s'étalait bavarde et prétentieuse.

IV. — *Obéissance.*

C'est l'obéissance qui assure l'efficacité de la direction, car elle fait passer dans la conduite les conseils et les ordres du directeur. Elle est donc le devoir le plus important du dirigé.

Sainte Thérèse se plaît à insister sur cette obéissance pour en montrer la portée :

Notre-Seigneur, écrit-elle, me commandait parfois à l'oraison une chose, tandis que le confesseur m'en commandait une autre ; mais Il ne manquait jamais de me dire de nouveau que je devais obéir au confesseur ; et Lui-même se chargeait ensuite de changer les dispositions de son âme et l'amenait à me commander la même chose que Lui [1].

---

1. *Vie*, ch. XXVI, p. 271.

Premières étapes

Cet enseignement de la Sainte, extrêmement précieux, établit la hiérarchie des pouvoirs. Le Christ Jésus a laissé ses pouvoirs sur les âmes à son Église. Il respecte l'ordre qu'il a Lui-même établi et lui soumet son action intérieure dans les âmes. Les volontés qu'Il leur exprime directement doivent être soumises au directeur qui représente l'Église. L'âme ne doit rien entreprendre de ce qui lui serait prescrit par Dieu Lui-même, tant que le directeur ne l'a pas ordonné. C'est ce qu'affirme vigoureusement sainte Thérèse à propos des paroles intérieures :

Si les paroles que nous entendons produisent les effets dont il a été parlé plus-haut, écrit la Sainte, nous pouvons avoir une grande assurance qu'elles viennent de Dieu. Par ailleurs si la chose que l'on vous dit est importante et qu'il s'agisse d'accomplir quelque œuvre pour vous ou pour une tierce personne, ne faites jamais rien et n'ayez jamais la pensée de rien faire avant d'avoir pris l'avis d'un confesseur éclairé, prudent et vrai serviteur de Dieu, quelle que soit l'expérience que vous ayez de ces choses, et quelle que soit l'évidence que vous pensiez avoir que ces paroles viennent de Sa Majesté. C'est là en effet ce que Dieu veut. Par là on n'omet pas de se conformer à ce qu'Il commande, dès lors qu'Il nous a prescrit au contraire de considérer le confesseur comme son représentant ; nous ne pouvons douter qu'Il nous parle par son intermédiaire. Ce que celui-ci nous dira sera pour nous un secours et un encouragement lorsque l'affaire est difficile. Notre-Seigneur quand il le jugera bon lui donnera le même courage et en même temps Il l'assurera que nous sommes animés de son esprit ; dans le cas où Il ne le ferait pas, nous ne sommes tenus à rien plus. Suivre une autre ligne de conduite et se guider par nos propres lumières serait, à mes yeux, très dangereux. Voilà pourquoi, mes Sœurs, je vous en conjure au nom de Notre-Seigneur, que cela ne vous arrive jamais ! [1]

Cette ligne de conduite s'appuie sur l'autorité divine du directeur représentant l'Église, dont la volonté exprimée extérieurement doit toujours être préférée à toutes les manifestations intérieures, seraient-elles certaines et authentiques. Elle met en un relief saisissant l'obéissance qui est due au directeur, en même temps que le rôle souverainement important de la direction dans les ascensions spirituelles.

---

1. VIᵉ Dem., ch. III, pp. 950-951.

CHAPITRE NEUVIÈME

Vie réglée

et oraisons simplifiées

> *Revenons à ces âmes qui se conduisent en tout avec tant de sagesse* [1].

Que dirons-nous à ceux qui par la miséricorde divine ont remporté la victoire dans ces combats, et qui, par leur persévérance, sont entrés dans les troisièmes Demeures ? Que leur dirons-nous si ce n'est : Bienheureux l'homme qui craint le Seigneur ?... Oui, c'est à juste titre que nous l'appelons bienheureux celui-là, car, s'il ne retourne pas en arrière, il se trouve, d'après ce que nous pouvons en juger, dans le vrai chemin du salut [2].

La joie avec laquelle sainte Thérèse salue le triomphe des âmes parvenues aux troisièmes Demeures indique qu'une étape importante est franchie. En quoi consiste cette victoire ? La Sainte va le préciser tant dans le domaine de la vertu que dans celui de l'oraison. Une remarque finale nous avertit toutefois que cette âme ne semble pas encore engagée dans la voie de la perfection.

Tel est l'enseignement précieux de sainte Thérèse en ces troisièmes Demeures.

A — *VIE RÉGLÉE*

C'est « une faveur très grande », souligne la Sainte, que d'être parvenue aux troisièmes Demeures, « mais, grâce à la bonté de Dieu, il y a je crois, dit-elle, beaucoup de ces âmes dans le monde qui en jouissent [3] ».

---

1. IIIe Dem., ch. I, p. 850-851.
2. *Ibid.*, p. 845.
3. *Ibid.*, p. 848.

Premières étapes

Voici en quelques traits précis une description vivante de ces âmes :

Elles ont un désir ardent de ne point offenser Sa Majesté, elles se tiennent même en garde contre les péchés véniels ; elles s'adonnent à la mortification ; elles ont leurs heures de recueillement ; elles emploient bien leur temps ; elles s'adonnent aux œuvres de charité envers le prochain ; elles sont pondérées dans leurs paroles, rangées dans leur mise, et quand elles se trouvent à la tête d'une maison, elles la gouvernent avec sagesse. A coup sûr, leur état est digne d'envie [1].

La demeure spirituelle semble bien rangée ; tout respire l'ordre et la belle tenue. Mais ne nous contentons pas d'un regard d'ensemble, examinons les détails.

Il apparaît que ce bel ordre est dû à une organisation parfaite de la vie extérieure. Cette âme a un règlement de vie qui fixe les exercices de piété et leur durée, l'emploi du temps de la journée qui comporte des œuvres de charité. Ce sont, dirions-nous aujourd'hui, des personnes de piété adonnées aux œuvres. Mais ne craignons pas que les œuvres ou la dévotion nuisent aux devoirs de famille et de société. Il n'y a pas de négligence sur les devoirs essentiels puisque la même sagesse préside au gouvernement de leur maison et à l'organisation de leur vie personnelle. C'est donc une piété de bon aloi, qui a su très heureusement harmoniser extérieurement ses devoirs à l'égard de Dieu, de la famille et de la société.

Mais qu'y a-t-il sous cette belle façade ? Ce bel ordre a-t-il gagné l'intérieur de la demeure ? Oui, à ce qu'il semble. Ces âmes « ont le désir ardent de ne point offenser Sa Majesté ; elles se tiennent même en garde contre les péchés véniels ». Telles sont leurs dispositions intérieures.

Vraiment, avec sainte Thérèse, nous ne pouvons qu'admirer de si beaux résultats, surtout si nous évoquons un instant l'état de cette âme lorsqu'elle était aux premières Demeures ; alors tout imprégnée des maximes du monde et livrée à ses tendances, elle pensait sérieusement à Dieu à peine de temps en temps dans le mois.

Nous devinons la ténacité de l'effort fourni, la longueur de la lutte contre soi et contre les autres pour fuir les occasions, mortifier les tendances, organiser sa vie, y mettre des exercices de piété réguliers, accomplir avec soin tous ses devoirs d'état, donner aux œuvres de charité le temps que prenaient autrefois les plaisirs ou les distractions, éviter en tout le péché, acquérir des vertus, ordonner

---

1. IIIᵉ Dem., ch. I, pp. 848-849.

enfin tout son extérieur, ses paroles et ses gestes, pour qu'y brille un reflet discret des dispositions intérieures.

Une étape est franchie. De bonnes habitudes sont prises et entrées dans la vie quotidienne. Par ses habitudes de vie, par ses préoccupations dont elle ne fait pas mystère, par ses œuvres qui s'étalent discrètement mais sans respect humain, par tout son extérieur, cette âme est fixée dans le groupe des âmes dont la piété sérieuse, large et charitable, force l'estime et le respect.

C'est un triomphe qui est dû à l'énergie persévérante de la volonté éclairée par la raison. Mais, avant de conclure, voyons les progrès réalisés dans l'oraison.

B. — *ORAISONS SIMPLIFIÉES*

Ces âmes « ont leurs heures de recueillement » dit brièvement sainte Thérèse parlant des troisièmes Demeures, en ajoutant cependant qu'elles y trouvent parfois des sécheresses. Le *Chemin de la Perfection* et le livre de sa *Vie* nous renseigneront mieux sur les développements de l'oraison dans ces âmes.

Dans ce domaine aussi les efforts fournis avec persévérance ont créé des facilités pour le recueillement :

Dès que l'âme se mettra à prier, elle verra ses sens se recueillir, comme les abeilles qui retournent à leur ruche et y rentrent pour faire le miel. Il ne lui en coûtera aucun effort. Le Seigneur a voulu que durant le temps où elle se faisait violence, l'âme ait mérité d'exercer de la sorte l'empire de sa volonté. A peine a-t-elle manifesté qu'elle veut se recueillir, les sens obéissent et rentrent dans leur sanctuaire. Ils sortiront de nouveau, mais c'est déjà beaucoup qu'ils se soient soumis. Aussi ils ne sortent plus que comme des sujets et des captifs, qui ne peuvent plus faire autant de mal que précédemment. Si la volonté les rappelle, ils reviennent avec une promptitude plus grande encore [1].

Cette facilité acquise pour se recueillir est accompagnée d'une simplification dans l'activité des puissances qui entretenaient le commerce d'amitié avec Dieu.

Fallait-il autrefois de longues prières vocales pour s'occuper près du Maître ? Voici que maintenant,

après quelques généreux efforts pour nous tenir en compagnie de ce Seigneur, Il nous entend par signes. Quand nous devions précédemment souvent réciter le *Pater* pour nous faire entendre de Lui, Il nous entendra dès la première fois. Il est très désireux

---

1. *Chem. Perf.*, ch. xxx, p. 724.

de nous épargner la fatigue. Si dans l'espace d'une heure nous ne disons qu'une fois le *Pater*, c'est assez pourvu que nous comprenions que nous sommes avec Lui, que nous sachions ce que nous Lui demandons, quel désir Il a de nous exaucer, et quel plaisir Il a de se trouver avec nous ; Il n'aime pas que nous nous rompions la tête à lui adresser de longs discours [1].

Si on utilisait l'imagination pour se représenter le Christ Jésus, ses images aussi se simplifient, les détails s'estompent, les contours deviennent moins précis pour laisser paraître plus vivante et plus saisissante la présence aimée.

Quant à l'intelligence, elle perd normalement le goût des raisonnements multiples, des méditations successives sur des sujets divers, mais revient volontiers sur telle ou telle vérité nourrissante ou sur de larges synthèses riches de multiples notions particulières connues, les embrasse d'un regard simple et apparemment confus, en réalité pénétrant et affectueux, en retire des impressions profondes et vivantes.

Aux paroles multiples, à l'activité bruyante des facultés ont succédé le langage des signes, les mouvements intérieurs et le simple regard de l'âme, le repos paisible près du Maître.

Ce silence et ce repos sont des attitudes expressives de l'amour qui favorisent excellemment les échanges :

Ces âmes s'embrasent très promptement du feu de l'amour divin. Comme elles sont près du foyer, il suffit du moindre souffle de leur entendement pour que tout s'embrase si la moindre étincelle les touche [2].

Dans quelle mesure ces oraisons aux activités simplifiées sont-elles contemplatives ? N'abordons pas pour l'instant ce problème complexe. Appelons-les oraisons simplifiées ou mieux oraisons de simplicité, et définissons-les : un regard dans le silence.

Ce regard sur une vérité distincte ou une forme vivante du Christ est un regard actif, que l'attirance de l'objet rend paisible et silencieux.

On peut distinguer par conséquent dans l'oraison de simplicité un double élément : le regard sur l'objet, et l'apaisement ou silence qu'il produit. L'un semble succéder à l'autre ; ils sont en réalité concomitants.

L'âme ordinairement, suivant les moments ou suivant son tempérament, prendra plus ou moins conscience de l'un ou l'autre élément. Elle prendra conscience qu'elle

1. *Chem. Perf.*, ch. XXXI, p. 730.
2. *Ibid.*, ch. XXX, p. 725.

regarde, prêtant peu d'attention à l'impression apaisante ; ou bien elle se livrera à l'impression apaisante et savoureuse, ne gardant à l'objet que l'attention nécessaire pour entretenir l'impression et la renouveler. Nous aurons ainsi dans le premier cas, l'oraison proprement dite de simple regard ; dans le second, l'oraison simplifiée de recueillement.

L'oraison de simple regard, pourrions-nous dire, se fait les yeux de l'âme ouverts ; dans l'oraison de recueillement, l'impression de lumière oblige à fermer les yeux. Les séraphins, dit-on, se voilent la face devant l'Éternel. Sainte Thérèse de l'Enfant-Jésus avoue qu'elle ne fera pas comme eux, mais qu'elle regardera le bon Dieu dans les yeux. Sœur Élisabeth de la Trinité au contraire, semble plutôt céder à l'éblouissement de la lumière. Attitudes diverses qui exigent une dénomination spéciale, mais qui ne sont, semble-t-il, que des modes différents, ou même des prises de conscience différentes, du regard dans le silence qu'est l'oraison de simplicité.

Comment se conduire lorsqu'on est parvenu à cette oraison de simplicité ? La réponse à cette question importante et pratique nous est suggérée par la définition de l'oraison de simplicité. Elle est un regard actif dans le silence : il convient donc de ménager à la fois l'activité et le silence. Le repos procède de l'activité simplifiée des facultés. Ce repos est plus bienfaisant et plus nourrissant que tous les raisonnements : il est donc nécessaire de le respecter et de l'entretenir. Mais il ne saurait se maintenir longtemps en raison même de la mobilité de l'intelligence, dont le regard ne saurait longtemps fixer un objet sans distraction. Il est donc nécessaire de ramener les facultés vers l'objet à considérer, ou vers tout autre, pour renouveler l'impression apaisante et retrouver la vie qui s'en dégage.

Sans cesse, avons-nous dit, sainte Thérèse recommande de faire agir les facultés dans l'oraison, tant qu'elles ne sont point sous une emprise divine. Toutefois cette activité nécessaire ne doit se troubler le silence nourrissant qui règne en certaines régions de l'âme. Telle est la double recommandation qu'elle développe aux quatrièmes Demeures, à propos du recueillement passif qui laisse la liberté d'action aux puissances de l'âme, et de la quiétude qui enchaîne la volonté et que l'activité de l'entendement ne doit pas troubler :

Dieu nous a donné nos facultés, dit-elle, pour que nous nous en servions ; et chacune d'elles aura sa récompense ; il ne faut donc pas chercher à les tenir dans une sorte d'enchantement, mais les laisser accomplir leur office jusqu'à ce qu'il plaise à Dieu de les appeler à un état plus élevé [1].

Cette règle, donnée pour le recueillement passif, trouve à plus forte raison son application dans l'oraison de simplicité.

Cette activité sera cependant plus paisible que précédemment. Il est normal que l'âme profite de la simplification réalisée. D'ailleurs une activité désordonnée détruirait le repos silencieux qui fait la valeur de cette oraison et ouvre l'âme aux influences de la grâce.

En cette oraison faite d'arrêts successifs devant des tableaux, plutôt que de raisonnements dont la trame logique se déroulerait d'une façon suivie, le travail de l'âme consistera à se porter devant chacun de ces tableaux, à s'y arrêter pour l'admirer d'un regard d'ensemble et à passer au suivant par un effort paisible lorsque l'impression pacifiante est dissipée.

Progression lente, par bonds successifs, avec des temps d'arrêt marqués, dirons-nous de cette oraison de simplicité comparée à la méditation qui serait une marche régulière et continue. Ce n'est point la distance parcourue ou la multiplicité des idées qui importe, mais uniquement la force laissée en l'âme par le contact avec les réalités qu'elles représentent. La paix produite semble indiquer que ce contact est établi et que l'âme en retire du fruit. Aussi peut-on dire que cette oraison est incomparablement plus féconde que toutes les formes plus actives, seraient-elles plus ardentes ou plus lumineuses.

Ces oraisons de simplicité sont le fruit de formes supérieures et affinées de l'activité des puissances intellectuelles. L'intuition pénétrante dont elles se rapprochent est supérieure au raisonnement discursif [2]. Elles marquent le triomphe de l'activité intellectuelle dans l'oraison, au même titre que la régularité des exercices de piété, la mortification des tendances, l'accomplissement des devoirs d'état et tout le bel ordre que nous avons admiré marquaient le triomphe de la volonté dans l'ascèse et dans l'organisation de la vie de piété.

---

1. IVᵉ Dem., ch. III, p. 885.
2. Nous avons déjà noté que l'intelligence moderne est plus intuitive que raisonneuse. Elle aime les synthèses vivantes, les formules pleines et ramassées. Est-ce signe de décadence ou de vitalité ? Le génie est intuitif en effet, comme d'ailleurs l'esprit servi par des organes anémiés. Quoi qu'il en soit, l'intuition est une forme supérieure de l'activité de l'intelligence et cette puissance d'intuition est une des grâces de notre temps. Elle conduit très promptement les âmes à des oraisons de simplicité, et devient une aptitude naturelle excellente qui favorise le développement de la contemplation.

L'âme s'était engagée dans le chemin de la perfection en mettant au service de son idéal toutes ses énergies intellectuelles et morales. Soutenue par le secours général de Dieu qui est sa grâce ordinaire, elle a vaincu. Les troisièmes Demeures nous montrent le triomphe de l'activité humaine dans la recherche de Dieu. Nous comprenons que sainte Thérèse s'en réjouisse et salue avec enthousiasme un tel résultat :

Ce n'est pas une petite faveur que le Seigneur leur ait accordée quand Il les a aidées à surmonter les premières difficultés ; cette faveur au contraire est très grande... A coup sûr leur état est digne d'envie, et il semble que rien ne les empêche d'arriver jusqu'à la dernière Demeure. Notre-Seigneur ne leur en refusera pas l'entrée si elles le veulent, car elles sont dans d'excellentes dispositions pour recevoir de Lui toutes sortes de grâces [1].

Dans ces éloges il y a des encouragements et des promesses ; et par conséquent l'affirmation implicite que ces troisièmes Demeures sont encore loin des sommets. La description thérésienne va d'ailleurs nous en convaincre.

C. — *DÉFICIENCES ET MALAISE*

Le verset du psaume que sainte Thérèse évoque au début de sa description traduit excellemment l'atmosphère des troisièmes Demeures : « Bienheureux l'homme qui craint le Seigneur [2] ». Il y a de la joie et cependant trop de dangers pour que la crainte ne reste pas nécessaire.

Le progrès de ces âmes n'est pas encore affermi :

Les personnes qui habitent ces troisièmes Demeures feront bien, quelque déterminées qu'elles soient à ne point offenser Dieu, de ne pas s'exposer aux occasions de Le contrister ; comme elles sont encore près des premières Demeures, elles pourraient facilement y retourner ; leur force n'a pas pour fondement un terrain ferme, comme celles qui sont déjà exercées par la souffrance, qui connaissent le monde, savent le peu de motifs qu'il y a de redouter ses tempêtes et de désirer ses joies. Une grande persécution pourrait peut-être les ramener à ses plaisirs, car le démon est habile pour soulever des difficultés afin de nuire à nos âmes [3].

Le démon trouverait des alliés dans la place car les tendances sont à peine mortifiées dans leurs manifestations les plus extérieures. Ce bel ordre extérieur pourrait nous

---

1. IIIe Dem. ch. I, p. 848-849.
2. *Ps* 111, 1.
3. IIIe Dem., ch. II, p. 861.

273

tromper, comme malheureusement il trompe l'âme elle-même sur la qualité des vertus qui lui servent de base.

En découvrant la vérité, sainte Thérèse se déclare douloureusement surprise :

> J'ai connu quelques âmes et je crois même pouvoir dire beaucoup d'âmes parmi celles qui sont arrivées à cet état. D'après ce qu'on en peut juger, il y avait de longues années qu'elle servait le Seigneur avec droiture et sagesse, tant à l'intérieur qu'à l'extérieur. Puis, lorsqu'elles auraient dû, ce semble, dominer déjà le monde, ou du moins en être bien désabusées, et que Sa Majesté les a éprouvées en des choses cependant peu importantes, elles se sont laissées aller à tant d'inquiétude et d'angoisse de cœur que je n'en revenais pas ; j'en étais même effrayée. Leur donner un conseil était inutile. Comme elles faisaient profession de vertu depuis si longtemps, il leur semblaient qu'elles étaient capables d'enseigner les autres et qu'elles n'avaient que trop de raison d'être sensibles à ces épreuves [1].

L'orgueil perce dans cette attitude ; et en effet, déclare la Sainte :

> c'est là, à mon avis, le point défectueux pour les âmes qui ne pénètrent pas plus avant dans ces Demeures [2].

Certes

Dieu leur accorde des satisfactions bien plus grandes qu'elles n'en pourraient trouver dans les faveurs et les divertissements de cette vie [3]

mais elles ont pris conscience de leur vertu, et, sur cette conviction, elles appuient bien des prétentions aux grâces les plus élevées :

> Ces âmes sont persuadées qu'elles ne voudraient pour rien au monde tomber dans un péché mortel ; beaucoup d'entre elles ne commettraient pas même un péché véniel de propos délibéré ; elle font un noble usage de leur temps et de leur biens ; aussi elles ne peuvent supporter avec patience qu'on leur ferme la porte qui donne entrée dans l'appartement de notre Roi, dont elles se croient et sont en réalité les vassales. Mais elles ne se rappellent pas que, même sur la terre, tous les nombreux vassaux du Roi n'entrent pas dans ses appartements...
>
> O humilité, ô humilité ! Je ne sais quelle tentation j'ai en ce moment, mais je ne puis croire que les âmes qui sont si affectées de ces sécheresses ne manquent pas un peu de cette vertu... [4]

Quel mélange de vertu et d'orgueil, de bonne volonté sincère et d'illusion ! Certes il est normal que, dans nos âmes, des tendances mauvaises subsistent à côté des

---

1. IIIe Dem., ch. II, p. 853.
2. *Ibid.*, p. 858.
3. *Ibid.*
4. *Ibid.*, ch. I, p. 850.

plus hautes vertus. Chair et nature, grâce et péché, à mesure que l'âme monte vers la sainteté, s'éclairent par contraste dans la pauvre âme qui porte l'un et l'autre. « Malheureux homme que je suis ! [1] » s'écrie saint Paul sous le double poids de sa misère humaine et de ses richesses. Quant à sainte Thérèse de l'Enfant-Jésus, elle déclare se trouver de plus en plus imparfaite à mesure qu'elle avance, mais elle y trouve sa joie parce que la misère attire la miséricorde.

Chez les âmes des troisièmes Demeures la situation est différente. Tandis que saint Paul gémit dans l'expérience de sa misère, ces pauvres âmes ne voient pas la leur et n'acceptent pas qu'on la leur montre :

Leur donner un conseil est inutile, dit sainte Thérèse... Dans leurs pensées elles canonisent, je le répète, leurs épreuves, et elles voudraient que les autres les canonisent comme elles... Enfin je n'ai point trouvé et je ne trouve point d'autre moyen de consoler de telles personnes que celui de leur montrer une vive compassion pour leurs peines ; et à la vérité on doit compatir à une telle misère, mais il faut en outre ne point contredire leur manière de voir, car elles ont toutes sortes de belles raisons pour se persuader qu'elles souffrent pour Dieu ; voilà pourquoi elles ne peuvent comprendre que ce soit une imperfection ; et c'est là une autre erreur où tombent des âmes si avancées [2].

Le problème est troublant. Comment arracher ces âmes à leurs illusions et éclairer leur bonne volonté ? Voici des exemples qui, peut-être, seront plus clairs que reproches et considérations générales :

Voici un homme riche, sans enfants et sans personne à qui il lui plaît de laisser son héritage ; il vient à souffrir quelque perte dans ses biens ; cette perte toutefois n'est pas tellement considérable qu'il ne lui reste non seulement le nécessaire, mais encore beaucoup plus que ce qu'il lui faut pour lui-même et pour sa maison. Supposez qu'il se laisse aller à autant de trouble et d'inquiétude que s'il n'avait plus un seul pain à manger. Comment Notre-Seigneur pourra-t-Il l'engager à tout quitter par amour pour Lui ? Il répondra peut-être qu'il regrette ses biens, parce qu'il voulait les distribuer aux pauvres. Mais à mon avis Dieu veut qu'au lieu de se laisser aller à ces sentiments de charité, il se conforme à ce que fait Sa Majesté et que, tout en cherchant à recouvrer ses biens, il tienne son âme dans la paix [3].

Un autre exemple nous montre une personne qui

a suffisamment de quoi vivre et même beaucoup plus... et qui cherche toujours à acquérir davantage... Non, je ne l'approuve pas, quelles que soient ses bonnes intentions, déclare la Sainte [4].

---

1. Rm 7, 24.
2. III⁰ Dem., ch. II, p. 853-854.
3. *Ibid.*, p. 854-855.
4. *Ibid.*, p. 855.

Ces reproches et ces exemples ont-ils éclairé parfaitement la situation des âmes des troisièmes Demeures ? Comment concilier ces lourdes déficiences avec les progrès réalisés, ces reproches mérités avec l'estime et le respect que leur valent leur conduite extérieure et leurs bonnes œuvres ? Un certain mystère plane encore sur ces âmes. La Sainte en a conscience. Aussi écrit-elle :

Méditez attentivement, mes filles, certaines vérités que je vous marque ici quoique d'une manière confuse, parce que je ne sais pas m'exprimer plus clairement [1].

L'invitation à la méditation attentive indique que le problème est important. Elle est sérieuse. Il faut y répondre en relisant avec attention les deux chapitres consacrés aux troisièmes Demeures. Nous nous rendrons compte que sainte Thérèse montre en présence de ces âmes des troisièmes Demeures un certain embarras qui ressemble à du malaise. Ce malaise se traduit par des éloges bien frappés, quantité de reproches assez généraux, des digressions explicatives, et une pointe d'ironie contenue à l'égard de ces personnes qui sont

pondérées dans leurs paroles, rangées dans leur mise... qui se conduisent en tout avec tant de sagesse... qui servent le Seigneur avec droiture et sagesse [2].

Avons-nous le doit de recueillir ces indices de malaise et d'y attacher de l'importance ? Nous savons que sainte Thérèse écrit sans canevas préparatoire, en laissant courir sa plume. Elle ne se relit pas. Elle voit et elle décrit. Il lui arrive de ne pas expliciter clairement l'impression que produit sur elle un tableau alors que cependant cette impression domine toute la description.

C'est ainsi qu'aux premières Demeures nous avons senti qu'elle tremblait de voir tomber dans le péché et dans l'enfer ces âmes dont la vie surnaturelle est si faible. Devant les gens qui font une méditation ordonnée nous l'avons vue user de la solennité discrète de ces intellectuels qui, pensant avec ordre, sont en bons commencements. Devant ces personnes de piété des troisièmes Demeures sainte Thérèse s'arrête plus longuement. Elle nous montre que ces âmes ne sont pas de son bord, ne vivent pas sous sa lumière, ne jugent pas comme elle.

S'agirait-il d'une opposition de tempérament, d'habitudes différentes de vie, ces personnes vivant dans le monde et Thérèse dans le cloître ? Non, certainement. Les

---

1. IIIᵉ Dem., ch. I, p. 852.
2. *Ibid.*, p. 849, 850, 853.

impressions de sainte Thérèse ne sont ni superficielles, ni purement naturelles. Nous devons lui faire confiance, examiner de plus près le problème.

Nous découvrons en effet que ces âmes sont établies en des positions spirituelles qu'un large fossé sépare de celles de Thérèse, un fossé qu'elles n'ont pas encore franchi. Le malaise de notre Sainte nous découvre un problème spirituel général de grande importance. Ce problème, la Sainte le pose en quelques mots :

Depuis que j'ai commencé à parler de ces Demeures, je songe à ce jeune homme (auquel Notre-Seigneur demandait s'il voulait être parfait) parce que nous faisons vraiment comme lui [1].

Faut-il rappeler la scène évangélique ?

Et voici que quelqu'un s'approcha disant : « Maître, qu'ai-je à faire de bon pour avoir la vie éternelle ? » Il lui répondit : « Pourquoi m'interroges-tu sur ce qui est bon ? Il n'y a qu'un être de bon. Si tu veux entrer dans la vie, observe les commandements! » Il lui dit : « Lesquels ? » Jésus lui dit : « Ceux-ci : Tu ne tueras pas, tu ne commettras pas d'adultère, tu ne voleras pas, tu ne diras pas de faux témoignage, honore tes père et mère, aime ton prochain comme toi-même ». Le jeune homme répondit : « Tout cela je l'observe depuis ma jeunesse, que me manque-t-il encore ? »

Jésus lui dit : « Si tu veux être parfait, va vendre tout ce que tu possèdes et donne-le aux pauvres, tu auras ainsi un trésor au ciel. Puis viens et suis-moi ! » À ces mots, le jeune homme s'en alla tout triste, car il avait de grands biens [2]...

« Nous faisons vraiment comme lui » dit sainte Thérèse se plaçant humblement aux troisièmes Demeures.

Ces âmes ne sont donc pas entrées encore dans la voie de la perfection.

---

1. IIIe Dem., ch. I, p. 849.
2. Mt 19, 16-22.

CHAPITRE DIXIÈME

Sagesse surnaturelle
et perfection chrétienne

Leur raison est encore très maîtresse d'ellemême,
et l'amour n'est pas assez fort pour la faire délirer [1]...

« Nous faisons comme le jeune homme de l'Évangile [2] » : telle est la parole qui résonne péniblement en notre âme quand nous retrouvons ces troisièmes Demeures. Comme le jeune homme de l'Évangile, depuis longtemps ces âmes observent avec sagesse et droiture les préceptes de la Loi ; elles désirent la perfection, mais devant les exigences du Maître elles hésitent et tristement elles se retirent. Leur tristesse est lourde pour nous autant que pour elles. « A la vérité, on doit compatir à une telle misère », encourage sainte Thérèse.

C'est devant les exigences de la perfection chrétienne que ces âmes sont arrêtées ou ont reculé. « Si tu veux être parfait... », leur a dit Notre-Seigneur comme au jeune homme. C'est ici donc que l'on doit s'engager dans la voie de la perfection.

Telle est bien la pensée de sainte Thérèse. Si l'on en doutait il suffirait d'ouvrir son traité du *Chemin de la Perfection*. On y trouverait aux premières pages ce chapitre deuxième sur la pauvreté absolue, qui est le commentaire de la parole de Jésus au jeune homme.

Quant à saint Jean de la Croix, il ne s'adresse qu'à ceux qui ont déjà accepté le détachement absolu et veulent connaître la voie directe vers les sommets. Ils sont des commençants lorsqu'ils s'engagent courageusement dans le chemin du rien ; ils méritent le nom de progressants

---

1. IIIe Dem., ch. II, p. 857.
2. *Ibid.*, ch. I, p. 849.

lorsque des résultats notables s'affirmeront dans leur oraison, et sous cette appellation ils s'achemineront jusqu'à l'union transformante.

Les Saints du Carmel gardent aux paroles du Christ Jésus leur sens plein et obvie. « Si tu veux être parfait, vends tes biens ». On n'est en marche vers la perfection que lorsqu'on a fait ce premier geste.

A. — *FOLIE ET PERFECTION*

Mais ce détachement effectif de tous les biens est-il vraiment le geste décisif et nécessaire qui introduit dans la perfection évangélique ? Les paroles de Notre-Seigneur, ce que dit sainte Thérèse au début du *Chemin de la Perfection*, les exemples typiques qu'elle donne pour montrer l'imperfection des âmes des troisièmes Demeures et qui révèlent l'attachement aux biens de cet homme riche, pourraient nous le faire croire.

Mais alors la perfection évangélique est impossible à tous ceux dont la situation ne saurait comporter cette pauvreté absolue ? Les âmes des troisièmes Demeures, qui sont à la tête d'une maison, ne peuvent qu'y renoncer ?

Évidemment il ne saurait en être ainsi. Le problème de la perfection est ailleurs. Ce détachement effectif des biens ne s'impose qu'à certaines âmes ; pour toutes il est le signe d'un renoncement plus intime et plus général, qui doit être à leur portée, s'adaptant à chacune pour les crucifier toutes également.

Pour découvrir ce quelque chose, recourons à l'analyse de quelques témoignages : leur diversité montrera la complexité du problème et servira ensuite à le résoudre.

1. Revenons en premier lieu au témoignage de sainte Thérèse. Il nous intéresse particulièrement et c'est celui qu'il s'agit d'éclairer.

Nous connaissons ses reproches aux âmes des troisièmes Demeures : manque d'humilité et de détachement, inquiétude et tristesse exagérée pour de petites épreuves. Ce sont là défauts apparents si nous les comparons à un autre plus profond, qui touche au comportement intérieur de l'âme, atteint toute la vie spirituelle et explique tous les autres. La Sainte va nous le dévoiler :

Ces personnes dont je parle, écrit-elle, ont leurs pénitences aussi bien réglées que l'ensemble de leur conduite. Elles tiennent beaucoup à la vie, afin de l'employer au service de Notre-Seigneur ;

279

et tout cela n'est pas mal. Aussi usent-elles d'une grande discrétion dans la pratique des pénitences pour ne pas nuire à leur santé. Ne craignez pas qu'elles se tuent... [1]

Nous savions que ces âmes étaient bien ordonnées et que tout était parfaitement réglé chez elles. L'aimable ironie de sainte Thérèse ne nous étonne pas non plus, car elle est trop spontanée et trop vivante pour ne pas sourire d'un ordre si bien réglé en tous ses détails. Mais voici un de ces mots, comme on en trouve parfois chez elle, lancé comme à l'aventure au milieu d'explications apparemment embrouillées et qui, ouvrant de nouveaux horizons, donne la clef d'un problème :

Leur raison est encore très maîtresse d'elle-même et l'amour n'est pas assez fort pour la faire délirer... [2]

Cette vérité semble lui être lumineuse à elle-même. Elle la saisit, la développe avec chaleur :

Je voudrais plutôt que notre raison nous montrât que nous devons ne pas nous contenter de servir Dieu de cette sorte en marchant toujours à pas comptés, car nous n'arriverions jamais au terme du chemin. Nous nous imaginons que nous avançons toujours, et nous nous fatiguons parce que cette façon de marcher, vous pouvez m'en croire, est énervante ; ce sera beaucoup que nous ne nous égarions pas... Aussi ne serait-il pas mieux d'en finir une bonne fois ?...
Comme nous allons avec tant de prudence, tout nous est obstacle ; nous avons peur de tout ; nous n'osons passer outre... Prenons donc courage, mes filles, pour l'amour de Notre-Seigneur ; remettons notre raison et nos craintes entre ses mains ; oublions notre faiblesse naturelle qui peut nous absorber beaucoup... hâtons-nous d'avancer pour voir Notre-Seigneur [3].

Voilà qui est net : les âmes dont la raison a si bien réglé la vie sont maintenant trop raisonnables pour aller plus loin. Ce qui a été moyen très utile devient maintenant obstacle presque insurmontable, car ces âmes ne peuvent se rendre compte que leur raison leur ferme le chemin de la perfection.

Pareil reproche sous cette forme absolue nous étonne un peu chez sainte Thérèse. Nous la connaissons, spontanée et vivante, gênée par conséquent par les prescriptions trop minutieuses : elle frémit rien qu'en lisant les règles nombreuses qu'un religieux a imposées à un de ses monastères les jours de communion. Mais de cette mère si spirituelle et si prudente, de ce génie si bien équilibré

---

1. III⁰ Dem., ch. II, pp. 856-857.
2. *Ibid.*, p. 857.
3. *Ibid.*

en sa doctrine comme en sa vie, de cette sainte qui reste si humaine dans l'épanouissement de ses facultés naturelles jusque dans l'union transformante nous n'attendions pas le procès de la raison. Faut-il donc un peu de folie pour la sainteté ?

2. C'est ce qu'affirme clairement l'apôtre saint Paul dans l'épître aux Corinthiens.

L'apôtre était venu à Corinthe après l'échec presque complet du magnifique discours qu'il avait prononcé à l'Aréopage d'Athènes et dont les Actes nous ont conservé le schéma [1].

Devant les difficultés d'un autre genre qu'il trouve à Corinthe (opposition violente des Juifs et dépravation morale de la ville) l'apôtre avait senti plus impérieusement le besoin de s'appuyer uniquement sur la force du Christ. D'ailleurs sa prédication d'humble artisan qui tissait les poils de chèvre n'avait fait de conquêtes que parmi les humbles. Leur rappelant ces événements il leur écrivait dans sa première épître :

Le Christ ne m'a pas envoyé baptiser, mais prêcher l'évangile. Encore n'est-ce pas avec les artifices de la parole, pour ne pas enlever son efficacité à la croix du Christ.
Le seul mot de croix est une folie pour ceux qui sont en train de se perdre ; mais pour ceux qui sont sur la voie du salut, c'est une vertu divine, selon qu'il est écrit : Je perdrai la sagesse des sages et je réprouverai l'intelligence des intelligents. Où sont les sages parmi vous ? où sont les lettrés ? où sont ceux qui scrutent les choses du temps présent ? Dieu n'a-t-il pas plutôt écarté, comme inapte, la sagesse de ce monde ? Comme le monde n'avait su profiter ni de la sagesse divine, ni de sa propre sagesse pour acquérir la connaissance de Dieu, Dieu s'est plu à sauver ses fidèles par des moyens de prédication qu'on peut qualifier de fous. Car, alors que les Juifs demandent des signes, et que les gentils exigent la sagesse, nous autres nous prêchons un Christ mis en croix : scandale pour les Juifs, folie pour les gentils. Effectivement pour les élus, tant juifs que gentils, ce Christ est la vertu et la sagesse de Dieu. Car ce qui est folie aux yeux de Dieu dépasse la sagesse des hommes, et ce qui est faible auprès de Dieu dépasse leur force.

Regardez les élus que vous êtes, frères, constatez que vous n'êtes pas beaucoup de sages selon la chair, ni beaucoup de puissants, ni beaucoup de nobles. Mais ce qui est insensé aux yeux du monde, Dieu le choisit pour confondre les sages ; et ce qui est faible aux yeux du monde, Dieu le choisit pour confondre les

---

1. « A ces mots de résurrection des morts, les uns se mirent à se moquer de lui, les autres lui dirent : "Nous t'entendrons là-dessus une autre fois". C'est ainsi que Paul quitta cette assemblée. Il y eut cependant quelques personnes qui s'attachèrent à lui et embrassèrent la foi. » Ac 17, 32.33.34.

forts ; et ce qui est sans naissance aux yeux du monde, ce qui est méprisé, ce qui n'est pas, Dieu le choisit pour confondre ce qui est, pour que nul ne puisse se glorifier devant Dieu. C'est par Lui que vous êtes dans le Christ Jésus, que Dieu a fait pour nous sagesse, justice, sainteté, rédemption, pour que se réalise l'Écriture : Celui qui veut se glorifier, qu'il se glorifie dans le Seigneur.

Pour moi, quand je suis venu chez vous, frères, je ne suis pas venu vous annoncer l'évangile de Dieu avec les discours étudiés de l'éloquence ou de la sagesse. Je ne me suis pas cru obligé de savoir autre chose parmi vous que Jésus-Christ et Jésus-Christ crucifié. De fait, je me suis présenté à vous faible, timide, extrêmement craintif ; ma parole et ma prédication n'ont rien eu des artifices d'une sagesse persuasive, elles ne venaient que de l'Esprit Saint et de sa vertu, pour que votre foi reposât uniquement sur la vertu de Dieu, nullement sur la sagesse des hommes [1].

De cette longue citation où les affirmations se heurtent, où abondent les antithèses, une idée se dégage nette et puissante : il y a une opposition radicale entre la sagesse du monde dans lequel vit saint Paul et la sagesse de Dieu qui le guide, qui préside à son apostolat et au développement du christianisme.

Sainte Thérèse reprochait aux âmes des troisièmes Demeures d'être trop raisonnables pour entrer dans les voies de la perfection et leur souhaitait un amour qui les fît délirer. Saint Paul souligne que la sagesse du Christ est folie aux yeux du monde. Ces deux affirmations qui se complètent expriment bien l'idée que nous nous faisons communément de la haute sainteté.

3. Les grands saints, en effet, tels que nous les représente l'hagiographie, n'ont pas seulement des gestes de héros, comme saint Laurent qui sur son gril ardent nargue son bourreau, mais ils nous présentent une vie qui obéit à des lois supérieures.

Saint François d'Assise se dépouille sur la place publique de ses vêtements pour satisfaire aux réclamations de son père et commence au service de Dame Pauvreté son aventure héroïque.

Elle n'est pas moins folle l'entreprise que saint Jean de la Croix inaugure à Durvelo, celle que le P. de Foucauld poursuit sous le soleil brûlant du Sahara jusqu'à ce qu'il arrose de son sang cette terre qu'il voulait rendre féconde.

Quant à la vie que le saint Curé d'Ars mène pendant les dernières années de son existence, la force de la croix s'y étale autant dans la patience et la pénitence du saint Curé que dans les dons merveilleux dont il est favorisé.

---

1. 1 Co 1,17 - 2,5.

Le sens commun des fidèles canonise aussitôt ces hommes, et les entoure de sa vénération enthousiaste. Pour lui le signe de la sainteté est bien cette folie de la croix qui préside à l'organisation de leur vie et s'épanouit merveilleusement en fruits surnaturels.

Ces affirmations de sainte Thérèse et de saint Paul, ces exemples vivants qui ne nous laissent plus de doute sur l'identité de la folie de la croix avec la sainteté, posent à notre esprit un problème pratique très important : en quoi consiste cette folie de la croix ? La sainteté est-elle vraiment en opposition avec la raison humaine ? Dans quelle mesure faut-il être fou aux yeux des hommes pour être un saint ?

Quelques distinctions sur les trois sagesses qui fondent l'ordre moral et spirituel éclaireront ce problème et nous permettront ensuite de préciser l'enseignement de saint Paul et de sainte Thérèse.

B. — *LES TROIS SAGESSES*

La Sagesse divine conduit les êtres vers leur fin et met de l'ordre dans le monde en les soumettant à des lois conformes à leur nature.

Dieu a soumis la matière à cette loi de l'attraction mutuelle des corps, et c'est par cette loi inscrite dans la matière que sont réglées les évolutions merveilleuses des astres dans l'espace qui chantent la gloire de Dieu. C'est en obéissant à la loi de l'instinct que chaque animal assure son développement et la multiplication de l'espèce et remplit son rôle providentiel dans le monde des êtres vivants.

Dieu dirige l'homme vers sa fin par la loi morale, mais tandis que les lois que Dieu impose à la matière et à l'animal sont nécessaires et par conséquent sont subies passivement, sans que l'être en prenne conscience ou puisse s'y soustraire, la loi morale est révélée à l'intelligence de l'homme et respecte sa liberté. Elle est pour lui une manifestation de la volonté de Dieu, et elle sollicite sa coopération libre à l'exécution du dessein de Dieu sur le monde.

La Sagesse divine conduit l'homme à sa perfection surnaturelle par des manifestations de sa volonté qui revêtent trois modes différents. Ainsi se trouvent constitués pour le chrétien trois ordres de sagesse, trois plans superposés de moralité et de perfection qui vont se complétant.

1. Dieu a imposé à tous les hommes une loi morale naturelle, dont les premiers principes sont inscrits dans le cœur de l'homme et lui apparaissent évidents : distinction du

bien et du mal, obligation de faire le bien, ne pas faire aux autres ce qu'on ne voudrait pas qu'on nous fît à nous-mêmes, etc... Bien que ces notions soient innées, elles laissent à l'homme la liberté de se soustraire aux prescriptions qui en découlent.

De ces prescriptions fondamentales, la raison humaine extrait par raisonnement d'autres obligations qui en sont la conséquence plus ou moins immédiate. Sur ces obligations nouvelles elle continue son travail de recherche et d'explicitation, et détermine par exemple ce qu'est la justice, nous apprend par elle le respect du prochain dans ses relations avec nous, le respect de nous-mêmes. Elle fixe pour nos besoins et nos désirs la mesure de satisfaction qui assure l'équilibre de l'ensemble. C'est ainsi que la raison codifie les préceptes de la loi naturelle, éclaire les vertus naturelles en leur précisant les motifs et la mesure qui doivent présider à leur observance.

L'ensemble de ces prescriptions étendues et variées que la raison a tirées, par déduction logique, des principes fondamentaux de la loi naturelle constitue le code du droit naturel qui fixe, tant dans le domaine individuel que sur le plan social, les devoirs et les droits de chacun et de tous dans l'universelle société humaine.

Cet ordre moral naturel a une origine divine incontestable, tant pour les principes qui le fondent et que la sagesse a inscrits en chaque être humain, que par la raison qui le construit et qui est un rayon qui nous vient du Verbe et nous conduit à Lui.

Cet ordre moral naturel est la première manifestation de l'ordre établi par la sagesse. Manifestation la plus humble mais, parce que fondée sur la nature de chose, elle est à la base de tout l'édifice moral. Nul ne peut prétendre respecter l'ordre divin et aspirer à des vertus plus hautes s'il n'observe d'abord les prescriptions de la loi naturelle. C'est dire suffisamment la valeur de cette sagesse naturelle que d'affirmer qu'aucun ordre ne peut subsister s'il ne s'appuie sur elle.

2. Dans le sermon sur la montagne, le Christ Jésus avertit ses auditeurs :

N'allez pas croire que je sois venu abroger la loi et les prophètes. Je ne suis pas venu les abroger, mais les parfaire [1].

Tel est le rôle en effet de la nouvelle manifestation de l'ordre divin que la Sagesse fait par la Révélation.

_____

1. Mt 5, 17.

284

La Révélation fait connaître à l'homme sa fin surnaturelle, la participation à la vie trinitaire qui est sa vocation. Elle indique à l'homme les moyens qu'il doit prendre, les vertus plus hautes qu'il doit pratiquer pour atteindre ce but plus élevé auquel il doit parvenir. Puisque nous sommes les enfants de Dieu, nous devons être parfaits comme notre Père qui est dans les Cieux. Puisque le Christ Jésus nous a été envoyé pour nous indiquer la voie qui conduit à Dieu, et nous montrer en Lui la perfection à réaliser, nous devons nous mettre à sa suite et modeler nos gestes sur les siens.

A cet ordre nouveau qui nous est révélé, à cette vocation surnaturelle qui nous est donnée correspondent non point seulement des obligations nouvelles mais des moyens adaptés de réalisation. En même temps que la lumière qui nous éclaire sur le plan éternel de la sagesse, nous sont données la grâce qui nous y adapte et les vertus surnaturelles infuses qui nous permettent d'entrer dans ce plan et d'y travailler.

De même que la Révélation ne détruit point la raison mais l'affermit en ses découvertes et l'éclaire en lui découvrant des horizons insoupçonnés par elle, de même les vertus surnaturelles infuses, qui se greffent sur toutes les facultés et puissances humaines et en utilisent les opérations pour leurs actes propres, fortifient en même temps les vertus naturelles en élargissant leur domaine et leur fournissant des motifs nouveaux :

Il est clair, dit saint Thomas, que la mesure à imposer à nos passions diffère essentiellement suivant qu'elle dérive de la règle humaine de la raison, ou de la règle divine ; par exemple pour l'usage des aliments : la mesure présentée par la raison a pour but d'éviter ce qui est nuisible à la santé et à l'exercice de la raison même ; tandis que selon la règle de la loi divine, il est requis, comme le dit saint Paul, que l'homme châtie son corps et le réduise en servitude par l'abstinence et d'autres austérités semblables [1].

Ainsi donc par la Révélation et par notre participation à la vie trinitaire nous sommes introduits dans un plan nouveau de moralité qui nous impose de tendre vers notre fin surnaturelle par la pratique des vertus propres à l'ordre surnaturel et des vertus naturelles elles-mêmes surnaturalisées et élargies par une lumière nouvelle.

3. Ces vertus propres à l'ordre surnaturel de la Révélation sont spécialement les vertus théologales, vertus infuses qui règlent nos rapports surnaturels avec Dieu.

---

1. *Sum. th*, Ia IIae, qu.63, art.4.

Premières étapes

Ces vertus théologales sont greffées sur les facultés humaines dont elles utilisent les opérations pour produire leurs actes propres. Étant théologales, et ayant comme telles Dieu pour objet et motif, ces vertus tendent normalement vers la libération de tout l'humain pour trouver en Dieu seul leur aliment et leur appui. Leurs opérations ne seront parfaites que lorsqu'elles seront purement théologales, c'est-à-dire dégagées de tout élément inférieur et fixées plus purement dans leur objet et leur motif divin.

Il est normal en effet qu'au début les vertus théologales demandent à la raison d'explorer le contenu révélé et de leur fournir les vérités théologiques dont elles se nourriront. C'est un secours indispensable et très précieux qui contribue éminemment à leur développement.

Mais la raison ne saurait livrer à ces vertus l'objet divin pour lequel elles sont faites. Elle ne saurait travailler que sur les formules dogmatiques et élaborer des concepts et des vérités analogiques. Elle est un instrument inadapté au divin, et en ne s'appuyant que sur elle les vertus théologales resteront dans des modes d'agir imparfaits. Pour que ces vertus puissent conduire leurs opérations jusqu'à leur perfection, adhérer à leur objet divin et se reposer uniquement en lui, il faut qu'une lumière et un secours leur viennent de cet objet qui est Dieu Lui-même, les éclairent et les fixent en Lui. Cette lumière et ce secours leur arrivent effectivement par les dons du Saint-Esprit.

C'est par les dons du Saint-Esprit en effet que la Sagesse divine, qui habite dans l'âme juste, produit des illuminations et des motions qui soutiennent l'activité des vertus théologales et les portent jusqu'à la perfection de leurs actes propres. Voici une âme qui fait un acte de foi dans la présence de la Trinité sainte en elle. Tandis qu'elle se disposait à revenir avec son intelligence vers la vérité dogmatique pour y trouver un aliment à un nouvel acte de foi, soudain de l'obscurité du mystère dans lequel elle a pénétré par la foi jaillit une saveur, une lumière confuse, un je ne sais quoi qui la retient, l'invite à rester paisible en ce mystère dont l'obscurité ne s'est point dissipée, et la sollicite peut-être même à y pénétrer plus avant. Cette infirmière soignait un malade avec un dévouement surnaturel qu'animait le sentiment du devoir ; mais voici aussi que soudain elle découvre d'une façon concrète et vivante que ce malade est un membre du Christ souffrant. Elle ne voit plus en lui que son Christ bien-aimé et, suavement portée par un amour qu'elle ne se connaissait pas, elle continue sa mission charitable avec une douceur et une délicatesse incomparables.

Illumination et motion de l'Esprit Saint se sont conju-
guées dans l'un et l'autre cas pour faire produire un acte
de foi contemplatif et un acte de charité parfaite.

Par ces illuminations qui éclairent l'intelligence et la
déconcertent en même temps ou la placent devant une
lumière transcendante, par ces motions suaves et subtiles
qui portent la volonté à des actes qui dépassent ses forces
naturelles et les lui font accomplir avec une perfection dont
elle n'était point capable, la Sagesse divine intervient
directement dans les opérations surnaturelles de l'âme.

Écoutons saint Thomas nous expliquer ce jeu subtil et
merveilleux de l'action divine chez le spirituel :

> Comme l'abeille ou l'oiseau voyageur, portés par l'instinct, agis-
> sent avec une sûreté admirable qui révèle l'Intelligence qui les
> dirige, ainsi l'homme spirituel est incliné à agir, non pas principa-
> lement par le mouvement de sa propre volonté, mais par l'instinct
> du Saint-Esprit, selon le mot d'Isaïe (59,19) « car il viendra comme
> un fleuve resserré, que précipite le souffle du Seigneur » ; aussi
> est-il dit (Lc 4,1) :« Jésus fut poussé au désert par l'Esprit ». Il ne
> s'ensuit point que l'homme spirituel n'opère pas par sa volonté et
> son libre arbitre, mais c'est l'Esprit Saint qui cause en lui ce mou-
> vement de libre arbitre et de volonté, selon le mot de saint Paul :
> « C'est Dieu qui opère en nous le vouloir et le faire » (Ph 2,13) [1].

Ainsi donc par les dons du Saint-Esprit Dieu intervient
dans les opérations du spirituel au point d'y réaliser le
vouloir et le faire, et d'y devenir l'agent principal qui assure
la perfection des opérations spirituelles.

N'est-il pas d'ailleurs normal que Dieu seul puisse
réaliser parfaitement ces opérations de la vie trinitaire, et
que par conséquent nous ne puissions nous-mêmes y
participer qu'en nous plaçant sous sa lumière et en nous
laissant emporter par son mouvement : « Ceux-là seulement sont les enfants de Dieu, qui sont mus par l'Esprit
de Dieu [2] » dit en effet l'Apôtre. En d'autres termes, Dieu
seul peut assurer la perfection de nos actes divins de fils
de Dieu.

Ceci admis, nous ne sommes plus étonnés par les affirmations de saint Jean de la Croix touchant les âmes transformées :

> Aussi, écrit le Saint, ordinairement tous les premiers mouve-
> ments des puissances, chez de telles âmes, sont comme divins,
> et il ne faut pas s'en étonner puisque ces puissances sont en

---

1. *In Ep. ad Rom.*, VIII, 14.
2. Rm 8, 14.

quelque sorte transformées en l'être divin... Dieu meut spécialement les puissances de ces âmes... Aussi leurs œuvres et leurs prières
sont-elles toujours efficaces. Telles ont été celles de la glorieuse
Mère de Dieu [1].

C. — *LES DIVERSES SAGESSES ET LA PERFECTION*

Les distinctions faites entre les divers ordres de la sagesse
créés par les manifestations de la Sagesse divine dans les
divers plans de la moralité et de la perfection, vont éclairer pour nous l'enseignement de saint Paul et celui de sainte
Thérèse, et nous permettront de préciser la notion de
perfection chez notre maîtresse spirituelle.

1. Saint Paul oppose la sagesse de la croix à celle du
monde et les affirme contradictoires.

A n'en point douter, la sagesse du Christ en croix que
l'Apôtre prêche, celle qui préside au développement du
christianisme en ces débuts fervents, est la sagesse surnaturelle la plus haute et la plus pure. C'est celle du Christ
que « Dieu a fait pour nous sagesse, sainteté, rédemption,
pour que se réalise l'Écriture : Celui qui veut se glorifier
qu'il se glorifie dans le Seigneur [2] ».

L'Apôtre a le souci de conserver à cette sagesse toute
sa pureté divine pour qu'elle garde toute sa force ; aussi
craindrait-il de l'affaiblir en usant des discours étudiés de
l'éloquence, qui y ajouteraient un élément humain. Ainsi
leur foi reposera « uniquement sur la vertu de Dieu,
nullement sur la sagesse des hommes [3] ».

Quelle est la sagesse du monde que l'Apôtre oppose à
cette sagesse de Dieu si haute ? Serait-ce la sagesse
naturelle que nous avons trouvée au premier plan des
manifestations divines ? On pourrait le croire quand l'Apôtre
parle de la sagesse persuasive des discours. Il n'en est rien
cependant.

Cette sagesse est celle du monde qui « n'a su profiter
ni de la sagesse divine, ni de sa propre sagesse pour acquérir la connaissance de Dieu [4] ». Cette sagesse est une sagesse

---

1. *Montée du Carm.*, Liv. III, ch. I, pp. 309-310.
2. 1 Co 1, 30-31.
3. *Ibid.*, 2, 5.
4. *Ibid.*, 1, 21.

corrompue qui n'est pas restée fidèle à la loi naturelle et ne cherche que la satisfaction de ses passions. C'est la sagesse de Corinthe et du monde païen qui, dans l'idolâtrie et la sensualité, a perdu le sens de ces devoirs que la loi naturelle impose à tout homme.

Entre la sagesse du Christ crucifié et la sagesse du monde, il y a une opposition radicale, une haine irréconciliable : « Si le monde vous hait, déclare Jésus à ses apôtres, sachez qu'il m'a haï avant vous. Si vous étiez du monde, le monde aimerait ce qui serait à lui [1] ». Il dira aussi dans sa prière sacerdotale : « Je ne prie pas pour le monde [2] ».

2. Quelle est la sagesse des âmes des troisièmes Demeures ? Elles font mieux, certes, que d'observer la loi naturelle ; car elles évitent le péché véniel, ont leurs heures de recueillement et pratiquent des vertus surnaturelles.

Mais c'est la raison qui règle toute la pratique de leurs vertus ; c'est cette raison qui assure le bel ordre de leur vie, l'harmonie des devoirs extérieurs.

Ce contrôle de la raison auquel leurs vertus ne peuvent se soustraire, fait leur faiblesse et empêche leur développement. Ces âmes ont toutes sortes de bonnes raisons pour croire qu'elles souffrent pour Dieu, ou pour se dispenser de cet excès qui assurerait leur perfection. Rappelons-nous les deux personnes riches dont l'une supporte avec tant de désolation la perte de biens qui ne lui sont pas nécessaires, et dont l'autre a de bonnes raisons pour chercher à augmenter une fortune dont elle n'a que faire.

Chez ces âmes la raison est très maîtresse d'elle-même et l'amour n'est pas assez fort pour les faire délirer. Aussi elles font comme le jeune homme de l'Évangile, qui a observé les préceptes de la loi, mais a reculé devant les exigences irraisonnables du détachement complet qui fait entrer dans les voies de la perfection.

Il est aisé de situer ces âmes au deuxième stade que nous avons décrit, là où les vertus surnaturelles demandent à la raison leur lumière et leur mesure, et restent ainsi imparfaites.

3. La conception commune qui représente la haute sainteté comme une folie de la croix qui obéit à des lois transcendantes et produit des actes surhumains, porte en

1. Jn 15, 18-19.
2. *Ibid.*, 17, 9.

289

elle une grande part de vérité. Le saint est en effet un être éclairé et mû par la Sagesse divine qui assure la perfection de ses actes.

L'erreur est de croire que cette motion de l'Esprit Saint fait produire au saint comme nécessairement des actes extra-ordinaires. Le saint mû par l'Esprit de Dieu peut être apparemment un homme comme les autres hommes, car on sait que la sainteté peut ne point briller en nul acte surhumain, mais uniquement dans la perfection de tous ceux qu'il fait.

Il nous est maintenant aisé, en concluant, de dégager la notion de la perfection d'après sainte Thérèse.

Le bel ordre extérieur et la vertu surnaturelle, que la raison éclaire et inspire, ne sont point la perfection. Il y faut l'amour qui fait délirer la raison et la soumet à la lumière et à l'emprise de l'Esprit Saint. C'est Dieu qui fait ses saints. Avant d'être sous son action directe on n'est point entré dans le chemin de la perfection. Ce chemin s'ouvre après les troisièmes Demeures, et c'est en s'y engageant qu'on mérite le nom de commençant [1].

---

1. L'acte de détachement complet que constitue l'entrée en religion fait dépasser normalement ces régions des troisièmes Demeures. Le noviciat qui fait réaliser pratiquement ce détachement devrait fixer l'âme en des Demeures supérieures. Les maîtres carmélitains (saint Jean de la Croix, le Vén. Jean de Jésus-Marie) soulignent en effet que les âmes religieuses franchissent assez rapidement les étapes préliminaires aux quatrièmes Demeures et reçoivent les grâces particulières de ces dernières. Mais cette période de formation terminée, il est fort à craindre que l'âme religieuse déchoie de sa ferveur première et revienne vers des Demeures spirituelles plus confortables parce que plus « raisonnables ».

CONTEMPLATION
ET VIE MYSTIQUE

CHAPITRE PREMIER

La Sagesse d'amour

> *Se répandant à travers les âges dans les âmes saintes, elle en fait des amis de Dieu et des prophètes* [1].

Nous sommes parvenus au seuil des quatrièmes Demeures à l'entrée du royaume de la Sagesse d'amour.

Jusqu'à présent le secours général a laissé à l'âme l'initiative. Dieu est resté dans la pénombre au second plan de l'activité spirituelle. Désormais le secours particulier va révéler la présence, affirmer la puissance conquérante de ce Dieu que sainte Thérèse nous a signalé dans les profondeurs du Château, soleil qui resplendit au centre du globe de cristal, fontaine jaillissante dont les eaux se répandent dans tous les appartements, Trinité sainte dont l'âme est le temple.

Avant de pénétrer en ces régions fortunées, saluons la maîtresse et reine de ces lieux, la Sagesse d'amour qui y règne et y ordonne toutes choses dans la lumière et dans l'amour.

A. — QU'EST-CE QUE LA SAGESSE D'AMOUR ?

L'Ancien Testament n'a point connu le Verbe incarné, le Dieu qui a habité parmi nous. Aussi avec sollicitude il a cherché Dieu dans les créatures, dans ses œuvres, dans la belle ordonnance qu'il a mise en toutes choses. Il a trouvé ainsi la Sagesse de Dieu. Il s'est efforcé de pénétrer le mystère de sa nature et de son action et il l'a magnifiquement exalté.

Ou plutôt c'est la Sagesse elle-même qui s'est révélée et, parlant par la bouche des auteurs inspirés, a dit ses origines éternelles et a chanté elle-même ses perfections :

---

1. Sg 7, 27.

Contemplation et vie mystique

> Yahweh m'a possédée au commencement de ses voies,
> avant ses œuvres les plus anciennes.
> J'ai été fondée dès l'éternité,
> dès le commencement, avant les origines de la terre.
> Il n'y avait point d'abîme quand je fus enfantée,
> point de sources chargées d'eaux.
> Avant que les montagnes fussent affermies,
> avant les collines, j'étais enfantée.
> Lorsqu'il n'avait encore fait ni la terre ni les plaines
> ni les premiers éléments de la poussière du globe [1].

Elle est éternelle comme Dieu parce qu'elle est Dieu.
Elle a eu un rôle dans la création du monde ; elle ordonnait
toutes choses tandis que Dieu créait :

> Lorsqu'il disposa les cieux, j'étais là,
> lorsqu'il traça un cercle à la surface de l'abîme,
> lorsqu'il affermit les nuages d'en-haut
> et qu'il dompta les sources de l'abîme,
> lorsqu'il fixa sa limite à la mer,
> pour que les eaux n'en franchissent pas les bords,
> lorsqu'il posa les fondements de la terre.
> J'étais à l'œuvre auprès de Lui,
> me réjouissant chaque jour,
> et jouant sans cesse en sa présence,
> jouant sur le globe de sa terre,
> et trouvant mes délices parmi les enfants des hommes [2].

Cette Sagesse est « l'ouvrière de toutes choses [3] », « elle
atteint avec force d'un bout du monde à l'autre et dispose
tout avec douceur [4] ». Mais elle trouve une joie particulière
en son œuvre la plus haute de toutes : la sanctification des
âmes. C'est elle en effet qui « se répandant à travers les
âges dans les âmes saintes, en fait des amis de Dieu et des
prophètes [5] ».

Mais qu'est-elle cette Sagesse ? Est-il possible de la
décrire puisqu'elle est Dieu ? Son œuvre nous la révèle.
Par touches successives l'auteur inspiré s'efforce de nous
en donner une idée en décrivant ses multiples qualités :

> En elle en effet, il y a un esprit intelligent, saint,
> unique, multiple, immatériel,
> actif, pénétrant, sans souillure,
> infaillible, impassible, aimant le bien, sagace,
> ne connaissant pas d'obstacle, bienfaisant,

---

1. Pr 8, 22-26.
2. *Ibid.*, 27-31.
3. Sg 7, 21.
4. *Ibid.*, 8, 1.
5. *Ibid.*, 7, 27.

bon pour les hommes, immuable, assuré, tranquille,
tout-puissant, surveillant tout,
pénétrant tous les esprits,
les intelligents, les purs et les plus subtils.
Car la Sagesse est plus agile que tout mouvement ;
elle pénètre et s'introduit partout à cause de sa pureté.

Elle est le souffle de la puissance de Dieu,
une pure émanation de la gloire du Tout-Puissant ;
aussi rien de souillé ne peut tomber sur elle.
Elle est le resplendissement de la lumière éternelle,
le miroir sans tache de l'activité de Dieu,
et l'image de sa bonté.

Étant unique, elle peut tout ;
Restant la même, elle renouvelle tout ;

. . . .

Car elle est plus belle que le soleil
et que l'arrangement harmonieux des étoiles.
Comparée à la lumière elle l'emporte sur elle ;
Car la lumière fait place à la nuit,
mais le mal ne prévaut pas contre la Sagesse [1].

L'auteur inspiré qui chante la Sagesse avec une telle flamme, qui la décrit avec une telle pénétration, s'est épris d'elle :

Je l'aimai et je la recherchai dès ma jeunesse ;
Je cherchai à l'avoir pour épouse,
et j'étais épris de sa beauté [2].

Elle est un don de Dieu ; c'est donc à Lui qu'il faut la demander. Salomon prie pour l'obtenir :

Envoyez-la de vos cieux très saints,
envoyez-la du trône de votre gloire,
afin qu'elle m'assiste dans les labeurs
et que je connaisse ce qui vous est agréable.

. . . .

Qui a connu votre volonté, si vous ne lui avez pas donné la Sagesse,
et si vous ne lui avez pas envoyé d'en-haut votre Esprit Saint ?
Ainsi ont été rendues droites les voies de ceux qui sont sur la terre,
et les hommes ont appris ce qui vous est agréable,
et ils ont été sauvés par la Sagesse [3].

Cette Sagesse lui a été donnée, lui apportant tous les biens. Il reconnaît maintenant qu'elle était tout près de lui, et qu'il suffit de la désirer sincèrement pour qu'elle se donne :

---

1. Sg 7, 22 et s.
2. *Ibid.*, 8, 2.
3. *Ibid.*, 9, 10.17-18.

Contemplation et vie mystique

> La Sagesse est brillante et son éclat ne se ternit pas ;
> facilement on l'aperçoit quand on l'aime,
> facilement on la trouve quand on la cherche.
> Elle prévient ceux qui la cherchent,
> et se montre à eux la première.
> Celui qui se lève matin pour la chercher n'a pas de peine :
> Il la trouve assise à sa porte [1].

Cette Sagesse est surtout près d'Israël, son peuple d'élection, le dépositaire de ses promesses, l'instrument par lequel elle doit réaliser ses grands desseins éternels. C'est auprès de lui, à le secourir sans cesse malgré ses infidélités, que la Sagesse trouve ses délices parmi les enfants des hommes. Salomon décrit longuement l'œuvre merveilleuse de cette Sagesse en faveur de son peuple [2].

> Elle les conduisit par une route semée de merveilles,
> et fut pour eux un ombrage pendant le jour,
> et comme la lumière des étoiles pendant la nuit [3].

Mais Israël a été longuement infidèle. Il s'est éloigné des voies de la Sagesse et il expie son infidélité par une douloureuse captivité. Comment faire cesser ce fléau, revenir sur la terre d'Israël et y retrouver la prospérité ?

La Sagesse brille toujours dans les cieux et elle reste aussi affectueuse pour son peuple. Le prophète Baruch l'a découverte lui aussi, toujours aussi lumineuse, aussi puissante :

> Écoute, Israël, les commandements de vie...
>
> . . . .
>
> Tu as abandonné la source de la Sagesse.
> Car si tu avais marché dans la voie de Dieu,
> tu habiterais à jamais dans la paix.
> Apprends où est la prudence,
> où est la force, où est l'intelligence [4].

Les chefs des nations, les navigateurs les plus hardis, « les marchands de Merrha et de Théman, les interprètes des paraboles et les chercheurs de prudence... les géants fameux et habiles dans la guerre [5] » ne l'ont point trouvée. Mais le Dieu d'Israël qui exerce un pouvoir souverain sur la lumière

> ... l'envoie et elle part,
> ... l'appelle et elle lui obéit en tremblant [6].

1. Sg 6, 13-15.
2. *Ibid.*, 10 à 19.
3. *Ibid.*, 10, 17.
4. Ba 3, 9.12-14.
5. *Ibid.*, 3, 23.26.
6. *Ibid.*, 3, 33.

exerce la même autorité sur la Sagesse et il la tient à la disposition de son peuple. Qu'Israël revienne donc à son Dieu et à cette Sagesse qui est « le livre des commandements de Dieu et la loi qui subsiste à jamais [1] ».

> Reviens, ô Jacob, et embrasse-la ;
> marche à la splendeur de sa lumière.
> Ne donne pas ta gloire à un autre,
> ni tes avantages à une nation étrangère.
> Heureux sommes-nous, ô Israël,
> parce que ce qui plaît à Dieu nous a été révélé [2].

Cette Sagesse de la loi ancienne est entrée dans l'économie de la loi nouvelle. Elle a pris possession de l'Église et des âmes et elle y continue son action bienfaisante. Pour la révéler à ses fidèles, l'Église aime, à juste titre, utiliser ces textes dans lesquels l'Ancien Testament a déployé pour parler d'elle, toutes les richesses de la poésie hébraïque, la puissance évocatrice de ses symboles, la grâce pittoresque de son verbe, en les chargeant de la saveur lumineuse de l'inspiration. Et parce qu'elle est la même à travers les âges, nous retrouvons, avec quelle joie, très heureusement explicité en ces descriptions magnifiques, ce que notre expérience chrétienne et spirituelle nous apprend de cette Sagesse mystérieuse, unique et multiple, plus agile que tout mouvement, pénétrant partout à cause de sa pureté, souffle de la puissance de Dieu, plus belle que la lumière, souple et active, ouvrière de toutes choses, génie divin conduisant tout avec force et douceur.

Le Nouveau Testament s'est plu à souligner que cette Sagesse était une Sagesse d'amour, qui ne cesse de donner l'amour. C'est l'amour qui inspire tous ses desseins, tous ses mouvements et tous ses gestes. Son œuvre sanctificatrice en nous est hautement une œuvre d'amour, et l'étreinte, par laquelle elle nous saisit, nous embrasse pour nous faire entrer dans la Trinité des Personnes divines, est excellemment une étreinte d'amour.

Pour désigner cette Sagesse ouvrière d'amour, nous l'appelons « Sagesse d'amour ». La Sagesse d'amour unit l'Ancien et le Nouveau Testament. C'est le nom divin qui exprime toute l'œuvre réalisée par Dieu dans l'homme et pour l'homme depuis le début de la création jusqu'à la fin des temps.

La Sagesse d'amour n'est point à proprement parler une Personne divine. Elle est à la fois les trois Personnes,

---

1. Ba 4, 1.
2. *Ibid.*, 2-4.

toute la Trinité qui habite en notre âme et dont l'opération unique, « se répandant dans les âmes, en fait des amis de Dieu et des prophètes [1] ».

Avant d'entrer dans le royaume spécial de la Sagesse d'amour, dont les quatrièmes Demeures marquent le seuil, pour y suivre son œuvre, fixons quelques traits caractéristiques de son action.

B. — *QUE FAIT LA SAGESSE D'AMOUR ?*

I. — *Comme Sagesse elle ordonne et dispose tout pour la réalisation du dessein de Dieu.*

1. Pour régler en effet notre attitude à son égard, il n'est pas inutile de souligner que cette Sagesse est intelligente et sage. Elle a un dessein à la réalisation duquel elle emploie les ressources de son intelligence et de sa puissance. Elle ne laisse rien au hasard et ordonne tout avec force et douceur. Le monde n'a été créé que pour la réalisation du dessein de Dieu et chacun de nous y a sa place marquée. Ce n'est point pour que nous nous agitions à notre gré dans le monde, ou que nous réalisions nos buts personnels que nous sommes entrés dans le monde. La Sagesse divine nous y a placés pour que nous soyons les agents humains de son dessein divin et les ouvriers de la tâche précise qu'elle nous a fixée dans son plan.

Agents nous le serons certainement, soumis amoureusement ou révoltés, cela dépend de nous, mais quelle que soit notre attitude le plan de Dieu se réalisera, avec nous ou contre nous. Lorsqu'il sera réalisé, le cours du temps s'arrêtera ; le monde aura vécu car la Sagesse aura réalisé l'œuvre pour laquelle elle l'avait créé.

Ce dessein éternel de Dieu nous le connaissons, c'est le dessein de miséricorde caché aux siècles passés et dont l'apôtre Paul est le héraut et le ministre, à savoir ce dessein de la volonté divine, arrêté de toute éternité et que la Sagesse devait réaliser en la plénitude des temps, de tout réunir dans le Christ, les choses du ciel et celles de la terre [2]. Le dessein éternel de Dieu que doit réaliser la Sagesse d'amour, c'est l'Église de Dieu, fin et raison de toutes choses [3].

---

1. Sg 7, 27.
2. Ep 1, 9-10.
3. Saint Épiphane.

Dictateurs et empires, peuples et individus s'agitent. Leurs agitations s'inscrivent dans la réalisation du grand dessein de Dieu et y sont ordonnées par sa Sagesse qui pénètre tout et dispose tout d'une extrémité du monde à l'autre. Ils passent, et de leurs œuvres ne subsiste dans l'éternité que ce que leur volonté a ordonné amoureusement à la réalisation des desseins de Dieu par les sentiers de la Sagesse.

C'est pour réaliser son dessein éternel en nous et par nous que la Sagesse d'amour intervient dans l'âme aux quatrièmes Demeures par le secours particulier. L'œuvre à réaliser dans l'âme est si haute en effet que la Sagesse doit s'y appliquer elle-même et la diriger directement par ses lumières et ses motions.

2. Ce dessein éternel de Dieu, dont nous connaissons la formule, nous est impénétrable. C'est la Sagesse infinie qui l'a conçu et qui le réalise. Les pensées de Dieu dépassent nos pensées comme le ciel dépasse la terre. Elles sont aussi mystérieuses que Dieu lui-même.

Les régions où s'étend le règne de la Sagesse, parce que sa lumière et son action y dominent en maîtresses, sont des régions obscures. C'est la transcendance de la lumière divine qui y crée cette obscurité, non pas comme un accident passager, mais comme un effet normal pour la faiblesse de notre regard.

Nous ne saurions donc pénétrer ou embrasser avec notre intelligence le dessein de Dieu dans son ensemble, pas plus que la part qui nous échoit dans les réalisations ou les voies par lesquelles nous serons conduits. Les lueurs qui brillent dans cette obscurité pourraient nous être trompeuses si nous les interprétions d'une façon trop précise. En fondant le monastère de Saint-Joseph d'Avila, sainte Thérèse était conduite par un attrait divin de solitude et d'intimité avec le bon Jésus ; c'est de là que la Sagesse d'amour la fit partir quelques années plus tard pour sillonner en fondatrice les routes de l'Espagne. En écrivant ses traités, la Sainte répondait aux besoins de ses filles ; elle était loin de penser que la Sagesse d'amour y préparait une nourriture de choix pour les âmes spirituelles de tous les temps. Saint François de Sales voulait fonder la Visitation Sainte-Marie pour pourvoir aux besoins du peuple, et il aboutit à un Institut contemplatif qui devait recueillir les confidences du Cœur de Jésus.

En ces régions, obscures parce que la Sagesse y règne en maîtresse, la lumière est donnée à chaque pas à l'âme qui croit et s'abandonne à cette Sagesse d'amour qu'elle a prise comme guide et maîtresse.

299

Contemplation et vie mystique

Ces jeux de la lumière de la Sagesse dans l'obscurité qu'elle crée sont déjà une apparente contradiction. Et cependant ils sont une réalité que toute expérience spirituelle affirme et leur origine surnaturelle est prouvée par la paix et la fécondité d'action des âmes qui les suivent. La Sagesse est lumière et mystère. Aussi son royaume ici-bas n'est jamais que pénombre. La foi est nécessaire pour y entrer et l'amour peut seul y habiter dans la paix.

II. — *Cette Sagesse est toute d'amour.*

Cette Sagesse est Sagesse d'amour. Elle est au service de Dieu qui est amour. Or l'amour est le bien diffusif de soi. Il a besoin de se répandre et trouve sa joie à se donner. Sa joie est à la mesure du don qu'il fait et de sa qualité. Parce qu'elle est tout entière au service de Dieu, la Sagesse va utiliser toutes ses ressources pour diffuser l'amour.

1. Il n'est donc pas étonnant que cette Sagesse d'amour trouve sa joie auprès des enfants des hommes, parce que dans leur âme elle peut répandre le meilleur de ses dons créés, la grâce, qui est une participation à la nature et à la vie de Dieu.

Cet amour qui se répand est un torrent de suavité. Il associe à son bonheur et crée la paix, la joie, la lumière. Le règne de la Sagesse d'amour est un règne « de justice, d'amour et de paix [1] ».

2. Mais cet amour descend sur des facultés humaines inadaptées à le recevoir et qui portent les traces du péché. Ce règne s'établit dans le monde qui est livré au péché. Il y a lutte et souffrance. Les torrents de l'amour dans l'âme apportent la souffrance ; ses envahissements ne se font qu'au prix de rudes combats ; son règne pacifique lui attire des coups et des haines. « Le disciple n'est pas au-dessus du Maître... le monde m'a haï et vous haïra [2] ». La Sagesse d'amour est ici-bas comme un agneau au milieu des loups car le monde est mauvais et elle condamne le monde par sa seule présence. C'est une loi de lutte et de souffrance intérieure et extérieure qui suit tous les développements et les triomphes de la Sagesse d'amour ici-bas. Elle vit et étend ses conquêtes sur la terre en une Église qui est militante et douloureuse jusqu'en ses victoires. « Ne fallait-il pas que le Christ

1. Préface de la fête du Christ-Roi.
2. Jn 15, 18.20.

souffrît et entrât ainsi dans la gloire [1] ? » proclame Jésus après sa résurrection. C'est une nécessité qui s'impose à tous ceux qui le suivent.

3. Suave et douloureuse, la Sagesse d'amour est essentiellement active. Le mouvement ne lui est pas un état passager : il est constant. Si le bien diffusif de soi qu'est l'amour cessait un instant de se répandre, il ne serait plus amour. L'amour qui s'arrête se transforme en égoïsme. Dieu engendre sans cesse son Fils, du Père et du Fils procède constamment le Saint-Esprit ; c'est pourquoi Dieu est éternel Amour.

L'amour qui nous est donné ne saurait s'arrêter en nos âmes. Il a besoin de remonter vers sa source et il veut par nous continuer son mouvement de diffusion de lui-même. En nous conquérant, la Sagesse d'amour nous fait entrer dans l'intimité divine, mais elle nous emporte vers son but dans la réalisation de ses desseins d'amour. Elle nous transforme immédiatement en canaux de sa grâce et en instruments de ses œuvres. L'amour est essentiellement dynamique et dynamogène.

L'apostolat n'est pas une œuvre surérogatoire ; il est la conséquence normale du mouvement essentiel de l'amour. Penser uniquement à l'intimité, à l'union avec Dieu, c'est ignorer la nature de l'amour, arrêter le mouvement d'expansion qui le fait amour. C'est donc le détruire, ou du moins le vicier et le diminuer, que le maintenir entre les digues d'un égoïsme qui, se dirait-il spirituel, reste destructeur.

La Sagesse d'amour conquiert les âmes moins pour elles-mêmes que pour son œuvre. Elle n'a qu'un but qui est l'Église. Elle nous choisit comme membres de l'Église, pour que nous y tenions une place et y remplissions une mission. Il nous est nécessaire de nous le rappeler fréquemment, tellement notre égoïsme et notre orgueil, favorisés en cela par le sentiment de notre intimité personnelle avec Dieu, sont prompts à nous persuader que nous sommes une fin en soi, le but dernier dans l'œuvre sanctificatrice de la Sagesse divine en notre âme.

La sainte humanité du Christ fut créée, ornée de privilèges merveilleux et indissolublement unie à la divinité pour la Rédemption et l'Église. Elle le découvre elle-même dès qu'elle arrive à l'existence : « Vous n'avez pas voulu des holocaustes... Vous m'avez créé... me voici pour faire votre volonté [2] ». Et ce qui justifie la création

---

1. Lc 24, 26.
2. He 10, 5-7.

de la Sainte Vierge et tous ses privilèges, c'est la maternité divine et la maternité de grâce.

Comme le Christ Jésus et sa divine Mère, les saints sont ordonnés à l'Église. La Sagesse d'amour les sanctifie pour les faire entrer dans l'unité de l'Église et les utiliser pour ses œuvres. Lorsque sainte Thérèse est élevée au mariage spirituel, le Christ Jésus lui remet le clou de la crucifixion et ajoute : « Désormais tu es mon épouse... tu t'occuperas de mes intérêts et je m'occuperai des tiens [1] ».

Les paroles sont claires. Ce n'est pas à une intimité dans la solitude que la voue cette union permanente, scellée par un signe et par une parole donnée, mais à l'action pour le Christ. Le Christ Jésus l'a prise comme épouse et la donne à l'Église pour qu'elle y soit mère des âmes.

La Sagesse d'amour n'a qu'un dessein à la réalisation duquel elle emploie toutes les ressources de sa puissance et de sa sagesse : dessein unique qui explique toute son œuvre, l'Église.

Le chef-d'œuvre de cette Sagesse d'amour était incontestablement l'humanité sainte du Christ. Cette humanité unie au Verbe par les liens de l'union hypostatique, merveilleusement ornée de tous les dons, douée dès ici-bas de la vision face à face, la Sagesse d'amour la livre aux angoisses de Gethsémani, à la mort de la Croix, et en nourriture à tous ceux qu'elle veut conquérir. L'Incarnation, le Calvaire, l'Eucharistie : tels sont les plus beaux triomphes de la Sagesse d'amour. Ces triomphes, elle aspire à les renouveler dans les âmes. Le Christ en croix est un modèle qu'elle dresse devant elle et devant nous comme l'exemplaire parfait de toutes ses œuvres ici-bas. Elle veut nous conquérir nous aussi, nous embellir pour que nous lui devenions des temples purifiés et magnifiques ; elle veut en nous, dresser un autel pour nous immoler à la gloire de Dieu et faire jaillir de nos blessures des fleuves de lumière et de vie pour les âmes.

La Sagesse s'est bâti une demeure, l'a ornée de sept colonnes ; elle y a dressé un autel, immole ses victimes, et appelle tout le monde au festin qui suit le sacrifice [2]. Cette demeure de la Sagesse, c'est le Christ Jésus, la Vierge Marie... nous-mêmes.

---

1. *Relat.*, XXVIII, 18 novembre 1572, Avila.
2. Pr 9, 1-5.

CHAPITRE SECOND

Les dons du Saint-Esprit

Ceux-là sont les vrais enfants de Dieu qui sont agis par l'Esprit de Dieu [1].

C'est par les dons du Saint-Esprit que la Sagesse d'amour intervient directement dans la vie de l'âme et y établit son règne parfait. Le rôle des dons du Saint-Esprit est donc d'une importance capitale dans la vie spirituelle.

Et cependant Sainte Thérèse ne les nomme point. Saint Jean de la Croix leur réserve à peine quelques allusions explicites. Les théologiens eux-mêmes ne les abordent que timidement, tellement les régions où ils se situent restent mystérieuses et la doctrine à leur sujet encore peu précisée.

Une étude même sommaire sur les dons du Saint-Esprit peut être si riche de lumières pratiques que nous croyons devoir la tenter. Que sont les dons du Saint-Esprit et quelle est la nature de l'action de Dieu qu'ils reçoivent ? quelle est l'expérience dont ils sont les instruments ? enfin quelle utilisation devons-nous en faire ? Tels sont les problèmes que nous aborderons avec la seule préoccupation d'éclairer utilement.

A. — *NATURE ET RÔLE DES DONS DU SAINT-ESPRIT*

I. — *Définition.*

D'après saint Thomas, les dons du Saint-Esprit sont des « *habitus* ou qualités permanentes surnaturelles, qui

---

1. Rm 8, 14.

perfectionnent l'homme et le disposent à obéir avec prompttitude aux inspirations du Saint-Esprit [1] ».

Cette définition de saint Thomas est heureusement expliquée par celle que donne le P. Gardeil [2].

Les dons, dit-il, sont « des passivités engendrées dans l'âme par l'amour de charité et transformées par l'Esprit Saint en points d'appui permanents pour ses opérations directes dans l'âme ». La charité surnaturelle en effet, parce qu'elle est amour d'amitié, établit des rapports de réciprocité entre Dieu et l'âme. Tour à tour active et passive, elle donne et elle reçoit. Elle est faite pour ces échanges et n'existe que pour eux. C'est sur cette aptitude essentielle de la charité à recevoir, sur sa capacité réceptive, que sont établis les dons du Saint-Esprit comme habitudes ou qualités permanentes surnaturelles constamment ouvertes à l'action de l'Esprit Saint présent dans l'âme. Qualités réceptives, les dons reçoivent et transmettent les lumières, les motions, l'action de l'Esprit Saint et permettent ainsi les interventions directes et personnelles de Dieu dans la vie morale et spirituelle de l'âme et jusque dans les moindres détails. Qualités permanentes, les dons mettent l'âme en disponibilité constante vis-à-vis de l'Esprit Saint et peuvent la livrer à tout instant à ses lumières et à son souffle.

Les dons sont à l'âme ce que la voile est à la barque que l'effort du rameur fait péniblement avancer. Vienne le souffle de la brise favorable qui gonfle la voile, la barque vogue rapidement vers son but alors même que cesse l'effort du rameur.

Il apparaît bien ainsi que les dons du Saint-Esprit sont, selon la définition de saint Thomas « des habitudes ou qualités permanentes surnaturelles, qui perfectionnent l'homme et le disposent à obéir avec promptitude aux inspirations du Saint-Esprit ».

À l'appellation commune de « dons », saint Thomas préfère la manière de parler de l'Écriture qui les nomme des « esprits » : « Sur lui (le Messie), lit-on dans Isaïe [3], reposera l'esprit du Seigneur, esprit de sagesse et d'intelligence, esprit de conseil et de force, esprit de science et de piété, il respirera la crainte de Dieu ».

Le terme de « don » est en effet équivoque, car il évoque une puissance qui se suffit à elle-même. L'appellation d'esprit elle-même, surtout si elle est accompagnée

---

1. *Sum. th.*, Ia IIae, qu. 68, art.3.
2. Pour écrire ce chapitre nous avons utilisé largement l'étude magistrale du P. Gardeil sur les Dons du Saint-Esprit (*Dictionnaire de théologie catholique*, col. 1728-1781) et son livre *La structure de l'âme et l'expérience mystique*, et nous avons parfois emprunté ses propres expressions.
3. Is 11, 2-3.

de l'énumération précise des richesses surnaturelles qui nous viennent par les dons : don de sagesse, d'intelligence, de force, etc..., risque de nous voiler la nature des dons en permettant la confusion entre le don « puissance réceptive » et l'action de Dieu qu'il reçoit et transmet.

Cette confusion est d'autant plus regrettable que l'action de Dieu par les dons est essentiellement gratuite et dépend de sa libre volonté. Dieu répand sa grâce selon la mesure de son choix, affirme l'Apôtre. Les dons ne sont que des aptitudes à recevoir l'action de Dieu. En se développant en même temps et au même rythme que l'organisme surnaturel de la grâce et des vertus, ils deviennent des capacités plus vastes, plus affinées pour capter le souffle et les motions délicates de l'Esprit Saint, des instruments plus dociles, plus souples et plus puissants sous l'action de Dieu pour ses interventions personnelles ; mais ils ne portent jamais en eux-mêmes un droit strict à une action de Dieu plus fréquente ou plus profonde. Dieu ne donne pas à celui « qui court, mais à celui à qui il veut faire miséricorde [1] » proclame l'Apôtre, parlant clairement de cette action de Dieu gratuite par les dons.

Mais si, comme on le fait habituellement, on les considère non plus seulement en eux-mêmes comme des instruments réceptifs, mais comme des instruments animés par le souffle actuel de Dieu, on peut dire avec Mgr Gay qu'ils sont « à la fois des souplesses et des énergies, des docilités et des forces qui rendent l'âme plus passive sous la main de Dieu et en même temps plus active à le suivre et à faire ses œuvres [2] ».

II. — *Vertus et Dons.*

Dans l'organisme surnaturel les dons sont placés auprès des vertus. Vertus et dons sont différents et distincts, mais en rapports très étroits. Une étude de leurs différences et de leurs rapports nous permettra de préciser encore la nature des dons et de l'action divine dont ils sont les instruments.

a) *Différences.*

Vertus et dons s'exercent dans le même domaine de la vie morale et spirituelle. Les actes dans lesquels ils interviennent ne se distinguent pas essentiellement. Toutefois ceux qui procèdent des dons sont marqués habituellement d'un caractère spécial de difficulté qui

---

1. Rm 9, 16.
2. Mgr Gay, *Vie et vertus chrétiennes.*

justifie l'intervention divine et ils portent toujours un cachet de perfection qui la dévoile. C'est le mode d'opérer qui les différencie essentiellement.

Les vertus sont des puissances dont chacune a ses actes propres. Pour poser ses actes propres, la vertu surnaturelle emprunte à la faculté sur laquelle elle est greffée, ses opérations. Tributaire des facultés humaines, la vertu surnaturelle est elle-même contrôlée par la raison qui les régit toutes, et son activité s'exerce sous les lumières et selon la mesure de la raison. Autre remarque importante pour le point qui nous occupe : l'activité propre de la vertu surnaturelle n'exclut pas mais suppose l'intervention de Dieu qui, comme cause première, la met en mouvement. La vertu agit donc comme cause seconde libre recevant de Dieu son pouvoir actif et une impulsion qui lui laisse son indépendance.

Par les dons du Saint-Esprit, l'intervention de Dieu dans l'activité de l'âme devient directe et plus complète. Dieu substitue sa lumière à celle de la raison, sa motion à celle de la volonté sans supprimer la liberté ; il descend jusqu'aux facultés pour diriger et soutenir leur action. L'âme est agie par Dieu et les facultés deviennent ses instruments. Dieu n'est plus seulement cause première générale comme dans l'activité des vertus, il descend par les dons dans le domaine habituel de la causalité seconde en agissant par les facultés de l'âme qu'il tient sous l'emprise de sa lumière et de sa motion.

b) *Rapports des vertus et des dons.*

Ces comportements divers n'opposent pas vertus et dons, mais leur permettent de se compléter et de s'unir harmonieusement pour la perfection de la vie spirituelle.

Tant que leur activité reste dépendante de celle des facultés humaines sur lesquelles elles sont greffées, les vertus surnaturelles, spécialement les vertus théologales, ne disposent que de moyens d'agir inférieurs à leur état surnaturel et à leur objet divin. Les motifs de crédibilité et les lumières que l'intelligence fournit à la foi sur la vérité révélée, parce qu'ils portent sur les « surfaces argentées » (c'est-à-dire sur la formulation conceptuelle du dogme) et qu'ils ne découvrent pas « l'or de la substance » (c'est-à-dire la vérité infinie elle-même, qui y est contenue) ne permettent pas à la foi d'adhérer parfaitement à cette vérité infinie, de se reposer en elle et d'y trouver son seul motif d'adhésion, bref, de poser en perfection son acte propre et d'étreindre son objet infini selon toute la puissance théologale qu'elle porte en elle.

Les conséquences du péché : tendances et imperfections avec leur cortège d'obscurité, de faiblesse, de rudesse et de lourdeur pour le bien, s'ajoutent à cette impuissance foncière des facultés pour augmenter la disproportion entre le but divin à atteindre et le secours humain que la vertu surnaturelle peut trouver en elles.

L'intervention de Dieu par les dons du Saint-Esprit remédie à ces déficiences et assure le secours approprié. Elle apporte à l'âme une lumière qui transcende les notions analogiques de l'intelligence, une motion qui domine suavement et fortement la volonté et les passions. Elle libère les vertus surnaturelles de leur dépendance à l'égard des facultés et leur fait poser en perfection leurs actes propres. C'est ainsi que la foi, recevant par le don d'intelligence une lumière sur Dieu, adhère parfaitement à son objet divin et se repose paisiblement en son obscurité qui lui devient savoureuse. Cette foi, dont l'activité a été portée à sa perfection par les dons, est devenue la « foi vive » ou contemplative, dont le carme Joseph du Saint-Esprit nous explique qu'elle est la foi illustrée par les dons : *fides illustrata donis* [1].

Ces interventions de Dieu par les dons du Saint-Esprit peuvent devenir si fréquentes et si profondes qu'elles établissent l'âme dans une dépendance quasi continuelle de l'Esprit Saint. Dès lors, les facultés humaines ne dirigent presque jamais la vie spirituelle et n'y sont plus habituellement que des instruments. L'activité même des vertus surnaturelles semble passer au second plan tellement la vie spirituelle est devenue divine par le mouvement de l'Esprit qui la nourrit et la guide. C'est dans ce sens et sous la lumière d'une telle expérience que sainte Thérèse de l'Enfant-Jésus disait à la fin de sa vie :

---

1. « *Fides illustrata donis est habitus proxime eliciens divinam contemplationem...* » P. Joseph a Spiritu Sancto, *Cursus theologiae mystico-scholasticae*, T. II, praed. II, disp. XII, q. 1, n.15, p. 657, édit. P. Anastase, Beeyaert 1925.
Ce savant auteur étudie longuement la coopération de la foi et des dons dans la contemplation. Nous traduisons quelques-unes de ses affirmations qui éclairent ce problème difficile : « Les dons du Saint-Esprit ne produisent pas l'acte de contemplation surnaturelle, mais modifient la contemplation produite par la foi éclairée (vive) ». *Ibid.*, q. I, n. 66, p. 684. « Les dons n'agissent que tant que l'âme est unie à Dieu ; or cette union est réalisée par les vertus théologales : ce qui prouve que ces dernières l'emportent sur les dons ; ce qu'enseigne en effet S. Thomas lorsqu'il dit (Ia IIae, qu. 68, art. 8) : "Les vertus théologales doivent être préférées aux dons du Saint-Esprit, parce que c'est par elles que l'âme est unie à Dieu et qu'elle lui est soumise"... L'acte des dons, du don d'intelligence par exemple dont nous parlons, n'aboutit pas à Dieu en tant que connu en lui-même, mais à lui en tant que goûté... C'est dans la saveur expérimentée par la volonté, qui est quelque chose de créé, que Dieu est vu par le don d'intelligence et les autres dons intellectuels, surtout par le don de sagesse ». *Ibid.*, q. III, n. 83, p. 694.

Contemplation et vie mystique

« Je n'ai pas eu encore une minute de patience ! Ce n'est pas ma patience à moi ! On se trompe toujours ![1] ». Cette dépendance complète de Dieu qui s'appuie à la fois sur une pauvreté spirituelle absolue et sur le secours de Dieu continuel, constitue la perfection de la grâce filiale et marque le règne parfait de Dieu dans l'âme, car il est écrit que « ceux-là sont les vrais enfants de Dieu qui sont mus par l'Esprit de Dieu[2] ».

En cet état spirituel si élevé, l'âme, semble-t-il, reste habituellement éveillée sous l'action de Dieu et elle y coopère par un suave abandon. Mais il arrive aussi que Dieu intervienne dans l'âme sans que celle-ci en ait la moindre conscience. L'emprise divine produit parfois un choc qui suspend les facultés, comme dans l'union mystique, et pendant cette perte des sens l'âme est merveilleusement enrichie[3]. Dieu peut aussi enrichir une âme de la même façon et y déposer des trésors qu'elle ne découvrira que plus tard, sans qu'il y ait suspension des sens et sans prise de conscience immédiate[4] ; ou encore il saisit une faculté et, sans lui révéler en aucune façon son emprise, il lui fait poser un acte qui paraît naturel ou même indélibéré, mais dont les effets surnaturels révèlent avec certitude la motion divine efficace qui l'a produit[5].

Cette emprise de Dieu sur une âme qui l'ignore paraissait à sainte Thérèse de l'Enfant-Jésus la sainteté la plus désirable, parce que la plus simple. N'est-elle pas aussi la plus haute ? Elle est du moins celle qui révèle le mieux combien l'Esprit de Dieu « plus agile que tout mouvement, pénètre et s'introduit partout à cause de sa pureté[6] ».

Les touches de l'Esprit peuvent donc être sensibles ou uniquement spirituelles, fortes ou délicates. Sans supprimer la liberté de l'homme, cet Esprit peut contraindre

---

1. *Dern. Ent.*, CJ 18.8.4.
2. Rm 8, 14.
3. Cf. la description de l'union mystique Vᵉ Dem., ch. I et II, et celles du ravissement et du vol d'esprit VIᵉ Dem., ch. I et II.
4. «... Quand elle (cette vision) arrive, je dis qu'il n'y a alors aucune opération, aucun acte de notre part ; c'est Dieu, ce semble, qui fait tout. Il en est comme d'une nourriture qui se trouverait dans notre estomac, sans que nous l'ayons mangée ; nous ignorons comment elle y est entrée, mais nous comprenons bien qu'elle y est » (*Vie*, ch. XXVII, p. 278).
5. Voir par exemple la révélation dont fut favorisée Mère Geneviève au sujet de sainte Thérèse de l'Enfant-Jésus ; ce qui faisait dire à cette dernière : « Ah ! cette sainteté-là me paraît la plus vraie, la plus sainte et c'est elle que je désire car il ne s'y rencontre aucune illusion » (*Man. Autob.*, A fol. 78 r°).
Dans ce cas la liberté du sujet n'est pas supprimée. Dieu utilise la disposition d'abandon et la docilité habituelle de l'âme.
6. Sg 7, 24.

douloureusement ou suavement ses facultés, il peut les mouvoir d'une façon si subtile qu'elles ignorent même la force souveraine qui les porte vers une œuvre qui sera d'autant plus féconde qu'elle est moins humaine et plus divine.

Tel est l'art délicat, les ressources merveilleuses que la Sagesse déploie pour faire « les amis de Dieu et les prophètes [1] ». En étudiant ces interventions de l'Esprit Saint par les dons, nous avons l'impression parfois que se soulève le voile du mystère qui recouvre l'action de Dieu dans les âmes et dans son Église. Nous devons reconnaître bientôt que nous touchons à un mystère plus profond encore. Du moins notre regard de foi est désormais assez éclairé pour se plonger avec avidité et délices en ces profondeurs nouvelles d'obscurité qu'il sait remplies des œuvres les plus hautes et les plus admirables de la puissance, de la sagesse et de la miséricorde divine.

III. — *Distinction des dons du Saint-Esprit entre eux.*

Isaïe énumère sept esprits ou plutôt sept formes de l'Esprit de Dieu qui reposent sur le Messie : « esprit de sagesse et d'intelligence, esprit de conseil et de force, esprit de science et de piété, et la crainte de Dieu [2] ». La théologie, à la suite de saint Thomas, a vu dans ce septenaire sacré à la fois la plénitude de l'Esprit divin qui repose sur le Christ et l'énumération de sept dons du Saint-Esprit distincts.

La distinction des dons, comme celle des vertus, repose sur la distinction de leur objet propre. Le don de sagesse pénètre dans les vérités divines non pour dissiper leur obscurité essentielle, mais pour les savourer grâce à l'union sympathique et cordiale que crée la charité.

Le don d'intelligence, don d'intuition pénétrante du divin, donne le sens du divin à travers les objections et obstacles qui le dissimulent, maintient l'âme paisible sous la clarté aveuglante du mystère et fait briller des lumières distinctes sur les objets secondaires de la foi, à savoir ce qui est ordonné à la manifestation du mystère, à sa crédibilité et à sa vertu régulatrice des mœurs.

Le don de science éclaire les choses créées dans leurs rapports avec la vérité divine, et les juge sous la lumière que cette vérité projette sur elles.

---

1. Sg 7, 27.
2. Is 11, 2-3.

Le don de conseil intervient dans les délibérations de la prudence pour les éclairer d'une lumière qui indique la décision à prendre.

Le don de piété fait rendre à Dieu les devoirs qui lui sont dus comme à un père aimant.

Le don de force assure la puissance pour triompher des difficultés qui s'opposent à l'accomplissement du bien.

Le don de crainte crée dans l'âme l'attitude respectueuse et filiale commandée par la transcendance de Dieu et sa qualité de Père.

Parmi ces dons, quatre sont intellectuels : la sagesse, l'intelligence, la science et le conseil ; trois volontaires : la force, la piété et la crainte de Dieu.

Trois sont contemplatifs : la sagesse, l'intelligence et la science ; quatre sont actifs : le conseil, la force, la piété et la crainte.

La théologie s'est plu à chercher les relations des dons avec les vertus, avec les béatitudes et les fruits du Saint-Esprit. C'est ainsi que la sagesse s'unit à la charité, l'intelligence et la science à la foi, la crainte de Dieu à l'espérance, la piété à la justice, la force à la vertu de force, le conseil à la prudence.

La paix et la béatitude des pacifiques appartiennent à la sagesse. La béatitude des cœurs purs et le fruit de la foi appartiennent au don d'intelligence. La béatitude *beati qui lugent* est propre au don de science, tandis que la béatitude des miséricordieux suit le don de conseil, et que le don de piété reçoit soit la béatitude des doux (saint Augustin), soit celle des miséricordieux et de ceux qui ont faim (saint Thomas). Au don de force conviennent la patience et la longanimité, et au don de crainte les fruits que sont la modestie, la continence et la chasteté.

Ces distinctions et classifications précises ont permis de faire une analyse et des exposés détaillés de chacun des dons et de leurs propriétés. Ces études satisfont l'esprit avide de clarté et de logique, mais lorsqu'on les rapproche des cas concrets observables, elles donnent l'impression de s'être éloignées de la réalité à mesure qu'elles se sont faites plus précises et plus claires [1].

Voici par exemple le cas de sainte Thérèse de l'Enfant-Jésus dont la vie spirituelle bien connue est conduite dès

---

1. Il nous paraît d'abord qu'au-delà des dons du Saint-Esprit qui sont ordonnés à recevoir une forme particulière de l'action de Dieu, il y a lieu de distinguer la réceptivité ou passivité de la charité elle-même qui n'est ordonnée à aucun objet précis. C'est grâce à cette capacité réceptive de la charité, qui est elle-même greffée sur l'essence de l'âme comme qualité entitative, que Dieu peut agir dans l'âme elle-même par touches substantielles, autrement dit par touches de la substance de Dieu à la substance de l'âme, touches incomparablement plus fécondes que l'action de Dieu par un don particulier.

son jeune âge par les dons du Saint-Esprit. Des définitions précises des dons et de leurs propriétés devraient permettre de trouver aisément le don qui prédomine chez elle. Or voici qu'au contraire sur cette question importante et facile à résoudre les opinions sont étonnantes de diversité. « Don de piété » affirment les uns, en considérant l'attitude filiale à l'égard de Dieu. « Don de sagesse » assurent les autres, frappés par son expérience de la miséricorde qui explique toute sa voie d'enfance. « Don de force » déclare sa sœur qui la connaît intimement et l'a suivie en toute sa vie spirituelle.

La distinction, si claire dans le domaine spéculatif, semble impuissante à trancher un problème pratique aux données bien connues. La logique, si lumineuse pour l'esprit, défaille devant la réalité qu'elle pensait avoir étreinte.

Faut-il rejeter cette logique et les distinctions qu'elle nous présente ? Nous ne le pensons pas, car ces distinctions et classifications sont fondées non seulement en raison mais en fait. Toutefois, nous croyons pouvoir montrer, à la lumière de l'enseignement de saint Jean de la Croix, que la distinction des dons, bien que réelle, ne doit pas être affirmée si absolue et si complète qu'on puisse les étudier isolément et séparer nettement leurs effets.

En son commentaire de la troisième strophe de la *Vive Flamme*, expliquant les communications de Dieu à l'âme transformée, saint Jean de la Croix compare les attributs divins à des lampes ardentes qui produisent sur l'âme des obombrations ou splendeurs qui sont en rapport avec la forme et la propriété des attributs dont elles émanent. D'après ce principe, l'ombre que produit dans l'âme la lampe de la beauté de Dieu sera une autre beauté conforme à la figure et à la propriété de la beauté divine. L'ombre que produit la force sera une autre force en rapport avec celle de Dieu. Ainsi en sera-t-il des obombrations de toutes les lampes ou attributs. C'est une loi générale des communications divines dans l'ordre surnaturel qu'expose le Saint : Dieu communique à l'âme une participation réelle à sa nature et à sa vie ; la grâce, inférieure à Dieu parce que créée, nous fait cependant vrais enfants de Dieu ; la participation à la nature divine qu'elle donne est entière bien que créée.

Le Saint a souligné que chaque attribut divin est l'être même de Dieu et contient par conséquent la richesse de tous les autres :

Or toutes ces choses se passent dans ces ombres claires et embrasées produites toutes par ces lampes claires et embrasées, mais si elles resplendissent dans cette âme de toutes les manières

311

Contemplation et vie mystique

dont nous venons de parler, elles ne sont néanmoins qu'une seule chose dans la simplicité et l'unité de Dieu [1].

En d'autres termes, les communications que l'âme reçoit passivement de Dieu revêtent la forme et les propriétés spéciales de l'attribut divin dont elles émanent, mais, puisque cet attribut est l'essence même de Dieu et porte en lui les richesses de tous les autres, la communication que l'âme en reçoit porte aussi en elle la participation créée à tout l'être de Dieu et à toutes les richesses divines des autres attributs.

En cet exposé, que nous abrégeons à regret pour n'en prendre que ce qui va à notre sujet, saint Jean de la Croix ne nomme pas explicitement les dons du Saint-Esprit ; il est cependant évident que ces communications divines arrivent à l'âme par les dons. La diversité des communications reçues, ou obombrations d'attributs divins différents, fait intervenir des dons distincts. On entrevoit déjà la conclusion que nous allons formuler : les obombrations d'attributs différents, qui arrivent à l'âme par des dons distincts, y produisent des saveurs différentes, sont ordonnées à des buts pratiques distincts, mais substantiellement elles sont identiques, car les attributs différents dont elles émanent sont tous la même essence de Dieu. En ses communications directes et personnelles à l'âme sous une forme distincte ou pour un but particulier, comme lumière ou force, saveur ou beauté, Dieu ne se divise pas, et c'est une participation à toute sa richesse qu'il communique par chacun de ses dons.

Pousser la distinction des dons jusqu'à affirmer pour chacun d'eux une action de Dieu essentiellement différente, c'est méconnaître le caractère divin de cette action en la réduisant à une mesure humaine et en y introduisant des distinctions qu'elle ne saurait supporter [2].

---

1. *Vive Fl.*, str. III, p. 984.
2. On peut objecter d'une façon assez spécieuse, que, de même que les vertus sont ordonnées exclusivement à la production d'un acte spécifiquement distinct, de même les puissances réceptives sont ordonnées à un seul effet à l'exclusion de tout autre ; ainsi le sens de l'ouïe ne peut percevoir que les sons.

Il faut reconnaître en effet que vertu et don, puissance active et puissance réceptive, sont déterminés à un objet particulier. Mais tandis que l'acte produit par une puissance active donne la mesure de l'activité déployée, une puissance réceptive ne perçoit dans la causalité agissant sur elle que l'effet spécial auquel elle est ordonnée. L'ouïe perçoit la musique d'un orchestre, mais cet orchestre offre aux autres sens (à la vue par exemple) d'autres perceptions. De même lorsqu'un don du Saint-Esprit perçoit l'effet particulier d'une intervention de Dieu, il n'épuise pas la puissance de cette dernière qui peut produire d'autres effets dans l'âme par les autres dons ou par la passivité réceptive de la charité.

Il nous paraît que la plupart des erreurs et des confusions dans l'étude des dons du Saint-Esprit, viennent de ce que nous mesurons l'action de

Par contre l'identité foncière des communications divines sous des dons différents dont la distinction est suffisamment sauvegardée par la diversité des effets perçus et des buts atteints, explique heureusement et la difficulté de trouver le don qui domine dans une vie spirituelle donnée, et surtout cette unité de la sainteté réalisée par des voies et sous l'action de dons si différents. Ce dernier point mérite d'être souligné. Un exemple le mettra en relief.

Voici saint Jean Bosco et sainte Thérèse qui sont tous deux soumis à l'action de l'Esprit Saint, mais certes par des voies bien différentes. Don Bosco est un actif qui utilise surtout les dons de conseil et de force. Sainte Thérèse est une contemplative qui vit des dons de sagesse et d'intelligence. Si ces dons étaient complètement distincts, ils devraient produire normalement des formes de sainteté et de vie mystique tout à fait différentes. Or, considérons les deux saints sur les sommets de la vie spirituelle. Voici saint Jean Bosco jouissant de vues prophétiques sur l'avenir et sur le développement de son Institut en des proportions plus grandes que la contemplative sainte Thérèse elle-même. Quant à sainte Thérèse, elle est merveilleusement entendue en toutes les questions matérielles et fonde ses couvents avec une facilité et à la fois une pauvreté de moyens que ne semble pas connaître Don Bosco. Actif et contemplative se sont rejoints en une sainteté qui est une, mais aussi en des dons mystiques qui sont étonnamment semblables. Comment expliquer ces ressemblances si, sous la diversité extérieure des voies et dons qui les ont conduits sur les mêmes sommets, il n'y avait pas une action de Dieu identique en ses effets profonds [1] ?

B. — *EXPÉRIENCE DES DONS*

L'étude des dons du Saint-Esprit nous place à chaque pas devant de nouveaux problèmes. En voici un à la fois théologique et psychologique des plus ardus et des moins

---

Dieu à ce que nous en percevons et la puissance réceptive des dons du Saint-Esprit, aux perceptions qu'ils enregistrent. Nous oublions que l'action divine, en s'adaptant à nous et à nos besoins ne se réduit pas elle-même à une mesure humaine, mais qu'elle reste transcendante en elle-même et dans ses effets.

C'est notre intelligence qui, par besoin de clarté et de précision, réduit tout à la mesure de ce qu'elle peut dominer et comprendre. Ils sont peu nombreux, dit sainte Thérèse, ceux qui ne mesurent pas l'action divine à la mesure de leurs pensées.

1. Il est d'autres questions concernant les dons, telle par exemple la fréquence des interventions divines par les dons, qui seront traitées en d'autres chapitres.

explorés, et cependant des plus utiles pour la direction des âmes : c'est le problème de l'expérience mystique ou de la perception par la conscience psychologique de l'action de Dieu par les dons.

Comment se fait cette perception ? Quels en sont les modes divers ? Accompagne-t-elle toute action de Dieu par les dons et en quelle mesure la découvre-t-elle ? Autant de questions dont la solution rassurerait bien des angoisses et pourrait affermir la marche de bien des âmes.

Mais ces problèmes sont bien complexes, beaucoup trop pour que nous puissions les embrasser en cette étude succincte. Nous nous contenterons de proposer quelques remarques qui suggèreront des réponses partielles à ces questions.

1. On a tendance à identifier vie mystique et expérience mystique, action de Dieu par les dons et expérience de cette action, comme si elles étaient inséparables [1]. Cette confusion est la source d'erreurs pratiques importantes. Il est évident en effet que l'action de Dieu par les dons est nettement distincte de l'expérience que nous pouvons en avoir, si bien que la première peut exister sans la seconde.

Saint Jean de la Croix souligne qu'au début de la vie mystique, l'âme, tout entière au regret des consolations d'autrefois, ne perçoit pas la saveur subtile de la contemplation qui lui est donnée. Le Saint fait remarquer aussi que lorsque les communications divines arrivent en une âme tout à fait pure, elles n'y produisent aucun effet perçu, de même que le rayon de soleil qui entrerait dans une chambre à l'atmosphère très pure et sortirait par une ouverture symétrique ne serait pas aperçu, n'ayant trouvé sur son passage aucun objet qu'il éclaire.

Ainsi qu'il a été dit précédemment, Dieu Lui-même peut soustraire à toute expérience l'infusion des dons les plus élevés. En son *Cantique* saint Jean de la Croix demande des communications dont les sens ne sachent rien. Et de fait, sainte Thérèse nous parle de lumières très hautes qu'elle découvrait en son âme sans en avoir pris conscience au moment où Dieu les lui donnait.

Les communications directes de Dieu ne sont donc pas toujours accompagnées d'expérience. On ne saurait par suite affirmer qu'il n'y a pas de vie mystique sans expérience mystique.

---

1. De même on réserve parfois le nom de vie mystique à celle qui s'exerce sous l'action des dons contemplatifs (sagesse, intelligence, science). Il nous paraît plus normal de l'entendre de toute vie sous l'action des dons du Saint-Esprit en général.

2. A propos de l'expérience mystique on peut d'abord se poser cette question : est-il possible d'expérimenter les dons du Saint-Esprit eux-mêmes, c'est-à-dire en dehors des communications divines qui les font vibrer ?

Le don ne saurait normalement tomber sous la conscience en dehors de son exercice. Comment peut-on expérimenter qu'on a le sens de l'ouïe si aucun son ne vient frapper l'oreille ? Toute expérience du don se réfère à une expérience de son utilisation par une communication divine.

Toutefois, dans la troisième strophe de la *Vive Flamme*, saint Jean de la Croix note, en parlant des profondes cavernes des sens, que lorsque

les puissances sont complètement détachées et purifiées, la faim, la soif et le désir de leur sens spirituel est intolérable ; comme les estomacs de ces cavernes sont profonds, ils souffrent profondément dès lors qu'ils sont privés d'un aliment aussi profond que Dieu Lui-même [1].

Cette souffrance du vide, qui a été précédée de communications divines, semble bien être une sorte d'expérience de la capacité des dons du Saint-Esprit qui supportent douloureusement la privation des communications divines.

Cette expérience n'est pas réservée, semble-t-il, aux âmes déjà proches de l'union transformante. Avec une intensité moindre on la retrouve chez des âmes qui ont été sous l'action des dons du Saint-Esprit, et qui, en certaines circonstances, expérimentent leur pauvreté et leur misère. Ce sentiment du vide ou expérience du don du Saint-Esprit précède ordinairement les communications et y prépare l'âme en provoquant des actes d'humilité et de confiance qui attirent les débordements de la miséricorde.

3. Autre remarque qui précise le problème de l'expérience mystique : dans les communications divines, l'âme n'expérimente ni Dieu ni son action, mais seulement les vibrations produites en elle par cette action divine. L'expérience mystique n'est donc pas une expérience directe mais une quasi-expérience de Dieu à travers la vibration que produit son intervention.

4. En cette quasi-expérience il y a une impression de fond, la plupart du temps dominante et la plus forte, parfois même unique et exclusive de toute autre : c'est la perception ou l'expérience du contraire de ce qui est

---

1. *Vive Fl.*, str. III, p. 987. Saint Jean de la Croix souligne que cette souffrance du vide est particulièrement intense après les visites divines des fiançailles, pour préparer l'âme au mariage spirituel.

Contemplation et vie mystique

donné par la communication divine. Expérience qu'on pourrait appeler négative.

En effet, en se communiquant directement à l'âme, Dieu ne peut pas dissimuler ce qu'il est en Lui-même, ni la qualité du don qu'il fait. Sa transcendance se manifeste. Sa présence impose un respect profond ; sa lumière éblouissante produit l'obscurité dans l'intelligence inadaptée pour la recevoir ; sa force écrase la faiblesse humaine, la saveur même qui arrive par le don de sagesse fait expérimenter délicieusement la petitesse. Dieu met ainsi l'âme dans une attitude de vérité en créant en elle l'humilité.

Aussi cette expérience négative pour déconcertante qu'elle soit [1], est la plus constante et le signe le plus authentique de l'action divine. L'expérience positive du don peut manquer ainsi que nous l'avons dit [2]. Si l'expérience négative fait défaut, on peut douter légitimement de la réalité de l'action de Dieu.

S'unissant à la communication divine dont elle est le signe et l'effet, cette expérience négative explique ces antinomies souvent signalées comme effets caractéristiques des dons [3] et fonde les rapports des dons avec les béatitudes. Bienheureux les pauvres en esprit, les doux, les cœurs purs, les pacifiques, ceux qui ont faim

---

1. Déconcertante surtout parce qu'elle semble aller à l'encontre des notions habituellement répandues. On montre ordinairement en effet l'intervention de Dieu assurant le triomphe extérieur de l'action de Dieu.
Saint Laurent sur son gril nous est présenté comme le type parfait du don de force. Et cependant, que faut-il préférer de saint Laurent sur son gril narguant ses bourreaux ou du Christ Jésus sur la croix triomphant de la souffrance et de la mort, mais récitant le psaume : *Ut quid, Domine, dereliquisti me* ? Le dessein évident de Dieu était d'affirmer par la force extérieure de saint Laurent la force de son Esprit et de son Église contre la puissance extérieure de Rome ; mais l'expérience du don de force dans le Christ en croix, même au point de vue extérieur, est plus parfaite et plus complète. Nous ferions la même remarque au sujet de l'expérience du don de force chez sainte Thérèse de l'Enfant-Jésus sur son lit de mort. « Jamais je n'aurais cru qu'il était possible de tant souffrir, disait-elle. Le calice est plein jusqu'au bord... » Cette plainte est non pas corrigée mais complétée par sa patience héroïque et par cette autre parole « Je ne me repens pas de m'être livrée à l'Amour. » (*Dern. Ent.*, CJ 30.9).
2. On peut donc admettre comme conséquence qu'une très haute contemplation peut ne se manifester habituellement que par une impression d'obscurité et d'impuissance. Cette remarque éclaire l'expérience contemplative de sainte Thérèse de l'Enfant-Jésus.
3. Cette antinomie ne se trouve pas seulement dans l'expérience de l'âme au moment où elle est sous l'action d'un don, elle crée un état habituel de l'âme. C'est ainsi que le don de sagesse entretient une impression habituelle de petitesse et d'humilité ; le don d'intelligence semble faire vivre l'âme dans une atmosphère d'obscurité. On observe aussi assez ordinairement que le don de conseil appartient à des temporisateurs qui pourraient donner l'impression d'être des hésitants. Nous savons aussi que l'Église, à la suite de l'apôtre saint Paul, aime montrer le don de force chez des enfants et des jeunes filles : « ce qui est faible aux yeux du monde, Dieu le choisit pour confondre les forts » (1 Co 1, 27).

et soif de la justice... parce que leurs dispositions de pauvreté, de pureté, de douceur, leur soif de la justice sont le fruit d'une action de Dieu en eux et les disposent à de nouveaux envahissements divins. Pour s'offrir aux illuminations divines par l'humiliation, comme le conseille Pascal, il faut avoir été touché par la lumière de Dieu, et la petitesse qui attire la sagesse en est aussi le fruit. Antinomie de dispositions qui semblent contraires, mais qui se complètent et s'appellent mutuellement : petitesse de la créature et grandeur de Dieu, péché de l'homme et miséricorde divine doivent apparaître et s'éclairer chaque fois que Dieu agit et se manifeste dans la vérité.

5. A cette expérience négative de privation peut s'ajouter une expérience positive et délectable de l'action de Dieu par le don.

A dire vrai, seul le don de sagesse donne l'expérience délectable du don de Dieu. Don suprême perfectionnant tous les autres, de même que la charité dont il procède perfectionne toutes les vertus, le don de sagesse introduit une saveur, la sienne, plus ou moins subtile dans tous les autres dons, en toutes les âmes soumises à l'action de l'Esprit Saint et crée l'humilité paisible qui est le signe du contact de Dieu.

Mis à part le don de sagesse et sa subtile influence sur tous les autres, l'expérience positive des autres dons est extrêmement variable. Le don d'intelligence peut entourer l'âme uniquement d'obscurités ou faire briller parfois des lumières profondes sur un dogme. Le don de force permet à saint Laurent de narguer ses bourreaux et laisse sainte Thérèse de l'Enfant-Jésus héroïque mais sans provision de force ; il fait gémir Jésus en croix sur sa détresse et s'exprime par un cri surhumain qui frappe ses bourreaux. Le don de conseil fait briller une lumière certaine sur une décision à prendre ou laisse l'âme dans l'hésitation jusqu'à ce qu'un événement l'engage comme malgré elle dans la direction à prendre. Le don de science peut donner le dégoût des créatures ou montrer au contraire leur valeur dans le plan de Dieu.

En cette expérience, le tempérament du sujet qui reçoit intervient, tant dans les vibrations produites que dans leur prise de conscience. Sous le choc de la force ou de la lumière de Dieu, différentes seront les réactions des uns et des autres ; dans un même faisceau d'impressions l'optimiste soulignera celles qui sont agréables, le pessimiste n'accusera que les douloureuses. Si nous ajoutons que certaines interventions divines peuvent elles-mêmes créer telles ou telles impressions, produire en une faculté tel ou tel effet précis, nous nous rendons compte qu'en ce domaine de l'expérimentation positive

317

de l'action de Dieu par le don du Saint-Esprit, nous sommes en un domaine complexe et obscur où l'on ne peut avancer qu'avec prudence et porter des jugements qu'avec une extrême circonspection.

6. Pour nous reposer de ces incertitudes et obscurités, allons au signe le plus certain et le plus visible de l'action de Dieu par les dons. *A fructibus eorum cognoscetis eos* : vous les connaîtrez à leurs fruits. Tel est le critérium donné par Jésus pour distinguer des faux bergers, les prédicateurs et prophètes inspirés par l'Esprit Saint. La fécondité spirituelle accompagne toujours l'action de l'Esprit Saint. Ses fruits ne sont pas toujours les miracles, mais la charité, la bénignité, la patience, etc... Mais ce discernement des fruits de l'Esprit de Dieu ne sera pas toujours aisé, car, même chez le juste, ces œuvres bonnes s'accompagnent de déficiences et de défauts, et la fécondité ne se manifeste qu'à longue échéance. L'Esprit de Dieu y pourvoira Lui-même et se fera reconnaître lorsque ce sera nécessaire, à l'humble patience qui aura su attendre et prier.

C. — *UTILITÉ ET UTILISATION DES DONS DU SAINT-ESPRIT*

Tout ce qui a été dit sur la nature et le rôle des dons du Saint-Esprit nous révèle leur importance dans la vie spirituelle.

Les dons du Saint-Esprit sont en notre âme des portes qui s'ouvrent sur l'Infini et par lesquelles nous arrive le grand souffle du large, ce souffle de l'Esprit d'amour qui apporte la lumière et la vie. Cet Esprit, il est vrai « souffle où il veut et on ne sait d'où il vient ni où il va [1] », mais nous savons qu'il est le souffle de la Sagesse d'amour, de la Miséricorde infinie qui a besoin de se répandre, qui nous a créés pour se donner à nous et nous emporter dans le mouvement puissant et les richesses ardentes de sa vie débordante.

Ce souffle est infiniment sage et infiniment puissant. Pour servir ses desseins il utilise toutes les ressources de sa sagesse et de sa force. C'est lui qui a réalisé l'union hypostatique, enrichissant avant tout consentement et tout acte de sa part, l'humanité du Christ de l'onction de la divinité. C'est ce souffle de la miséricorde infinie qui

---

1. Jn 3, 8.

a soustrait l'âme de la Vierge aux conséquences du péché originel et l'a faite toute pure et pleine de grâce.

Pour la réalisation de ses desseins en nous, notre bonne volonté est trop lente et trop infirme. Le souffle divin utilisera donc ces portes qui s'ouvrent devant lui, s'y précipitera comme un torrent, comme « un fleuve resserré » dit la sainte Écriture, pour enrichir l'âme au-delà de tous ses mérites, de toutes ses exigences, ne considérant que ses besoins à Lui de donner et de se répandre.

Par les dons du Saint-Esprit, puissances réceptives dont la capacité s'adapte à la puissance du souffle qu'ils reçoivent, Dieu envahit l'âme, y réalise le vouloir et le faire, perfectionne les vertus, exerce son emprise progressivement ou d'un seul coup, suivant le mode et la mesure qu'il s'est fixés. Sainte Thérèse de l'Enfant-Jésus constate un jour que Dieu l'a prise et l'a posée là. Saint Paul avoue que c'est par la grâce de Dieu qu'il est ce qu'il est.

C'est par ces portes ouvertes sur l'Infini, par ces voiles hissées pour recueillir le souffle de l'Esprit, que la miséricorde toute-puissante entre dans les âmes et en fait des prophètes et des amis de Dieu.

Mais encore faut-il que ces portes soient ouvertes sur l'Infini par la confiance, et ces voiles hissées par l'amour, pour être gonflées par le vent du large. Comment pourraient-elles l'être si l'âme ne connaît pas l'existence des dons du Saint-Esprit et ne soupçonne pas ce que Dieu peut faire par eux ?

Dans les premiers siècles de l'Église, l'action de l'Esprit Saint dans les âmes et l'Église prenait des formes extérieures qui la faisaient éclater au grand jour. Au jour de la Pentecôte l'Esprit Saint vient sous forme de langues de feu prendre possession des Apôtres et, par eux, de l'Église. Il affirma sa présence par la transformation qu'ils subirent, et sa puissance par toutes leurs œuvres. Il intervenait fréquemment dans la vie de l'Église par ses lumières claires ou symboliques, par ses ordres ou ses motions. Il était une Personne vivante au sein de l'Église et reconnu comme tel : *Visum est enim Spiritui Sancto et nobis...* [1] il a paru bon à l'Esprit Saint et à nous, écrivaient les Apôtres. Ils en appelaient en effet à sa lumière et à son jugement qui se manifestaient extérieurement.

Depuis lors l'Esprit Saint a paru se dissimuler progressivement dans les profondeurs de l'Église et des âmes.

---

1. Ac 15, 28.

Contemplation et vie mystique

Il ne sort plus de cette obscurité que pour de rares manifestations extérieures. Il n'y a certainement pas de déclin pour sa puissance et son activité. Le changement n'atteint que ses modes d'agir. Il est toujours vivant en nous, prêt à se répandre, et nous possédons toujours ses dons pour recevoir son souffle. Mais, serait-ce parce qu'il s'est caché ou plutôt parce que, moins fervente et penchée vers la terre, l'humanité n'a plus songé à utiliser son action, c'est un fait aisé à constater, l'Esprit Saint est devenu non point seulement un Dieu caché, mais un Dieu inconnu, et la science spirituelle qui permet d'utiliser sa puissance par les dons a été ignorée pendant longtemps de l'ensemble des chrétiens.

La science mystique, car tel est son nom, a été même discréditée, sinon méprisée dans les milieux honnêtement chrétiens. « Travail de l'imagination ! illusions maladives ! » disait-on. On craignait comme un danger cette action de l'Esprit Saint, surtout si elle s'accusait par des effets sensibles. Les maîtres de vie spirituelle s'attachaient uniquement à développer les vertus, négligeant les dons ou feignant d'en ignorer l'existence. L'Esprit Saint, habitant dans nos âmes et qui y vient pour y vivre sa vie ardente et conquérante, était proscrit d'une vie qui voulait être chrétienne sans Lui. Il semblait parfois s'échapper de sa prison, mais l'âme en qui il se manifestait, devenue son heureuse victime, devenait aussi la victime du milieu chrétien bien-pensant et raisonnable où elle se trouvait : elle était jugée suspecte et parfois proscrite comme dangereuse pour son entourage. Qui d'entre nous ne pourrait ajouter à ces réflexions des noms, et peut-être de grands noms, aujourd'hui réhabilités d'ailleurs ?

Cette science mystique est remise en honneur. Le froid jansénisme a disparu. L'Esprit d'amour peut de nouveau souffler sur les âmes. Le cœur divin s'est manifesté. Sainte Thérèse de l'Enfant-Jésus nous a enseigné une voie d'enfance qui conduit à la fournaise d'amour et elle recrute une légion de petites âmes victimes de la miséricorde. L'Esprit Saint vit dans l'Église, sa vie se répand. Chrétiens fervents, incroyants même, cherchent cette vie, les uns avec un amour éclairé et déjà ardent, les autres avec leur inquiétude douloureuse. Comment y parviendraient-ils sans guide, sans méthode, sans doctrine ?

Ces guides ès science mystique, ces docteurs en science d'amour, l'Église nous les présente, ce sont sainte Thérèse d'Avila la mère spirituelle, saint Jean de la Croix le docteur mystique, sainte Thérèse de l'Enfant-Jésus leur fille, la plus grande maîtresse de vie spirituelle des temps modernes, une des plus grandes de tous les temps [1].

Partant du fait que la perfection est dans le règne parfait de Dieu en nous par l'Esprit Saint, la science mystique est tout entière dans la solution de ce problème pratique : comment attirer le souffle de l'Esprit et comment ensuite se livrer et coopérer à son action envahissante ? Certes, l'Esprit Saint est souverainement libre en ses dons, et rien ne saurait contraindre ou diminuer sa liberté divine. Toutefois il est des dispositions qui exercent sur sa miséricorde une attirance quasi irrésistible, il en est d'autres qu'il exige comme coopération active à son action.

Tout l'enseignement des maîtres du Carmel tend à mettre en relief ces dispositions, à préciser l'ascèse adaptée à l'action de Dieu par les dons. On ne trouvera pas autre chose dans la *Montée du Carmel*, dans le *Chemin de la Perfection* ou dans le *Château intérieur*, et dans la doctrine de sainte Thérèse de l'Enfant-Jésus. Toute leur science spirituelle est une science d'utilisation des dons de l'Esprit Saint. On ne saurait l'oublier en étudiant leurs écrits, sans en méconnaître le but et en fausser les perspectives.

Il est trois dispositions qui sont à la base de cette ascèse et qui correspondent à trois lois ou exigences de toute action de Dieu dans l'âme. Ces dispositions fondamentales, qui commandent toute la coopération de l'âme et iront se perfectionnant à mesure que l'action divine se développera, sont le don de soi, l'humilité et le silence. Nous les étudierons en cette troisième Partie.

Ces préliminaires éclaireront l'étude qui suivra sur les modes particuliers de l'action progressive de l'Esprit Saint et sur la coopération qu'elle exige en chacune de ses phases.

---

1. Une étude approfondie de sainte Thérèse de l'Enfant-Jésus nous semble devoir faire progresser admirablement la science des dons du Saint-Esprit. L'action des dons est prédominante chez elle depuis l'âge de trois ans où elle ne refuse plus rien au Bon Dieu. Cette action de Dieu par les dons y apparaît dégagée non seulement des phénomènes extraordinaires, mais aussi des réactions sensibles puissantes auxquelles assez généralement on la croit indissolublement liée. Action très simple et très pure, elle nous révèle ce qui lui est essentiel.

Quand on étudie sainte Thérèse de l'Enfant-Jésus, il ne faut pas oublier cette prédominance des dons du Saint-Esprit dans sa vie spirituelle. Sa générosité est toute de soumission à la lumière de Dieu ; sa force est dans sa souplesse sous les motions de Dieu. Il est inexact par conséquent de ne vouloir découvrir chez elle qu'une force violente qui veut triompher d'elle-même pour acquérir des vertus. En réalité elle ne travaille sous le mouvement de l'Esprit Saint que pour faire triompher la vertu de Dieu en elle. C'est ainsi qu'elle pourra dire qu'elle n'a pas de vertus et que Dieu lui donne à chaque instant ce qui lui est nécessaire.

CHAPITRE TROISIÈME

Le don de soi

> *Quelle force renferme ce don...*
> *Il ne peut manquer d'attirer le Tout-Puissant*
> *à ne faire qu'un avec notre bassesse* [1].

Au témoignage de sainte Thérèse, toute l'ascèse qu'elle propose dans le *Chemin de la Perfection* se résume dans la réalisation parfaite du don de soi :

Tous les conseils que je vous ai donnés dans ce livre, écrit-elle, n'ont qu'un but, celui de vous amener à vous livrer complètement au Créateur, à Lui remettre votre volonté et à vous détacher des créatures...

... Par là en effet nous nous disposons à arriver promptement au terme de notre course, et à boire l'eau vive de la source dont nous avons parlé. Si nous n'abandonnons pas complètement notre volonté au Seigneur, pour qu'il prenne lui-même soin de tous nos intérêts, il ne nous laissera jamais boire à cette fontaine [2].

Cette relation étroite entre la contemplation et le don de soi est maintes fois affirmée par la Sainte. Aux premières grâces contemplatives l'âme doit répondre par ce don, sinon ces grâces ne sont renouvelées que d'une façon passagère :

Si nous ne nous donnons pas à Sa Majesté avec le même amour qu'elle se donne à nous, elle nous accorde une grande grâce en nous laissant dans l'oraison mentale et en nous faisant visite de temps en temps comme à des ouvriers de sa vigne. Quant aux autres, ils sont traités en enfants chéris [3].

Mais que de réticences et de lenteurs dans la réalisation de ce don de soi, qui doit être absolu pour attirer les dons pléniers de Dieu :

Nous sommes si lents à faire à Dieu le don absolu de nous-mêmes que nous n'en finissons plus de nous préparer à cette grâce (véri-

---

1. *Chem. Perf.*, ch. XXXIV, p. 751.
2. *Ibid.*, pp. 750-751.
3. *Ibid.*, ch. XVIII, p. 659.

table amour)... Il nous semble que nous donnons tout à Dieu. Or, nous ne Lui offrons que les revenus et les fruits, tandis que nous gardons pour nous le fonds et la propriété [1].

Telle est la vérité pratique qui réclame notre attention et nos réflexions :

Nous n'en finissons jamais de faire à Dieu le don absolu de nous-mêmes. Aussi il ne nous donne pas tout d'un coup un tel trésor [2].

Des affirmations claires et fortes, mais générales, ne suffisent pas en un sujet où l'illusion se glisse si aisément ; nous devons affermir notre conviction sur la nécessité du don de soi et préciser les exigences divines sur la façon dont il doit être fait.

A. — *NÉCESSITÉ ET EXCELLENCE DU DON DE SOI*

I. — C'est sainte Thérèse qui indique le premier et fondamental motif qui fait du don de soi une nécessité :

Dieu ne force pas notre volonté, écrit la Sainte, il prend ce que nous Lui donnons. Mais il ne se donne pas complètement tant que nous ne nous sommes pas donnés à Lui d'une manière absolue. Voilà un fait certain. Comme cette vérité est extrêmement importante, je ne saurais trop vous la rappeler. Le Seigneur ne peut agir librement dans l'âme que quand il la trouve dégagée de toute créature et toute à Lui ; sans cela, je ne sais comment il le pourrait, Lui qui est si ami de l'ordre [3].

Maître absolu de toutes choses comme créateur, Dieu pourrait user de ses droits pour contraindre les créatures à réaliser sa volonté. En fait, il conduit les êtres par des lois conformes à leur nature et qui respectent les dons qu'il leur a faits. A l'homme doué d'intelligence et de volonté libre, Dieu dictera sa volonté par la loi morale qui s'adressera à l'intelligence et respectera la liberté. « Dieu ne force pas notre volonté », souligne sainte Thérèse. Plutôt que de la contraindre, il préfère affronter le risque d'un échec partiel de ses desseins et devoir en modifier l'ordonnance, ainsi qu'il arriva après la révolte des anges et la chute de l'homme.

L'homme tyrannise parfois son semblable. Dieu notre maître souverain exalte la valeur et la puissance des

1. *Vie*, ch. XI, pp. 103-104.
2. *Ibid.*, p. 105.
3. *Chem. Perf.*, ch. XXX, p. 727.

Contemplation et vie mystique

facultés qu'il a mises en notre nature. La part qu'il laisse à leur action dans ses desseins les plus sublimes est si importante que nous en sommes déconcertés lorsqu'elle se découvre à nous. La coopération libre de l'homme sera en effet une condition nécessaire de la réalisation des décrets éternels de la miséricorde divine.

C'est ainsi qu'avant de réaliser l'incarnation de son Verbe, le premier anneau de la chaîne admirable des mystères chrétiens, Dieu veut s'assurer le consentement de celle qu'il a choisie comme coopératrice. Il dépêche l'archange Gabriel pour lui proposer la mission qu'il a prévue pour elle. Ses décrets ne se réaliseront qu'avec son consentement. Le Ciel écoute et attend, suspendu aux lèvres de la Vierge. Il tressaille de joie en recueillant le *fiat* de Marie qui est le *fiat* de l'humanité à l'emprise de la divinité dans l'union hypostatique, et qui fait de Marie la coopératrice de Dieu. Désormais elle sera effectivement et activement Mère, partout où Dieu sera Père dans ses rapports avec les hommes.

De même, pour s'unir parfaitement avec les âmes, Dieu exigera de chacune son consentement personnel et sa coopération active. Sa grâce est prévenante certes, mais elle ne poursuit son œuvre et ne s'épanouit en nous en toute sa fécondité qu'avec notre bon vouloir.

Un premier consentement, un premier don, serait-il plénier, ne lui suffit pas car notre volonté libre est un bien inaliénable. Après l'avoir donnée nous la gardons et nous en usons encore. L'œuvre de Dieu en nous suit les vicissitudes de nos hésitations et de nos refus qui l'arrêtent, aussi bien que de nos acquiescements fervents qui nous livrent aux envahissements de la grâce.

Dieu prend ce que nous Lui donnons, mais il ne se donne pas complètement tant que nous ne nous sommes pas donnés à Lui d'une façon absolue [1].

C'est une loi de la vie spirituelle qu'énonce ainsi sainte Thérèse. Dieu ne nous envahit que dans la mesure où nous nous livrons à Lui. L'union parfaite exige comme première condition le don complet de soi.

II. — Le don de soi est un besoin de l'amour et son acte le plus parfait. L'amour, bien diffusif de lui-même, tend à cette perte de lui-même en celui qu'il aime ; il y trouve sa satisfaction et sa plénitude. Dieu trouve son bonheur infini dans la génération du Verbe qui l'exprime

---

1. *Chem. Perf.*, ch. XXX, p. 727.

parfaitement et dans cette spiration d'amour qui est l'Esprit Saint, dans lequel il passe complètement.

La charité qui est en nous trouve elle aussi sa plénitude et sa perfection lorsqu'ayant tout conquis en nous, elle peut tout emporter vers Dieu dans son mouvement filial vers le Père. Ce don complet est l'acte le plus parfait qu'elle puisse faire.

Aussi la purification complète que la théologie, avec saint Thomas, déclare être attachée à la profession perpétuelle du religieux n'est pas un privilège, une sorte d'indulgence plénière dont serait favorisé cet acte si important. Elle est l'effet normal de cette charité parfaite qui couvre la multitude des péchés et qui inspire cette consécration radicale et solennelle qu'est la profession perpétuelle. Tout don complet, fait avec la même ferveur d'amour, purifie l'âme de la même façon.

Nous sommes tentés parfois de chercher parmi les formules les plus poétiques ou dans les sentiments les plus délicats l'expression de l'amour parfait ; c'est le don de nous-mêmes, complet et sincère, qui nous offre cette expression la plus simple et la plus haute.

III. — Le don de nous-mêmes est aussi le sacrifice le plus parfait que nous puissions offrir à Dieu.

Le sacrifice, acte religieux par excellence, qui seul reconnaît le souverain domaine de Dieu et fournit une réparation pour le péché, comporte l'oblation d'une victime, suivie habituellement d'une immolation.

L'oblation est, selon certains théologiens, le seul acte essentiel du sacrifice ; au témoignage de tous il en est le plus important. L'oblation livre la victime à Dieu, la fait sienne et Lui permet d'en disposer comme Il le désire, soit pour l'immoler, soit pour l'utiliser à d'autres fins.

C'est cette oblation que réalise le don de soi qui offre à Dieu ce que nous avons et ce que nous sommes, acceptant d'avance toutes ses volontés et son bon plaisir.

En offrant pour le présent et pour l'avenir les facultés d'intelligence et de volonté, qui sont les plus hautes et les plus spécifiquement humaines, l'homme fait l'oblation la plus excellemment humaine, la plus grande parmi celles qui sont en son pouvoir et la plus agréable à Dieu. « L'obéissance est meilleure que le sacrifice [1] », enseigne l'Esprit Saint comparant l'oblation que l'obéissance impose à l'immolation sanglante des victimes de l'ancienne Loi.

---

1. 1 S 15, 22.

IV. — Par le prophète Malachie, Dieu disait aussi :

Mon bon plaisir n'est pas avec vous, dit le Seigneur des armées, et je n'accepterai plus d'offrande de votre main. Car de l'Orient à l'Occident mon nom est grand parmi les nations. En tout lieu une victime pure m'est offerte et immolée, parce que mon nom est grand parmi les nations, dit le Seigneur des armées [1].

Dieu témoignait ainsi de son impatience de voir enfin les figures céder à la réalité. Cette réalité, c'est l'oblation du Christ. Cette oblation qui faisait toute la valeur des sacrifices figuratifs sous l'ancienne Loi, peut seule, sous la nouvelle Loi, donner tout son sens au don de soi réalisé par le chrétien.

En arrivant à l'existence l'humanité sainte du Christ se rendit compte aussitôt, grâce à la vision intuitive, de toutes les richesses divines qu'elle portait. Elle découvrit les admirables perfections de sa nature humaine formée par l'Esprit Saint dans le sein de la Vierge, la vie débordante de chacune de ses facultés et l'harmonieux équilibre de ce complexe humain à nul autre comparable. Le Christ voit directement, face à face, la nature divine qui habite corporellement en Lui et l'oint de son onction suave et forte qui l'écrase et le soulève, le sanctifie et le béatifie ; il découvre l'union hypostatique qui le fait subsister dans la deuxième Personne de la sainte Trinité et l'y rive indissolublement. Dans la même lumière de vision directe, le Christ Jésus découvre le plan de Dieu sur Lui : par le sacrifice du Calvaire il est appelé à unir tout ce que le péché a séparé, et il doit devenir une source inépuisable de grâce pour l'humanité régénérée. Ces richesses et cette mission incomparable, qui se découvrent au premier regard du Christ Jésus, ont été données à son humanité sainte tout à fait gratuitement, sans aucun mérite antécédent puisqu'un instant auparavant elle n'existait pas et qu'elle n'a jamais existé que prise par le Verbe. Quel sera le premier mouvement de son âme sous le poids suave et béatifiant de la lumière et de l'onction divines ? Le psalmiste l'a noté et l'apôtre saint Paul l'a souligné dans l'épître aux Hébreux, pour en marquer l'importance :

Le Christ en entrant dans ce monde a dit : Parce que vous n'avez pas voulu ni sacrifice, ni oblation, vous m'avez formé un corps. Vous n'avez plus eu pour agréables ni holocaustes, ni sacrifices pour le péché, alors j'ai dit : Me voici (car il est question de moi dans le rouleau de la Bible) je viens, ô Dieu, pour faire votre volonté [2].

---

1. Ml 1, 10-11.
2. He 10, 5-7.

Le Christ, en ce premier geste de son humanité, s'offre en oblation à son Père. Ce don complet de Lui-même est une adhésion amoureuse à l'emprise du Verbe et au dessein de Dieu qui l'a créé pour le sacrifice. Par l'oblation, c'est le sacrifice du Calvaire qui commence. Dès ce moment, Jésus est prêtre et victime et la rédemption s'opère.

Cette oblation n'est pas un acte isolé ; elle est une disposition foncière de l'âme du Christ Jésus, aussi constante que l'emprise du Verbe et aussi actuelle que l'union à la volonté divine qui règle tous ses gestes. Dans cette offrande continuelle de lui-même Jésus trouve sa nourriture. C'est ce qu'il affirme lui-même aux apôtres qui le pressent de manger après son entretien avec la Samaritaine :

> J'ai quelque chose à manger que vous ne connaissez pas... Ma nourriture est de faire la volonté de celui qui m'a envoyé et d'accomplir son œuvre [1].

L'humanité du Christ subsiste dans la personne du Verbe ; si elle s'en séparait par un péché, elle tomberait dans le néant. Mais non, cela n'est pas possible : l'union est indissoluble, et partant, l'impeccabilité du Christ est absolue. Mais puisque l'humanité subsiste dans le Verbe, c'est bien en Lui qu'elle trouve sa vie, et, réellement, la volonté humaine du Christ vit spirituellement de son adhésion à la volonté divine.

L'offrande est sincère et complète ; la réalisation de la volonté de Dieu est parfaite. Jésus se laisse donc porter par la volonté divine ; il va de lui-même là où elle le conduit, ici et là, à l'heure et suivant les modes qu'elle a fixés, au désert, au Thabor, à la Cène, à Gethsémani et au Calvaire. Pas un iota ne doit être omis de ce qu'elle a fixé.

L'œuvre terminée, il veut constater lui-même qu'il en est bien ainsi. Du haut de la Croix il jette son regard sur le rouleau des décrets divins où Dieu, par la main des prophètes, a fixé le détail des gestes de son Christ. Oui, tout a été réalisé. Jésus le constate et le fait remarquer :

> Jésus ayant pris le vinaigre dit : « Tout est consommé », et la tête inclinée, il rendit l'esprit [2].

Toute la vie du Christ Jésus est enclose entre deux regards sur le livre des décrets divins qui le concernent. Entre l'oblation silencieuse du début qu'a découverte le regard pénétrant du prophète, et la consommation de la fin relatée par l'évangéliste, il n'y a place que pour une

---

1. Jn 4, 32.34.
2. *Ibid.*, 19, 30.

offrande continuelle et un don complet de Lui-même à la volonté de Dieu.

Ce don de soi, qui fait parfaite l'obéissance du Christ Jésus, opère notre rédemption et devient le principe de sa gloire :

Il s'est fait obéissant, souligne l'Apôtre, jusqu'à la mort de la Croix. A cause de quoi Dieu l'a exalté en lui donnant un nom au-dessus de tout nom, pour qu'au nom de Jésus tout genou fléchisse au ciel, sur la terre et dans les enfers [1].

C'est dans la lumière de l'oblation du Christ qu'il faut placer le don de soi pour en comprendre la nécessité et la fécondité. Ce que nous avons dit jusqu'à présent ne sont que vérités éparses qui s'harmonisent sous cette lumière et y trouvent une nouvelle force.

Disposition foncière du Christ, le don complet de soi est une disposition foncièrement chrétienne. Elle identifie au Christ par les profondeurs, et, sans elle, toute imitation de Jésus ne saurait être que superficielle et peut-être vain formalisme extérieur. Pour être du Christ il faut lui être livré comme il est livré à Dieu, car nous sommes du Christ et le Christ est à Dieu.

L'offrande du Christ à Dieu est la réponse à l'emprise du Verbe. Elle est vitale pour lui et lui assure sa nourriture. Le don de nous-mêmes nous livre à la grâce du Christ qui est en nous, elle est un appel à une emprise plus complète du Christ. Chez le Christ l'oblation est une adhésion amoureuse au mystère de l'Incarnation déjà réalisé ; chez nous, le don de soi est une provocation à la miséricorde divine pour des envahissements nouveaux. La miséricorde ne peut que répondre car elle est l'amour qui se penche irrésistiblement sur la pauvreté qui l'appelle.

L'oblation du Christ le livre aux volontés divines et spécialement au sacrifice du Calvaire. Identifiée au Christ par les envahissements de sa grâce, l'âme par l'oblation renouvelée, lui devient véritablement une humanité de surcroît en qui il peut étendre la réalisation de ses mystères. Elle est prise normalement comme matière de sacrifice à l'autel et comme instrument de rédemption pour les âmes. Le don de soi qui l'unit au Christ la fait entrer dans les états du Christ et participer intimement à ses mystères, l'introduit dans les profondeurs du mystère de la Rédemption et du mystère de l'Église.

De même que toute la mission du Christ s'appuie sur son oblation, ainsi toute la puissance de sa grâce s'affirme

---

1. Ph 2, 8-10.

dans l'âme par le don complet d'elle-même, qui est la part la plus importante de sa coopération.

Dans le *Chemin de la Perfection* sainte Thérèse souligne ces effets d'union et d'identification provoqués par le don de soi :

> Plus le Seigneur voit que le don de nous-mêmes se manifeste non seulement par des paroles de compliments, mais par des œuvres, plus aussi il nous approche de Lui et élève notre âme au-dessus des choses de ce monde et d'elle-même, afin de la préparer aux plus grandes faveurs. Il ne cesse jamais de la récompenser de ce don en cette vie, tant il l'a en estime. Il la comble de telles grâces qu'elle ne sait plus que Lui demander. Sa Majesté en effet ne se lasse point de donner...
>
> Dieu commence à montrer à l'âme tant d'amitié que non seulement il lui rend sa volonté, mais il lui donne en même temps la sienne propre. Dès lors qu'il la traite ainsi, il prend plaisir à voir ces deux volontés commander pour ainsi dire à tour de rôle[1].

Mais, constate sainte Thérèse :

> Nous sommes si lents à faire à Dieu le don absolu de nous-mêmes que nous n'en finissons plus de nous préparer à cette grâce[2].
>
> Nous n'en finissons jamais de faire à Dieu le don absolu de nous-mêmes. Aussi il ne nous donne pas tout d'un coup un tel trésor[3].

B. — *QUALITÉS DU DON DE SOI*

I. — *Absolu.*

Pour qu'il nous obtienne de si hautes faveurs sainte Thérèse n'exige du don de soi qu'une qualité : c'est qu'il soit absolu ou complet.

Le don de soi est une véritable désappropriation de soi au profit de Dieu. Cette désappropriation se fera sentir douloureusement sur tel ou tel point, suivant les attaches de l'âme, mais elle doit être complète. Le jeune homme de l'Évangile à qui Jésus ouvre les voies de la perfection en disant « Vends tes biens, donne-les aux pauvres et suis-moi[4] » est arrêté par la perspective de la séparation de ses biens parce qu'il est riche. Cette vente de ses biens n'était que le premier acte et probablement le plus douloureux et le plus significatif, mais le premier d'un drame qui devait le conduire jusqu'à la remise complète de lui-même au Christ qu'énonce le « suis-moi ».

---

1. *Chem. Perf.*, ch. xxxiv, pp. 751-752.
2. *Vie*, ch. xi, pp. 103-104.
3. *Ibid.*, p. 105.
4. Mt 19, 21.

Contemplation et vie mystique

La profession, en ce qu'elle a d'essentiel comme consécration radicale et solennelle faite à Dieu, peut être rapprochée du don de soi. Profession religieuse et don de soi comportent la même désappropriation complète de soi et la remise absolue entre les mains de Dieu de tout ce que l'on est et de tout ce que l'on a, pour le présent et pour l'avenir. La profession vaut surtout par la plénitude du don de soi qui l'anime. Toutefois, à ce don de soi plénier elle ajoute ce caractère de solennité qui fait de la profession un acte extérieur inspiré par la vertu de religion et qui place le religieux dans un ordre à part dans l'Église. Par contre, le don de soi indépendant des formes extérieures, n'orientant spécialement vers aucune mais s'adaptant à toutes, inspiré uniquement par la charité, souple et fervent, large et simple, conduit chaque âme à la réalisation parfaite de sa vocation particulière et la livre à la plénitude de sa grâce.

C'est encore dans la perspective de l'oblation du Christ qu'il faut placer le don de soi pour voir ce que signifie ce mot absolu. Unie à la divinité par l'union hypostatique, la nature humaine du Christ subsistait dans la personne du Verbe. Les actes élicités par elle étaient attribués à la personne du Verbe qui les faisait siens. Elle se trouvait ainsi désappropriée complètement puisque toute son existence et ses opérations appartenaient à la personne du Verbe. Le premier effet de l'oblation du Christ est d'adhérer à cette emprise et à cette désappropriation.

Nous ne pouvons songer à réaliser par le don de nous-mêmes une désappropriation de notre personne, ce serait rêver pour nous d'union hypostatique ou d'un quelconque panthéisme. Mais, cette réserve faite, notre union avec Dieu et par conséquent le don de soi qui la fonde, ne comporte pas d'autres limites. C'est par la grâce, participation de la nature divine, que cette union s'établit, et le modèle qui lui est proposé est l'union du Père et du Fils dans une seule nature. C'est donc à cette unité avec le Christ Jésus que doit tendre le don de soi, et toutes les exigences d'une telle unité qu'il doit accepter.

Ces exigences, la vie du Christ Jésus nous les manifeste d'une façon concrète depuis la Crèche jusqu'au Calvaire, avec la sujétion continuelle à l'Esprit de Dieu et les immolations destructrices qui la terminent. C'est à tout cela que conduit l'emprise de Dieu et le don complet de soi chez qui l'accepte.

Parmi ces réalisations et ces immolations, Dieu fera un choix pour chacun de nous car nous n'avons pas la taille du Christ, et Dieu, qui partage la grâce du Christ, divise aussi les immolations qui l'accompagnent. Quelle sera notre part ? Nous l'ignorons. Cette ignorance et la certitude d'une participation qui ne sera que partielle au sacrifice du Christ entretiennent des illusions ; elles paraissent nous autoriser à n'envisager qu'une part de ce sacrifice et peut-être à la choisir. Ainsi le don de soi n'est plus complet. Pour lutter contre ces illusions, ces choix et toutes les réserves qui enlèvent au don de soi son caractère d'absolu, il n'est qu'un remède : s'habituer à faire le don indéterminé.

II. — *Indéterminé.*

A dire vrai l'indétermination n'est pas une qualité nouvelle du don de soi ; elle est destinée uniquement à protéger la plénitude de ce don contre toutes les réserves plus ou moins conscientes.

Elles sont rares en effet, semble-t-il, même parmi les plus généreuses, les âmes dont le don de soi n'est pas limité par des déterminations précises.

Dieu semble favoriser au début ces déterminations. Il nous attire à Lui et au don de nous-mêmes par des perspectives séduisantes, par des aspects particuliers qui s'harmonisent avec nos goûts naturels ou notre grâce. Tel enfant ne voit dans le sacerdoce que la prédication ; tel autre, la messe. Une âme va vers la vie religieuse uniquement pour se sauver elle-même. Lorsque nous avons pénétré dans l'édifice spirituel, nous en découvrons toute la splendeur et toutes les exigences. Et cependant les déterminations subsistent, généralement elles s'établissent sur un autre plan et obéissent aux conceptions ou aux goûts nouveaux qui ont surgi.

Conceptions et goûts, avec les formes déterminées d'idéal et de sainteté qu'ils créent, sont aussi variés que les âmes. En ces créations la générosité fait la large part à la souffrance, la choisissant ordinairement sous des aspects séduisants, parfois même brillants ; les goûts naturels font le reste en le colorant de surnaturel et de dévouement. L'expérience des âmes pourrait ici multiplier les descriptions et les illustrer de détails savoureux. L'âme a fait son plan de vie, a fixé l'itinéraire et les occupations, entrevu le succès moyennant le sacrifice dont le potentiel est prévu spéculativement immense. L'âme s'est mise elle-même au centre de ces rêves construits par sa générosité et son imagination. Dieu y est comme un but et en attendant comme un bon Père qui, de ses largesses paternelles, doit soutenir l'entreprise de la

331

perfection personnelle que nous rêvons, et des formes d'apostolat que nous aimons.

Belles constructions dont le vice irrémédiable est d'être faites de main d'homme et en dehors du plan divin. Consacrer ses forces à de telles réalisations, c'est se soustraire normalement à la volonté de Dieu.

D'ailleurs le dessein de Dieu, le vrai, se réalise et il vient ébrécher ou même détruire les projets établis. Surprise et parfois désarroi de la générosité qui avait si bien construit ! Ses élans sont brisés, au moins pour un instant : découragement parfois et déception amère. A moins que cette générosité ne se lève de nouveau pour construire encore à sa façon. Et Dieu peut-être lui permettra de réaliser comme elle a prévu, et de triompher dans un succès qui pourra paraître brillant, mais qui n'est toujours que médiocre parce que superficiel et humain sous un vernis surnaturel. Cette générosité s'est donnée à elle-même et à ses projets ; elle a manqué le plan de Dieu parce qu'elle n'a pas fait un don indéterminé.

C'est dans l'obscurité en effet qu'il faut chercher le dessein de Dieu, car ses pensées dépassent les pensées humaines comme le ciel dépasse la terre. Notre Dieu vit dans la ténèbre et la lumière transcendante de sa Sagesse éblouit notre pauvre regard. Quelle est notre part, quelle est notre place en son dessein ? Lui seul le sait. Cette part que nous devons réaliser, cette place que nous devons occuper, c'est là qu'est notre perfection. Le don de soi qui veut s'offrir pour cette part, pour cette place qui nous sont réservées dans l'œuvre et l'édifice divins, doit les chercher dans le mystère et s'offrir à ce mystère qui les dissimule et les garde jalousement pour l'heure des réalisations. Le don de soi doit être indéterminé pour ne pas s'égarer dans les constructions humaines et pour rejoindre sûrement la réalité et la vérité divines.

On pourrait croire que cette communion à l'indéterminé, en apaisant les activités constructrices et en soustrayant tout objet immédiat précis au vouloir, diminue les énergies du vouloir et de l'activité. Il n'en est rien. Ce don pour des réalisations indéterminées n'est pas un essai de communion au vide, c'est un don effectif à des volontés divines certaines mais qui sont inconnues pour le moment. Ce don produit une désappropriation de tous les projets personnels et réserve toutes les forces de l'âme pour des réalisations non pas seulement futures, mais quotidiennes, dont la Providence fixe chaque jour le mode, et qui restent mystérieuses pour l'avenir. Ce don de soi indéterminé, loin de diminuer les forces, empêche leur dispersion sur des objets, les recueille pour les appliquer avec leur puissance à l'accomplissement de la volonté présente de Dieu. La sainte indifférence dans laquelle il place l'âme la délivre des déceptions amères qui paralysent un instant et qui parfois brisent définitivement.

Enfin, bienfait positif incomparable de ce don indéterminé devenu habituel, il livre l'âme à l'action de l'Esprit Saint. Dans l'obscurité de foi où il maintient l'âme, il la garde attentive aux moindres manifestations de la volonté divine, il affine ses sens spirituels qui deviennent sensibles aux onctions délicates de l'Esprit Saint et aux plus subtiles de ses motions, il entretient et développe la souplesse de l'âme en la maintenant à tout instant apte à toute œuvre bonne. Docilité attentive et souplesse forte, qui sont les fruits de ce don indéterminé, sont les dispositions qui font les instruments les plus qualifiés de l'Esprit Saint [1].

III. — *Souvent renouvelé.*

Pour que le don de soi produise tous les effets que nous avons indiqués, il faut qu'il soit non pas un acte transitoire, mais une disposition constante de l'âme. Il ne peut devenir tel qu'à la condition d'être renouvelé fréquemment.

L'offrande de soi doit monter sans cesse de l'âme comme l'expression la plus parfaite de l'amour et comme une provocation continuelle à la miséricorde divine ; par elle l'âme respire et aspire l'amour, se purifie et s'unit à son Dieu. A chaque instant l'âme rétracte ce don complet par des reprises et des affirmations de son vouloir propre ; comment réparer sinon en se donnant de nouveau par une offrande qui veut être complète et devient chaque fois plus humble et plus défiante d'elle-même.

---

1. Devant le mystère des exigences divines auxquelles le don complet nous livre, il est des âmes qui sont non seulement craintives, mais apeurées. Elles reculent, devant l'obscurité et tout ce qu'elle recèle de redoutable. Qu'y a-t-il dans ce mystère, où gronde la tempête dont la passion du Christ nous donne un tableau ? En effet, dans cette obscurité il y aura de la souffrance, la participation à la passion du Christ sous quelque forme, il y aura la mort. Mais qu'elles se rassurent : en se jetant dans cette obscurité par le don de soi, on tombe nécessairement dans la miséricorde divine. C'est elle qui reçoit l'âme, la baigne de sa paix et de sa force.

« Le calice est plein jusqu'aux bords, dira sainte Thérèse de l'Enfant-Jésus, mais j'y suis dans la paix... Je ne voudrais pas moins souffrir... Je ne me repens pas de m'être livrée à l'Amour. »

Tel est le témoignage de tous les saints, témoignage qui doit dissiper le nuage de terreurs que le démon soulève devant un acte d'une importance capitale dans la vie spirituelle.

Contemplation et vie mystique

Les événements, les lumières intérieures ouvrent d'ailleurs fréquemment des horizons nouveaux à ce don de soi qui y trouve des formes de réalisation pratiques. C'est donc fréquemment et même constamment que ce don doit être renouvelé pour s'adapter à des exigences nouvelles.

En le renouvelant ainsi, l'âme crée en elle ce que nous pourrions appeler une disposition psychologique de don de soi, disposition qui agit comme un réflexe. Qu'un événement quelconque survienne qui atteigne cette âme, soit douloureusement soit au contraire joyeusement, et aussitôt elle renouvelle le don sous l'action de ce réflexe apparemment inconscient et cependant volontaire. Contre cette offrande protesteront peut-être parfois les puissances de l'âme affectées douloureusement : l'âme a l'impression que les puissances les plus bruyantes ne veulent pas. Qu'importe ! le don est fait, il est maintenu par la volonté, l'âme a dit son amour et le don atteint Dieu. Par le lien établi la grâce va descendre, efficace certainement et progressivement apaisante. Sans cette disposition créée par l'habitude il eût fallu peut-être attendre l'apaisement pour faire le don qui accepte et dépasse les vouloirs divins.

Toutes ces vérités si malaisées à exprimer parce que surnaturelles, subtiles et profondes, un regard sur la Vierge Marie au jour de l'Annonciation nous aidera plus efficacement à les découvrir que les analyses les mieux conduites.

La Vierge Marie parce que comblée de grâce par l'Esprit Saint et perdue dans la lumière simple de Dieu, avait toutes ses énergies paisiblement tendues vers la réalisation de la volonté divine. Voici que l'archange Gabriel paraît et la salue. La Vierge est un instant troublée par cette présence et cette louange. Mais son sens spirituel affiné a promptement reconnu la qualité surnaturelle de son messager. Elle écoute maintenant le message :

> Vous allez concevoir et enfanter un fils à qui vous donnerez le nom de Jésus. Il sera grand et sera appelé le Fils du Très-Haut, et le Seigneur Dieu lui donnera le trône de David, son père : il règnera éternellement sur la maison de Jacob, et son règne n'aura pas de fin [1].

Marie a compris : c'est bien le Messie dont l'ange lui propose de devenir la mère. Elle n'y avait point songé, car elle s'ignorait elle-même. La simplicité de sa grâce lui en voilait l'immensité. Elle ne connaissait que Dieu

---

1. Lc 1, 31-33.

et sa volonté. Devant ces perspectives qui s'ouvrent soudainement devant elle, elle ne posera qu'une question car elle est préoccupée de sa virginité : « Comment cela se fera-t-il, puisque je ne connais point d'homme ? ». Rassurée par l'ange qui lui répond : « Le Saint-Esprit descendra sur vous et la vertu du Très-Haut vous couvrira de son ombre [1] », la Vierge Marie, sans hésitation, sans demander quelques jours pour réfléchir et consulter ou même quelques instants pour se préparer, donne pour elle-même et pour toute l'humanité son adhésion au plus sublime et au plus terrible des contrats : à l'union en son sein de l'humanité à la divinité, au Calvaire et au mystère de l'Église. Et le Verbe se fit chair grâce au *Fiat* de la Vierge qu'une disposition d'offrande complète et indéterminée avait depuis longtemps préparé en son âme souple et docile.

En nos âmes aussi le don de soi provoque les divines emprises et nous prépare au même *Fiat* fécond :

> O mes sœurs, s'écrie sainte Thérèse, quelle force renferme ce don ! S'il est présenté avec cette générosité qui doit l'accompagner, il ne peut manquer d'attirer le Tout-Puissant à ne faire qu'un avec notre bassesse, à nous transformer en Lui, à unir le Créateur à la créature [2].

1. Lc 1, 34-35.
2. *Chem. Perf.*, ch. XXXIV, p. 751.

CHAPITRE QUATRIÈME

L'humilité

> *En présence de la Sagesse infinie, on peut m'en croire, mieux vaut étudier un peu l'humilité et en produire un seul acte, que de posséder toute la science du monde* [1].

Dès les premières Demeures, sainte Thérèse nous a parlé de la nécessité de la connaissance de soi pour avancer dans la vie spirituelle. Nous avons recueilli son enseignement dans un des premiers chapitres de cette étude [2]. Mais cette connaissance, même précise, de ce que nous sommes devant Dieu et de nos tendances mauvaises ne suffit pas. Elle doit passer dans notre vie et dans notre âme, y créer une disposition et même une attitude, un comportement de l'âme en toute sa vie spirituelle. Ce n'est qu'en se transformant en humilité que la connaissance de soi acquiert toute son efficacité.

Sainte Thérèse ne se lasse pas de proclamer la nécessité de la vertu d'humilité. La découvre-t-elle dans une âme, elle est rassurée, quelles que soient les formes d'oraison qui l'accompagnent. Ne la trouve-t-elle pas, elle est inquiète, y aurait-il les dons surnaturels et naturels les plus brillants, car, dit-elle « il n'y a pas de toxique au monde qui empoisonne aussi promptement le corps, que l'orgueil ne tue la perfection [3] ».

Mais en cette étape de la vie spirituelle l'humilité est particulièrement nécessaire. C'est parce que les âmes des troisièmes Demeures en manquent qu'elles ne vont pas plus loin :

Si l'on veut avancer, écrit-elle en ces troisièmes Demeures, il faut avoir une humilité profonde, comme vous l'avez bien compris ; c'est là, à mon avis, le point défectueux pour les âmes qui ne pénètrent pas plus avant dans ces Demeures [4].

---

1. *Vie*, ch. xv, p. 151.
2. Cf. *Perspectives*, ch. III « Connaissance de soi », p. 39.
3. *Chem. Perf.*, ch. XIII, p. 642.
4. IIIe Dem., ch. II, p. 858.

Au seuil des quatrièmes Demeures elle écrit encore :

> Lorsque vous vous serez conformées à ce que j'ai marqué pour ceux qui habitent les Demeures précédentes, pratiquez l'humilité et encore l'humilité : c'est par elle que le Seigneur se laisse vaincre et nous accorde tout ce que nous Lui demandons [1].

Cette insistance de la Sainte nous montre que nous ne pouvons aller plus loin sans approfondir son enseignement sur l'humilité. Après nous être convaincus de sa nécessité, nous verrons ses degrés ainsi que les formes d'orgueil auxquelles elle s'oppose et nous dirons un mot des moyens pour l'acquérir.

A — *NÉCESSITÉ DE L'HUMILITÉ*

L'âme en ces régions doit se disposer aux emprises de la Sagesse d'amour. Si le don de soi provoque cette Sagesse, l'humilité l'attire irrésistiblement. C'est ce que la conduite de Notre-Seigneur dans l'Évangile nous découvre d'une façon lumineuse.

A suivre Jésus dans sa vie publique on ne peut point ne pas remarquer la sage discrétion qu'il observe dans la manifestation de la qualité de sa mission et de sa doctrine. Il use habituellement en effet de paraboles dont le symbolisme plus clair, certes, pour des Orientaux que pour nous, laissait cependant place à de telles obscurités que les apôtres en demandaient ordinairement en particulier l'explication détaillée.

Un jour qu'il cheminait avec ses apôtres à Césarée de Philippe, Jésus leur pose la question : « Qui dit-on que je suis ? ». Ils lui répondirent : « Les uns disent Jean-Baptiste ; d'autres, Élie ; d'autres, un prophète. — Mais vous, leur demanda-t-il, qui dites-vous que je suis ? ». Pierre lui répondit :« Vous êtes le Christ, le Fils du Dieu vivant ». Jésus lui répondit : « Heureux es-tu, Simon bar-Jona, car ce n'est ni la chair ni le sang qui te l'ont révélé, mais c'est mon Père céleste... ». Et alors il enjoignit aux disciples de ne dire à personne qu'il était le Christ [2]. Cette scène nous montre que Jésus n'avait pas révélé lui-même à ses apôtres sa messianité, et que, même en cette deuxième année de sa prédication, il ne voulait pas qu'on la dévoile publiquement.

La foule d'ailleurs cherche à pénétrer le mystère qui entoure les origines de Jésus et sa mission. Saint Jean

---

1. IVᵉ Dem., ch. II, p. 877.
2. Mt 16, 13-20 ; Mc 8, 27-30.

nous fait entendre un écho des discussions passionnées qui s'élèvent à ce sujet lors de la fête des Tabernacles, la dernière année de la vie publique du Sauveur. Entre autres : « Il y en eut dans la foule qui dirent en entendant ces paroles "C'est vraiment le Prophète !", et d'autres dirent "C'est le Christ !". A quoi d'autres objectaient : "Mais est-ce que le Christ vient de Galilée ? L'Écriture ne dit-elle pas que c'est de la race de David et de Bethléem, la cité de David, que le Christ doit venir ?" Ainsi la foule était-elle divisée à son sujet [1] ». Jésus ne dissipe pas l'équivoque.

Au cours du dernier entretien intime après la Cène, les apôtres constatent enfin avec joie :

Voici que maintenant vous parlez clairement et sans parabole aucune. Maintenant nous savons que vous savez tout, sans avoir besoin qu'on vous interroge. C'est pourquoi nous croyons que vous êtes sorti de Dieu [2].

Tandis que Jésus laisse dans l'obscurité ou du moins dans la pénombre, même pour les siens, les vérités les plus importantes sur sa personne, voici que dès la première année de sa prédication il dévoile ses secrets à certaines âmes qui semblent les lui arracher. Il s'agit de Nicodème et de la Samaritaine. Analysons ces deux épisodes narrés par saint Jean dans les premiers chapitres de son Évangile [3].

Nicodème est un docteur de la Loi, membre du Sanhédrin ; il fait partie de l'aristocratie religieuse et sociale de Jérusalem. Comme maints de ses collègues il a écouté et accueilli avec faveur Jésus à son premier voyage à Jérusalem. Il doit être cependant spécialement troublé et ému, car il prend la décision, lui docteur de la Loi, d'aller trouver et interroger Jésus, un homme qui n'a pas de lettres. Il ira pendant la nuit. La démarche est timide, mais non point sans mérite si on considère la qualité de Nicodème.

Le dialogue s'engage : « Rabbi, nous savons que vous êtes un maître, venu de la part de Dieu, car nul ne peut faire les miracles que vous faites, si Dieu n'est avec lui ». Jésus lui répondit : « En vérité, en vérité je te le dis, à moins de renaître de nouveau, nul ne peut voir le royaume de Dieu ! ». Jésus semble prévenir les questions de Nicodème. Celui-ci ne comprend pas. « Comment l'homme peut-il renaître une fois vieux ? Peut-il entrer

1. Jn 7, 40-43.
2. *Ibid.*, 16, 29-30.
3. *Ibid.*, 3, 1-21 ; 4, 1-30.

une seconde fois dans le sein de sa mère, pour renaître ? ».
Jésus lui répondit :

> En vérité, en vérité je te le dis, à moins de renaître de l'eau et
> de l'esprit, nul ne peut entrer dans le royaume de Dieu. Ce qui naît
> de la chair est chair, ce qui naît de l'esprit est esprit. Ne t'étonne
> pas si je te dis : il faut renaître de nouveau. Le vent souffle où il
> veut : vous entendez son souffle, mais sans savoir d'où il vient ni
> où il va. Ainsi en est-il de celui qui renaît de l'esprit [1].

Le langage est élevé, digne d'un tel interlocuteur. Nicodème
comprend de moins en moins.

« Comment cela peut-il se faire ? ». Jésus repartit :
« Tu es le docteur d'Israël, et tu ne sais pas cela ! ».

Le coup est direct, presque dur, donné par un homme
sans lettres à un docteur de la Loi. Nicodème l'accepte sans
protester. Il écoute maintenant et il comprend. L'humiliation
a ouvert son intelligence et par cette blessure bienfaisante
Jésus verse à flots la lumière :

> ...Nul n'est monté au ciel, si ce n'est celui qui en est descendu, le
> Fils de l'homme. Et de même que Moïse a élevé le serpent au désert,
> ainsi faut-il que le Fils de l'homme soit élevé, afin que tous ceux
> qui croiront en lui aient la vie éternelle. Car Dieu a tellement aimé
> le monde qu'il a donné son Fils unique, afin que tous ceux qui
> croiront en lui ne périssent pas... [2]

Mystère de l'Incarnation et mystère de la Rédemption
sont révélés à Nicodème en ces premiers mois de la
prédication de Jésus, alors que tous les autres ignorent.
Nicodème a compris. Il se souviendra et, au jour où se
réalisera le drame du Calvaire, tandis que les apôtres auront
fui devant le mystère de la croix, lui-même vaillamment
sortira de l'ombre et apportant « une centaine de livres
d'un mélange de myrrhe et d'aloès » se joindra à Joseph
d'Arimathie pour rendre les suprêmes devoirs au divin
crucifié.

Quelques jours après, Jésus quitte Jérusalem. Pour
revenir en Galilée, il emprunte le chemin direct de la
Samarie. Après de longues heures de marche, le voici
vers midi auprès du puits de Jacob, près de Sichar [3].
Tandis que les disciples sont partis à la ville voisine
pour chercher des provisions, une femme de Samarie
s'approche pour puiser de l'eau. Jésus lui demande
à boire. La Samaritaine s'étonne. Elle a deviné en cet

---

1. Jn 3, 5-8.
2. *Ibid.*, 13-16.
3. *Ibid.*, 4, 1-39.

étranger un Juif. Comment ose-t-il donc, lui Juif, demander un tel service à une Samaritaine ; lui homme, aborder ainsi une femme ? Ne sait-il donc pas la haine implacable qui divise Juifs et Samaritains ? Ne doit-il pas s'estimer heureux qu'on le laisse en paix ? Hautaine et presque haineuse, elle répond : « Comment, Juif, me demandez-vous à boire à moi, Samaritaine ? ». Jésus ne se laisse pas émouvoir par ce ton et cette attitude : « Si tu savais le don de Dieu et qui est celui qui te demande à boire, c'est toi qui lui aurais demandé et il t'aurait donné de l'eau vive ». La femme ironise maintenant, un peu embarrassée peut-être : « D'où tireriez-vous l'eau vive ? Seriez-vous plus grand que Jacob qui nous a donné ce puits ? ». Jésus insiste et précise : « Celui qui boit de cette eau aura encore soif, mais celui qui boira l'eau que je lui donnerai, n'aura plus jamais soif ». Cette description a fait naître un désir qui s'exprime respectueusement : « Seigneur, donnez-moi de cette eau, pour que je n'aie plus soif ! ».

La Samaritaine n'a pas encore compris. Elle n'est pas prête d'ailleurs pour recevoir le don merveilleux que lui propose le Maître. La conversation se poursuit : « Va appeler ton mari et reviens. — Je ne suis pas mariée » répondit-elle. Jésus lui dit : « Tu as raison de dire que tu n'es pas mariée car tu as eu cinq maris, et celui que tu as présentement n'est pas non plus ton mari : tu as bien raison ».

Sous le choc de cette révélation humiliante, la femme change d'attitude. Elle était hautaine et presque insultante ; la voici respectueuse, humble et soumise. Par la blessure de l'humiliation acceptée, la lumière est déjà entrée dans son âme : « Seigneur, dit-elle, je vois que vous êtes prophète ».

Cette blessure béante s'ouvre pour recevoir la lumière. Et Jésus va la donner abondamment. C'est des Juifs, et non de Samarie, que vient le salut, dit-il. Mais que cette femme se console : « L'heure vient, et nous y sommes, où les vrais adorateurs adoreront le Père en esprit et en vérité ». C'est l'annonce de l'Église. La Samaritaine, vraiment insatiable, reprend : « Je sais que le Messie doit venir, celui qu'on appelle le Christ. A sa venue, il nous instruira de tout ». Jésus lui dit : « C'est moi-même, moi qui te parle ».

En sa joie qui lui fait oublier la cruche près du puits, cette femme s'empresse auprès de ses compatriotes pour leur annoncer la bonne nouvelle et « il y eut en cette ville bon nombre de Samaritains qui crurent en Lui sur l'attestation de cette femme ». Les flots d'eau vive, qui étaient descendus en son âme par la blessure profonde de l'humiliation, y étaient devenus aussitôt selon la parole du Maître, « une source d'eau jaillissant jusqu'à la vie éternelle ».

De ces épisodes évangéliques rapprochons la conversion de l'apôtre saint Paul racontée au chapitre neuvième des Actes des Apôtres [1]. « Saul, ne respirant que meurtre et tuerie contre les disciples du Seigneur, alla demander au grand-prêtre des lettres pour les synagogues de Damas, afin que, s'il y découvrait quelques adeptes de cette doctrine, hommes ou femmes, il pût les amener à Jérusalem chargés de chaînes ». Il les obtient. Le jeune pharisien, heureux et fier de la mission qui lui est confiée, part pour Damas à la tête d'une escorte. Que rêve-t-il ? Haine et ambition, sans nul doute.

Mais le voici terrassé sur la route : « Saul, Saul, pourquoi me persécutes-tu ? — Qui êtes-vous, Seigneur ? répondit-il. — Je suis Jésus, que tu persécutes. Mais lève-toi, entre dans la ville, il te sera dit ce que tu dois faire ». Saul se relève aveugle, les vêtements maculés de poussière. C'est ainsi au bras d'un de ses compagnons qu'il entre dans la ville. Pendant trois jours il reste privé de lumière, sans boire ni manger. Impuissance, solitude, humiliation : c'est ce que Saul trouve à Damas où il était venu, dans le brillant éclat d'une mission, apporter la terreur avec les armes d'une puissance et d'une haine dont il était fier.

Au bout de trois jours, Ananie vint le trouver dans la maison de Judas où il s'était réfugié et lui imposa les mains. « Aussitôt il lui tomba des yeux comme des écailles, il recouvra la vue et reçut le baptême. Et quand il eut mangé, les forces lui revinrent ».

C'est ainsi, par la porte basse de l'humilité, que Paul, le grand apôtre, entra dans le christianisme et dans la lumière du grand mystère dont il sera le prédicateur et le ministre.

Ces traits n'ont pas seulement une valeur épisodique ; ils nous mettent en présence d'une loi de la diffusion de la lumière et de la miséricorde divines, dont Jésus donnera un jour la formule dans une prière de reconnaissance. C'était au retour de la mission des soixante-douze disciples, envoyés pour prêcher, et qui étaient revenus joyeux, disant : « Seigneur, les démons eux-mêmes nous sont soumis en votre nom ». Jésus tressaille de joie dans l'Esprit Saint et dit : « Je vous loue, ô Père, Maître du ciel et de la terre, d'avoir caché ces choses aux sages et

---

1. Ac 9, 1-19.

aux prudents, tandis que vous les avez révélées aux petits. Oui, Père, car tel est votre bon plaisir [1] ». Dieu donne ses trésors aux humbles, tandis qu'il les dissimule aux orgueilleux et aux suffisants.

C'est cette loi qui guide Jésus en son action. Il n'est pas de péché qu'il n'ait abordé et en des contacts qui auraient pu être dangereux pour d'autres que pour lui. Il s'arrête chez Zachée le publicain, à Jéricho. Il défend Marie la pécheresse, qui verse le parfum sur sa tête, oint ses pieds et les essuie de ses cheveux ; mais il est un contact que Jésus n'accepte pas et contre lequel il se soulève et s'indigne, c'est celui de l'orgueil des Pharisiens qu'il maudit en des apostrophes indignées [2].

Le Christ Jésus poursuit son action dans l'Église suivant la même loi. C'est ce que proclament tous les maîtres de vie spirituelle et plus spécialement ceux qui ont expérimenté l'action débordante de Dieu. Sainte Thérèse affirme :

Je ne me souviens pas d'avoir reçu une seule de ces grâces signalées, dont je vais parler dans la suite, si ce n'est quand j'étais anéantie à la vue de mon extrême misère [3].

Sainte Angèle de Foligno écrit :

Plus l'âme est affligée, dépouillée et humiliée profondément, plus elle conquiert, avec la pureté, l'aptitude des hauteurs. L'élévation dont elle devient capable se mesure à la profondeur de l'abîme où elle a ses racines et ses fondations [4].

La même note ardente marque le témoignage de Ruysbrœck :

Quand l'homme considère au fond de lui-même avec des yeux brûlés d'amour l'immensité de Dieu... quand l'homme ensuite se regardant lui-même compte ses attentats contre l'immense et fidèle Seigneur... il ne connaît pas de mépris assez profond pour se satisfaire... Il tombe dans un étonnement étrange, l'étonnement de ne pas pouvoir se mépriser assez profondément... Il se résigne alors à la volonté de Dieu... et, dans l'abnégation intime, il trouve la paix véritable, invincible et parfaite, celle que rien ne troublera. Car il s'est précipité dans un tel abîme que personne n'ira le

---

1. Lc 10, 17. 21.
2. « Malheur à vous, scribes et pharisiens hypocrites, parce que vous fermez aux autres le royaume des cieux : vous n'y entrez pas vous-mêmes et vous empêchez les autres d'y entrer... Malheur à vous, scribes et pharisiens hypocrites, qui ressemblez à des sépulcres blanchis : au-dehors ils ont belle apparence, mais au-dedans ils sont remplis d'ossements de morts et d'impuretés de toute sorte ! Vous autres, pareillement, vous avez aux yeux des hommes un extérieur de justes, mais à l'intérieur vous êtes remplis d'hypocrisie et d'iniquité ». Mt 23, 13.27.28.
3. *Vie*, ch. XXII, p. 227.
4. *Sainte Angèle de Foligno*, trad. Hello, ch. XIX.

chercher là... Il me semble pourtant qu'être plongé dans l'humilité, c'est être plongé en Dieu, car Dieu est le fond de l'abîme, au-dessus de tout et au-dessous de tout, suprême en altitude et suprême en profondeur, c'est pourquoi l'humilité comme la charité, est capable de grandir toujours... L'humilité est si précieuse qu'elle obtient les choses trop hautes pour être enseignées ; elle atteint et possède ce que la parole n'atteint pas [1].

Ruysbroeck note d'ailleurs que l'humilité ne trouve pas nécessairement sa source dans le péché :

Nos péchés... sont devenus pour nous des sources d'humilité et d'amour. Mais il importe de ne pas ignorer une source d'humilité beaucoup plus haute que celle-ci. La Vierge Marie, conçue sans péché, possède une humilité plus sublime que Madeleine. Celle-ci fut pardonnée ; celle-là fut sans tache. Or, cette immunité absolue, plus sublime que tout pardon, fit monter de la terre au ciel une action de grâces plus haute que la conversion de Madeleine [2].

C'est sur cette attirance de l'humilité et de la pauvreté que sainte Thérèse de l'Enfant-Jésus compte pour faire descendre la miséricorde divine sur son âme. L'amour de la pauvreté devient donc la disposition fondamentale de sa voie d'enfance spirituelle. Dans une lettre à sa sœur Marie, elle affirme en effet :

Oh, je vous en prie, comprenez votre petite fille, comprenez que pour aimer Jésus, être sa victime d'amour, plus on est faible, sans désirs, ni vertus, plus on est propre aux opérations de cet Amour consumant et transformant. Le seul désir d'être victime suffit, mais il faut consentir à rester pauvre et sans force, et voilà le difficile, car le véritable pauvre d'esprit, où le trouver ? Il faut le chercher bien loin, a dit le psalmiste [3].

A sa sœur Céline elle avait écrit :

Plus tu seras pauvre, plus Jésus t'aimera [4].
Voilà bien le caractère de Jésus : il donne en Dieu, mais il veut l'humilité du cœur [5].

Sainte Thérèse traduisait ainsi son expérience. Elle sentait que c'était sa petitesse qui avait attiré les grâces que Dieu lui avait accordées avec une telle abondance. Un petit épisode de la fin de sa vie devait le lui montrer avec une clarté particulière. La Sainte se trouvait dans sa cellule, en proie à la fièvre, et voici qu'entre une religieuse qui lui représentait la justice, en compagnie

---

1. *Ruysbroeck*, trad. Hello, Liv. III, L'humilité.
2. *Ibid.*, Liv. V, Innocence et repentir.
3. Lettre à sœur Marie du Sacré-Cœur, 17 septembre 1896.
4. Lettre à sœur Geneviève, 24 décembre 1896.
5. A la même, 26 avril 1894.

de Mère Agnès qui lui représentait les douceurs de la miséricorde, pour lui demander un travail de peinture difficile à exécuter. Sainte Thérèse de l'Enfant-Jésus ne peut maîtriser un petit geste d'impatience. Les deux religieuses s'excusent et se retirent, comprenant sa fatigue. Ce premier mouvement involontaire provoqué par la fièvre a profondément humilié la petite Sainte. Le soir, elle écrit à Mère Agnès une lettre où elle dit :

Votre petite fille a versé de douces larmes tout à l'heure ; des larmes de repentir, mais encore plus de reconnaissance et d'amour. Ah ! ce soir je vous ai montré ma vertu, mes trésors de patience ! Et moi qui prêche si bien les autres ! ! ! Je suis contente que vous ayez vu mon imperfection... Petite Mère... vous comprendrez que, ce soir, le vase de la miséricorde divine a débordé pour moi... Ah ! dès à présent, je le reconnais : oui, toutes mes espérances seront comblées... oui, le Seigneur fera pour nous des merveilles qui surpasseront infiniment nos immenses désirs [1].

La lumière qui a jailli de cette humiliation a déchiré le voile obscur qui couvre l'avenir et a découvert à sainte Thérèse de l'Enfant-Jésus l'étendue de sa mission future.

Cette attirance irrésistible de l'humilité permet d'établir une certaine équivalence entre l'humilité et le don de Dieu à une âme c'est-à-dire sa perfection. « Connaître le tout de Dieu et le rien de l'homme, proclame sainte Angèle de Foligno, voilà la perfection ».

Saint Jean de la Croix affirme en tout son enseignement que le « rien », réalisation de la pauvreté, équivaut à l'obtention du « tout » qui est Dieu.

En son langage naïf une carmélite arabe, dont l'âme resta simple et candide au milieu des événements merveilleux et des grâces les plus extraordinaires, sœur Marie de Jésus-Crucifié, disait :

Sans l'humilité nous sommes aveugles, dans les ténèbres ; tandis qu'avec l'humilité l'âme marche la nuit comme le jour. L'orgueilleux est comme le grain de froment jeté dans l'eau : il enfle, il grossit. Exposez ce grain au soleil, au feu : il sèche, il est brûlé. L'humble est comme le grain de froment jeté en terre : il descend il se cache, il disparaît, il meurt, mais c'est pour reverdir au ciel.

Imitez les abeilles, disait-elle encore, cueillez partout le suc de l'humilité. Le miel est doux : l'humilité a le goût de Dieu ; elle fait goûter Dieu [2].

L'humilité a le goût de Dieu ! Partout où elle se trouve, Dieu descend, et partout où Dieu se trouve ici-bas il s'en

---

1. Lettre à M. Agnès de Jésus, 28 mai 1897.
2. *Vie de Sœur Marie de Jésus Crucifié*, par le R.P. Buzy.

revêt comme d'un manteau qui dissimule sa présence aux orgueilleux et la révèle aux simples et aux petits. Jésus paraissant en ce monde y vient comme un enfant enveloppé de langes. C'est le signe donné aux bergers pour le reconnaître : « Et ceci vous servira de signe, leur dit l'ange : vous trouverez un enfant emmailloté et couché dans une crèche [1] ». Ce signe de l'humilité marque toujours le divin ici-bas.

Tout commentaire affaiblirait, nous semble-t-il, la lumière qui jaillit de ces modes d'agir de Jésus et la force savoureuse de ces témoignages sur la nécessité de l'humilité. De même à peine est-il besoin de conclure. Le spirituel, parvenu en ces régions où ses vertus ne peuvent poser leurs actes parfaits, où son âme ne peut progresser que grâce à l'action directe de la Sagesse d'amour qui habite en elle, ne pourra évidemment obtenir cette intervention divine que par l'humilité. Il s'offrira aux illuminations divines par les humiliations, conseille Pascal. Il ne sera saisi et agi par Dieu que s'il est humble, et l'action divine sera habituellement à la mesure de son humilité. *Sapientiam praestans parvulis* : Dieu donne sa sagesse aux petits. L'humilité deviendra son gagne-pain spirituel. Telle est la loi à laquelle toute âme est soumise. Elle ne progressera qu'en s'y soumettant. « La hauteur et la profondeur s'enfantent l'une l'autre » déclare sainte Angèle de Foligno. Et sainte Thérèse :

> En présence de la Sagesse infinie, on peut m'en croire, mieux vaut étudier un peu l'humilité et en produire un seul acte, que de posséder toute la science du monde [2].

Dieu ne peut se passer de l'humilité. Il l'aime tant qu'à ses yeux elle peut suppléer à tout le reste parce qu'elle attire effectivement tous les dons de Dieu.

B. — *DEGRÉS ET FORMES DE L'HUMILITÉ*

Progrès dans l'humilité et développement de la grâce sont si étroitement unis que saint Benoît dans son *Échelle de la perfection* distingue douze degrés d'humilité, correspondant à douze degrés de la vie spirituelle. Si séduisante et si justifiée que soit cette distinction nous ne l'adopterons pas, car il nous paraît que sur le plan pratique de la vie morale il est très difficile de distinguer ces douze degrés et le passage de l'un à l'autre.

---

1. Lc 2, 12.
2. *Vie*, ch. xv, p. 151.

Contemplation et vie mystique

Il nous semble préférable de distinguer d'une façon plus générale les degrés d'humilité d'après la lumière qui l'éclaire, et ses formes différentes d'après les formes d'orgueil auxquelles elle s'oppose.

I. — *Degrés d'humilité.*

En expliquant pourquoi la vertu d'humilité exerce une si singulière attirance sur Dieu, sainte Thérèse nous en donne une définition lumineuse :

> Je me demandais un jour pour quelle raison Notre-Seigneur était si ami de la vertu d'humilité. Et à un moment où je n'y pensais plus ce me semble, il me vint tout à coup la suivante : c'est parce que Dieu est la suprême Vérité et que l'humilité consiste à marcher selon la vérité. Or c'est une très haute vérité, que de nous-mêmes nous n'avons rien de bon, mais plutôt la misère et le néant. Quiconque ne le comprend pas marche dans le mensonge ; mais plus on le comprend, plus on se rend agréable à la souveraine Vérité, parce que l'on marche dans ses sentiers [1].

Attitude de vérité devant Dieu, l'humilité sera donc en dépendance étroite de la lumière qui l'éclaire. C'est ce que souligne le vénérable Jean de Saint-Samson [2] en distinguant à la suite de saint Bernard dans le *Vrai Esprit du Carmel* deux sortes d'humilité : l'une, qu'il appelle claire et raisonnable ; l'autre, fervente.

L'humilité *claire et raisonnable* est celle qu'éclaire la lumière de la raison, et qui s'établit sur un travail d'examen de soi-même et de méditation sur les vérités surnaturelles et les exemples de Notre-Seigneur. L'âme, voyant son impuissance dans l'action, ses fautes, le péché en elle, ou encore les abaissements et les humiliations du Christ Jésus, comprend la nécessité de s'humilier pour réaliser la vérité que lui découvre son intelligence et pour imiter le divin modèle.

L'humilité *fervente*, « plus infuse qu'acquise » dit Jean de Saint-Samson, est produite dans l'âme par un rayon de la lumière divine, qui, découvrant la transcendance de Dieu, éclairant la pauvreté de l'âme ou un mystère du Christ, met ainsi l'âme en sa place dans la perspective de l'Infini ou dans la lumière du Christ :

---

1. VI⁰ Dem., ch. x, p. 1016.
2. Jean de Saint-Samson (1571-1636), frère convers au Carmel de Dol et de Rennes, musicien et aveugle, « le plus clair flambeau de la Réforme de Touraine » et « mystique du plus haut vol » dit Brémond.

Ici, dit Jean de Saint-Samson, la raison cède, et l'homme ravi dans le silence éternel et ayant dépassé toute son intelligence, sa raison et soi-même, il tombe et défaut totalement à sa compréhension. Il voit en cet abîme combien le pouvoir humain est court et limité pour la compréhension de cette infinie immensité.

« Plâtre et mensonge » dira de l'humilité raisonnable comparée à l'humilité fervente Jean de Saint-Samson, qui cultive l'hyperbole et le superlatif pour suppléer à la pauvreté du langage symbolique dont usent ordinairement les mystiques et dont l'emploi est limité pour lui par sa cécité.

De l'aveu de tous les spirituels, la distance est en effet immense entre l'humilité fervente et l'humilité raisonnable. La lumière qui produit la première, parce qu'elle vient directement de Dieu par les dons du Saint-Esprit est incomparablement plus intense que la lumière de la deuxième qui procède de l'intelligence.

Voici le témoignage de sainte Thérèse :

Quand l'esprit de Dieu agit en nous, il n'est pas nécessaire de rechercher péniblement des considérations pour nous exciter à l'humilité et à la confusion de nous-mêmes. Le Seigneur met en nous une humilité bien différente de celle que nous pouvons nous procurer par nos faibles pensées. La nôtre en effet n'est rien en comparaison de cette humilité vraie et éclairée que Notre-Seigneur enseigne alors et qui produit en nous une confusion capable de nous anéantir... Plus ses faveurs sont élevées, plus cette connaissance est profonde [1].

Cette lumière intense met non seulement en relief les défauts extérieurs mais éclaire les profondeurs et en quelque façon l'être même de l'âme qui découvre ainsi sa petitesse et sa pauvreté absolues devant l'Infini :

Son indignité lui apparaît évidente, écrit encore sainte Thérèse, comme dans un appartement où le soleil donne en plein il n'est aucune toile d'araignée qui puisse demeurer cachée. Elle découvre la profondeur de sa misère. Elle est tellement éloignée de la vaine gloire, qu'il lui semble impossible d'en avoir. C'est de ses propres yeux qu'elle a vu son peu de pouvoir, ou plutôt son incapacité absolue... Sa vie passée et la grande miséricorde de Dieu se présentent ensuite à elle dans toute la vérité, et cela sans que son entendement soit obligé d'aller à la poursuite de considérations, car il trouve alors tout préparé ce qu'il doit comprendre et ce qui doit faire son aliment [2].

« Je suis Celui qui suis [3] » disait Dieu à Moïse. Et à sainte Catherine de Sienne, Notre-Seigneur disait aussi :

---

1. *Vie*, ch. xv, pp. 154-155.
2. *Ibid.*, ch. xix, p. 182.
3. Ex 3, 14.

347

Contemplation et vie mystique

« Sais-tu, ma fille, qui tu es et qui je suis ? Tu es celle qui n'est pas. Je suis Celui qui suis ».

En toute humilité fervente, c'est l'Être de Dieu, avec sa majesté et sa puissance, qui, d'une façon plus ou moins consciente pour l'âme, se dresse dans l'obscurité en face d'elle et lui découvre ce qu'elle est.

Aussi cette lumière, telle le Verbe de Dieu, produit ce qu'elle exprime. Tandis en effet que dans l'humilité raisonnable la conviction créée dans l'esprit a besoin d'un acte de la volonté pour s'exprimer dans l'attitude et la vie, la lumière de l'humilité fervente est non seulement éblouissante, mais efficace : elle crée un sentiment profond, qui envahit tout l'être, une expérience vécue de la petitesse et de la misère qui place l'âme dans l'attitude de vérité.

Autant et plus que l'intensité de la lumière, c'est cette expérience et cette réalisation qui font la valeur de l'humilité fervente. Souvent douloureuse en même temps que paisible, cette expérience en sainte Thérèse de l'Enfant-Jésus nous apparaît joyeuse :

O Jésus ! que ton petit oiseau est heureux d'être faible et petit, que deviendrait-il s'il était grand ?... Jamais il n'aurait l'audace de paraître en ta présence, de sommeiller devant toi... Oui, c'est là encore une faiblesse du petit oiseau, lorsqu'il veut fixer le Divin Soleil et que les nuages l'empêchent de voir un seul rayon, malgré lui ses yeux se ferment, sa petite tête se cache sous la petite aile et le pauvre petit être s'endort, croyant toujours fixer son Astre Chéri. A son réveil il ne se désole pas, son petit cœur reste en paix...[1].

... Maintenant, je me résigne à me voir toujours imparfaite et j'y trouve ma joie[2].

Il m'arrive bien aussi des faiblesses, mais je m'en réjouis... C'est si doux de se sentir faible et petit[3].

On ne se lasse pas d'écouter de tels accents. Est-il un saint en qui nous puissions admirer un triomphe si paisible et si joyeux de l'humilité fervente ? D'ailleurs, au témoignage même de sainte Thérèse de l'Enfant-Jésus, cette humilité fervente fut la grande grâce de sa vie :

... j'aime mieux convenir tout simplement que le Tout-Puissant a fait de grandes choses en l'âme de l'enfant de sa divine Mère, et la plus grande, c'est de lui avoir montré sa petitesse, son impuissance[4].

1. *Man. Autob.*, B fol. 5 r°.
2. *Ibid.*, A fol. 74 r°.
3. *Dern. Ent.*, CJ 5.7.1.
4. *Man. Autob.*, C fol. 4 r°.

Et cette humilité fervente fut au principe de toutes ses grandeurs :

Je pensai que j'étais née pour la gloire, et cherchant le moyen d'y parvenir, le Bon Dieu m'inspira les sentiments que je viens d'écrire. Il me fit comprendre aussi que ma gloire à moi ne paraîtrait pas aux yeux mortels, qu'elle consisterait à devenir une grande Sainte !!! Ce désir pourrait sembler téméraire si l'on considère combien j'étais faible et imparfaite et combien je le suis encore après sept années passées en religion, cependant je sens toujours la même confiance audacieuse de devenir une grande Sainte, car je ne compte pas sur mes mérites, n'en ayant aucun, mais j'espère en Celui qui est la Vertu, la Sainteté Même. C'est Lui seul qui se contentant de mes faibles efforts m'élèvera jusqu'à Lui, et, me couvrant de ses mérites infinis, me fera Sainte [1].

Cette humilité fervente est aussi à la base de toute sa doctrine d'enfance spirituelle, car

plus on est faible, sans désirs ni vertus, plus on est propre aux opérations de cet Amour consumant et transformant [2].

Cette humilité fervente, fruit de l'action de l'Esprit Saint, est celle qui attire ses nouvelles effusions. C'est celle qui fait entrer l'âme dans les quatrièmes Demeures et l'y fait progresser vers les sommets de la vie spirituelle.

II. — *Formes d'humilité.*

La distinction étant faite de l'humilité raisonnable et de l'humilité fervente d'après la nature de la lumière qui les produit, il nous semble difficile de pousser la distinction plus loin pour chacune d'entre elles en essayant d'apprécier l'intensité de la lumière qui la produit et la perfection de l'attitude intérieure qu'elle crée, car l'une et l'autre échappent à une analyse précise.

Une discrimination plus claire et plus pratique nous paraît être celle qui distingue les divers biens qui servent d'aliment à l'orgueil, par conséquent les diverses formes d'orgueil que l'humilité doit combattre successivement. Nous pouvons, sous cet aspect, considérer l'humilité aux prises avec l'orgueil qui s'appuie sur les biens extérieurs, avec l'orgueil de la volonté, l'orgueil de l'intelligence, et avec l'orgueil spirituel. Pour combattre ces formes de l'orgueil de plus en plus subtiles, et de plus en plus dangereuses parce qu'elles se nourrissent de biens

---

1. *Man. Autob.*, A fol. 32 r°.
2. Lettre à sœur Marie du Sacré-Cœur, 17 septembre 1896.

de plus en plus précieux, l'humilité doit elle-même s'affiner et s'approfondir. C'est donc une progression logique de l'humilité qui s'établit ainsi, aussi bien d'ailleurs de l'humilité raisonnable que de l'humilité fervente.

a) *Orgueil des biens extérieurs.*

Ces biens extérieurs sont tous ceux qui assurent honneur et considération, par conséquent les avantages et qualités extérieures : la beauté, la fortune, le nom, le rang, les honneurs. Ces biens constituent une simple façade, brillante peut-être, qui dissimule très mal, nous en avons conscience, notre pauvreté intérieure. Cependant nous aimons appuyer sur eux le sentiment de notre propre excellence et des exigences d'honneurs et de louanges. Le monde ne s'y trompe pas, et, après avoir satisfait aux exigences des conventions, il se réserve de porter intérieurement le jugement sévère de la justice.

Cet orgueil, le plus sot, mais aussi le moins dangereux parce que le plus extérieur, est ordinairement le premier qui cède devant la lumière de l'humilité :

Elle (l'âme) déplore, écrit sainte Thérèse, l'époque où elle a été sensible au point d'honneur, et l'illusion qui lui faisait regarder comme honneur ce que le monde appelle de ce nom. Elle voit que c'est un mensonge insigne dans lequel sont plongés tous les hommes. Pour elle, l'honneur seul digne de ce nom est exempt de mensonge et inséparable de la vérité. Elle estime ce qui mérite de l'être, mais elle regarde comme néant ce qui l'est en réalité. Or, tout ce qui passe et ne tourne pas à la gloire de Dieu est néant et au-dessous même du néant. L'âme rit d'elle-même en se rappelant que jadis elle a fait quelque cas de l'argent et l'a même quelque peu désiré... [1]

Sainte Thérèse signale spécialement le point d'honneur, car elle est castillane et fille de chevaliers du XVIe siècle au pays du Cid [2].

---

1. *Vie*, ch. xx, pp. 208-209.
2. Sur le point d'honneur sainte Thérèse écrit :
« Je vois des personnes qui, par la sainteté et la grandeur de leurs œuvres, font l'admiration du monde. D'où vient donc, ô mon Dieu, que ces âmes rampent encore sur la terre ? Comment ne sont-elles pas déjà parvenues au sommet de la perfection ? Quel est ce phénomène ? Qui donc retient ces âmes qui font pourtant de si grandes choses pour Dieu ? Hélas ! elles sont retenues par un point d'honneur et, ce qui est pire encore, elles ne veulent pas en convenir, car le démon leur persuade parfois qu'elles sont obligées de le garder. Mais, qu'elles se fient à mes paroles, qu'elles ajoutent foi pour l'amour de Dieu à cette petite fourmi à qui le Seigneur commande de parler. Si elles ne font pas disparaître cette chenille, l'arbre pourra n'être pas endommagé tout entier ; quelques vertus lui resteront, mais toutes seront atteintes. Cet arbre sera sans beauté, il ne grandira pas et il empêchera de grandir ceux qui l'entourent,

Le point d'honneur l'a préservée de certains dangers lorsqu'elle était jeune fille, car elle n'aurait rien voulu faire contre l'honneur. Mais ce sentiment de l'honneur, si profondément enraciné en elle, ne sera purifié qu'à la longue. A ces conversations de parloir qu'elle refusait au P. Balthazar de sacrifier, et auxquelles seule la parole divine entendue en son premier ravissement put la faire renoncer, elle était attachée par un sentiment de reconnaissance pour les personnes qu'elle voyait ; mais n'y avait-il pas aussi cette satisfaction qu'elle trouvait dans la compagnie de la meilleure société d'Avila, en des conversations qu'elle faisait si brillantes et spirituelles en même temps que surnaturelles ?

L'exemple de sainte Thérèse nous montre que l'attache désordonnée à ces biens extérieurs, lorsqu'ils sont biens de famille ou de race, peut être si tenace qu'elle ne cède qu'aux purifications des sixièmes Demeures. Ce que la Sainte nous dit des âmes murées dans les troisièmes Demeures parce qu'attachées trop raisonnablement aux biens de la terre ou soucieuses de leur honneur, nous montre les conséquences graves d'un pareil dérèglement.

Aussi la Sainte poursuivra-t-elle avec sévérité toute susceptibilité orgueilleuse :

Mais direz-vous, écrit-elle, ce sont là de petites choses, des mouvements de nature, et il n'y a pas lieu d'en faire cas. Veuillez ne point les traiter à la légère. Ces choses montent comme l'écume. Une chose n'est pas petite quand le danger est aussi grand que dans ces points d'honneur et dans la recherche des torts qu'on peut nous avoir faits [1].

Un jour viendra enfin où l'âme verra « parfaitement que l'on fait plus de bien en un jour quand on méprise la dignité du rang pour l'amour de Dieu, que l'on n'en ferait avec elle en dix ans [2] ». Cette âme ainsi éclairée est déjà parvenue en de hautes régions de la vie spirituelle, et sur sa route elle a découvert d'autres formes d'orgueil.

b) *Orgueil de la volonté.*

Cet orgueil qui réside dans la volonté se nourrit des biens que la volonté trouve en elle-même, de son indé-

---

car les fruits des bons exemples qu'il donne ne sont pas sains et durent peu.
Je l'ai dit bien des fois, si petit que soit le point d'honneur, il est comme une erreur de ton ou de mesure dans le chant ; il n'y a plus d'harmonie. Il est nuisible en tout temps ; mais pour l'âme qui marche dans la voie de l'oraison, c'est une peste ». (*Vie*, ch. XXXI, p. 341).

1. *Chem. Perf.*, ch. XIII, p. 642.
2. *Vie*, ch. XXI, p. 217.

pendance, de son pouvoir de commander et de sa force dont elle a pris conscience. Il se traduit par un refus de se soumettre à l'autorité établie, une confiance exagérée en soi et par l'ambition dominatrice. C'est lui qui prononce le *Non serviam* et qui désorganise toute société, la famille comme la société civile, en détruisant la subordination qui est le principe de l'ordre et de la collaboration.

Il refuse ou rend difficile la soumission à l'égard de Dieu. Ou encore croyant à la puissance et à l'efficacité de ses efforts, même dans le domaine surnaturel, il ne comprend pas la parole de Jésus : « sans moi, vous ne pouvez rien faire [1] », ou celle de saint Paul : « c'est Dieu qui fait le vouloir et le faire [2] ». Ainsi l'orgueil de la volonté, en se refusant à toute soumission, s'oppose au règne de Dieu et à l'emprise de la grâce.

Seul, le Christ Jésus, venu pour servir et non pour être servi, qui s'est fait obéissant jusqu'à la mort et la mort de la Croix, peut apprendre par son exemple la noblesse et la valeur de la soumission. Mais les abaissements du Christ, lorsqu'il faut les partager, restent une folie pour les chrétiens tant que la lumière de Dieu n'est pas descendue sur leur âme.

Les premières oraisons contemplatives en révélant obscurément à l'âme une présence transcendante dans les flots suaves de la quiétude ou dans l'impuissance de la sécheresse, atteignent l'orgueil et enchaînent la volonté. Les grâces d'union des cinquièmes Demeures, qui font sombrer les facultés dans l'obscurité du divin d'où elles reviennent avec la certitude d'un contact avec Dieu, les brisent et la volonté désormais sera souple à tous les vouloirs de Dieu. Un long et rude labeur d'ascèse pourra suppléer à cette grâce mystique et mériter l'emprise divine qui réalisera l'union de volonté.

c) *Orgueil de l'intelligence.*

L'orgueil de la volonté s'appuie habituellement sur l'orgueil de l'intelligence. Le *Non serviam* des anges rebelles procédait d'une complaisance orgueilleuse en leur propre lumière. Fascinés par leur propre état, ces esprits n'eurent pas un regard pour la lumière éternelle de Dieu, et fixés dans cette attitude par la simplicité de leur nature, ils renoncèrent au face à face divin et se condamnèrent à la privation éternelle de Dieu. Le péché angélique est le péché de l'orgueil de l'esprit.

---

1. Jn 15, 5.
2. Ph 2, 13.

Ce péché trouve dans les déficiences de la nature humaine, soumise aux passions et au changement, une excuse et une possibilité de pardon et de repentir. Il reste cependant un péché des plus graves et des plus lourds de conséquences, car il procède de la faculté humaine la plus haute et la soustrait à la lumière divine dont la transcendance exige la soumission.

En dressant l'intelligence contre l'objet de la foi, le libre examen protestant a exalté l'orgueil de l'intelligence. En proclamant les droits absolus de la raison, la Révolution française en a fait un péché social. Les découvertes de la science, en paraissant justifier les prétentions de la raison à une domination suprême sur toutes les réalités d'ici-bas pour en exclure Dieu définitivement, en ont fait un péché quasi irrémissible pour la masse des esprits de notre temps.

Ce péché social dont les derniers fruits sont l'agnosticisme philosophique, le libéralisme politique et le laïcisme scolaire dont l'atmosphère est saturée, a pénétré dans les milieux les mieux préservés et s'y traduit par l'habitude de tout citer au tribunal du jugement propre et par la difficulté de se soumettre au simple témoignage de l'autorité. La foi devient ainsi plus exigeante de lumières distinctes et, moins soumise, elle chemine plus lentement dans l'obscur vers son objet divin. C'est cet orgueil, cause de l'apostasie des masses, qui à tant d'âmes assoiffées de lumière et de vie, refuse l'accès des sources qui pourraient apaiser leur soif ardente ; lui aussi, qui arrête tant de belles intelligences, croyantes cependant, devant des obscurités divines où l'on ne pénètre que par le regard simple de la contemplation.

L'orgueil de l'intelligence trouve cependant dans le contact avec la vérité et ses mystères, dans le commerce avec les savants et les grands esprits, un remède. L'étude de la vérité révélée et les actes de foi lui sont déjà une purification.

Mais il ne sera purifié profondément que par les envahissements de la lumière elle-même, douloureuse d'abord et obscure, en attendant qu'elle produise une demi-clarté d'aurore. Dès lors, que l'âme ait été éblouie par une suspension des facultés dans les clartés de l'infini, ou qu'elle ait souffert longuement dans l'obscurité de la ténèbre divine, elle a compris que Dieu est inaccessible à l'intelligence, que ses pensées et ses desseins ne sont pas nos pensées et nos desseins, et que la plus haute connaissance que nous puissions avoir de Dieu c'est de comprendre qu'Il est au-dessus de tout savoir et de toute intelligence. Respectueuse et amoureuse devant la Réalité divine, elle n'ose plus dresser les clartés de la raison et elle se réjouit de ne rien savoir, de ne rien pouvoir, de ne rien comprendre, afin qu'appuyée sur une foi plus pure et plus ferme elle puisse pénétrer plus profondément dans l'obscurité lumineuse des mystères qui lui sont proposés.

Dans ces régions où la connaissance défaille, l'orgueil de l'intelligence est purifié ; aussi la lumière arrive à flots dans l'âme qui découvre toutes choses en leur place dans la perspective d'éternité. Aussi sainte Thérèse ne peut-elle s'empêcher de souhaiter cette lumière à ceux qui ont la charge des grands intérêts des peuples :

> Bienheureuse l'âme que le Seigneur élève à l'intelligence de la vérité ! Oh, comme cet état est bien fait pour les rois !... Quelle équité ne verrait-on pas fleurir dans le royaume ! que de maux on éviterait ! combien auraient déjà été détournés ! [1]

Comment ne pas faire nôtres ces réflexions et ce souhait, alors que la décadence de la civilisation chrétienne, les désordres et les luttes qui affligent le monde trouvent leur source en de fausses lumières ou idéologies édifiées par l'orgueil de l'esprit ?

d) *Orgueil spirituel.*

De ce péché, de l'attitude qu'il crée et de son châtiment l'Évangile nous offre un exemple vivant dans la parabole du pharisien et du publicain [2] :

« Deux hommes montèrent au temple pour prier : l'un était pharisien, l'autre publicain ». Ainsi qu'il convient, le pharisien s'avance près du sanctuaire. S'il fût resté au fond du parvis on se serait étonné à bon droit, car c'est un homme religieux et considérable. Il prie ainsi : « O mon Dieu, je vous rends grâces de ce que je ne suis pas comme le reste des hommes qui sont voleurs, injustes, adultères, et en particulier comme ce publicain. Je jeûne deux fois par semaine, j'offre la dîme de tout ce que j'achète ». Certes, tout cela est la vérité et il ne se glorifie de rien qu'il ne fasse réellement. « Quant au publicain, se tenant à distance, il n'osait même pas lever les yeux au ciel, mais il se frappait la poitrine, disant : "O Dieu, ayez pitié de moi, pauvre pécheur !" ». Le publicain, ce voleur authentique et détesté, se met lui aussi en la place qui lui revient et confesse les péchés qu'il a commis. Tous deux sont vrais, mais le pharisien se glorifie de sa vertu, le publicain s'humilie de son péché. Dieu semble

---

1. *Vie*, ch. XXI, p. 211.
2. Lc 18, 10-14.

oublier et la vertu et le péché : Il ne voit dans le premier que la suffisance, dans le second que l'humilité. « Je vous le dis : celui-ci descendit chez lui plus justifié que l'autre ». *Divites dimisit inanes, exaltavit humiles...* Il élève les humbles et renvoie les riches les mains vides.

Ce pharisien, qui devant Dieu se glorifiera de ses œuvres spirituelles, se glorifiera devant Jésus de son attachement à la loi de Moïse et de cette filiation d'Abraham qui lui vaut de faire partie du peuple choisi entre tous. Cette fidélité orgueilleuse, qui s'est cristallisée en multiples pratiques extérieures, l'empêche de reconnaître celui que les patriarches et les prophètes eussent désiré voir et n'ont point vu, le Messie annoncé, le Verbe incarné lui-même qui se présente à lui.

L'orgueil spirituel se glorifie en effet non seulement de ses œuvres comme si elles étaient uniquement de lui, mais de ses privilèges spirituels. Appartenir à un état, à une famille religieuse qui compte de grands saints, qui possède une doctrine, une grande influence, est une noblesse qui oblige et peut aussi nourrir un orgueil spirituel qui stérilise et aveugle devant les manifestations nouvelles de la miséricorde divine.

Les dons spirituels personnels peuvent aussi servir de pâture à l'orgueil. Les grâces d'oraison enrichissent le contemplatif, laissent leur trace profonde dans l'âme, donnent un expérience précieuse, fortifient la volonté, affinent l'intelligence, augmentent la puissance d'action, assurent au spirituel un rayonnement puissant. Ces grâces sont reçues toujours dans l'humilité qu'elles créent et la reconnaissance qu'elles provoquent. La lumière qui les accompagne disparaît, leurs effets dans l'âme restent. La tentation peut venir ensuite, subtile et inconsciente. Elle vient presque nécessairement, tellement l'orgueil est tenace et le démon malin, d'utiliser ces richesses spirituelles pour s'exalter et paraître, pour servir un besoin d'affection ou de domination, ou simplement pour faire triompher des idées personnelles [1]. La personnalité idolâtre d'elle-même se substitue à Dieu lui-même, et ce qu'elle avait reçu pour être instrument et moyen, elle l'utilise pour s'imposer comme une fin et un dieu à elle-même et aux autres.

---

1. Dans une lettre adressée à sainte Thérèse qui lui avait demandé si on avait bien fait d'enlever la charge de maître des novices au P. Gabriel Espinel, qui faisait pratiquer à ses novices des mortifications publiques un peu étranges, et comment convaincre le Père de son erreur, le P. Bañez, après avoir approuvé et justifié la décision, ajoutait finement : « Quant à convaincre le Père, vous y parviendriez peut-être s'il n'était point spirituel ».

Contemplation et vie mystique

Corruptio optimi pessima. La corruption de ce qu'il y a de meilleur engendre le pire. On ne peut songer sans frémir à certaines chutes lamentables d'âmes favorisées de Dieu. Luther, nous semble-t-il, n'aurait pu édifier sa théorie de la foi-confiance qui justifie, s'il n'avait senti les débordements pacifiants de la miséricorde, et il n'aurait pu attaquer la religion en la frappant au point où la foi se greffe sur l'intelligence s'il n'eût précédemment découvert en une purification de la foi, au moins ébauchée, la vulnérabilité de ce point d'intersection du naturel et du surnaturel. Et d'autres sont venus, avant et après Luther, utilisant les privilèges de leur intimité avec le Maître sinon pour le trahir comme Judas par un baiser, du moins pour nourrir leur orgueil et faire triompher leur personnalité.

N'est-ce pas parce qu'ils auront profité pour eux-mêmes des charismes dont ils auront été favorisés que le souverain Juge prononcera cette sentence étonnante, mais qu'il annonce Lui-même :

Ils seront nombreux à me dire en ce jour-là : Seigneur, Seigneur, n'avons-nous point fait des prophéties en votre nom ? en votre nom n'avons-nous point expulsé les démons ? en votre nom n'avons-nous point accompli quantité de prodiges ? Et alors je leur déclarerai hautement : Jamais je ne vous ai connus. Éloignez-vous de moi, vous tous, artisans d'iniquité ! [1].

Malheur donc à cet orgueil spirituel qui s'établit sur les dons de Dieu. La jalousie divine s'exerce avec d'autant plus de sévérité que les biens qui lui sont soustraits par l'orgueil sont plus élevés, plus gratuits et plus purement l'œuvre de Dieu lui-même. La miséricorde se montre plus jalouse que la justice. Lésée par l'orgueil, elle se montre plus exigeante pour les faveurs surnaturelles dont il jouit que pour les dons naturels et les vertus qu'il s'attribue en propre.

Le pharisien, qui étale orgueilleusement ses œuvres, s'en va les mains vides. Le même pharisien, qui se glorifie du privilège qui l'a fait fils d'Abraham, est aveugle devant la lumière du Verbe ; le prophète qui a joui de son charisme va au feu éternel.

Seuls les saints, qui ont vu sous la lumière de Dieu la gravité d'un tel orgueil, peuvent nous expliquer les exigences de Dieu sur ce point et la sévérité de telles sentences. Écoutons sainte Thérèse de l'Enfant-Jésus, à la fin de sa vie, alors qu'elle était parvenue à l'union transformante

---

1. Mt 7, 22-23.

Ma Mère, disait-elle, si j'étais infidèle, si je commettais seulement la moindre infidélité, je sens que je le paierais par des troubles épouvantables, et je ne pourrais plus accepter la mort [1].

A juste raison on s'étonnait de cet aveu dans la bouche de l'apôtre de la confiance et de la miséricorde, qui avait écrit que les fautes les plus graves ne sauraient arrêter le mouvement de sa confiance filiale à l'égard de Dieu :

De quelle infidélité voulez-vous parler ? lui dit-on. D'une pensée d'orgueil entretenue volontairement, répondit-elle ; si je me disais, par exemple : j'ai acquis telle vertu, je suis certaine de pouvoir la pratiquer ; car alors ce serait s'appuyer sur ses propres forces, et quand on en est là, on risque de tomber dans l'abîme... Si je disais : O mon Dieu, je vous aime trop, vous le savez bien, pour m'arrêter à une seule pensée contre la foi, mes tentations deviendraient plus violentes et j'y succomberais certainement [2].

Dans la lumière des sommets, sainte Thérèse de l'Enfant-Jésus se rendait compte qu'un péché d'orgueil spirituel pouvait ébranler le magnifique édifice de sa perfection et arrêter le torrent débordant de la miséricorde divine sur son âme parvenue à l'union transformante !

La réponse de saint Jean de la Croix au Christ qui lui demandait ce qu'il désirait comme récompense, ne nous révèle-t-elle pas les craintes intérieures du Saint, de même nature que celles de sainte Thérèse de l'Enfant-Jésus : « Point autre chose, Seigneur, que souffrir et être méprisé ». Qu'est-ce à dire sinon que le Saint, parvenu lui aussi à l'union transformante et au plein épanouissement de sa grâce de Docteur, craignait encore ces vapeurs d'orgueil que le démon pouvait faire monter de la prise de conscience de son état et de la fécondité de sa grâce, qui eussent voilé l'intimité de son union et l'eussent arrêté dans sa marche vers les profondeurs de Dieu.

Subtilités ! dira-t-on. Oui, peut-être, pour nos âmes encore peu spirituelles, mais réalités perçues en un relief puissant et horrible par le regard purifié des saints. Aussi sainte Angèle de Foligno disait en son testament spirituel à ceux qui l'entouraient :

Mes enfants, soyez humbles ; mes enfants, soyez doux. Je ne parle pas de l'acte extérieur, je parle des profondeurs du cœur. Ne vous inquiétez ni des honneurs, ni des dignités. O mes enfants, soyez petits pour que le Christ vous exalte dans sa perfection et dans la vôtre... Les dignités qui enflent l'âme sont vanités qu'il faut maudire. Fuyez-les, car elles sont dangereuses ; mais, écoutez, écoutez. Elles sont moins dangereuses que les vanités spirituelles.

---

1. A Mère Agnès de Jésus, *Dern. Ent.*, CJ 7.8.4.
2. *Ibid.*

Contemplation et vie mystique

Montrer qu'on sait parler de Dieu, comprendre l'Écriture, accomplir des prodiges, faire parade de son cœur abîmé dans le divin, voilà la vanité des vanités, et les vanités temporelles sont après cette vanité suprême de petits défauts vite corrigés[1].

Ils sont immenses et terribles en effet les ravages de l'orgueil spirituel dans le monde des âmes. Si, habituellement, seules les grâces extraordinaires lui permettent d'accumuler les ruines, elles sont nombreuses les âmes satisfaites d'elles-mêmes, se complaisant dans les grâces reçues et les résultats obtenus, qu'il arrête définitivement dans les voies spirituelles en détruisant les ardeurs de l'espérance et le dynamisme nécessaire aux ascensions.

C. — MOYENS POUR ACQUÉRIR L'HUMILITÉ

Les maux graves dont il est la source, les formes de plus en plus subtiles sous lesquelles il se dissimule doivent créer chez le spirituel la crainte salutaire et comme la hantise de l'orgueil, tandis que les richesses divines qu'attire l'humilité la lui rendent souverainement désirable. Comment acquérir cette vertu ? Nous ne pouvons que traiter brièvement ce problème pratique, maintes fois d'ailleurs abordé.

Dès les premières Demeures sainte Thérèse a souligné que l'âme doit établir les fondements de l'humilité sur la connaissance de soi. L'examen de conscience doit fournir les données de cette connaissance de soi.

Toutefois la Sainte nous avertit dès le début que la connaissance de soi la plus profonde n'est point acquise par une introspection directe, mais par le regard sur les perfections de Dieu. Elle nous met en garde contre les fausses humilités entretenues par le démon, qui prolongent les repliements sur soi inutiles, produisent la contrainte dans l'action et engendrent finalement le découragement[2].

D'ailleurs l'examen de conscience ne saurait produire que l'humilité raisonnable. Or, c'est l'humilité fervente dont l'âme a besoin dans les régions de la vie spirituelle où nous sommes parvenus.

1. Cette humilité fervente est *le fruit de la lumière de Dieu* sur l'âme. Il serait donc vain de prétendre l'acquérir par ses propres efforts.

---

1. *Sainte Angèle de Foligno*, trad. Hello, pp. 341-342.
2. Cf. *Perspectives*, ch. III, « Connaissance de soi » : moyens de l'acquérir, p. 49.

De plus l'orgueil est un ennemi subtil, qui semble se dérober à toute atteinte, fuyant toujours plus loin en des régions plus profondes de l'âme. Il se relève plus dangereux sous les coups qu'on lui porte, se glorifiant des triomphes de l'humilité qui croyait l'avoir abattu.

Cependant, bien que les actes d'humilité n'aient par eux-mêmes qu'une efficacité relative, ils sont un témoignage de notre bonne volonté que Dieu agrée et qu'il récompense par des grâces efficaces.

Dès que vous êtes tentée (d'orgueil), écrit sainte Thérèse, suppliez la supérieure de vous commander quelques offices bas, ou de vous-mêmes faites-les de votre mieux, étudiez la manière de briser votre volonté dans les choses qui lui répugnent et que le Seigneur vous découvrira ; de la sorte la tentation durera peu [1].

Il n'est pas rare en effet que la grâce coule abondante de gestes et d'attitudes d'humilité qui voulaient être sincères, et dans lesquels s'exprimaient surtout des désirs de vérité et de lumière.

2. *La prière* est le moyen recommandé par Notre-Seigneur pour obtenir les faveurs divines :

Quel remède avons-nous, mes sœurs, contre cette tentation ? Le meilleur semble être celui que notre Maître nous enseigne. Il nous dit de prier et de supplier le Père éternel de ne pas permettre que nous succombions à la tentation [2].

Le pauvre, conscient de sa misère, tend la main. L'orgueilleux qui voit son orgueil doit se faire mendiant de la lumière de vérité qui crée l'humilité, et sa prière doit se faire d'autant plus instante que l'orgueil est plus grand et que l'humilité est le fondement et la condition de tout progrès spirituel. Fréquemment la sainte Église met sur les lèvres du religieux l'ardente supplication du *Miserere*, demande de pardon et de lumière dans le péché ; constamment l'orgueilleux, conscient de son péché que Dieu a maudit, doit se ranger à la dernière place parmi les pécheurs pour attirer sur lui un regard de la Miséricorde divine. L'orgueil qui a pris l'habitude de supplier humblement fait jaillir de lui-même une source de lumière et de vie [3].

3. Il est nécessaire de demander la lumière d'humilité. Il n'importe pas moins de *la bien recevoir*. Lorsque l'âme

---

1. *Chem. Perf.*, ch. XIII, pp. 641.
2. *Ibid.*, ch. XL, p. 783.
3. Sainte Thérèse de l'Enfant-Jésus a composé une « Prière pour obtenir l'humilité » (Pri 20, 16 juillet 1897).

vit placée sous cette lumière à la fois purifiante et humiliante qui lui découvre le mal qui est en elle, lorsque

> son indignité lui apparaît évidente, comme, dans un appartement où
> le soleil donne en plein, il n'est aucune toile d'araignée qui puisse
> demeurer cachée ; (qu') elle découvre la profondeur de sa misère,
> (et qu') elle est tellement éloignée de la vaine gloire qu'il lui semble
> impossible d'en avoir [1],

elle doit remercier Dieu avec effusion de cette lumière et
conserver précieusement la conviction savoureuse qu'elle
lui apporte. C'est une réponse à la prière.

4. Il est une autre réponse divine, moins savoureuse
parfois, mais que la même reconnaissance doit accueillir :
c'est l'*humiliation* elle-même.

Ces humiliations que nous apportent nos déficiences,
nos tendances peut-être déjà rétractées, nos défaites, ou
même les erreurs sinon la malveillance du prochain, sont
de précieux témoignages de la sollicitude de Dieu qui use
pour la formation des âmes de toutes les ressources de sa
puissance et de sa sagesse. Comment les juger autrement
lorsqu'on voit toute grâce profonde jaillir de l'humiliation
comme de son terrain normal ? Les accepter est un devoir ;
en remercier Dieu indique qu'on en a compris la valeur ;
les demander avec saint Jean de la Croix, c'est déjà être
avancé dans les profondeurs de la sagesse divine.

> ... rangeons-nous humblement, dit sainte Thérèse de l'Enfant-Jésus,
> parmi les imparfaits, estimons-nous de petites âmes qu'il faut que
> le bon Dieu soutienne à chaque instant... Il suffit de s'humilier, de
> supporter avec douceur ses imperfections : voilà la vraie sainteté [2].

« Apprenez de moi que je suis doux et humble de cœur »
proclame Jésus. L'humilité et la douceur sont ses vertus
caractéristiques, le parfum personnel de son âme, celui qu'il
laisse sur son passage et qui indique les lieux où il règne.

L'humilité du Christ Jésus, humilité fervente par
excellence, procède de la lumière du Verbe qui habite
corporellement en lui et l'écrase de sa transcendance. Car
entre la nature divine et la nature humaine du Christ Jésus,
unies par les liens de l'union hypostatique, subsiste la
distance de l'Infini... Cet Infini écrase l'humanité et la
plonge en des abîmes d'adoration et d'humilité où nul

---

1. *Vie*, ch. XIX, p. 182.
2. Lettre à sœur Geneviève, 7 juin 1897.

autre ne saurait le suivre, car nul autre n'a contemplé de si près et si profondément l'Infini.

Mais cet infini est amour qui se donne, onction qui se répand. Aussi l'écrasement qu'il produit est-il suave, paisible et béatifiant. Le Christ Jésus est aussi doux qu'il est humble.

Humilité et douceur, force et suavité, parfum du Christ [1] et aussi parfum de l'humilité fervente, c'est déjà le signe authentique de contacts divins et un appel discret mais pressant à de nouvelles visites de la Miséricorde de Dieu.

---

1. Avec beaucoup de pénétration, l'abbé Huvelin, directeur du P. de Foucauld, disait que le christianisme réside tout entier dans l'humilité aimante.

CHAPITRE CINQUIÈME

Le silence

*Le Père céleste a dit une seule parole : c'est
son Fils. Il la dit éternellement et dans un
éternel silence. C'est dans le silence de l'âme
qu'elle se fait entendre*[1].

Le don de soi provoque la Miséricorde divine ;
l'humilité augmente la capacité réceptive de l'âme ; le
silence assure à l'action de Dieu toute son efficacité.

Dès les premières Demeures sainte Thérèse nous a fait
entendre que le recueillement était nécessaire pour
découvrir la présence de Dieu dans l'âme et les richesses
qu'Il y a déposées. En cette deuxième phase, le besoin
de silence devient impérieux. Il suffisait autrefois de se
recueillir de temps en temps ; un recueillement aussi
fréquent et aussi constant que l'action de Dieu devient
maintenant nécessaire.

Nous devons donc parler du silence. L'importance et les
difficultés du sujet pourraient nous entraîner en de longs
développements. Nous n'oublierons pas qu'il y aurait quelque
illogisme à traiter longuement du silence. Cependant, pour
donner l'essentiel et le plus pratique en cette matière, deux
chapitres semblent nécessaires. Le premier dira la
nécessité et les formes du silence ; le deuxième étudiera
les rapports du silence et de la solitude.

A. — *NÉCESSITÉ DU SILENCE*

Toute tâche qui exige une application sérieuse de nos
facultés suppose le recueillement et le silence qui le rend
possible. Le savant a besoin de silence pour préparer ses
expériences, pour en noter avec soin les conditions et les

1. Saint Jean de la Croix, *Maxime* 307, p. 1226.

résultats. Le philosophe se recueille dans la solitude pour ordonner et pénétrer ses pensées.

Ce silence que cherche avidement le penseur pour donner à la réflexion toutes ses énergies intellectuelles, sera encore plus nécessaire au spirituel pour appliquer toute son âme à la recherche de son divin objet.

Dans le sermon sur la montagne, Jésus nous a dit la nécessité de la solitude pour la prière.

Lorsque tu voudras prier, entre dans ta chambre, et, ayant fermé la porte sur toi, prie ton Père dans le secret, et ton Père qui voit dans le secret t'exaucera [1].

La prière contemplative propre aux régions auxquelles nous sommes parvenus, a des exigences plus particulières de silence et de solitude. La sagesse divine dans la contemplation n'éclaire pas seulement l'intelligence, elle agit sur l'âme tout entière. Aussi elle exige de cette dernière une orientation de l'être, un recueillement et un apaisement de ce qu'il y a de plus profond en elle, pour recevoir l'action de ses rayons transformants.

En une formule frappée qui ne peut qu'éveiller des échos profonds en toute âme contemplative, saint Jean de la Croix a énoncé cette exigence divine. Il écrit :

Le Père céleste a dit une seule parole : c'est son Fils. Il la dit éternellement et dans un éternel silence. C'est dans le silence de l'âme qu'elle se fait entendre [2].

« Dieu voit dans le secret » avait dit Notre-Seigneur. Saint Jean de la Croix ajoute : Dieu réalise ses opérations divines dans le silence. Le silence est une loi des opérations divines les plus hautes : la génération éternelle du Verbe et la production dans le temps de la grâce, qui est une participation du Verbe.

Cette loi divine nous surprend. Elle va tellement à l'encontre de notre expérience des lois naturelles du monde ! Ici-bas, toute transformation profonde, tout changement extérieur produit une certaine agitation et se fait dans le bruit. La fleuve ne saurait atteindre l'océan qui est son but que par le mouvement de ses flots, qui s'y portent en mugissant.

Dans la Trinité sainte la génération du Verbe, splendeur du Père qui s'épand parfaitement en cette nappe lumineuse et limpide qu'est le Fils, la procession du Saint-Esprit, cette spiration commune du Père et du Fils en

---

1. Mt 6, 6.
2. Saint Jean de la Croix, *Maxime* 307, p. 1226.

des torrents infinis d'amour qui constituent la troisième Personne, se réalisent au sein de la Trinité dans le silence et la paix de l'immutabilité divine en un éternel présent qui ne connaît pas la succession. Aucun mouvement, aucun changement, aucun souffle léger ne signale au monde et aux sens les plus affinés des créatures, ce rythme de la vie trinitaire dont la puissance et les effets sont infinis.

Devant cette immobilité et ce silence éternels qui cachent le secret de la vie intime de Dieu, le psalmiste s'écrie : « *Tu autem idem Ipse es* : Vous, ô mon Dieu, vous restez toujours le même [1] », tandis que le monde change sans cesse de visage.

Il faudra attendre la vision face à face pour entrer parfaitement dans la paix de l'immutabilité divine. Toutefois, déjà dès ici-bas, la participation à la vie divine par la grâce nous soumet à la loi du silence divin. C'est dans le silence, ajoute saint Jean de la Croix, que le verbe divin qu'est la grâce en nous, se fait entendre et qu'il est reçu.

Le baptême opère une création merveilleuse dans l'âme de l'enfant. Une vie nouvelle lui est donnée, qui va lui permettre de poser des actes divins de fils de Dieu. Nous avons entendu la parole du prêtre « Je te baptise... », nous avons vu l'eau couler sur le front de l'enfant ; mais de la création de la grâce qui n'exige rien moins que l'action personnelle et toute-puissante de Dieu, nous n'avons rien perçu. Dieu a prononcé son verbe en l'âme dans le silence.

C'est dans la même obscurité silencieuse que se font habituellement les développements successifs de la grâce.

Lorsqu'en certaines visites divines l'obscurité se transforme en pénombre, parmi les richesses qu'elle découvre en les savourant, l'âme trouve toujours une expérience de ce silence divin. Les passages de Dieu sont toujours précédés du recueillement passif qui rend les facultés attentives. Ils se font dans le silence, et l'impression qui disparaît la dernière est une saveur de paix et de silence.

Mais, laissons à la poésie de saint Jean de la Croix le soin de traduire ces hautes expériences :

> L'Aimé, c'est pour moi les montagnes,
> Les vallons boisés, solitaires,
> Toutes les îles étrangères
> Et les fleuves retentissants,
> C'est le doux murmure des brises caressantes.

---

1. Ps 101, 28.

> Il est pour moi la nuit tranquille,
> Semblable au lever de l'aurore,
> La mélodie silencieuse
> Et la solitude sonore,
> Le souper qui récrée en enflammant l'amour [1].

En cette richesse et variété de symboles, que chercher sinon la traduction musicale de l'onction spirituelle et du silence suave dans lequel la touche de Dieu a plongé l'âme ?

Pour le spirituel qui a goûté Dieu, silence et Dieu semblent s'identifier. Car Dieu parle dans le silence et seul le silence paraît pouvoir exprimer Dieu.

Aussi pour retrouver Dieu, où irait-il sinon dans les profondeurs les plus silencieuses de lui-même, en ces régions si cachées que rien ne peut plus les troubler.

Lorsqu'il y est parvenu, avec un soin jaloux, il préserve ce silence qui donne Dieu. Il le défend contre toute agitation même de ses propres puissances. Avec saint Jean de la Croix il s'écrie :

> Oh ! vous, les nymphes de Judée,
> Quand dans les rosiers en fleurs
> L'ambre déverse ses senteurs,
> Ne dépassez pas les faubourgs.
> De toucher notre seuil n'ayez pas la pensée [2].

Les puissances sensitives bruyantes étant maintenues à l'extérieur dans leur domaine, l'âme supplie Dieu de ne pas faire descendre sur elles les grâces et les lumières qu'il répand, afin que ces communications ne soient pas viciées par ce contact et ne fassent pas sortir les puissances intérieures de leur silence :

> Tiens-toi bien caché, doux Ami !
> Présente ta face aux montagnes
> Et ne dis mot, je t'en supplie [3].

C'est ce mouvement de l'âme vers les profondeurs silencieuses pour y abriter jalousement la pureté de son contact avec Dieu, qui est esquissé en ces strophes du Docteur mystique.

Cette aspiration au silence se retrouve chez tous les mystiques. Pourrait-on croire que quelqu'un a touché Dieu s'il ne la trouvait pas en lui ? Tous les maîtres en ont affirmé l'exigence, chacun en son langage symbolique particulier.

1. Saint Jean de la Croix, *Cant. Spir.*, str XIII et XIV (trad. M. Marie du S.-S').
2. *Ibid.*, str. XXXI (même trad.).
3. *Ibid.*, str. XXXII (même trad.).

Contemplation et vie mystique

Sainte Thérèse distingue sept Demeures successives et c'est dans la septième, la plus intime, que se réalise l'union profonde. Tauler nous signale ce vouloir foncier, plus profond que les facultés actives. Ruysbrœck et sainte Angèle de Foligno parlent d'altitude et de profondeur, de double abîme, qui s'engendrent mutuellement. Saint Jean de la Croix, après avoir fait remarquer que l'âme n'a ni haut ni bas, nous dit que « le centre le plus profond de l'âme » là où s'épanouit la joie de l'Esprit Saint, la limite à laquelle l'âme peut atteindre, c'est Dieu au centre d'elle-même [1].

Mais je ne sais si l'hagiographie nous révèle une expérience plus pure et des exigences plus profondes de silence que celles que nous découvre la vision de l'Horeb chez le prophète Élie.

Fuyant la colère de Jézabel et réconforté par le pain de l'ange, le prophète avait marché pendant quarante jours dans le désert et était parvenu à l'Horeb, la montagne de Dieu par excellence, sur laquelle Iahweh s'était manifesté plusieurs fois à Moïse. Et

voici que la parole du Seigneur se fait entendre à lui, lui disant : sors, et tiens-toi sur la montagne devant le Seigneur ; voici que le Seigneur passe. Et il se fit un vent violent et impétueux renversant les montagnes et brisant les rochers : le Seigneur n'est pas dans le vent. Et après le vent il y eut un tremblement de terre. Le Seigneur n'est pas dans le tremblement de terre. Après le tremblement de terre il y eut du feu. Le Seigneur n'est pas dans le feu. Après le feu il y eut le souffle léger de la brise. Lorsqu'Élie l'eut entendu, il se couvrit la face de son manteau, et étant sorti de la caverne il se tint à l'entrée [2].

Ce sont les théophanies sinaïtiques dont Moïse avait été le témoin, qui se renouvellent devant Élie sur la même montagne : le grand vent qui brise les rochers, le tremblement qui ébranle la terre, le feu qui embrase le ciel et l'âme du prophète. Élie ne s'émeut pas. Dieu lui a annoncé qu'il allait passer. Ces visites bruyantes et extérieures ne suffisent pas à son âme purifiée, avide de divin plus pur et plus profond que celui qui ébranle les sens en se revêtant de formes extérieures et sensibles. Le Seigneur qu'il désire et attend n'est pas dans le vent, pas plus que dans le tremblement de terre, pas même dans le feu qui symbolise si bien le Dieu des armées et la grâce du prophète qui se leva comme une flamme et dont la parole brûlait comme une torche.

---

1. *Vive Fl.*, str. 1, pp. 918-922.
2. 1 R 19, 11-13.

Mais voici le souffle léger. Élie le prophète, à la rudesse extérieure souvent violente, mais à l'âme si haute et si délicate au regard de foi pénétrant et purifié, cache sa face sous son manteau pour se recueillir. Son attente n'est point déçue. Dieu est passé et s'est manifesté hautement et purement comme il le désirait. Il nous faut entendre saint Jean de la Croix, spécialiste du divin, commenter cette perception de Dieu pour en connaître la qualité :

Les connaissances que Dieu communique à l'âme par l'ouïe intérieure sont très élevées et très certaines. Aussi saint Paul pour nous faire comprendre la sublimité de la révélation qu'il avait reçue, n'a pas dit : « *vidi arcana verba* », et moins encore « *gustavi arcana verba* », mais « *audivi arcana verba quae non licet homini loqui* : j'ai entendu des secrets qu'il n'est pas permis à l'homme de raconter[1] ». On pense qu'il a vu Dieu alors comme notre père saint Élie l'avait vu dans le murmure léger du zéphire. Car, de même que la foi, ainsi que l'enseigne saint Paul, nous parvient par l'oreille du corps, de même aussi ce que nous dit la foi, ou la substance elle-même de la vérité toute comprise nous est donnée par l'ouïe spirituelle[2].

Incomparablement au-dessus de toute expérience prophétique il faut placer celle du Christ Jésus, en qui la nature humaine était hypostatiquement unie à la nature divine et en jouissait par la vision béatifique. Aussi comment n'aurait-il pas éprouvé un besoin constant de se réfugier dans le silence qui lui permettait de se livrer exclusivement à l'emprise du Verbe et aux flots de son onction qui coulaient en lui silencieusement ? La retraite pendant près de trente ans à Nazareth, le séjour au désert pendant quarante jours avant la vie publique comme pour accumuler des réserves de silence, ces retours fréquents à la solitude dans le calme de la nuit comme pour les renouveler, s'expliquent bien plus par ce besoin foncier, par ce poids de Dieu qui l'entraîne en ces régions où Il vit et se donne, que par un besoin de lumière ou de force pour l'accomplissement de sa mission.

Assoiffée de Dieu parce qu'elle aussi l'avait déjà trouvé, sainte Thérèse était au même degré avide de silence. La fondation du monastère de Saint-Joseph d'Avila, le premier de sa Réforme, procède de ce besoin. Au monastère de l'Incarnation l'absence de clôture, le grand nombre de religieuses, la mitigation de la Règle avaient tué le silence dont Thérèse et le Christ Jésus avaient besoin l'un et l'autre pour cultiver leur intimité et s'unir parfaitement.

---

1. 2 Co 12, 4.
2. *Cant. Spir.*, str. XIII et XIV, Explication, p. 761.

Contemplation et vie mystique

Thérèse quittera donc le monastère où elle a vécu près de trente ans. D'ailleurs n'est-ce pas pour retrouver l'idéal primitif du Carmel et l'observance parfaite de sa Règle ? Le Carmel vient du désert et en garde non seulement la nostalgie, mais un besoin réel pour vivre et s'épanouir. Sainte Thérèse se proclame de la race de ces ermites qui habitaient la sainte montagne et dont saint Albert, patriarche de Jérusalem, a codifié les mœurs monastiques en une Règle qui insiste longuement sur le silence.

Pour revivre cet idéal primitif sainte Thérèse va créer le désert. Elle l'établira au sein des villes. C'est la pensée maîtresse qui préside à l'organisation du monastère de Saint-Joseph d'Avila, le triomphe du génie pratique de la Sainte.

Le monastère sera pauvre, parce qu'on ne va pas chez les pauvres ; la clôture y sera rigoureuse. On n'y travaillera pas en commun, mais chaque religieuse aura sa cellule. L'enclos sera grand et on y établira des ermitages où l'on trouvera à certaines heures plus de solitude. Ces couvents seront les paradis de l'intimité divine, où le Christ Jésus viendra se reposer dans le silence auprès des siens. En ses voyages la Sainte garde le même souci de silence pour que l'atmosphère reste divine autour d'elle et de ses filles.

En notre vingtième siècle le contemplatif songe avec un peu de mélancolie à l'époque où sainte Thérèse, voyageant à travers les campagnes désertes sur un char à bœufs organisé en cellule carmélitaine, sentait encore le besoin d'avoir ses heures de recueillement et demandait aux conducteurs de les respecter. Nous vivons dans la fièvre du mouvement et de l'activité. Le mal n'est pas seulement dans l'organisation de la vie moderne, dans la hâte qu'elle impose à nos gestes, la rapidité et la facilité qu'elle assure à nos déplacements. Un mal plus profond se trouve dans la fièvre et la nervosité des tempéraments. On ne sait plus attendre ni être silencieux. Et cependant on semble chercher le silence et la solitude ; on quitte le milieu familier pour chercher de nouveaux horizons, une autre atmosphère. Ce n'est le plus souvent que pour se divertir en de nouvelles impressions.

Quels que soient les changements des temps, Dieu reste le même, *Tu autem idem Ipse es*, et c'est toujours dans le silence qu'Il prononce son Verbe et que l'âme doit le recevoir. La loi du silence s'impose à nous comme à sainte Thérèse. La fièvre et la nervosité du tempérament moderne la rendent plus impérieuse et nous obligent à un effort plus énergique pour la respecter et nous y soumettre.

B. — *FORMES DU SILENCE*

Il est un silence extérieur de la langue et de l'activité naturelle et un silence des puissances intérieures de l'âme. Chacune de ces formes de silence a ses règles si particulières que l'étude doit en être faite séparément.

I. — *Silence de la langue.*

Dans le langage courant, être silencieux veut dire se taire. Ceci indique l'importance de la mortification de la langue pour la pratique du silence.

De la langue on a pu dire qu'elle est ce qu'il y a de meilleur et de pire. Source de biens incomparables, elle provoque les maux les plus graves. L'apôtre saint Jacques le dit énergiquement en son épître :

Nous avons beau commettre tous beaucoup de fautes, écrit-il, si quelqu'un ne pèche point en paroles, c'est un homme parfait, capable dès lors de refréner le corps tout entier. Quand nous avons passé le frein à la bouche d'un cheval pour nous en faire obéir, nous en sommes maîtres et nous gouvernons à plaisir toute la bête. Voyez encore les navires, tout grands qu'ils sont et poussés par des vents impétueux : ils sont conduits par un gouvernail de rien au gré du pilote. Ainsi la langue, bien qu'elle soit un membre exigu, compte à son actif de grandes choses. N'est-ce pas une étincelle qui met le feu à une grande forêt ? La langue elle aussi est un feu... Bêtes sauvages et oiseaux, reptiles et animaux marins, toutes les espèces en ont été domptées et le sont encore par l'homme ; la langue, elle, nul homme ne peut la dompter... Si elle nous sert à bénir le Seigneur notre Père, nous nous en servons aussi pour maudire les hommes faits à la ressemblance de Dieu [1].

Le réquisitoire est vigoureux et complet. Insister sur la gravité des péchés de la langue qu'il signale serait sans doute hors de propos car les âmes d'oraison, au stade où nous sommes parvenus, sont amendées sur ce point ou du moins suffisamment averties. Mais combien cet enseignement sur l'importance et les difficultés de la mortification de la langue nous est précieux et va directement à notre sujet !

La parole extériorise en les exprimant pour les communiquer les pensées et les sentiments, ce que l'âme a de plus intime et de plus personnel.

---

1. Jc 3, 2-9.

Contemplation et vie mystique

Cette communication peut être un bienfait pour celui qui donne et pour celui qui reçoit. Chez le premier, l'amour qui donne s'épanouit, trouve force et joie. Le deuxième s'enrichit de lumière et de tout ce que l'amour donne en s'épanchant. Ces échanges par la parole sont à la base de la vie sociale, de toute éducation, du progrès en tous les domaines, y compris les développements de la foi. La foi vient de l'ouïe, remarque l'apôtre saint Paul, et comment pourrait-on croire s'il n'y avait point de prédication ?

Mais l'excès est nuisible. La mortification de la langue doit intervenir pour maintenir la juste mesure en ces échanges.

L'expression qui extériorise met à nu les profondeurs de l'âme. Pour un instant la profondeur a disparu, sa pénombre et son silence sont dissipés. Notre Dieu, qui s'est réfugié dans les profondeurs de l'âme et a localisé son action créatrice de vie divine en cette pénombre et en ce silence, semble gêné par cette extériorisation.

De même la communication venue de l'extérieur, qui devrait enrichir, ne fait parfois que troubler le silence de l'âme et le travail divin en y apportant des inutilités dissipantes, des sujets de tentation, bref, des causes d'agitation qui augmentent les difficultés du recueillement intérieur et risquent de paralyser l'action divine.

Du dommage causé par les conversations, l'âme peut être avertie par un malaise. Sainte Thérèse de l'Enfant-Jésus avoue avoir été longuement attristée pour avoir laissé échapper le secret de la beauté et du sourire de la Vierge qu'elle avait contemplés. Qui n'a senti le parfum d'une oraison plus intime ou d'un contact dans la communion disparaître dans une conversation oiseuse ? Ces expériences particulières nous signalent un dommage qui est habituel en pareil cas, bien qu'il ne soit pas perçu.

Aussi le bavardage, cette tendance à extérioriser tous les trésors de l'âme en les exprimant, est souverainement nuisible à la vie spirituelle. Son mouvement est en direction inverse de celui de la vie spirituelle qui s'intériorise sans cesse pour se rapprocher de Dieu. Emporté vers l'extérieur par son besoin de tout dire, le bavard ne peut qu'être loin de Dieu et de toute activité profonde. Toute sa vie de fond passe sur ses lèvres et s'écoule dans les flots de paroles qui emportent les fruits de plus en plus pauvres de sa pensée et de son âme. Car le bavard n'a plus le temps, et bientôt plus le goût, de se recueillir, de penser, ni de vivre profondément. Par l'agitation qu'il crée autour de lui, il empêche chez d'autres le travail et le recueillement féconds. Superficiel et vain, le bavard est un être dangereux.

On ne saurait d'ailleurs appeler bavardage les conversations, seraient-elles prolongées, qu'imposent le devoir d'état et la charité bien réglée. Maints contemplatifs authentiques furent des gens mêlés au monde ou des écrivains abondants, tels saint Vincent Ferrier, saint Bernardin de Sienne, saint François de Sales, sainte Thérèse elle-même et saint Jean de la Croix. En ces extériorisations nécessaires et charitables, le spirituel trouve un moyen de communier à la volonté de Dieu et il aura l'heureuse surprise, en revenant vers les profondeurs de son âme, d'y retrouver l'Esprit de Dieu éveillé qui l'attendait pour fêter son retour.

Par contre les dangers du bavardage ne sont point bannis des entretiens spirituels, des relations de notre vie intime avec Dieu. Certes, communiquer ses dispositions et les grâces reçues est parfois un devoir ; c'est habituellement le seul moyen de les soumettre au contrôle de la direction et d'en recevoir lumière et secours. Les confier à un cahier aide à les préciser, en découvre parfois la richesse et permet de les retrouver en des heures moins lumineuses. Et cependant l'austère Règle du Carmel, à la suite d'Isaïe, sans méconnaître ces bienfaits et ces nécessités, proclame : votre force sera dans le silence et dans l'espérance [1] ; dans le silence qui garde intactes et pures les énergies de l'âme et les préserve de la dispersion ; dans l'espérance qui tend vers Dieu pour y chercher lumière et appui. Les longs épanchements spirituels dispersent en effet les lumières et les forces reçues, et, par conséquent, affaiblissent. A dire longuement on gaspille, et l'âme se vide. A exprimer jusqu'à satiété à Dieu les sentiments ardents d'une communion fervente, l'âme se démunit de forces pour l'action : toute la vigueur puisée en Dieu est partie en ce flot savoureux de paroles.

La discrétion devra présider aussi aux relations écrites (soit pour soi-même, soit pour le directeur) pour qu'elles ne soient ni trop fréquentes, ni trop abondantes. Cette analyse et la prise de conscience plus nette qui en sont le fruit ne sont-elles pas souvent plus nuisibles qu'utiles ? Elles imposent un retour sur soi, un arrêt par conséquent dans la marche vers Dieu. Elles risquent de fournir un aliment à l'orgueil et à la gourmandise spirituelle auxquels n'échappent guère les commençants. A chacun de voir si

---

1. Is 30, 15.

ces relations ne sont pas surtout des miroirs flatteurs dans lesquels l'âme s'étale et se retrouve avec complaisance, et si on n'utiliserait pas mieux les dons de Dieu en les laissant derrière soi dans la pénombre ou dans l'oubli, pour marcher directement vers Dieu lui-même.

Cultus justitiae silentium est : le silence est à la fois un fruit et une exigence de la sainteté. Aussi sainte Thérèse avertit maintes fois les débutants du danger que leur fait courir leur désir d'apostolat [1]. Pour donner sans s'épuiser ils devront attendre de pouvoir renouveler sans cesse leurs forces à la source divine par une union habituelle.

« Je ne veux pas être une bavarde spirituelle, écrit Élisabeth Leseur. Je veux conserver ce grand calme de l'âme... Ne donner de soi que ce qui peut être reçu avec profit par les autres, garder le reste dans les coins profonds comme l'âme garde son trésor, mais avec l'intention de le donner lorsque l'heure sera venue ». Sainte Thérèse d'Avila et sainte Thérèse de l'Enfant-Jésus donneront tous les trésors de leur âme en des écrits immortels, mais sur l'ordre des supérieurs et à un moment où la plénitude débordante de leur amour ne pouvait que s'enrichir à se donner complètement.

Cette ascèse du silence est si importante que les Règles monastiques en ont fixé les modes précis adaptés à chaque Ordre religieux. De ses origines désertiques le Carmel a gardé ce grand silence qui s'étend de Complies à Prime du lendemain et qui fait du couvent un désert pendant ces heures de la nuit plus favorables à la prière profonde. Pendant le jour il garde un silence relatif qui interdit toute parole oiseuse.

Mais le silence, pour ne point devenir contention, appelle la détente. La détente ou récréation fait partie elle aussi de l'ascèse du silence et, au témoignage de sainte Thérèse, comme un de ses éléments les plus importants et les plus délicats. La Sainte ne disait-elle pas, avant la fondation du premier couvent des Carmes déchaussés à Durvelo, qu'elle emmenait le jeune P. Jean de la Croix à la fondation de Valladolid non point pour lui donner la science spirituelle ou éprouver sa vertu qu'elle savait héroïque, mais pour lui montrer leur genre de vie et spécialement comment se prenaient les récréations ? Les récréations thérésiennes ! N'y voyait-on pas parfois la Sainte mener le chœur joyeux de ses filles à l'aide de castagnettes ou d'un tambourin, ou blâmer vigoureusement la dévotion importune de celle qui un jour de fête eût préféré faire oraison que se récréer ! Il est vrai qu'on

---

1. *Vie*, ch. XIII, p. 126 et s. ; ch. XIX, p. 191.

l'y avait vue aussi en extase, se mourant de ne pas pouvoir mourir, un jour de 1571 où la jeune novice Isabelle de Jésus avait chanté un couplet :

> « Oh ! te voir de mes yeux,
> Mon doux et bon Jésus !
> Oh ! te voir de mes yeux
> Et mourir aussitôt ! »

On y admirait aussi parfois la grâce de Teresita, la nièce de Thérèse, et on s'y entretenait des malheurs de l'Église de France ravagée par le protestantisme ou de la misère morale des peuplades des Indes occidentales.

En ces récréations éclatait toute la vie de l'âme de la Sainte, s'étalaient tous les dons de ses filles. Ainsi détendues sous le regard divin, ces âmes reprenaient, reposées et récréées, le joug austère de la Règle, et dans le silence de leur monastère retrouvaient la douce compagnie de leur Bien-Aimé.

II. — *Mortification de l'activité naturelle.*

L'activité naturelle peut troubler, comme le bavardage, le silence dans lequel Dieu se fait entendre à l'âme. Elle pose un problème pratique aussi délicat, sinon plus, que celui de la mortification de la langue. Posons-en les données aussi clairement que possible.

Que l'activité naturelle puisse troubler le silence de l'âme, personne n'en doute, car l'expérience sur ce point nous est douloureusement instructive. Par l'orientation qu'elle donne aux facultés, la fatigue et même l'énervement qu'elle provoque, par les soucis qui l'accompagnent, l'activité naturelle dissipe l'âme, détruit le recueillement, multiplie les obstacles pour le retour à l'oraison, envahit l'oraison elle-même et la rend très difficile sinon impossible.

Lorsque cette activité déborde dans la vie journalière au point de n'y pas laisser de place ou une place minime insuffisante pour la prière et le retour silencieux vers Dieu, elle se transforme en activisme. Cet activisme se couvre de nombreuses et souvent nobles excuses : nécessités de la vie, devoirs d'état urgents, trépidation de l'ambiance qui entraîne et dissipe, joies de l'action qui épanouit et dilate, sécheresses et anéantissements apparemment inutiles de la prière, surtout la grande pitié des âmes qui nous entourent et dont la misère matérielle ou spirituelle extrême est un appel constant à notre charité chrétienne.

Contemplation et vie mystique

L'activisme se présente ordinairement comme une tendance à laquelle on cède. Il peut être parfois une erreur non plus seulement pratique, mais spéculative ; on la retrouve telle en bien des âmes chrétiennes même cultivées. Elle devient alors une sorte de positivisme religieux qui ne croit qu'à la valeur de l'activité humaine pour la production des effets surnaturels et pour l'édification du Corps mystique du Christ. Elle ne comprend et n'admet donc pas que dans une journée une part notable soit réservée à la prière silencieuse, et surtout que des vies entières soient vouées exclusivement à la prière et au sacrifice pour faire jaillir des sources de vie profonde dans l'Église.

L'hérésie des œuvres, qu'elle s'appuie sur une tendance naturelle ou sur une conviction, parce qu'elle nie pratiquement en la négligeant, l'action de l'Esprit Saint dans l'âme et dans l'Église, anémie toute vie spirituelle, stérilise l'apostolat même paré de succès extérieurs brillants, et elle conduit souvent à de lamentables catastrophes morales et spirituelles.

Par contre, ne trouve-t-on pas parfois dans l'autre camp, je veux dire chez les contemplatifs, une certaine mésestime de l'action qui peut aller jusqu'au mépris de la vie active, et la ferme conviction que seule la vie contemplative est capable de produire la haute sainteté. Cette erreur pratique est entretenue par la peur inconsidérée des dangers de l'action et par une certaine gourmandise spirituelle qui est trop attachée aux saveurs de l'union à Dieu [1].

1. Et cependant n'est-il pas évident que Dieu le Père dont la perfection nous est proposée comme modèle [2], est

_____

[1]. Assez fréquemment on retrouve chez sainte Thérèse cette préoccupation de lutter contre ce préjugé ou cette tendance des contemplatifs. Voilà ce qu'elle dit dans le livre des Fondations, au ch. v : « D'où vient donc le chagrin qu'on éprouve généralement lorsqu'on n'a pu rester la plus grande partie du jour dans une solitude profonde et tout perdu en Dieu, bien que l'on ait été occupé à des œuvres d'obéissance et de charité ? Il vient à mon avis de deux causes. La première et la principale est l'amour-propre, qui se cache d'une manière très subtile et ne nous laisse pas voir que nous recherchons notre contentement plutôt que celui de Dieu. Il est clair en effet qu'une fois que l'âme commence à goûter combien le Seigneur est doux, sa plus grande joie est de tenir son corps dans le repos exempt de tout travail extérieur et de savourer elle-même les délices divines...

Le second motif, ce me semble, pour lequel nous quittons avec peine la solitude, c'est que nous y trouvons moins d'occasions d'offenser Dieu...A coup sûr cela raison...me paraît plus importante que celle des grandes faveurs et des suavités divines. C'est ici, mes filles, que doit se montrer votre amour pour Dieu ; vous le prouverez mieux au milieu des occasions que dans les recoins de la solitude. » (_Fondat._, ch. v, pp. 1100 et 1106).

[2]. « Soyez donc parfaits comme votre Père céleste est parfait ». (Mt 5, 48).

acte pur aussi bien que lumière et esprit ? Il se contemple, engendre, aime et agit sans que les opérations intimes de sa vie trinitaire nuisent au débordement de sa vie dans le monde, à l'action de sa Sagesse « ouvrière de toutes choses [1] », qui « atteint avec force d'un bout du monde à l'autre et dispose tout avec suavité [2] ».

2. La charité qui est participation à la vie de Dieu est, comme Dieu, contemplative et agissante. Diffusive d'elle-même, elle manifeste sa vitalité par la prière et le sacrifice, mais aussi par l'activité extérieure.

Parlant de la foi qui ne serait qu'adhésion intérieure de l'esprit ou sentiment, l'apôtre saint Jacques écrit :

> Que sert, mes frères, à quelqu'un de dire qu'il a la foi s'il n'a pas en même temps les œuvres ? Est-ce la foi qui pourra sauver ? Si un frère ou une sœur sont réduits à un état de nudité et d'indigence, n'ayant présentement rien à manger, et que l'un de vous leur dise : Allez en paix, chauffez-vous, mangez à votre faim, mais sans donner à leurs corps les choses nécessaires, à quoi cela sert-il ? Ainsi en est-il de la foi ; sans les œuvres elle est vraiment morte [3].

« Au soir de cette vie nous serons jugés sur l'amour [4] », dit saint Jean de la Croix. Mais, précise Notre-Seigneur, sur cet amour qui s'est exprimé par les œuvres : « Venez les bénis de mon Père. J'avais faim et vous m'avez donné à manger ; j'avais soif et vous m'avez donné à boire... ».

Cet amour, dans son épanouissement parfait de l'union transformante, se porte avec une force irrésistible vers les œuvres de l'apostolat :

> Ces âmes n'ont plus le désir de mourir, écrit sainte Thérèse, mais... elles voudraient vivre de longues années encore au milieu des plus terribles tourments, afin de procurer ne serait-ce qu'un tout petit peu de gloire à Notre-Seigneur [5].

Sainte Thérèse de l'Enfant-Jésus en effet, dans sa *Lettre à sœur Marie du Sacré-Cœur*, nous dit ses désirs ardents de remplir toutes les vocations, de subir tous les tourments et de travailler jusqu'à la fin des temps.

Comment condamner des œuvres que l'amour réclame comme un aliment nécessaire ? D'ailleurs la théologie avec saint Thomas considère la vie mixte, dans laquelle la contemplation s'épanche en œuvres fécondes, comme la forme de vie la plus parfaite, et donc supérieure en soi à la vie purement contemplative.

---

1. Sg 7, 21.
2. *Ibid.*, 8, 1.
3. Jc 2, 14-17.
4. *Maxime* 56, p. 1186.
5. VIIe Dem., ch. III, p. 1044.

3. C'est ce que nous apprend sous une forme très simple le catéchisme lorsqu'il nous dit que Dieu nous a créés pour le connaître, l'aimer et le servir ; le servir, par l'activité de toutes les puissances et facultés.

Que Dieu ait fait entrer cette activité humaine comme un élément nécessaire dans la réalisation de ses desseins les plus grands, c'est une des vérités à la fois les plus belles et les plus surprenantes. L'Esprit Saint édifie l'Église et sanctifie les âmes avec la coopération instrumentale des apôtres et de leurs successeurs à qui il a été dit : « Allez, enseignez toutes les nations, les baptisant au nom du Père... [1] ». Dieu donne l'accroissement, mais c'est Paul qui a semé et Apollos qui a arrosé. « Comment pourraient-ils croire en Celui dont ils n'ont pas entendu parler, et comment en entendraient-ils parler si personne ne leur prêche [2] ? ».

Si le prêtre ne prêche pas, ne consacre pas, ne travaille pas, les âmes meurent d'inanition. S'il est absent, la foi disparaît. Qu'une paroisse reste vingt ans sans prêtre et on y adore les bêtes, disait le Curé d'Ars. Par contre, que le prêtre soit actif, zélé et saint, la vie chrétienne se développe, la sainteté paraît.

Cause seconde qui laisse à l'action de la grâce sa primauté, l'activité apostolique a dans le développement de la vie divine une importance si grande qu'elle en devient déconcertante.

4. Nécessaire à la vie de l'Église, l'activité est indispensable au maintien de l'équilibre humain.

Vita in motu, a-t-on pu dire. La vie est dans le mouvement, se manifeste par le mouvement, et a besoin de mouvement. La joie, la santé, l'équilibre se trouvent dans une activité modérée proportionnée à nos forces. Vouloir annihiler ces énergies naturelles, qui sont en nos puissances sensibles ou en nos facultés, en les réduisant à l'immobilité et à l'inaction, serait-ce pour rechercher ce bien supérieur qu'est la contemplation parfaite, c'est s'exposer à des désordres physiologiques et à une rupture de l'équilibre humain. Les énergies qui s'accumulent débordent bientôt la volonté, et, en attendant que la vie s'atrophie, soumettent le corps et l'âme à l'action de la force, devenue brutale et tyrannique, des instincts exacerbés.

---

1. Mt 28, 19.
2. Rm 10, 14.

5. Le contemplatif vit d'ailleurs en communauté : ce qui lui impose normalement le devoir de prendre sa part des tâches de la vie commune. Mais, serait-il complètement libéré des charitables servitudes de la société des frères, il aurait besoin de la diversion qu'assurent des œuvres extérieures pour le développement de sa contemplation.

Sainte Thérèse avoue qu'il lui arrivait de se sentir embrasée d'un feu intérieur si ardent, et pressée par un tel mouvement de servir Dieu en quelque chose, que certaines occupations de charité lui étaient un soulagement [1]. En d'autres circonstances, après une emprise plus forte ou un recueillement plus profond, les facultés comme hébétées et agitées sont incapables de toute activité intérieure, bien qu'elles en ressentent le désir. Les y contraindre serait dangereux. Au contraire la diversion assurée par une activité modérée leur permet de retrouver leurs forces et leur équilibre normal et de porter ensuite sans faiblir les nouveaux chocs de l'Hôte divin qui habite dans l'âme.

Cas exceptionnels ! dira-t-on. Peut-être en effet ; mais à signaler cependant, car ils atteignent des âmes dont l'échec dans la vie contemplative serait d'autant plus regrettable qu'elles sont admirablement douées pour y progresser et favorisées d'une action de Dieu intense.

Ne convient-il pas aussi de signaler en passant, ces âmes dont parle sainte Thérèse dans le livre des *Fondations*, si heureusement douées aussi pour la contemplation, mais qui défaillent sous la moindre action divine au point que l'oraison prolongée qui les comble de joie et de saveur les conduit promptement vers une déchéance psychique on ne peut plus dangereuse pour leur équilibre psychologique et spirituel [2]. C'est la vie de Marthe qu'il leur faut et non point celle de Marie, proclame avec autorité sainte Thérèse.

Mais voici des situations plus fréquentes et presque banales tellement elles sont communes. Au sein des puri-

---

1. *Vie*, ch. XXX, p. 325.
2. « Je connais quelques âmes de réelle vertu qui demeuraient absorbées durant sept ou huit heures et s'imaginaient que c'était là un ravissement. Le moindre exercice de piété produisait en elles une impression tellement forte qu'aussitôt elles se laissaient aller, persuadées qu'il n'était pas bien de résister à Dieu. Mais une pareille conduite conduirait peu à peu au tombeau ou à la folie si on n'y apportait remède ». (*Fondat.*, ch. VI, p. 1110).
Cette contrefaçon des hautes grâces mystiques, due non à la perversité du sujet mais à sa faiblesse psychique, a grandement préoccupé sainte Thérèse qui a consacré tout le chapitre VI des *Fondations* à la décrire et à indiquer les remèdes. C'est un chapitre remarquable par la pénétration et la finesse des analyses psychologiques et psychiatriques.

fications douloureuses, en ces marasmes indéfinissables où se heurtent obscurément et profondément l'action de Dieu, le péché et souvent les tendances pathologiques, l'âme du contemplatif est portée à se replier sur elle-même ; elle analyse sa souffrance, s'attarde à en rechercher les causes et les remèdes et ainsi l'augmente et la prolonge inutilement. Si au contraire elle sort d'elle-même, surtout pour faire des actes de charité, elle laisse le champ libre à l'action de Dieu, oublie son épreuve sans en diminuer la valeur purificatrice et conserve toutes ses forces pour servir Dieu et souffrir utilement.

Sainte Thérèse de l'Enfant-Jésus recommandait d'aller aux œuvres de charité lorsqu'il faisait trop noir dans l'âme. Le chartreux a son atelier et un petit jardin en son ermitage. Chez les solitaires des thébaïdes le travail manuel était en grand honneur, la Règle carmélitaine insiste aussi longuement sur le travail que sur le silence. Jean de Saint-Samson en son *Véritable Esprit du Carmel* fait un devoir aux supérieurs d'obliger à sortir le religieux qui s'obstinerait à garder toujours sa cellule ; le célèbre frère aveugle, qui a illustré la Réforme carmélitaine de Touraine, semble avoir pour but principal de poursuivre la gourmandise spirituelle du contemplatif trop avide de la tranquillité et des saveurs du silence.

Ces sorties de l'âme contemplative vers l'activité extérieure sont souvent douloureuses. Elles comportent en effet un renoncement à tout ce que la contemplation donnait de joies, de saveurs, de grâces expérimentées, ou même simplement de paix subtile mais profonde ; elles imposent aux facultés purifiées ou en voie de purification le retour à des occupations douloureuses, à des contacts pénibles avec des réalités naturelles ou avec des âmes dont le contemplatif ne peut pas ne pas voir les déficiences. C'est tout l'humain qui se présente, avec tout ce qu'il a de douloureux pour l'âme baignée dans la lumière de Dieu, et qui menace de l'envahir de ses impuretés. Que l'on songe à la parole de Notre-Seigneur : « Ô génération incrédule et perverse, jusqu'à quand resterai-je avec vous [1] ? » ou encore aux angoisses du Curé d'Ars et à ses tentatives répétées pour fuir son douloureux ministère et se retirer dans la solitude d'une Trappe. Et cependant il fallait bien que le Christ Jésus restât avec les siens pour opérer la rédemption et que le saint Curé d'Ars consentît à perdre son âme pour devenir un grand saint et un merveilleux convertisseur.

_____

1. Mt 17, 16.

6. **Activité et oraison.** — Mais comment résoudre ce problème du silence indispensable à la contemplation et de l'activité nécessaire ? Le religieux trouvera normalement dans la règle de son Ordre et dans les volontés de ses supérieurs la mesure à garder avec toutes les précisions utiles.

En dehors de la vie religieuse la solution de ce problème reste liée au problème de la vocation et à celui de l'organisation pratique de la vie. En supposant dès maintenant résolu ce problème individuel que nous aborderons prochainement en parlant de la solitude, voici quelques directives pratiques.

a) Donner scrupuleusement à la prière le temps prescrit par l'obéissance et le préserver jalousement des empiétements de l'action. Elle serait excessive et désordonnée la sollicitude pour les biens temporels ou même pour les âmes qui, habituellement, s'emparerait de ce temps promis. Sous prétexte de charité ou de zèle, elle pourrait dissimuler un manque de confiance en Dieu qui lui aussi « veille sur Israël » et remplira scrupuleusement ses obligations à notre égard si nous sommes fidèles à garder les nôtres : « Cherchez le royaume de Dieu et sa justice, est-il écrit en effet, et le reste vous sera donné par surcroît [1] ».

b) Donner à l'activité, spécialement au devoir d'état, tout le temps et toutes les énergies qu'exige son parfait accomplissement. Même le souci de garder la présence de Dieu ou de réserver pour Dieu seul une partie de ses forces ne saurait être un motif suffisant pour dérober à la tâche qui nous est imposée une partie des énergies physiques ou intellectuelles qu'elle requiert.

Le travail qui est volonté de Dieu, nous permet de communier à Dieu par la volonté et la charité aussi efficacement que l'oraison elle-même nous permet de saisir Dieu par l'intelligence et la foi. Ces deux communions par la foi et par la charité se complètent et s'harmonisent pour créer la sainteté.

Le problème étant résolu de notre vocation et par conséquent de nos devoirs d'état, toute discussion devient inutile sur la valeur en soi de tel ou tel acte, sur l'excellence de la contemplation ou de l'action. La vocation nous place dans un ordre relatif qu'elle commande et qui devient de ce fait pour nous, le meilleur. Les actes qu'elle impose deviennent pour nous les plus sanctifiants. Les

---

1. Mt 6, 33.

devoirs d'état qu'elle crée sont pour nous le chemin unique de la sainteté.

Hélas, que d'écarts, que de gaspillages de temps et de forces, résultent de fausses lumières sur ce point ou d'erreurs de perspective. Trompé par des goûts et des attraits on va à des œuvres surérogatoires de charité ou bien on se réserve pour des oraisons supplémentaires et on dérobe ainsi des énergies nécessaires à l'accomplissement de ce devoir d'état qui était notre part dans la réalisation du plan providentiel. Les motifs surnaturels que l'on trouve assez facilement pour fortifier de pareils errements n'excusent pas l'égoïsme secret qui s'y cache et ne réparent pas les dommages causés à l'âme et à ceux qu'elle devait servir.

c) L'activité est bienfaisante à l'âme qui en fait une communion à la volonté de Dieu. Elle devient nuisible si elle est accompagnée de fièvre.

Qui ne connaît cette fièvre qui saisit les facultés, parfois avant qu'elles agissent, le plus souvent dans le cours de l'action, les soustrait à la domination de la volonté, au contrôle de la raison et à l'influence du motif surnaturel, les livre aveugles et trépidantes à la fascination du but à atteindre et du travail à fournir dans un temps déterminé, déréglant ainsi l'activité elle-même et supprimant toute mesure ? La fièvre est nuisible à la vie spirituelle car elle coupe le contact entre l'activité des facultés et les vertus surnaturelles qui devaient les guider et les informer. L'ordre est renversé, c'est le travail qui a pris la direction de l'activité des puissances.

On ne peut rétablir l'ordre et replacer l'activité sous la dépendance des facultés supérieures de l'âme qu'en brisant la fièvre qui a tout troublé et renversé l'ordre des valeurs. Pour cela un choc est ordinairement nécessaire : le choc réalisé par une diversion énergique ou un arrêt brutal de l'activité. L'âme se recueille un instant, impose le silence et le repos à ses puissances, les reprend en mains, retrouve Dieu et repart vers sa tâche qui sera désormais mieux remplie parce que réalisée dans le calme et dans l'ordre. Ces chocs ne se font pas sans violence ; souvent répétés ils pourraient briser et épuiser les énergies en les exaspérant. Renouvelés avec une sage discrétion, ils disciplinent les flots débordants de l'activité naturelle et assurent à l'âme une certaine maîtrise d'elle-même. Ils sont surtout devant Dieu un témoignage de la bonne volonté de l'âme, qui attire les emprises divines et prépare ainsi la victoire complète de Dieu sur les puissances actives de l'âme les plus rebelles.

d) Il est deux périodes dans le développement de la vie spirituelle où ce problème de l'activité à unir avec la contemplation devient habituellement plus angoissant pour l'âme et où l'illusion sur ce point est à la fois plus facile et plus dangereuse.

Les premières expériences spirituelles de la contemplation, qui ont tous les charmes délicats et suaves d'une aurore, créent une avidité d'impressions surnaturelles et un besoin intense du repos et du silence dans lesquels elles se produisent. Ce besoin, qui s'accompagne d'un certain dégoût, parfois d'une certaine impuissance pour toute activité extérieure ou intellectuelle, s'affirme avec des exigences absolues. L'âme aspire vers une solitude complète et voudrait échapper à toute activité troublante. Et cependant ni physiquement, ni moralement, ni spirituellement l'âme n'est capable de supporter un tel isolement et une telle inactivité. Satisfaire ce désir serait vouer aux désordres déjà signalés et au déséquilibre, des facultés qui ne peuvent pas encore supporter les contraintes d'un repos absolu. Les attraits créés par les grâces reçues sont ordinairement un appel et marquent une aptitude, mais ils sont aveugles. Seule une direction prudente et expérimentée peut indiquer à chacun, d'après son tempérament et sa grâce, comment il doit y répondre par un sage dosage de silence passif, d'activité extérieure et de travail intellectuel. Il est clair que si à ce moment, l'âme fait ses premiers pas dans la vie religieuse, quels que soient ses désirs de silence absolu, c'est une prudente diversion d'activité qu'il faut lui procurer pour qu'elle porte sans faiblir les contraintes de ce cadre régulier et rigide qui s'impose à elle.

Un problème presque semblable se pose, lorsque l'âme déjà affermie par de nombreux travaux et peut-être de riches expériences surnaturelles, semble fixée dans une contemplation devenue habituelle. Dès lors, que sa contemplation soit douloureuse ou savoureuse, elle crée un grand besoin de silence. L'âme se sent désormais capable d'affronter la rude ascèse du désert et elle en est avide. Qui pourrait l'en empêcher ? Et voici que Dieu le fait par les événements providentiels ou par les supérieurs. Les richesses de cette âme transparaissent, l'équilibre réalisé s'étale. On va vers elle. Voici donc la torture des travaux importants et des multiples soucis qui s'imposent à elle sous la forme de devoirs d'état. Qui doit-elle croire, de l'appel intérieur qui monte des profondeurs de l'âme, ou de l'appel extérieur non moins explicite ? Elle est travaillée dans les deux sens opposés et comme écartelée. Ses attraits la trompent-elle ou bien faut-il accuser les événements et les causes libres et se défendre contre eux ?

Contemplation et vie mystique

Les deux appels viennent de Dieu. Ce n'est qu'apparemment qu'ils s'opposent. En réalité ils se complètent heureusement ; l'âme le verra plus tard. Ils sont destinés à s'harmoniser comme l'action du moteur et celle du frein pour la marche et la sécurité d'une voiture. C'est à un essai de la vie parfaite de Dieu que l'âme est ainsi provoquée. L'Esprit Saint la pousse à la charité qui donne et se donne et il la retient amoureusement pour qu'elle ne se disperse pas dans l'activité extérieure. Il l'attire dans les profondeurs de la vie divine et il lui procure les diversions d'activité extérieure qui assureront son équilibre. Les fautes commises en cette phase seront plus profitables que maintes victoires remportées en des conjonctures moins périlleuses : elles augmenteront l'humilité qui attire Dieu et la charité indulgente qui attire les hommes. C'est pour ces âmes préoccupées que sainte Thérèse écrit :

Nous devons veiller avec soin sur nous-mêmes et ne point oublier au milieu des œuvres commandées par l'obéissance et la charité, de recourir souvent à Dieu au plus intime de notre âme. Croyez-moi, mes filles, ce n'est pas de la longueur du temps consacré à l'oraison que dépend le progrès de l'âme. Quand elle l'emploie si bien aux œuvres extérieures, elle y trouve un secours précieux et se dispose mieux en très peu de temps à s'embraser d'amour que par de longues heures de considération. Tout doit lui venir de la main de Dieu. Qu'il soit béni à jamais ! [1]

III. — *Silence intérieur.*

C'est dans le centre de l'âme, dans les régions les plus spirituelles de l'âme que Dieu vit, agit, réalise les opérations mystérieuses de son union avec nous. Qu'importe donc le bruit et l'activité extérieure pourvu que le silence règne en ces régions spirituelles profondes ! Le silence intérieur est ainsi le plus important. Le silence extérieur n'a de valeur que dans la mesure où il le favorise.

Mais la réalisation du silence intérieur est hérissée de difficultés qui mettent à la torture les âmes contemplatives. Un certain progrès réalisé est suivi d'une régression angoissante, d'une impossibilité quasi absolue de discipliner des facultés autrefois dociles à l'oraison. L'âme s'inquiète, s'agite. Les erreurs de tactique sont fréquentes, favorisées d'ailleurs par maints préjugés courants sur la pacification intérieure qui accompagne le progrès spirituel.

1. *Fondat.*, ch. v, p. 1108.

Sainte Thérèse nous détaille maintes fois ses souffrances sur ce point et nous assure qu'elles furent augmentées par son ignorance de certaines lois de la psychologie et de l'action de Dieu. C'est à ce propos qu'elle écrit les paroles déjà plusieurs fois citées :

O Seigneur, daignez nous tenir compte de tout ce que le manque de connaissance nous fait souffrir dans ce chemin spirituel... De là, proviennent les afflictions dans lesquelles tombent beaucoup de personnes qui s'occupent d'oraison... elles tombent dans la mélancolie, elles perdent la santé, elles arrivent même jusqu'à tout abandonner [1].

Pour parer à des crises si douloureuses et si funestes, essayons d'éclairer ce problème du silence intérieur.

Dans le développement de la vie spirituelle nous avons distingué deux phases : une *première phase*, qui comprend les trois premières Demeures, pendant laquelle Dieu intervient seulement par le secours général et où l'âme garde l'initiative dans l'oraison et dirige l'activité de ses facultés ; une *deuxième phase*, qui commence aux quatrièmes Demeures, pendant laquelle Dieu intervient par ce secours particulier qui, progressivement, établit la prédominance de l'activité divine sur l'activité des puissances de l'âme. Chacune de ces deux phases exige une ascèse différente pour la pratique du silence intérieur.

a) Pendant la première période l'âme peut s'appliquer efficacement au recueillement et au silence intérieur en utilisant les lois psychologiques qui règlent l'activité des facultés humaines.

La volonté exerce un contrôle effectif sur l'activité de l'imagination et de l'entendement ; elle peut l'arrêter, l'arracher à tel ou tel objet, la fixer sur un autre de son choix.

Ce contrôle direct ne saurait être constant. Il s'exerce par des actes successifs que la volonté ne saurait multiplier jusqu'à les rendre continus. Entre chacun d'eux les facultés retrouvent une certaine indépendance à l'égard de la volonté. Elles n'en n'usent que pour se soumettre aux lois complexes de la succession des images et subir les chocs des perceptions extérieures. D'ailleurs sur cette activité qu'elle ne règle pas directement, la volonté peut agir indirectement en plaçant les facultés dans un cadre où seront supprimés les objets qui pourraient les distraire et leur seront présentés ceux qui les ramèneront à Dieu.

---

1. IVᵉ Dem., ch. I, pp. 868-869.

Contemplation et vie mystique

Dans le *Chemin de la Perfection* spécialement, sainte Thérèse détaille cette ascèse délicate du recueillement actif. Nous l'avons entendue précédemment [1] nous dire en détail combien il importe de débarrasser « le palais de notre âme des petites gens et des bagatelles [2] », de recourir au Christ Jésus, « d'avoir une image ou une peinture de Notre-Seigneur qui soit à notre goût [3] », de « prendre un bon livre en langue vulgaire [4] », « d'user de beaucoup de précautions [5] », et de déployer de persévérants efforts qui nous feront acquérir une facilité habituelle pour entrer dans le recueillement actif.

Dès que l'âme se mettra à prier, elle verra ses sens se recueillir comme les abeilles qui retournent à leur ruche et y rentrent pour y faire le miel [6].

b) La deuxième phase impose à la pratique du silence intérieur une méthode notablement différente.

Description. Le secours particulier ou action surnaturelle de Dieu s'exerce sur l'âme et sur les facultés, mais avec des degrés et des modes différents. L'emprise qui enchaîne par la saveur ou paralyse dans la sécheresse n'est pas uniforme. Partant des profondeurs de l'âme elle atteint d'abord ordinairement la volonté, rayonne assez souvent sur l'intelligence, enchaîne rarement la mémoire et l'imagination. L'emprise complète ou suspension simultanée de toutes les facultés ne se produit que dans les grâces d'union mystique des cinquièmes Demeures et dans le ravissement des sixièmes, et n'est due que peu de temps. Par contre l'emprise sur la volonté peut se prolonger assez longtemps en une oraison suave de quiétude ou de recueillement passif qui affecte aussi les sens.

Lors donc que la volonté est prise et se trouve enchaînée suavement à la Réalité divine, les autres facultés n'ont plus de maîtresse à qui obéir. Elles vont de côté et d'autre sans guide ni loi, vers Dieu comme vers les choses les plus futiles. A les poursuivre pour les ramener et les contrôler, la volonté perdrait le contact expérimenté avec le Bien suprême. Elle ne le doit pas.

Si parfois, par une emprise rapide ou par rayonnement, quelque effet savoureux de la contemplation parvient à ces facultés volages, elles profitent de la force qu'elles en reçoivent pour se porter elles aussi vers la Réalité divine

1. Cf. *Premières Étapes*, ch. II, III, IV, VI.
2. *Chem. Perf.*, ch. XXX, p. 727.
3. *Ibid.*, ch. XXVIII, p. 715.
4. *Ibid.*, p. 716.
5. *Ibid.*
6. *Ibid.*, ch. XXX, p. 724.

avec une ardeur qui risque fort de nuire à la contemplation et au silence qu'elle exige. Si Dieu répond à leurs désirs et les saisit de nouveau, il se produit alors ce mouvement de va-et-vient maintes fois décrit par sainte Thérèse et qui peut faire croire à une suspension prolongée des facultés. L'emprise divine sur ces facultés peut aussi être douloureuse et par conséquent fatigante. Douloureuse ou suave elle porte pendant l'oraison les facultés à une activité fiévreuse ; après l'oraison elle éveille ordinairement chez elles comme un besoin d'indépendance et produit assez fréquemment une certaine frénésie d'activité.

Il apparaît donc que les grâces contemplatives, produisant des effets différents et parfois contraires sur les facultés inférieures, les divisent plutôt qu'elles ne les unissent, établissent des zones de paix profonde et des zones d'agitation désordonnée. Saint Jean de la Croix parle du fond paisible de l'âme et le distingue des faubourgs bruyants dans lesquels il relègue l'entendement discursif et les facultés sensibles.

Qu'on ne pense pas d'ailleurs que le développement de la contemplation puisse créer une paix durable et constante dans les facultés. Les facultés volages restent toujours telles ; sainte Thérèse et saint Jean de la Croix gémissent encore de leurs écarts lorsqu'ils sont parvenus à la paix du mariage spirituel. Saint Jean de la Croix nous fait remarquer en outre qu'en ces facultés un certain trouble peut être provoqué par l'action ou même simplement par la présence du démon. Peut-être savons-nous par expérience combien est aiguë et angoissante la souffrance produite par une telle dualité et une telle agitation dans les facultés, alors que l'âme aspire avec ardeur à la paix silencieuse et au repos de l'union parfaite. Écoutons sainte Thérèse en ses descriptions toujours si suggestives :

Il m'arrive parfois de n'avoir aucune pensée précise ni raisonnable sur Dieu ou sur aucun bien ; il m'est impossible de faire oraison malgré la solitude où je me trouve... L'entendement et l'imagination me causent ici, je le comprends, un grand tort. Quant à la volonté, elle me semble bonne et disposée pour toute sorte de bien. L'entendement au contraire est tellement égaré qu'il ressemble à un fou furieux que personne ne peut enchaîner ; aussi je suis impuissante à le fixer, même l'espace d'un *Credo* [1].

Voici ce qui vient de m'arriver, dit-elle ailleurs. Pendant huit jours je n'avais, ce me semble, et ne pouvais avoir ni la connaissance de mes obligations envers Dieu, ni le souvenir de ses faveurs. Mon âme était complètement absorbée, et je ne sais de quoi ni comment elle s'occupait. Je n'avais pas de pensées

---

1. *Vie*, ch. xxx, p. 322.

mauvaises, mais je me sentais si impuissante pour en avoir de bonnes, que je riais de moi-même et je prenais plaisir à voir quelle est la bassesse de l'âme quand Dieu cesse tant soit peu de la soutenir... Cependant l'âme a beau mettre du bois dans le foyer et faire le peu qui est en son pouvoir, elle ne saurait faire jaillir la flamme de l'amour de Dieu. C'est déjà une grande miséricorde qu'elle puisse voir la fumée et comprendre que ce feu n'est pas complètement éteint. Le Seigneur devra lui-même l'allumer de nouveau ; jusqu'alors on aurait beau se rompre la tête à souffler et à arranger le bois, on n'arriverait, ce semble, qu'à l'étouffer davantage [1].

Ces états d'impuissance et d'agitation des facultés étaient particulièrement sensibles au tempérament à la fois si ardent et si bien équilibré de sainte Thérèse. Ces descriptions se retrouvent sous des formes diverses dans ses écrits. Il est inutile de multiplier les citations. Cependant voici encore ce que la Sainte dit de son état intérieur, tandis qu'elle écrivait le *Château Intérieur* étant déjà parvenue au mariage spirituel :

Tandis que j'écris ces lignes, je réfléchis à ce qui se passe dans ma tête, c'est-à-dire à ce grand bruit dont j'ai parlé au début et qui me rendait presque impossible le travail que l'on m'a commandé. Il me semble entendre le bruit d'une foule de fleuves qui se précipitent, d'oiseaux qui chantent et de sifflements ; je le perçois non dans les oreilles mais dans la partie supérieure de la tête, où, dit-on, réside la partie supérieure de l'âme [2].

Le bruit ne diminue donc pas à mesure que l'on pénètre dans les Demeures intérieures ; c'est l'impression que laissent aussi les descriptions faites par saint Jean de la Croix. On ne peut pas affirmer qu'il augmente, mais il est certain d'abord que l'âme purifiée en est plus douloureusement affectée, et aussi que ce bruit se localise dans les facultés les plus extérieures.

Directives pratiques. Comment réagir contre cette agitation des facultés et cultiver le silence intérieur en cette deuxième phase de la vie spirituelle ?

Nous avons entendu sainte Thérèse nous dire qu'elle riait de son impuissance et du bruit de ses facultés : « Parfois j'en ris ; comme j'ai alors l'intelligence de ma misère, je le considère (l'entendement) et je l'abandonne à lui-même pour voir ce qu'il fera... [3] ».

La Sainte avait compris en effet qu'il serait vain de lutter contre les forces supérieures, et celles de Dieu qui produisent de tels effets dans nos facultés humaines

---

1. *Vie*, ch. XXXVII, pp. 420-421.
2. IVᵉ Dem., ch. I, pp. 869-870.
3. *Vie*, ch. XXX, p. 322.

inadaptées à son action, et celles du démon qui essaie de prendre dans les facultés sensibles la revanche des défaites qu'il subit dans les régions supérieures de l'âme.

1. La lutte directe est inutile et même nuisible, et cela dès le début des états contemplatifs. Sainte Thérèse l'affirme en parlant de l'oraison de quiétude :

> Lorsque la volonté est dans cette quiétude, elle ne doit pas faire plus de cas de l'entendement que d'un fou. Si elle veut l'attirer à elle, il lui arrivera forcément d'être distraite et quelque peu troublée. Au degré d'oraison où elle est parvenue, tout cela ne serait que fatigue pour elle ; elle n'y gagnerait rien ; elle perdrait au contraire ce que le Seigneur lui donne sans aucune fatigue de sa part... L'âme ne doit pas se préoccuper si l'entendement ou mieux si notre pensée se porte aux plus grandes rêveries. Qu'elle se contente d'en rire et le regarde comme un insensé [1].

Le conseil de la Sainte est très ferme et il est aisé de le justifier. Le premier devoir qui s'impose à l'âme est de respecter l'action de Dieu et de la favoriser en lui apportant le concours d'une foi éveillée. Si l'âme court après les facultés bruyantes, elle perd le contact de Dieu et risque fort de perdre la contemplation. N'est-ce pas d'ailleurs une loi psychologique qu'en prenant contact avec les images ou les réalités sensibles la volonté s'y enlise, plutôt qu'elle ne les domine ?

2. Le devoir de l'âme est au contraire de fuir vers Dieu en se portant par un mouvement positif vers les régions paisibles et obscures où il agit, en dépassant même ces régions pour atteindre la source d'où vient la vie. Les actes de foi et d'amour, l'inspiration de plus en plus subtile qui reflue vers Dieu réaliseront ce mouvement positif incessant et paisible, qui tiendra l'âme au-dessus du bruit des faubourgs et d'elle-même, en contact avec Dieu dans la cachette de la nuit de la foi.

3. Mais parfois la fuite ne sera pas possible, l'âme étant déjà accrochée par le bruit ou une obsession, les facultés fatiguées et énervées retombant constamment sur elles-mêmes. Que faire alors sinon gémir humblement vers Dieu pour qu'il vienne délivrer l'âme en l'apaisant.

Même alors cependant l'expérience révélera à l'âme les moyens pour garder une amoureuse patience et éviter la fatigue qui use et énerve. Sainte Thérèse se délassait parfois en considérant les écarts de son imagination pour en rire. Ce moyen pourrait être dangereux pour une âme moins haute que la sienne. Sainte Thérèse de l'Enfant-

---

1. *Chem. Perf.*, ch. XXXIII, pp. 741-743.

Contemplation et vie mystique

Jésus récitait lentement le *Notre Père* et le *Je vous salue, Marie*. Chacun trouvera la sage diversion qui repose sans distraire le fond de l'âme, comme une prière vocale, une attitude physique de recueillement reposant, une parole des saints Livres, une prière à la Sainte Vierge, le regard sur le tabernacle, un retour vers une pensée ou un tableau évangélique choisis avant l'oraison et que l'on présentera aux facultés comme un point de ralliement qui arrêtera leurs divagations.

4. Ces diversions font partie de l'action indirecte sur les facultés. S'il est inutile et même nuisible de lutter directement contre l'agitation des facultés, il reste possible de travailler indirectement à leur apaisement en supprimant du champ de leur activité ce qui peut les distraire et les exciter. La retenue des sens dont les perceptions alimentent cette agitation est donc un devoir.

Plus clairement que tous les examens détaillés, le bruit et l'agitation perçus dans l'oraison indiqueront les attaches qui font obstacle à l'action de Dieu, et le sens à mortifier. Ainsi sera précisé le domaine dans lequel doit s'exercer l'ascèse du silence en dehors de l'oraison.

Nous savons que cette ascèse ne supprimera pas le bruit, elle affirmera du moins notre volonté de le réduire. Elle offrira à Dieu le témoignage méritoire de notre désir de silence et de notre fidélité à ne chercher que Lui seul.

5. Cette agitation dans l'oraison guidera aussi l'âme dans la pratique des actes anagogiques qui doivent compléter la garde des sens. Partant de ce principe que les vertus théologales sont greffées sur les facultés naturelles — la foi sur l'entendement, la charité sur la volonté, l'espérance sur l'imagination et la mémoire — saint Jean de la Croix nous apprend à discipliner les facultés naturelles en exerçant les vertus théologales qui leur correspondent. En fortifiant les vertus théologales on assouplit et on purifie d'autant la faculté dont les attaches font obstacle à l'action de Dieu.

Tel est le problème du silence, complexe et subtil à dérouter toute analyse. Cet exposé nous laisse pour le moins entrevoir combien le pratiquer est un art difficile, presque décevant. A vouloir faire régner la paix en des régions où se rencontrent l'action directe de Dieu, l'influence du démon, les impuissances de la faiblesse humaine et les réactions de nos tendances, l'effort le plus généreux ne saurait éviter les maladresses, les fautes, et souvent la souffrance et l'échec apparent. Aussi bien est-ce par l'humiliation et la patience, plus que par les habiletés d'un art cependant nécessaire, que l'âme triomphera en attirant la miséricorde qui purifie, guérit et apaise.

CHAPITRE SIXIÈME

Solitude et contemplation

> *Je la conduirai dans la solitude et je lui parlerai au cœur* [1].

Le contemplatif qui a expérimenté les envahissements de l'onction divine ou les contacts de Dieu lui-même, y trouve le goût du silence et le besoin impérieux du désert. Silence et solitude semblent s'identifier pour lui sous la puissance et l'attrait qui le soulèvent vers d'autres régions.

Et en effet le Prophète de l'Ancien Testament, pris par Dieu pour sa mission prophétique, quitte sa famille et sa tribu et s'enfuit au désert. L'enivrement des premières grâces de la vie religieuse et l'insuffisance du silence qu'il y trouve poussent saint Jean de la Croix vers la Chartreuse. L'emprise du Verbe sur l'humanité sainte du Christ Jésus le fixe pendant trente ans dans la solitude ignorée de Nazareth et, au seuil de la vie publique, le fait séjourner pendant quarante jours au désert où Il reviendra fréquemment au cours de sa vie apostolique.

Solitude et action de Dieu dans l'âme s'évoquent mutuellement et semblent inséparables. « Je la conduirai dans la solitude et je lui parlerai au cœur [2] » dit le Seigneur par le prophète Osée. C'est au désert que Dieu a conduit et formé les grands contemplatifs de tous les temps et les instruments de ses grandes œuvres.

Moïse, après avoir reçu à la cour du Pharaon l'éducation la meilleure que l'on pût donner en son temps, est poussé au désert par un événement providentiel. Il y vit quarante ans et c'est là que Dieu se manifeste à lui dans le buisson ardent et lui confère sa haute mission de conducteur du peuple hébreu. Jean-Baptiste est entraîné au désert par le poids de la grâce singulière reçue au jour de la Visitation de Notre-Dame. Il en sortira à trente ans,

---

1. Os 2, 14.
2. *Ibid.*

rempli de l'Esprit de Dieu et prêt à accomplir sa mission de précurseur. Saint Paul, après sa conversion, se retire en Arabie [1], et, sous l'action directe de l'Esprit Saint, s'y prépare à sa haute mission d'apostolat. C'est de la solitude que pendant les premiers siècles sortent les grands évêques qui construiront notre civilisation chrétienne. Plus tard saint Ignace de Loyola recevra, pendant son année de solitude à Manrèse, les lumières qui lui permettront d'écrire le livre des *Exercices spirituels* et d'organiser la Compagnie de Jésus.

Quant à l'Ordre du Carmel, qui a donné à l'Église ses grands docteurs mystiques, il a pris naissance au désert. Il y vit, ou du moins il y revient sans cesse comme à l'atmosphère qui, seule, peut nourrir ses attraits et développer sa vie.

Ce n'est donc pas seulement le silence mais la solitude qui est nécessaire pour que Dieu puisse prononcer son Verbe dans l'âme et pour que celle-ci puisse l'entendre et recevoir son action transformante.

C'est qu'en effet le désert offre au contemplatif des richesses incomparables, sa nudité, son silence, le reflet de Dieu qu'il étale en sa simplicité et les harmonies divines qu'il recèle en sa pauvreté.

C'est une rude ascèse que le désert impose à celui qui se livre à lui ; mais ascèse souverainement efficace parce qu'elle procède par dépouillement absolu. Le désert supprime aux sens et aux passions la multiplicité des satisfactions qui souillent, et des impressions qui aveuglent et enchaînent. Sa nudité appauvrit et détache. Son silence isole du monde extérieur et ne laissant plus à l'âme que l'uniformité des cycles de la nature et la régularité de la vie qu'elle s'est tracée, l'oblige à entrer en ce monde intérieur qu'elle est venue y chercher.

Cette nudité et ce silence ne sont point le vide, mais pureté et simplicité. A l'âme qu'il a pu apaiser, le désert découvre ce reflet de la transcendance, ce rayon immatériel de la simplicité divine qu'il porte en lui-même, cette trace lumineuse de Celui qui y passa en hâte [2] et qui y reste présent par son action. Le désert est plein de Dieu ; son immensité et sa simplicité le révèlent, son silence le donne. On a noté avec raison en étudiant l'histoire des peuples que le désert est monothéiste et qu'il préserve de la multiplicité des idoles. Remarque importante qui prouve que le désert, à ceux qui se laissent envelopper

---

1. Ga 1, 17.
2. *Cant. Spir.*, str. V, p. 713.

par lui et qui lui donnent leur âme, livre lui aussi son âme, l'Être unique et transcendant qui l'anime.

Dès lors nous comprenons combien en cette nudité purifiante et cette simplicité transparente du désert, peut s'affiner et s'enrichir le sens spirituel du contemplatif chrétien au contact des divines présences dont sa foi lui donne la certitude et que l'expérience lui a déjà rendues vivantes. Il peut aller jusqu'en ces régions où se laissent percevoir le souffle du Verbe Époux ainsi que la douce étreinte du Père, dans l'atmosphère embrasée de l'Esprit d'amour. S'appuyant sur ces richesses pour les dépasser, l'âme se porte plus loin dans cette nudité et simplicité intérieure dont le désert lui a donné le secret, pour atteindre par une foi plus dépouillée et plus pure, l'être et la vie de Dieu auxquels elle aspire. C'est après avoir cheminé pendant quarante jours dans le désert que sur le mont désolé de l'Horeb, Élie perçut le souffle léger qui décelait la présence divine.

Aussi il est normal que le contemplatif qui a perçu Dieu en cette nuit tranquille du désert intérieur et extérieur, dans les « onctions si nuancées de l'Esprit Saint, à la fois délicates et élevées, qui sont d'une ténuité et d'une pureté extrêmement subtile et peuvent se perdre pour un rien »[1] aspire non point seulement aux cloîtres recueillis, mais aux ermitages retirés et à la nudité silencieuse du désert. S'il n'avait point cet attrait on pourrait douter de la qualité de son expérience spirituelle.

Ce sont là vérités qu'on ne saurait mettre en doute parce qu'elles s'appuient sur des expériences dont on ne peut nier la valeur.

Mais elles soulèvent un problème pratique très important que nous ne pouvons pas négliger. Faut-il habiter au désert pour devenir contemplatif et assurer le développement des grâces contemplatives ? Ou d'une façon plus précise : la contemplation qui a toujours besoin de silence exige-t-elle le séjour au désert dans les mêmes proportions ?

Un élément de réponse à cette question nous est fourni par le témoignage déjà cité de sainte Thérèse sur la valeur spirituelle et contemplative de l'activité imposée par l'obéissance :

Croyez-moi, mes filles, ce n'est pas de la longueur du temps consacré à l'oraison que dépend le progrès de l'âme. Quand elle l'emploie si bien aux œuvres extérieures, elle y trouve un secours

---

1. *Vive Fl.*, str. III, trad. Hoornaert, p. 215.

précieux et se dispose mieux en très peu de temps à s'embraser d'amour que par de longues heures de considération. Tout doit lui venir de la main de Dieu[1].

D'autres motifs nous obligent à dissocier ces deux problèmes de la solitude et du silence.

Ils sont très nombreux les spirituels pour qui la vie en solitude ne peut être qu'un rêve irréalisable. Celui-ci est marié, a charge de famille et les devoirs qui découlent de sa situation lui imposent une tâche quotidienne très absorbante au milieu de l'agitation du monde. Cet autre a une vocation d'apostolat extérieur et se trouve engagé dans la multiplicité des œuvres que son zèle a créées ou du moins doit entretenir. Ils eussent pu hésiter autrefois entre la vie solitaire et celle qui est la leur. Maintenant il n'est plus temps. D'ailleurs ils ont fixé leur choix en obéissant à la lumière de leur vocation. Les voici pris par des obligations auxquelles en fait ils ne peuvent se soustraire et que Dieu leur impose de remplir avec fidélité.

Cette activité apostolique nécessaire à l'extension du royaume de Dieu, l'accomplissement des devoirs de famille les plus sacrés, seraient-ils incompatibles avec les exigences de la contemplation et d'une vie spirituelle très élevée ? Ces âmes qui sont restées avides de Dieu et qui sentent leurs désirs devenir plus ardents dans l'activité débordante à laquelle les vouent les plus authentiques de leurs devoirs d'état, seraient-elles condamnées à ne jamais parvenir à la plénitude divine à laquelle elles aspirent, parce que Dieu les a éloignées de la solitude du désert ? Nous ne pouvons le croire ; car c'est la même Sagesse qui appelle tout le monde aux sources d'eau vive et qui leur impose ces devoirs extérieurs. La Sagesse est une et harmonieuse en ses appels et en ses exigences. « Souffle de la puissance de Dieu », forte et suave, elle se joue des obstacles pour se répandre à travers les âges dans les âmes saintes et en faire des amis de Dieu et des prophètes[2].

La vie dans la solitude exige d'ailleurs une force, des qualités que la nature réserve à une élite.

En fuyant le monde et ses semblables on ne se quitte pas soi-même. Devant des horizons naturels et dans un champ d'activité désormais limité, le moi s'étale, souvent s'agite et toujours s'impose à la conscience psychologique. L'inactivité énerve, la solitude et le silence amplifient à la fois les bruits et affinent les puissances qui les perçoivent.

---

1. *Fondat.*, ch. v, p. 1108.
2. Sg 7, 25 et 27.

Les mouvements de l'âme et des facultés, les pensées, les images, ses impressions et ses sensations se précipitent et se succèdent sans qu'un choc extérieur vienne les interrompre et en modifier le cours ; elles s'inscrivent dans l'âme, s'imposent avec une acuité obsédante et souvent douloureuse, au point de voiler complètement les réalités surnaturelles que l'âme espérait pouvoir contempler en elle-même et en Dieu. L'âme venue au désert pour trouver Dieu ne s'y trouve souvent qu'elle-même.

Si nous ajoutons que les esprits mauvais habitent eux aussi au désert, s'y réfugient après leurs défaites pour y chercher un repos [1], qu'ils y tentent avec une particulière violence ceux qui y vivent, ainsi que le prouvent le récit de la tentation de Jésus pendant la sainte quarantaine, et ce que l'hagiographie nous raconte des pieux anachorètes ; si nous nous rappelons enfin que les esprits mauvais excellent à accroître la confusion créée par l'inactivité fiévreuse pour en profiter, y faire briller leurs appâts et dresser leurs embûches, nous comprendrons que le désert exige des âmes vaillantes, des tempéraments bien équilibrés, qu'il est vraiment la patrie des forts.

Aussi que d'illusions dans les désirs les plus sincères et les plus ardents de vie érémitique ! Les maîtres que leur expérience et leurs fonctions placent à l'entrée des déserts pour y recevoir les bonnes volontés le savent bien et, à la bienveillance surnaturelle qu'ils témoignent, ils ajoutent toujours une prudente réserve que l'avenir ne justifie que trop souvent. Ne dit-on pas que la Chartreuse élimine neuf sur dix des postulants qu'elle reçoit et examine ! Parmi ces âmes d'une bonne volonté sincère mais insuffisamment éclairée, il y a certes des misanthropes à charge à eux-mêmes et aux autres, des dilettantes à la recherche d'impressions très vives, des agités ou simplement des paresseux amoureux du repos, mais aussi des pauvres mélancoliques en quête d'obscurité et de souffrance, des faibles bien sympathiques qu'un échec, ou même seulement la perspective d'un effort à fournir, a découragés ; il y a aussi un assez grand nombre de spirituels ayant une certaine expérience mystique, avides de quiétude et d'impressions surnaturelles, mais trop faibles ou trop peu purifiés pour en porter de plus fortes et se supporter eux-mêmes sans diversion extérieure.

Chaque cas semble un cas nouveau sur lequel seule l'expérience peut projeter quelque lumière. Si une sage direction n'y pourvoit, c'est avec une force quasi brutale

---

1. Lc 11, 24.

Contemplation et vie mystique

que la solitude brise ces âmes et les rejette impitoyablement comme des épaves physiques et morales. Pour être vrai ajoutons qu'elle les garde parfois, et que ces âmes, n'y trouvant pas Dieu comme on l'avait espéré pour elles, laissent l'impression qu'elles eussent bien mieux rempli leur vie ailleurs.

Si la solitude du désert était absolument nécessaire au développement de la contemplation il faudrait en conclure que tous ceux qui ne peuvent y accéder, tous ceux qui n'ont pu la supporter ou la supportent si mal, sont incapables de parvenir à la contemplation, qui serait réservée à de rares privilégiés.

Opinion décourageante et cependant assez répandue. N'est-ce pas elle qui a créé ce fossé profond entre contemplatifs et actifs, au point de nous faire croire que ces deux formes de vie sont deux voies bien distinctes obéissant à des lois tout à fait différentes ; qui nous présente par conséquent le contemplatif et l'actif comme deux frères, sinon ennemis, du moins complètement dissemblables, confinant le premier dans un regard sur l'éternel, le deuxième en des préoccupations temporelles, libérant le premier de toute intervention dans la vie de son époque et le deuxième de toute aspiration à une vie intérieure profonde.

Contre ce compartimentage facile à l'usage des logiciens, plus soucieux de clarté conceptuelle que de vérité, protestent à la fois la saine conception de la vie spirituelle et les réalisations de sainteté que nous découvrons chez les saints.

Déjà, en parlant des dons du Saint-Esprit, nous avons vu comment deux saints comme sainte Thérèse et saint Jean Bosco, à la vie extérieure et spirituelle si dissemblable, parce que guidée par des dons du Saint-Esprit si différents, se ressemblent étonnamment sur les sommets par les charismes dont ils jouissent.

Mais revenons au problème que nous avons abordé et que nous devons résoudre. Dans quelle mesure la contemplation, ou plus généralement l'action profonde de Dieu dans l'âme, exige-t-elle de la solitude ? Pour ne pas nous égarer nous-mêmes en des considérations purement spéculatives, efforçons-nous de serrer de près le réel et demandons à l'étude de cas concrets la solution pratique de ce problème de vie.

La vie du prophète en Israël paraît suggestive à ce sujet, surtout quand les principes qui la régissent sont éclairés par l'utilisation qu'en fait le Carmel.

L'Écriture sainte nous montre dans le développement de la vie du peuple hébreu l'institution de ce qu'on a appelé le prophétisme en Israël. Sur le peuple choisi qu'il a retiré de la servitude d'Égypte et introduit en la terre d'Israël par le ministère de Moïse et de Josué, Dieu s'était réservé l'autorité absolue. Il était à la fois le Dieu et le roi d'Israël. Il livrait son peuple à la servitude des nations voisines lorsqu'il était infidèle, et suscitait des juges pour le délivrer lorsque le châtiment lui avait ouvert les yeux sur sa faute.

Un jour les Israélites s'en furent trouver Samuel leur juge et lui demandèrent un roi qui fût constamment à leur tête. Cette demande déplut à Dieu : « Ce n'est pas toi qu'ils rejettent, dit-il à Samuel, mais moi, pour que je ne règne pas sur eux... Cependant réponds à leur demande après leur avoir dit les droits du roi qui règnera sur eux [1] ».

Dieu ne voulait sacrifier aucun de ses droits sur le peuple dépositaire des promesses messianiques ; pour garder toute sa puissance sur lui, il institue les prophètes ou le prophétisme qui subsista jusqu'à la captivité de Babylone.

Le prophète est un homme choisi par Dieu pour défendre ses droits sur Israël contre l'autoritarisme et l'impiété des rois et contre l'infidélité du peuple.

Ce choix confère au prophète une mission permanente et une puissance extraordinaire. Certains, parmi les prophètes écrivains, nous racontent leur vocation [2].

Isaïe dit aussi comment il fut appelé à la mission prophétique et comment un séraphin lui purifia les lèvres avec un charbon ardent. Nous sommes moins renseignés sur l'appel des prophètes qui n'ont pas écrit et qu'on appelle prophètes d'action. L'Écriture nous montre Élie le Thesbite se levant soudain « comme une flamme » et commençant sa mission prophétique [3].

Cette vocation est une véritable emprise de Dieu qui sépare le prophète de son milieu, de sa famille, et l'attire au désert. Le prophète, devenu au sens plein du mot « l'homme de Dieu », vit désormais en marge de la société, isolé par sa grâce et son appartenance à Dieu. Il n'a pas de demeure fixe ; il va où l'Esprit le pousse, reste là où il le fixe, souvent errant à travers la Palestine, pour l'ordinaire vivant dans la solitude.

---

1. 1 S 8, 7-9.
2. Jr 1, 5-10.
3. 1 R 17 ; Si 48, 1.

Que fait-il ? Il est aux ordres de Dieu, aux écoutes de son Verbe, et pour cela se tient constamment en sa présence : *Vivit Dominus in cujus conspectu sto* ! Il est vivant le Seigneur en présence de qui je me tiens ! clame Élie, le plus grand des prophètes d'action.

Cette réponse de foi et d'abandon à l'emprise de Dieu si complète crée une attitude éminemment contemplative. Dans la solitude, des échanges merveilleux s'établissent entre Dieu et l'âme du prophète. Dieu se donne avec une générosité qu'augmente souvent l'infidélité de son peuple choisi. Il satisfait ainsi besoin de se répandre. Le prophète reçoit parfois en son âme la grâce d'Israël.

Le prophète se livre avec un abandon de plus en plus parfait ; son regard, sa foi se purifient. En analysant dans notre dernier chapitre la vision de l'Horeb, nous avons vu les exigences sublimes et délicatement pures du prophète Élie lorsque Dieu lui présente des manifestations surnaturelles extérieures. C'est Dieu lui-même qu'il désire et il ne se montrera satisfait que lorsqu'il l'aura perçu dans le souffle de la brise légère.

On devine à peine, et il faudrait avoir le regard et la plume de saint Jean de la Croix pour pénétrer et décrire les intimités de Dieu avec son prophète, l'œuvre de sanctification et de transformation réalisée : « Que fais-tu Élie, dans ta caverne ? » dit le Seigneur. Et le prophète de répondre : « Je suis consumé par la flamme du zèle pour le Seigneur Dieu des armées ; car les enfants d'Israël ont brisé le pacte de l'alliance, ont détruit les autels, ont tué tes prophètes, je reste seul et ils me cherchent pour me faire mourir ![1] ». Les intérêts de Dieu sont les intérêts du prophète. La flamme de la justice divine le consume et ses feux sont presque trop ardents. Dieu fait remarquer en effet au prophète qu'il y a encore en Israël sept mille hommes qui n'ont pas ployé le genou devant Baal. Le prophète est un grand voyant des choses éternelles et un familier de Dieu.

Mais ce n'est pas uniquement pour trouver en lui un ami fidèle que Dieu a fait le prophète, c'est pour avoir en mains un docile instrument de ses volontés. Un ordre de Dieu... et le prophète part aussitôt pour exécuter ses missions périlleuses, porter un message de châtiment au roi, rassembler le peuple sur le Carmel, immoler les prêtres de Baal ou imposer le manteau prophétique à Élisée.

---

1. 1 R 19, 14.

Ces missions sont pénibles : le prophète sent la fatigue, voit les dangers, expérimente parfois sa faiblesse ; mais quelle sollicitude de Dieu pour tous les besoins de son envoyé ! Les corbeaux lui apportent sa nourriture au Carith ; la farine et l'huile de son hôtesse, la veuve de Sarepta, se multiplient miraculeusement pendant tout le temps que dure la famine ; un ange lui apportera par deux fois le pain qui le soutiendra pendant ses quarante jours de marche à travers le désert !

La puissance de Dieu s'attache à tous les gestes et paroles du prophète. Il prie et le feu du ciel descend aussitôt sur le sacrifice qu'il a préparé sur le Carmel. « Élie se leva comme une flamme, dit l'Ecclésiastique et sa parole brûlait comme une torche [1] ». Le roi Ochozias lui envoie une troupe armée de cinquante hommes pour le saisir : le prophète fait descendre sur eux le feu du Ciel qui les consume. Une deuxième troupe subit le même sort. La troisième trouve grâce à cause de l'humble attitude du chef qui la commande.

Pour tirer une leçon pratique de ces faits, dégageons-les du merveilleux terrible qui les illustre et n'en retenons que l'union harmonieuse de contemplation et d'action que le prophète nous montre réalisée dans sa vie. Remarquons que l'harmonie de cette synthèse ne procède pas d'un sage dosage d'occupations extérieures et d'exercices spirituels, d'un équilibre établi par la prudence et qui répondrait à la fois aux aspirations de l'âme vers l'intimité divine et aux nécessités de l'apostolat. Équilibre et synthèse sont réalisés dans la vie du prophète par Dieu qui l'a saisi et le meut. Le prophète est constamment à la recherche de Dieu et constamment livré à son action intérieure ou extérieure. Il se livre et c'est toute son occupation à lui. A Dieu de disposer de lui pour le retenir dans la solitude ou pour l'envoyer de-ci de-là. Son abandon successivement le fera entrer dans les intimités les plus secrètes avec son Dieu, le poussera aux entreprises extérieures les plus audacieuses, mais le ramènera constamment, ses gestes accomplis, à Dieu qui habite au désert. *Vivit Dominus in cujus conspectu sto* ! L'harmonie entre contemplation et action est réalisée par la Sagesse divine elle-même, grâce à son emprise sur le prophète et grâce à la fidélité de ce dernier.

Le prophétisme disparut en Israël au moment de la captivité de Babylone. Mais Élie avait fait école. Des disciples se rassembleront autour de lui. Plus tard des

---

1. Si 48, 1.

ermites vinrent s'établir sur le Carmel, et dans les solitudes palestiniennes, pour vivre de son esprit et de sa grâce. L'Ordre du Carmel se réclame de cette noble descendance [1]. Sainte Thérèse conduit les âmes vers les sommets de l'union en indiquant les lois de l'emprise divine et de la coopération à son action. Les Demeures du « Château » ne sont que des étapes vers l'union. Au sommet se réalisera la synthèse harmonieuse que nous avons admirée chez le prophète : l'âme y vit dans l'union parfaite avec Dieu et est en même temps dévorée de zèle pour sa gloire. A cette heure elle est vraiment « fille d'Élie » et vit de son esprit.

C'est parce que cet esprit d'Élie avait pris possession de son âme, que sainte Thérèse sentit, au moment où devaient se multiplier ses monastères de carmélites, qu'il manquait quelque chose d'essentiel à son œuvre. Les carmélites dans leur clôture pouvaient devenir de grandes contemplatives, brûler de la flamme de l'amour divin, mais ne pouvaient pas se livrer à Dieu comme le prophète pour ses œuvres extérieures. Aussi multiplie-t-elle ses instances auprès du Général des carmes pour obtenir l'autorisation de fonder des couvents de carmes contemplatifs voués en même temps au ministère des âmes. Elle n'avait pas fondé son deuxième monastère de carmélites que cette permission lui était accordée.

Nous n'avons pas à faire l'histoire de ces fondations laborieuses ni des luttes dont elles furent l'occasion. Ces discussions des débuts, comme celles qui survinrent plus tard au sein même de la Réforme carmélitaine, ne nous intéressent que pour les conclusions pratiques qu'elles nous fournissent touchant notre sujet.

On l'a remarqué, le prophète comme le juste n'a pas de lois autres que celles de la Sagesse d'amour qui le soutient et l'inspire. Son état est un état de perfection, celui que sainte Thérèse décrit dans les dernières Demeures. Il y est élevé par sa vocation extraordinaire. Tous ceux qui se réclament de l'esprit prophétique et veulent en vivre, ne peuvent pas prétendre à un pareil privilège. Ils y parviendront, mais par des étapes successives, en pratiquant une ascèse, en organisant leur vie. La prudence que le prophète livré à la Sagesse avait le droit de négliger, reprend ses droits et impose ses règles pendant la période d'ascension.

---

1. Ve Dem., ch. I, p. 893.

Comment aller directement vers ces sommets de l'idéal prophétique, en vivre déjà, c'est-à-dire unir contemplation et action, avant de le posséder parfaitement ?

Ici surgit le conflit quasi-éternel entre les tendances différentes : le tempérament contemplatif, qui a peur de perdre sa contemplation, le tempérament actif qui ne trouve joie et saveur que dans l'action. L'une et l'autre de ces deux tendances outrancières doivent échouer : la première dans un égoïsme spirituel qui ignore le don de soi ; la deuxième dans la dissipation qui détruit la contemplation. Ce conflit se produisit au sein de la Réforme thérésienne. Un homme de génie, un grand religieux, le plus grand, a-t-on dit, de la Réforme après sainte Thérèse et saint Jean de la Croix, le P. Thomas de Jésus, donna à ce problème une solution dont les réalisations fécondes montrèrent l'excellence. Sa vie et son œuvre appartiennent à l'histoire générale de l'Église.

Thomas de Jésus (Diaz Sanchez d'Avila) naquit en Andalousie en 1564, tandis que sainte Thérèse vivait ses premières années paisibles de Saint-Joseph d'Avila. D'une intelligence remarquable, il avait à dix-neuf ans épuisé les diverses branches du savoir ecclésiastique et s'en fut à Baeza faire son droit civil tandis que saint Jean de la Croix était recteur du collège des carmes. Étudiant à Salamanque un peu plus tard, il put, grâce à un de ses amis, parent de sainte Thérèse, lire une copie des œuvres de la Sainte. Il fut conquis et lorsque son ami entra chez les carmes déchaussés, il l'y suivit. Profès en 1587, prêtre en 1589, il est envoyé aussitôt à Séville comme professeur.

Voici ce contemplatif voué maintenant à l'action. Un problème pratique se pose pour lui : comment unir contemplation et action en sa vie de religieux et de professeur ? Il réfléchit, il prie, il coordonne ses idées, ses expériences et il écrit un mémoire. En ce mémoire il préconise la création, au sein de la Réforme thérésienne des carmes déchaussés, de monastères qui seront de véritables Chartreuses. En ces Chartreuses, appelées « Saints Déserts », les austérités seront plus grandes, le silence sera continuel ; il y aura des ermitages isolés où les religieux se retireront pendant l'Avent, le Carême ou autres temps. Ce séjour au désert doit maintenir l'esprit contemplatif, préserver et les sujets et l'Ordre contre les envahissements de l'action ; il doit aussi préparer à l'action en livrant l'âme plus profondément à l'emprise divine. Le saint désert doit assurer l'équilibre de la vie mixte en maintenant à la contemplation l'influence principale directrice qu'elle doit y tenir.

Le mémoire est présenté au P. Doria qui est effrayé par le projet : il craint que le désert ne vide les couvents de leurs meilleurs sujets. Calcul étroit qu'on ne peut lui reprocher trop durement, car deux ans après il approuve le projet et permet qu'on l'exécute.

Un désert est donc fondé à Bolarque sur les bords du Tage. Le P. Thomas de Jésus, après l'avoir inauguré, ne peut en profiter, car il est professeur et bientôt provincial de Vieille-Castille, à trente-cinq ans. Il fonde un nouveau désert près de Salamanque et, son provincialat terminé, il s'y retire. Il y restera sept ans comme prieur.

Années fécondes ! Thomas de Jésus boit à la source d'eau vive et se prépare à la faire jaillir de son âme pour tous ceux qui ont faim et soif de Dieu. Il réfléchit, il travaille. Mais voici que d'Italie, le pape Paul V qui en a entendu parler, l'appelle pour lui confier un apostolat missionnaire. Il hésite. Une lumière intérieure vient confirmer cet appel du chef de la chrétienté. Comme Élie en sa caverne, vivant en présence de Dieu, il a senti le zèle de la gloire de Dieu l'embraser. Sainte Thérèse n'avait-elle pas senti elle-même aussi ces ardeurs après les années paisibles de Saint-Joseph d'Avila ? Une grâce identique produit les mêmes effets dans les âmes. Le P. Thomas de Jésus part pour l'Italie et se met à la disposition du Souverain Pontife.

Pour répondre aux désirs du Pape et réaliser en même temps une pensée chère à sainte Thérèse, il propose de fonder une troisième Congrégation carmélitaine, appelée « de Saint-Paul », et qui sera une congrégation uniquement vouée aux missions. Nous sommes au début du XVIIᵉ siècle : ce contemplatif est en avance sur l'histoire de l'Église.

Le P. Pierre de la Mère de Dieu, général de la Congrégation d'Italie, qui soutenait le P. Thomas de Jésus, meurt sur ces entrefaites. Son successeur réussit à faire rapporter le bref d'érection de la Congrégation de Saint-Paul. Le P. Thomas de Jésus, transfuge d'Espagne, suspect à ses frères d'Italie, tombe en disgrâce. Il en profite pour mettre en ordre ses pensées sur l'apostolat missionnaire. L'ouvrage qu'il compose alors, *De procuranda salute omnium gentium* est une véritable somme de l'apostolat missionnaire et sera longtemps le manuel classique adopté par la Congrégation de la Propagande. Thomas de Jésus y préconise spécialement la création, à Rome, d'un organisme central pour soutenir, diriger et coordonner l'apostolat à travers le monde (cet organisme sera créé en effet et deviendra la Congrégation de la Propagande). Il y traite aussi de la nécessité de séminaires des missions spécialisés pour chaque race.

Le Pape n'oublie pas Thomas de Jésus. Par une heureuse intervention il le met de nouveau en faveur et lui confie les fondations projetées en France et en Belgique.

En 1610 le P. Thomas de Jésus est à Paris pour faire les premières démarches qui aboutiront l'année suivante à la fondation du couvent de la rue de Vaugirard. Déjà à ce moment-là, il est en Flandres où l'a accueilli avec grande joie la Vénérable Anne de Jésus. Supérieur des carmélites et provincial des carmes pendant douze ans (1611-1623), il multiplie les fondations de monastères et couvents à Bruxelles, Louvain, Anvers, Cologne, Tournai, Malines, Liège, Valenciennes, etc... etc... Il n'oublie pas qu'un saint désert est nécessaire à la vie de son Ordre, et dès 1619 il en établit un à Marlagne près de Namur.

Au milieu de ses travaux de fondation et d'administration, il trouve du temps pour mettre au point ses grands traités de vie spirituelle sur la *Pratique de la foi vive*, sur l'*Oraison*, et sur la *Contemplation divine*.

En 1623 il revient à Rome comme définiteur général et il y meurt saintement en 1627.

Le P. Thomas de Jésus laissait un exemple et un enseignement du plus haut intérêt.

Le prophète nous avait montré l'équilibre de contemplation et d'action réalisé par l'emprise de Dieu.

Par la création des saints déserts, Thomas de Jésus nous apprend comment s'offrir progressivement à cette emprise divine et comment assurer l'équilibre spirituel de sa vie en attendant qu'elle soit réalisée.

Les *leçons plus précises* de son enseignement vécu, qui serviront de conclusions pratiques à cette étude, peuvent être ainsi énoncées :

1. La solitude en raison de la qualité du silence qu'elle assure, semble nécessaire au développement de la contemplation surnaturelle. Elle doit donc faire partie de toute vie contemplative.

2. Il suffit que cette solitude soit intermittente ; mais elle doit être d'autant plus profonde qu'elle est intermittente, et d'autant plus protégée qu'elle est plus menacée par les envahissements du monde.

Contemplation et vie mystique

3. Activités de l'apostolat et contemplation ainsi protégée et nourrie du pain quotidien de l'oraison peuvent s'unir en un équilibre harmonieux qui les purifie, les enrichit et les féconde mutuellement.

4. C'est cet équilibre parfait de contemplation et d'action qui caractérise le prophète et qui fait l'apôtre parfait.

Tel est l'enseignement de Thomas de Jésus, dont la portée et la valeur nous paraissent immenses pour notre époque.

Contemplation et vie mystique

CHAPITRE SEPTIÈME

La contemplation

Don de soi, humilité et silence non seulement livrent l'âme à l'action directe de Dieu, mais exercent une pression quasi irrésistible sur la liberté divine pour qu'elle intervienne dans la vie spirituelle de l'âme par les dons du Saint-Esprit.

Quelle est la nature et quels sont les effets de cette intervention, comment se plier aux modes divers de l'action divine pour lui assurer toute son efficacité ? Avant d'aborder ce sujet qui constitue la partie la plus importante de ses traités, et spécialement du *Château Intérieur*, sainte Thérèse se recueille et prie.

Avant de commencer ces quatrièmes Demeures, il m'était bien nécessaire de prier comme je l'ai fait. Je me suis recommandée à l'Esprit Saint et l'ai supplié de parler désormais à ma place pour dire quelque chose des demeures qui restent à expliquer et vous en donner l'intelligence [1].

Imitons son geste, car nous ne saurions pénétrer dans ces régions nouvelles sans un secours spécial de Dieu.

Ce dont je vais vous entretenir commence à être surnaturel et il est très difficile de le faire comprendre, si Sa Majesté ne me prête son concours, comme elle le fit il y a quatorze ou quinze ans environ, quand j'écrivis un livre où j'ai exposé cet état jusqu'au point où j'en avais reçu l'intelligence... [2].

Malgré tous ses efforts l'entendement ne pourra en donner une idée tellement juste qu'elles (ces choses) ne restent néanmoins toujours très obscures pour ceux qui n'en ont pas l'expérience ; quant à ceux qui possèdent cette expérience, surtout depuis longtemps, ils me comprendront très bien [3].

---

1. IVᵉ Dem., ch. v, p. 863.
2. Le livre de sa *Vie*.
3. IVᵉ Dem., ch. v, p. 863-864.

Contemplation et vie mystique

Nous entrons en effet dans le domaine de la théologie mystique, qui, par définition, est une science mystérieuse et secrète.

Modestement la Sainte a vu qu'elle n'a pas la science nécessaire pour jeter sur ce sujet toute la lumière désirable et s'en plaint :

Pour beaucoup de choses la science me serait nécessaire. Il serait utile en effet d'expliquer ce qu'il faut entendre par secours général et secours particulier. La science me servirait en outre pour beaucoup d'autres points qui seront mal dits [1].

Ainsi, renonçant à expliquer, elle se bornera à exposer « ce que l'âme ressent quand elle est dans cette divine union [2] ».

La science mystique de saint Jean de la Croix viendra à son aide et éclairera heureusement les descriptions étonnamment nuancées et précises de sainte Thérèse. L'enseignement harmonisé des deux Réformateurs du Carmel sera le guide le plus sûr en ces régions mystérieuses et fournira à la théologie mystique ses principes les plus solides et ses bases les plus fermes.

On observe de nos jours un retour très marqué vers ces questions. Snobisme ? Il ne semble pas, du moins habituellement. C'est plutôt le désarroi de l'intelligence et l'inquiétude du lendemain qui créent et alimentent un besoin intense d'absolu et de transcendant. Les maîtres du Carmel voient donc venir vers eux maints esprits curieux et inquiets et une foule d'âmes avides de lumière et de vie. Avec quelle tendresse ces donneurs de divin et d'infini doivent, du haut du ciel, se pencher sur l'angoisse et la faim de ces âmes, pour mettre à leur disposition toutes leurs richesses intellectuelles et spirituelles ! Qu'ils daignent nous aider pour que nous n'affaiblissions pas leur message !

A. — LA CONTEMPLATION EN GÉNÉRAL

L'intervention de Dieu dans la vie spirituelle se produira normalement en tout premier lieu dans les relations directes de l'âme avec Dieu, par conséquent dans l'oraison. Elle transformera l'oraison en contemplation. C'est la contemplation qui s'offre donc tout d'abord à notre étude.

---

1. *Vie*, ch. xiv, p. 140.
2. *Ibid.*, ch. xviii, p. 172.

I. — *Définitions.*

Maintes définitions ont été données de la contemplation. Voici celle de Richard de Saint-Victor :

« *Contemplatio est perspicuus et liber contuitus animi in res perspiciendas.* La contemplation est une vue globale, pénétrante et amoureuse qui attache l'esprit aux réalités qu'il considère ».

Saint Thomas la définit :

« *Simplex intuitus veritatis.* Regard simple sur la vérité ».

Les *Salmanticenses*, théologiens carmes, commentateurs de saint Thomas, ont ajouté un mot à cette définition. Ils disent :

« *Simplex intuitus veritatis sub influxu amoris.* Regard simple sur la vérité, sous l'influence de l'amour ».

Ces trois définitions s'éclairent et se complètent.

Celle de saint Thomas, squelettique d'apparence, n'a retenu que l'essentiel, et, en sa concision, le met en relief. La contemplation est un acte de connaissance, acte simple qui pénètre la vérité, sans discourir, d'une façon quasi intuitive.

Les *Salmanticenses* ont tenu à souligner le rôle de l'amour dans cette connaissance. Ce rôle de l'amour, pour n'être pas essentiel à l'acte lui-même de la contemplation, constitué par un regard simple sur la vérité, est cependant essentiel à son principe et à sa fin. C'est l'amour qui porte l'esprit au regard ; c'est lui qui simplifie ce regard et le fixe sur l'objet. Dans la contemplation surnaturelle, c'est par l'amour que l'âme connaît et non dans la clarté de la lumière. Enfin, le fruit de cette contemplation est un développement de l'amour. L'amour est donc le principe et la fin de la contemplation, il fixe et simplifie le regard ; c'est de l'amour que procède la connaissance dans la contemplation surnaturelle. Il était normal que les carmes contemplatifs ajoutent à la définition de saint Thomas le mot *sub influxu amoris.*

La définition de Richard de Saint-Victor nous apporte aussi sa lumière. En soulignant que la contemplation est un *contuitus* (vue globale) elle montre que la contemplation est une synthèse vivante de notions fragmentaires que l'âme a acquises habituellement par des regards successifs. Cette vue globale n'est qu'apparemment confuse ; elle ne semble oublier des détails extérieurs que pour pénétrer dans la chose elle-même avec la puissance de l'amour qui fixe le regard sur la réalité. Richard de Saint-Victor signale en effet que cette vue globale est pénétrante, amoureuse et qu'elle attache l'esprit à la réalité.

Cette définition presque descriptive nous fournit une explication intéressante sur la genèse et la nature de la contemplation. Nous aurons toutefois quelque difficulté à retrouver ces divers éléments dans la contemplation surnaturelle.

Aussi retiendrons-nous la définition des *Salmanticenses* comme la meilleure parce que la plus complète et s'appliquant à toutes les formes de la contemplation.

II. — *Ses premières formes.*

Car la contemplation a des formes et des degrés divers. Il ne saurait être question de réserver cette appellation de contemplation à la contemplation surnaturelle ou infuse dont parle sainte Thérèse à partir des quatrièmes Demeures. Est une véritable contemplation, tout acte de connaissance et regard simple sur la vérité sous l'influence de l'amour. Il nous suffira de qualifier chacune des formes de contemplation que va nous révéler l'expérience.

1. Nous voici sur une falaise, devant l'immensité de l'océan. Le regard saisit les détails : quelques barques de pêcheurs de-ci de-là, à l'horizon un navire, l'azur que reflètent les flots, la masse légèrement mouvante des eaux, l'horizon large et profond. Le regard est saisi, les détails disparaissent, la vie se dégage de ce spectacle, une vie qui sourd de cette masse mouvante et des horizons chargés d'infini. Il y a communication et échange entre cet océan et l'âme. Tandis que l'émotion esthétique apaise les sens et immobilise le regard, le tableau s'enrichit de toutes les impressions qu'il provoque, de toute la vie, de toutes les évocations dont l'âme émue le charge. Vue globale qui ignore les détails pour aller à la réalité vivante qu'elle pénètre et qui la retient parce qu'elle l'aime. Un instant j'ai fait une véritable contemplation qui a enrichi mon âme d'impressions peut-être inoubliables et qui peuvent avoir sur mon développement intellectuel et moral une profonde influence.

Cette contemplation porte sur des réalités sensibles, a été faite par le regard de mes sens et a produit une émotion esthétique. Elle se situe au degré inférieur et nous pourrons l'appeler contemplation esthétique.

2. Voici la contemplation intellectuelle. Celle du philosophe qui, après un travail persévérant, a trouvé la solution du problème qui se posait à son esprit : « La voici, la pensée, le principe qui explique tout, dans lequel et par lequel s'harmonise le monde un peu tumultueux de mes pensées ». Celle du savant qui, après de multiples expériences, a trouvé la loi qu'il cherchait depuis longtemps : « La voici énoncée en termes précis, cette loi qui explique tout ».

Principe et loi brillent devant le regard de l'intelligence du philosophe et du savant, riches et simples, lumineux et profonds, synthèse vivante qui les attire et les retient. Ils l'analysent (ce principe, cette loi), le scrutent, l'admirent, l'aiment pour tous les efforts qu'il représente, pour toute la lumière qu'ils en reçoivent et aussi pour toutes les promesses qu'il contient pour l'avenir. Le philosophe et le savant se complaisent dans leur découverte. La joie affectueuse apaise l'activité de l'intelligence, arrête, un instant du moins, leur regard qui reste sous le charme indéfini de la lumière et de la note vivante qui s'y ajoute. Le regard est synthétique, affectueux, simple. *Simplex intuitus veritatis sub influxu amoris.* C'est la contemplation intellectuelle ou philosophique.

3. Contemplation théologique. A un degré supérieur nous apparaît le théologien, qui, avec toute la vigueur de son intelligence et la tendresse de son amour pour Dieu et pour les hommes qu'il doit instruire, étudie le dogme et en scrute les formules. Souvent lui aussi est ravi d'admiration devant la lumière qui en jaillit, les beautés qu'elle révèle, et son regard s'arrête apaisé, chargé d'amour, pénétrant en ces formules lourdes de lumière et de vie.

Il n'est d'ailleurs pas nécessaire d'être théologien pour faire cette contemplation théologique, pas plus qu'il n'est besoin d'être artiste qualifié pour sentir ses facultés s'apaiser dans un regard profond et vivant devant la majesté d'un spectacle grandiose. Tout chrétien, dont la foi est animée par l'amour, peut contempler ainsi une vérité dogmatique ou une scène évangélique.

Nous voici devant Jésus à Gethsémani ; une nuit claire, les oliviers aux formes étranges assombrissent la vallée, l'obscurité de la grotte ; à l'entrée, Jésus la face contre terre ; nous nous approchons... Jésus gémit, semble s'agiter, prononcer des paroles entrecoupées, des gouttes de sang perlent sur son visage. Tout cela nous révèle un drame intérieur terrible, les assauts du péché contre l'humanité du Christ. Notre regard qui s'attache à ce spectacle sanglant n'en voit plus les détails. Il est plus loin dans la réalité vivante, l'Agneau de Dieu qui a pris le péché du monde dont le poids maintenant l'accable et le fait agoniser. Immobiles, paisibles, douloureux, nous regardons, et par ce regard la lumière entre, profonde et vivante dans notre intelligence.

Dans ces attitudes du théologien ou du simple fidèle devant une vérité dogmatique ou un geste du Christ Jésus, on a reconnu les oraisons simplifiées dont nous avons parlé aux troisièmes Demeures et que nous avons définies un regard dans le silence [1]. A n'en pas douter ces oraisons de simplicité sont une véritable contemplation, un regard simple sur la vérité sous l'influence de l'amour.

Rapprochée de la contemplation philosophique, cette contemplation du théologien et du fidèle accuse des ressemblances frappantes. Elle est constituée par la même attitude de l'intelligence qui considère d'abord, scrute et s'apaise dans la lumière d'une vérité sous l'influence de l'amour.

Cependant nous réservons à cette contemplation du chrétien un nom particulier, nous l'appelons contemplation théologique, parce qu'elle diffère notablement de la précédente par l'objet auquel elle s'applique. Tandis que la contemplation philosophique porte sur une vérité découverte par l'intelligence, donc vérité naturelle, la contemplation théologique a pour objet une vérité surnaturelle que la foi a révélée à l'intelligence.

La contemplation théologique, qui reste humaine par la faculté qui la produit, mais est déjà surnaturelle par son objet [2], nous achemine vers la contemplation surnaturelle ou infuse.

B. — *LA CONTEMPLATION SURNATURELLE*

I. — *Notion.*

La contemplation surnaturelle ou infuse est la forme la plus haute de la contemplation, celle à laquelle les mystiques, sainte Thérèse et saint Jean de la Croix en particulier, réservent le nom de contemplation.

---

1. Cf. *Premières étapes*, ch. IX, p. 267 et s.
2. En certains cas il y aura dans cette contemplation théologique une action de Dieu par les dons du Saint-Esprit, qui, s'adaptant au mode humain d'agir, perfectionnera l'activité de l'intelligence et l'éclairera.

Elle réalise excellemment la définition de la contemplation donnée par les *Salmanticenses* : regard simple sur la vérité sous l'influence de l'amour. La vérité que cette contemplation atteint n'est pas la formule dogmatique sur laquelle s'applique la contemplation théologique, mais la Vérité divine elle-même.

Pour être mises à notre portée, les réalités surnaturelles ont été exprimées en des formules dogmatiques qui empruntent au monde créé ses idées et ses symboles. C'est ainsi que l'infinie perfection de Dieu sera exprimée par l'énoncé de toutes les qualités que nous connaissons aux créatures, qualités portées à un degré infini. Cette expression du transcendant divin est l'expression humaine la plus parfaite de la vérité, mais elle reste conceptuelle et analogique.

Gardons-nous cependant de penser que, parce que simplement analogique, cette expression n'est plus qu'un froid concept ou un symbole vide de la richesse qu'il doit nous apporter ! Saint Jean de la Croix souligne que le dogme révélé, sous ses dehors argentés (ou formules dogmatiques adaptées à l'intelligence humaine), contient l'or de la Vérité divine elle-même qu'il réserve à la foi.

C'est donc en cette Vérité divine : vie, lumière, essence de Dieu, que la foi pénètre comme en son objet propre, chaque fois qu'elle pose un acte. Objet qui est le mystère et dans lequel ne saurait se maintenir la foi dont l'activité est normalement liée à celle de l'intelligence. Celle-ci est faite pour la clarté, comment pourrait-elle se reposer dans l'obscurité du mystère ? Elle revient à la formule dogmatique et aux raisonnements.

Mais voici que de l'obscurité du mystère jaillit, par les dons du Saint-Esprit, une clarté confuse, un je ne sais quoi qui fait trouver paix et saveur dans le mystère, qui y retient la foi ou l'y ramène en la dégageant des opérations discursives de l'intelligence pour lui faire trouver repos et appui en ce dépassement de toute lumière distincte. Une intervention de Dieu s'est produite par les dons du Saint-Esprit, qui a perfectionné la foi en son acte théologal, l'a transformée en foi vive et a produit la contemplation surnaturelle. *Fides illustrata donis* : la foi a été éclairée par les dons, dit magnifiquement le P. Joseph du Saint-Esprit [1].

Cette contemplation infuse est pleinement surnaturelle puisque son objet est la vérité divine elle-même ; qu'elle

---

1. Cf. P. Gardeil, *La structure de l'âme et l'expérience mystique*, où l'on trouvera une explication détaillée de la définition.

est réalisée par la foi, vertu infuse surnaturelle, perfectionnée par une intervention directe de Dieu par les dons du Saint-Esprit.

Le mécanisme surnaturel de la contemplation infuse est mis en action par l'amour : *sub influxu amoris,* disent les *Salmanticenses.* Le rôle de l'amour en cette contemplation est essentiel.

C'est l'amour qui est au principe du mouvement de la foi vers la vérité divine. C'est par amour que Dieu intervient pour maintenir la foi en son objet divin et c'est par les dons du Saint-Esprit, ces « passivités engendrées dans l'âme par l'amour de charité », que se produisent les interventions divines. C'est à un contact, à une union d'amour qu'aboutissent l'adhésion de la foi et l'emprise divine.

C'est enfin du contact d'amour que procède la connaissance contemplative :

> Ces hautes connaissances, écrit saint Jean de la Croix, sont l'union même, attendu que de les avoir, cela consiste en un certain attouchement qui se fait de l'âme en la divinité, et partant, Dieu même est Celui qu'on y sent et qu'on y goûte [1].

L'amour ne simplifie pas seulement le regard de l'âme, il engendre la connaissance elle-même. Charité surnaturelle qui assure la connaturalité avec Dieu, l'amour réalise le contact avec Dieu, et dans ce contact il s'enrichit de l'expérience de Dieu même.

La contemplation est donc science d'amour, « sagesse secrète » dit encore saint Jean de la Croix, « qui se communique et est infuse en l'âme par amour [2] », attention amoureuse, calme et paisible, qui procède de l'amour, progresse dans les pas de l'amour : *gressibus amoris,* et trouve sa perfection dans la perfection de l'union réalisée par l'amour.

II. — *Effets de la contemplation surnaturelle.*

Les effets de la contemplation surnaturelle sont très profonds et extrêmement variés. Chaque degré d'union et chaque grâce en comportent de différents. Saint Jean de la Croix avec sa grâce charismatique d'inspiration [3]

---

1. *Montée du Carmel*, Liv. II, ch. XXVI, (Trad. P. Cyprien, édit. P. Lucien, Desclée, p. 270).
2. *Nuit Obsc.*, Liv. II, ch. XVII, p. 625.
3. Cf. l'article « A propos de l'inspiration mystique de saint Jean de la Croix » par le P. Marie-Eugène de l'E. J. dans *Saint Jean de la Croix, docteur de l'Église*, éditions de l'Abeille, Lyon, 1942.

s'est plu dans la *Nuit Obscure*, dans le *Cantique spirituel* et dans la *Vive Flamme* [1] à décrire quelques-unes des opérations de Dieu, des vibrations de l'âme et des richesses reçues en cette contemplation.

Certains philosophes ont souligné la valeur de la connaissance qui est le fruit de la contemplation. La contemplation serait précieuse surtout pour la vision intime de l'être et du monde qu'elle assure.

Il est bien vrai que la contemplation apporte des lumières précieuses. Mais ce ne sont pas ces effets que saint Jean de la Croix recherche. Il en est parfaitement dégagé et ne veut pas s'y arrêter un instant parce qu'il sait que sa marche vers Dieu en serait retardée d'autant.

C'est aussi cette crainte d'un arrêt, qui l'incite en toute occasion à nous mettre en garde contre tous les phénomènes surnaturels qui accompagnent la contemplation infuse mais n'en font point partie.

Le saint n'a qu'un désir et ne demande qu'une chose à la contemplation surnaturelle : c'est qu'elle le conduise à l'union parfaite ou union transformante par ressemblance d'amour. C'est à cela en effet qu'elle est ordonnée directement, c'est son effet essentiel. Incomparablement plus pénétrante que la contemplation naturelle qui s'empare des richesses de lumière et de vie des choses créées, plus profonde que la contemplation théologique qui fait siennes les richesses de lumière de la formule dogmatique révélée, la contemplation surnaturelle pénètre jusqu'à la vérité divine, prend contact avec Dieu lui-même, lumière incréée, brasier consumant, océan sans limites, soleil aux rayons ardents, et y maintient l'âme pour la soumettre à l'action enrichissante et transformante de l'Infini.

Dans la contemplation, comme un miroir exposé aux rayons du soleil, l'âme est toute pénétrée par les clartés du soleil divin qui plane sur les âmes ; comme une éponge plongée dans l'océan elle est imbibée des eaux pures de la fontaine d'eau vive ; comme la bûche jetée dans un brasier elle est transformée en feu par les flammes du feu consumant qui est Dieu.

---

1. C'est dans le commentaire de la strophe III de la *Vive Flamme* « Dans les splendeurs desquelles », que saint Jean de la Croix met le plus nettement en relief à la fois les communications divines dans la contemplation et leurs effets dans l'âme.

Dans cet exposé général de la contemplation, nous ne pouvons que les signaler, l'étude particulière des effets de la contemplation devant être faite en chacune des étapes ou Demeures.

Contemplation et vie mystique

Ces diverses comparaisons, utilisées par le lyrisme de saint Jean de la Croix et des autres mystiques, veulent exprimer les progrès de l'union intime et l'action pénétrante de la vie divine réalisés dans la contemplation. En effet l'âme y est purifiée, éclairée, parée de la lumière, de la beauté, des richesses de Dieu, transformée de clarté en clarté jusqu'à la ressemblance du Verbe de Dieu.

La contemplation, dit saint Jean de la Croix, est science d'amour, laquelle est une notice infuse de Dieu amoureuse, et qui conjointement illustre et enflamme d'amour l'âme, jusqu'à la monter de degré en degré à Dieu son Créateur [1].

Cette transformation en Dieu est le seul but vers lequel puissent se porter les désirs d'une âme véritablement contemplative, c'est-à-dire engagée dans le chemin du rien vers l'Absolu.

III. — *Les signes.*

Parmi les effets psychologiques de la contemplation saint Jean de la Croix et sainte Thérèse en ont distingué plusieurs assez constants et caractéristiques pour être donnés comme signes révélateurs de la contemplation surnaturelle [2]. Saint Jean de la Croix a pris soin de les noter en deux endroits différents dans la *Montée du Carmel* et dans le livre des *Nuits*. Sainte Thérèse elle-même, aux quatrième Demeures, se préoccupe de signaler ce qui caractérise l'intervention surnaturelle de Dieu par le secours particulier.

---

1. *Nuit Obsc.*, Liv. II, ch. XVIII, (Trad. P. Cyprien, p. 616).
2. On pourrait s'étonner que les maîtres du Carmel, spécialement saint Jean de la Croix, aient préféré chercher les signes de la contemplation surnaturelle dans une analyse des effets psychologiques qu'elle produit sur l'activité des facultés et dans la conscience psychologique, plutôt que dans une analyse de l'acte contemplatif lui-même, pour y chercher les éléments constitutifs de la contemplation que nous avons soulignés dans la définition.
Une analyse du mécanisme intérieur, telle que nous l'avons faite pour la contemplation philosophique et théologique, n'est pas possible pour la contemplation surnaturelle. Nous nous trouvons ici en présence de puissances surnaturelles : vertu de foi et Dieu lui-même par les dons du Saint-Esprit, dont l'activité échappe à toute perception directe ; le mystère qui est l'objet de la foi et dans lequel elle pénètre est essentiellement obscur.
Ne pouvant donc analyser directement les activités surnaturelles qui s'exercent dans la contemplation, les maîtres spirituels en sont réduits à la discerner d'après ses effets et ses résonances dans le domaine psychologique.

a) *Utilité des signes.*

La contemplation surnaturelle impose à l'âme des devoirs nouveaux. Jusqu'à présent l'âme devait se diriger et s'activer. Désormais son premier devoir est de respecter et de favoriser les interventions divines, de se montrer docile et silencieuse en soumettant son activité à celle de Dieu.

A ne point adopter cette attitude d'abandon paisible que Dieu exige d'elle, l'âme risque de blesser la Miséricorde divine qui s'est penchée sur elle, d'arrêter le flot des communications divines et par conséquent de ne pas profiter des grâces qui lui viennent par la contemplation.

Revenir vers des formes d'activité spirituelle qui ne sont plus de saison lorsque Dieu agit en elle, ne peut produire que trouble, inquiétude et peut-être découragement si on persévère dans ce refus des faveurs de Dieu.

D'autre part abandonner trop tôt le travail discursif dans l'oraison parce qu'on se croit favorisé de la contemplation, c'est perdre son temps et courir le risque de s'établir en une quiétude paresseuse qui n'atteint ni la lumière infuse de Dieu ni les lumières acquises par le travail des facultés. Averti de ce danger saint Jean de la Croix invite celui qui commence à être favorisé de la contemplation, à reprendre quelquefois les opérations discursives des facultés.

Il serait plus dangereux encore de prendre pour véritable contemplation ce qui n'en est qu'une déformation maladive, car la passivité ne pourrait alors que favoriser une pénible déchéance physique et peut-être morale.

Directeurs avisés et aimants, sainte Thérèse et saint Jean de la Croix nous devaient donc de jeter sur ces régions de la vie spirituelle toute la lumière possible, pour nous aider à discerner la contemplation surnaturelle.

b) *Exposé des signes.*

Dans la *Montée du Carmel*[1] saint Jean de la Croix nous donne les « signes que le spirituel doit voir en soi pour connaître s'il convient de laisser la méditation discursive ou non ». Dans la *Nuit Obscure*[2] il donne « les marques pour connaître si le spirituel marche par le chemin de cette nuit et purgation sensible ». Ce sont des signes presque

---

1. *Montée du Carm.*, Liv. II, ch. XI, pp. 153-156.
2. *Nuit Obsc.*, Liv. I, ch. IX, pp. 512-517.

identiques caractérisant d'ailleurs sensiblement le même moment de la vie spirituelle. Le Saint les expose cependant en termes légèrement différents : d'où confrontation possible et explication des uns par les autres.

Dans la *Montée du Carmel* le Saint écrit :

> La première marque est de voir en soi qu'il ne peut plus méditer ni discourir avec l'imagination et qu'il n'y a plus de goût comme auparavant : au contraire il trouve désormais de l'aridité en ce où il avait accoutumé de ficher le sens et en tirer du suc[1].

Dans la *Nuit Obscure*, où ce signe est donné le troisième, saint Jean de la Croix dit que cette impuissance des facultés vient de ce que Dieu se communique à l'esprit pur où il n'y a point de discours, par acte de simple contemplation à laquelle les sens ne peuvent participer.

Le deuxième est quand il voit qu'il n'a aucune inclination de mettre l'imagination ni le sens en d'autres choses particulières, extérieures ni intérieures[2].

Le Saint ajoute cette précision importante que dégoût ne comporte pas inactivité ou paralysie des facultés :

> Je ne dis pas qu'elle n'aille ni ne vienne (car même en un grand recueillement, elle ne laisse pas d'être vagabonde), mais que l'âme ne prenne plaisir de l'appliquer exprès en d'autres choses[3].

Dans la *Nuit Obscure* il précise que ce dégoût universel est le signe que l'impuissance ne vient pas de péchés ou d'imperfections récemment commises, car dans ce dernier cas l'âme éprouverait du goût pour quelque autre chose qu'aller à Dieu.

Dans le même traité, le Saint indique un signe qui est, semble-t-il, la conséquence de cette impuissance, c'est :

> qu'on se souvient de Dieu avec sollicitude et souci affligeant, pensant qu'on ne le sert point, mais qu'on ne fait que reculer, se voyant sans saveur aux choses de Dieu. Car à cela on reconnaît que ce dégoût et cette sécheresse ne viennent d'aucune lâcheté ni tiédeur : parce que la tiédeur a cela de propre de ne se soucier guère des choses de Dieu[4].

Ces deux premiers signes : impuissance des facultés et dégoût général, sont des signes négatifs, insuffisants par eux-mêmes. L'impuissance pourrait venir de la négligence,

---

1. *Montée du Carm.*, Liv. II, ch. XIII, trad. P. Cyprien, édit. P. Lucien, p. 177.
2. *Ibid.*
3. *Ibid.*
4. *Nuit Obsc.*, Liv. I, ch. IX, même trad., p. 512.

et dans ce cas l'âme aurait peu de désir d'en sortir. Impuissance et dégoût réunis pourraient procéder

de la mélancolie ou de quelque autre mauvaise humeur du cerveau ou du cœur, qui causent dans le sens un certain abreuvement et suspension qui font qu'il ne pense et ne veut rien et n'a envie de penser à aucune chose, mais seulement d'être en ce charme savoureux[1].

Aussi il est nécessaire de trouver, conjointement aux deux premiers signes négatifs, le troisième qui est positif et, au témoignage du Saint, le plus important :

La troisième (marque) et la plus certaine est si l'âme prend plaisir d'être seule avec attention amoureuse à Dieu, sans considération particulière, en paix intérieure, quiétude et repos, sans acte ni exercice des puissances... mais seulement qu'elle demeure avec l'attention et connaissance générale amoureuse que nous disons, sans intelligence particulière et sans en comprendre l'objet[2].

Ce troisième signe positif, le plus important et le plus caractéristique, est le seul que signale sainte Thérèse lorsqu'elle-même, aux quatrièmes Demeures, aborde le problème du discernement de la contemplation surnaturelle[3].

Chez la Sainte l'intervention surnaturelle de Dieu par le secours particulier s'affirme beaucoup plus nettement dans la saveur ou la suavité que dans la connaissance. C'est la qualité de la saveur et la façon dont elle arrive à l'âme qui lui permet de discerner avec certitude la contemplation surnaturelle. Son analyse psychologique, à la fois très simple et pénétrante, complète très heureusement l'exposé du troisième signe de saint Jean de la Croix :

Ces deux bassins dont j'ai parlé se remplissent d'eau de différentes manières. Le premier la reçoit de très loin ; elle est amenée par des aqueducs et à l'aide de notre industrie ;... elle figure, ce me semble, les contentements dont j'ai parlé et qui procèdent de la méditation. De fait, nous nous les procurons par la réflexion, par la considération des choses créées et par le travail pénible de l'entendement.

L'autre bassin reçoit l'eau de la source même qui est Dieu. Aussi quand Sa Majesté daigne accorder quelque faveur surnaturelle, elle la produit en mettant dans le plus intime de nous-mêmes la paix la plus profonde, la quiétude et la suavité... Cette eau céleste se

---

1. *Montée du Carm.*, Liv. II, ch. XIII, trad. P. Cyprien, édit. P. Lucien, p. 178.
2. *Ibid.*, pp. 177-178.
3. Sainte Thérèse ne signale pas les deux signes négatifs exposés par saint Jean de la Croix, mais dans les IVᵉ Demeures elle revient fréquemment sur l'agitation et l'impuissance des facultés.

répand dans toutes les Demeures du Château, ainsi que dans toutes les puissances de l'âme et arrive enfin jusqu'au corps. Voilà pourquoi j'ai dit que ces goûts commencent en Dieu et se terminent en nous...

En traçant ces lignes je songeais à ces paroles « *Dilatasti cor meum* » par lesquelles le Psalmiste déclare que son cœur s'est dilaté. A mon avis ce n'est pas, je le répète, une joie qui a son origine dans le cœur, elle vient d'une partie plus intime, comme d'une profondeur, je pense que ce doit être du centre de l'âme...

Il me semble vraiment que quand cette eau céleste coule de la source dont j'ai parlé, qui est au plus intime de l'âme, tout notre intérieur s'élargit et se dilate. Elle produit en nous des biens que l'on ne saurait exprimer... Ce n'est pas une faveur où l'on puisse se faire illusion. Malgré toutes nos diligences nous ne pourrions l'acquérir, et elle manifeste elle-même qu'elle n'est pas de notre métal, mais de l'or très pur de la Sagesse divine [1].

Le regard de l'incomparable psychologue qu'est sainte Thérèse, pour lequel il n'y a pas d'obscurité dans l'âme, a discerné que la saveur sourd des profondeurs et qu'elle porte en elle le sceau de son origine surnaturelle.

Les signes san-johanniques et thérésiens de l'action surnaturelle de Dieu se complètent donc très heureusement.

Les deux premiers signes privatifs, impuissance et dégoût, donnés par saint Jean de la Croix, accusent le désarroi des sens et des facultés intellectuelles devant le surnaturel qui les transcende et devant l'activité de la Sagesse divine à laquelle ils ne sont pas adaptés. Le troisième signe, positif, est constitué par l'expérience même de l'amour dans les régions de l'âme qui sont déjà capables de la recevoir.

Les deux premiers signes permettent déjà de déceler la contemplation, soit lorsque dans le désarroi de la nouveauté, l'âme n'a pas pris conscience de son expérience de l'amour, soit encore lorsque cette expérience est si pure et si simple qu'elle en devient imperceptible.

L'analyse du troisième signe par sainte Thérèse fournit un critérium pour apprécier la qualité de l'union réalisée. A l'âme expérimentée en effet, la qualité des contacts divins sera indiquée par ces signes mystérieux donnés par la Sainte, à savoir la profondeur où ils se réalisent et la qualité de la saveur qu'ils apportent.

Ces précisions vont-elles rendre aisé en toute occasion le discernement de la contemplation surnaturelle ? Ne nous berçons point d'illusions. Malgré la clarté des signes, il reste assez difficile de discerner la contemplation infuse dans les cas individuels.

---

1. IVᵉ Dem., ch. II, pp. 874-876.

c) *Complexité des cas individuels.*

Après avoir exposé le troisième signe, le plus important et le plus certain, saint Jean de la Croix nous avertit plusieurs fois que ce signe est parfois assez difficile à découvrir :

> Il est bien vrai qu'au commencement de cet état, écrit-il, on ne voit presque pas cette notice amoureuse pour deux raisons : l'une, parce qu'au commencement cette notice amoureuse est très subtile et délicate et quasi insensible ; l'autre, parce que l'âme ayant été habituée à l'autre exercice de la méditation, qui est totalement sensible, elle n'aperçoit et ne sent quasi pas cette autre nouveauté insensible qui est désormais purement de l'esprit [1].

Il souligne de même, au chapitre suivant, que cette même connaissance sera insensible aussi longtemps qu'elle sera très pure :

> ... Cette connaissance générale dont nous parlons, est parfois si subtile et délicate, principalement quand elle est plus pure, plus simple, plus parfaite et plus spirituelle et plus intérieure, que l'âme, encore qu'elle y soit employée, ne la voit ni ne la sent [2].

A cette difficulté s'ajoute celle qui procède de l'intermittence de la contemplation, spécialement dans les débuts. Activité des facultés et contemplation alterneront de telle sorte qu'il sera difficile à l'âme de distinguer cette dernière de la distraction ou d'un assoupissement momentané des facultés.

De plus, les descriptions si différentes d'états surnaturels appartenant à une même étape, faites par sainte Thérèse et saint Jean de la Croix, deux saints d'une même époque qui ont confronté leurs expériences, nous laissent entrevoir combien les âmes et leurs grâces sont diverses, combien restent personnelles et particulières leur réaction sous l'action de Dieu et l'expression de leurs états intérieurs. Rien d'aussi varié que les grâces des saints, les voies que Dieu leur impose et leurs expériences du surnaturel. Les signes de l'intervention divine, donnés par nos maîtres ès science mystique, sont certains et constants, mais c'est sous des formes et en des climats spirituels bien différents qu'il faudra savoir les découvrir.

Les difficultés de la prospection sont singulièrement accrues par les tendances pathologiques qu'en cette période la purification du sens portera souvent à l'état aigu, au point qu'elles paraissent dominer dans le champ psychologique et y recouvrir tout le reste. C'est bien « le

---

1. *Montée du Carm.*, Liv. II, ch. XIII, trad. P. Cyprien, p. 179.
2. *Ibid.*, ch. XIV, même trad., p. 185.

malade en traitement » suivant l'expression de saint Jean de la Croix, que la direction devra examiner et guider. Comment oser affirmer, sous des manifestations qui semblent tout à fait morbides et le sont partiellement, l'existence d'une action de Dieu contemplative ? Et cependant le progrès de cette âme est en jeu ; et si Dieu intervient vraiment, c'est la soumission prudente à son action qui peut seule assurer et le progrès spirituel de cette âme et la purification de la tendance.

Ces observations ne concernent point, ainsi qu'on pourrait le croire, des cas exceptionnels ou anormaux. Elles s'appliquent à ces cas frontières dans lesquels s'affrontent les éléments les plus divers, cas qui se révèlent si nombreux qu'on pourrait les appeler les cas normaux dans le monde des âmes. On comprend qu'une direction spirituelle expérimentée leur soit nécessaire pour leur faire prendre conscience de l'action de Dieu, et les aiguiller sûrement en ce carrefour important de la vie spirituelle.

Que sont ces souffrances, ces angoisses devant les horizons splendides qui s'ouvrent ! Ne faut-il pas que l'âme, comme le Christ, souffre avant d'entrer dans la gloire ? Or, déclare sainte Thérèse, en parlant de la contemplation, « quand une âme reçoit de telles marques d'amour, c'est un signe que Dieu l'appelle à de grandes choses [1] ».

---

1. *Chem. Perf.*, ch. XXXIII, p. 744.

CHAPITRE HUITIÈME

Appel à la vie mystique

et à la contemplation

> *Oui, Il nous appelle tous. Je regarde comme certain que tous ceux qui ne resteront pas en chemin boiront de cette eau vive* [1].

Après avoir considéré la nature et les effets de la contemplation surnaturelle, qui transforme l'âme de clartés en clartés jusqu'à la ressemblance du Verbe de Dieu, comment ne pas désirer être ainsi saisi par Dieu pour qu'il nous sanctifie, selon toute la mesure et la puissance de la grâce qu'il nous destine ?

Mais devant ce désir légitime voici qu'un problème se pose, un mystère se dresse qui semble arrêter et briser notre élan. Sommes-nous appelés à la contemplation ? N'est-elle point une faveur réservée à quelques privilégiés ?

Ce problème fut fort discuté il y a quelques années. Le reprendre à fond nous retarderait trop dans notre marche. Son importance pratique ne nous permet pas cependant de le négliger complètement.

Brièvement nous proposerons une double réponse de droit et de fait, qui nous paraît devoir sauvegarder la vérité des principes et la réalité des faits. Une distinction préliminaire entre contemplation et vie mystique nous aidera à mettre de la clarté en ce problème.

---

1. *Chem. Perf.*, ch. XXI, p. 683.

Contemplation et vie mystique

A. — *QUESTION PRÉLIMINAIRE*

Dans le langage commun, sinon dans la pensée des spécialistes, contemplation et vie mystique ont le même sens et désignent une seule et même chose. Cette confusion est la cause de bien des discussions et de multiples erreurs. Faisons donc les distinctions nécessaires.

La vie mystique est la vie spirituelle marquée par l'intervention habituelle de Dieu par les dons du Saint-Esprit.

La vie contemplative est la vie d'oraison marquée par l'intervention habituelle de Dieu par les dons contemplatifs de science, d'intelligence et de sagesse.

La vie mystique déborde donc la vie contemplative qui n'en est qu'une forme, d'ailleurs des plus élevées. Une vie active proprement dite peut devenir mystique par l'intervention habituelle de Dieu par des dons actifs, dons de conseil ou de force par exemple.

Nous référant à ce qui a été dit au chapitre des dons du Saint-Esprit, nous pouvons affirmer que la distinction réelle des dons n'atteint pas l'essence de ce que chacun d'eux transmet et qui reste identique sous des formes diverses [1]. Aussi, quels que soient les dons que Dieu utilise pour intervenir dans les âmes, c'est à la même sainteté et à la même participation parfaite à sa vie intime qu'il les conduit toutes par des voies différentes.

L'unité de la sainteté laisse subsister la distinction des dons et des voies qu'ils commandent à savoir celle de la vie contemplative et celle de la vie mystique où la contemplation peut ne point apparaître.

---

1. « Ces grâces sont diverses, dit l'Apôtre, mais c'est partout le même Esprit ; il y a divers ministères, mais un seul et même Seigneur ; diverses opérations, mais un seul et même Dieu qui fait tout en tous. A chacun est donnée une manifestation de l'Esprit pour l'utilité commune. Aux uns est donnée par l'Esprit la parole de sagesse, aux autres la science selon le même Esprit, à l'un la foi, à l'autre la grâce de guérison..., c'est un seul et même Esprit qui produit toutes ces choses, donnant à chacun comme Il veut ». (1 Co 12,4-11).

Ce que l'apôtre dit des charismes dans la primitive Église s'applique à la sainteté et à ses formes diverses en tous les temps. En tous elle est constituée par l'union à l'Esprit Saint et cet Esprit Saint qui habite en tous les saints, donne à chacun d'eux un reflet spécial de sa beauté, une forme particulière de sa puissance. Cf. « Les dons du Saint-Esprit », *supra*, p. 309.

B. — *QUESTION DE DROIT*

Toutes les âmes sont-elles appelées à la vie mystique et à la contemplation ?

Très heureusement on a distingué un appel général et un appel particulier ou prochain.

Un appel général qui peut être énoncé ainsi : toutes les âmes peuvent-elles théoriquement parvenir à la vie mystique et à la contemplation ?

Un appel particulier ou prochain : toutes les âmes ont-elles les moyens pratiques pour y parvenir ?

I. — *Appel général.*

Toutes les âmes peuvent-elles théoriquement parvenir à la vie mystique et à la contemplation ?

Sans hésiter et sans distinguer entre vie mystique et contemplation, on peut donner une réponse affirmative très ferme à cette première question.

La vie mystique en effet et la contemplation n'exigent pas d'autres puissances que celles que le baptême donne à toute âme, à savoir : les vertus infuses et les dons du Saint-Esprit. Toute âme possédant les sept dons reçus au baptême peut être mue par Dieu et portée par lui à la plénitude de la vie mystique, y compris la contemplation surnaturelle.

Mais, objectera-t-on, puisque l'exercice des dons, sinon leur développement qui est lié à celui de l'organisme surnaturel tout entier, dépend de la libre intervention de Dieu, encore faut-il que Dieu veuille élever l'âme à la vie mystique et à la contemplation ! L'Apôtre nous avertit que Dieu ne donne sa grâce aux âmes que selon la mesure qu'Il a choisie pour chacune [1]. Ne serait-ce donc pas téméraire de fixer cette plénitude de la vie de la grâce comme la mesure voulue par Dieu pour toutes les âmes ?

Objection sérieuse et parfois négligée, qui nous place en face du mystère des desseins de Dieu sur chaque âme. Trop facilement en effet on oublie que cette liberté divine intervient comme le facteur principal dans la distribution de la grâce. Sur ce mystère nous pouvons faire jaillir assez de lumière pour maintenir la réponse affirmative à la question posée sur l'appel général.

---

1. Rm 12, 3.

Contemplation et vie mystique

Nous connaissons en effet les désirs de Dieu qui sont les exigences de sa nature. Dieu est Amour, donc Bien diffusif. Il a besoin de se répandre ; se donner est un mouvement essentiel de sa nature. Il trouve une joie et une gloire incomparables dans la diffusion de sa grâce dans les âmes, et plus spécialement dans son règne parfait en chacune d'elles. Sa volonté libre est entraînée par le mouvement de son amour. Comment cette volonté libre pourrait-elle résister à l'appel de ces dons du Saint-Esprit qui lui offrent leur capacité réceptive ? C'est d'ailleurs Lui-même qui fait de la grâce une semence capable d'accroissement et de développement. Il est le Semeur ; il l'a jetée dans nos âmes, et par ce geste il a affirmé efficacement qu'il veut qu'elle germe, lève, mûrisse, produise des fruits selon toute la puissance qu'il lui a donnée. Nous sommes le champ de Dieu, qu'il arrose après l'avoir ensemencé et qu'il protège contre les ennemis extérieurs. Dieu veut le développement parfait de notre grâce. Tout ce que nous savons de la puissance diffusive de l'Amour en Dieu, de sa volonté sanctificatrice, nous permet d'affirmer que Dieu veut le développement parfait de la grâce en nous, et que pour le procurer efficacement il utilisera tous les moyens à sa disposition, y compris les interventions par les dons du Saint-Esprit. La liberté de sa miséricorde est suffisamment sauvegardée par la diversité de la grâce en chacun de nous, et les degrés divers auxquels doit nous conduire son parfait développement.

C'est bien cette doctrine de l'appel général que proclame sainte Thérèse en termes très nets. Elle parle non pas seulement de l'appel à la vie mystique, mais explicitement de l'appel à la contemplation :

Veuillez considérer, dit-elle, que le Seigneur appelle tout le monde. Or il est la Vérité même : on ne saurait douter de sa parole. Si son banquet n'était pas pour tous, il ne nous appellerait pas tous, ou alors même qu'il nous appellerait, il ne dirait pas : Je vous donnerai à boire. Il aurait pu dire : « Venez tous, car enfin vous n'y perdrez rien, et je donnerai à boire à ceux qu'il me plaira ! » mais, je le répète, il ne met pas de restriction : Oui, il nous appelle tous. Je regarde donc comme certain que tous ceux qui ne resteront pas en chemin boiront de cette eau vive [1].

Au début du chapitre suivant, la Sainte, soucieuse de faire concorder ces affirmations si nettes avec ce qu'elle avait dit précédemment sur les voies différentes des âmes qui seront actives ou contemplatives [2], ajoute :

---

1. *Chem. Perf.*, ch. XXI, pp. 682-683.
2. *Ibid.*, ch. XIX, p. 662 et s.

Il semble qu'il y ait contradiction entre ce que je viens de dire dans ce dernier chapitre et ce que j'avais dit précédemment. Afin de consoler en effet celles qui n'arrivent pas à la contemplation, j'avais affirmé qu'il y a différentes voies pour aller à Dieu, comme il y a beaucoup de demeures au Ciel. Or, je l'affirme de nouveau, Sa Majesté, en voyant notre faiblesse nous a, dans sa bonté, ménagé des secours. Néanmoins il n'oblige pas ceux-ci à passer par un chemin, ni ceux-là à passer par un autre. Sa miséricorde est si grande qu'il n'empêche personne d'aller boire à la fontaine de vie... A coup sûr il n'en éloignera personne. C'est publiquement, c'est à grands cris qu'il y appelle les âmes. Toutefois sa bonté est telle qu'il ne veut pas nous contraindre...

Dès lors qu'il en est ainsi, suivez mon conseil. Ne restez pas en chemin ; combattez au contraire avec courage. Mourez, s'il le faut, à la poursuite de ce bien. Vous n'êtes d'ailleurs ici que pour combattre. Marchez toujours avec la résolution de mourir plutôt que de cesser de tendre vers le terme de la route [1].

Ces affirmations si énergiques de sainte Thérèse doivent s'entendre pour le moins d'un appel général à la contemplation.

De son côté saint Jean de la Croix écrit :

C'est ici le lieu d'indiquer pourquoi si peu parviennent à un état si élevé. Sachons-le bien, ce n'est pas parce que Dieu veut restreindre le nombre de ces âmes privilégiées ; son désir est plutôt que tous soient parfaits [2].

Ces affirmations des deux maîtres ès science mystique nous paraissent devoir supprimer toute hésitation sur l'appel général à la vie mystique et à la contemplation.

Le problème de l'appel prochain réclame des affirmations plus nuancées.

II. — *Appel prochain.*

Dieu appelle-t-il efficacement toutes les âmes à la vie mystique et à la contemplation en leur donnant la grâce et les moyens pour y parvenir ?

Donner une réponse pleinement affirmative équivaudrait à reconnaître que le développement de l'organisme surnaturel, qu'exige la vie mystique, est un minimum auquel toute âme doit parvenir si elle est fidèle à la grâce et aux moyens mis par Dieu à sa disposition.

Que dire dès lors, non seulement des âmes sauvées par une absolution *in extremis*, ou de l'enfant qui meurt après

---

1. *Chem. Perf.*, ch. XXII, pp. 684 et s.
2. *Vive Fl.*, str. II, p. 961.

le baptême, mais de tant d'autres si apparemment déshérités au point de vue naturel et surnaturel, dont le salut ne semble pas être douteux et qui n'ont pas eu le moindre soupçon de la vie mystique et de la contemplation ? Nous évoquons des cas qui paraissent clairs. Le mystère qui enveloppe les âmes doit en dissimuler bien d'autres moins apparents.

Ces réserves faites, dont Dieu seul connaît la portée, il nous paraît que nous n'avons pas le droit de restreindre à quelques privilégiés cet appel prochain. Il est écrit que la Sagesse élève la voix sur les places publiques pour appeler à son festin de lumière et d'amour tous ceux qui sont humbles et petits [1]. Le Maître envoie ses serviteurs aux carrefours fréquentés et sur les chemins pour remplir la salle immense des épousailles divines [2]. Sainte Thérèse commente ces textes en affirmant que Dieu nous appelle tous à boire à la source d'eau vive [3].

Ne serait-ce pas fausser le sens des textes que de les entendre d'un appel général qui ne comporterait pas un appel prochain et immédiat pour le plus grand nombre d'âmes ? Nous devons croire par conséquent que c'est la foule des chrétiens que Dieu appelle et à qui sa volonté sanctificatrice donne les moyens pratiques pour parvenir à la vie mystique.

Ne serait-ce pas parce que nous limitons aux formes familières et connues les modes de l'action de Dieu, que nous sommes portés à restreindre ces appels prochains et efficaces ? Et cependant les voies de Dieu sont multiformes. Il en a de différentes non seulement pour chaque grand saint, mais pour chaque âme, même la plus humble. Comment pouvons-nous oser les limiter à celles que nous connaissons et affirmer ou même douter qu'il n'en existe point au-delà de nos horizons familiers ?

La sainteté est une, il est vrai, mais les dons y sont si variés. Tous sont appelés à la plénitude de l'union et de la charité, mais les chemins qui conduisent à ces sommets viennent de points si éloignés les uns des autres, présentent une courbe et des aspects si différents ! Vertus et dons sont si variés et si divers chez les saints !

Respectons le mystère de Dieu dans les âmes ; son obscurité nous dissimule les ressources infinies de sa sagesse sanctificatrice. Ne nions pas ce que la faiblesse de notre regard ne sait pas y découvrir. Croyons à l'appel

---

1. Pr 8, 2-4.
2. Lc 14, 15 et s.
3. *Chem. Perf.*, ch. XXI, p. 683. Remarquons que la Sainte parle d'un appel à la contemplation et non pas seulement à la vie mystique.

pressant de la Sagesse puisqu'elle-même le déclare tel. Croyons à l'affirmation des saints dont les sens spirituels furent autrement affinés que les nôtres. Que nous disent-ils ?

Sainte Thérèse affirme qu'il y a plusieurs voies pour aller à Dieu comme il y a beaucoup de demeures dans le Ciel [1], que certaines âmes ne trouvent pas sur leur route la contemplation savoureuse comme moyen pour avancer, mais que le Maître finira par les faire boire à sa source d'eau vive si elles sont fidèles. L'expérience de tout directeur d'âmes souscrira, pensons-nous, à cette affirmation de sainte Thérèse ; elle la complétera en ajoutant que, dans la vie spirituelle des âmes fidèles, une action des dons pratiques se manifeste lorsque l'action des dons contemplatifs a été retardée.

Quelle que soit la solution donnée à ce problème de l'appel général et prochain à la contemplation et à la vie mystique, pour l'ensemble des âmes, tous ceux qui ont expérimenté la faim et la soif de Dieu doivent considérer l'appel prochain comme indiscutable pour eux-mêmes. L'écho intérieur perçu affirme cet appel et le rend certain. Qu'ils recueillent donc comme adressée à eux-mêmes l'exhortation faite par sainte Thérèse à ses filles :

Dès lors qu'il en est ainsi, suivez mon conseil. Ne restez pas en chemin ; combattez, au contraire, avec courage. Mourez, s'il le faut, à la poursuite de ce bien. Vous n'êtes d'ailleurs ici que pour combattre. Marchez toujours avec la résolution de mourir plutôt que de cesser de tendre vers le terme de la route [2].

C. — *QUESTION DE FAIT*

Est-il beaucoup d'âmes qui parviennent à la vie mystique et à la contemplation, et comment expliquer l'échec, peut-être du plus grand nombre ?

La question de l'appel même prochain reste un problème spéculatif. Nous voici penchés sur les faits, non point avec la curiosité de l'enquêteur, mais avec le souci de recueillir des observations qui puissent éclairer notre marche vers Dieu.

Sainte Thérèse nous fournit une réponse générale à la première question dans la description des diverses Demeures. Ces Demeures thérésiennes, même celles que nous avons qualifiées de périodes de transition, ne

---

1. *Chem. Perf.*, ch. XIX, p. 663 et s.
2. *Ibid.*, ch. XXII, p. 685.

marquent pas seulement des étapes dans l'ascension ; chacune d'elles malheureusement est aussi un palier où un assez grand nombre d'âmes se fixe définitivement.

Parmi les sept Demeures, quatre seulement, les dernières, concernent la vie mystique. Les trois premières constituent une phase de la vie spirituelle caractérisée par la prédominance de l'activité des vertus avec leurs modes humains. Nous voici donc en présence d'une division qui oriente d'une façon précise notre enquête.

I. — Âmes hors du Château.

Avant même de nous occuper des âmes qui se trouvent dans les premières Demeures, jetons un regard sur celles qui sont en dehors du Château parce que ne possédant pas la grâce.

Nous pouvons à leur sujet nous poser cette question : peut-il y avoir une vie mystique authentique chez les non-chrétiens ou chez les chrétiens qui ne sont pas en état de grâce ?

A cette question on ne peut que donner une réponse négative de principe, car la vie mystique exige la charité surnaturelle.

1. Mais en dehors ou plutôt à côté de cette vie mystique proprement dite, qui a des effets de transformation, il existe des interventions de Dieu ou manifestations d'une action divine extérieures ou intérieures qui atteignent les sens intérieurs ou les sens extérieurs d'une âme païenne ou en état de péché mortel. Dieu peut parler en effet ou manifester sa puissance à n'importe quelle créature intelligente, lui signifier ses volontés, et cela par des moyens miraculeux ou surnaturels.

On peut même admettre que Dieu choisisse une âme privée de la grâce comme instrument de ses vouloirs, lui confère une mission ou un pouvoir charismatique pour l'utilité des autres.

Mais dans ce cas la manifestation divine n'atteint que les sens et les facultés et n'a pas d'effet sanctifiant. Il n'y a pas d'action mystique proprement dite.

Refuser ce pouvoir à Dieu serait limiter sa puissance. La sainte Écriture nous fournit d'ailleurs quelques exemples de manifestations divines de ce genre à de faux prophètes, à Balaam par exemple, qui prophétise au nom de Dieu bien qu'il soit un prêtre d'idoles.

De tels cas doivent d'ailleurs être très rares. Aussi, lorsqu'on se trouve devant des phénomènes mystérieux de ce genre, faut-il en chercher l'origine en des causes naturelles ou préternaturelles avant de les attribuer à une intervention divine.

2. Ces manifestations divines extraordinaires peuvent être destinées dans la pensée de Dieu à produire chez le païen ou l'âme en état de péché un choc psychologique qui change les dispositions intérieures. Saint Paul est terrassé sur le chemin de Damas et a une vision. « Qui êtes-vous, Seigneur ? » s'écrie-t-il dans sa surprise. — « Je suis Jésus que tu persécutes... Lève-toi, entre dans la ville, il te sera dit ce que tu dois faire [1] ». Sa soumission lui obtient aussitôt la grâce et le livre à l'action de l'Esprit Saint.

Le phénomène miraculeux a brisé et assoupli. La volonté se soumet, la conversion est réalisée et la vie mystique peut commencer.

3. Chez certains païens, des musulmans, et surtout des chrétiens non catholiques, on pourrait admettre qu'il existe une véritable vie mystique avec ses effets sanctifiants. Ces âmes ne seraient qu'apparemment infidèles, mais appartiendraient à l'âme de l'Église par la foi à la Trinité et à un Médiateur, par la pratique de la vertu, et seraient véritablement en état de grâce [2]. Ces cas possibles ne peuvent que difficilement être contrôlés.

II. — *Âmes des trois premières Demeures.*

Abordons maintenant le cas des âmes qui se trouvent dans les trois premières Demeures ou première phase de la vie spirituelle.

Affirmer qu'il existe chez elles une vie mystique serait contredire formellement sainte Thérèse, qui caractérise cette phase par la prédominance de l'activité des facultés humaines aidées du secours général de Dieu.

La vie mystique n'existe donc pas habituellement chez ces âmes. Mais dans quelle mesure les interventions directes de Dieu, que nous avons reconnues possibles chez les infidèles, se produiront-elles en ces âmes chrétiennes, qui sont en état de grâce ? Nous voici obligés de nuancer et de préciser nos affirmations.

---

1. Ac 9, 5-6.
2. Cf. *Études Carmélitaines*, l'étude pénétrante du P. Élisée de la Nativité sur l'expérience mystique d'Ibn'Arabi, octobre 1931, pp. 137-168.

Contemplation et vie mystique

1. D'abord les interventions charismatiques de Dieu qui se produisent chez les infidèles, se retrouveront normalement et plus fréquentes chez ces âmes fidèles. Seraient-elles habituelles, ces âmes pourraient ne pas être élevées au-dessus des troisièmes Demeures et même tomber dans le péché grave. Dans sa description du jugement dernier, Notre-Seigneur nous fait entendre les réclamations de certains thaumaturges qui auront prophétisé en son nom et que le Maître déclarera ne pas connaître.

2. A propos de l'intervention de l'Esprit Saint dans la sanctification de l'âme, saint Thomas déclare qu'il n'est pas au pouvoir de la raison, même éclairée par la foi et la prudence infuse, « de connaître tout ce qu'il importerait de savoir et de se préserver de tout égarement. Celui-là seul qui est omniscient et tout-puissant peut nous donner un remède contre l'ignorance, l'hébétude ou sottise spirituelle, la dureté de cœur et d'autres misères de ce genre. C'est pour nous délivrer de ces défauts que nous sont donnés les dons, qui nous rendent dociles aux inspirations divines [1] ».

Par les vertus théologales et morales, l'homme n'est pas tellement perfectionné en vue de la fin dernière surnaturelle qu'il n'ait toujours besoin d'être mû par une inspiration supérieure du Saint-Esprit [2].

De ces affirmations on pourrait conclure que l'intervention directe de l'Esprit Saint par les dons est nécessaire pour tout acte surnaturel [3]. Du moins faut-il admettre que cette intervention de l'Esprit Saint est nécessaire pour poser certains actes plus difficiles, pour éviter certaines tentations, par conséquent pour conserver l'état de grâce en toutes les périodes de la vie spirituelle.

Chez les âmes des trois premières Demeures, se produiront par conséquent des interventions de l'Esprit Saint.

Ces dernières d'ailleurs ne créent pas la vie mystique proprement dite qui comporte non seulement l'intervention de Dieu par les dons, mais la prédominance de ces interventions sur l'activité des vertus. Elles sont cependant un acheminement vers des interventions plus qualifiées.

3. La nature ne fait pas de sauts et la Sagesse divine conduit tout avec force et douceur du commencement

---

1. *Sum. th.*, Ia IIae, qu. 68, art. 2, ad 3.
2. *Ibid.*
3. Cf. P. Gardeil, art. « Dons du Saint-Esprit » dans *Dictionnaire de théologie catholique*, l'exposé des opinions des théologiens sur ce point.

à la fin. Elle prépare l'avenir et l'annonce. Il n'est pas d'état caractérisé dans lequel elle établisse les âmes, qui ne soit déjà reçu en une certaine manière à l'avance. Avant de jouir habituellement de la vision de la Trinité sainte, sainte Thérèse avait été maintes fois favorisée de cette vision et longtemps à l'avance. L'oraison de quiétude des quatrièmes Demeures doit être précédée normalement d'états passagers de quiétude.

Sainte Thérèse répète avec insistance que les progrès spirituels de l'âme ne ressemblent pas à la croissance du corps humain qui reste fixé sans décroître à la taille qu'il a acquise. L'âme monte et descend. Rien de plus normal que ce mouvement de va-et-vient d'une âme fixée habituellement en une Demeure qui revient parfois en arrière ou monte dans les Demeures supérieures [1].

L'expérience des âmes vient confirmer cette élévation passagère des âmes pieuses aux Demeures supérieures. Indépendamment en effet de ces grâces mystiques ordinairement élevées, grâces de conversion, qui marquent assez fréquemment les débuts de la vie spirituelle et découvrent parfois à l'âme les états qu'elle aura à réaliser plus tard, il en est d'autres beaucoup plus fréquentes, mais aussi beaucoup moins marquantes. C'est une quiétude qui saisit parfois après la communion, un recueillement surnaturel qui vient par un simple regard vers le tabernacle et qu'expérimentent un grand nombre d'âmes pieuses sinon toutes, en des occasions diverses. Ces faits surnaturels s'inscrivent dans la vie spirituelle comme des phénomènes dont l'âme prend à peine conscience au milieu des luttes ou sécheresses quotidiennes, dont elle méconnaît la qualité et sur lesquelles elle n'ose pas appuyer des espérances de vie plus haute. Les conseils prudents d'un directeur avisé pourraient seuls lui révéler la valeur du don reçu et la préparer discrètement à ceux, plus élevés et plus fréquents, que Dieu lui destine pour l'avenir. Si on ne l'éveille pas sur ce point, toute sa vie peut-être s'écoulera dans la conviction que les grâces mystiques sont des phénomènes étranges réservés à des privilégiés et dont elle n'a pas à se préoccuper.

III. — *Deuxième phase.*

A propos de la deuxième phase (quatrièmes -septièmes Demeures), dans laquelle s'épanouit la vie mystique, nous devons nous demander d'abord :

---

1. Cf. « Croissance spirituelle », ch. IX, dans *Perspectives*, p. 127.

Contemplation et vie mystique

1. Si beaucoup d'âmes y parviennent ?

Essayons de recueillir le témoignage de sainte Thérèse.

La Sainte nous dit que nombreux sont les chrétiens « qui se trouvent dans l'enceinte extérieure du Château[1] », c'est-à-dire qui ne sont pas en état de grâce. Nombreux aussi (n'est-ce pas la grande foule ?) ceux qui habitent les premières Demeures avec une vie chrétienne qui se nourrit de quelques pratiques extérieures et se préoccupe rarement d'actes intérieurs d'amour ou de pensée de Dieu.

Dans les deuxièmes et troisièmes Demeures se trouvent les personnes soucieuses de piété et, au témoignage de saint Thérèse[2], nombreuses sont celles qui ne dépassent pas les troisièmes Demeures.

Voici une affirmation de saint Jean de la Croix assez précise sur ce point :

> Ceux qui s'adonnent de propos délibéré à la vie spirituelle ne sont pas tous élevés par Dieu jusqu'à la contemplation ; il n'y en a pas même la moitié[3].

Cette moitié et plus sont ceux qui restent aux troisièmes Demeures et ne connaissent pas la contemplation propre aux quatrièmes.

C'est donc la grosse majorité des chrétiens qui ne pénètre pas dans la vie mystique.

Reste une élite qui aborde les quatrièmes Demeures. Une élite d'ailleurs prise dans tous les états et dans tous les rangs de la société.

Ne réduisons pas trop cependant le nombre de chrétiens qui constituent cette élite. Sainte Thérèse affirme que « beaucoup, oui, beaucoup d'âmes arrivent à ce degré[4] ». Saint Jean de la Croix, parlant de la même période, a la même affirmation encourageante.

Si nous considérons la faim et la soif de Dieu qui sévissent à notre époque et se manifestent par la fidélité à l'oraison, l'amour du silence et de la retraite, l'avidité de la science spirituelle, les fruits réels de vertu, il nous paraît que les affirmations de sainte Thérèse et de saint Jean de la Croix pour leur époque peuvent être appliquées avec non moins de vérité à notre temps qui connaît un renouveau spirituel plein d'espérances.

---

1. I^e Dem., ch. I, p. 818.
2. Vie, ch. XI, p. 113.
3. Nuit Obsc., Liv. I, ch. IX, p.517.
4. Vie, ch. XV, p. 146.

2. Mais les maîtres du Carmel ajoutent :

Il y a beaucoup, oui, beaucoup d'âmes qui arrivent à ce degré, mais il en est bien peu qui le dépassent, et je ne sais à qui en attribuer la faute [1].

Telle est la nuit et la purgation du sens, laquelle, en ceux qui doivent après entrer en l'autre plus pesante de l'esprit pour passer à la divine union d'amour de Dieu (car tous n'y passent pas, mais le petit nombre pour l'ordinaire) a coutume d'être accompagnée de grands travaux [2].

Très nettement donc sainte Thérèse et saint Jean de la Croix distinguent parmi ceux qui parviennent à la contemplation surnaturelle deux groupes inégaux : le premier, le plus nombreux, qui comprend ceux qui restent aux quatrièmes Demeures connaissant une contemplation intermittente et imparfaite et subissant une purification du sens assez peu intense et prolongée ; le deuxième, qui comprend les rares privilégiés qui, par la purification de l'esprit, deviennent de vrais spirituels. Pourquoi ces arrêts et ces échecs en des régions déjà si élevées ? Manque de générosité ! répondent sainte Thérèse et saint Jean de la Croix :

O Seigneur de mon âme ! ô mon Bien ! pourquoi n'avez-vous pas voulu que l'âme, dès lors qu'elle se détermine à vous aimer et fait son possible pour quitter tout afin de s'y mieux employer, ne goûte pas immédiatement la joie d'arriver à cet amour parfait ? je dis mal. J'aurais dû dire en gémissant : pourquoi ne voulons-nous pas nous-mêmes, puisque toute la faute est à nous si nous ne parvenons pas de suite à une si haute dignité... Mais nous nous estimons à un si haut prix ! nous sommes si lents à faire à Dieu le don absolu de nous-mêmes que nous n'en finissons plus de nous préparer à cette grâce [3].

Saint Jean de la Croix, à son tour, insiste avec force :

C'est ici, nous dit-il, le lieu d'indiquer pourquoi si peu parviennent à cet état si élevé. Sachons-le bien, la cause n'est pas que Dieu réserve seulement à quelques âmes pareille grandeur. Il voudrait au contraire que tous l'obtiennent. Mais il trouve si peu de vases qui lui permettent une œuvre si digne et si sublime ! Les éprouve-t-il un peu ? Il sent les vases fragiles au point de fuir la peine, de se refuser à porter tant soit peu sécheresse et mortification, au lieu d'agir avec pleine patience. Pour ce motif, Dieu les trouvant sans force au temps de la première faveur faite pour les dégrossir, s'arrête et ne purifie pas [4].

---

1. *Vie*, ch. XV, p. 146.
2. *Nuit Obsc.*, Liv. I, ch. XIV, trad. P. Cyprien, éd. P. Lucien, p. 537.
3. *Vie*, ch. XI, p. 103 et s.
4. *Vive Fl.*, str. II, pp. 961, 962.

Contemplation et vie mystique

Dans la *Montée du Carmel* il avait écrit :

Et en ce qu'il dit que « fort peu le trouvent » on doit remarquer
la cause, à savoir qu'il n'y en a guère qui sachent et qui veuillent
entrer en cette extrême nudité et vide de l'esprit. Parce que ce
sentier du haut mont de perfection, attendu qu'il tire en haut et qu'il
est étroit, demande de tels voyageurs qu'ils n'aient aucune charge
qui les appesantisse quant aux choses qui regardent la partie
inférieure, ni chose qui les embarrasse quant à celles qui regardent
la supérieure [1].

Dans le Prologue de la *Montée du Carmel* il déclare que
ce qui l'a décidé à écrire c'est

la grande nécessité de maintes âmes, lesquelles commençant le
chemin de la vertu et Notre-Seigneur les voulant mettre en cette
nuit obscure, afin de passer par là à l'union divine, elles ne passent pas outre, parfois pour n'y vouloir entrer, ou pour ne s'y laisser conduire, parfois pour ne le bien entendre et n'avoir des guides
capables et éveillés qui les mènent jusqu'au sommet [2].

Manque de lumière, manque de générosité surtout, c'est
pour cela que les sentiers abrupts de la haute sainteté sont
si peu fréquentés.

Ces constatations des maîtres des voies spirituelles
confirment les plaintes de l'Amour qui n'est plus aimé. Et
cependant Il nous appelle tous à la source d'eau vive de
son intimité, et sa volonté est que nous soyons saints !

---

1. *Montée du Carm.*, Liv. II, ch. VII, trad. P. Cyprien, éd. P. Lucien,
p. 144.
2. *Ibid.*, Prologue, même trad., p. 52.

CHAPITRE NEUVIÈME

Théologie et contemplation surnaturelle

L'étude de la contemplation connaît de nos jours une faveur étonnante. Ce succès ne va pas sans quelques dangers. En cette connaissance amoureuse qui, dans la simplicité de son acte, offre des aspects si variés à l'admiration des esprits les plus différents, chacun risque de souligner d'un trait accusé l'élément qui l'a conquis, de le tirer à lui pour l'interpréter selon sa tendance et de fausser ainsi la notion de la contemplation surnaturelle. Ce danger n'a pas été complètement évité.

Aussi est-ce un spectacle un peu étrange, mais combien touchant, que celui de ces penseurs modernes, et non des moindres, qui font appel à la contemplation pour sortir de l'enceinte où les a murés leur propre agnosticisme. Le salut de l'intelligence, aurait dit l'un d'eux, serait assuré par le contemplatif qui atteint le réel au-delà des formules et des apparences.

Pour ces philosophes, la contemplation mystique est un mode de connaissance intuitive très élevé et très pénétrant. On y parvient à l'aide d'une certaine ascèse et sous des influences encore mal définies. Aussi la voie est-elle semée d'épaves. Certaines religions la favorisent, et le catholicisme a des réussites particulièrement heureuses. Ce mode de connaître n'est cependant l'apanage exclusif d'aucune religion, à plus forte raison est-il indépendant de l'adhésion à n'importe quel dogme. La contemplation mystique ne serait qu'une haute et admirable intellectualité.

Pour d'autres penseurs, psychologues avertis et artistes délicats, la contemplation est une émotion plus profonde que toutes les autres, un souffle vivant, du pur dynamisme dont les formes variées se retrouvent dans toutes les religions, et qui sont indépendantes de la croyance ou même de la pratique religieuse. D'ailleurs, disent-ils, n'y a-t-il pas opposition entre la froide intellectualité, la sèche précision du dogme et la vie si chaude, les libertés si audacieuses du mystique ?

Tous ces penseurs, « bons sujets pour être de nos amis » eût dit sainte Thérèse, portés vers la contemplation et les contemplatifs par un désir de lumière, sinon un besoin profond d'âme, admirent profondément saint Jean de la Croix, sainte Thérèse d'Avila et sainte Thérèse de l'Enfant-Jésus, mais négligent en les étudiant le contenu de leur croyance et leur soumission à l'Église. Ils pensent à une méthode empirique pour réaliser leur désir de contemplation, et ils rêvent pour toute l'humanité d'une mystique sans dogme et d'une contemplation sans théologie.

C'est une erreur, non point si accusée, mais de même genre, que l'on trouve chez certains chrétiens, souvent fervents mais ordinairement assez peu cultivés, qui ont saisi dans la contemplation le rôle de l'amour ou plutôt de l'affectivité, et minimisent l'utilité de l'étude du dogme pour y parvenir. Âmes sentimentales pour qui contemplation ne signifie pas autre chose que longues effusions mystiques, et qui ne savent plus goûter la vérité que dans l'onction des confidences d'une âme favorisée de Dieu.

Dans le camp opposé, voici le théologien intellectualiste, savant respectable et méritant, esprit brillant parfois profond, qui aborde spéculativement comme théologien et pratiquement comme prédicateur et directeur, l'étude et l'exposé de la contemplation. Adonné à l'étude, il ne saurait errer dans l'exposé spéculatif d'une doctrine dont saint Thomas et saint Jean de la Croix ont fixé les points principaux. Il a le désir très louable de lutter contre la spiritualité sentimentale qui ne s'éclaire pas à la lumière du dogme. Aussi il prêche la nécessité de l'étude et ses efforts vont à cette saine vulgarisation de la théologie qui peut être si féconde. Mais s'appuyant sur une expérience personnelle et réalisée en un champ très limité, il affirme que la culture théologique est nécessaire à toute haute et saine spiritualité, il apprécie habituellement celle-ci en fonction de celle-là selon des âmes, des institutions et des courants spirituels d'après la culture qu'ils accusent ou même d'après la formule intellectuelle qu'ils revêtent. Aussi affiche-t-il sinon du mépris, du moins de la mésestime pour toute spiritualité qui ne s'arme pas de ses disciplines intellectuelles et la traite de sentimentale ou de dangereuse. Sans s'en douter, et peut-être avec la meilleure bonne foi du monde, il asservit la contemplation à la théologie.

Peut-être avons-nous trop précisé ces erreurs. Elles se présentent en effet généralement plutôt sous forme de tendances qu'avec des affirmations explicites. Elles sont cependant assez accusées et assez dangereuses pour que nous ne les négligions pas. Elles nous obligent à préciser les rapports de la théologie et de la contemplation, d'où nous dégagerons quelques corollaires pratiques.

La théologie et la contemplation ont un objet commun qui est la vérité divine. Vers cette vérité divine elles se portent avec des instruments différents ; elles ne sauraient par conséquent la saisir d'une façon identique. Tandis que la théologie, utilisant la raison éclairée par la foi, travaille sur la vérité dogmatique, expression parfaite en langage humain de la vérité divine, mais expression qui reste analogique, la contemplation, par la foi que perfectionnent en son exercice les dons, se porte au-delà de l'enveloppe qu'est la formule dogmatique et pénètre jusqu'à la réalité même qu'est la vérité divine [1].

Cette communauté d'objet et la façon différente dont elles le saisissent expliquent les rapports étroits de la théologie et de la contemplation, et nous permettent de les préciser pour le plus grand bien de chacune.

1. Il convient en premier lieu de souligner que la contemplation est tributaire de la théologie, car elle ne saurait normalement atteindre la vérité divine en son essence sans passer par l'adhésion à la vérité dogmatique dont la théologie lui fournit la formule.

Cette affirmation dépasse ce qui a été dit précédemment de la nécessité de l'étude de la vérité dogmatique pour le développement de la vie d'oraison en général [2]. Il s'agit ici en effet de la contemplation surnaturelle que certains philosophes modernes voudraient séparer de tout donné dogmatique.

Ces penseurs, qui si volontiers reconnaissent la supériorité et les merveilleuses réussites de la mystique catholique, devraient bien, nous semble-t-il, ne pas négliger le témoignage des grands spirituels qu'ils entourent d'une telle vénération respectueuse et qui tous affirment par leur attitude et leurs paroles leur soumission complète à l'enseignement dogmatique de l'Église.

---

1. Voir ce qui a été dit précédemment Troisième Partie, ch. VII « La Contemplation », p. 403.
2. Cf. *Premières étapes*, ch. V « Les lectures spirituelles », p. 196.

Contemplation et vie mystique

Sainte Thérèse affirme si fréquemment et si énergiquement son souci de soumission à l'Église et aux théologiens qu'il semble inutile de citer des textes précis.

Quant à sainte Thérèse de l'Enfant-Jésus, elle a un tel souci d'orthodoxie qu'elle refuse de lire un ouvrage dont l'auteur est non point hérétique, mais seulement en révolte contre son évêque.

Il ne leur paraît pas douteux en effet que la recherche de Dieu-Vérité exige comme condition essentielle l'adhésion à la vérité révélée que leur présente l'Église. Cette vérité révélée nous donne la lumière pour aller à Dieu ; c'est elle qui, à tout instant, doit éclairer notre marche et, dans la pénombre, nous fait entrevoir le but. Refuser de soumettre son esprit à la formule dogmatique qui l'exprime, c'est détruire en soi la foi et la charité, c'est se rendre impossible en fait la contemplation surnaturelle dont ces deux vertus théologales sont les instruments actifs. Si en quelques cas exceptionnels le nombre de vérités que l'intelligence doit accepter peut être réduit à un minimum, en aucun cette adhésion à des vérités dogmatiques distinctes ne saurait être supprimée, car elle est essentielle à la foi [1].

Remarquons de plus que la formule dogmatique n'est pas seulement expression analogique c'est-à-dire symbole ou signe naturel de la vérité divine, elle porte en elle la vérité divine qu'elle exprime. Elle ne nous conduit pas seulement vers la vérité comme une flèche indicatrice sur une route, elle nous la donne l'ayant reçue en son sein.

C'est ce que saint Jean de la Croix explique dans le commentaire de la strophe onzième du *Cantique* :

> « O fontaine cristalline
> Si sur vos surfaces argentées
> Vous faisiez apparaître tout à coup
> Les yeux tant désirés
> Que je porte esquissés en mon cœur ».

---

1. Le refus d'adhérer à une vérité révélée connue est toujours une faute contre la foi. Mais il convient de remarquer que parmi les vérités dogmatiques il en est quelques-unes seulement dont la connaissance est de nécessité de moyen, c'est-à-dire absolument indispensable à la foi et à la vie surnaturelle : ce sont les vérités concernant la vie intime de Dieu (Trinité) et la médiation du Christ. La connaissance des autres est de nécessité de précepte, c'est-à-dire ne saurait être négligée.

L'adhésion implicite aux premières pourra parfois suffire. C'est ainsi que pourrait s'expliquer l'existence de la vie surnaturelle et de grâces authentiquement mystiques chez des non-chrétiens. Cf. l'étude du R. P. Élisée de la Nativité : « L'expérience mystique d'Ibn' Arabi est-elle surnaturelle ? » dans *Études Carmélitaines*, octobre 1931. Voir spécialement les conclusions théologiques, pp. 162-168.

L'âme appelle surfaces argentées les propositions et les articles de foi, commente le Saint. Pour bien comprendre ce vers et les autres, il faut remarquer que la foi est comparée à l'argent dans les propositions qu'elle nous enseigne ; quant aux vérités elles-mêmes et à la substance qu'elles renferment, elles sont comparées à l'or. Car cette même vérité substantielle que nous croyons aujourd'hui et qui est revêtue et recouverte de l'argent de la foi, nous devons la voir et en jouir dans l'autre vie à découvert quand nous contemplerons l'or pur de la foi.

Ainsi donc la foi nous donne Dieu lui-même et nous le fait connaître ; sans doute il est voilé sous les surfaces argentées de la foi, mais ce n'est pas là un motif pour qu'il ne nous soit pas donné en réalité. Voyez celui qui donne un vase d'or qui est recouvert d'une couche d'argent ; il n'en donne pas moins un vase d'or, malgré la surface argentée du vase... [1]

L'union intime de la formule dogmatique avec la vérité divine ne saurait être affirmée plus clairement. La formule n'est pas une enveloppe vide, elle est pleine de la substance de la vérité divine elle-même.

Que le contemplatif déjà dès ici-bas, quoique d'une façon imparfaite, pénètre en cet or de la vérité substantielle, au-delà de la surface argentée de l'expression, c'est ce que saint Jean de la Croix affirme dans la suite de ce commentaire :

Par ces « yeux tant désirés », on entend, comme nous l'avons dit, les rayons divins, les vérités divines qui, nous le répétons, sont proposées dans les articles de foi, d'une façon confuse et obscure... Les yeux tant désirés sont donc ces vérités qui lui font sentir la présence du Bien-Aimé d'une manière si vive qu'il lui semble être constamment l'objet de son regard... [2]

Mais il est clair que dans la pensée de saint Jean de la Croix on ne saurait dissocier ici-bas ces deux éléments, à savoir l'or pur de la vérité, de ses surfaces argentées qui sont les formules dogmatiques. Pour trouver la vérité divine il faut s'attacher à la formule dogmatique qui l'exprime et la contient. Toute affirmation contraire non seulement irait à l'encontre de tel ou tel passage de ses écrits, mais rendrait incompréhensibles l'ensemble de sa doctrine et sa conduite personnelle constante.

Aussi tout essai de mystique sans dogme est contraire à la doctrine de saint Jean de la Croix et à la nature même de la contemplation. Quelle que soit la puissance d'intuition de certaines intelligences, il n'est pas de méthode empirique qui puisse leur permettre de franchir le fossé entre la contemplation naturelle et la contemplation surnaturelle. On ne peut arriver à se reposer dans

---

1. *Cant. Spirit.*, str. XI, pp. 737-738.
2. *Ibid.*, pp. 738-739.

le transcendant surnaturel et à être transformé par lui
qu'en passant par la foi au dogme et par l'action du secours
particulier de Dieu à l'âme par les dons du Saint-Esprit [1].

En jugeant sévèrement ces tentatives intellectualistes de
mystique naturelle, nous ne pouvons pas dissimuler notre
sympathie pour ceux qui les professent à cause de la
sincérité qui les anime, du respect affectueux qu'ils
portent aux mystiques et du souffle spirituel qu'ils font
passer dans la philosophie moderne ainsi que des
espérances qu'ils y font briller.

Mais laissons à un penseur éminent le soin d'exposer en
un langage mieux adapté, cette dépendance de la contemplation à l'égard du dogme :

L'âme de Jean de la Croix est fidèle à l'enseignement de
l'Église. Chez lui l'expérience la plus abyssale s'accorde aux données de la théologie, et, bien qu'il y ait ici un lien secret, au regard
de la raison, entre la vérité vécue du dedans et la vérité formulée
au dehors et cachée sous la lettre du dogme, c'est bien la même
plénitude de vérité à laquelle la foi s'attache tout d'abord et dont
elle va vivre en pénétrant dans l'obscur, dans le mystère, dans la
densité d'une clarté affranchie des distinctions et dispersions
humaines. Croit-on que la tradition millénaire à laquelle s'alimente
la spiritualité chrétienne ne serait qu'une enveloppe extérieure, et
qu'une fois l'âme divinement transformée, elle pourrait être
rejetée comme une coque vide ? N'est-il pas autrement vraisem-
blable et raisonnable de penser que cette tradition, qui fut à
l'origine de la croissance spirituelle, demeure pour elle un
indispensable aliment ? Bien plus, dans la doctrine même du Saint,
on entrevoit un lieu de connexion où l'humaine et apparente
disjonction entre la lettre et la vie de la foi se trouve surmontée.
Car enfin, de même que la nuit des purifications passives se laisse
pressentir déjà dans la nuit active, de même l'oraison est déjà
secrètement présente à la méditation ; et inversement, lorsque de la
vie profonde d'oraison l'âme redescend au plan de la pensée
discursive, croit-on que l'oraison soit toujours abandonnée ? En ce
retour à la méditation la pensée n'est-elle pas bien souvent
soutenue et vivifiée par une intime et permanente vie de prière ?
Des œuvres théologiques, des œuvres philosophiques même,
ont été écrites en état d'oraison. Lorsque Jean de la Croix
commente ses poèmes et instaure sa science de la vie spirituelle,
l'écart humain entre le silence mystique et le verbe discursif n'empêche nullement que ce soit toujours la grâce divine qui passe. C'est
pourquoi lorsque Jean de la Croix se traduit lui-même en puisant à
l'Écriture sainte et à l'enseignement de l'Église, l'accent est tel,

---

1. Avec sa maîtrise habituelle M. Maritain a étudié jusqu'à quelle expérience naturelle de Dieu peuvent conduire les techniques très poussées de
l'Inde. Les mystiques naturelles, même pratiquées par des tempéraments
aussi bien doués et assouplis, ne sauraient en aucun cas, sans le secours
spécial des dons, conduire à la véritable contemplation surnaturelle infuse,
telle que la décrivent les maîtres du Carmel. Cf. J. Maritain, « L'expérience
mystique naturelle et le vide » dans *Études Carmélitaines*, octobre 1938,
pp. 116-139.

qu'il nous semble impossible de voir dans ce retour aux représentations distinctes un symbolisme de convention, mais qu'il y a de puissantes raisons de voir au contraire, en ce retour à une Parole qui se donne pour surnaturelle, le verbe selon lequel s'exprime en vérité l'âme envahie par Dieu.

Il y a plus. Vivre la vie de Jésus-Christ est autre chose sans doute que parler historiquement du Christ. Vivre la vie trinitaire est autre chose qu'en parler en arithméticien ou même en théologien. Mais c'est bien de Jésus-Christ et c'est bien de la Trinité Sainte qu'il s'agit, c'est-à-dire d'une plénitude surhumaine affirmée sous la lettre humaine et précise de la vérité révélée. La seconde strophe de la *Vive Flamme* est éclairante à cet égard par le commentaire qui l'accompagne :

> O délicieuse brûlure, ô plaie enivrante !
> Qui avez le goût de la vie éternelle !

Et Jean de la Croix écrit :« Bien que l'âme désigne ici les trois personnes divines par des noms différents à cause des propriétés particulières et des effets qu'elle leur attribue, il n'en est pas moins vrai qu'elle parle d'une seule essence. On le voit par les paroles suivantes : Vous avez changé la mort en vie. Il n'y a en effet qu'une seule opération au sein de l'adorable Trinité ; aussi l'âme attribue-t-elle le tout à une seule essence et aux trois Personnes ensemble »[1].

2. Tributaire de la théologie, la contemplation surnaturelle dépasse les formules que celle-là lui propose. Saint Jean de la Croix l'appelle « échelle secrète ». Elle pénètre jusqu'à la vérité elle-même et parce qu'elle va au-delà de toute traduction analogique on peut dire d'elle que son domaine propre est l'obscurité du mystère de cette vérité divine. Aussi quand elle se manifeste avec toute sa force, cette sagesse mystique

a la propriété de cacher l'âme en soi, dit saint Jean de la Croix. Parce que, outre l'ordinaire, quelquefois elle absorbe tellement l'âme et l'enfonce de telle sorte dans son abîme secret, qu'elle connaît clairement qu'elle demeure très à l'écart et très éloignée de toute créature ; de façon qu'il lui semble qu'on la met dans une profonde et très spacieuse solitude, où ne peut arriver aucune créature humaine, comme en un désert immense qui n'est borné d'aucun endroit ; d'autant plus délectable, savoureux et aimable qu'il est plus profond, plus vaste et plus solitaire, où l'âme se voit... élevée au-dessus de toute créature temporelle[2].

Cette expérience, transitoire d'ailleurs, indique les régions dans lesquelles l'âme se trouve élevée par la contemplation.

---

1. « L'âme de saint Jean de la Croix » par J. Paliard, professeur de philosophie à la Faculté des Lettres d'Aix-en-Provence ; conférence donnée à l'occasion du quatrième centenaire de la naissance de saint Jean de la Croix, publiée dans *Saint Jean de la Croix et la Pensée Contemporaine* [(pp. 5-29), et rééditée dans *Chant nocturne, Saint Jean de la Croix, mystique et philosophie*, Éd. Universitaires, Coll. Sagesse, 1991, pp. 97-112].

2. *Nuit Obsc.*, Liv II., ch. XVII, trad. P. Cyprien, pp. 611-612.

Contemplation et vie mystique

Cette élévation au-dessus de toute créature temporelle s'accompagne de connaissance :

Et alors, continue saint Jean de la Croix, cet abîme de sagesse élève et agrandit tellement l'âme, la mettant en les veines de la science d'amour [1].

Cette échelle secrète ou contemplation est en effet essentiellement

sagesse secrète, laquelle, selon saint Thomas, se communique et est infuse en l'âme par amour [2].

Ou encore dira le Saint, la contemplation

s'appelle ici échelle, parce qu'elle est science d'amour, laquelle comme nous avons dit, est une notice infuse de Dieu amoureuse, et qui conjointement illustre et enflamme d'amour l'âme, jusqu'à la monter de degré en degré à Dieu son Créateur [3].

Cette science d'amour, qui élève, éclaire et enflamme, ne passe point par l'entendement ; lumière simple, générale et spirituelle, elle procède de Dieu dans les profondeurs de l'âme. Dieu instruit dans l'onction de l'amour qu'il répand.

Dans cette eau limpide qui jaillit de nuit, l'âme

découvre une sagesse admirable et si riche en mystères que non seulement nous pouvons l'appeler une profondeur, mais encore un ensemble compact de merveilles, selon cette parole de David : *Mons Dei, mons pinguis, mons coagulatus, mons pinguis.* « La montagne de Dieu est une montagne grasse, une montagne fertile, une montagne féconde (Ps 67, 16) [4] ».

Les mystères du Christ, spécialement, lui apparaissent

comme une mine abondante remplie d'une infinité de filons avec des richesses sans nombre ; on a beau y puiser, on n'en voit jamais le terme ; bien plus, chaque repli renferme ici et là de nouveaux filons avec de nouvelles richesses ; ce qui faisait dire à saint Paul du Christ : *In quo sunt omnes thesauri sapientiae et scientiae Dei absconditi* : « Dans le Christ sont cachés tous les trésors de la science et de la sagesse de Dieu (Col 2,3) [5] ».

Telles sont les richesses de lumière que la contemplation livre à l'âme et par elle à l'Église.

Dieu en effet, qui a mis dans la révélation faite au Christ et aux apôtres toute la vérité qu'il nous destinait, a laissé cependant à son Église aidée de son Esprit, le

---

1. *Nuit Obsc.*, Liv. II, ch. XVII, trad. P. Cyprien, p. 612.
2. *Ibid.*, p. 608.
3. *Ibid.*, p. 616, même trad.
4. *Cant. Spir.*, str. XXXV, p. 876.
5. *Ibid.*, str. XXXVI, pp. 880-881.

soin d'explorer ce dépôt, de l'expliciter, de traduire en formules claires et précises les vérités qui y sont contenues et de les répandre dans le peuple chrétien.

A ce travail d'explicitation la théologie apporte la puissance et la logique de la raison éclairée par la foi. La contemplation y contribue avec la grande pénétration de l'amour. Le théologien raisonne, déduit, conceptualise en formules précises ; le contemplatif scrute les profondeurs vivantes de la vérité. Tous deux sont au service de la même cause. Il nous paraît cependant que la raison du théologien excelle à organiser les positions conquises, tandis que l'amour du contemplatif, plus pénétrant, en fait souvent un audacieux éclaireur d'avant-garde. L'histoire de l'explicitation du dogme à travers les siècles vérifie cette assertion. C'est au regard contemplatif de saint Paul que nous devons la découverte du grand mystère du Christ dont il se dit l'apôtre et le ministre. C'est à des contemplatifs aussi que nous devons l'explicitation de la plupart des dogmes, spécialement des privilèges de la Sainte Vierge. Le contemplatif précède, découvre et aiguille, le théologien suit et établit la vérité.

3. Il est nécessaire que la théologie suive pour contrôler les affirmations de la contemplation, spécialement les affirmations dogmatiques. La théologie en effet, qui représente le magistère de l'Église, est la gardienne du dépôt révélé. Le contemplatif, quelle que soit l'élévation de sa contemplation, doit soumettre ses lumières à ce contrôle.

C'est ce qu'ont fait tous les grands spirituels. Après avoir affirmé dans le Prologue du *Cantique* que « ces strophes ont été composées sous l'influence de l'amour et d'une lumière mystique abondante », saint Jean de la Croix cependant les soumet totalement, avec le commentaire qu'il en donne, « au jugement de notre Mère la sainte Église [1] ».

Sainte Thérèse n'ose se fier à la certitude de la présence de Dieu dans son âme, et aux lumières reçues sur le mode de cette présence dans les grâces d'union, tant qu'un théologien éclairé ne les lui a pas confirmées au nom de l'Église.

Tout contemplatif, si élevé soit-il, peut se tromper en effet sur quelque point, tandis que l'Église est infaillible.

Que dire du spirituel débutant ou simplement progressant, dont la contemplation est intermittente, qui

---

1. *Cant. Spir.*, Prologue, pp. 674-675.

peut se tromper sur la qualité de ses relations avec Dieu, et chez qui la lumière, même authentiquement surnaturelle, peut se charger d'impuretés et d'illusions en passant par des facultés non purifiées et manquant des aptitudes naturelles nécessaires pour la traduire ? Si, s'appuyant orgueilleusement sur la certitude des communications divines et sur l'enivrement qu'elles produisent, sur la force même de la lumière qui éclairant un point particulier semble rejeter tous les autres dans l'ombre, cette contemplation fausse, ou seulement imparfaite, refuse le contrôle de la saine théologie, il n'est pas d'erreurs ou de travers dans lesquels elle ne puisse tomber. Il nous paraît que bien des hérésies ou des mouvements spirituels égarés sont issus d'expériences mystiques authentiques dont l'orgueil, en refusant de les soumettre au magistère de l'Église, a faussé la lumière, destinée cependant à s'inscrire dans la synthèse du dogme et de la vie de l'Église.

4. La théologie contrôlera les lumières contemplatives, mais pour les faire entrer dans le cadre de sa pensée, elle veillera à ne point détruire le souffle vivant qui les anime jusque dans leur expression. C'est dans ce domaine de l'expression que les rapports de la théologie et de la contemplation seront le plus délicats.

Dépositaire de la vérité divine, la théologie a le souci constant de lui conserver son expression exacte dans le plan de la pensée humaine. Elle a ses mots et ses formules, invariables parce que précis. Son travail est tout de clarté dans la pensée et de précision dans l'expression. Aussi on conçoit qu'elle se trouve parfois mal à l'aise devant les débordements mystiques.

Le contemplatif en effet traduit son expérience intime et personnelle du mystère de Dieu. Si sa contemplation est authentique, la lumière qu'il rapporte de son expérience est certaine. Mais cette lumière il la trouve dans l'onction qu'il perçoit et dont il ne saurait la séparer. Ces expériences du divin ont quelque chose de très puissant en même temps que d'indéterminé, qui est le cachet de l'infini. Parce qu'elles procèdent du fond de l'être, en épousent les formes, en font vibrer toutes les puissances, elles empruntent pour s'exprimer ce qu'il y a de plus profond, de plus fort et de plus personnel. La vibration produite et son expression seront tributaires des qualités et des déficiences du tempérament du mystique.

Cette expression renoncera au langage des concepts, trop précis pour traduire les richesses des réalités entrevues et les vibrations produites à travers tout l'être humain, elle ira de soi aux images, aux symboles, aux mots à sens indéfini, plus vastes, moins restreints, mieux adaptés par conséquent à l'infini ; et ce lyrisme, l'expérience mystique le chargera de la chaleur et de la force savoureuse de l'impression reçue.

Que cette expérience mystique soit très haute, qu'elle atteigne une âme et des puissances purifiées, qu'elle trouve des facultés affinées pour nous la transmettre, elle nous apporte alors le son harmonieux de toutes les richesses humaines d'une âme qui chantent, exaltées et vibrantes, sous la lumière et le choc de l'Infini. On ne saurait trouver de lyrisme plus puissant et plus délicat, de poésie plus sublime. Divine par le souffle qui l'anime, qui y règne, et la saveur qu'elle laisse, cette poésie est humaine aussi et variée comme les âmes.

Écoutez sainte Angèle de Foligno, puissante, impétueuse, avec ses mots qui éclatent en jets de flamme, ne pouvant contenir les ardeurs tumultueuses de son repentir et les excès de l'amour dont elle est envahie ; sainte Gertrude, douce et limpide, une colombe au regard clair et affectueux dont la paix bénédictine a réglé les gestes et les effusions ; sainte Thérèse, ardente et lumineuse, extrême en ses désirs et discrète en ses conseils, sublime et équilibrée, une âme royale, maternelle et divine, le génie humain en ce qu'il a de plus concret et de plus universel. Nous connaissons aussi sainte Thérèse de l'Enfant-Jésus, un oiseau qui n'a qu'un léger duvet, dira-t-elle elle-même, mais qui de l'aigle et des grandes âmes a les yeux et le cœur ; aussi sa voix qui nous paraît enfantine a des effets puissants lorsqu'elle chante la lumière du Verbe et l'amour de l'Esprit Saint. Voici enfin le maître, notre docteur mystique, saint Jean de la Croix qui connaît toutes les vibrations de l'amour et les reflets de la lumière que sa science de théologien sait à la fois ordonner harmonieusement et expliquer, et qui enfin les exprime avec l'art consommé d'un artiste et d'un poète chez qui la technique ne brise nullement le souffle inspiré.

Même lorsqu'elle ne se présente pas avec la perfection que nous découvrons chez ces géants de sainteté, la contemplation enrichit singulièrement de vie et de lumière l'expression des vérités qu'elle a vécues et communique au verbe une force et une chaleur qui lui assurent pénétration et rayonnement fécond. Il lui arrivera de sacrifier l'art au mouvement, la précision à la vie, mais

qu'importe, écrit saint Jean de la Croix, d'ouïr une musique meilleure qu'une autre, si l'une ne m'excite pas davantage à opérer que l'autre ? Encore qu'on ait prêché des merveilles, cela s'oublie bientôt, vu que le feu n'a pas pris dans la volonté ![1]

Or l'éloquence vivifiée par l'expérience, bien que n'ayant rien des artifices d'une sagesse persuasive [2], est souverainement féconde parce qu'elle est eau vive que la foi a fait jaillir de cette source de l'Esprit que chacun porte en son âme.

Nous pourrions continuer à différencier la contemplation de la théologie dans l'expression et souligner que la formule dogmatique, qui est l'œuvre de la théologie, est l'expression certaine et précise de la vérité divine dans le langage de la pensée humaine, tandis que l'expression mystique est un essai de traduction vivante de l'expérience de cette vérité.

Mais pourquoi continuer à différencier et à opposer, alors qu'il importe surtout d'unir ? C'est leur rencontre en effet dans une âme qui a fait les profonds penseurs et les grands maîtres de tous les temps non seulement les Paul et les Augustin, mais ces Pères de l'Église au langage savoureux et profond qui instaurèrent l'ordre et la pensée chrétienne, ces saints que l'Esprit de Dieu place à chaque tournant de l'histoire pour guider le peuple chrétien vers ce but suprême qui est l'édification de l'Église.

5. Il est un autre service que la théologie doit rendre à la contemplation, c'est de la régulariser et de la soutenir en sa marche parfois dangereuse et souvent douloureuse.

Nous voici encore en un sujet délicat dans lequel nous ne voudrions pas nous égarer ou tromper par des termes impropres.

L'expérience mystique affecte toutes les puissances de l'âme, mais, parce qu'elle procède de l'amour et qu'elle apporte un écho indéterminé de l'infini, elle semble fuir le cadre intellectuel de la pensée qui l'opprime par sa précision et sa limitation, et va vers les sens intérieurs et extérieurs plus aptes à la recevoir et où elle peut étaler ses richesses et sa vie. Il en résulte chez le contemplatif en ses débuts un certaine diminution et impuissance de vie intellectuelle, en même temps qu'une certaine exaltation du sens enrichi par la saveur divine qui s'y épanche, parfois même une préférence marquée pour cette activité spirituelle sensible aux dépens de l'activité

---

1. *Montée du Carm.*, Liv. III, ch. xlv, trad. P. Cyprien, p. 443.
2. 1 Co 2, 4.

intellectuelle. Ce spirituel débutant ne veut plus être que mystique et devient presque anti-intellectuel.

Le danger peut être grave ; car c'est celui de l'illuminisme avide de manifestations sensibles du spirituel, qui constamment cherche la lumière et l'appui de ces manifestations en toutes les démarches de sa vie morale et spirituelle. L'équilibre humain est atteint qui exige que l'intelligence soit notre guide en toutes circonstances et spécialement dans le monde des saveurs et des lumières mystiques. Saint Jean de la Croix professe un tel respect pour la raison qu'il demande qu'elle examine avec plus de soin les choses lorsque s'y mêlent des manifestations extraordinaires [1].

L'étude de la vérité révélée parera à ce danger, qui risque de compromettre gravement la vie spirituelle, en donnant à l'intelligence l'aliment dont elle a besoin pour ne point s'anémier et le moyen de remplir sa fonction de contrôle dans la vie morale.

Il arrivera aussi que l'enivrement des sens produit par les débordements divins sera suivi de réactions fort douloureuses. Les impressions savoureuses passées, les puissances sensibles et la raison elle-même se trouvent comme désemparées et inquiètes de cet envahissement ou emprise sous lequel elles n'ont pu que rester passives et dont elles ne voient pas la cause. On connaît les angoisses de sainte Thérèse après ses grâces extraordinaires. D'où un besoin d'appui et de contrôle d'autant plus intense que l'âme n'expérimente plus que le vide, un vide qui semble plus obscur et plus silencieux après les plénitudes savoureuses qu'elle a connues :

C'est assez, Seigneur, disait le prophète Élie, après avoir marché une journée dans le désert pour fuir la colère de Jézabel. C'est assez, prenez mon âme, car je ne suis pas meilleur que mes pères [2].

Ce dégoût lui venait après qu'il avait fait éclater la gloire de Yahweh sur le Carmel et qu'emporté par l'Esprit il avait couru devant le char d'Achab ; « Élie était un homme qui souffrait comme nous » note la sainte Écriture.

Dieu vient au secours d'Élie en lui envoyant un ange qui lui porte un pain miraculeux et fortifiant. Au contemplatif qui connaît la profondeur de sa misère s'offre constamment le pain de la doctrine. C'est sur ce rocher de la foi, dans les certitudes de la vérité révélée par Dieu qui ne peut ni se tromper ni nous tromper, qu'il trouve

---

1. *Montée du Carm.*, Liv. II, ch. XIX, p. 221.
2. 1 R 19, 4.

la paix au sein de ses angoisses, la lumière qui ne change pas et l'attitude d'oubli qui convient aux grâces reçues.

Nous comprenons maintenant pourquoi sainte Thérèse, à qui Jésus lui-même s'était présenté comme livre vivant, fut si avide du contact avec les théologiens. Elle eut d'ailleurs l'immense faveur de connaître les plus grands de son temps : le P. Ibañez la lumière d'Avila, le P. Baron qui l'éclaire sur la présence de Dieu dans l'âme, le P. Thomas de Medina, le célèbre P. Bañez, son consulteur attitré qu'elle recommandera pour une chaire à l'université de Salamanque, le P. Garcia de Toledo auquel elle porte une affection particulière en raison des talents et dons magnifiques dont Dieu l'a favorisé, le P. Jérôme Gratien son directeur et saint Jean de la Croix, qui est bien le père de son âme et l'un des directeurs qui l'ont le plus aidée [1].

Elle ne se lasse pas de témoigner sa reconnaissance à ceux qui furent les véritables bienfaiteurs de son âme. Pendant la dernière période de sa vie, c'est surtout à de grands théologiens qu'elle demande la lumière pour la direction de son âme [2].

Les filles de sainte Thérèse conservent des relations suivies avec les théologiens. Les maîtres de l'université de Salamanque ont une haute estime pour les contemplatives de la taille d'Anne de Jésus. Ces maîtres sont Curial, Antolinez, Luis de Léon qui disait qu'Anne de Jésus en savait plus que lui-même après toutes ses années de professorat, Bañez qui après avoir soutenu une thèse de théologie terminait son argumentation en disant : « Enfin, quand il n'y aurait pas autre chose en faveur de ce sentiment, que de savoir que la Mère Anne de Jésus le partage, ce serait à mes yeux une preuve suffisante ».

Théologie et contemplation surnaturelle s'estimaient et se servaient mutuellement.

La contemplation a droit au respect de la théologie, car elle saisit leur objet commun d'une façon plus parfaite et a des effets plus profonds. La théologie fait des savants, la contemplation fait des saints.

C'est de ce respect pour la contemplation surnaturelle que nous paraissent manquer les théologiens intellectualistes dont nous avons parlé en débutant. Certes, ils sont trop instruits pour méconnaître spéculativement sa valeur, mais leur conviction ne descend pas sur le plan

---

1. Lettre à Anne de Jésus, Avila, fin décembre 1578. T. III, p. 120.
2. Cf. *Premières étapes*, ch. VIII « La direction spirituelle », p. 246.

du jugement pratique. Si nous les comprenons bien, il nous paraît que cette anomalie vient de la confusion pratique entre contemplation théologique et contemplation surnaturelle.

Le théologien en effet, penché par vocation sur la formule dogmatique, trouve dans sa tâche des joies très hautes, sent ses facultés s'exalter dans les splendeurs de la vérité découverte ou mieux élucidée, repose parfois amoureusement son intelligence dans la vue globale d'un mystère de notre religion. Comment ne lui arriverait-il pas de confondre les joies qu'il expérimente en cette contemplation théologique, avec la contemplation surnaturelle, d'autant que dans son travail, il se sent parfois aidé surnaturellement, et que son intelligence habituée aux clartés distinctes supporte malaisément l'éblouissement obscur et plus douloureux pour lui, de la contemplation surnaturelle ?

La contemplation surnaturelle devient dans sa pensée, à cause de cette difficulté personnelle de la réaliser, un phénomène extraordinaire, réservé à quelques rares privilégiés. De saint Jean de la Croix et des autres mystiques il retient surtout les lumières distinctes qu'ils nous apportent, et il ne voit pas que leur vie d'intimité avec Dieu s'est déroulée habituellement dans la sécheresse et en une obscurité qui est celle même du mystère de l'objet essentiel de la foi qu'ils ont atteint.

Les erreurs pratiques qui en découlent dans la direction des âmes peuvent être graves, on le devine.

Contemplation théologique et contemplation surnaturelle n'exigent pas la même coopération de la part de l'âme. La première a besoin de l'activité intellectuelle ; la deuxième se nourrit surtout d'abandon paisible et d'humilité.

Imposer à toutes les âmes l'activité intellectuelle qu'exige la contemplation théologique, c'est jeter le trouble chez nombre d'âmes déjà parvenues à la contemplation surnaturelle, c'est aller à l'encontre de leurs besoins et des désirs de Dieu sur elles, les faire revenir en arrière en les arrachant à leur contemplation, au repos et au profit qu'elles trouvaient dans l'obscurité de la foi. Dieu les transforme en cette contemplation, mais à la condition qu'elles abandonnent toute préoccupation et qu'elles apaisent l'activité de leurs facultés. De pareilles exigences intellectualistes méconnaissent l'enseignement de saint Jean de la Croix ; de cet enseignement on souligne volontiers l'armature intellectuelle pour faire remarquer qu'il appartient à la plus sûre des écoles théologiques, mais on en néglige les points essentiels,

ceux dans lesquels le Saint demande de dépasser toutes
choses, même le plan intellectuel le plus sûr, pour se livrer
à l'envahissement de la lumière divine. Pourquoi ne
relit-on pas aussi les passages de la *Vive Flamme d'amour*
où le Docteur mystique, avec tant de véhémence, s'élève
contre tous ceux (et le directeur malavisé en fait partie)
qui troublent la paix de l'âme contemplative et l'empêchent
de savourer les onctions délicates de l'Esprit Saint ?

... Ces onguents si nuancés et si délectables de l'Esprit Saint sont
d'une ténuité et d'une pureté extrêmement subtile... Or ils peuvent
se perdre pour un rien... il suffit pour cela que l'âme veuille alors
agir par elle-même en mettant en mouvement soit la mémoire soit
l'entendement ou la volonté ; le simple usage du sens, de
l'appétit, l'acceptation d'une connaissance, saveur ou goût
suffisent pour les dissiper et embarrasser l'âme. Et c'est là un
dommage capital on ne peut plus digne de regret et de pitié. O triste
et étonnant accident ! Nul indice ne le fait paraître ; c'est pour ainsi
dire un rien qui vient d'entraver ces saintes onctions, et pourtant
la ruine qui en résulte pour cette âme privilégiée est plus grande et
plus lamentable que celle qui ruinerait et ferait choir, lamentables
et souillées, nombre d'âmes communes, étrangères à ces délicates
et précieuses faveurs...

Qu'on se figure un portrait, chef-d'œuvre d'un art de parfaite
délicatesse, auquel une main grossière s'avise de faire des retouches
lourdes et maladroites ; cet acte est bien plus grave et regrettable
que si le même ignorant barbouillait plusieurs autres portraits sans
valeur artistique. Et puisqu'il s'agit ici d'une œuvre très délicate
du Saint-Esprit, gâtée par une main grossière, qui pourrait
l'approuver ?...

... Il (ce maître spirituel) ne sait qu'une chose : faire agir les
puissances et marteler comme un forgeron. Sa science se borne à
cela, il ne connaît qu'une méthode : méditer. C'est pourquoi il
dit à l'âme : allons ! abandonnez ces pratiques, ce n'est qu'oisiveté
et perte de temps ! Agissez, remettez-vous à méditer, à faire des
actes intérieurs, car il importe que de votre côté vous mettiez en
œuvre vos moyens propres ; tout le reste n'est qu'illuminisme et
duperie.

... Voilà le langage de directeurs qui ignorent tout des degrés
d'oraison, des voies de l'esprit... Ne dites pas : « Oh, je suis sûr
que l'âme ne progresse pas puisqu'elle ne fait rien ». Soit ! mais
en admettant qu'elle ne fasse rien, je puis vous prouver, moi, qu'alors
ce rien équivaut à faire beaucoup. J'affirme que si l'intelligence se
vide de connaissances particulières, qu'elles soient naturelles
ou spirituelles, l'âme fait des progrès ; moins elle s'applique
à l'intelligence des choses particulières, moins elle fait acte
d'entendement, plus l'entendement progresse et s'élève au bien
surnaturel...

De tels maîtres ignorent ce que c'est que l'esprit, se rendent
coupables envers Dieu de grande irrévérence et Lui font injure en
mettant leur main grossière là où Lui travaille...

Les erreurs que commettent de tels maîtres proviennent
peut-être d'un bon zèle qui n'en peut mais. Cela ne les excuse pas
pourtant au sujet de la direction téméraire qu'ils donnent sans

s'informer au préalable du chemin que suit l'âme et d'après quel esprit ; et s'ils n'y comprennent rien, de quel droit se mêlent-ils lourdement de ce qu'ils ignorent et ne l'abandonnent-ils à de plus compétents ? Non, ce n'est pas une simple imprudence ni faute légère que de faire perdre à une âme d'inestimables biens, et parfois de la dérouter pour jamais par suite d'une fausse direction ; qu'on le sache bien, celui qui se trompe témérairement... n'échappera pas à un châtiment qui sera selon la mesure du mal produit. Il faut du tact quand il s'agit des choses divines... et cela est vrai surtout quand il s'agit d'une matière d'importance capitale où l'intérêt si grave des meilleures âmes est en jeu, car alors gains et pertes sont pour ainsi dire infinis, d'après la bonne ou mauvaise direction que l'on donne...[1]

Le ton indigné du grand Docteur mystique nous dit l'importance des moindres erreurs de direction en de telles matières, et cela nous servira d'excuse pour les développements que nous donnons nous-même à cette question.

Nombreuses en effet sont les âmes qui sont arrêtées au seuil de la vie spirituelle par ces exigences de culture dogmatique parce que leurs occupations ne leur laissent pas des loisirs pour l'étude, ou qu'elles n'ont pas la culture suffisante pour s'y appliquer utilement. Parmi elles les âmes de bonne volonté, humbles, héroïques souvent dans l'accomplissement de leur devoir d'état, ne seront-elles jamais capables que d'une spiritualité inférieure et sentimentale, ne seront-elles jamais des contemplatives ? Parmi les béatitudes saint Thomas en distingue deux qui sont celles des contemplatifs : *Beati mundo corde...* Bienheureux les cœurs purs, parce qu'ils verront Dieu ; *Beati pacifici...* Bienheureux les pacifiques, parce qu'ils seront appelés les enfants de Dieu. La pureté du regard, la paix, fruit de l'apaisement des passions, obtiennent la contemplation. Pourquoi, aux exigences du Christ soulignées par le prince de la théologie, ajouter la culture dogmatique ?

Nous ajoutons que, même pour les esprits cultivés et qui ont le temps de parfaire leur culture théologique, un excès est à craindre en certains cas. La vertu de foi en effet, qui suppose la connaissance de la vérité révélée et s'éclaire à sa lumière, s'établit sur la soumission de l'intelligence. Après avoir étudié, l'intelligence doit se soumettre pour adhérer à l'autorité de Dieu *(obsequium rationabile)*. Une étude qui développerait la curiosité de l'intelligence ou même son orgueil, au point de lui

1. *Vive Fl.*, str. III, trad. Hornaert, p. 215 et s.

rendre la soumission difficile, hésitante ou instable, serait une gêne plutôt qu'un secours pour la foi.

Toute étude approfondie de la vérité révélée ne produira pas ces résultats. Celle qui est faite pour établir raisonnablement la foi selon la capacité de l'esprit et les exigences de la culture, ou encore pour remplir un devoir d'état ou de vocation, sera ordinairement à l'abri de ces dangers. Mais que dire des études entreprises par pure curiosité, par snobisme, et poursuivies avec un certain esprit critique ou par pure jouissance intellectuelle ? La foi, certes, n'y sombre pas ordinairement, mais la contemplation surnaturelle, que l'on avait envisagée comme un but ou du moins comme un terme, n'y est que rarement atteinte. Si l'âme est élevée une fois ou l'autre à cette contemplation, l'obscurité lui en apparaît tellement douloureuse et remplie d'angoisses qu'elle revient en arrière et va chercher dans le domaine des idées distinctes et des formules dogmatiques, l'aliment dont ne sait plus se passer son esprit curieux et peut-être suffisant. Trompée par ses attraits intellectuels, égarée par la joie qu'elle trouve à les satisfaire, elle fera de son oraison, si elle y reste fidèle, une étude qui parfois la conduira à la contemplation théologique, mais pour toujours elle a renoncé à la contemplation surnaturelle qu'elle ne comprend pas ou juge phénomène mystique extraordinaire. Elle se prive ainsi de l'œuvre merveilleuse de transformation que Dieu opère en des âmes moins cultivées peut-être, mais plus humbles. Dieu veuille qu'avec l'autorité que lui donne sa science elle n'en éloigne pas les âmes qui se confient à ses lumières. Nous avons expliqué, nous semble-t-il, pourquoi un fossé si profond sépare la culture théologique de la contemplation surnaturelle. Puissent-ils trouver un maître en spiritualité qui, à l'école de la Réformatrice du Carmel, ait assez d'influence et de savoir pour leur apprendre que l'oraison consiste moins à penser qu'à aimer, moins à agir qu'à se livrer.

Il nous reste encore à signaler que parfois, hélas, de ces études mal conduites ou poussées en des régions trop hautes pour leur vigueur, certains esprits rapportent surtout des doutes d'autant plus douloureux et tenaces que leur foi était jusqu'alors plus simple et mieux assise dans leur vie.

Aussi, en bénissant les mouvements modernes qui travaillent à la vulgarisation de la doctrine théologique et spirituelle, nous pensons qu'une sage discrétion doit y présider et qu'un travail de piété et d'ascèse doit être mené parallèlement pour que les âmes trouvent vraiment la lumière de Dieu et s'ouvrent à son règne parfait.

Mieux que ces considérations, les exemples des saints nous montreront la ligne de conduite à suivre en ces matières. Saint Jean de la Croix, le maître en sagesse surnaturelle, se révèle élève brillant en ses études, mais « modeste » nous disent ses condisciples, car à travers tout il cherche la lumière de l'Infini. Il reviendra aux études théologiques pendant sa vie au fur et à mesure des besoins de son âme. A Baeza il attirera en son couvent les maîtres de l'université qui viendront assister aux soutenances théologiques, mais en même temps il blâmera cette curiosité qui se porte sur des questions subtiles et qui n'est pas exempte de dangers. Il laisse aux étudiants du Carmel cette formule qui résume leur devoir : *Ubi humilitas, ibi Sapientia*, là se trouve la Sagesse où réside l'humilité.

Sainte Thérèse, qui aimait la science chez les savants et la doctrine pour elle et ses filles, flagellait aimablement les prétentions intellectuelles qu'elle trouvait chez elles. Voici un passage d'une de ses lettres à sa fille très aimée Marie de Saint-Joseph, prieure de Séville :

Je puis vous assurer, ma fille, que vos lettres, loin de me fatiguer, me procurent au contraire mon délassement le plus agréable. Seulement j'ai trouvé plaisant que vous ayez mis la date en toutes lettres. Dieu veuille que ce ne soit pas pour vous épargner la petite humiliation de faire voir vos mauvais chiffres. Avant que cela ne m'échappe, il faut dire que j'aurais trouvé fort bien votre lettre au P. Mariano si vous n'y aviez pas mis tout ce latin. Dieu préserve mes filles de vouloir être des latinistes ! Que cela ne vous arrive plus, je vous prie, et ne le permettez jamais. J'aime beaucoup mieux que mes filles se piquent de simplicité, comme il convient à des saintes, que de vouloir passer pour des rhétoriciennes [1].

Elle se montra, dit-on, plus sévère un jour. Elle recevait au parloir une postulante qui semblait remplir les conditions pour être reçue. La jeune fille pose une question : « Ma Mère, puis-je apporter ma Bible ? » Dans cette question banale la sainte Mère a trouvé un indice d'orgueil de l'esprit, de prétentions intellectuelles qui se développeront : « Ma fille, restez chez vous avec votre Bible ! » répond-elle. Et ainsi fut fait. Les pressentiments de sainte Thérèse se réalisèrent d'ailleurs et la jeune fille ne resta pas dans un autre monastère où elle était entrée.

Terminons par le récit que nous a laissé frère Réginald de cet épisode de la vie de saint Thomas d'Aquin : Un jour — le 6 décembre 1273, trois mois avant sa mort —

---

1. Tolède, 19 novembre 1576, *Lettres*, T. II, p. 73.

tandis que saint Thomas célébrait la messe à la chapelle Saint-Nicolas à Naples, un grand changement se fit en lui. De ce moment il cessa d'écrire et de dicter. La *Somme* restera-t-elle donc inachevée ? Comme Réginald s'en plaignait, « Je ne puis plus » lui dit son maître ; et l'autre, insistant... « Réginald, je ne puis plus ; de telles choses m'ont été révélées que tout ce que j'ai écrit me semble de la paille. Maintenant j'attends la fin de ma vie après celle de mes travaux ».

« De la paille » ! l'enseignement de saint Thomas d'Aquin, le prince de la théologie, quand on le met en présence des ineffables clartés que le Verbe, soleil divin, fait descendre silencieusement sur l'âme qui s'offre pure et paisible à l'envahissement de sa lumière ! Cela devrait nous suffire. Il nous paraît cependant qu'un rapprochement entre les spiritualités de sainte Thérèse de l'Enfant-Jésus et de sœur Élisabeth de la Trinité peut encore jeter quelques lumières sur ce problème des rapports de la théologie avec la contemplation et préciser les conclusions pratiques.

Sainte Thérèse de l'Enfant-Jésus et sa doctrine d'enfance spirituelle sont universellement connues. Sœur Élisabeth de la Trinité, carmélite de Dijon, moins connue de la masse des chrétiens, exerce dans le monde des spirituels contemplatifs une influence qui peut être comparée à celle de la sainte carmélite de Lisieux.

Encore dans sa famille, sœur Élisabeth expérimenta sensiblement la présence de la Trinité sainte en son âme. Un dominicain, le Père Vallée, âme lumineuse de théologien et de contemplatif, lui donna l'explication de son expérience en lui exposant le dogme de l'habitation de Dieu en nous. Au carmel de Dijon où elle entra, sœur Élisabeth vécut de ce dogme et de celui qui le complète que lui révéla l'apôtre saint Paul en ses épîtres contemplatives, le mystère de l'adoption divine que, par le Christ, Dieu étend à toute l'humanité. Devenue victime de louanges de la Trinité sainte et du mystère de la diffusion de la vie divine dans les âmes, elle mourut après six ans de vie religieuse.

Tandis que sainte Thérèse de l'Enfant-Jésus parle de confiance et d'abandon, prêche la fidélité aux petites choses, nous oriente vers les formes vivantes du Christ Jésus en sa crèche et sa passion, et cela avec un langage et des allures d'enfant, sœur Élisabeth entraîne au recueillement dans les splendeurs des plus hauts mystères du christianisme et fait figure de théologienne en compagnie de saint Paul et des disciples de saint Thomas.

D'où des jugements ainsi énoncés : « La spiritualité de sainte Thérèse de l'Enfant-Jésus est une bonne petite spiritualité à l'usage de la foule et des modestes ; celle de sœur Élisabeth s'impose aux esprits un peu élevés ».

Que la spiritualité de sœur Élisabeth soit une spiritualité dogmatique, on ne peut le nier et on doit reconnaître que c'est un de ses grands mérites ; mais encore faut-il préciser en quel sens et dans quelle mesure elle est dogmatique.

A sœur Élisabeth le dogme fournit un point de départ ou une confirmation d'un état déjà vécu, et sert toujours d'appui pour se livrer à l'envahissement de la lumière divine, entrer dans la contemplation surnaturelle et rester paisible dans l'obscurité qui en est le fruit. Sœur Élisabeth dépasse la lumière distincte et s'enfonce dans la ténèbre : « *Nescivi* » dira-t-elle au retour de sa contemplation. Cette contemplative dont on veut faire une théologienne est surtout fille de saint Jean de la Croix. Sa contemplation est plus dionysienne que positive, plus lourde d'obscurité savoureuse que de clartés distinctes ; le plus souvent elle vit dans une atmosphère sans brise ni lumière, sans parfums ni images, et ne se nourrit que de foi et de silence.

Aussi sœur Élisabeth ne sent-elle pas le besoin de culture théologique. Le P. Vallée lui a tout donné, dit-elle, le jour où il lui a révélé le dogme de l'inhabitation divine. Elle ne le reverra que rarement. A saint Paul elle demande la substance du grand mystère, cette masse confuse et savoureuse, pour s'y perdre délicieusement sans se préoccuper des contours et des précisions fixées plus tard par la théologie.

La Mère prieure, qui fut la confidente de sœur Élisabeth pendant les six ans qu'elle passa au Carmel, déclarait que sœur Élisabeth avait une culture dogmatique et spirituelle assez restreinte. Elle avait suivi un catéchisme de persévérance en sa paroisse, eut entre les mains les livres que l'on donnait ordinairement aux novices, se nourrissait du *Cantique Spirituel* de saint Jean de la Croix et des épîtres de saint Paul, ouvrages qu'elle avait emportés en entrant au Carmel, entendit avec sa communauté plusieurs retraites prêchées, mais n'eut jamais aucune préoccupation de culture théologique proprement dite.

Que les théologiens apprennent de sœur Élisabeth à utiliser la vérité dogmatique pour se recueillir en Dieu : ils lui feront ainsi remplir sa mission qui est d'attirer les âmes au recueillement et lui assureront la gloire qu'elle désirait. Mais, qu'ils s'appuient sur elle pour imposer à tous les spirituels une culture théologique approfondie et étendue, cela nous paraît tout à fait contraire à ses exemples et aux exigences de sa spiritualité.

Chez sainte Thérèse de l'Enfant-Jésus le rôle de la vérité dogmatique est moins apparent. Dans ses oraisons la petite Sainte de Lisieux regarde Jésus, cherche « le caractère du bon Dieu », fait une prière vocale pour se délasser en sa sécheresse, ou encore supporte paisiblement le bruit désagréable que fait une voisine. Mais qu'on ne s'y méprenne point ! Cette simplicité n'est pas ignorance, encore moins incapacité intellectuelle. Ne serait-elle pas plutôt le fruit de la primauté volontairement assurée à l'activité de l'amour dans l'oraison ?

Car sainte Thérèse de l'Enfant-Jésus a beaucoup désiré connaître et étudier même l'hébreu pour lire la sainte Écriture dans les textes originaux. Mais Dieu lui-même, qui veillait avec un soin jaloux sur cette âme, mortifia ce désir afin qu'elle ne tombât pas dans la vanité du savoir. Elle a lu cependant d'excellents auteurs : l'Abbé Arminjon, le P. Surin, qu'elle aime, saint Jean de la Croix devenu son maître. L'Esprit Saint fit le reste, si bien que la doctrine spirituelle de sainte Thérèse de l'Enfant-Jésus est pleine de richesses théologiques et mystiques qui font l'admiration de quiconque veut bien aller au-delà du voile de simplicité qui les dissimule. Et si on nous obligeait à la comparer sur ce point à sœur Élisabeth, nous n'hésiterions pas à reconnaître à sa pensée plus d'originalité et peut-être plus de profondeur.

Mais nos deux saintes carmélites doivent sourire au ciel en nous entendant les mettre en parallèle sur un plan où elles s'arrêtèrent si peu, et n'eurent jamais aucune prétention. Ni philosophes, ni théologiennes, elles n'aspirèrent qu'à connaître et à aimer Dieu, à devenir saintes. Elles y sont parvenues chacune par la voie qui correspondait à sa grâce.

Laquelle des deux voies choisir pour devenir à notre tour contemplatifs et saints comme elles le furent ? Aussi bien n'avons-nous pas le choix : chacun doit prendre celle que la grâce lui indique... Non point nécessairement celle de la plus haute culture dogmatique et spirituelle, mais celle qui nous donnera à la fois le plus de lumière sur Dieu et sur nous-mêmes, celle qui nous fera progresser dans l'humilité, car c'est aux simples et aux petits que Dieu donne sa sagesse : « En vérité je vous le dis, celui qui s'abaissera jusqu'à se rendre semblable à ce petit enfant, c'est celui qui sera le plus grand dans le royaume des cieux ![1] »

---

1. Mt 18, 4.

CHAPITRE DIXIÈME

La foi et la contemplation surnaturelle

> *La foi est le seul moyen prochain et proportionné pour l'union de l'âme avec Dieu* [1].

Les problèmes que soulève la contemplation surnaturelle semblent de plus en plus ardus à mesure qu'on les approfondit. L'enchevêtrement de l'humain et du divin crée une complexité que l'on pourrait juger confusion. Comment d'ailleurs guider une âme en ces régions sans sentiers, où il n'y a par conséquent que des voies individuelles et des cas particuliers ? Si on pouvait du moins avoir une vue d'ensemble, faire une synthèse, qui permette d'embrasser toute l'étendue du problème, en coordonner les divers aspects et en situer ainsi tous les détails. A qui pourrions-nous demander cette synthèse lumineuse, sinon à saint Jean de la Croix ? Il lui appartient de nous la donner comme docteur mystique. Il l'a faite en effet en ramenant toute la doctrine de la contemplation à un exposé du rôle de la foi.

Recueillons son enseignement qui nous promet d'être précieux, en étudiant avec lui comment la foi est nécessaire, ce qu'elle est, suivant quels modes elle s'exerce, quels sont les caractères de la connaissance qu'elle assure. Il sera aisé de faire jaillir ensuite de cet exposé quelques conclusions pratiques.

---

1. *Montée du Carm.* Liv. II, ch. VIII, p. 132.

A. — *NÉCESSITÉ DE LA FOI*

« La foi est le seul moyen prochain et proportionné pour l'union de l'âme avec Dieu [1] ». Cette affirmation n'est pas seulement le sujet développé dans le chapitre huitième de la *Montée du Carmel*, elle est maintes fois répétée ailleurs sous diverses formes. Elle est un principe sur lequel saint Jean de la Croix appuie toute sa doctrine contemplative et qui en commande l'ascèse. Nous devons donc nous arrêter pour l'expliquer et le prouver.

« La foi est le seul moyen proportionné et prochain » dit le Saint. Les autres moyens ne sont pas exclus par cette affirmation ; moyens peut-être nécessaires. Mais il n'en est qu'un immédiat et proportionné auquel tous les autres sont subordonnés et doivent aboutir : la foi, seul moyen prochain et proportionné pour l'union à Dieu.

L'union à Dieu dont il s'agit est l'union surnaturelle, celle qui est le fruit de la grâce sanctifiante, participation de la vie divine ; l'union qui nous introduit dans la vie intime de Dieu comme fils du Père, frères du Christ et temples du Saint-Esprit. « Qu'ils soient tous un, comme vous Père, vous êtes en moi et moi en vous ; qu'ainsi ils soient un en nous » avait dit Jésus [2] en parlant de cette union qui constitue notre vocation surnaturelle.

Cette union est réalisée chez tous les baptisés qui sont en état de grâce ; elle comporte des degrés différents qui sont déterminés en chaque âme par la mesure de cette grâce.

L'affirmation de saint Jean de la Croix : « la foi est le seul moyen prochain et proportionné pour l'union de l'âme à Dieu » revient à dire que le non-baptisé ne peut parvenir à cette union que par la foi puisque « la foi est le commencement du salut de l'homme, le fondement et la racine de toute justification [3] ». De même le baptisé ne peut actualiser son union à Dieu et la développer que par la foi.

---

1. *Montée du Carm.*, Liv. II, ch. VIII, p. 132. La foi dont parle saint Jean de la Croix est la foi vivante et agissante, c'est-à-dire celle qui est vivifiée par la charité.
La foi informe (sans charité), bien que restant une vertu, est une vertu imparfaite et morte : « C'est à juste raison que cette foi sans les œuvres est appelée morte, paresseuse » dit le concile de Trente (Sess. VI, chap. VII).
2. Jn 17, 21.
3. Concile de Trente, ch. VIII, n. 801.

La foi est la porte d'accès nécessaire pour parvenir à Dieu. C'est ce que l'apôtre affirme clairement : « Celui qui veut s'approcher de Dieu doit croire qu'il est et qu'il se donne à ceux qui le cherchent [1] ».

Ces affirmations de l'apôtre saint Paul et du concile de Trente pourraient suffire à prouver l'affirmation de saint Jean de la Croix. Mais nous sommes en un point trop important et trop riche de directives pratiques pour que nous ne l'explorions pas plus profondément. Il faut dès maintenant réfuter l'objection, rendre impossibles les dérobades devant les conclusions rigoureuses, et cela en éclairant et en justifiant le principe.

Pour mettre en relief et prouver l'absolue nécessité de la foi pour l'union à Dieu, procédons par élimination, en constatant successivement que les puissances de connaître que nous possédons, sens et intelligence, sont en fait incapables de nous conduire jusqu'à cette union avec Dieu.

Les sens en effet, le toucher, la vue, l'ouïe, etc..., se meuvent dans le monde sensible et nous mettent en contact avec lui. Ils perçoivent les accidents ou qualités extérieures des êtres matériels (masse, couleur, etc.) mais ne vont pas au-delà. Or Dieu est pur esprit. Il n'y a en lui ni corps ni matière, ni qualités sensibles qui puissent le livrer à la perception des sens. Ceux-ci ne peuvent le saisir Lui-même. Ils ne sauraient donc nous être un moyen prochain et proportionné pour l'atteindre en Lui-même et nous unir directement à Lui.

Il est vrai que des perceptions des sens, l'intelligence peut extraire des idées générales et poursuivant son travail sur celles-ci s'élever jusqu'à Dieu. C'est ainsi que percevant par les sens dans le monde le mouvement, la vie, la beauté, nous pouvons par le raisonnement nous élever jusqu'à la connaissance d'un Dieu créateur, infini et providence. L'immensité de l'océan, la magnificence d'un panorama, la paix de la nature peuvent sinon suffire à soulever l'âme, du moins créer le recueillement et les impressions profondes qui favorisent son évasion vers l'Infini.

Mieux encore, certains phénomènes surnaturels sensibles peuvent produire sur les sens une impression telle que l'âme d'un mouvement spontané monte vers Dieu pour l'adorer et le remercier. Après la première pêche miraculeuse, Pierre, qui a vu les deux barques se remplir de poissons, reconnaît en ce prodige la puissance absolue

1. He 11, 6.

du Maître et se jette à ses pieds tremblant d'émotion :
« Éloignez-vous de moi, Seigneur, lui dit-il, parce que je
suis un pécheur [1] ! »

Dans ces divers cas les sens ne perçoivent que les
phénomènes sensibles. C'est l'intelligence et les puissances
spirituelles de l'âme, qui, par ces données sensibles,
trouvent Dieu et sa grâce. Un être, doué seulement de vie
sensitive, n'enregistrerait dans ces phénomènes que le
sensible et ne s'élèverait pas à la connaissance de Dieu.

Les perceptions sensibles sont une étape ; combien utile
et même nécessaire, saint Jean de la Croix l'indique dans
la cinquième strophe du *Cantique Spirituel* :

> C'est en répandant mille grâces
> Qu'il est passé à la hâte par ces bocages,
> En les regardant
> Et de sa figure seule
> Il les a laissés revêtus de beauté [2].

Dans la nature sensible, Dieu est passé comme à la hâte,
mais cela a suffi pour qu'il y dépose « quelques vestiges
de ce qu'il est », « des grâces et des propriétés
innombrables ». Ces créatures portent « témoignage... de
la grandeur et de l'excellence de Dieu à l'âme qui les
considère et qui les interroge [3] ». Ce témoignage n'est qu'une
trace indicatrice du passage de Dieu. Pour en profiter il
faut la suivre, donc la dépasser. S'arrêter ou même
s'installer pour savourer la jouissance esthétique qu'elle
procure, serait méconnaître sa finalité providentielle ; ce
serait transformer en but ce qui n'est qu'un moyen. Dieu
est plus loin en effet, au-delà des perceptions des sens. Il
appartient à d'autres puissances de le saisir et d'établir le
contact [4].

Ce pouvoir est-il donné à l'intelligence ? On pourrait le
croire : Dieu est esprit et l'intelligence se meut comme en
son domaine dans le monde des idées. L'intelligence en
effet prouve l'existence d'un Être subsistant et nécessaire,
cause première. Elle arrive à découvrir quelques

---

1. Lc 5, 8.
2. *Cant. Spir.*, str. V, p. 713.
3. *Ibid.*, commentaire, p. 713.
4. Saint Jean de la Croix pas plus que sainte Thérèse ne méprise ni ne
fuit la nature sensible pour s'enfermer dans une nuit qui veut tout
ignorer. Il la met en sa place dans l'échelle des valeurs spirituelles qui
doivent nous acheminer vers l'union à Dieu. Nous savons combien les
deux Réformateurs du Carmel tenaient à ce que leurs couvents fussent
situés en des lieux où les âmes puissent utiliser les beautés de la nature
pour se recueillir et s'élever vers Dieu. Toute la théorie de l'art chez saint
Jean de la Croix découle de ce même principe : la réalisation artistique
doit être simple, pure, évocatrice et dépouillée ; (être pure et simple, pour
conduire l'âme à Dieu sans la retenir dans la jouissance esthétique).

perfections de Dieu en lui appliquant les qualités qui sont en ses créatures et qui doivent se trouver en Lui comme dans la cause première.

Cette connaissance naturelle n'est point certes négligeable et elle aboutit à une certaine union avec Dieu par l'amour qu'elle engendre. Elle reste cependant bien inférieure à celle que Dieu nous propose dans notre fin surnaturelle.

Nous sommes appelés en effet à connaître Dieu comme il se connaît et à l'aimer comme il s'aime, à entrer dans l'intimité des trois Personnes en participant à leurs opérations selon le mode de notre grâce créée. Or, la connaissance naturelle de Dieu acquise par l'intelligence le reconnaît comme auteur de l'ordre naturel, trouve ses perfections dans les richesses qu'il a établies dans ses œuvres, mais ne parvient pas à la déité elle-même, c'est-à-dire à la connaissance de Dieu comme Dieu, réalisant en lui-même la synthèse de ses infinies perfections et vivant de sa vie trinitaire. Si nous comparons Dieu à un diamant aux multiples facettes ou à la lumière du soleil qui porte en sa blancheur les sept couleurs de l'arc-en-ciel, les facettes et les couleurs représentant les perfections de Dieu, nous pouvons dire que l'intelligence trouve et admire successivement les facettes du diamant et les diverses couleurs du spectre solaire dans les reflets que Dieu fait briller dans ses œuvres, mais qu'elle est impuissante à embrasser d'un regard même imparfait le diamant lui-même, ou à découvrir dans sa simplicité la lumière blanche du soleil. Elle ne peut saisir Dieu qu'en ce qui paraît de Lui dans les créatures ; en l'étudiant ainsi en ses reflets divers, elle le morcelle en quelque sorte à la mesure de sa capacité.

Puissance finie, l'intelligence ne saurait en effet avec ses propres forces connaître directement l'infini, la déité et la vie trinitaire. L'intelligence connaît par abstraction, en saisissant la réalité intellectuelle d'un être et en l'étudiant dans le verbe mental qu'elle a constitué et qu'elle enveloppe. Comment l'intelligence pourrait-elle saisir la réalité intellectuelle de la déité, l'abstraire, constituer un verbe mental qui l'exprime et l'envelopper alors que Dieu est infini et la déborde de toutes parts ?

Cette impuissance de l'intelligence à s'élever jusqu'à la déité et la vie trinitaire, et à la connaître en elle-même, nous permet de conclure que nous ne connaîtrons Dieu en Lui-même que si Lui-même se révèle et s'il nous donne en même temps une puissance surnaturelle capable de recevoir sa lumière. De fait, Dieu s'est révélé et nous a donné la vertu de foi qui est une aptitude à le saisir.

B. — *QU'EST-CE QUE LA FOI ?* [1]

De la foi nous connaissons la définition que nous donnent la théologie et le catéchisme : elle est une vertu surnaturelle théologale par laquelle nous adhérons à Dieu et aux vérités qu'Il nous propose sur l'autorité de Dieu qui nous les révèle [2].

Le mot « vertu » signifie ici non une facilité acquise par la répétition des actes, mais une puissance qui rend capable de poser un acte, dans le cas présent « qui rend capable d'adhérer à Dieu ».

Cette vertu est « surnaturelle ». Elle est donnée par Dieu, se surajoute donc à nos facultés naturelles et fait partie de l'organisme surnaturel reçu au baptême.

La foi est une vertu « théologale », elle nous fait adhérer « à Dieu » qui est l'objet matériel de la foi [3], et, comme nous adhérons « sur l'autorité de Dieu vérité », Dieu devient aussi le motif ou objet formel de la foi.

Pour traiter de la foi dans ses rapports avec la contemplation et expliquer comment la foi est le seul « moyen prochain et proportionné » pour s'unir à Dieu, essayons de saisir la genèse d'un acte de foi [4].

Une vérité est proposée, soit le dogme de la sainte Trinité : un seul Dieu en trois Personnes. Je trouve l'énoncé de cette vérité dans un livre ou, plus ordinairement, je la reçois par l'enseignement oral. C'est par le sens de la vue et de l'ouïe que la vérité parvient à mon intelligence. « *Fides ex auditu* : la foi vient de l'ouïe » note l'Apôtre ; et il ajoute pour marquer la nécessité de cette intervention de l'activité des sens : « Comment croiraient-ils à celui dont ils n'ont pas entendu parler ? et comment entendront-ils si on ne leur prêche pas ? [5] ».

---

1. On ne cherchera pas ici un exposé complet et didactique de la doctrine catholique sur la vertu et l'acte de foi. Nous nous bornons à mettre en relief les vérités qui éclairent la doctrine spirituelle de saint Jean de la Croix, dont nous traitons.
2. Le Concile de Trente la définit : « Vertu surnaturelle par laquelle — la grâce de Dieu nous attirant et nous aidant — nous croyons comme vrai, ce que Dieu nous révèle ».
3. « La foi, dit saint Thomas, a pour objet les choses invisibles qui dépassent la raison humaine (les mystères) ; c'est pourquoi l'Apôtre dit (He 11, 1) que la foi a pour objet les choses non apparentes ». (*Sum. th.*, IIa IIae, qu. 1).
4. Dans l'analyse détaillée de la genèse de l'acte de foi, les opinions des théologiens sont assez différentes. Il suffira à notre sujet que nous donnions les étapes essentielles et généralement reconnues par tous comme telles.
5. Rm 10, 17 et 14.

Parvenue à l'intelligence par l'intermédiaire des sens, cette vérité devient l'objet d'un travail intellectuel. Elle n'est pas évidente par elle-même et ne force pas l'adhésion de l'intelligence tel un principe premier ou une conclusion syllogistique dont les prémisses seraient déjà admises. L'intelligence doit donc procéder à un examen pour chercher les signes de vérité. Cet examen porte d'abord sur les termes qui constituent l'énoncé de la vérité « Un seul Dieu... trois Personnes », ces termes sont connus ainsi que les idées qu'ils expriment ; mais le lien qui est affirmé entre ces termes, lien qui constitue la vérité énoncée, reste mystérieux. Nulle part dans le domaine du connu, l'intelligence n'a découvert un être en qui « une seule nature » réunit « trois personnes » et elle ne voit pas comment trois personnes peuvent s'associer si intimement dans la vie et les opérations d'une seule nature. Toutefois, je reconnais que l'énoncé de cette vérité mystérieuse ne comporte en lui-même aucune contradiction. Les affirmations « un » et « trois », qui semblent s'opposer, ne portent pas sur le même objet : une seule nature et trois personnes. La vérité est donc croyable et je pourrais y adhérer si un témoignage extérieur me l'imposait avec une autorité suffisante. J'admets en effet bien des faits ou des vérités que je n'ai pas contrôlés, sur le témoignage de quelqu'un digne de foi.

Dans le cas présent, qui me propose cette vérité ? et quelle est la valeur de son témoignage ? C'est le prêtre qui parle au nom de l'Église. Je puis et je dois une fois au moins poursuivre mon enquête et examiner la valeur du témoignage de l'Église. Le résultat de mon enquête est celui-ci : l'Église, instituée par Jésus-Christ, est divine ; elle a reçu la mission de répandre la vérité révélée et le privilège de l'infaillibilité assure l'intégrité du dépôt qui lui a été confié. L'Église parle donc au nom de Dieu et comme Dieu lui-même en matière de foi et de mœurs. C'est Dieu qui parle par elle. Dieu a le droit de m'imposer des vérités à croire, il ne peut ni me tromper ni se tromper. D'autre part, il est tout à fait normal que mon intelligence ne puisse pas comprendre toutes les vérités divines, surtout celles qui ont trait à sa vie intime. Il est donc raisonnable que j'accepte ce témoignage. Je le dois, en raison du respect et de la soumission qu'exigent l'autorité de Dieu et tout ce qui vient de Lui.

En cette enquête l'intelligence a été puissamment soutenue par les bonnes dispositions de la volonté. L'enquête est ardue ; surtout ses résultats comportent

461

Contemplation et vie mystique

des risques sérieux pour l'âme. Si le témoignage est vrai, il faudra accepter la vérité proposée, observer les préceptes qui lui sont connexes, peut-être changer complètement de conduite.

Sur le travail d'enquête lui-même et sur les bonnes dispositions qui l'ont réalisé, la vertu de foi a exercé déjà une influence certaine. Elle a éclairé l'intelligence et fortifié la volonté en cette première étape :

« La vertu de foi, dit saint Thomas, donne à l'âme une inclination pour tout ce qui accompagne l'acte, le suit ou le précède [1] ».

L'enquête terminée, la vérité en elle-même n'apparaît pas plus évidente que précédemment, donc ne saurait forcer elle-même l'adhésion. Mais le témoignage se présente avec des garanties de certitude morale. De plus l'âme possède l'humilité d'esprit pour accepter le témoignage, la confiance affective à l'égard du témoin pour l'adhésion à son témoignage. La première phase est terminée : tout est prêt pour l'acte de foi.

Cet acte de foi, d'après saint Thomas, est « un acte de l'intelligence adhérant à la vérité divine sous l'ordre de la volonté mue elle-même par Dieu au moyen de la grâce [2] ».

Cette définition nous montre que l'acte de foi est produit conjointement par l'intelligence qui adhère en se soumettant, par la volonté qui commande l'adhésion et par la vertu théologale de foi. La vertu infuse de foi entre en cet acte comme cause principale. C'est elle qui lui donne sa perfection spécifique en le faisant surnaturel. Nous sommes au point crucial. Essayons d'analyser sans entrer en des subtilités dont nous n'aurions que faire pour notre sujet.

La vertu de foi fait partie de l'organisme surnaturel donné par le baptême. Tandis que la grâce est une participation formelle créée mais réelle de la nature divine, la foi est une participation à la vie divine comme connaissance. Elle est, dit saint Thomas, « une lumière divinement infuse dans l'esprit de l'homme », « une certaine empreinte de la vérité première [3] ». Elle est une aptitude constante à connaître Dieu comme il se connaît, à recevoir, selon la mesure limitée de la grâce créée, il est vrai, mais à recevoir véritablement la lumière du foyer

---

1. In IV Sent., Liv. III, dist. XXIV, qu. 1, a. 2, sol. 2.
2. Sum. th., IIa IIae, qu. 2, art. 9.
3. « Lumen quoddam quod est habitus fidei divinitus menti humanae infusum : lumen fidei est quaedam sigillatio primae veritatis ». (In Bœt. de Trin. qu. 3, art. 1, sub 4).

lumineux qui est Dieu lui-même. Elle est le regard de notre vie surnaturelle.

La vertu de foi s'insère dans l'intelligence de la même façon que la grâce dans l'essence de l'âme. La foi est qualité opérative sur notre faculté de connaître, au même titre que la grâce est qualité entitative sur l'essence. La comparaison du greffon enté sur le tronc peut éclairer les rapports de la vie surnaturelle fixée sur la vie naturelle de l'âme. Le greffon vit du tronc dont il utilise les racines et la sève, mais en prolongeant la tige il produit des fruits qui sont spécifiquement les siens et non ceux du tronc primitif. De même la vertu de foi fixée sur l'intelligence utilise les données que celle-ci a extraites des perceptions sensibles, mais surélève et prolonge son activité dans un domaine surnaturel où elle ne saurait pénétrer et lui fait produire des fruits ou actes surnaturels, qui sont spécifiquement ceux de la vertu de foi. De même que la tige primitive est taillée et arrêtée en sa croissance pour recevoir le greffon et pour que lui seul se développe et produise du fruit, de même l'intelligence devant le mystère divin se soumet, s'arrête en quelque sorte en sa marche pour que la foi qu'elle porte puisse poser son acte et donner son fruit surnaturel.

Comparaison grossière peut-être, mais qui nous montre comment l'activité de la vertu de foi est liée à celle de l'intelligence et se greffe sur elle pour produire l'acte surnaturel de foi [1].

Ces principes posés, revenons à l'acte de foi dont nous avons analysé tous les préliminaires. L'âme peut faire

---

1. Ces considérations éclairent, nous semble-t-il, la discussion sur la nature de l'acte surnaturel de foi : « Certains esprits, écrit le P. Garrigou-Lagrange, arrivent à considérer notre acte de foi comme un acte substantiellement naturel, revêtu d'une modalité surnaturelle : "substantiellement naturel" parce qu'il reposerait sur la connaissance naturelle historique de la prédication de Jésus et des miracles qui l'ont confirmée ; "revêtu d'une modalité surnaturelle" pour qu'il soit utile au salut. Cette modalité fait penser, on l'a dit souvent, à la couche d'or appliquée sur du cuivre pour faire du doublé. On aurait ainsi du "surnaturel plaqué" et non pas une vie nouvelle essentiellement surnaturelle ». (*Perfection et Contemplation*, pp. 65-66).

Cette surnaturalité essentielle de l'acte de foi enseignée par saint Thomas et ses commentateurs les Carmes de Salamanque, et qui nous semble assurée par le motif de la foi (Dieu Vérité) qui est surnaturel, et par la vertu de foi, qui en est la cause principale, nous semble tout à fait conforme à la doctrine de saint Jean de la Croix et exigée par elle. Comment expliquer la purification de la foi dans la nuit, et la contemplation infuse qui en est le fruit, si l'acte de foi n'est qu'un acte naturel de l'intelligence revêtu d'une modalité surnaturelle par la foi ? Tout s'éclaire au contraire si nous en faisons un acte essentiellement surnaturel produit par la vertu de foi greffée sur l'intelligence, dont elle utilise l'activité et la soumission.

désormais l'acte de foi en disant : « Je crois à un seul Dieu en trois Personnes, parce que Dieu l'a révélé ».

Cet acte d'adhésion au mystère de la sainte Trinité apparaît et se révèle peut-être dans le champ de la conscience psychologique, comme un simple acte de soumission de l'intelligence à l'autorité de Dieu, sous la motion de la volonté. L'intervention de la vertu de foi n'est pas d'ordinaire saisie psychologiquement, car elle est vertu surnaturelle insaisissable expérimentalement en elle-même. On ne peut connaître que la facilité qu'elle donne ou au contraire l'intensité de l'effort qu'elle exige pour poser son acte.

Mais quelle que soit la perception psychologique ou l'absence de perception, en disant : « Je crois... sur l'autorité de Dieu » l'âme a fait un acte surnaturel, la vertu de foi est entrée en action.

Il faut remarquer en effet qu'aux motifs qui avaient fait accepter la valeur du témoignage s'est substituée maintenant l'autorité de Dieu. L'intelligence a accepté de se soumettre à cause de la véracité des Évangiles, des miracles de Notre-Seigneur, la foi laisse en quelque sorte ensevelis dans ses fondements ces motifs raisonnables et pose son acte en s'appuyant sur l'autorité de Dieu.

Mais surtout, cet acte de la vertu de foi, ce greffon surnaturel greffé sur le tronc qu'est l'intelligence, est un acte surnaturel qui dépasse le champ ordinaire et limité de l'activité de l'intelligence et atteint la vérité première, Dieu lui-même auquel il adhère et fait adhérer l'intelligence et toute l'âme dans une attitude d'humble assentiment. Par l'acte de foi l'âme est portée dans

un commerce direct, une union intime avec la parole interne de Dieu... Et comme cette parole interne n'existait pas seulement au temps de la manifestation de la parole extérieure, mais qu'elle subsiste, en tant que parole éternelle de Dieu, dans un éternel présent, elle élève notre esprit à la participation de sa vérité et de sa vie surnaturelles, et l'y fait reposer [1].

Cette prise de contact avec la Vérité première, la déité elle-même, donne à l'âme, selon la parole de saint Paul « la substance, la réalité de ce qu'elle espère, l'assurance de ce qu'elle ne voit pas : *sperandarum substantia rerum, argumentum non apparentium* [2] ». Elle a pu être appelée une véritable « possession de Dieu à l'état obscur »

---

1. P. Scheeben, *Dogmatik*, I, § 40, n° 681.
2. He 11, 1.

Ces formules si pleines et si lumineuses devraient nous suffire, mais la vérité est à la fois si profonde et si consolante qu'on ne se lasse pas d'interroger les maîtres pour leur demander une expression nouvelle qui en illustre un aspect particulier.

Ce qui se passe en nous, dit Mgr Gay, quand nous croyons, est un phénomène de lumière interne et surhumaine [1].

Et dans son traité des *Vertus Chrétiennes* il montre le contact établi par la foi :

Pour ce qui est de la perfection réelle, commandée, méritoire, du surnaturel révélé, les sens les plus exquis et la raison la plus exercée en demeurent tout à fait incapables. La foi seule nous la peut donner, et non seulement elle est nécessaire pour nous faire adhérer à l'intime de la Révélation, c'est-à-dire à la Réalité divine énoncée en langue humaine, mais encore nous ne saurions, sans la grâce qui l'inaugure en nous, nous rendre comme il convient aux preuves dont elle est appuyée [2].

Mgr Gay souligne le rôle de la vertu de foi dans la première phase, lorsqu'elle nous aide à nous « rendre aux preuves dont elle est appuyée », mais nous retenons surtout l'expression si heureuse qui précise la nature de l'acte de foi qui nous fait « adhérer à l'intime de la Révélation, c'est-à-dire à la Réalité divine énoncée en langue humaine ».

C'est cette rencontre avec la Réalité divine assurée par la foi que saint Jean de la Croix affirme, et c'est sur elle qu'il appuie son enseignement :

Ainsi donc, dit-il dans le *Cantique Spirituel*, la foi nous donne Dieu lui-même et nous le fait connaître ; sans doute il est voilé sous les surfaces argentées de la foi, mais ce n'est pas un motif pour qu'il ne nous soit pas donné en réalité. Voyez celui qui donne un vase d'or recouvert d'une couche d'argent : il n'en donne pas moins un vase d'or malgré la surface argentée du vase [3].

C'est parce que la foi atteint Dieu directement qu'elle est le moyen prochain et proportionné pour l'union à Dieu, explique le Saint dans la *Montée* :

Attendu que si grande est la ressemblance entre la foi et Dieu, qu'il n'y a d'autre différence sinon que Dieu soit vu ou qu'il soit cru, car tout ainsi que Dieu est infini, aussi elle nous le propose infini ; et comme il est trine et un, aussi elle nous le propose trine et un... Et ainsi par ce seul moyen, Dieu se manifeste à l'âme en lumière divine, qui surpasse tout entendement. C'est pourquoi tant plus l'âme a de foi, tant plus elle est unie à Dieu [4].

---

1. Mgr Gay, 17° Confér.
2. Mgr Gay, *Vertus Chrétiennes*, t. I, pp. 159-160.
3. *Cant. Spir.*, str. XI, p. 738.
4. *Montée du Carm.*, Liv. II, ch. IX, trad. P. Cyprien, p. 157.

Illustrant la même pensée en évoquant les soldats de Gédéon qui portaient en mains des lumières dissimulées dans des pots, le Saint ajoute :

> L'âme pour s'unir à Dieu et communiquer immédiatement avec Lui, a besoin de s'unir avec l'obscurité... de tenir en ses mains la lumière qui est union d'amour, encore qu'obscurément en foi, afin qu'aussitôt que les pots de cette vie seront rompus, qui seuls empêchaient la lumière de la foi, on voie Dieu face à face dans la gloire [1].

Cette identité de l'objet de la foi et de la vision et cette possession de Dieu à l'état obscur que la foi assure, ont été heureusement exposées par Mgr Berteaud, évêque de Tulle. Parlant du passage de la foi à la vision céleste :

> Les ombres s'en iront, dit-il, sans changer d'objet, sans recherche nouvelle, nous trouverons sous notre œil l'essence divine. Il sera démontré que nous avions Dieu pour terme de notre connaissance par la foi. Ce petit germe contenait l'infini. Quelques-uns se plaignaient du peu de beauté et d'éclat des formules de la foi : on les disait minces et ternes. Cependant les splendeurs sans bornes y étaient contenues, non gênées, non amoindries. L'objet infini s'est mis en son intégrité dans de faibles syllabes. Il en jaillira un jour à nos yeux, étincelant [2].

Ces textes suggèrent déjà de nombreuses et intéressantes conclusions pratiques. Réservons-les pour les donner plus complètes, lorsque nous aurons vu les divers modes d'exercice de la vertu de foi et les caractères de la connaissance qu'elle nous donne.

C. — *MODES IMPARFAIT ET PARFAIT DE L'EXERCICE DE LA VERTU DE FOI*

Nous avons déjà signalé les deux modes de l'exercice de la vertu de foi : le premier, rationnel et imparfait, emprunte à la raison des lumières et est réglé par elle ; le deuxième, purement surnaturel et parfait, parce que perfectionné par l'action de Dieu lui-même à travers les dons du Saint-Esprit [3]. Nous allons trouver successivement ces deux modes dans le développement progressif de l'acte de foi, dont nous avons décrit précédemment les premières phases.

---

1. *Montée du Carm.*, Liv. II, ch. IX, trad. P. Cyprien, p. 159.
2. Mgr Berteaud, *Œuvres Pastorales*, t. I, pp. 161-162, cité par *Dictionnaire de théologie catholique*, art. « Foi », col. 364.
3. *Premières étapes*, ch. X « Sagesse surnaturelle et perfection chrétienne », p. 278.

Cet acte que le travail des facultés a préparé, et qui est le fruit de la vertu de foi, atteint la réalité divine contenue dans le donné révélé. Mais l'activité de la vertu de foi est trop liée à celle de l'intelligence pour qu'un seul acte de foi puisse la fixer en son divin objet qui est obscur. L'intelligence est faite pour la lumière ; aussi ne saurait-elle rester paisiblement dans l'obscurité. Après être rentrée avec la foi dans l'obscur, elle revient d'elle-même aux clartés qui ont servi de base à l'acte de foi et qui sont données par les formules dogmatiques.

Ce n'est d'ailleurs pas pour douter ou pour recommencer une enquête que l'âme revient à la vérité dogmatique, mais pour travailler avec ses facultés naturelles sur la vérité divine qui lui est proposée en langage humain. La foi demande à l'intelligence de pénétrer, d'explorer cette vérité, de l'expliciter à l'aide de raisonnements et d'analogies, d'en montrer les convenances et le lien avec d'autres vérités, d'en tirer de nouvelles conclusions.

Travail du théologien, éminemment utile, qui assure les bases raisonnables de la foi, fait plus larges, plus accessibles, plus lumineuses les avenues qui y conduisent, étale les richesses du donné révélé en expliquant les vérités qu'il contient, élabore ainsi la science la plus haute qui soit : la théologie.

Mais si l'intelligence ne peut pas faire œuvre plus noble et plus utile que de se mettre au service de la foi, la foi par contre ne peut trouver dans l'activité de l'intelligence qu'un secours inférieur à sa nature et à ses exigences. La foi est une vertu surnaturelle dont l'objet est Dieu, vérité infinie. L'intelligence est une faculté naturelle, qui ne peut travailler que sur des idées ne dépassant pas sa mesure. Appliquée au donné révélé, l'intelligence ne pourra pas exercer son activité sur l'objet propre de la foi, c'est-à-dire sur la Réalité divine infinie qui la dépasse, mais seulement sur les idées analogiques qui la traduisent.

Il apparaît donc que la foi ne trouvera dans la raison qu'un instrument imparfait, des lumières et un mode d'activité inférieurs à ce qui lui convient comme puissance surnaturelle. Cette foi, que sa dépendance à l'égard de l'activité de la raison maintient habituellement dans le domaine des concepts analogiques, pourra être appelée : « foi conceptuelle » ou « foi imparfaite en son exercice ».

Dieu seul peut, par les dons du Saint-Esprit, maintenir la foi à la hauteur de son objet divin et assurer ainsi son exercice parfait.

Contemplation et vie mystique

Passivités produites dans l'âme par la charité et transformées par l'Esprit Saint en points d'appui permanents pour ses opérations directes dans l'âme, les dons du Saint-Esprit offrent l'âme aux interventions miséricordieuses de Dieu. Ces interventions ont comme premier effet de perfectionner l'exercice des vertus. C'est ainsi que lorsque la foi atteint son objet divin, Dieu, par les dons, fait descendre sur l'âme des effluves savoureuses, lumineuses, ou simplement apaisantes qui enchaînent les facultés ou les paralysent, leur donnant un certain goût de l'obscur, empêchant ainsi la foi de revenir vers les opérations habituelles de la raison ; elles la maintiennent éveillée et tendue vers le divin objet en le lui révélant comme une réalité obscure, parfois presque saisie, le plus souvent seulement soupçonnée, mais toujours souverainement attirante. Dieu est devenu la lumière de l'âme. Ainsi, maintenue par son divin objet en cette manifestation obscure et parfois douloureuse, la foi trouve son mode d'exercice parfait, celui qui convient à une vertu théologale qui a Dieu comme objet et motif [1].

La foi qui, d'après saint Jean de la Croix, est le seul moyen prochain et proportionné pour l'union divine, est par excellence cette foi vive contemplative que les dons du Saint-Esprit ont fixée paisiblement en son objet et qui s'appuie sur lui. C'est cette foi qui exige que l'on « ferme les yeux de l'entendement à toute chose d'en-haut et d'en-bas [2] ». C'est elle qui réalise la transformation et l'union, selon que le déclare le prophète Osée : *Sponsabo te mihi in fide*, Je t'unirai à moi dans la foi [3].

D. — CARACTÈRES DE LA CONNAISSANCE DE FOI

En définissant la foi « une habitude de l'âme certaine et obscure en même temps [4] », saint Jean de la Croix a souligné deux caractères de la foi qui marquent aussi la contemplation qui en est le fruit. Ces deux caractères d'obscurité et de certitude sont d'une telle importance pratique que nous avons le devoir de les examiner à la lumière de l'enseignement des saints.

---

1. Voir au ch. des « Dons du Saint-Esprit », p. 306, les rapports des vertus et des dons, spécialement dans l'acte de la foi vive.
2. *Cant. Spir.*, str. XI, p. 737.
3. Os 2, 20 et *Nuit Obsc.*, Liv. II, ch. II, p. 552.
4. *Montée du Carm.*, Liv. II, ch. II, p. 98.

I. — *Obscurité de la Foi.*

C'est surtout sur l'obscurité de la foi que saint Jean de la Croix insiste comme sur l'un des points les plus importants de sa doctrine contemplative. La foi est obscure, écrit-il,

parce qu'elle nous fait croire des vérités révélées par Dieu même qui sont au-dessus de toute lumière naturelle et excèdent incomparablement la portée de tout entendement humain. De là vient que cette lumière de foi est pour l'âme comme une obscurité profonde parce que le plus absorbe le moins et lui est supérieur. La lumière du soleil éclipse toutes les autres lumières, celles-ci ne paraissent plus quand celle-là brille et s'impose à notre puissance visuelle ; aussi son éclat, au lieu de favoriser la vue, éblouit plutôt parce qu'il est excessif et trop disproportionné avec la puissance visuelle. Ainsi en est-il de la foi ; sa lumière, par son excès, opprime et éblouit la lumière de notre entendement ; de lui-même il ne s'étend qu'à la science purement naturelle, bien qu'il ait une aptitude pour l'acte surnaturel quand il plaira à Notre-Seigneur de l'y élever...

La foi, ajoute le Saint, nous dit des choses que nous n'avons jamais vues ni comprises, soit en elles-mêmes, soit dans les objets qui leur ressembleraient puisqu'il n'y en a pas. Nous ne pouvons donc en avoir aucune lumière par science naturelle, car ce qu'elle nous dit n'a aucun rapport avec nos sens. Nous les connaissons par l'ouïe, nous croyons ce qu'on nous enseigne, et nous y soumettons aveuglément notre lumière naturelle [1].

L'obscurité vient de la disproportion qui existe entre l'intelligence et l'objet que lui propose la foi. La foi a pour objet en effet les choses invisibles qui dépassent la raison humaine (les mystères), c'est pourquoi l'Apôtre dit que la foi « a pour objet les choses non apparentes [2] ». C'est ce que le saint Docteur explique d'une façon encore plus précise dans le livre de la *Nuit de l'esprit* :

Il convient de rappeler, dit-il, la doctrine du Philosophe d'après laquelle plus les choses divines sont en soi claires et manifestes, plus elles sont naturellement obscures et cachées à l'âme. Il en est de même de la lumière naturelle : plus elle est vive, plus elle éblouit et aveugle la pupille du hibou ; plus on veut fixer le soleil en face, plus on éblouit la puissance visuelle et on la prive de lumière ; cette lumière dépasse la faiblesse de l'œil... Aussi David dit à son tour : « *Nubes et caligo in circuitu ejus* : autour de Dieu il n'y a que nuée et obscurité [3] ». Il n'est pas ainsi en la réalité, mais cela paraît tel pour notre faible entendement ; il est aveuglé par cette

1. *Montée du Carm.*, Liv. II, ch. II, p. 98-99.
2. He 11, 1.
3. Ps 96, 2.

lumière immense, il est ébloui, il est incapable de s'élever à une telle hauteur. Le même prophète explique sa pensée quand il ajoute : « *Prae fulgore in conspectu ejus, nubes transierunt* : les nuées se sont interposées (c'est-à-dire entre notre intelligence et Dieu) à cause de la splendeur de sa présence [1] ».

Cette obscurité sera normalement d'autant plus grande pour l'âme que celle-ci sera plus rapprochée de Dieu. Personne n'a sondé l'abîme de l'Infini et expérimenté son obscurité comme la Vierge Marie dont la grâce était à nulle autre comparable :

Il semble incroyable, écrit saint Jean de la Croix, que la lumière surnaturelle et divine produise d'autant plus de ténèbres dans l'âme qu'elle est plus claire et plus pure, ou qu'elle en produise d'autant moins qu'elle est moins obscure. Cela se comprend si nous nous rappelons la maxime du Philosophe que nous avons déjà prouvée et d'après laquelle les choses surnaturelles sont d'autant plus obscures pour notre entendement qu'elles sont en elles-mêmes plus claires et plus évidentes [2].

La foi n'offre pas qu'obscurité à l'intelligence ; elle lui présente des clartés de qualité supérieure à celle de toutes les autres sciences. Il y a plus de lumière dans une page de catéchisme que dans toutes les philosophies

---

1. Ps 17, 13. — *Nuit Obsc.*, Liv. II, ch. v, p. 559.
   Ces explications de saint Jean de la Croix nous montrent que l'obscurité ne vient pas de la distance qui existerait entre Dieu et la foi, entre l'objet et l'œil, mais est produite au contraire par le contact entre l'Objet divin éblouissant et le regard.
   C'est dans ce sens qu'il faut comprendre la parole de Jean de Saint-Thomas, le grand théologien des dons du Saint-Esprit, qui écrit : *Fides attingit Deum secundum quamdam distantiam ab Ipso, quatenus fides est de non visis* (Ia IIae, qu. LXVIII, disp. 18, art. 4, n. 14). La foi atteint Dieu, mais en restant à une certaine distance, en ce sens qu'elle l'atteint dans l'obscur. Le contact est donc réel, mais l'obscurité reste et elle semble séparer. Que la mort fasse tomber le voile et aussitôt la vision face à face découvre ce que la foi avait saisi, mais ne voyait pas.
   Jean de Saint-Thomas, parlant de la charité, ajoute : « *caritas autem attingit Deum immediate in se, intime se uniens ei quod occultatum in fide*. La charité atteint Dieu en lui-même d'une façon immédiate et s'unit intimement à ce qui était caché dans la foi ». En d'autres termes, ce que la foi saisit dans l'obscurité, la charité le fait sien dans l'union. On peut donc dire de la foi qu'elle est intentionnelle en ce sens que sa saisie immédiate de l'Objet divin est orientée et ordonnée à une pénétration intime et à une union de plus en plus parfaite avec Lui.
2. *Nuit Obsc.*, Liv. II, ch. VIII, p. 577. — Sainte Angèle de Foligno a traduit elle aussi son expérience de cette nuit produite par la lumière : « Un jour... je vis Dieu dans une ténèbre, et nécessairement dans une ténèbre parce qu'il est situé trop haut au-dessus de l'esprit, et tout ce qui peut devenir l'objet d'une pensée est sans proportion avec lui... C'est une délectation ineffable dans le bien qui contient tout, et rien là ne peut devenir l'objet ni d'une parole ni d'une conception. Je ne vois rien, je vois tout : la certitude est puisée dans la ténèbre. Plus la ténèbre est profonde, plus le bien excède tout ; c'est le mystère réservé... Faites attention. La divine puissance, sagesse et volonté, que j'ai vue ailleurs merveilleusement, paraît moindre que ceci. Celui-ci c'est un tout, les autres, on dirait des parties » (Trad. Hello, ch. XXVI, pp. 105-106).

anciennes. Dans le *Cantique Spirituel*, notre Docteur mystique nomme la foi « fontaine cristalline »

pour deux raisons, dit-il. La première, parce qu'elle vient du Christ, son Époux. La seconde, parce qu'elle a les propriétés du cristal ; elle est pure dans les vérités qu'elle révèle ; elle est forte, claire, exempte d'erreurs et de formes naturelles [1].

Saint Thomas distingue

les vérités qui tombent sous la foi directement et par elles-mêmes *(per se directe)* ; ce sont celles qui dépassent la raison naturelle comme la Trinité, l'Incarnation. D'autres tombent sous la foi en tant qu'elles sont subordonnées à celles-là *(ordinata ad ista)* et qu'elles s'y rapportent d'une manière ou d'une autre ; ainsi toutes les vérités que contient l'Écriture [2].

L'objet primaire de la foi en tant que transcendant, est essentiellement obscur ; l'objet secondaire peut par contre être saisi par la raison et lui devenir tout à fait lumineux. Autour du mystère obscur en lui-même il y a donc une frange lumineuse constituée par des vérités sur lesquelles l'intelligence peut s'exercer en toute aisance et liberté bien qu'elles tombent sous la foi.

Le mystère lui-même n'est pas complètement obscur. Certes, il ne saurait être pénétré en lui-même. Toutefois l'Église nous le donne en une formule dogmatique adaptée à nos modes de penser et de parler. Cette formule ne livre pas à l'intelligence tout le secret qu'elle contient, mais en donne une expression analogique que celle-ci peut saisir et sur laquelle elle peut travailler. Saint Jean de la Croix, dans la même strophe du *Cantique*, compare ces formules à des surfaces argentées sous lesquelles sont cachées les vérités elles-mêmes et leur substance qui sont comparées à l'or [3]. Le mystère n'a donc pas seulement sa frange lumineuse, mais sa surface ou formule dogmatique qui offre ses merveilleuses clartés à l'intelligence.

Ainsi donc, poursuit notre Saint, la foi nous donne Dieu lui-même et nous le fait connaître ; sans doute il est voilé sous les surfaces argentées de la foi, mais ce n'est pas là un motif pour qu'il ne nous soit pas donné en réalité. Si quelqu'un donne un vase d'or recouvert d'une couche d'argent, il n'en donne pas moins un vase d'or, malgré la surface argentée du vase [4].

Cette possession réalise la transformation et la ressemblance d'amour qui produit une lumière nouvelle de

---

1. *Cant. Spir.*, str. XI, p. 737.
2. *Sum. th.*, IIa IIae, qu. 8, art. 2.
3. *Cant. Spir.*, str. XI, p. 737 et s.
4. *Ibid.*, p. 738.

connaturalité. La nuit est éclairée merveilleusement par cette lumière qui en jaillit. C'est ce qui fait écrire à saint Jean de la Croix :

> Nous voyons une figure de la foi dans cette nuée qui séparait les enfants d'Israël des Égyptiens au moment d'entrer dans la mer Rouge et dont la saint Écriture nous dit : « C'était une nuée ténébreuse, mais elle éclairait cependant la nuit [1] ». Phénomène admirable ! tout en étant ténébreuse elle éclairait la nuit !... De là il faut déduire que la foi qui est une nuit obscure éclaire l'âme qui est dans l'obscurité, et c'est ainsi que se vérifie ce que David dit à ce propos : « *Et nox illuminatio mea in deliciis meis* : la nuit sera ma lumière au milieu de mes délices [2] ». Ce qui équivaut à dire : dans les délices de ma pure contemplation et de mon union avec Dieu, la nuit de la foi sera mon guide [3].

Ombres et clartés de la foi semblent dominer successivement suivant les périodes. Ce jeu de lumière et d'obscurité est assez important et assez notable pour que saint Jean de la Croix en fasse le signe caractéristique des diverses étapes dans le développement de la foi. C'est ainsi que dans sa marche vers la contemplation parfaite l'âme trouvera la nuit du sens,

comparée au crépuscule, c'est-à-dire à ce moment où tous les objets matériels se dérobent à la vue [4] ;

la nuit de l'esprit

qui atteint la partie supérieure de l'homme ou partie raisonnable, par conséquent plus intérieure et plus obscure dès lors qu'elle prive l'âme de la lumière de la raison, ou pour mieux m'exprimer, qu'elle l'aveugle [5] ;

et enfin l'aurore

déjà proche de la lumière du jour et pas aussi obscure que le milieu de la nuit, car elle précède immédiatement le rayonnement et l'éclat de la lumière du jour [6].

Ce crépuscule et cette nuit sont produits par l'envahissement de la lumière divine. La lumière conceptuelle adaptée à nos facultés, comme la lumière du jour l'est à nos yeux, tombe devant la lumière transcendante de Dieu et de son mystère lorsque la foi a pénétré en son objet premier et y est maintenu par les dons. Devant l'éclat de l'or de la vérité qui affleure, les surfaces argen-

---

1. Ex 14, 20.
2. Ps 138, 11.
3. *Montée du Carm.*, Liv. II, ch. II, pp. 100-101.
4. *Ibid.*, pp. 96-97.
5. *Ibid.*
6. *Ibid.*

tées des formules dogmatiques pâlissent. Le crépuscule et la nuit remplacent progressivement le jour.

Il n'y a d'ailleurs pas qu'obscurité en cet éblouissement qui enveloppe les facultés inadaptées et souillées. L'âme y est éclairée sur ses faiblesses et sur la valeur des choses. En cette obscurité qui dissimule la source de lumière transcendante qui la produit, une échelle de valeurs s'établit dans la perspective de l'infini.

Voici que d'ailleurs cette nuit purifie et adapte. Elle se transforme à mesure qu'elle réalise son œuvre en une aurore riche de lumière savoureuse, de tranquillité et de paix. Mais ne nous attardons pas en un sujet que nous aurons à étudier longuement.

Il nous suffira de faire remarquer qu'en la foi il n'y a que lumière ; son obscurité est effet de la transcendance de la lumière qui envahit l'intelligence lorsqu'elle pénètre en Dieu et en son mystère. Or, parce que saint Jean de la Croix, en véritable contemplatif, assoiffé d'infini, n'ouvre son regard et celui de son disciple qu'à la lumière transcendante de Dieu, il nous avertit avec insistance que la foi est obscure et que cette obscurité est le signe caractéristique et certain que la foi a atteint son véritable objet.

II. — *Certitude de la Foi.*

La foi est obscure et certaine. La certitude est le deuxième caractère de la foi que signale saint Jean de la Croix.

La certitude de la foi peut être considérée soit dans l'objet que la foi propose, soit dans le sujet qui fait l'acte de foi. On peut donc distinguer la certitude objective et la certitude subjective.

La certitude de l'objet est absolue et au-dessus de toutes les autres certitudes, en raison du témoignage sur lequel elle s'appuie : le témoignage de Dieu qui est vérité. Les autres certitudes, même celles qui procèdent de l'évidence perçue par les sens ou par l'intelligence, sont liées à la structure de nos facultés humaines, sujettes à l'erreur. La vérité de foi est indépendante de toute perception et repose sur Dieu qui ne peut ni se tromper ni nous tromper.

Considérée dans le croyant, la certitude n'est pas autre chose que la fermeté de l'adhésion à la vérité proposée. Cette fermeté d'adhésion doit être complète, sans restrictions ni conditions ; elle n'admet aucun doute volontaire et comporte une soumission parfaite de l'intelligence.

Contemplation et vie mystique

Il y a cependant des degrés dans cette certitude subjective suivant l'appui qui la soutient. La foi en ses débuts s'appuie, certes, sur l'autorité de Dieu, car elle ne serait pas sans cela surnaturelle [1], mais plus encore sur la valeur du témoignage humain et des raisons qui l'accréditent. Progressivement l'acte de foi se dégage de ses motifs naturels et raisonnables pour tirer toute sa force du témoignage de Dieu. Cette purification du motif est aidée considérablement ou même réalisée par la perception de la vérité divine. « Je ne vois rien, dit sainte Angèle de Foligno, je vois tout. La certitude est puisée dans la ténèbre [2] ».

Cette certitude dégage la foi des motifs raisonnables qui lui ont servi de base et l'oriente en fait vers l'obscurité qui lui offre un appui sûr et savoureux. « Moins je comprends, plus je crois et plus j'aime » disait sainte Thérèse. Quant à saint Jean de la Croix il fait dire à l'âme :

> J'étais dans les ténèbres et en sûreté.

De cette foi qui trouve soudain sa certitude et une certitude inébranlable en elle-même, Jacques Rivière écrit :

> Les incroyants aperçoivent une sorte de coup de force accompli sur notre âme, mais ils ne distinguent pas que c'est pour y fixer quelque chose qui l'a traversée et qui risque de s'évanouir. Ils ne voient pas cet oiseau qui s'est posé un instant, et ainsi le geste que nous faisons, dans le vide semble-t-il, pour le saisir aux ailes, leur paraît absurde... Mais celui qui a réellement senti l'oiseau l'effleurer, tous ces scrupules logiques n'ont plus de sens pour lui [3].

Si nous n'y prenions garde ces affirmations si nettes pourraient bien nous induire en erreur en nous laissant croire que la paix dans l'adhésion est le signe qui donne la mesure de la perfection de la foi. La foi paisible et aveugle du charbonnier serait toujours de qualité supérieure à celle de l'intellectuel chez qui l'adhésion sincère à la vérité révélée laisse une certaine inquiétude intellectuelle et bien des problèmes à résoudre. Juger ainsi, ce serait oublier les exigences de l'intelligence faite pour la lumière et qui, devant l'obscurité du mystère que lui présente la foi, doit normalement éprouver un certain malaise, sinon une inquiétude. Cette insatisfaction sera

---

1. « *Quia fides habet certitudinem ex lumine infuso divinitus* », la foi tient sa certitude de la lumière de Dieu infuse divinement. (Saint Thomas, in Joan. CIV. L. V, n. 2).
2. Trad. Hello, ch. XXVI.
3. Jacques Rivière, *A la trace de Dieu*, p. 336.

d'autant plus marquée que l'intelligence est plus développée, plus curieuse ou même plus inquiète par tendance de tempérament, et elle produira un certain mouvement des facultés, une recherche, parfois une agitation un peu fiévreuse d'où jailliront objections formulées et angoisses irraisonnées. Tel est le mécanisme psychologique régulier de la tentation contre la foi, dont l'action du démon pourra en certains cas augmenter la violence.

Cette agitation n'est en effet que tentation. Elle se développe en dehors de la certitude qui est fermeté d'adhésion à la vérité révélée. Cette fermeté d'adhésion, qui découle de la vertu de foi et est imprimée par la volonté, peut rester entière en ce bruit ou même se faire plus forte et plus tenace à cause de lui. Il y a combat, trouble intérieur, tempête d'autant plus douloureuse que la foi est plus vive et plus ferme ; mais celle-ci se fortifie dans ce combat et en sort affermie et purifiée.

L'expérience mystique qui paralyse et apaise peut ne pas supprimer les tentations contre la foi : soit que, partielle ou intermittente, elle laisse à quelques facultés ou à toute l'activité psychologique, des périodes de liberté ; soit qu'elle produise des nuits complètes, favorables au développement de la tentation.

La tentation contre la foi n'est donc pas incompatible avec une foi affermie, pas même avec une expérience mystique élevée. Il nous semble important de souligner qu'elle est une épreuve destinée à fortifier une foi qui débute, à buriner une foi déjà affermie ou même à faire produire à une foi vive très haute la souffrance rédemptrice qui méritera à d'autres la lumière pour marcher dans la voie du salut. Nous songeons à l'épreuve que subit sainte Thérèse de l'Enfant-Jésus et dont elle écrivait :

Aux jours si joyeux du temps pascal, Jésus m'a fait sentir qu'il y a véritablement des âmes qui n'ont pas la foi, qui, par l'abus des grâces, perdent ce précieux trésor, source des seules joies pures et véritables. Il permit que mon âme fût envahie des plus épaisses ténèbres et que la pensée du Ciel, si douce pour moi, ne soit plus qu'un sujet de combat et de tourment... Cette épreuve ne devait pas durer quelques jours, quelques semaines ; elle devait ne s'éteindre qu'à l'heure marquée par le Bon Dieu et... cette heure n'était pas encore venue...[1].

Lorsque je veux reposer mon cœur fatigué des ténèbres qui l'entourent par le souvenir du pays lumineux vers lequel j'aspire, mon tourment redouble ; il me semble que les ténèbres, empruntant la voix des pécheurs, me disent en se moquant de moi : « Tu rêves la lumière, une patrie embaumée des plus suaves parfums, tu rêves la possession éternelle du Créateur de toutes ces merveilles, tu

---

[1]. *Man. Autob.*, C fol. 5 v°.

crois sortir un jour des brouillards qui t'environnent, avance, avance, réjouis-toi de la mort qui te donnera, non ce que tu espères, mais une nuit plus profonde encore, la nuit du néant » ...

Ah ! que Jésus me pardonne si je Lui ai fait de la peine, mais Il sait bien que tout en n'ayant pas la jouissance de la Foi, je tâche au moins d'en faire les œuvres. Je crois avoir fait plus d'actes de foi depuis un an que pendant toute ma vie. A chaque nouvelle occasion de combat, lorsque mes ennemis viennent me provoquer, je me conduis en brave, sachant que c'est une lâcheté de se battre en duel, je tourne le dos à mes adversaires, sans daigner les regarder en face ; mais je cours vers mon Jésus, je Lui dis être prête à verser jusqu'à la dernière goutte de mon sang pour confesser qu'il y a un Ciel. Je Lui dis que je suis heureuse de ne pas jouir de ce beau Ciel sur la terre, afin qu'Il l'ouvre pour l'éternité aux pauvres incrédules [1].

Cette description de sainte Thérèse de l'Enfant-Jésus montre une tentation faite d'obscurité et d'obsession, dont la violence provoque une adhésion de plus en plus ferme et tenace à la vérité, et découvre le caractère rédempteur d'une telle épreuve. La perfection de la foi n'est donc pas à la mesure de la paix qui l'accompagne. Une foi très forte et très pure peut connaître de grandes tempêtes. Ceci est vrai en toutes les étapes du développement de la vie spirituelle. La certitude est faite uniquement de la fermeté de l'adhésion à la vérité, certaine mais obscure. Il nous a paru nécessaire de le souligner.

E. — *CONCLUSIONS PRATIQUES*

C'est tout l'enseignement pratique des maîtres du Carmel qui jaillit des vérités exposées. Bornons-nous à en signaler quelques points parmi les plus importants.

1. Puisque la foi atteint Dieu et que Dieu, semblable à un feu consumant *(ignis consumens)* est toujours en activité pour se donner, chaque acte de foi vive, c'est-à-dire accompagné de charité, met en contact avec ce foyer, placé sous l'influence directe de sa lumière et de sa flamme, en d'autres termes assure à l'âme une augmentation de la grâce, participation à la nature divine. Quelles que soient donc les circonstances qui accompagnent cet acte de foi — sécheresse ou enthousiasme, joie ou souffrance — il atteint la Réalité divine ; et même si je n'expérimente rien de ce contact en mes facultés, je sais qu'il a existé et qu'il a été efficace. J'ai puisé en Dieu à la

---

1. *Man. Autob.*, C fol. 6 v° et 7 r°.

mesure de ma foi, dans une mesure plus abondante même peut-être si la miséricorde divine est intervenue pour combler mes déficiences et se donner en considérant non mes mérites, mais seulement ma misère.

2. La foi étant le seul moyen prochain et proportionné pour atteindre Dieu, toute recherche d'union à Dieu devra recourir à son intermédiaire et à son activité. La foi seule peut nous conduire aux sources divines de la grâce. La grâce des sacrements eux-mêmes qui agissent *ex opere operato*, par leur vertu propre, ne parvient normalement à l'âme que par la foi. C'est par la foi que dans la sainte Eucharistie nous nous unissons à Notre-Seigneur et que nous atteignons sa divinité et même son humanité. De même le commerce d'amitié avec Dieu dans l'oraison ne se fera que par la foi. L'oraison, considérée dans la part d'activité qu'y apporte l'âme, ne sera pas autre chose que la foi aimante qui cherche Dieu, et peut être considérée comme une succession d'actes de foi. Par conséquent, si, dans la sécheresse et l'impuissance, l'âme fait fidèlement des actes de foi et d'amour, elle peut croire qu'elle fait une bonne oraison, même si elle n'en expérimente pas les effets.

3. L'oraison n'atteignant Dieu que par la foi, empruntera à la qualité de la foi sa propre perfection. Nous retrouverons donc dans le développement de la vie d'oraison les deux phases que comporte le développement de la vertu de foi. La première phase ou oraisons actives correspond à la foi qui s'éclaire aux lumières de la raison ; la deuxième ou oraisons passives est alimentée par la foi vive perfectionnée par les dons du Saint-Esprit. La foi conceptuelle, nous l'avons vu, atteint la Réalité divine, mais revient à l'exercice des facultés pour y trouver sa lumière et son aliment. L'oraison qui lui correspond sera un véritable commerce avec Dieu, mais qui sera soutenu par l'activité de l'imagination, de l'intelligence ou de la volonté. L'activité des facultés y est prédominante ; d'où leur nom d'oraisons actives dont nous avons distingué les diverses formes dans les trois premières Demeures thérésiennes.

La foi vive ou parfaite reçoit au contraire de Dieu lui-même, par les dons du Saint-Esprit, sa lumière et sa mesure. Dans les oraisons qu'elle anime, l'âme, attirée vers la Réalité divine par les perceptions obscures que les dons lui en donnent, est comme soulevée au-dessus de ses opérations naturelles ou du moins tend continuellement vers cette Réalité qui se révèle. Ses oraisons sont dites contemplatives ou passives et c'est l'activité divine qui est prédominante.

Contemplation et vie mystique

4. Saint Jean de la Croix donne les signes qui permettent de distinguer ces deux phases de la vie d'oraison [1], signes de la plus haute importance en raison de la conduite différente qu'impose à l'âme chacune de ces phases.

Dans les oraisons actives, la foi trouvant son aliment et son appui dans l'activité des facultés, l'âme a le devoir d'étudier la vérité révélée, de préparer l'oraison et d'activer les facultés pendant l'oraison dans la mesure où cette activité est nécessaire pour entretenir le commerce avec Dieu.

Dans la deuxième phase des oraisons contemplatives, la foi trouvant son aliment en Dieu lui-même, le devoir de l'âme est d'apaiser l'activité des facultés naturelles et de soutenir par des actes très simples cette attirance qu'exerce sur elle la Réalité divine. L'activité des dons exige cette paix silencieuse et le respect dû à l'activité divine devenue prédominante, impose cette orientation soutenue vers le divin objet.

5. L'oraison, trouvant son efficacité surnaturelle dans la qualité de la foi qui l'anime, et par suite, dans l'intimité et la fréquence des contacts avec Dieu qu'elle assure, les oraisons contemplatives sont incomparablement plus efficaces que les oraisons actives. Tandis en effet que dans ces dernières, la foi à mode imparfait ne prend contact que par intermittences et s'attarde habituellement aux actes des facultés naturelles, dans les oraisons passives, la foi, grâce aux dons du Saint-Esprit qui la perfectionnent en son exercice, maintient habituellement l'âme sous l'action de Dieu. Dans les oraisons actives l'âme puise de temps en temps aux sources divines ; dans les oraisons passives, elle reste baignée dans les eaux et les flammes purifiantes de l'Esprit Saint où elle est transformée de clartés en clartés jusqu'à la ressemblance divine.

6. Le désir d'une transformation surnaturelle plus rapide et plus profonde n'autorise-t-il pas un effort pour s'élever à ces oraisons passives si fécondes ? Il suffirait, semble-t-il, en effet, d'arrêter l'activité des facultés après un acte de foi, pour supprimer le retour vers les actes naturels et pour maintenir ainsi l'âme dans la réalité obscure qu'elle vient d'atteindre. Sainte Thérèse a traité assez longuement de cette tentative et affirme qu'elle

1. Voir *supra*, ch. VII « La Contemplation », p. 403.

procède d'une présomption orgueilleuse et qu'elle serait vaine [1].

La contemplation surnaturelle est un don gratuit de la miséricorde divine. Dieu seul en effet peut mettre en action les dons du Saint-Esprit qui la produisent en perfectionnant la foi en son exercice. Dieu

la donne quand il veut et comme il veut, sans avoir égard au temps ni aux services qu'on lui a rendus, mais bien souvent le Seigneur n'accorde pas après vingt ans le degré de contemplation qu'il accordera à d'autres au bout d'un an [2]... Pour moi, dit ailleurs la Sainte, je ne puis croire que des moyens humains réussiraient dans des choses où sa Majesté, ce me semble, a posé des limites qu'elle se réserve de faire franchir elle-même [3].

L'humilité seule peut prétendre attirer les dons de la miséricorde divine, car Dieu résiste aux superbes et donne sa grâce aux humbles. Pour parvenir à la contemplation, une attitude humble sera plus utile que les efforts les plus violents. Cette attitude d'humilité consistera pratiquement à « nous tenir comme des pauvres nécessiteux, en présence d'un grand et riche monarque [4] », à nous porter aux formes modestes des oraisons actives et à y attendre dans un patient et paisible labeur que Dieu nous élève aux oraisons passives :

Lorsque vous êtes invités à un repas de noces, dit Notre-Seigneur, ne vous mettez pas à la première place... mais à la dernière, afin que lorsque votre hôte viendra, il vous dise : Mon ami, montez plus haut ! Alors vous serez honoré devant tous les invités. Car celui qui s'élève sera abaissé, et celui qui s'abaisse sera exalté [5].

La parabole évangélique s'applique à la lettre à la vie d'oraison : pour mériter d'être élevé à la contemplation il faut humblement se mettre à la dernière place parmi les spirituels. En cette dernière place il est bon de désirer les moyens plus élevés et plus rapides pour parvenir à l'union parfaite, mais en se gardant de tout effort présomptueux pour se les procurer soi-même.

7. La contemplation, comme la foi vive dont elle est le fruit, a pour objet la déité elle-même, et ne peut la percevoir que comme une réalité obscure, à cause de sa transcendance. De même que la foi, elle est une connaissance certaine et obscure. Ce double caractère de certi-

---

1. IVᵉ Dem., ch. III, pp. 883-884.
2. *Vie*, ch. XXXIV, p. 378.
3. IVᵉ Dem., ch. III, p. 884.
4. *Ibid.*, p. 883.
5. Lc 14, 8-11.

tude et d'obscurité, le deuxième surtout, révélera son existence dans l'âme et sera un critérium de sa pureté. Au sein de la multiplicité des impressions, dans l'agitation intérieure qui accompagne assez fréquemment la contemplation surnaturelle, cette obscurité indiquera au contemplatif les régions où s'exerce la foi vive qu'il doit protéger et où il doit se réfugier.

Cette obscurité étant le signe révélateur de la Réalité divine, le contemplatif, en sa contemplation, devra délibérément préférer cette obscurité à toutes les lumières distinctes, que ces lumières jaillissent des formules dogmatiques ou qu'elles viennent de Dieu lui-même, pour rester par elle en contact avec la Réalité divine. Il devra veiller à ne pas se laisser attirer par l'agitation des facultés inférieures, serait-ce pour y mettre la paix, pas plus qu'à se laisser envelopper par la saveur qui vient de Dieu ou en suivre la suavité dans les sens. En toute occurrence il doit dresser l'antenne de sa foi au-dessus de toutes les perceptions et de toutes les agitations et refluer paisiblement vers l'obscurité sereine et paisible où se révèle et se donne l'Infini.

Saint Jean de la Croix nous dit comment le démon excelle à donner dans cet état des connaissances et des saveurs, et déplore le grand malheur de l'âme qui ne se comprend pas et, prenant une bouchée de connaissances distinctes et de saveurs sensibles, empêche Dieu de l'absorber elle-même tout entière [1]. De même, dans les strophes XXXI et XXXII du *Cantique*, après avoir invité les facultés inférieures à rester dans leur domaine, les « faubourgs », pour ne pas porter leur agitation dans l'intime de l'âme, il demande à Dieu de lui accorder des faveurs telles qu'il n'ait pas la faculté d'en parler et que la partie sensible ne puisse pas y participer [2].

La foi étant le seul moyen prochain et proportionné pour atteindre Dieu, dans notre marche vers l'union divine, nous ne devons lui préférer aucune lumière naturelle, ni aucun don surnaturel si élevé soit-il. Ce détachement de tous les biens constitue toute l'ascèse contemplative. Ainsi se purifient la foi et l'espérance, et se réalise l'union parfaite à Dieu selon toute la mesure de notre grâce.

8. Ces développements nous permettent :

a) d'apprécier la valeur des connaissances distinctes ou saveurs reçues dans l'oraison. Elles éclairent la route

---

1. *Vive Fl.*, str. III, p. 1019.
2. *Cant. Spir.*, str. XXXI-XXXII, pp. 856-863.

et apaisent les facultés ; elles « enchaînent », suivant l'expression de sainte Thérèse de l'Enfant-Jésus. Elles sont un moyen précieux pour aller à Dieu, et l'âme doit les utiliser avec reconnaissance et humilité. L'attachement à ces connaissances peut les transformer en obstacles dangereux.

b) d'affirmer qu'elles ne sont pas absolument nécessaires pour parvenir à la perfection ou même à la contemplation parfaite. On peut concevoir, et il existe en effet, des états contemplatifs où, au milieu de l'agitation des facultés, se manifeste seule cette perception obscure de Dieu qui est l'élément essentiel de la contemplation.

c) que les plus grands contemplatifs ne sont pas nécessairement ceux qui reçoivent le plus de lumières distinctes sur Dieu, mais que, plus que tous les autres, ils perçoivent la transcendance divine dans l'obscurité de ses mystères.

d) que, mis à part les desseins de Dieu sur telle ou telle âme et la participation qu'il lui impose à la passion de son Fils, l'état de perfection comporte normalement un envahissement de cette obscurité dans toute l'âme et ses facultés, qui, désormais purifiées et adaptées au divin, y trouvent un aliment savoureux. La transcendance divine est mieux connue et donc plus obscure que jamais, mais en cette obscurité plus profonde l'âme perçoit des clartés d'aurore. Clartés et saveurs subtiles, onctions délicates que les sens ignorent, que l'âme semble ignorer elle-même, tellement avec toutes ses forces, avec tout son être, en des ardeurs paisibles, elle est tendue vers la Réalité divine qui la pénètre et à qui elle veut se livrer toujours plus.

Telle fut l'oraison parfaite de la Vierge Marie, tout illuminée et embrasée des feux divins, mais dont la foi paisible et ardente semblait ignorer les richesses qu'elle possédait, pour aller toujours plus loin dans l'ombre lumineuse de l'Esprit Saint qui l'enveloppait et la pénétrait.

481

Je suis fille de
L'ÉGLISE

Avant-propos
de la première édition

Je suis fille de l'Église est la suite de *Je veux voir Dieu*. Ce deuxième volume continue donc la description de l'itinéraire spirituel thérésien.

On pourra s'étonner de ce changement de titre à mi-chemin du but. Serait-ce que sainte Thérèse, partie pour voir Dieu, aurait été assagie par les difficultés de la route et que renonçant au but impossible de son héroïque aventure, elle se serait résignée enfin à s'installer enfin près de nous, en nos horizons familiers, pour vivre simplement en bonne chrétienne et réaliser ainsi ses destinées temporelles de fille de l'Église ?

Il n'en est rien. N'attendons pas de cette fière castillane d'Avila, grandie encore par l'appel divin, qu'elle abdique l'idéal entrevu au départ. Elle ne consentira jamais à le diminuer pour l'ajuster aux timidités de notre faiblesse. Elle le décrit toujours plus grand et plus haut tandis qu'elle s'en rapproche. Ses désirs se font plus vastes et plus ardents à mesure qu'elle le conquiert en le réalisant. De fait, elle verra Dieu aussi parfaitement qu'on le peut ici-bas, en ce qu'elle appelle la vision intellectuelle de la Trinité sainte. Mais, c'est le fait que nous devons souligner, elle ne parviendra à ces sommets qu'après avoir découvert l'Église et lui avoir tout sacrifié.

Chez cette contemplative qui donne son âme en écrivant, la doctrine et la vie sont si étroitement unies qu'on ne peut les comprendre l'une et l'autre qu'en les rapprochant. Or voici qu'en ce monastère réformé de Saint-Joseph d'Avila dont Thérèse a organisé tous les détails pour voir Dieu et vivre en son intimité, c'est de son appartenance à l'Église qu'elle prend conscience, c'est l'Église elle-même qu'elle découvre dans les ardeurs nouvelles qui montent de son âme. Elle cherchait Jésus et c'est le Christ total qui se révèle à elle.

485

Le but n'est point changé, mais combien étonnamment élargis ses horizons ! Elle ne voyait que Dieu et elle ; elle ne veut plus savoir maintenant que le Christ Jésus et ses membres. Les biens jalousement accumulés pour la découverte de Dieu, elle les immole autant que l'exige le bien de l'Église. Plus avide que jamais de lumière et d'intimité divines, elle sacrifie sa tranquillité personnelle et sa solitude pour fonder des monastères voués à la prière douloureuse pour l'Église et elle étend sa réforme aux religieux afin de réaliser par eux ce que sa qualité de femme lui interdit de faire elle-même pour les âmes. Cette contemplative se charge de soucis sans nombre et devient une fondatrice que l'on trouve sur tous les chemins périlleux de l'Espagne. Un jour même, elle laissera son œuvre pour revenir comme prieure en ce monastère de l'Incarnation qu'elle a quitté dix ans auparavant parce qu'il ne nourrissait plus son âme. Accueillie par les protestations des religieuses qui ne la veulent pas, elle s'y fixe pour trois ans et, par un de ces jeux paradoxaux dans lesquels la Sagesse d'amour affirme sa puissance et sa liberté souveraines, c'est en ce monastère abandonné par Thérèse pour mieux trouver Dieu, que Jésus vient à elle pour l'élever à l'union parfaite du mariage spirituel.

Le mariage spirituel est un contrat en bonne et due forme. Dieu se donne définitivement et se découvre constamment dans une vision intellectuelle. Point d'anneau cependant pour sceller l'union, mais un clou qui fixe à la croix. Point d'appel non plus aux intimités nuptiales, mais une invitation à travailler comme une véritable épouse pour l'honneur de l'Époux. La tranquille possession de Dieu en cette union n'est point un terme ni un repos ; elle est un moyen pour travailler plus efficacement. Le Christ Jésus n'épouse les âmes ici-bas qu'afin de les associer plus étroitement à ses immolations et à ses travaux pour son Église. C'est la doctrine que Thérèse développe dans les derniers chapitres du *Château Intérieur*. Elle travaillera en effet et souffrira jusqu'à ce que la mort vienne à sa rencontre à Albe de Tormès, tandis qu'elle retourne de Burgos où elle a réalisé la plus pénible de ses fondations.

L'approche de la mort libère enfin ses désirs ardents de voir Dieu. Elle fait briller aussi un rayon de l'au-delà qui lui découvre ce nom nouveau, inscrit sur la mystérieuse pierre blanche remise, dit l'Apocalypse, à ceux qui ont vaincu dans le combat. Ce nom nouveau, le sien, est : *fille de l'Église*. Elle le répète avec une joie qui éclate et elle tombe en extase. Ce nom d'éternité de Thérèse d'Avila, l'Église l'a traduit à notre usage en inscrivant sur le socle de sa statue en la basilique Saint-Pierre de Rome : *Mater spiritualium*.

C'eût été trahir le message thérésien que de ne pas mettre ce fait en la place qui lui revient. *Je veux voir Dieu* indiquait l'aspiration essentielle de l'âme thérésienne. *Je suis fille de l'Église* marquera la qualité de son amour, le but de sa vie et de son œuvre, la note caractéristique de la vocation qu'elle a laissée à ses disciples. Il fallait dévoiler la dualité de cette vocation thérésienne en son mouvement simple et unique. Ces deux paroles de sainte Thérèse, celle du départ et celle des sommets, font écho d'ailleurs au double cri de guerre d'Élie, le prophète et le patriarche du Carmel, dont Thérèse se proclame la fille : *Vivit Dominus in cujus conspectu sto... Zelo zelatus sum pro Domino Deo excituum* ; Il est vivant le Seigneur en présence de qui je me tiens... Je brûle de zèle pour le Seigneur Dieu des armées.

Ce titre *Je suis fille de l'Église* fera espérer à certains qu'ils trouveront en ces pages une doctrine d'apostolat. N'oublions pas que sainte Thérèse est une contemplative et qu'elle s'adresse à des contemplatifs. Il est cependant clair que ces contemplatifs qu'elle forme deviennent des apôtres, et des apôtres de grande classe, car elle en fait de parfaits instruments de l'Esprit Saint. A défaut d'une méthode d'apostolat, sainte Thérèse nous offre une méthode pour la formation des apôtres.

La tentation nous est venue de développer cet aspect de l'enseignement thérésien. C'eût été alourdir encore ce volume déjà compact et sortir du plan fixé pour ce travail. Nous nous sommes donc borné aux indications essentielles. Elles suffiront, pensons-nous, pour montrer que ces instruments de l'Esprit Saint que nous présente sainte Thérèse sont des apôtres parfaits, de la qualité de ceux que Jésus établit comme colonnes fondamentales de son Église, de ceux que l'Esprit Saint place aux tournants de l'histoire pour y faire les grands gestes de Dieu, de ceux que nous réclamons pour notre temps.

En l'Octave de l'Épiphanie 1950.

JUSQU'À L'UNION
DE VOLONTÉ

Nous devons maintenant considérer par le détail l'action de la Sagesse d'amour.

Les flots envahissants de l'amour qu'elle répand ne sont pas livrés au hasard des circonstances. Elle est Sagesse. Elle les ordonne vers le but qu'elle s'est fixé et que nous pouvons découvrir. Ce but dernier est le règne parfait de Dieu dans l'âme par la transformation d'amour et l'édification de l'Église.

Il est un but intermédiaire qui marque une étape décisive : c'est la conquête de la volonté, la faculté maîtresse de l'âme.

Les quatrièmes Demeures préparent ce triomphe de Dieu qui sera assuré dans les cinquièmes Demeures par l'union de volonté.

Le développement progressif de l'action de Dieu jusqu'à l'union de volonté, les effets de cette action, la coopération de l'âme, l'union de volonté elle-même et ce qu'elle prépare, tel sera le sujet de cette quatrième Partie.

CHAPITRE PREMIER

Les premières oraisons contemplatives

> *C'est une petite étincelle de son véritable amour que Dieu commence à allumer dans l'âme* [1].

Au début des quatrièmes Demeures, sainte Thérèse écrit :

> Avant de commencer ces quatrièmes Demeures, il m'était bien nécessaire de prier comme je l'ai fait. Je me suis recommandée à l'Esprit Saint et je l'ai supplié de parler désormais à ma place pour dire quelque chose des Demeures qui restent à expliquer et vous en donner l'intelligence [2].

Unissons-nous à cette prière que la Sainte fera plus instante encore au début des cinquièmes Demeures.

C'est en effet un sujet délicat et complexe que celui des interventions de Dieu dans la vie spirituelle et spécialement dans l'oraison. A défaut des affirmations de sainte Thérèse, les discussions ardentes sur la contemplation et les résultats négatifs de l'enquête ouverte par Mgr Saudreau « pour fixer la terminologie mystique et pour obtenir une entente [3] » suffiraient pour nous en convaincre.

Pour résoudre les problèmes spirituels et psychologiques que posent ces interventions de Dieu par le secours particulier, sainte Thérèse voudrait avoir beaucoup de science :

> Pour beaucoup de choses la science me serait nécessaire. Il serait utile en effet d'expliquer ici ce qu'il faut entendre par secours général et secours particulier. Il y en a tant qui l'ignorent. Il faudrait montrer comment le Seigneur veut que l'âme voie ici pour ainsi dire de ses propres yeux ce secours particulier [4].

---

1. *Vie*, ch. xv, p. 147.
2. IVᵉ Dem., p. 863.
3. Cf. *Vie spirituelle* (Supplément), années 1929-1931.
4. *Vie.*, ch. xiv, p. 140.

Jusqu'à l'union de volonté

Comment distinguer le secours particulier qui fait les oraisons surnaturelles, du secours général qui seconde l'activité humaine dans les oraisons ordinaires ? Cela a été dit précédemment [1]. Toutefois soulignons en passant le critère que signale sainte Thérèse avec insistance et qui lui permet de donner une définition des oraisons surnaturelles :

> Je donne le nom de surnaturel à ce que nous ne saurions atteindre par notre industrie et nos efforts personnels, quelque grands qu'ils soient, bien que nous puissions nous y disposer et que même il soit important de le faire [2].

> Viendrait-on à se mettre en pièces à force de pénitences, de prières et de sacrifices de toutes sortes, tout cela nous servirait bien peu si le Seigneur ne daigne nous élever à cette faveur [3].

Cette distinction établie, nous avons à étudier les premières formes que prennent les interventions de Dieu par le secours particulier dans l'oraison.

Et d'abord quelle est la première forme de l'action surnaturelle de Dieu dans une âme ?

Cette question appelle une double réponse, suivant que l'on considère l'ordre logique, c'est-à-dire, l'ordre imposé par le développement normal de la grâce dans l'âme, ou l'ordre chronologique, c'est-à-dire celui qui, en fait, est suivi par Dieu.

C'est l'ordre logique que nous suivrons dans notre exposé, mais l'ordre chronologique mérite de nous retenir un instant.

Nous sommes en effet dans le domaine propre de la Miséricorde divine. Dans la distribution de ses dons, cette divine Miséricorde reste souverainement libre et ne consulte que son bon vouloir. « L'Esprit souffle où il veut », dit Jésus à Nicodème [4]. Ce même Esprit donne à chacun « selon sa volonté [5] ». « L'élection ne dépend ni de la volonté ni des efforts, mais de Dieu qui fait miséricorde [6] ».

De fait, note sainte Thérèse :

> Il arrive souvent que Dieu touche une âme très imparfaite, je veux dire une âme qui, à mon avis du moins, n'est pas en état de péché mortel. Il permet que cette âme qui se trouve en mauvais

---

1. Cf. *Contemplation et vie mystique*, ch. VII, « La contemplation », Les signes, pp. 412-418.
2. *Relations*, VII, au P. Alvarez, p. 518.
3. *Vie*, ch. XIV, p. 139.
4. Jn 3, 8.
5. 1 Co 12, 11
6. Rm 9, 16.

état ait une vision, même très haute, parce qu'il veut la ramener à Lui [1].

Ces faveurs énumérées par la Sainte, visions ou paroles intérieures, envahissement de suavité, ravissements très rapides, ne sont pas à proprement parler des grâces contemplatives et n'élèvent pas l'âme à un état contemplatif durable, mais, bien que transitoires, elles sont des grâces très précieuses et importantes.

Elles opèrent habituellement une véritable conversion même lorsqu'elles n'ont pas à retirer l'âme du péché. Elles révèlent le monde surnaturel comme une réalité vivante, ouvrent des horizons insoupçonnés jusqu'alors ; en même temps elles dilatent l'âme, créent en elle des désirs, des besoins impérieux que rien ne pourra satisfaire désormais parfaitement sinon la plénitude de vie divine un instant entrevue.

Outre cet appel vers les sommets, ces grâces portent assez ordinairement en elles des lumières pour l'avenir. Il serait imprudent pour l'âme de chercher à les interpréter elle-même, mais un regard expérimenté y découvrira aisément des indications assez nettes sur la forme de perfection et sur la voie particulière que Dieu veut pour l'âme qu'il a ainsi saisie.

A ce double titre elles sont un bienfait d'une portée souvent incalculable pour une vie spirituelle qui s'ouvre sous leur lumière. Aussi convient-il d'en garder et d'en cultiver le souvenir, non point pour s'en glorifier et s'y délecter, mais pour en remercier Dieu et retrouver fréquemment dans ce qu'elles ont laissé de profond, les exigences de l'Amour divin. Ces premières faveurs sont des blessures douloureuses et suaves. Heureuses les âmes ainsi blessées, plus heureuses encore sont-elles si leur amour est assez généreux pour en raviver sans cesse la plaie ardente !

Assez fréquente au témoignage de sainte Thérèse, cette première emprise de Dieu par une grâce mystique profonde reste cependant extraordinaire.

Habituellement, la Miséricorde divine se soumet aux lois d'un envahissement progressif de l'âme, en d'autres termes, suit l'ordre logique.

Sainte Thérèse note dans une relation au P. Alvarez qu'il en fut ainsi pour elle :

---

1. *Chem. Perf.*, ch. XVIII (Manuscrit de l'Escurial, Édition de la Vie spirituelle, p. 134, note).

La première oraison surnaturelle, ce me semble, que j'aie sentie, est un recueillement intérieur [1].

Or ce recueillement passif est au premier stade de l'envahissement divin et précède l'oraison de quiétude, comme la Sainte l'indique en ses divers traités et dans la relation déjà citée.

Les effets de cette oraison, écrit-elle dans le *Château Intérieur*, sont nombreux, je vais en exposer quelques-uns. Mais tout d'abord, je veux parler d'une autre oraison qui la précède presque toujours. Comme j'en ai parlé ailleurs, je n'en dirai que quelques mots maintenant [2].

Les premières oraisons contemplatives, d'après sainte Thérèse, sont donc le recueillement passif et l'oraison de quiétude ou de goûts divins [3].

Auprès de ces deux oraisons thérésiennes et se rattachant à la même période de vie spirituelle, nous devons placer l'oraison de sécheresse contemplative ou de foi dont saint Jean de la Croix parle longuement dans la *Montée du Carmel*.

A. — *LE RECUEILLEMENT SURNATUREL*

Bien que sainte Thérèse ait traité précédemment du recueillement surnaturel, ce n'est que dans le *Château Intérieur* et dans la relation au P. Alvarez, écrite à peu près à la même époque, qu'elle le distingue nettement de l'oraison de quiétude. Alors seulement son regard est assez pénétrant, sa plume assez déliée pour nous donner de ce recueillement une description spéciale. Écoutons-la :

Ce recueillement ne consiste pas à être dans l'obscurité, ni à fermer les yeux ; il ne dépend pas d'une chose extérieure, bien que sans le vouloir on ferme les yeux et on désire la solitude... Les sens et les choses extérieures semblent perdre de leur empire et l'âme reconquiert peu à peu celui qu'elle avait perdu. On dit que l'âme rentre alors au-dedans d'elle-même et quelquefois qu'elle monte au-dessus d'elle-même. Avec un tel langage je ne saurais rien expliquer, et mon tort est de m'imaginer que c'est mon langage que vous comprendrez, tandis que je ne serai peut-être comprise que de moi-même. Considérons que nos sens et nos

---

1. *Relations*, VII, p. 518.
2. IVᵉ Dem., ch. III, p. 880. Cf. aussi *Vie*, ch. XIV ; *Chem. Perf.*, ch. XXVIII ; *Relations*, VII, déjà citée.
3. Dans la classification des degrés d'oraison donnée par le livre de la *Vie*, ces deux oraisons surnaturelles appartiennent au deuxième degré, c'est-à-dire à la deuxième façon d'arroser le jardin avec la noria (*Vie*, ch. XIV et XV, pp. 137-156).

puissances, dont nous avons parlé, sont les habitants de ce château intérieur de l'âme (car c'est la comparaison que j'ai prise afin de pouvoir m'expliquer) ; ils l'ont quitté et se sont mêlés, depuis de longs jours et même des années, à des étrangers ennemis de son bien. Une fois partis, ils ont compris leur malheur, ils se sont rapprochés du château, mais ils ne parviennent plus à y rentrer, tant l'habitude de se tenir au dehors est pernicieuse. Du moins ce ne sont plus des traîtres, ils se trouvent dans le voisinage du château. A la vue de leur bonne volonté, le grand Roi qui l'habite veut bien, dans son immense miséricorde, les ramener à Lui ; ce bon Pasteur donne un coup de sifflet si suave qu'ils le perçoivent à peine, mais qui leur fait reconnaître sa voix ; et alors ils n'errent plus à l'aventure et reviennent à leur demeure. Ce coup de sifflet du Pasteur a tant d'empire sur eux qu'ils abandonnent les choses extérieures dans lesquelles ils étaient absorbés et rentrent dans le château. Il me semble que je n'ai jamais mieux expliqué cette faveur qu'en ce moment [1].

La Sainte tient à souligner que ce recueillement surnaturel est tout à fait distinct du recueillement actif dont elle a fait tant d'éloges dans le *Chemin de la Perfection* [2].

Ce recueillement actif est une méthode excellente qui discipline les puissances, facilite singulièrement l'oraison et prépare à la contemplation parfaite. Il est « en notre pouvoir » et celui qui veut y parvenir « ne doit pas se décourager [3] ».

Le recueillement passif par contre est une pure faveur de Dieu, à laquelle nous ne saurions prétendre par nos efforts.

Laissons encore la parole à la Sainte, dont la haute expérience peut seule nous éclairer en des matières si délicates :

L'âme reçoit un secours précieux quand Dieu lui accorde cette faveur (le recueillement). N'allez pas croire cependant que vous l'obtiendrez à l'aide de l'entendement en considérant que Dieu est au-dedans de vous, ou à l'aide de l'imagination en vous le représentant en vous. Cette méthode est bonne et c'est là une excellente manière de méditer ; elle est basée sur la vérité, puisque de fait Dieu est au-dedans de nous-mêmes ; mais chacun de nous peut y réussir, avec le secours de Dieu bien entendu. Ce n'est point là le recueillement dont je parle ; il est d'une tout autre sorte. Parfois même l'âme n'a pas encore commencé à penser à Dieu que les gens dont nous parlions (les sens et les puissances) se trouvent déjà dans le château ; on ne sait comment ils y sont entrés, ni comment ils ont entendu le coup de sifflet de leur Pasteur, puisque les oreilles n'ont perçu aucun son ; mais on sent d'une manière notable à l'intime de l'âme un recueillement

---

1. IV⁰ Dem., ch. III, pp. 880-881.
2. *Chem. Perf.*, ch. XXVIII, pp. 711-716 et plus spécialement ch. XXX, pp. 721-727.
3. *Chem. Perf.*, ch. XXXI, p. 730.

plein de suavité, comme peuvent s'en convaincre ceux qui en ont l'expérience ; pour moi je ne saurais m'expliquer plus clairement[1].

Ce recueillement surnaturel est donc certainement un effet de l'action de Dieu, un signe de sa présence. Le Maître ne se manifeste pas encore lui-même, mais à distance sa puissance se révèle agissante. De loin il donne un coup de sifflet mystérieux ; l'âme ne l'a point entendu, n'a rien saisi directement, mais elle se sent apaisée, enveloppée d'une chape de recueillement par une puissance qu'elle ignore. Il n'en faut pas davantage pour lui révéler la présence du Maître. Elle se sent dans une terre sainte ; ses puissances sont devenues soudain dociles ; une force suave les maîtrise et l'emprise de cette onction les pénètre de respect affectueux. Chacune a repris la place que lui assigne l'ordre divin dans l'âme et y reste dans une attente paisible et pleine de douceur : toutes sont aux écoutes du divin qu'elles sentent proche sans cependant le voir ni rien percevoir directement.

Comme en toute action directe de Dieu, il y a du plus ou du moins en ce recueillement surnaturel.

Il semble parfois être produit par un appel si discret qu'il est quasi imperceptible, tandis qu'en d'autres cas il s'affirme par une emprise très forte qui réduit les facultés à l'impuissance.

Chez les âmes neuves, nous appelons ainsi celles qui n'ont pas connu encore de faveurs surnaturelles, ses effets sensibles sont habituellement assez notables, alors que sur des sens assouplis, parce qu'habitués au divin, l'impression qu'il produit peut être si ténue et si suave que l'âme en prend à peine conscience.

Ce recueillement passif peut n'être suivi d'aucune autre manifestation surnaturelle, et être donné pour arrêter l'agitation intérieure ou faire plus paisible une oraison active de simple regard.

Le plus souvent cependant il est le prélude de faveurs plus hautes. Miséricordieusement le Maître crée lui-même les dispositions de silencieuse attention et de paisible soumission qu'il veut trouver à l'heure de ses manifestations. Le recueillement surnaturel annonce donc et prépare les visites divines.

Ce recueillement, dit sainte Thérèse, est une disposition à écouter les paroles divines[2].

---

1. IVᵉ Dem., ch. III, pp. 881-882.
2. *Ibid.*, p. 882.

Quoiqu'il n'y ait pas la moindre industrie de notre part (en ce recueillement), écrit-elle encore, l'âme construit à mon avis l'édifice qui la prépare à l'oraison dont j'ai parlé (quiétude) [1].

Cette paix surnaturelle et recueillante que Dieu a envoyée en messagère au-devant de Lui reste dans l'âme, après chacun de ses passages, comme le signe le plus authentique et le plus caractéristique de son action. Notre Dieu est un Dieu de paix.

B. — *ORAISON DE QUIÉTUDE OU DE GOÛTS DIVINS*

Annoncé par le recueillement passif, Dieu « commence à donner son royaume [2] » dans l'oraison de quiétude. De l'oraison de quiétude ou de goûts divins sainte Thérèse a donné maintes descriptions dans ses écrits. Il ne sera pas inutile de relire les principales, non point pour se livrer à un jeu de comparaisons qui mettrait en relief les différences, mais au contraire pour en dégager l'élément essentiel.

Voici une des premières en date, celle que la Sainte donne dans le *Chemin de la Perfection* :

Maintenant, mes filles, je vais vous exposer ce que c'est que l'oraison de quiétude... C'est là, à mon avis, que le Seigneur, comme je l'ai déjà dit, nous montre qu'il entend notre demande. Il commence à nous donner son royaume ici-bas pour que nous puissions le louer véritablement... Cette faveur est déjà une chose surnaturelle et au-dessus de tous nos efforts quels qu'ils soient. L'âme entre alors dans la paix ou, pour mieux dire, le Seigneur l'y met par sa présence comme il le fit pour le vieillard Siméon. Toutes ses puissances sont dans le repos. Elle comprend mieux qu'elle ne le pourrait à l'aide des sens extérieurs qu'elle est tout près de son Dieu et que, pour peu qu'elle s'en approchât davantage, elle deviendrait par l'union une même chose avec Lui. Mais elle ne le voit ni des yeux du corps ni des yeux de l'âme... Elle voit seulement qu'elle est dans le royaume ou du moins près du roi qui doit le lui donner. Elle est pénétrée d'un tel respect qu'elle n'ose rien lui demander... Le corps éprouve une délectation profonde et l'âme un bonheur élevé. Celle-ci est si heureuse de se voir seulement près de la fontaine que même avant de s'y désaltérer, elle est déjà rassasiée. Elle s'imagine qu'elle n'a plus rien à désirer ; ses puissances sont dans une telle quiétude qu'elles ne voudraient pas se remuer ; de fait tout semble l'empêcher d'aimer. Toutefois les puissances ne

1. IVᵉ Dem., ch. III, p. 880.
2. *Chem. Perf.*, ch. XXXIII, p. 739.

sont pas tellement enchaînées qu'elles ne pensent à celui auprès de qui elles se trouvent. Deux d'entre elles restent libres. La volonté seule est captive... [1].

Dans le livre de sa *Vie*, sainte Thérèse écrit sur le même sujet :

Les puissances ne sont ni perdues ni endormies. La volonté seule est occupée, sans savoir comment, à se rendre captive. Elle ne peut que donner son consentement pour que Dieu l'emprisonne [2].

De ces descriptions données par le livre de la *Vie* et le *Chemin de la Perfection*, il résulte clairement que l'action de Dieu dans l'oraison de quiétude s'exerce sur la volonté. Toutefois une confusion reste possible entre le recueillement passif et l'oraison de quiétude, qui n'y semblent pas distincts [3]. Mais voici que dans le *Château Intérieur*, sainte Thérèse avec son expérience enrichie nous donne une description plus simple, plus limpide, plus lumineuse, qui marque de traits plus spécifiques la nature de l'oraison de quiétude, son origine et ses effets divers.

En développant la comparaison déjà connue des deux bassins, la Sainte dit que l'un reçoit les eaux amenées par un aqueduc, l'autre

les reçoit immédiatement d'une source qui le remplit sans bruit aucun... et qui est Dieu même... A mon avis ce n'est pas une joie qui a son origine dans le cœur ; elle vient d'une partie plus intime, comme d'une profondeur ; je pense que ce doit être du centre de l'âme ainsi que je l'ai compris depuis et que je le dirai à la fin... Il semble vraiment que quand cette eau céleste coule de la source dont j'ai parlé qui est au plus intime de nous-mêmes, tout notre intérieur s'élargit et se dilate. Elle produit en nous des biens que l'on ne saurait exprimer ; l'âme elle-même est impuissante à comprendre les dons qui lui sont accordés alors. Elle respire une suave odeur, disons-le maintenant, comme si dans ce fond intime il y avait un brasier où l'on jetât des parfums les plus embaumés. On ne voit ni la flamme du brasier ni l'endroit où il est, mais la chaleur et la fumée odoriférante pénètrent l'âme tout entière et même bien souvent, je le répète, le corps lui-même y participe.

Faites attention, mes filles, et comprenez-moi bien : on ne sent pas de chaleur, on ne respire pas de parfums, c'est une chose beaucoup plus délicate ; je ne me sers de cette comparaison que pour vous faire comprendre ce que c'est [4].

---

1. *Chem. Perf.*, ch. XXXIII, pp. 737-738.
2. *Vie*, ch. XIV, pp. 137-138.
3. C'est ainsi que la Sainte écrit dans le livre de sa *Vie* : « J'ai dit que dans ce premier recueillement, dans cette oraison de quiétude, les puissances de l'âme ne sont pas privées de leur opération » (*Vie*, ch. XV, p. 145). Elle paraît assimiler le recueillement à la quiétude.
4. IVᵉ Dem., ch. II, pp. 874-876.

Tandis que la volonté est suavement enchaînée par les goûts divins qu'elle savoure, quel est le sort des autres puissances ?

Sainte Thérèse nous laisse entrevoir qu'il peut être bien différent suivant les circonstances.

Voici le cas où elles ont quelque connaissance et donc quelque part au festin délicieux de la volonté. Elles prétendent venir au secours de la volonté et augmenter la quiétude par leur activité propre[1]. Agitation vaine et troublante : elles jettent des fagots sur une étincelle au risque de l'éteindre :

> Les deux autres puissances (entendement et mémoire) viennent au secours de la volonté pour la disposer à jouir d'un si grand bien. Parfois cependant, alors même que la volonté est unie à Dieu, elle est très gênée par ces deux puissances... Ces deux puissances sont alors comme des colombes qui, non contentes de la nourriture que le Maître du colombier leur donne sans aucun travail de leur part, vont en chercher ailleurs et s'en trouvent si mal qu'elles reviennent. Elles vont et viennent, dans l'espoir que la volonté leur fera part de ses délices[2].

Ces puissances, par leur agitation, se sont rendues inaptes à savourer les goûts divins.

Parfois l'entendement ne participe en aucune façon au festin de l'âme. Aussi il en éprouve du trouble :

> L'âme se trouvant dans une quiétude profonde, il arrive parfois que l'entendement est complètement troublé : il lui semble que ce n'est point dans sa maison que cela se passe ; il s'imagine être pour ainsi dire comme un hôte dans une demeure étrangère où il n'est pas content de se trouver, et il en cherche une autre parce qu'il ne sait pas se fixer[3].

Ces quatrièmes Demeures, caractérisées par la quiétude, sont donc aussi des Demeures bien agitées.

Il arrivera encore que toutes les puissances soient placées sous les flots de l'eau vive et comme enivrées :

> L'âme est tellement abreuvée de l'eau de la grâce, écrit la Sainte, qu'elle ne peut avancer, elle ne sait d'ailleurs comment, ni retourner en arrière ; elle veut seulement jouir de cette gloire immense. Elle est semblable à une personne qui va mourir de la mort qu'elle désire et tient déjà le cierge béni en main ; elle goûte dans cette agonie des délices plus profondes qu'on ne saurait exprimer...

---

1. La Sainte décrit ainsi ce travail de l'entendement « qui cherche beaucoup de paroles et de considérations pour rendre grâce de ce bienfait et qui entasse ses péchés et ses fautes pour se pénétrer de son indignité. Toutes ces choses se remuent alors, l'entendement les représente, la mémoire s'agite... L'entendement se remue aussi pour remercier en termes élégants ». *Vie*, ch. xv, pp. 148-151.
2. *Vie*, ch. xiv, p. 138.
3. *Chem. Perf.*, ch. xxxiii, p. 741.

Jusqu'à l'union de volonté

Les puissances de l'âme n'ont alors d'autre liberté que celle de s'occuper entièrement de Dieu. Aucune d'elles, ce semble, n'ose remuer. Il nous est même impossible de les mouvoir ; et voudrions-nous mettre toute notre étude à nous distraire, que nous ne pourrions alors, ce me semble, y réussir tout à fait. On prononce alors beaucoup de paroles à la louange de Dieu, mais sans ordre, à moins que Dieu n'en mette ; du moins l'entendement est impuissant à le faire. L'âme souhaiterait proclamer bien haut la gloire de son Dieu. Elle est hors d'elle-même en proie au délire le plus suave. Déjà les fleurs commencent à s'épanouir et à répandre leur parfums [1].

Cette oraison ainsi décrite est le troisième degré d'oraison ou arrosage par irrigation, que sainte Thérèse dans le livre de sa *Vie* distingue nettement de l'oraison de quiétude parce que, dit-elle, l'eau coule avec plus d'abondance et les vertus sont plus fortes [2].

Elle a changé d'avis dans la relation au P. Alvarez [3] et dans le *Château Intérieur* où elle rattache cette oraison d'enivrement à la simple quiétude, parce que les puissances bien qu'enivrées ne sont pas unies à Dieu. Les effets sensibles sont plus intenses, l'efficacité est peut-être plus grande, mais le mode d'action de Dieu reste le même que dans la quiétude : il n'y a que la volonté qui soit enchaînée véritablement.

Sainte Thérèse constate d'ailleurs dans le *Château Intérieur* que son exposé diffère de ce qu'elle a dit autrefois :

Ici les puissances, ce me semble, écrit-elle, ne sont pas unies à Dieu ; elles sont enivrées et comme étonnées, elles se demandent ce que c'est. Il peut se faire que mon langage diffère légèrement de ce que j'ai dit ailleurs sur ces choses intérieures ; rien d'étonnant à cela, car depuis environ quinze ans que je les ai écrites, le Seigneur m'a peut-être donné une intelligence plus claire de ces faveurs que je ne l'avais alors [4].

Telle est l'oraison de quiétude qui enchaîne suavement la volonté, « petite étincelle de son véritable amour que le Seigneur commence à allumer dans l'âme [5] », « gage qu'il la choisit désormais pour de grandes œuvres, si elle se prépare à les recevoir » [6].

---

1. *Vie*, ch. XVI, pp. 157-159.
2. *Vie*, ch. XVII, p. 165.
3. Elle écrit dans cette *Relation* (p. 518) : « De la quiétude découle encore ordinairement ce qu'on appelle le sommeil des puissances ; celles-ci ne sont pas complètement absorbées ni tellement suspendues qu'on puisse donner à cet état le nom de ravissement. Mais ce n'est pas non plus tout à fait l'union. Quelquefois et même souvent l'âme comprend que la volonté seule est unie ».
4. IVᵉ Dem., ch. II, pp. 876-877.
5. *Vie*, ch. XV, p. 147.
6. *Ibid.*, p. 148.

C. — *LA SÉCHERESSE CONTEMPLATIVE OU ORAISON DE FOI*

Cette appellation semble évoquer un état bien différent de la quiétude. Cependant les premières formes d'oraison contemplative décrites par saint Jean de la Croix sous ce titre, correspondent à l'oraison de recueillement et à la quiétude thérésienne.

Saint Jean de la Croix donne ces descriptions dans les chapitres de la *Montée du Carmel*[1] et de la *Nuit des sens*[2] qui exposent les signes indiquant qu'une âme doit passer de la méditation à la contemplation. Ces signes ont déjà été étudiés[3]. Il nous suffira donc de reprendre les plus importants pour mettre en relief les traits caractéristiques de la sécheresse contemplative d'après saint Jean de la Croix.

Pour saint Jean de la Croix, la contemplation est une connaissance amoureuse. Elle consiste essentiellement à recevoir la lumière du Soleil qu'est Dieu et qui plane constamment sur les âmes.

Cette lumière divine, en raison de sa transcendance, a comme effet normal sur des puissances inadaptées à la recevoir, l'obscurité. La nuit caractérise la contemplation.

Cette nuit est expérimentée dans l'impuissance, l'aridité, le dégoût des facultés qui ne peuvent s'appliquer aux opérations qui leur étaient habituelles précédemment et dans lesquelles elles trouvaient contentement et profit.

Au sein de cette désolation cependant une certaine paix se manifeste ; l'âme prend plaisir à être seule sans considération particulière, en quiétude et repos, sans acte ni exercice des puissances, dans une connaissance amoureuse.

Cette connaissance amoureuse est si subtile et si délicate qu'au début l'âme n'arrive pas à en prendre conscience, toute prise qu'elle est par le regret des satisfactions sensibles dont la prive l'impuissance des facultés. Les premières oraisons contemplatives sont donc toutes de sécheresse, d'impuissance et de désolation.

Il advient cependant un peu plus tard que

se mettant en oraison, l'âme boit à son aise avec suavité, sans qu'il soit besoin de tirer l'eau des aqueducs des considérations

---

1. *Montée du Carm.*, Liv. II, ch. XIII et XIV, pp. 169-182.
2. *Nuit Obsc.* Liv. I, ch. VIII et IX, pp. 508-517.
3. Cf. Troisième Partie, *Contemplation et vie mystique*, ch. VII, pp. 412-416.

passées, des formes et des figures. De manière qu'aussitôt qu'elle se présente devant Dieu, elle se met en acte d'une connaissance confuse, amoureuse, paisible et tranquille où l'âme boit la Sagesse, l'Amour et la saveur[1].

Le Saint décrit plus loin un état dans lequel

l'âme demeure parfois comme en un grand oubli, de sorte qu'elle ne saurait dire où elle était, ni ce qui s'est fait et il ne lui semble pas qu'aucun temps se soit passé en elle...

La cause de cet oubli est la pureté et la simplicité de cette connaissance, laquelle occupant l'âme, elle la rend aussi simple, pure et nette de toutes les appréhensions et formes du sens et de la mémoire, par où l'âme opérait dans le temps : et ainsi elle la laisse en oubli et sans temps. D'où vient que cette oraison, encore qu'elle soit fort longue, semble très courte à l'âme parce qu'elle a été unie en pure intelligence qui n'est pas dans le temps[2]...

Nous avons cité cette description d'un état plus élevé parce qu'il nous paraît souligner le trait caractéristique de l'oraison contemplative san-johannique et la ligne de son développement, au même titre que le sommeil des puissances illustre le caractère essentiel de la quiétude thérésienne.

Pour différentes qu'elles soient, ces premières oraisons contemplatives nous présentent une action de Dieu authentiquement surnaturelle qui s'exerce sur les puissances de l'âme. C'est un flot savoureux d'amour ou de lumière qui jaillit d'une source profonde et descend sur la volonté ou sur l'entendement, sur les deux à la fois en quelques circonstances.

La source qui est Dieu reste lointaine. Les facultés se désaltèrent à l'eau vive qui en jaillit, mais Dieu ne se livre pas à l'âme par un contact immédiat. Il peut y avoir enivrement des puissances qui aille jusqu'au sommeil mystique, mais il n'y a pas union complète, dirait sainte Thérèse.

D'ailleurs, les facultés ne reçoivent cette eau vive que par intermittence. La contemplation est imparfaite. Et cependant ces premières oraisons surnaturelles sont bien une préparation à l'oraison et à la contemplation parfaites. N'est-ce pas elles qui nourrissent les puissances, les assouplissent, les adaptent au spirituel et déjà les purifient ? Elles travaillent déjà à l'union et en sont le gage, car ce que Dieu a commencé, il le terminera si l'âme est fidèle.

---

1. *Montée du Carm.*, Liv. II, ch. XIV, trad. P. Cyprien, édit. P. Lucien, p. 181.
2. *Ibid.*, p. 187.

Lorsque l'âme aura dépassé ces régions de commençants et tant qu'elle ne sera pas parvenue à l'union parfaite, ces premières oraisons surnaturelles, quiétude et sécheresse contemplative, resteront son climat habituel, la base où Dieu ira la prendre parfois pour l'élever plus haut, le fond sur lequel elle reviendra promptement s'établir, car les emprises de Dieu plus qualifiées, l'union parfaite exceptée, ne sauraient être que passagères.

(Oraisons contemplatives)

Lorsque l'âme aura dépassé ces régions de commençants
et tant qu'elle ne sera pas parvenue à l'union parfaite, ces
premières oraisons surnaturelles, quiétude et sécheresse

CHAPITRE DEUXIÈME

Dieu lumière et Dieu amour

*Tout ce qui est reçu est reçu selon
le mode de celui qui reçoit* [1].

L'exposé des premières oraisons surnaturelles nous a fait
constater quelques différences entre les oraisons de sainte
Thérèse et celles de saint Jean de la Croix.

Sainte Thérèse parle de recueillement surnaturel et de
quiétude, saint Jean de la Croix, de contemplation. Saint
Jean de la Croix exige la convergence de trois signes pour
reconnaître la contemplation ; sainte Thérèse n'en donne
qu'un seul.

C'est surtout le climat qui diffère. Sainte Thérèse nous
introduit en des régions où déborde la saveur qui dilate.
Saint Jean de la Croix nous maintient en des zones moins
chaudes où la sécheresse, l'impuissance et souvent
l'inquiétude semblent régner en maîtresses.

Saint Jean de la Croix affirme qu'on peut avoir la
contemplation sans en prendre conscience. Sainte Thérèse
au contraire fait constamment appel à son expérience pour
décrire les états surnaturels et à celle de ses lecteurs pour
les comprendre. Au point qu'on pourrait se demander si
des langages si différents s'appliquent à la même période
de la vie spirituelle.

Il n'est pas douteux cependant que tous deux parlent des
premières manifestations de l'action surnaturelle de Dieu
dans l'oraison.

D'ailleurs à travers les différences il est des points de
contact caractéristiques : certains traits du tableau de

---

1. L'École

saint Jean de la Croix semblent empruntés aux descriptions de sainte Thérèse et vice versa. Saint Jean de la Croix parle de l'âme qui « se mettant en oraison... boit à son aise avec suavité, sans qu'il soit besoin de tirer l'eau des aqueducs des considérations passées [1] », tandis que sainte Thérèse insiste sur l'agitation et le désarroi de certaines facultés pendant la quiétude.

N'y aurait-il point ces ressemblances, on ne pourrait croire cependant que deux maîtres de la même école, qui pendant plusieurs années au monastère de l'Incarnation à Avila (1572-1574) ont confronté quotidiennement leurs expériences et furent si unis pour le bien des mêmes âmes, nous aient laissé un enseignement dont les différences fussent irréductibles.

Essayons de réduire ces différences ou du moins de les expliquer. Cela nous obligera à des redites. Elles ne seront pas inutiles si elles nous conduisent à penser ces vérités sous une lumière nouvelle et à en tirer des conclusions pratiques.

A. — LUMIÈRE ET AMOUR DANS L'EXPÉRIENCE MYSTIQUE

La contemplation surnaturelle, ce regard simple de la foi perfectionnée en son exercice par les dons du Saint-Esprit, procède d'une double activité surnaturelle : celle de l'âme, dont la foi aimante pénètre dans la vérité divine, son objet propre ; celle de Dieu qui, par les dons, simplifie, apaise et rend la foi contemplative.

Un double fruit est produit par cette double activité. La foi aimante pénétrant en Dieu, amour qui se donne à tous ceux qui le cherchent, y puise des richesses divines de grâce. Dieu, de son côté par les dons du Saint-Esprit, donne une certaine expérience de Lui-même et de sa grâce.

De ces deux fruits le premier est indépendant du second, car les richesses divines de la grâce peuvent arriver à l'âme sans aucune expérience du don reçu ; le deuxième s'unissant au premier caractérise la contemplation surnaturelle.

C'est cette expérience de Dieu par les dons qui retiendra spécialement notre attention.

---

1. *Montée du Carm.*, Liv. II, ch. XIV, trad. P. Cyprien, p. 181.

Jusqu'à l'union de volonté

Cette action de Dieu par les dons du Saint-Esprit est commandée par la miséricorde de Dieu. Elle est donc toute gratuite. Nous le savons, cette miséricorde n'a d'autres lois que son bon vouloir. Dieu saisit qui il veut, quand il veut, comme il veut.

Cependant cette remarque étant faite, qui nous gardera de toute systématisation trop rigoureuse, il faut reconnaître que la miséricorde divine a des modes d'agir habituels et des lois de progression que l'on retrouve dans l'expérience de la plupart des âmes et qui peuvent être déterminés.

L'expérience signale tout d'abord que l'influence divine procède des profondeurs de l'âme.

Rappelons-nous la vision symbolique du *Château Intérieur* : Dieu est présent dans les septièmes Demeures et de là envoie lumière et motion qui attireront l'âme jusqu'à l'étreinte unissante du mariage spirituel.

Dans l'oraison de quiétude, sainte Thérèse note cette perception nette que l'eau vive jaillit d'une source qui est Dieu, qu'elle n'a pas son origine dans le cœur mais qu'« elle vient d'une partie plus intime comme d'une profondeur ; je pense que ce doit être du centre de l'âme [1] ».

Dans ce jaillissement de vie divine qui procède des profondeurs, il y a un appel. Suavement mais fortement l'âme et ses puissances se sentent portées à aller vers la source du don divin : Dieu caché dans l'intime de l'âme. Les effluves divines orientent donc l'âme vers les profondeurs d'elle-même et créent ce mouvement d'intériorisation qui doit aboutir à la communication de l'union parfaite.

Ce sont les sens et les puissances les plus extérieures qui les premiers expérimentent l'action du Dieu intérieur. Cette influence divine que sainte Thérèse compare au coup de sifflet du bon Pasteur, coup de sifflet léger et suave que les puissances dispersées semblent percevoir à peine, mais dans lequel elles reconnaissent sa voix, produit le recueillement passif, la première des oraisons surnaturelles.

Dans les oraisons contemplatives qui succèdent au recueillement, à savoir la quiétude et la sécheresse contemplative, l'action de Dieu est localisée dans des facultés déjà plus intérieures, la volonté et l'entendement. Dans l'oraison d'union, c'est le centre de l'âme qui est touché par Dieu lui-même. Nous n'avons pas à aller plus loin. Il nous suffit de déterminer le mouvement progressif de

---

1. IVᵉ Dem., ch. II, p. 875.

l'action de Dieu qui, procédant de la partie la plus intime de l'âme, s'épand d'abord sur la périphérie et s'intériorise elle-même progressivement à mesure qu'elle devient plus qualifiée.

Nous nous sommes promis de réduire et d'expliquer les différences entre la quiétude thérésienne et la sécheresse contemplative de saint Jean de la Croix. Nous voici à notre sujet.

Dieu est lumière et amour. Dans la richesse infinie de la simplicité divine, ces deux attributs correspondent aux deux facultés humaines du savoir et du vouloir. Dieu est lumière pour l'intelligence humaine et pour la foi qui se greffe sur elle. Il est amour pour la volonté et pour la charité surnaturelle. De son côté Dieu se livre comme lumière par le don d'intelligence et il se fait expérimenter comme amour par le don de sagesse.

La contemplation étant essentiellement un acte de la vertu de foi perfectionnée par les dons, tend vers Dieu lumière. Mais comme la charité se révèle elle-même agissante dans la contemplation puisque c'est elle qui par les dons rend la foi contemplative, en fait la contemplation ne peut se reposer en Dieu lumière que dans et par l'amour.

C'est donc comme lumière et comme amour que Dieu se livrera dans la contemplation. Peut-on cependant distinguer ce double aspect dans les manifestations divines ? Saint Jean de la Croix assure que l'un ou l'autre domine même dans les communications divines les plus hautes reçues dans la substance de l'âme. La distinction est mieux caractérisée et plus importante dans les premières oraisons contemplatives qui nous occupent, où les influences divines sont reçues dans l'entendement ou dans la volonté.

L'étude de ces doubles manifestations de Dieu lumière et de Dieu amour nous permettra déjà de jeter quelque lumière sur les oraisons différentes de saint Jean de la Croix et de sainte Thérèse.

I. — *La lumière et le don d'intelligence.*

Les manifestations de Dieu lumière ne sauraient être expérimentées comme telles par notre intelligence. Telle est la loi générale qu'énonce et explique saint Jean de la Croix :

Nous devons savoir, écrit-il, que notre entendement, tant qu'il est dans la prison du corps, n'a ni disposition ni capacité pour recevoir la claire connaissance de Dieu, car cette connaissance n'est pas de la condition présente ; il faut mourir ou en être privé. Aussi, quand Moïse demanda cette claire connaissance, il lui fut répondu en ces termes qu'il ne pourrait l'avoir : « Aucun homme ne me verra et vivra[1] ». Voilà pourquoi saint Jean dit : « Personne n'a jamais vu Dieu[2] ».

La contemplation, ajoute le Saint, à l'aide de laquelle l'entendement reçoit la lumière divine, s'appelle théologie mystique, c'est-à-dire sagesse cachée de Dieu, parce qu'elle est cachée à l'entendement lui-même qui la reçoit. Saint Denys l'appelle rayon de ténèbres... Aristote nous dit que les yeux des chauves-souris en présence du soleil sont complètement aveuglés ; or il en est de même de notre entendement ; quand il se trouve en présence de cette très haute lumière divine, il est complètement aveuglé ; il ajoute même que plus les choses de Dieu sont élevées et lumineuses en elles-mêmes, plus elles sont inconnues et obscures pour nous[3].

L'entendement humain n'est point adapté pour percevoir cette lumière divine. Il la reçoit cependant et l'expérimente dans les effets divers qu'elle produit. Ces effets seront analysés plus longuement à propos des *Nuits* ; il nous paraît nécessaire de les signaler dès maintenant.

Cette lumière, en se posant sur l'intelligence, la rend incapable de toute activité ordonnée :

L'âme découvre, écrit saint Jean de la Croix, qu'il lui est désormais impossible de méditer et de se servir de l'imagination ; elle n'y puise aucun goût comme précédemment...

L'âme n'éprouve aucune envie d'appliquer son imagination et ses sens à d'autres objets particuliers, soit extérieurs, soit intérieurs. Je ne dis pas qu'elle doive constater alors que son imagination ne va plus ici ou là, car cette faculté a coutume d'être vagabonde, même quand l'âme jouit d'un profond recueillement[4].

Cette impuissance à méditer et d'une façon plus générale à retrouver les formes d'activité discursive qui étaient habituelles précédemment, peut se transformer en paralysie complète des facultés.

L'impuissance est accompagnée d'un malaise que saint Jean de la Croix explique par la rencontre de deux contraires, la lumière de Dieu et les impuretés de l'âme :

Il est clair que cette contemplation infuse est également au début pénible pour l'âme. Comme, en effet, cette contemplation divine infuse renferme une foule de biens d'une excellence extrême et que l'âme qui les reçoit, n'étant pas encore purifiée, est remplie d'une foule de misères très grandes, il s'ensuit que ces deux

---

1. Ex 33, 20.
2. Jn 1, 18.
3. *Montée du Carm.*, Liv. II, ch. VII, pp. 128-131.
4. *Ibid.*, ch. XI, p. 154.

contraires ne peuvent pas subsister dans le même sujet qui est l'âme, et nécessairement l'âme doit peiner et souffrir, car elle est le champ de combat où ces deux contraires vont lutter l'un contre l'autre [1].

L'envahissement plus complet de cette lumière divine crée normalement une impression d'obscurité en même temps qu'une connaissance générale confuse et amoureuse :

Quand cette connaissance est plus pure, elle aveugle l'entendement, parce qu'elle le prive de ses lumières habituelles, de ses représentations ou images, et alors il se rend bien compte des ténèbres où il se trouve [2].

La connaissance générale amoureuse, qui caractérise la contemplation surnaturelle, a été maintes fois décrite. Nous n'y reviendrons que pour signaler avec saint Jean de la Croix qu'elle peut être imperceptible tant en ses débuts que lorsqu'elle atteint une grande pureté et une parfaite simplicité :

Quand cette lumière divine, dit saint Jean de la Croix, ne se communique pas à l'âme avec tant de force, elle ne sent pas les ténèbres, elle ne voit pas la lumière ; elle ne perçoit rien de ses connaissances d'ici-bas et de là-haut [3].

Cette absence de toute expérience, même privative, de la lumière est plus complète dans les états plus élevés :

Il faut savoir ici, dit-il, que cette connaissance générale (connaissance contemplative) dont nous parlons est parfois très subtile et très délicate, surtout quand elle est plus pure, plus simple, plus parfaite, plus spirituelle, plus intérieure ; aussi l'âme, tout en s'en occupant, ne la voit et ne la sent pas. Cela arrive surtout, nous le répétons, quand cette connaissance est en soi plus lumineuse, plus pure, plus simple et plus parfaite ; et elle l'est d'autant plus que l'âme qui la reçoit est plus pure et plus dégagée des autres notions et connaissances particulières où pouvaient avoir prise l'entendement et le sens. Aussi l'âme, manquant des connaissances qui sont fournies par l'entendement et le sens selon leur capacité habituelle, ne les sent plus... Une comparaison fera mieux comprendre cette pensée. Voici un rayon de soleil qui entre par la fenêtre d'un appartement ; or, plus ce rayon est rempli d'atomes et de grains de poussière, plus aussi il est palpable, sensible et perceptible au sens de la vue... Si ce rayon était complètement pur et dégagé de tous ces atomes et de toute cette poussière même la plus subtile, il serait alors tout à fait obscur et imperceptible pour l'œil, qui n'y trouverait plus rien des objets visibles ; l'œil n'aurait plus d'objets visibles où s'arrêter parce que la lumière n'est pas l'objet de la vue, mais un moyen de voir l'objet visible.

---

1. *Nuit Obsc.* Liv. II, ch. v, p. 560.
2. *Montée du Carm.,* Liv. II, ch. xii, p. 163.
3. *Ibid.*

Aussi quand il n'y a point d'objets sur lesquels la lumière ou le rayon puisse se refléter, on ne voit ni cette lumière, ni ce rayon. Si un rayon, par exemple, entre par une fenêtre et sort par l'autre sans rencontrer quelque objet qui fasse corps, il semble bien qu'on ne verra rien[1].

Ces affirmations de saint Jean de la Croix nous permettent de résumer ainsi cette analyse de l'expérimentation de la lumière divine : la lumière divine ne saurait être perçue par l'âme parce que celle-ci ne possède pas de faculté qui lui soit adaptée. La seule expérience qu'elle puisse en avoir est celle de ses effets privatifs d'impuissance, de souffrance ou d'obscurité ; effets douloureux qui sont cependant imprégnés habituellement d'une certaine saveur qui procède de l'amour.

II. — L'amour et le don de sagesse.

Si les communications de Dieu lumière sont privatives et décevantes pour les facultés humaines, celles de Dieu amour sont, au contraire, positives et pleines de délices.

La disproportion entre l'Infini divin et l'humain, qui ne permet pas à l'intelligence de percevoir la lumière divine, n'empêche pas la volonté d'expérimenter Dieu amour. L'intelligence ne saurait connaître qu'en enveloppant, donc un plus petit que soi ; à la volonté, pour aimer, pénétrer dans l'aimé et y expérimenter l'amour, un contact suffit. Qu'importe que les deux êtres que l'amour unit se présentent l'un à l'autre avec une certaine égalité comme deux fleuves qui mélangent leurs eaux, ou qu'il y ait disproportion comme entre la goutte d'eau et l'océan où on la jette : l'amour réalise son œuvre de compénétration, d'union et produit l'égalité. La volonté et le sens peuvent donc recevoir Dieu amour malgré leurs déficiences, s'unir à Lui et l'expérimenter suivant leur mode de sentir et de connaître.

L'Église nous enseigne d'ailleurs que la charité nous est donnée ici-bas telle qu'elle sera dans le ciel. Les autres vertus théologales de foi et d'espérance disparaîtront comme instruments imparfaits ; la charité restera. Elle changera de mode et pourra jouir de son objet divin qu'elle saisira non plus seulement par la foi mais par la vision face à face ; elle ne changera pas de nature puisque déjà dès ici-bas elle nous unit à Dieu réellement, intimement, sans autre intermédiaire que l'obscurité dans laquelle la foi la laisse.

---

1. *Montée du Carm.*, Liv. II, ch. XII, pp. 162-163.

La charité trouve dès ici-bas en elle-même un correctif à l'obscurité à laquelle la foi la condamne. Le contact et l'union par ressemblance de nature qu'elle crée avec les réalités surnaturelles, lui assurent non point la vision mais une certaine perception et connaissance expérimentale de ces réalités par connaturalité. Le privilège que possède l'amour de créer la sympathie, de dilater dans le contact et de réaliser une certaine connaissance mutuelle chez les êtres qu'elle unit, devient dans l'organisme surnaturel de la grâce le don de sagesse.

Dans les premières oraisons contemplatives, dont nous traitons, ce don de sagesse fait expérimenter, non pas Dieu lui-même, mais le don que Dieu fait de sa charité à l'âme. C'est le mouvement de l'amour dans l'âme, son emprise sur la volonté, son débordement dans les autres facultés et jusque dans le sens, que l'âme découvre dans la dilatation et la joie que l'amour y apporte. « La grâce est diffusée dans vos cœurs par l'Esprit Saint [1] ». Les premières oraisons contemplatives éclairent cette affirmation de saint Paul en attendant que plus tard des contacts divins plus profonds fassent expérimenter à l'âme la suite du texte de l'Apôtre « par l'Esprit Saint qui vous est donné », en lui découvrant l'Esprit Saint au centre d'elle-même.

Les oraisons de quiétude et du sommeil des puissances sont les manifestations types de Dieu amour dans les puissances de l'âme. Il suffit de relire les descriptions thérésiennes citées dans le chapitre précédent pour s'en convaincre [2].

III. — *Unité de la contemplation et les deux dons contemplatifs.*

On a remarqué que si on ne saurait mieux illustrer les manifestations de Dieu amour qu'en citant les descriptions de sainte Thérèse en ses quatrièmes Demeures, par contre les manifestations de Dieu lumière nous placent en climat san-johannique. Décrire ces dernières nous a ramenés aux signes de la contemplation donnés par le saint Docteur.

Sainte Thérèse parle en effet d'amour savoureux dans la volonté ; saint Jean de la Croix parle de connaissance reçue dans l'entendement qui en est aveuglé.

Y a-t-il donc deux formes bien distinctes de contemplation : l'une, lumineuse, que décrirait saint Jean de la

---

1. Rm 5, 5.
2. Cf. ch. précédent, pp. 499-503.

Jusqu'à l'union de volonté

Croix ; l'autre, amoureuse, qui serait celle de sainte Thérèse ?

Distinguer deux formes de contemplation exclusives l'une de l'autre serait contraire à la nature même de la contemplation, qui procède en même temps de la foi et de la charité et produit connaissance et amour. Ce serait contredire aussi les exposés de saint Jean de la Croix et de sainte Thérèse que l'on prétendrait invoquer pour se justifier.

Aux deux signes privatifs produits par l'éblouissement de la lumière sur les facultés, saint Jean de la Croix ajoute un troisième signe, le plus certain, dit-il, positif celui-là, et se référant au don de sagesse :

> Ce troisième signe, écrit-il, est le plus certain. L'âme se plaît à se trouver seule avec Dieu, à le regarder avec amour sans s'occuper d'aucune considération particulière ; elle jouit de la paix intérieure, du calme et du repos [1].

Voilà qui s'apparente étroitement à la quiétude thérésienne. D'autre part, sainte Thérèse signale elle-même dans les descriptions de la quiétude des effets privatifs sur l'entendement :

> L'âme se trouvant dans une quiétude profonde, il arrive parfois que l'entendement est complètement troublé : il lui semble que ce n'est point dans sa maison que cela se passe ; il s'imagine être pour ainsi dire comme un hôte dans une demeure étrangère où il n'est pas content de se trouver, et il en cherche une autre, parce qu'il ne sait pas se fixer [2].

Saint Jean de la Croix ne nous a pas donné de description plus précise et aussi pittoresque du désarroi de l'entendement lorsque la lumière divine envahit l'intelligence. Sainte Thérèse revient fréquemment sur cette agitation de l'entendement pendant l'oraison de quiétude, entendement qu'il faut traiter pour lors comme un fou [3].

---

1. *Montée du Carm.*, Liv. II, ch. XI, p. 154.
2. *Chem. Perf.*, ch. XXXIII, p. 741.
3. Pour réduire encore les différences entre la contemplation de sainte Thérèse et celle de saint Jean de la Croix, on peut affirmer, nous semble-t-il, que pendant les longues années où elle resta dans la sécheresse, ne pouvant se servir ni de son imagination ni de son entendement (*Vie*, ch. VII, VIII, IX ; *Chem. Perf.*, ch. XVIII ; VIe Dem., ch. VII, pp. 990-991), sainte Thérèse se trouvait dans un état contemplatif dont elle ne percevait que la souffrance. Déjà la Sainte avait été favorisée de l'oraison d'union, et le souvenir de ces grâces, en rendant ses facultés impuissantes, la faisait aspirer à des manifestations divines positives.
Ne connaissant pas la nature et la valeur de ces effets privatifs, elle ne songeait qu'à s'en désoler et attendait les débordements du don de sagesse pour parler de contemplation.

Les communications de Dieu lumière et de Dieu amour sont donc concomitantes dans la contemplation, même au début, sauf rares exceptions. C'est par la communication d'amour que l'âme au début prend conscience de l'envahissement de la lumière, affirme saint Jean de la Croix. Le troisième signe positif est nécessaire pour contrôler la valeur des deux autres :

Quand, en effet, écrit le Saint, elle (la connaissance générale et amoureuse) se communique en même temps à la volonté, ce qui arrive presque toujours, l'âme ne manque pas de comprendre plus ou moins, si elle veut y faire attention, qu'elle est occupée de cette connaissance et qu'elle s'en entretient. Elle le reconnaît à cette suavité pleine d'amour qui en découle, sans qu'elle sache ni comprenne d'une manière particulière ce qu'elle aime. C'est pour ce motif qu'elle appelle générale cette connaissance pleine d'amour. Car, de même qu'elle l'est dans l'entendement en se communiquant à lui d'une manière obscure, de même aussi elle l'est dans la volonté en lui communiquant l'amour et la suavité d'une façon confuse, sans qu'elle sache distinctement ce qu'elle aime [1].

Nous référant à ce qui a été dit de l'identité substantielle des manifestations divines qui sont faites par les divers dons du Saint-Esprit, de leur tonalité différente et de leur orientation vers des buts particuliers, nous pouvons conclure qu'il n'y a pas de différence essentielle entres les manifestations de Dieu lumière et les manifestations de Dieu amour, qu'elles sont des obombrations sur l'âme d'attributs divins différents, qui produisent des effets divers mais sont tous deux l'unique et identique essence de Dieu.

Manifestations de Dieu lumière et manifestations de Dieu amour ne s'opposent point. Saint Jean de la Croix et sainte Thérèse ont confronté leur expérience en de multiples entretiens. Ces confidences mutuelles n'ont point créé le trouble ni la division entre leurs âmes ; bien au contraire, elles les élevaient dans une extase commune.

Il n'existe pas deux contemplations chrétiennes. Il n'en est qu'une qui se porte vers Dieu Un en trois Personnes, mais qui peut produire chez les âmes des effets divers.

Ces différences existent. La contemplation de saint Jean de la Croix telle que la laisse entrevoir la *Montée du Carmel* ne saurait être identifiée à celle de sainte Thérèse décrite dans le livre de sa *Vie* et le *Château Intérieur*. Sous prétexte d'unifier, ne cédons pas à la tentation d'uniformiser. Les manifestations de Dieu lumière et de Dieu amour, bien que ne s'excluant pas et étant concomi-

---

1. *Montée du Carm.*, Liv. II, ch. XII, p. 166.

tantes en toute contemplation, s'affirment par des formes de contemplation à tonalité et à climat différents.

La diversité des méthodes d'enseignement, descriptive chez sainte Thérèse, scientifique chez saint Jean de la Croix, ne suffit pas à expliquer ce que leur exposé apporte de différent. Seule leur expérience qui ne fut pas semblable, peut nous en fournir une raison satisfaisante.

Mais un nouveau problème est ainsi posé : Pourquoi leur expérience fut-elle différente ? La réponse à cette question peut être lourde de conséquences pratiques. Essayons de la trouver.

B. — *EXPÉRIENCE THÉRÉSIENNE ET EXPÉRIENCE SAN-JOHANNIQUE*

Une explication facile serait d'attribuer ces différences à l'action de Dieu lui-même. Nous sommes en effet dans le domaine de la Miséricorde divine qui dispose tout avec force et sagesse et aime manifester sa souveraine liberté par la diversité de ses dons. Elle a voulu donner la lumière à Jean de la Croix et l'amour à Thérèse. *Sit pro ratione voluntas.* Son bon vouloir expliquerait tout et nous dispenserait d'une enquête.

Attribuer ainsi à Dieu d'une façon exclusive, à son action directe et immédiate, les effets différents de la contemplation, ne serait-ce pas négliger les modes d'action habituels de la Providence ?

L'action de Dieu épouse en effet les formes de la nature ; sa toute-puissance et sa sagesse triomphent dans l'utilisation des causes secondes et ne se libèrent qu'exceptionnellement de leur concours pour entrer dans le détail de la production et de l'organisation des êtres et du monde [1]. Cette loi est si générale que nous n'avons le droit d'en appeler à la causalité directe et immédiate de Dieu que lorsque nous avons pu éliminer l'influence des causes secondes naturelles.

---

1. Il est intéressant de constater avec quelle finesse critique saint Jean de la Croix a appliqué ce principe dans l'étude des paroles intérieures. Il distingue les paroles successives, prononcées par l'âme sous l'influence d'une lumière surnaturelle, et les paroles formelles que l'âme reçoit passivement. Dans les paroles successives les facultés donnent une forme verbale distincte à la lumière générale de Dieu ; dans les paroles formelles c'est lui-même qui, par son action directe, donne à la lumière cette forme verbale.

Dans le cas présent, la différence des tempéraments de sainte Thérèse et de saint Jean de la Croix semble pouvoir donner une explication suffisante aux formes particulières de leur expérience.

« *Quidquid recipitur, ad modum recipientis recipitur.* Tout ce qui est reçu l'est selon le mode de celui qui reçoit », disait l'École. Le soleil qui éclaire un paysage y brille en reflets différents selon les couleurs des objets qui reçoivent ses rayons. La lumière blanche étale sur l'écran toute la richesse des couleurs chaudes du vitrail qu'elle a traversé. Le liquide prend la forme du récipient qui le contient. Le cri angoissé d'un enfant éveille des émotions différentes chez sa mère et chez une personne étrangère. Dieu est un soleil qui plane sur les âmes. Il est un océan où chacun puise selon la mesure et la forme du vase qu'il y apporte.

Voici donc saint Jean de la Croix, artiste mais surtout penseur, théologien, philosophe habitué aux tâches intellectuelles, et sainte Thérèse, admirablement équilibrée, au cœur ardent, à la sensibilité affinée, à la volonté forte. Le soleil divin plane sur leurs âmes et les éclaire de ses rayons ardents. Leurs puissances s'ouvrent sincères et profondes à ce flot divin bienfaisant, mais n'est-il pas normal que la même action produise des effets différents ? Tout ce qui est reçu l'est selon le mode de celui qui reçoit. D'autant que l'action de Dieu s'exerce sur des puissances qu'elle enchaîne, subjugue, mais ne suspend pas. Dans l'union elles sont privées de leur action ; ici elles peuvent réagir et elles le font selon leur mode propre et personnel. Dans le flot divin saint Jean de la Croix capte surtout la lumière et signale les effets privatifs qu'elle produit dans l'entendement et la connaissance amoureuse qui les accompagne dans le fond de l'âme ; sainte Thérèse capte surtout la saveur de l'amour, proclame la suavité qui enchaîne la volonté et monte de la source profonde qui est Dieu.

Avons-nous résolu le problème des différences entre les exposés thérésien et san-johannique de ces premières oraisons contemplatives ? Pouvons-nous conclure que les manifestations de Dieu lumière et de Dieu amour sont produites par la même lumière blanche du Soleil divin qui emprunte aux âmes ses tonalités différentes, et que les mêmes eaux vives se répandant suivant la mesure, la capacité et la forme du vase qui les reçoit y produisent une expérience que seul le tempérament de chaque âme fait différente ? Comment oserions-nous procéder par affirmations tranchantes en ce domaine mystérieux de l'action directe et personnelle de Dieu sur les âmes, dont lui-même garde jalousement le secret ? En indiquant une loi raisonnable de l'action divine nous avons suggéré une explication qui semble avoir sa valeur en bien des cas. Que la Miséricorde divine nous préserve de dogmatiser en son domaine et de vouloir enchaîner son action dans les limites rigides de nos lois raisonnables ![1]

Et cependant, malgré tout ce qu'il y a d'imprécis et peut-être d'incertain en ces suggestions, nous croyons pouvoir appuyer sur elles un jugement et des directives pratiques pour la vie d'oraison à notre époque.

De nos jours en effet, plus que jamais on admire la richesse débordante de la vie en sainte Thérèse, la simplicité et la sublimité de cette âme, son équilibre audacieux et paisible, on aime sa manière d'oraison directe et vivante ; mais lorsque les âmes ont fait quelques progrès dans l'oraison, d'une façon générale elles se trouvent plus à l'aise dans le climat sec de la contemplation san-johannique que dans les débordements savoureux de la quiétude thérésienne. Elles n'ont pas choisi, car elles fussent allées probablement vers la richesse féconde de la Mère plutôt que vers le dénuement du Docteur mystique. Mais les choses sont ainsi. Les âmes modernes, à la suite de sainte Thérèse de l'Enfant-Jésus et comme elle, expérimentent surtout les effets privatifs de la contemplation. Pauvres devant Dieu, elles vont à sainte Thérèse de l'Enfant-Jésus, et par elle et avec elle, jusqu'à saint Jean de la Croix.

Comment expliquer cette pauvreté devant Dieu et sous son action, en même temps que ce besoin de vivant, de concret, d'absolu qui s'étale dans le courant des philosophies existentialistes, et la vogue des doctrines qui saisissent toute la vie ? Ne serait-ce point parce que la civilisation nous a faits intellectualistes sinon véritablement intellectuels ? L'intelligence orgueilleuse et divinisée a étendu complaisamment son règne, a tout cité à son tribunal critique jusqu'à se citer elle-même et à devenir agnostique.

L'esprit desséché par son orgueil a soif de vie ; or même dans ses rapports avec Dieu, il reste orgueilleux et intel-

---

1. En cherchant l'action de Dieu dans le monde et dans les événements, il faut se tenir entre deux erreurs opposées : le naturalisme pratique, qui ne voit que les causes naturelles et leur attribue tout et un certain fidéisme pratique, qui en toutes choses verrait l'intervention directe de Dieu. L'esprit de foi éclairé, qui, en certains cas, sait reconnaître l'intervention directe de Dieu, sait aussi découvrir d'une façon générale dans les événements la part des causes secondes et, les dominant, l'activité première de Dieu qui utilise tout, même les causes libres, pour la réalisation de ses desseins.

lectualiste, et ne peut évidemment que recueillir une lumière qui l'éblouit et l'appauvrit, mais cette fois pour le purifier et l'enrichir.

C'est à n'en pas douter pour répondre à ce mouvement et à ce besoin des âmes modernes que l'Église a fait de saint Jean de la Croix, docteur mystique du Carmel, un docteur de l'Église universelle.

Nous autorisant de cette déclaration et de ces besoins, nous croyons devoir insister sur l'enseignement du saint Docteur en ces premières oraisons contemplatives.

CHAPITRE TROISIÈME

Les nuits

> *O nuit qui m'avez guidée !*
> *O nuit plus aimable que l'aurore !*
> *O nuit qui avez uni*
> *L'aimé avec sa bien-aimée*
> *Qui a été transformée en lui* [1] *!*

Les deux traités didactiques de saint Jean de la Croix, la *Montée du Carmel* et la *Nuit Obscure*, sont un commentaire du cantique de la nuit dont on vient de lire une strophe. En ce commentaire le Saint expose les principes qui président à la montée de l'âme vers les sommets de l'union divine. Cela nous laisse entrevoir l'importance du symbolisme de la nuit dans la doctrine san-johannique. L'âme marche vers Dieu dans la nuit ; c'est la nuit qui fait la marche paisible et féconde. La nuit c'est tout l'itinéraire spirituel de l'âme vers Dieu. Elle est cet itinéraire même. « Le passage de l'âme à l'union divine peut être appelé nuit » écrit le Saint [2].

Nous voici donc au cœur de la doctrine de saint Jean de la Croix. Mais en même temps devant un symbolisme et une terminologie qui exigent quelques explications. Demandons-les au Docteur mystique qui nous les fournira en nous disant la nature de cette nuit, sa nécessité, ses phases et ses modes divers.

A. — *NATURE DE LA NUIT*

Nuit, pour saint Jean de la Croix, veut dire privation et nudité. Les nuits sont les privations et purifications

---

1. *Montée du Carm.* et *Nuit Obsc.*, str. v.
2. *Montée du Carm.*, Liv. I, ch. II, p. 30.

par lesquelles l'âme doit passer pour atteindre l'union avec Dieu. On les appelle nuits parce que l'âme y « chemine comme de nuit et en obscurité [1] ».

Mais voici une explication :

Au moment où Dieu unit l'âme au corps, elle est comme une table rase et lisse sur laquelle il n'y a rien de peint ; et, à part les connaissances qu'elle acquiert peu à peu par les sens, il ne lui en vient naturellement aucune autre d'ailleurs. Tant qu'elle est dans le corps, elle ressemble à celui qui se trouve dans une prison obscure et qui ne connaît rien, si ce n'est ce qu'il parvient à voir par les fenêtres de sa prison ; si ce moyen lui manque, il ne verra absolument rien autrement. Il en est de même de l'âme. Ôtez-lui ce qu'elle peut apprendre par les sens qui sont comme les fenêtres de sa prison, elle ne peut naturellement rien connaître par un autre moyen. Quand donc elle rejette les connaissances qu'elle peut recevoir par les sens et s'en prive, nous pouvons bien dire qu'elle se trouve comme dans l'obscurité et le vide [2].

Saint Jean de la Croix fait remarquer :

Nous ne nous occupons pas ici de la privation des biens ; cette privation n'en détache pas l'âme qui continue à les désirer ; nous parlons du détachement de l'âme par rapport à ses tendances vers ces biens et les plaisirs qu'elle y trouve. C'est ce détachement qui fait l'âme libre et vide de tous les biens qu'elle pourrait posséder. Or, les biens de ce monde n'occupent pas l'âme et ne lui nuisent pas, puisqu'ils ne pénètrent pas en elle ; ce qui lui est nuisible, c'est l'attachement à ces biens et le désir qu'elle en a [3].

La nuit affecte donc beaucoup plus l'appétit que la faculté sur laquelle il se trouve. Aussi saint Jean de la Croix écrit :

Par nuit nous entendons ici la mortification du goût sous tous les rapports. De même que la nuit n'est qu'une privation de la lumière et, par suite, de tous les objets qu'elle peut nous montrer, de telle sorte que notre puissance visuelle est dans une obscurité complète et ne voit rien, de même on peut dire que la mortification de nos tendances est une nuit pour l'âme. Car l'âme en mortifiant ses tendances sous tous les rapports est comme dans les ténèbres et ne voit rien. La puissance visuelle s'exerce par le moyen de la lumière et se nourrit des objets visibles. Mais quand la lumière disparaît, elle ne les voit plus. Ainsi l'âme qui se sert de ses tendances se nourrit de tous les objets dont ses tendances lui offrent le goût. Si ce goût est éteint, ou mieux, s'il est mortifié, l'âme ne trouve plus d'aliment dans les créatures et, par suite, ses tendances sont dans l'obscurité et sans rien [4].

---

1. *Montée du Carm.*, Liv. I, ch. I, p. 27.
2. *Ibid.*, ch. III, p. 34
3. *Ibid.*, p. 35.
4. *Ibid.*, p. 33.

La nuit ne cause donc pas un anéantissement de la puissance, mais une mortification de l'appétit. Cette distinction importante est à retenir.

Cette nuit, comme la nuit naturelle, comporte trois parties : la nuit tombante, la pleine nuit et l'aurore :

Nous pouvons pour trois motifs appeler nuit l'état par lequel passe l'âme pour arriver à l'union divine. Le premier vient du point de départ de l'âme, car elle doit priver peu à peu ses tendances du goût qu'elles éprouvaient dans toutes les choses du monde et le leur refuser ; or ce refus, cette absence de toutes les jouissances, est comme une nuit pour toutes les tendances et les sens de l'homme. Le second motif vient du moyen que l'on emploie ou du chemin par lequel l'âme doit passer pour arriver à l'union. Ce moyen est la foi qui, obscure elle aussi, est pour l'entendement comme une nuit. Le troisième vient du terme où l'âme tend, c'est-à-dire de Dieu : comme il est incompréhensible et infiniment parfait, on peut bien l'appeler une nuit obscure pour l'âme en cette vie. Ces trois nuits doivent passer par l'âme, ou plutôt l'âme doit passer par ces nuits avant d'atteindre l'union avec Dieu.

... Ces trois parties de la nuit ne sont en somme qu'une nuit qui a trois parties comme la nuit naturelle. La première, celle des sens, correspond à la première partie de la nuit naturelle, alors que nous finissons par perdre de vue les choses qui nous entourent ; la seconde, celle de la foi, correspond au milieu de la nuit, alors que tout est profondément obscur ; et la troisième, qui est Dieu, correspond à l'aurore, qui est déjà proche de la lumière du jour [1].

Pour ces divers motifs, en raison spécialement de la nature de Dieu et de la foi qui l'atteint, le règne de la nuit s'étend sur tout l'itinéraire spirituel. Nous la trouverons donc à chaque étape avec un aspect particulier. Pour l'instant nous allons la considérer en ses traits généraux et communs à toutes les périodes.

B. — *NÉCESSITÉ DE LA NUIT*

A prouver la nécessité de la nuit, saint Jean de la Croix ne consacre pas moins de neuf chapitres de la *Montée du Carmel* [2] et six de la *Nuit Obscure* [3]. Sa logique s'y montre rigoureuse, serrée et absolue. On ne saurait lui échapper.

---

1. *Montée du Carm.*, Liv. I, ch. II, p. 30-32.
2. *Ibid.*, ch. IV-XII, p. 36-81.
3. *Nuit Obsc.*, Liv. I, ch. II-VII, pp. 486-508.

I. — *Dommages causés par les tendances en général.*

a) *Effet privatif.*

Notre guide nous place d'abord en face du but à atteindre : c'est « la divine lumière, l'union parfaite d'amour de Dieu [1] ». Les moyens à prendre doivent être à la mesure d'un tel but.

Voici l'argument général :

D'après l'enseignement de la philosophie, deux contraires ne peuvent pas être contenus dans un même sujet. Or, les ténèbres, c'est-à-dire l'affection que l'on porte aux créatures, et la lumière qui est Dieu, sont contraires et il n'y a entre elles ni ressemblance ni rapport, ainsi que l'enseigne saint Paul s'adressant aux Corinthiens : « *Quae societas luci ad tenebras* ? Quel rapport y a-t-il entre la lumière et les ténèbres ? [2] ». Il suit de là que la lumière de l'union divine ne peut pas s'établir dans une âme, si tout d'abord ses affections aux créatures n'en ont pas été chassées [3].

Suivons le raisonnement du saint Docteur. L'amour établit une certaine égalité et ressemblance entre celui qui aime et l'objet aimé. En aimant la créature l'âme

se place au niveau de cette créature, et même plus bas en quelque sorte, car l'amour non seulement rend semblables mais encore assujettit celui qui aime à l'objet aimé. Aussi, quand l'âme aime quelque chose en dehors de Dieu, elle est incapable de la pure union avec Dieu et de sa transformation en Lui. La bassesse de la créature est, en effet, plus éloignée de la grandeur du Créateur que les ténèbres ne le sont de la lumière... De même que celui qui est dans les ténèbres ne comprend pas la lumière, de même l'âme qui est attachée à la créature ne peut comprendre Dieu ; et tant qu'elle n'en sera pas détachée, elle ne pourra pas posséder Dieu ici-bas par la pure transformation de l'amour, ni là-haut dans la claire vision du ciel [4].

Tout l'être des créatures comparé à l'Être infini de Dieu n'est que néant. Dès lors, l'âme qui met son affection dans l'être des créatures est néant, elle aussi, devant Dieu, et même moins que néant ; car, ainsi que nous l'avons dit, l'amour rend celui qui aime égal et ressemblant à l'objet aimé ; il le met même au-dessous. Aussi cette âme ne pourra nullement s'unir à l'Être infini de Dieu, car ce qui n'est pas n'a pas de rapport avec ce qui est [5].

Le Saint énumère les divers biens de ce monde pour faire des applications du principe posé :

---

1. *Montée du Carm.*, Prologue, p. 19.
2. 2 Co 6, 14.
3. *Montée du Carm.*, Liv. I, ch. IV, p. 36.
4. *Ibid.*, p. 37-38.
5. *Ibid.*, p. 38.

Jusqu'à l'union de volonté

Toute la beauté des créatures comparée à la beauté infinie de Dieu n'est que souveraine laideur, comme le dit Salomon au livre des Proverbes : « Trompeurs sont les charmes et vaine est la beauté[1] ». Ainsi l'âme qui est attachée à la beauté d'une créature quelconque participe devant Dieu à sa laideur. Voilà pourquoi cette âme qui est laide ne pourra se transformer dans la beauté divine, car la laideur est incompatible avec la beauté[2].

Ainsi en est-il de la sagesse du monde et de toute l'habileté humaine, de tous les plaisirs et de tous les goûts de la volonté, des richesses et de toute la gloire de ce qui est créé, dont l'amour rend inapte à la transformation en Dieu :

C'est donc une ignorance souveraine de la part de l'âme de se croire capable d'arriver à ce haut état de l'union divine, si tout d'abord elle n'a pas détaché ses tendances de tous les biens naturels et surnaturels qui peuvent lui appartenir ; il y a, en effet, une distance infinie entre eux et le don qui est fait en cet état de pure transformation en Dieu. Voilà pourquoi le Christ, Notre-Seigneur, nous enseigne cette voie du renoncement lorsqu'il nous dit dans saint Luc : « Celui qui ne renonce pas à tout ce qu'il possède ne peut être mon disciple[3] ». Voilà qui est clair. La doctrine que le Fils de Dieu est venu enseigner en ce monde est celle du mépris de toutes les choses créées, qui nous dispose à recevoir l'Esprit de Dieu. Tant que l'âme ne s'est pas détachée des créatures, elle est incapable de recevoir ce divin Esprit et d'arriver à la pure transformation en Lui[4].

Suivant son habitude saint Jean de la Croix appuie et illustre sa doctrine avec des figures empruntées aux saintes Écritures :

Nous avons une figure de cette vérité au livre de l'Exode où il est dit que la Majesté divine n'a pas donné l'aliment céleste, c'est-à-dire la manne, aux enfants d'Israël, tant qu'ils n'avaient pas épuisé la farine qu'ils avaient apportée d'Égypte[5].

... Non seulement elle est incapable de recevoir l'Esprit divin, l'âme qui se nourrit ainsi et cherche de la saveur dans les mets étrangers, mais elle contriste même beaucoup la divine Majesté quand elle recherche l'aliment spirituel sans se contenter de Dieu seul, et en voulant conserver en même temps son affection pour d'autres objets et sa tendance vers eux.

C'est là ce que nous enseigne encore la sainte Écriture. Les Hébreux ne se contentèrent pas de cette nourriture si simple qu'était la manne[6] ; mais ils désirèrent de la chair et en demandèrent et le Seigneur s'irrita profondément de les voir allier un aliment si vil et si grossier à un aliment si élevé et si simple qui

---

1. Pr 31, 30.
2. *Montée du Carm.*, Liv. I, ch. IV, p. 38.
3. Lc 14, 33.
4. *Montée du Carm.*, Liv. I, ch. V, pp. 43-44.
5. Ex 16, 3 et s.
6. Nb 11, 4.

renfermait cependant la saveur et la substance de tous les aliments. Aussi ces viandes étaient encore dans leurs bouches, lorsque, nous dit David, la colère de Dieu fondit sur eux et le feu du Ciel en dévora des milliers [1]. Il regardait comme indignes de recevoir le pain du Ciel ceux qui en voulaient un autre [2].

Saint Jean de la Croix multiplie les preuves et les exemples. Il veut faire passer en notre esprit la conviction qui jaillit de son expérience. Il craint de ne pas pouvoir nous convaincre. Voici des appels presque désolés :

Oh ! si les âmes adonnées à la spiritualité savaient de quels biens et de quelle abondance de faveurs spirituelles elles se privent en ne voulant pas se détacher entièrement des bagatelles de ce monde ! Comme elles trouveraient dans cette simple nourriture le goût de tous les biens, à la condition de se détacher de toute jouissance sensible ! Mais elles ne le trouvent pas [3].

b) *Dommages positifs.*

A cet argument général exposé d'une façon si puissante, saint Jean de la Croix ajoute un exposé plus précis et plus détaillé qui doit nous montrer comment les tendances causent à l'âme deux dommages principaux. Le premier est privatif et consiste en la privation de l'Esprit de Dieu. Le deuxième est positif et multiple : les tendances fatiguent l'âme, la tourmentent, l'obscurcissent, la souillent et l'affaiblissent.

Du dommage privatif le Saint a déjà parlé. Il y revient pour résumer en termes énergiques :

Dans l'ordre naturel des choses, une forme ne peut pas s'introduire dans un sujet si elle n'en a pas tout d'abord chassé la forme contraire ; car celle-ci, tant qu'elle dure, lui est un obstacle ; il y a incompatibilité entre les deux. De même, tant que l'âme est assujettie à l'esprit sensible et animal, elle est incapable de recevoir l'esprit purement spirituel. Aussi Notre-Seigneur a dit dans saint Matthieu : « Il n'est pas juste de prendre le pain des enfants pour le donner aux chiens [4] », et dans un autre endroit : « Veillez à ne pas donner aux chiens ce qui est saint [5] » [6].

Les dommages positifs sont longuement exposés. Saint Jean de la Croix fait passer dans ces pages, qu'on voudrait pouvoir citer *in extenso*, toute son horreur du péché en même temps que sa souffrance de voir tant d'âmes rester dans la médiocrité spirituelle parce qu'elles

---

1. Ps 77, 31.
2. *Montée du Carm.*, Liv. I, ch. v, pp. 44-45.
3. *Ibid.*, p. 45.
4. Mt 15, 26.
5. Mt 7, 6.
6. *Montée du Carm.*, Liv. I, ch. vi, p. 50.

ne mortifient qu'imparfaitement leurs tendances. Quelques citations nous donneront le désir de lire et d'analyser le texte lui-même.

1. Voici d'abord la fatigue produite par les tendances :

Il est clair, écrit le Saint, que ces tendances lassent et fatiguent l'âme. Elles ressemblent à de petits enfants inquiets et mécontents, qui ne cessent de demander tantôt une chose, tantôt une autre à leur mère, et ne sont jamais satisfaits... Cette âme se lasse et se fatigue à cause de ses tendances ; elle est comme le malade qui a la fièvre : à chaque instant sa soif augmente, il ne se trouve bien que lorsque la fièvre l'a quitté... L'âme est fatiguée et affligée par ses tendances, qui la blessent, la secouent et la troublent comme le sont les flots sous l'action des vents. Comme eux, elle est bouleversée sans pouvoir trouver nulle part un moment de repos. Isaïe dit en parlant de ces âmes : « Les impies sont comme une mer agitée qui ne peut se calmer [1] ».

... Elle se lasse et fatigue, l'âme qui veut satisfaire ses penchants ; elle ressemble à celui qui, poussé par la faim, ouvre la bouche pour se rassasier de vent ; et, au lieu de se rassasier, il se dessèche davantage, parce que le vent n'est pas son aliment [2].

2. Cette fatigue pour être accablante n'est pas paisible, c'est la fatigue d'un fiévreux et d'un agité.

Il y a un second genre de mal positif que les tendances causent à l'âme : elles la tourmentent et l'affligent... C'est là ce que dit David : « Ils m'ont circonvenu comme des abeilles qui m'ont piqué de leurs dards et m'ont embrasé comme le feu embrase les épines [3] ». Car nos tendances, qui sont de véritables épines, activent le feu de nos angoisses et de nos tourments. De même que le laboureur qui a en vue la moisson, pique et tourmente le bœuf attaché à la charrue, ainsi la concupiscence afflige l'âme par ses tendances dans le but d'obtenir ce qu'elle veut...

Nous en avons une image au livre des Juges. Nous y lisons que le vaillant Samson était fort, jouissait de la liberté et était juge en Israël. Mais il tombe au pouvoir de ses ennemis qui lui enlèvent sa force, lui crèvent les yeux, l'obligent à tourner une meule de moulin et ainsi l'affligent et le torturent à l'envi [4]. Tel est le sort de l'âme chez qui les tendances sont vivantes et victorieuses ; elles commencent par l'affaiblir et l'aveugler, comme nous allons le dire bientôt, puis elles l'affligent et la tourmentent en l'attachant à la meule de la concupiscence ; les liens qui l'attachent de la sorte sont ceux mêmes de ses tendances.

Or Dieu a pitié de ces âmes... Notre-Seigneur nous dit dans saint Matthieu : « Venez à moi, vous tous qui êtes tourmentés et qui êtes accablés par le poids de vos soucis et de vos tendances ;

---

1. Is 57, 20.
2. *Montée du Carm.*, Liv. I, ch. VI, pp. 51-52.
3. Ps 117, 12.
4. Jg 16, 21.

sortez-en, venez à moi, et je vous soulagerai ; vous trouverez pour vos âmes le repos [1] » [2].

3. Le troisième mal causé par les tendances est encore plus grave et plus nuisible, surtout pour le contemplatif. Les tendances comme les passions aveuglent. Tels les nuages et les brouillards qui voilent les rayons du soleil, elles arrêtent la lumière de Dieu et celle de la raison. L'homme est aveuglé par sa tendance qui règne en maîtresse dans l'obscurité qu'elle crée.

Elles aveuglent l'âme et obscurcissent la raison. De même que les vapeurs obscurcissent l'air et interceptent les rayons du soleil, ou qu'un miroir terni ne peut reproduire nettement l'objet qui lui est présenté, ou qu'une eau bourbeuse ne peut reproduire les traits de celui qui s'y regarde, de même l'âme qui cède à ses tendances a son intelligence obscurcie ; elle ne laisse pas le soleil de la raison naturelle ni le soleil surnaturel de la sagesse de Dieu l'investir et l'éclairer. Aussi le prophète royal a dit à ce propos : « Mes iniquités m'ont environné, et je n'ai pu voir la lumière [3] ». Par cela même que l'intelligence est obscurcie, la volonté est affaiblie et la mémoire est engourdie, en un mot, le désordre s'est introduit dans les opérations de l'âme ; car ces puissances dépendent dans leurs opérations de l'entendement...

... Les tendances aveuglent et obscurcissent l'âme, parce que les tendances, comme telles, sont aveugles ; par elles-mêmes elles ne comprennent rien, et la raison est toujours leur guide assuré. Aussi, chaque fois que l'âme se laisse entraîner par ses tendances, elle s'aveugle ; elle ressemble à celui qui voit et se laisse guider par celui qui ne voit pas... Il sert de peu au petit papillon d'avoir des yeux, puisqu'il se laisse charmer par la beauté qui l'attire pour le consumer. Nous pouvons dire encore que celui qui se complaît dans ses tendances ressemble au poisson qui, ébloui par la lumière qu'on lui présente, ne voit pas les pièges que lui ont tendus les pêcheurs. C'est ce que David fait très bien comprendre quand il dit de pareilles âmes : « La lumière a frappé leurs yeux et elles n'ont plus vu le soleil [4] »...

Oh ! si les hommes savaient de quel prix est cette lumière divine dont les prive l'aveuglement causé par leurs tendances et leurs attraits ! s'ils savaient dans combien de maux et de dangers ils tombent chaque jour, en ne les mortifiant pas chaque jour ! Il ne faut pas se prévaloir de la belle intelligence et des autres dons que l'on a reçus de Dieu pour s'imaginer que leurs attraits et leurs tendances ne produiront pas l'aveuglement ou l'obscurcissement, et ne les feront pas tomber peu à peu dans un état pire. Et, en effet, qui aurait pu croire qu'un homme aussi accompli, aussi sage et aussi riche des dons de Dieu que l'était Salomon devait en venir à un tel degré d'aveuglement et de faiblesse de volonté

---

1. Mt 11, 28.
2. *Montée du Carm.*, Liv. I, ch. VII, pp. 54-56.
3. Ps 39, 13.
4. Ps 57, 9.

qu'il élèverait des autels à une foule d'idoles et les adorerait, bien qu'il fût déjà vieux [1] ? Et pour faire une chute qu'a-t-il fallu ? Il a suffi de l'affection qu'il portait à des femmes étrangères et de sa négligence à mortifier ses tendances et les satisfactions de son cœur [2].

4. Livrée aveugle par les tendances à l'instinct, l'âme contracte une souillure. Cette souillure est celle que lui impriment les créatures auxquelles les tendances l'attachent d'une façon désordonnée. C'est le quatrième dommage que les tendances causent à l'âme.

C'est ce que dit l'Ecclésiastique [3] par cette parole : « Celui qui touche la poix en est souillé ». Or, celui-là touche la poix qui se complaît dans quelque créature... Mettez de l'or ou un diamant dans la poix bouillante, ils en seront aussitôt souillés et enduits selon le degré plus ou moins grand de chaleur de la poix. Ainsi l'âme qui se porte vers quelque créature en contracte la souillure et la tache... De même que les coups de pinceau imbibés de suie enlaidiraient le visage le plus beau et le plus parfait, de même les tendances désordonnées souillent et tachent l'âme qui en soi est une image de Dieu si belle et si parfaite... [4]

... Si nous devions traiter expressément de la laideur et de la souillure où elles (les tendances) la (la beauté de l'âme) réduisent, nous aurions beau nous représenter les toiles d'araignées, les reptiles, les cadavres, tout ce qu'il y a ici-bas d'immonde et de repoussant, nous ne trouverions aucun terme de comparaison. Sans doute, l'âme viciée par ses tendances n'en reste pas moins, quant à son être naturel, aussi parfaite que Dieu l'a créée, mais dans son être moral elle est devenue abominable, souillée, pleine de ténèbres, remplie de tous les maux que nous venons de décrire et de beaucoup d'autres encore [5].

5. La volonté elle-même est atteinte par les tendances. Celles-ci l'affaiblissent et l'attiédissent en dispersant ses énergies sur divers objets. Tel est le cinquième dommage. L'âme n'a pas la force de marcher dans le sentier de la vertu et d'y persévérer.

Par le fait même que la force de ses tendances se divise vers plusieurs objets, elle devient moins puissante que si elle était concentrée vers un seul... De même que l'eau bouillante qui n'est pas renfermée perd facilement sa chaleur, et que les essences aromatiques qui sont exposées à l'air perdent peu à peu leur arôme et la force de leurs parfums, de même l'âme qui ne concentre pas ses tendances dans la seule affection de Dieu perd son ardeur et sa vigueur pour la pratique de la vertu...

---

1. 1 R 11, 4.
2. *Montée du Carm.*, Liv. I, ch. VIII, pp. 57-61.
3. Si 13, 1.
4. *Montée du Carm.*, Liv. I, ch. IX, p. 63.
5. *Ibid.*, p. 64.

Les tendances affaiblissent encore la force de l'âme parce qu'elles sont pour elle ce que sont pour l'arbre les jeunes pousses et les rejetons, qui, naissant tout autour, lui dérobent la sève et l'empêchent de produire des fruits abondants...

Les tendances ressemblent encore aux sangsues qui ne cessent de sucer le sang des veines... aux petits de la vipère qui grandissent peu à peu dans son sein, la rongent et lui donnent la mort, tandis qu'eux-mêmes sont pleins de vie à ses côtés [1].

Tels sont les multiples dommages causés à l'âme par les tendances mauvaises. On conviendra que, présenté sous cette forme logique et rigoureuse, illustré de comparaisons vivantes, l'exposé revêt une force singulière et presque terrifiante.

II. — *Seules les tendances volontaires sont nuisibles.*

Mais vraiment toutes les tendances nous exposent-elles à tous ces maux ? Saint Jean de la Croix précise : seules les tendances volontaires qui ont pour objet un péché mortel comportent le premier et le plus grave dommage, à savoir la privation de la grâce ; mais, ajoute-t-il, toutes les tendances, mortelles, vénielles ou même simplement d'imperfection, si elles sont volontaires, produisent à des degrés divers les dommages positifs [2]. Le saint Docteur a mis l'accent sur le volontaire. En effet :

Les tendances de la nature qui ne sont pas volontaires... les pensées qui ne sont que des premiers mouvements... les autres tentations auxquelles on ne consent pas... tout cela ne cause aucun des préjudices dont il a été question. Sans doute l'âme qui les éprouve pourra s'imaginer que la passion et le trouble où elle se trouve alors la souillent et l'obscurcissent, mais il n'en est rien ; ce sont des effets tout contraires qui en résultent [3].

Je parle des tendance volontaires, dit-il encore ailleurs, car les tendances naturelles n'empêchent que très peu l'union divine, ou même ne l'empêchent pas quand on n'y consent pas et qu'elles ne sont que des premiers mouvements [4].

Il est écrit de ces fautes qui ne sont pas absolument volontaires, que le juste tombera sept fois le jour et se relèvera [5]. Quant à nos tendances volontaires, il suffit, je le répète, qu'il y en ait même vers des choses très minimes, pour empêcher l'union divine [6].

---

1. *Montée du Carm.*, Liv. I, ch. x, pp. 68-70.
2. *Ibid.*, ch. xii, pp. 78-79.
3. *Ibid.*, p. 81.
4. *Ibid.*, ch. xi, p. 71.
5. Pr 24, 16.
6. *Montée du Carm.*, Liv. I, ch. xi, p. 73.

Jusqu'à l'union de volonté

Après avoir nettement distingué les tendances volontaires des « tendances de la nature ou de premiers mouvements » que sont « toutes celles où la volonté éclairée par la raison n'a aucune part ni avant, ni après les actes », et qu'il est « impossible de faire disparaître et de mortifier complètement en cette vie [1] », le Saint donne des exemples de tendances volontaires et insiste sur leurs funestes effets :

Ces imperfections habituelles sont, par exemple, la coutume de parler beaucoup, une petite attache, dont on ne veut jamais se défaire, à un objet quelconque, une personne, un vêtement, un livre, une cellule, tel genre de nourriture, certains petits entretiens, certains petits désirs de chercher de la sensualité, de savoir, d'entendre, ou choses semblables [2].

... Qu'importe que l'oiseau soit retenu par un fil léger ou une corde ? Le fil qui le retient a beau être léger, l'oiseau y reste attaché comme à la corde, et tant qu'il ne l'aura pas rompu, il ne pourra voler.

Et le Saint fait appel à son expérience pour appuyer ce grave enseignement :

... Nous l'avons vu, beaucoup de personnes favorisées de Dieu étaient parvenues à un très haut détachement et à une très grande liberté spirituelle ; et par cela seul qu'elles ont commencé à se laisser aller à quelque petite attache, à un peu d'affection, sous prétexte de bien, de conversation et d'amitié, ont perdu peu à peu l'esprit de ferveur, le goût des choses de Dieu et l'amour de la solitude [3].

Ce chapitre onzième de la *Montée du Carmel* est un des plus remarquables de l'enseignement didactique de saint Jean de la Croix. Vigoureux, austère, précis, il nous dit toutes les exigences de l'amour qui veut triompher dans une âme. Tant qu'il restera chez elle un appétit volontaire, si minime soit-il, qui ne sera pas mortifié, non seulement elle ne peut aspirer à l'étreinte parfaite de l'amour, mais elle doit craindre de revenir en arrière.

III. — *Dommages causés par chacun des péchés capitaux.*

Mais saint Jean de la Croix n'est pas seulement un théoricien vigoureux de l'ascèse qu'exige l'amour parfait, il est un directeur qui avec une paternelle bonté met à

---

1. *Montée du Carm.*, Liv. I, ch. XI, p. 71.
2. *Ibid.*, p. 73.
3. *Ibid.*, pp. 74-75.

notre disposition sa clairvoyance et sa pénétration psychologique, pour nous aider à découvrir les tendances qui, en
nous, appellent une nuit purificatrice.

C'est dans les premiers chapitres de la *Nuit Obscure* que
l'on trouve le tableau, brossé de main de maître, des
imperfections de ces commençants qui « se conduisent en
enfants dans la vie spirituelle ».

Nous devons exposer plus clairement cette vérité, écrit-il, et
montrer combien sont imparfaits dans la vertu ces commençants qui
agissent avec cette facilité et ce goût dont nous avons parlé. Nous
traiterons donc des sept péchés capitaux, et, au fur et à mesure,
nous montrerons quelques-unes des nombreuses imperfections que
les commençants commettent en chacun d'eux [1].

Il est impossible de résumer les vingt pages que saint
Jean de la Croix consacre à cette analyse des défauts et
des tendances. Elles sont parmi les plus utiles et les plus
pénétrantes qu'ait écrites le Docteur mystique. Les lire, les
relire et les méditer longuement est un devoir pour toute
âme qui aspire à la perfection. Quelques passages en
montreront la haute valeur.

1. Voici pour l'orgueil spirituel :

Les commençants dont nous parlons se sentent remplis de
ferveur et d'entrain pour ce qui concerne les choses spirituelles et
les exercices de piété. Et, s'il est vrai que les choses saintes
portent par elles-mêmes à l'humilité, cette heureuse disposition, par
suite de son imperfection, engendre souvent un certain orgueil secret
qui porte les commençants à avoir quelque satisfaction de leurs
œuvres et d'eux-mêmes. De là leur vient une certaine vanité,
parfois très grande, de parler des choses spirituelles en présence
des autres, et même quelquefois de vouloir les enseigner plutôt
que de les apprendre. Voilà pourquoi, en outre, on condamne
intérieurement les autres quand on ne les voit pas entendre la
dévotion de la même manière... Quelques-uns même en viennent à
tel point qu'ils ne veulent pas que personne paraisse bon en dehors
d'eux...

... Parfois aussi, quand le maître spirituel... n'approuve pas leur
esprit et leur manière d'agir... ils déclarent qu'ils ne sont pas
compris. D'après eux ce directeur n'est pas un homme spirituel, dès
lors qu'il n'approuve pas leur conduite et ne se prête pas à leur
manière de voir... [2]

Avec une ironie aimable mais pénétrante, le Saint
découvre les dissimulations habiles, en même temps que
les naïvetés ridicules de l'orgueil :

---

1. *Nuit Obsc.*, Liv. I, ch. I, p. 486.
2. *Ibid.*, ch. II, pp. 486-487.

Jusqu'à l'union de volonté

Comme ils présument beaucoup d'eux-mêmes, ils font d'ordinaire beaucoup de projets et agissent peu. Quelquefois ils désirent que les autres connaissent leur genre de spiritualité et leur dévotion, et dans ce but ils se donnent beaucoup de mouvement, ils poussent des soupirs, ils prennent des attitudes étranges... ils éprouvent de la répugnance à confesser clairement leurs péchés, dans la crainte d'être moins estimés du confesseur...

Quelques-uns de ces commençants considèrent parfois leurs fautes comme peu de chose, et dans d'autres circonstances, ils se laissent aller à une trop grande tristesse à la vue de leurs chutes. Ils s'imaginent qu'ils devraient être déjà des saints ; et ils se fâchent contre eux-mêmes ou s'impatientent, ce qui est encore une imperfection [1].

Pour éclairer ce tableau, saint Jean de la Croix met en regard la description des vrais humbles qui

donneraient le sang de leur cœur à celui qui sert Dieu et qui les aiderait de tout son pouvoir à le servir... Mais les âmes qui, dès le début, marchent par cette voie de perfection sont, à mon avis, le petit nombre, et encore nous nous contenterions qu'il y en eût très peu à ne point tomber dans les défauts contraires [2].

2. La description de l'avarice est plus brève, mais chargée de traits précis :

Il y a beaucoup de ces commençants qui tombent aussi parfois dans une grande avarice spirituelle... ils se laissent aller à la plus grande tristesse et ils gémissent parce qu'ils ne trouvent pas la consolation qu'ils attendaient dans les pratiques de piété. Ils n'en finissent plus de demander des conseils, des règles de vie spirituelle, ou de garder et de lire des quantités de livres qui traitent de ces matières... Outre cela, ils se chargent d'images, de chapelets, de croix très belles et fort coûteuses ; ils prennent les uns, laissent les autres, les changent de nouveau, les veulent de telle sorte, puis d'une autre, préfèrent celui-ci à celui-là parce qu'il est plus beau et plus riche. On en voit qui sont parés d'*Agnus Dei*, de reliques ou de listes de saints, comme des enfants de leurs joujoux.

En tout cela, je condamne l'esprit de propriété ; car l'attachement que l'on porte à la forme, à la multiplicité et à la richesse de ces objets, est très opposé à la pauvreté spirituelle [3].

3. Les avertissements de saint Jean de la Croix au sujet de la luxure spirituelle sont particulièrement précieux :

Mon intention, dit-il, n'est pas de parler des péchés dans lesquels les personnes spirituelles tombent sur ce point, mais de m'occuper

---

1. *Nuit Obsc.*, Liv. I, ch. II, pp. 488-489.
2. *Ibid.*, ch. II, p. 491.
3. *Ibid.*, ch. III, p. 492.

532

des imperfections qui doivent disparaître dans la nuit obscure. Or, les imperfections des commençants sur ce point sont nombreuses ; et on peut très bien leur donner le nom de luxure spirituelle... Il arrive souvent en effet que, au milieu des exercices spirituels eux-mêmes, s'élèvent et arrivent, malgré nous, des mouvements de sensualité et des actes désordonnés. Cela se produit même parfois quand l'esprit est plongé dans une profonde oraison ou que l'on reçoit les sacrements de Pénitence et d'Eucharistie.

Ces mouvements ont souvent pour cause le plaisir que la nature goûte dans les choses spirituelles... Les deux parties (spirituelle et sensible de l'homme) ne forment qu'un tout, et d'ordinaire chacune d'elles participe à sa manière à ce que l'autre reçoit. Car, a dit le philosophe, tout ce qui est reçu, est reçu selon le mode de celui qui reçoit. Voilà pourquoi, dans les commencements et même lorsque l'âme est déjà avancée, la sensualité étant imparfaite, elle reçoit souvent l'esprit de Dieu selon ce degré d'imperfection où elle est [1].

Principe et conclusion lumineux qu'on ne saurait appliquer à tous les cas et à toutes les âmes, mais qui permettent de calmer les appréhensions de bien des âmes délicates et pures qui sont parvenues à des degrés assez élevés de la vie spirituelle.

...La seconde cause d'où procèdent parfois ces révoltes vient du démon. Il cherche à inquiéter et à troubler l'âme à l'heure où elle est en oraison ou se dispose à la faire ; aussi soulève-t-il dans la nature ces mouvements désordonnés, et il porte à l'âme un très grand tort, quand il réussit à la troubler quelque peu...

La crainte elle-même d'éprouver ces sensations est la troisième cause qui les produit. Cette crainte, en effet, se réveille subitement par ce qu'elles (les âmes) voient, ce qu'elles disent ou ce qu'elles imaginent, et elles subissent ces impressions sans qu'il y ait faute de leur part [2].

Ces mouvements s'amplifient encore chez certaines âmes de nature « tendre et délicate ».

A la luxure spirituelle saint Jean de la Croix rattache aussi la jactance, l'emphase, la vaine complaisance, avec laquelle certaines personnes parlent de sujets de dévotion ou accomplissent des actes de piété. Il la découvre aussi dans bien des affections contractées sous prétexte de spiritualité :

...Bien souvent ces amitiés, écrit-il, proviennent de la sensualité plutôt que de l'esprit de foi. On le reconnaît quand leur souvenir, au lieu de rappeler la pensée de Dieu et d'augmenter son amour, ne produit que le remords de la conscience. Car l'amitié, si elle est vraiment spirituelle, peut grandir, elle fera aussi grandir l'amour de Dieu ; plus on se souviendra de cette amitié, plus aussi on se

---

1. *Nuit Obsc.*, Liv. I, ch. IV, pp. 494-496.
2. *Ibid.*, pp. 496-497.

souvient de celle de Dieu et on se porte vers Lui ; ainsi, au fur et à mesure qu'une amitié grandit, l'autre grandit aussi [1].

Règle d'or et critérium infaillible dont sainte Thérèse de l'Enfant-Jésus avait remarqué l'importance et qu'elle avait écrit au dos d'une image de saint Jean de la Croix.

4. La colère aussi se manifeste chez les commençants :

Ils se fâchent facilement à la moindre occasion ; et parfois même ils sont insupportables... et cela souvent quand ils ont eu à l'oraison quelque recueillement sensible plein de suavité [2].

Ils ne savent pas en effet supporter la privation des goûts et des délices et « ressemblent au petit enfant que l'on a éloigné du sein maternel ».

Parfois aussi ces commençants

s'animent d'un zèle hors de propos et se fâchent contre les défauts du prochain... comme s'ils étaient les maîtres de la vertu [3].

Ou encore

ils s'impatientent parce qu'ils manquent d'humilité et se fâchent contre eux-mêmes. La patience leur fait tellement défaut, qu'ils voudraient être saints en un jour [4].

5. Saint Jean de la Croix insiste longuement sur la gourmandise spirituelle car, dit-il,

à peine si parmi les commençants on en trouve un qui, malgré sa vertu, ne tombe pas dans quelqu'une des nombreuses imperfections dont ce vice est la source, vu la saveur qu'ils goûtent dès le début dans les exercices spirituels...

Attirés pas le goût qu'ils y trouvent, ils se tuent à force de pénitences... sans attendre l'ordre et le conseil de personne... Ils laissent de côté la soumission et l'obéissance, le sacrifice le plus agréable à Dieu et le plus méritoire à ses yeux..., et recherchent la pénitence corporelle, qui n'est plus qu'une pénitence animale vers laquelle on est porté comme les animaux à cause du goût qu'on y trouve... Le démon séduit si bien un grand nombre qu'il les porte à la gourmandise en excitant leurs goûts et leurs appétits. Aussi ces débutants sont impuissants à lui résister.

...Lorsqu'ils vont communier, ils songent beaucoup plus à se procurer quelque goût sensible qu'à adorer et à louer en toute humilité ce grand Dieu qu'ils viennent de recevoir. C'est tellement

---

1. *Nuit Obsc.* Liv. I, ch. IV, p. 498.
2. *Ibid.*, ch. V, p. 499.
3. *Ibid.*, p. 500.
4. *Ibid.*

leur idée, que s'ils n'y trouvent pas quelque goût ou consolation sensible, ils croient n'avoir rien fait...

Ceux dont nous parlons agissent de même à l'oraison. Ils s'imaginent qu'elle consiste tout entière à y trouver du goût et de la dévotion sensible. Ils s'appliquent à en avoir, comme on dit, à force de bras ; ils se fatiguent et se cassent le tête inutilement... Ceux qui sont portés de la sorte à la recherche de leurs goûts tombent encore dans une très grande imperfection : c'est une lâcheté et une tiédeur excessive à marcher par l'âpre chemin de la croix [1].

6. L'envie et la paresse spirituelle dont saint Jean de la Croix nous entretient en dernier lieu sont des fruits de l'orgueil et de la gourmandise. L'envie porte les commençants

à être jaloux du bien spirituel des autres ; ils éprouvent une peine sensible en voyant qu'ils sont plus avancés qu'eux dans la voie spirituelle ; ils ne voudraient pas qu'on en fasse l'éloge... parfois même ils ne le peuvent souffrir sans dire le contraire... Comme on dit, leur œil grossit tout. Leur chagrin est extrême de ce qu'ils ne sont pas félicités comme les autres, car ils voudraient être préférés en tout.

... Les commençants éprouvent d'ordinaire de l'ennui dans les exercices spirituels qui sont les plus élevés, et ils les fuient parce qu'ils les trouvent en opposition avec les consolations sensibles... Dès qu'ils ne trouvent pas à l'oraison la satisfaction que demandait leur goût... ils ne voudraient plus y retourner ; d'autres fois même ils l'abandonnent ou n'y vont que de mauvaise grâce...

Ces commençants éprouvent encore de la répugnance quand on leur commande ce qui leur déplaît [2].

« Ces imperfections entre beaucoup d'autres où se trouvent les commençants » exigent les purifications de la nuit. C'est la constatation que fait saint Jean de la Croix comme conclusion de chacun de ces tableaux particuliers.

C. — *PHASES ET MODES DE LA NUIT*

I. — *Phases.*

Dès le chapitre premier de la *Montée du Carmel*, saint Jean de la Croix nous avertit que la nuit comporte deux phases, la purification du sens et la purification de l'esprit :

---

1. *Nuit Obsc.*, Liv. I, ch. VI, pp. 501-505.
2. *Ibid.*, ch. VII, pp. 506-507.

Jusqu'à l'union de volonté

La première nuit ou purification est celle de la partie sensitive... la seconde est celle de la partie spirituelle [1].

Dans le livre de la *Nuit* on retrouve la même division :

La première nuit ou purification sera sensitive, si elle purifie ou dépouille l'âme dans sa partie sensitive qu'elle accommode à la partie spirituelle. La seconde nuit ou purification sera spirituelle, si elle purifie et dépouille l'âme dans sa partie spirituelle en la préparant et disposant à l'union d'amour avec Dieu.

La première est commune et elle se produit chez une foule de commençants... La nuit spirituelle est le partage du petit nombre, c'est-à-dire de ceux qui sont déjà exercés et avancés dans la vertu [2].

Les deux phases de la nuit sont donc bien distinctes, tant par les régions de l'âme dans lesquelles elles s'exercent que par le but qu'elles atteignent. Essayons de préciser.

La nuit sensitive atteint les puissances sensibles et les accommode à l'esprit. Quelles sont ces puissances sensibles ? Les sens extérieurs et intérieurs auxquels il faut ajouter l'imagination évidemment. S'exerce-t-elle uniquement sur ces puissances sensibles ? Nous ne le pensons pas.

L'âme est, en effet, immergée dans le corps et si la logique d'abstraction distingue nettement la vie intellectuelle avec ses facultés, de la vie sensible avec ses puissances, cette distinction n'est point aussi nette dans la réalité mouvante de la vie.

Il est des facultés intellectuelles, ou plutôt une certaine partie des facultés intellectuelles qui est en relation constante avec les puissances sensibles. Il existe une mémoire sensible des images, mais il y a aussi une intelligence qui plonge dans les images pour en abstraire les idées générales, une volonté qui par ses goûts tend vers les choses sensibles et subit leur influence avant d'avoir pu dominer leurs impressions. Ces facultés intellectuelles en bordure des puissances sensibles, dans la mesure où leur activité est liée à celle de ces puissances et en devient ainsi étroitement dépendante, appartiennent au sens. Le sens est localisé en une région de l'âme plutôt qu'en une puissance ; il se situe à la périphérie, là où se produisent ces opérations dans lesquelles les puissances sensibles ont une influence prédominante. L'esprit est le centre de l'âme et comprend toute la région où se réalisent les opérations purement intellectuelles.

---

1. *Montée du Carm.*, Liv. I, ch. I, p. 27.
2. *Nuit Obsc.*, Liv. I, ch. VIII, p. 509.

Cette localisation peut, seule, expliquer les distinctions familières aux mystiques. Ceux-ci parlent en effet des faubourgs de l'âme, où se trouvent les puissances superficielles à savoir les puissances sensibles proprement dites, les sens et l'imagination, mais aussi l'entendement et une partie de la volonté, et ils évoquent avec respect les profondeurs secrètes, l'intelligence et le vouloir foncier. Les premières constituent le sens, les deuxièmes sont l'esprit. Cette terminologie, pour déconcertante qu'elle soit pour la science psychologique traditionnelle, correspond à une localisation expérimentée du bruit et de la paix au cours de l'union avec Dieu. L'action de Dieu, en effet, répand fréquemment sa paix dans les profondeurs de l'âme, de l'intelligence et de la volonté, tandis que l'imagination et l'entendement, cette faculté qui raisonne, s'agitent assez bruyamment.

Ce sont ces puissances superficielles et volages que la purification du sens a pour but d'accommoder à l'esprit en même temps que les puissances sensibles, afin qu'elles ne lui soient point gênantes lorsqu'il est sous l'action de Dieu.

II. — *Modes.*

Cette purification, soit sensitive, soit spirituelle, exige une double activité : celle de Dieu et celle de l'âme. D'où la nuit active qui « comprend ce que l'âme peut faire et fait en réalité elle-même pour entrer en cette nuit », et la nuit passive qui « comprend ce que l'âme ne fait pas par elle-même ni par sa propre industrie, mais ce que Dieu fait en elle [1] ».

En exposant les imperfections des commençants, saint Jean de la Croix fait remarquer à chaque instant l'inefficacité de l'activité humaine pour détruire de tels défauts :

Évidemment, écrit-il, l'âme ne peut se purifier complètement de ces imperfections dont nous parlons, ni des autres d'ailleurs, jusqu'à ce que Dieu la place dans la purification passive de la nuit obscure dont nous allons parler sous peu. Mais il lui convient de faire, de son côté, tout ce qu'elle peut pour s'en purifier et se perfectionner, afin de mériter que Dieu lui applique ce traitement qui la guérit de toutes les misères auxquelles il lui est impossible de remédier par elle-même [2].

---

1. *Montée du Carm.*, Liv. I, ch. XIII, p. 82.
2. *Nuit Obsc.*, Liv. I, ch. III, pp. 493-494.

Jusqu'à l'union de volonté

Car les commençants auront beau s'exercer à la mortification dans toutes leurs actions et passions, ils ne sauraient y réussir ni complètement ni dans une partie notable, jusqu'à ce que Dieu opère cette transformation d'une manière passive et purifie l'âme dans la nuit obscure [1].

La nuit active doit donc préparer et mériter la nuit passive, seule efficace. Cette dernière exige d'ailleurs une coopération plus énergique et plus douloureuse que toute l'ascèse qui a précédé.

L'itinéraire spirituel que constitue la nuit comporte donc un aspect actif et un aspect passif si étroitement liés qu'ils sont inséparables. « Si on voulait le matérialiser, a-t-on écrit très heureusement, on pourrait fort justement tracer une ligne droite de bas en haut symbolisant le rôle personnel de l'activité de l'âme. Puis, à partir d'un certain point de cette ligne, un arc de cercle, naissant d'elle et s'en écartant pour la rejoindre au sommet, matérialisant l'initiative divine [2] ».

Aussi la *Montée du Carmel* qui décrit le rôle actif de l'âme et la *Nuit* qui détaille l'action de Dieu sont inséparables l'une de l'autre.

A vrai dire, l'ascèse, telle que la décrit la *Montée du Carmel*, nous paraît toute contemplative, en ce sens que non seulement elle prépare à la contemplation, mais qu'elle suppose, pour être comprise et appliquée, que l'âme ait déjà connu, au moins d'une façon passagère, les emprises divines qui font sentir le besoin de la nuit en donnant la soif de l'absolu.

C'est bien d'ailleurs ce qu'affirme saint Jean de la Croix en son Prologue de la *Montée* :

D'ailleurs, mon intention principale, écrit-il, n'est pas de m'adresser à tous en général, mais bien à quelques personnes, aux religieux et religieuses de la Réforme de Notre-Dame du Mont-Carmel, qui m'ont demandé ce livre. Dieu leur a fait la grâce de les placer dans le sentier de cette montagne ; comme ils sont déjà dépouillés complètement des biens de ce monde, ils comprendront mieux cette doctrine de la nudité d'esprit [3].

Par conséquent s'il est vrai que cette doctrine peut en certains cas préparer à entrer dans les quatrièmes Demeures, c'est seulement en ces régions qu'elle trouve l'expérience qui l'éclaire et l'explique, le climat qui permet de s'y soumettre et lui assure sa pleine fécondité.

---

1. *Nuit Obsc.*, Liv. I, ch. VII, p. 508.
2. Introduction à la *Montée du Carmel*, par le P. Lucien, p. 7.
3. *Montée du Carm.*, Prologue, p. 24.

CHAPITRE QUATRIÈME

Nuit passive du sens

> *Par une nuit profonde*
> *Étant pleine d'angoisse et enflammée d'amour,*
> *Oh ! l'heureux sort !*
> *Je sortis sans être vue*
> *Tandis que ma demeure était déjà en paix* [1].

La nuit du sens est étudiée par saint Jean de la Croix sous son double aspect actif et passif. Deux nuits bien distinctes, bien que portant sur les mêmes facultés : la nuit active n'étant point autre chose que la mortification des appétits réalisée par l'âme ; la nuit passive étant l'œuvre de Dieu et de son action directe dans l'âme.

Le nuit active comporte elle-même deux phases. Une première phase préparatoire qui correspond aux trois premières Demeures thérésiennes. Elle est simplement signalée par saint Jean de la Croix, mais non point étudiée par lui. Le Saint en effet, prend les « commençants au temps où Dieu commence à les élever à l'état de contemplation [2] ». C'est alors que s'ouvre la deuxième phase de la nuit active qui s'unit à la nuit passive pour la purification de l'âme.

Dans la première phase préparatoire, Dieu n'intervenant pas directement dans la vie spirituelle de l'âme, celle-ci garde l'initiative de son activité spirituelle et conduit donc cette nuit active suivant ses vouloirs. Dans la deuxième phase au contraire où nuit active et nuit passive du sens vont de pair, l'intervention de Dieu qui progressivement prend la direction de la vie spirituelle, enlève à l'âme l'initiative et l'oblige à la soumission à l'action de Dieu.

En conséquence, en cette deuxième phase de la nuit du sens, la plus importante et la seule qu'étudie saint Jean

---

1. *Cantique de la nuit,* str. I, p. 17.
2. *Montée du Carm.,* Liv. I, ch. I, p. 28.

de la Croix, nuit active et nuit passive sont étroitement unies et doivent se compléter. Le traité de la *Nuit du sens* ne peut être séparé de la *Montée du Carmel* et doit être étudié en même temps. Ces deux nuits ne peuvent avoir tout leur effet de purification que si leur action est synchronisée. Or puisque Dieu a pris désormais l'initiative et la direction et que l'âme doit se soumettre, la nuit passive produite par Lui doit avoir le pas sur la nuit active. Celle-ci qui est réalisée par l'âme, doit se régler sur la nuit passive, prendre son rythme et répondre à ses exigences.

C'est pourquoi, après avoir exposé les premières oraisons contemplatives, il nous semble nécessaire de parler de la nuit passive du sens avant de préciser les devoirs de l'âme en cette période. C'est l'action purificatrice de Dieu qui va dicter la coopération ou nuit active de l'âme.

Dans la *Nuit Obscure*, saint Jean de la Croix écrit, à propos de la nuit passive en général :

> Pour procéder avec ordre, nous traiterons tout d'abord de la purification des sens, qui est la première. Nous n'en dirons rapidement que quelques mots, parce que c'est une chose commune dont on parle assez fréquemment dans les livres. Nous nous arrêterons plus spécialement à l'exposé de la nuit spirituelle dont il est très peu question soit dans les conversations, soit dans les livres, et dont même très peu de personnes ont l'expérience [1].

Ce texte nous dit la place réduite et de second ordre que tient la nuit du sens dans la doctrine de saint Jean de la Croix et dans son traité de la *Nuit Obscure* réservé spécialement à la nuit de l'esprit. Ces « quelques mots » dits rapidement nous donnent cependant sur la nuit passive du sens une doctrine originale que l'on ne trouve nulle part sous cette forme logique et précise. Il nous suffira de les recueillir pour connaître la nature et la cause de cette nuit passive du sens, le moment où elle se situe, ses effets de souffrance et de grâce.

A. — *NATURE ET CAUSE*
DE LA NUIT PASSIVE DU SENS

... Comme la conduite des commençants dans ce chemin de la perfection est vulgaire, elle frise beaucoup leur amour-propre et leurs goûts sensibles, ainsi que nous l'avons déjà donné à entendre ; aussi Dieu veut-il les élever peu à peu ; il les sort de cette manière grossière de l'aimer ; il les délivre de ce bas exercice des sens et

---

1. *Nuit Obsc.*, Liv. I, ch. VIII, p. 509.

du discours par lequel, avons-nous dit, ils le recherchent d'une manière si mesquine et si pleine d'inconvénients ; il les place dans l'exercice de l'esprit où ils pourront s'entretenir avec Lui d'une façon plus fructueuse et où ils seront plus dégagés de leurs imperfections. Déjà ils se sont exercés quelque temps dans le chemin de la vertu ; ils ont persévéré dans la méditation et l'oraison ; la saveur et les délices qu'ils y ont goûtées les ont détachés des choses du monde ; ils ont obtenu de Dieu quelques forces spirituelles pour mettre un frein à leurs tendances vers les créatures ; ils pourront donc supporter par amour pour Dieu quelque fardeau, quelque sécheresse, sans retourner en arrière au moment le plus opportun.

Mais le jour où ils goûtent le plus de saveur et de joie dans ces exercices spirituels et où ils s'imaginent que le soleil des divines faveurs les illumine davantage, le Seigneur les prive de toute cette splendeur ; il leur ferme la porte de ses délices ; il tarit la source des eaux spirituelles dont ils goûtaient en Lui la suavité, chaque fois et tout le temps qu'ils le désiraient... Le Seigneur les laisse donc dans des ténèbres si profondes qu'ils ne savent plus comment se diriger à l'aide du sens de l'imagination et du discours. Ils sont incapables de méditer comme précédemment ; leur sens intérieur est plongé dans cette nuit et en proie à une telle aridité que non seulement ils ne goûtent plus dans les choses spirituelles et les exercices de piété cette douceur et cette consolation où ils mettaient d'ordinaire leurs délices et leurs joies, mais au contraire ils n'y trouvent que dégoût et amertume... [1].

Telle est la nuit passive en ses débuts. L'âme

ne trouve de joie et de consolation ni dans les choses de Dieu, ni dans les choses créées. Lorsque Dieu, en effet, introduit l'âme dans cette nuit obscure, pour l'amener à l'aridité et à la purification de l'appétit sensitif, il ne lui permet en aucune façon de rechercher et de trouver des consolations [2].

Mais, souligne le Saint lui-même, à l'origine de tels états peuvent se trouver des causes bien différentes de l'action divine. Les tendances mauvaises, la tiédeur ou la mélancolie créent aussi des états d'impuissance et de tristesse.

Saint Jean de la Croix est soucieux de faire discerner la véritable nuit passive. Il donne donc un second signe qui ne saurait être produit par la tiédeur ou la mélancolie ; sa présence indique qu'elles n'agissent pas, du moins en un degré notable :

Le second signe ou la seconde condition qui est nécessaire pour reconnaître s'il s'agit de la purification des sens consiste à se souvenir ordinairement de Dieu avec sollicitude et à se préoccuper

---

1. *Nuit Obsc.*, Liv. I, ch. VIII, pp. 509-510.
2. *Ibid.*, ch. IX, p. 512.

de ce qu'on ne le sert pas, mais qu'on recule plutôt à ses yeux, dès lors qu'on n'éprouve plus de goût comme précédemment dans les choses divines[1].

Le troisième signe nous rappelle le premier signe de la contemplation donné par la *Montée du Carmel* et consiste

à ne pouvoir ni méditer ni discourir comme auparavant à l'aide du sens de l'imagination, quelque effort qu'on fasse[2].

Cette impuissance à discourir, loin de diminuer, ne fait qu'augmenter à mesure qu'on avance, souligne le Saint[3].

C'est Dieu lui-même qui produit cette sécheresse purificatrice, ne se lasse pas de redire saint Jean de la Croix. C'est la contemplation qu'il infuse qui en est la cause prochaine :

La cause de cette sécheresse vient de ce que Dieu transfère à l'esprit les biens et les forces des sens, et comme les sens et la nature ne sont pas capables par eux-mêmes de biens spirituels, ils restent privés de nourriture, dans la sécheresse et dans le vide. La partie sensitive en effet n'est pas apte à ce qui est pur esprit. Aussi quand l'esprit est dans la joie, la chair est-elle mécontente et paresseuse pour agir. Quant à l'esprit, qui reçoit peu à peu la nourriture, il se fortifie, il devient plus vigilant et plus attentif que précédemment à ne point offenser Dieu[4].

Saint Jean de la Croix répète sous diverses formes la même vérité, qu'il nous est bon d'entendre de nouveau, car à chaque fois quelque précision s'y ajoute :

Le motif, c'est que l'âme est déjà dans l'état de contemplation ; elle est sortie de la voie où elle discourait pour entrer dans l'état de ceux qui sont avancés ; c'est Dieu qui désormais agit en elle ; aussi semble-t-il lui lier les puissances intérieures, en ôtant tout appui à l'entendement, toute suavité à la volonté, et tout raisonnement à la mémoire[5].

---

1. *Nuit Obsc.*, Liv. I, ch. IX, p. 512.
2. *Ibid.*, p. 516
3. Une comparaison entre les signes donnés dans la *Montée du Carmel*, Liv. II, ch. XIII-XIV, pour reconnaître le moment où l'âme doit passer à l'état de contemplation et les signes donnés dans la *Nuit du sens*, ch. IX, pour connaître si l'âme est dans la nuit passive du sens, montre qu'il s'agit approximativement de la même période de vie spirituelle.
   Toutefois, les signes donnés dans la *Montée* sont plus généraux et plus universels. Dans la *Nuit*, le Saint a mis l'accent sur la souffrance privative et la montre débordant de l'oraison et pénétrant dans la vie extérieure de l'âme. La nuit est donc plus nettement accusée ; peut-être est-elle plus avancée que dans la description de la *Montée du Carmel*.
   Il est bon d'utiliser tous les signes donnés pour faire le diagnostic spirituel de l'âme.
4. *Nuit Obsc.*, Liv. I, ch. IX, p. 513.
5. *Ibid.*, p. 515.

542

Et plus loin :

Dieu, en effet, commence ici à se communiquer à l'âme, non plus par le moyen des sens, comme il le faisait précédemment, ou par le moyen d'un discours qui compose et ordonne les matières, mais par le moyen de l'esprit pur où il n'y a pas de discours successifs. Il se communique à elle par l'acte de simple contemplation, où ne peuvent arriver les sens intérieurs et extérieurs de la partie inférieure. Aussi l'imagination et la fantaisie ne peuvent-elles y trouver un point d'appui pour y faire une considération quelconque, ni s'y fixer alors ou après [1].

Ces divers textes s'éclairent mutuellement et nous fournissent l'explication psychologique de ce dégoût de toutes les choses extérieures et sensibles, et de l'impuissance qui sont les phénomènes caractéristiques de la nuit passive du sens.

Dans la contemplation infuse Dieu se communique en cette période à la partie supérieure de l'âme et lui assure, ainsi qu'aux vertus théologales qui y ont leur siège, l'aliment et l'appui qu'elles trouvaient auparavant dans les opérations des sens. Selon le mot de saint Jean de la Croix, Dieu « lie les puissances intérieures » et les libérant de leur dépendance à l'égard des puissances extérieures, les soumet à son influence propre.

Cette libération de la partie supérieure laisse les sens eux-mêmes comme isolés, les prive de la direction qu'ils trouvaient dans les facultés intellectuelles et de la joie que leur valaient ces échanges. Désormais l'activité des puissances sensibles n'est plus que désordre et inutilité expérimentés dans la tristesse et la fatigue.

Quant à participer à la lumière et à la saveur que Dieu répand dans la partie supérieure, les puissances ne sauraient y parvenir pour le moment, car elles ne sont pas adaptées pour recevoir de telles communications. « Le sens demeure à jeun, vide, sec, dit saint Jean de la Croix, parce que la partie sensitive n'a point d'habileté pour ce qui est pur esprit ». Cette impuissance du sens est le motif de la nuit passive du sens et la cause de la souffrance qui l'accompagne. Ces puissances sensibles connaîtront donc l'agitation impuissante et le dégoût douloureux jusqu'à ce qu'elles purifiées et adaptées par cette souffrance elles puissent elles-mêmes participer au festin divin. L'adaptation faite, la nuit du sens sera terminée.

L'exposé de saint Jean de la Croix nous montre que la purification des sens porte sur tous les appétits des choses extérieures et sensibles, et que les puissances qui sont

---

1. *Nuit Obsc.*, Liv. I, ch. IX, p. 516.

atteintes par cette purification ne seront pas seulement les sens proprement dits, fenêtres sur le monde extérieur et sensible, mais toutes les puissances dont l'activité est liée d'une façon immédiate à celle des sens, par conséquent : l'imagination, l'entendement qui travaille sur les images, la volonté elle-même qui, par ses goûts, est attachée aux choses sensibles. Ce sont donc les puissances sensibles et les facultés intellectuelles dans leur activité en bordure des sens qui sont soumises à la purification du sens. C'est cet ensemble qui constitue, comme il a été dit, la région du sens, distincte de l'esprit.

La nuit du sens, on le voit, n'est qu'apparemment une épreuve. Produite par une action divine qualifiée, elle n'est une souffrance pour le sens que parce que cette communication est trop pure et trop spirituelle pour son impureté et sa grossièreté. Grâce sans prix qui est un appel prochain et réalise une véritable préparation à des choses plus hautes.

B. — *MOMENT ET DURÉE DE LA NUIT PASSIVE*

L'âme commence à entrer dans cette nuit profonde quand Dieu l'élève au-dessus de l'état de ceux qui débutent, c'est-à-dire de ceux qui se servent encore de la méditation dans la voie spirituelle ; Dieu la met peu à peu dans l'état de ceux qui sont avancés, c'est-à-dire celui des contemplatifs [1].

La nuit passive du sens commence donc avec la contemplation qui la produit.

Elle se situe et étend son influence sur toute la période de transition qui conduit l'âme de la méditation à la contemplation habituelle. Fruit de la contemplation et destinée à en assurer le développement elle correspond exactement aux premières oraisons contemplatives tandis qu'elles restent intermittentes. Dans la progression spirituelle du *Château Intérieur*, la nuit passive du sens se place aux quatrièmes Demeures.

Liée à la contemplation surnaturelle, la nuit passive du sens subira donc dans la vie spirituelle des âmes, les vicissitudes de l'appel plus ou moins précoce ou tardif, à la contemplation.

Moins préoccupé que nous peut-être de précisions chronologiques, saint Jean de la Croix affirme d'une façon générale que lorsque les âmes

---

1. *Nuit Obsc.*, Liv. I, ch. I, p. 484.

se sont exercées quelque temps dans le chemin de la vertu, ont persévéré dans la méditation et l'oraison... le Seigneur les prive de toute cette splendeur ; il leur ferme la porte de ses délices ; il tarit la source des eaux spirituelles dont ils goûtaient en lui la suavité, chaque fois et tout le temps qu'ils le désiraient [1].

Au témoignage du Saint, la nuit passive est précédée normalement d'une période de nuit active du sens. Une préparation est donc exigée pour recevoir ce don gratuit de Dieu. C'est parce que les personnes qui quittent le monde réalisent énergiquement cette nuit active qu'elles sont introduites assez promptement dans la nuit passive.

Ce changement arrive d'ordinaire aux personnes retirées du monde plutôt qu'aux autres et peu après leur entrée dans la voie spirituelle, car elles sont plus éloignées des occasions de retourner en arrière et réforment plus promptement leur attrait pour les biens d'ici-bas ; et c'est là précisément ce qui est requis pour commencer à entrer dans cette bienheureuse nuit des sens. D'ordinaire il ne se passe pas beaucoup de temps pour elles, après leurs débuts, sans qu'elles entrent dans cette nuit des sens ; or la plupart d'entre elles y entrent, car on les voit généralement tomber dans ces aridités... [2]

La durée et l'intensité de l'épreuve sont trop variables pour que saint Jean de la Croix puisse les préciser autrement que par des indications générales :

Tous ne sont pas soumis aux mêmes tentations ni aux mêmes épreuves. Dieu les mesure d'après sa volonté, en conformité aux imperfections plus ou moins grandes qu'il y a à déraciner ; c'est aussi d'après le degré d'amour où il les veut élever qu'il leur envoie des humiliations plus ou moins profondes et les éprouve plus ou moins longtemps... [3].

A la lumière de son expérience, le Saint établit des catégories déterminées par l'appel de Dieu et la ferveur des âmes.
Voici d'abord les faibles :

Ils sont beaucoup moins éprouvés et tentés : aussi restent-ils très longtemps dans cette nuit des sens. S'ils reçoivent d'ordinaire quelques consolations sensibles pour qu'ils ne retournent pas en arrière, ils arrivent tard à la pureté parfaite ; quelques-uns même n'y arrivent jamais... [4]

Ces descriptions nous montrent en saint Jean de la Croix la science de Dieu s'unissant à la science de l'homme.

---

1. *Nuit Obsc.*, Liv. I, ch. VIII, p. 510.
2. *Ibid.*, p. 511.
3. *Ibid.*, ch. XIV, p. 543.
4. *Ibid.*

Jusqu'à l'union de volonté

Familier de Dieu, le Saint sait que la Miséricorde divine ne s'étonne pas des retards, des timidités de la faiblesse humaine : elle ne brise point, elle n'impose point ses dons les meilleurs, surtout lorsqu'ils sont douloureux, mais penchée amoureusement sur cette faiblesse, elle s'adapte à elle et patiemment, attend qu'elle consente et accepte.

Tel est le jeu patient de l'amour divin à l'égard d'autres âmes, plus faibles encore :

Il y a d'autres âmes plus faibles encore, que Dieu semble comme abandonner ou délaisser pour les stimuler à l'aimer, car sans ces marques de froideur elles n'apprendraient jamais à se rapprocher de Lui [1].

Dieu se contente miséricordieusement de ce peu, mais quelle tristesse de constater que ces âmes sont si lentes, qu'elles ne comprennent pas le don de Dieu et y correspondent si faiblement.

Mais voici les âmes vaillantes et fortes qui vont donner grande joie à Dieu parce qu'elles parviendront, par la nuit de l'esprit, jusqu'à l'union d'amour. Dieu agit en elles vivement et intensément et les soumet à des épreuves spéciales :

Quant aux âmes qui doivent passer à ce bienheureux et sublime état de l'union d'amour, si rapidement que Dieu les élève, elles restent d'ordinaire très longtemps dans les sécheresses et les épreuves, comme l'expérience le démontre [2].

C. — EFFETS DE LA NUIT PASSIVE

Ils sont de deux sortes, inséparables les uns des autres, mais distincts : effets douloureux et effets bienfaisants.

I. — Effets douloureux.

« La première nuit ou purification est amère et terrible pour les sens », sans comparaison toutefois avec la seconde qui est « horrible et épouvantable pour l'esprit [3] ».

La nuit du sens n'est qu'une préparation, la porte étroite qui donne accès à l'étroit sentier de la nuit de l'esprit [4]. Ses souffrances ne sont pas cependant négligeables.

---

1. *Nuit Obsc.*, Liv. I, ch. XIV, p. 543.
2. *Ibid.*, p. 544.
3. *Ibid.*, ch. VIII, p. 509.
4. *Ibid.*, ch. XI, p. 526.

1. Certaines ont été indiquées déjà dans la description de la nuit. Ce sont les sécheresses, les impuissances des facultés qui trouvaient autrefois de la saveur et de la joie à l'oraison et en sont maintenant privées, ne trouvant ni consolation ni goût dans les choses de Dieu, pas plus que dans toutes les choses créées.

Cette souffrance atteint même la partie spirituelle, qui fortifiée réellement par la lumière contemplative, n'expérimente pas toutefois ce secours dès le début :

Quant à l'esprit... s'il ne goûte pas dès le début les saveurs et les délices divines, mais n'éprouve plutôt que sécheresse et répugnance, il faut en attribuer la cause à la nouveauté du changement. Son palais était habitué aux goûts sensibles et c'est encore vers eux qu'il a le regard fixé. Par ailleurs, son palais spirituel n'est pas habitué à ces faveurs et n'est pas purifié pour recevoir des mets si subtils ; tant qu'il n'y sera pas préparé progressivement par le moyen de cette nuit obscure et pleine d'aridité, il ne pourra sentir les goûts et les biens spirituels ; la sécheresse et la répugnance auront fait place à cette suavité qu'il goûtait précédemment avec tant de facilité [1].

Saint Jean de la Croix rappelle à cette occasion le souvenir des Hébreux amenés par Dieu au désert et nourris par lui de la manne

qui, par elle-même, avait tous les goûts et qui, comme il est dit dans l'Écriture, prenait le goût que chacun désirait. Malgré cela les Israélites regrettaient le goût et la saveur des viandes et des oignons d'Égypte auxquels leur palais était fait et habitué ; ils méprisaient la douceur et la délicatesse de cette nourriture angélique ; ils pleuraient et se lamentaient d'avoir perdu leurs viandes, quand ils avaient en abondance un aliment céleste [2-3].

2. L'impuissance et le dégoût, succédant aux facilités et aux saveurs éprouvées précédemment, engendrent normalement l'angoisse :

On se souvient ordinairement de Dieu avec sollicitude ; et on se préoccupe de ce que l'on ne le sert pas, mais qu'on recule plutôt à ses yeux, dès lors qu'on n'éprouve plus de goût comme précédemment dans les choses divines [4].

L'âme, en effet, est comme perdue et attribue à des péchés peut-être cachés, ce changement et l'apparente sévérité de Dieu à son égard. Pour une âme fervente, il n'est point de souffrance comparable à celle-là.

---

1. *Nuit Obsc.*, Liv. I, ch. IX, pp. 513-514.
2. Nb 11, 4-5.
3. *Nuit Obsc.*, Liv. I, ch. IX, p. 514.
4. *Ibid.*, p. 512.

Jusqu'à l'union de volonté

Les spirituels éprouvent de grandes souffrances, non pas tant à cause des sécheresses qu'ils endurent qu'à cause de la crainte où ils sont de se voir égarés dans ce chemin, à la pensée que tous les biens spirituels sont perdus pour eux, ou que Dieu les a abandonnés, parce qu'ils ne trouvent ni secours ni consolations dans les exercices de piété [1].

3. Ces angoisses les portent, au début du moins, à une activité qui n'est plus de saison et qui ne peut qu'augmenter l'inquiétude :

Leur fatigue alors est extrême ; ils cherchent comme de coutume à fixer avec une certain plaisir leurs puissances sur quelque discours ; ils s'imaginent que s'ils ne font pas cela et s'ils ne se sentent pas agir, ils ne font rien. Et cependant l'âme n'éprouve en cela qu'un dégoût profond et la plus grande répugnance intérieure, quand elle se plaisait à se trouver dans le calme, la tranquillité et le repos de ses puissances. Ainsi donc d'un côté elle se fatigue, et de l'autre elle ne profite pas [2].

4. Saint Jean de la Croix signale que d'autres souffrances peuvent être provoquées par les tendances pathologiques, telle la mélancolie. Ces tendances interviennent dans la nuit passive du sens, non point à titre de cause principale de la sécheresse, car « lorsque la sécheresse provient seulement d'une humeur maligne, il n'y a pour la nature que dégoût et prostration [3] », mais à titre de cause secondaire, et en augmentent le tourment.

En parlant de la luxure [4], le Saint fait allusion à quelques effets de la mélancolie. On pourrait en signaler d'autres, et de styles bien différents, produits par cette mélancolie ou par d'autres humeurs et tendances. Le malaise sensible de l'âme, l'impression de vide ne peuvent qu'irriter et porter à un certain paroxysme d'activité fiévreuse ces tendances profondes qui habituellement pèsent lourdement sur l'activité de l'âme. Le saint Docteur laisse espérer que la nuit de l'esprit aura raison de ces tendances. Lumière et précieuse espérance qui éclairent bien des cas frontières et permettent d'attendre le triomphe de la grâce, dans les soubresauts déconcertants expérimentés en cette nuit.

5. Les vaillants qui doivent passer par la nuit de l'esprit sont déjà soumis à un traitement particulièrement énergique dans la nuit des sens.

---

1. *Nuit Obsc.*, Liv. I, ch. X, p. 518.
2. *Ibid.*
3. *Ibid.*, ch. IX, p. 513.
4. *Ibid.*, ch. IV, p. 496.

(Ils) ont d'ordinaire de terribles tribulations et tentations dans les sens ; cette épreuve dure longtemps, mais elle se prolonge plus chez les uns que chez les autres. Quelques-uns sont assaillis par l'ange de Satan qui est un esprit de fornication, qui trouble leurs sens par de fortes et abominables tentations, tourmente leur esprit par de vilaines pensées ou leur imagination par des représentations tellement vives que leur tourment est pire que celui de la mort.

D'autres fois ceux qui sont dans cette nuit sont tentés par l'esprit de blasphème : toutes leurs pensées sont traversées d'épouvantables blasphèmes ; leur imagination en est tellement frappée à certains moments qu'ils semblent presque les prononcer ; et ils en éprouvent un cruel tourment.

D'autres fois ils sont assaillis d'un autre esprit abominable qu'on appelle esprit de vertige et dont le but n'est pas de porter au mal mais de mettre à l'épreuve. Leur sens est tellement obscurci qu'il est rempli de mille scrupules et de troubles paraissant indéfinissables. Aussi rien ne les satisfait, et ils sont impuissants, d'après leur jugement, à suivre le conseil ou l'avis des autres. Cette épreuve est l'une des plus terribles épines et l'une des plus grandes horreurs de cette nuit des sens ; elle se rapproche beaucoup des tourments de la nuit de l'esprit.

... les épreuves intérieures... sont de celles qui ont le plus d'efficacité pour purifier les sens de toutes les satisfactions et de toutes les consolations... ; si l'âme est alors vraiment humiliée, c'est en vue de l'exaltation qui lui est réservée [1].

II. — *Effets bienfaisants.*

a) La Sagesse d'amour n'afflige que pour guérir. L'âme s'en rend compte et saint Jean de la Croix met sur ses lèvres ces vers :

> *Oh ! l'heureux sort !*
> *Je sortis sans être vue,*

qui indiquent le mouvement réalisé en la nuit passive du sens :

Cette sortie s'entend de la sujétion où l'âme était tenue dans sa partie sensitive qui l'obligeait à chercher Dieu par des moyens si faibles, si limités et dangereux comme ceux de cette partie inférieure... Ce qui semblait à l'âme si dur, si amer et si contraire à ses goûts spirituels est devenu la source de tant de biens. Or, ces biens..., l'âme les acquiert quand, à la faveur de la nuit obscure, elle s'éloigne par ses affections et ses œuvres de toutes les choses créées et s'élève vers les biens éternels ; c'est là un grand bonheur et une heureuse fortune [2].

Cette « infusion secrète, paisible et amoureuse de Dieu [3] » qu'est la contemplation, libère l'esprit de sa

---

1. *Nuit Obsc.*, Liv. I, ch. xiv, pp. 541-543.
2. *Ibid.*, ch. xi, p. 526.
3. *Ibid.*, ch. x, p. 521.

sujétion au sens, apaise peu à peu, dans la nuit, le sens lui-même et permet ainsi le libre et paisible commerce de l'âme avec Dieu qui se communique par les dons.

La demeure de la sensualité, écrit le Saint, est déjà dans la paix ; les passions sont mortifiées, les convoitises sont apaisées, les tendances calmées et endormies par le moyen de cette bienheureuse nuit de la purification des sens. Aussi l'âme est-elle sortie ; elle commence à entrer dans cette voie de l'esprit qui est celle de ceux qui avancent ou sont déjà avancés et qu'on appelle encore voie illuminative, ou voie de contemplation infuse ; c'est là que Dieu nourrit l'âme de Lui-même et la sustente sans qu'elle y contribue par des raisonnements, une coopération active ou une industrie quelconque...[1]

L'adaptation du sens à l'action de Dieu dans l'esprit, la paix silencieuse et le débordement de saveur dans l'âme tout entière qui en sont le fruit, tel est l'effet essentiel de la nuit passive du sens.

b) A cet effet principal s'ajoutent, note saint Jean de la Croix, des biens particuliers qui sont précieux, infusion de lumière et d'amour.

1. La lumière de la Sagesse d'amour dans la souffrance éclaire l'âme sur elle-même :

... Le premier avantage qui en découle (de la nuit de contemplation)... est la connaissance de nous-même et de notre propre misère... La sécheresse et le vide où se trouvent les puissances... lui font découvrir en elle-même une bassesse et une misère qu'elle ne voyait pas au temps de sa prospérité. Nous en avons une figure frappante dans l'Exode. Dieu, voulant humilier les enfants d'Israël et leur apprendre à se connaître, leur ordonna de quitter leur costume et leurs habits de fête dont ils étaient vêtus d'ordinaire dans le désert, et il leur dit : « Désormais vous ne porterez plus ces ornements de fête ; vous porterez les vêtements ordinaires du travail, afin que vous sachiez le traitement que vous méritez[2] »... A l'époque où l'âme était pour ainsi dire en fête, elle trouvait en Dieu beaucoup de joie, de consolation et de soutien ; elle était un peu plus satisfaite et contente ; il lui semblait qu'elle travaillait quelque peu à la gloire de Dieu... Mais maintenant qu'elle a pris un vêtement de travail, qu'elle est dans les sécheresses et l'abandon, que ses premières lumières se sont éteintes, elle a et elle possède plus véritablement cette vertu si excellente et si nécessaire de la connaissance de soi, elle n'a plus aucune estime ou satisfaction d'elle-même, car elle voit que d'elle-même elle ne fait rien et ne peut rien. Or Dieu estime davantage ce peu de

---

1. *Nuit Obsc.*, Liv. I, ch. xiv, p. 541.
2. Ex 33, 5.

satisfaction qu'elle a d'elle-même et la désolation où elle est de ne pas le servir, que toutes ses œuvres et ses joies antérieures quelque élevées qu'elles fussent... [1]

2. La lumière, qui montre à l'âme sa misère, l'éclaire aussi sur la grandeur et l'excellence de Dieu.

Saint Jean de la Croix se plaît à citer les textes bibliques qui confirment cette affirmation de son expérience :

« Votre lumière brillera au sein des ténèbres... la tribulation nous amène à la connaissance de Dieu... A qui Dieu enseignera-t-il sa science ? A qui fera-t-il comprendre sa parole ? A ceux qui sont sevrés du lait des enfants, à ceux que l'on a éloignés du sein maternel... [2] »... « C'est dans une terre déserte, sans chemin et sans eau, que je me suis présenté devant vous, pour contempler votre puissance et votre gloire [3] » [4].

Les applications sont faciles et le Saint ne manque pas de les faire pour prouver que la nuit du sens est déjà lumineuse et que la connaissance de soi-même produite par la nuit

est le fondement de la connaissance de Dieu. C'est pour cela que saint Augustin disait à Dieu : Que je me connaisse, Seigneur, et je vous connaîtrai. Car disent les philosophes, un extrême fait connaître l'autre [5].

3. De cette double lumière jaillit le respect dû à la majesté divine :

Cette faveur des goûts (que l'âme sentait précédemment) lui inspirait à l'égard de Dieu plus de hardiesse qu'il ne fallait ; elle avait moins de retenue et moins d'égards [6].

Dans la nuit du sens, la transcendance divine est perçue dans l'obscurité. L'âme se met donc en la place et en l'attitude qui conviennent et à l'exemple de Moïse qui, devant le buisson ardent, ayant ôté sa chaussure « devint si modeste et si retenu que non seulement, nous dit la sainte Écriture [7], il craignait de s'approcher, mais qu'il n'osait même plus regarder », l'âme « après avoir ôté ses chaussures, ce qui signifie la mortification des tendances et des goûts... reconnaît la profondeur de sa misère [8] » comme il convient pour entendre la parole de Dieu.

---

1. *Nuit Obsc.*, Liv. I, ch. XII, pp. 528-529.
2. Is 58, 10 et 28, 19 et 9.
3. Ps 62, 3.
4. *Nuit Obsc.*, Liv. I, ch. XII, p. 531-532.
5. *Ibid.*, p. 532.
6. *Ibid.*, pp. 529-530.
7. Ex 3, 6.
8. *Nuit Obsc.*, Liv. I, ch. XII, p. 530.

4. Cette attitude respectueuse devant Dieu est un signe de l'humilité que l'âme a acquise en cette nuit. Les vices spirituels décrits précédemment se purifient en effet en cette nuit, l'orgueil avec toute sa suite d'imperfections, l'avarice, la gourmandise spirituelle, l'envie et les autres vices :

Comme elle (l'âme) se voit dans une telle aridité et une si profonde misère, elle n'a pas, même par un premier mouvement, la pensée qu'elle soit plus parfaite que les autres ou qu'elle l'emporte sur eux, comme cela lui arrivait précédemment ; au contraire, elle voit que les autres lui sont supérieurs...[1]

Assouplie et humiliée par ces aridités et ces difficultés, ainsi que par d'autres tentations ou épreuves par lesquelles Dieu la fait passer dans cette nuit, elle devient douce à l'égard de Dieu, d'elle-même et du prochain. Elle ne se fâche plus contre elle-même ni contre le prochain, et ne se trouble plus de ses propres fautes ni de celles des autres ; elle n'a plus de dégoûts de Dieu ni de plaintes déplacées à son égard, parce qu'il ne la rend pas bonne immédiatement[2].

Ce sont donc les sécheresses qui font avancer l'âme dans la voie du pur amour de Dieu. Elle ne se porte plus désormais à agir sous l'influence du goût et de la saveur qu'elle trouvait dans ses actions ; elle ne se meut que pour plaire à Dieu[3].

5. Saint Jean de la Croix énumère d'autres profits que l'âme retire de ces aridités, à savoir qu'elle

s'exerce à la pratique de toutes les vertus à la fois telles que la patience et la longanimité, la charité et la force[4] ; qu'elle a le sentiment constant de la présence de Dieu qui est accompagné de la crainte de reculer dans ce chemin de la vie spirituelle[5].

Outre ces avantages... il y en a d'autres en grand nombre que l'âme acquiert par cette contemplation aride. Quand elle est au milieu de ces sécheresses et de ces angoisses, il arrive souvent qu'au moment où elle y pense le moins, Dieu lui communique une suavité spirituelle, un amour pur, des lumières spirituelles même très élevées, dont chacune est plus profitable et plus précieuse que tout ce dont elle faisait précédemment ses délices[6].

Les derniers profits indiqués par saint Jean de la Croix ne sont plus œuvre purificatrice de la lumière, mais œuvre positive et créatrice de l'amour.

La Sagesse d'amour, qui produit cette nuit passive, ne purifie et ne libère douloureusement que pour embraser et conquérir par l'amour.

---

1. *Nuit Obsc.*, Liv. I, ch. XII, p. 533.
2. *Ibid.*, ch. XIII, p. 537.
3. *Ibid.*, p. 539.
4. *Ibid.*, p. 536.
5. *Ibid.*
6. *Ibid.*, p. 538.

L'infusion passive de l'amour parfait et son triomphe, tel est le but dernier de la nuit qui s'affirme déjà au moins obscurément. Aussi l'âme dit-elle :

Étant pleine d'angoisse et enflammée d'amour

Cet embrasement d'amour ne se sent pas d'ordinaire au début ; car il n'a pas encore commencé à cause de l'impureté de la nature, ou parce que l'âme qui ne se comprend pas..., ne lui donne pas un asile paisible. Parfois, cependant, que cet obstacle soit présent ou non, l'âme commence à éprouver tout de suite quelque désir de Dieu plein d'anxiété ; plus ce désir augmente, et plus l'âme se sent portée vers Dieu et embrasée d'amour pour Lui, sans savoir ni comprendre d'où et comment lui viennent cet amour et cette affection ; parfois même elle voit cette flamme et cette ardeur grandir à tel point qu'elle désire Dieu avec un amour plein d'anxiété. C'est là ce que David, qui était dans cette nuit obscure, raconte de lui-même en ces termes : « Parce que mon cœur s'est enflammé d'amour dans la contemplation, mes goûts et mes affections ont été également transformés, c'est-à-dire qu'ils sont passés de la vie sensitive à la vie spirituelle par les sécheresses et le renoncement à tous les goûts... [1] » Aussi ajoute-t-il : « J'ai été réduit à rien, anéanti, et je n'ai rien su... [2] »... Et comme cet embrasement d'amour prend parfois de grandes proportions, et que le pressant désir de Dieu a grandi, il semble que cette soif ardente dessèche tous ses os, affaiblit sa nature, lui enlève sa chaleur et sa force pour faire place à une vive soif d'amour, car l'âme sent que cette soif d'amour est pleine de vie. Telle est aussi la soif qu'éprouvait David quand il disait : *Sitivit anima mea ad Deum vivum* [3] : « Mon âme a eu soif du Dieu vivant [3] », ce qui signifie : Elle est toute vive la soif de mon âme. Et cette soif, toute vive qu'elle soit, nous pouvons bien dire qu'elle fait mourir [4].

Dans la nuit, et grâce à elle, l'amour a pris en partie possession de cette âme. L'angoisse qui l'accompagne dit sa gêne au milieu des impuretés qui l'entourent ; le soif qu'il manifeste exprime son besoin d'expansion, ses désirs de conquête.

Oh ! l'heureux sort !

Encore un peu de temps et l'amour angoissé pourra habituellement boire, paisible, à la source d'eau vive. Ainsi nourri et fortifié, il marquera sa première victoire notable, la conquête de la volonté.

Mais pour que les combats douloureux et paisibles qu'il livre se transforment en triomphes, la coopération de l'âme est nécessaire en cette nuit active dont il nous reste à parler.

---

1. Ps 72, 21.
2. *Ibid.*, 22.
3. Ps 41, 3.
4. *Nuit Obsc.*, Liv. I, ch. XI, pp. 522-523.

CHAPITRE CINQUIÈME

Nuit active du sens pendant l'oraison

> *Il y a beaucoup, oui, beaucoup d'âmes qui arrivent à ce degré, mais il y en a bien peu qui le dépassent, et je ne sais à qui en attribuer la faute. A coup sûr, ce n'est pas à Dieu*[1].

Telle est l'affirmation de sainte Thérèse parlant des premières oraisons contemplatives de recueillement et quiétude.

A propos de la nuit du sens, qui se situe à la même étape de la vie spirituelle, saint Jean de la Croix déclare :

La première est commune et elle se produit chez une foule de commençants[2].

Quant à la nuit de l'esprit, qui aboutit à l'union d'amour, le Saint affirme :

La nuit spirituelle est le partage du petit nombre[3].

Sur les causes de cet échec partiel du plus grand nombre des âmes qui ont connu le don de Dieu dans les premières oraisons contemplatives, nos deux Saints gardent une sage et charitable réserve. « Dieu sait pourquoi », dit saint Jean de la Croix. « A coup sûr la faute n'en est pas à Dieu », souligne sainte Thérèse. Nos deux docteurs sont trop familiers du mystère qui enveloppe l'appel et le progrès des âmes pour prétendre en dissiper l'obscurité ; ils connaissent trop la faiblesse humaine, ses retardements, ses pénibles cheminements, comme aussi ses brusques réveils parfois efficaces, pour ne point craindre de la briser définitivement par des affirmations trop absolues.

---

1. *Vie*, ch. xv, p. 146.
2. *Nuit Obsc.*, Liv. I, ch. viii, p. 509.
3. *Ibid.*

Et cependant, il n'est pas douteux qu'ils ne mettent en cause surtout le manque de générosité des âmes, leur ignorance aussi. L'action de Dieu, l'action directe surtout, attend une réponse adaptée. Si elle ne la trouve pas, elle ne continue point son œuvre [1].

Le problème est grave. Il s'agit d'un échec ou d'une réussite à la haute sainteté. La gloire de Dieu et le bien de l'Église sont en cause. Dans le royaume de Dieu, tout se mesure à la qualité. L'échec d'une telle âme engagée par Dieu sur la voie des sommets est un malheur plus grand que la médiocrité de milliers d'autres qui n'ont jamais cheminé que dans les bas-fonds. De tels échecs font grande pitié au royaume de Dieu ! Saint Jean de la Croix s'en est douloureusement ému.

Les débutants dans les voies spirituelles, ont à leur disposition quantité de livres pour les guider. Par contre, ces commençants en la contemplation, dont les besoins sont si particuliers et si pressants, n'en trouvent point. C'est ce qui détermine saint Jean de la Croix à écrire la *Montée du Carmel* :

Ce qui m'a déterminé à traiter ce sujet, dira-t-il dans le Prologue de la *Montée*, ce n'est point parce que je découvre en moi des aptitudes pour une entreprise si haute et si ardue, mais parce que j'ai confiance que Notre-Seigneur m'aidera à subvenir à l'extrême nécessité où se trouvent un grand nombre d'âmes. Elles ont commencé à marcher dans le chemin de la vertu ; Notre-Seigneur voudrait les placer dans la nuit obscure, afin de les amener par là à la divine union ; et elles ne vont pas plus loin, soit parce qu'elles ne veulent pas entrer dans cette nuit, ou qu'elles ne s'y laissent pas introduire, soit parce qu'elles ne comprennent pas leur état, et qu'elles manquent de guides expérimentés et capables de les conduire au sommet de la perfection.

Aussi est-il vraiment déplorable de voir beaucoup d'âmes à qui Dieu confère des qualités et des faveurs spéciales pour monter plus haut et qui parviendraient au sublime état dont nous parlons, si elles voulaient s'en donner la peine... elles manquent de volonté ou de lumière, ou bien il n'y a personne pour les guider et leur enseigner à quitter le sentier des commençants [2].

C'est pour guider les mêmes âmes en leurs voies contemplatives, que sainte Thérèse a écrit déjà le *Chemin de la Perfection* et le *Château Intérieur*.

---

1. « Quand une âme reçoit de telles marques d'amour... si elle n'est pas infidèle à la grâce, elle réalisera les plus beaux progrès. Quand Dieu, au contraire, après avoir établi son royaume dans sa demeure, voit qu'elle se retourne vers la terre, non seulement il ne lui fera point connaître les secrets de son royaume, mais il ne lui accordera plus cette grâce qu'à de rares intervalles et durant un très court espace de temps. » *Chemin Perf.*, ch. XXXIII, p. 744.
2. *Montée du Carm.*, Prologue, p. 20.

Dans ces traités, on trouvera expliquées en détail la nuit active du sens et celle de l'esprit, c'est-à-dire la conduite que doit tenir l'âme pour se préparer et répondre à l'action de Dieu.

Ailleurs, nos deux Saints paraîtront peut-être plus sublimes, nulle part ils ne seront plus près de nous pour exercer leur mission de maîtres et docteurs. La convergence de leur enseignement sur les mêmes régions de la vie spirituelle, parce que donné d'une façon différente, en éclaire merveilleusement les divers aspects, et constitue un corps de doctrine harmonieux.

A. — COMMENT CONDUIRE CETTE NUIT ACTIVE ?

Que ces belles promesses cependant ne nous fassent pas songer à une doctrine aux formules claires et précises, que l'on puisse appliquer aisément aux cas divers qui se présentent.

I. — Difficultés.

1. C'est qu'en effet, sous la lumière crue qui règne en ces régions, la diversité des âmes apparaît telle, qu'elle fait songer à celle des anges dont chacun est constitué en espèce. Il est à peine deux âmes qui se ressemblent par moitié, constate saint Jean de la Croix.

Leurs états sont encore plus variés, tellement sont diverses, à la fois les grâces qui conduisent les âmes et les vibrations qu'un même choc surnaturel peut éveiller en chacune d'elles.

Comment pourrait-on, au sein d'une telle diversité, proposer une méthode uniforme pour répondre à tous les besoins ?

N'oublions pas d'ailleurs que nous sommes ici dans le domaine de la Sagesse qui, progressivement, prend la direction de l'âme. Il est écrit de cette Sagesse que ses pensées ne sont pas nos pensées, et que ses voies ne sont pas nos voies [1]. Souverainement libre, cette Sagesse n'obéit qu'à elle-même. Aussi la raison est-elle aussi impuissante à mettre en formule le rythme puissant et suave de son action, qu'à créer une méthode pour s'y

___

1. Is 55, 8.

556

soumettre. Cette soumission, on le devine, est toute de souplesse faite à la fois de fidélité et de liberté dans l'amour ; elle répugne à toute formulation dont la précision lui serait une contrainte et une limitation.

Nous sommes en des régions sans sentiers, proclame saint Jean de la Croix. On y chercherait vainement, pour la suivre, la trace de ceux qui nous y ont précédés. Cette trace est aussi invisible que celle du navire à travers l'océan qu'il a franchi, ou que celle de l'oiseau dans les airs qu'il a fendus de son vol rapide. Aussi le Saint s'élève-t-il avec véhémence contre ceux qui s'aviseraient de régenter, à l'aide de méthodes-recettes, faites à la mesure de leur raison et de leur expérience, la marche des âmes que l'Esprit Saint a prises sous sa lumière.

2. Voici des circonstances qui augmentent encore les difficultés et empêchent de préciser l'enseignement adapté. En cette période de transition où nous sommes, la contemplation est encore imparfaite. Imparfaite d'abord parce qu'intermittente. Dieu n'intervient que par moments. L'âme retrouve donc parfois la possibilité, et par conséquent le devoir de reprendre l'oraison active d'autrefois. Imparfaite encore quand elle est donnée à l'âme, car elle n'affecte habituellement qu'une ou deux puissances, laissant les autres dans l'impuissance ou le désarroi. Deux régions se trouvent ainsi créées dans l'âme, avec deux climats différents qui imposent une double attention et un double traitement. Comment pourvoir à des besoins et des états si divers par des conseils précis ?

3. Serait-il possible de trouver ces conseils adaptés et de les formuler d'une façon précise, l'âme ne semble pas capable de les recevoir ni de les comprendre. C'est bien en effet de l'état de l'âme en cette période que viennent les difficultés les plus douloureuses pour elle-même.

En ces régions nouvelles où elle vient de pénétrer, tout lui est déconcertant et douloureux : et cette obscurité que son regard n'arrive pas à pénétrer pour se faire une idée nette des choses et de son état ; et cette saveur subtile dont on lui parle, qu'elle devine parfois, mais que le souvenir attristé des joies disparues ne lui permet pas de savourer ; et ce contraste perçu en elle de sa misère et pauvreté plus profondément vécues, et des richesses surnaturelles qui parfois lui sont découvertes.

Comment, dans cette obscurité qui l'enveloppe et en ce marasme dans lequel elle est habituellement plongée, l'âme, semblable à un malade en traitement, pourrait-elle recevoir un enseignement quelconque et en profiter ?

Jusqu'à l'union de volonté

II. — *Moyens.*

Faut-il renoncer à lui faire arriver un peu de lumière, même aux heures les plus désolées ? Non, certainement. Mais il faut mettre cette lumière en la forme qui convient à cet état et à ces régions.

1. Les méthodes sont à rejeter. Les conseils précis sont, pour le moins, inadaptés à l'ensemble. Pour nous guider en ces régions, saint Jean de la Croix et sainte Thérèse ne nous fournissent que des directives générales.

On trouve ces directives dans leurs écrits, de-ci, de-là, fixées par touches successives : touches délicates et parfois précises, restant cependant générales. Elles visent à rendre l'âme attentive au souffle de Dieu et souple sous son action. Elles indiquent plutôt une direction à prendre qu'un sentier à suivre, une attitude d'âme à garder plutôt qu'une vertu à pratiquer. Flèches indicatrices obstinément pointées vers l'Infini, elles sollicitent constamment l'âme à aller vers son Dieu, et lui redisent sans cesse que pour atteindre son but divin et éviter tous les dangers, il est nécessaire mais il suffit, de rester simple, pauvre, libre, de garder le regard obstinément fixé vers Dieu, en traversant le désert qui y conduit.

Il paraîtra, au premier abord, que l'enseignement des deux Saints est bien différent, que parfois même il s'oppose. A le fréquenter et le scruter un peu, on ne tarde pas à se rendre compte que seuls l'éclairage et les aspects considérés sont différents, qu'ils visent tous deux à faire réaliser la même attitude de souplesse et de liberté, à assurer la même fidélité sous une action de Dieu identique, et que la lumière convergente de ce double enseignement permet de faire une synthèse doctrinale étonnamment riche et profonde, le plus précieux des secours parce que le mieux adapté et le moins gênant, pour une âme qui se trouve en cette période de la vie spirituelle.

2. Ces directives, plus aptes à former et à diriger qu'à guider dans le détail, ne suffisent pas pour éviter les erreurs et les chutes, quelle que soit la bonne volonté de l'âme. La science d'amour est une science pratique, en laquelle l'humble expérience est souveraine maîtresse. Erreurs et chutes y instruisent souvent plus que les victoires ; seules, elles peuvent montrer la valeur des directives des maîtres et en préciser la portée. Avoir buté aux garde-fous, ou même être tombée successivement

par une chute d'ignorance dans les deux fossés qui bordent la voie particulière qu'elle doit suivre, indique expérimentalement à l'âme entre quelles limites il lui faut cheminer vers son Dieu. La science d'amour est science d'humilité.

3. D'ailleurs, ne nous inquiétons pas pour cette âme. En cette obscurité, elle marche en sécurité et bientôt en assurance. N'a-t-elle pas le Maître qui s'est éveillé en elle ! Elle n'est plus seule. C'est l'action de la Sagesse d'amour qui a fait cette obscurité et ce marasme. Cette Sagesse est là, vivante, agissante, surveillant tout. L'âme le sait obscurément, le sentira parfois nettement. Ne nous appesantissons donc pas sur sa souffrance et sur les dangers de cette période. L'âme y est heureuse, plus heureuse qu'elle ne l'a jamais été ; elle marche en sécurité sous la lumière de la flamme vivante qui, timide encore peut-être, brûle en son cœur mais qui la guide sûrement vers le but mystérieux que Dieu lui a fixé :

> Et je n'apercevais rien
> Pour me guider que la lumière
> Qui brûlait dans mon cœur.
>
> Elle me guidait
> Plus sûrement que la lumière du midi
> Au but où m'attendait
> Celui que j'aimais,
> Là où nul autre ne se voyait[1].

Saint Jean de la Croix, qui a chanté le rayonnement lumineux de cette flamme, a pris cependant la plume pour subvenir à l'extrême nécessité des âmes en qui elle commence à brûler. Contradiction ? Non, certes ! L'humain et le divin s'unissent merveilleusement dans les œuvres surnaturelles. C'est bien d'ailleurs pour apprendre à l'âme à découvrir dans l'obscurité et le brouillard cette flamme qui y brûle, à la dégager et à la nourrir afin qu'elle devienne lumineuse et envahissante, que nos maîtres ont donné leur enseignement.

Recueillons leurs précieuses directives qui nous montreront comment, dans l'oraison d'abord, et ensuite en dehors de l'oraison, l'âme doit pratiquer le don de soi, l'humilité et le silence, pour répondre aux exigences de la Sagesse d'amour en cette période. Ne leur demandons pas de dissiper la nuit que Dieu a faite, mais d'y placer quelques points de repère lumineux pour diriger la marche.

---

1. *Cantique de la nuit*, str. III-IV, pp. 17-18.

B. — *NUIT ACTIVE PENDANT L'ORAISON*

La conduite de l'âme pendant l'oraison, en cette période, sera réglée par la nécessité de s'adapter à l'intermittence de la contemplation et à ses formes imparfaites.

I. — *Double devoir.*

L'âme a le double devoir, d'abord de respecter l'action de Dieu lorsqu'il donne la contemplation et de la favoriser par un abandon paisible et silencieux ; en second lieu, de reprendre son activité personnelle lorsque la contemplation fait défaut ou que sa forme imparfaite appelle elle-même un complément d'activité.

1. Saint Jean de la Croix excelle à mettre en relief le premier de ces devoirs :

Quelle que soit l'époque, écrit-il, où l'âme commence à entrer dans cet état simple et obscur de contemplation qui se manifeste lorsque la méditation lui est devenue impossible, elle ne doit pas s'efforcer de la faire ni s'attacher à des saveurs ou jouissances spirituelles ; elle doit être sans appui créé, à son poste, l'esprit dégagé de tout ; elle doit surtout accomplir ce que faisait le prophète Habacuc pour se préparer à écouter le Seigneur : « Je me tiendrai debout, dit-il, et je serai sur mes gardes ; je demeurerai ferme sur mes remparts et je contemplerai ce qu'on me dira [1] ». C'est comme s'il disait : j'élèverai ma pensée au-dessus de toutes les opérations et de toutes les connaissances qui peuvent atteindre mes sens, comme aussi au-dessus de tout ce qu'ils ont pu garder et retenir en eux-mêmes. Cela fait, je laisserai tout en bas, je consoliderai mes pas sur les remparts de mes puissances et ne les laisserai accomplir aucun acte pour que je puisse recevoir par la voie de la contemplation ce qui me sera communiqué de la part de Dieu ; car, nous l'avons déjà dit, la contemplation pure consiste à recevoir [2].

Les biens que Dieu communique dans cette contemplation sont ineffables. C'est toute une transformation qui s'opère, transformation dont saint Jean de la Croix nous dit les merveilles dans le *Cantique Spirituel* et la *Vive Flamme* ; mais Dieu n'agit que si nous sommes silencieux et paisibles.

---

1. Ha 2, 1.
2. *Vive Fl.*, str. III, p. 999.

Les biens que cette communication silencieuse et cette contemplation impriment dans l'âme, sans qu'elle le sente alors, sont, je le répète, inestimables. Ce sont, en effet, des onctions très mystérieuses, et, par suite, très délicates de l'Esprit Saint ; elles remplissent secrètement l'âme de richesses, de faveurs et de grâces spirituelles ; dès lors que c'est un Dieu qui les produit, il agit nécessairement comme un Dieu... Mais avec quelle facilité l'âme peut les (onctions) perdre ! Il suffit pour tout troubler du plus petit acte qu'elle veuille accomplir par elle-même, à l'aide de sa mémoire, de son entendement et de sa volonté, ou bien du moindre usage de ses sens, de ses tendances et de ses connaissances personnelles qu'elle voudra faire, ou encore de la plus petite saveur et consolation qu'elle acceptera ; et alors tout est troublé et perdu. Il y a là une imprudence grave qui est bien de nature à exciter la douleur et la compassion. Oh ! quel malheur affreux ! On ne le soupçonne pas au début ; ce n'est qu'un petit rien qui s'est interposé dans ces onctions saintes ; et cependant le dommage qui en résulte est plus grand, plus douloureux et plus déplorable que si l'on jetait dans le trouble et si l'on perdait une foule d'âmes vulgaires qui ne sont pas en état de recevoir des émaux si riches et si variés. Figurez-vous qu'un tableau qui est un chef-d'œuvre d'art et de délicatesse soit retouché sans goût et sans art par une main maladroite. Est-ce qu'il n'y aurait pas là un dommage plus grand, plus important et plus fâcheux que si l'on abîmait et perdait une foule de peintures vulgaires ? Or il s'agit ici d'une œuvre très délicate du Saint-Esprit, et elle est gâtée par une main maladroite [1].

Dans ce passage, saint Jean de la Croix parle des degrés supérieurs de la contemplation. En ses degrés inférieurs, l'emprise divine a droit au même respect et exige la même attitude silencieuse. Plus compatissant à l'égard des commençants qui ignorent, le saint Docteur n'en est pas moins pressant à leur recommander la paix et le silence :

C'est donc une chose digne de pitié, écrit-il, d'en voir un grand nombre qui, voulant le repos et le calme de la quiétude intérieure pour y goûter la paix et s'y nourrir de Dieu, troublent leur âme, la ramènent dehors à ce qui est plus extérieur, l'obligent à recommencer sans motif le chemin déjà parcouru, quittent ce but, ce terme où elle se reposait déjà, et reprennent le chemin des considérations qui l'y avaient amenée... Malheureusement ces personnes ne comprennent pas le mystère de cette nouveauté ; elles s'imaginent qu'elles sont dans l'oisiveté et qu'elles ne font rien [2].

Ces pauvres âmes perdent le profit des bienfaits de la contemplation qui commence. Saint Jean de la Croix multiplie les comparaisons pour mettre en relief les dommages produits par cette agitation. L'âme ressemble

---

1. *Vive Fl.*, str. III, pp. 1001-1002.
2. *Montée du Carm.*, Liv. II, ch. XI, pp. 151-152.

à l'enfant que l'on force à abandonner le sein où il prend le lait qui y est déjà amené, pour l'obliger à l'y attirer par la pression et le mouvement de ses mains [1],

ou encore :

au petit enfant que la mère veut porter sur ses bras et qui pleure et s'agite pour marcher à pied ; aussi n'avance-t-il pas et empêche-t-il sa mère d'avancer. Elle ressemble encore à la toile sur laquelle un artiste veut peindre un portrait, mais qui est remuée par un autre ; il en résulte que rien ne se fait ou que l'on gâte tout [2].

Ce retour à la méditation produit une recrudescence de peine et d'inquiétude, ainsi que nous l'avons dit en parlant des souffrances de la purification du sens :

Cette méthode, dit le Saint, leur donne (aux âmes) beaucoup de peine, mais leur procure très peu de suavité et même ne leur en procure aucune ; par là, au contraire, elles augmentent d'autant plus la sécheresse, la fatigue et l'inquiétude, qu'elles recherchent davantage la suavité première qu'il n'y a plus espoir de recouvrer [3].

Plus elles persévèrent dans cette conduite, et plus leur état empire, parce qu'elles sortent leur âme de la paix de l'esprit [4].

Ainsi donc d'un côté l'âme se fatigue, et de l'autre elle ne profite pas. En voulant se servir de son propre esprit, elle perd cet esprit de paix et de tranquillité où elle se trouvait [5].

Respect de l'action de Dieu et profit spirituel s'unissent donc pour imposer à l'âme le devoir de rester silencieuse et paisible dans la contemplation.

Les témoignages de sainte Thérèse sur ce point ne manquent pas. Nous réservons ses enseignements précis et nuancés pour le moment où nous ferons l'application pratique de ce principe aux diverses oraisons de cette période.

2. Par contre, la Sainte souligne par des affirmations vigoureuses le deuxième devoir, à savoir la nécessité de suppléer par l'activité des facultés, au manque ou à l'imperfection de la contemplation.

La Sainte, en effet, estime nécessaire d'insister sur ce devoir, surtout auprès de l'âme qui a expérimenté l'emprise de Dieu et qui ne peut pas ne pas désirer la retrouver :

---

1. *Montée du Carm.*, Liv II, ch. XII, p. 159.
2. *Vive Fl.*, str. III, p. 1022.
3. *Montée du Carm.*, Liv II, ch. XI, p. 151.
4. *Ibid.*, p. 152.
5. *Nuit Obsc.*, Liv. I, ch. X, p. 518.

Vous voudriez, mes filles, écrit sainte Thérèse, chercher à vous procurer immédiatement cette oraison (de quiétude), et c'est juste ; car l'âme, je le répète, ne saurait approfondir les faveurs que le Seigneur lui fait alors ni l'amour avec lequel il l'approche toujours davantage de lui [1].

Désir légitime, certes. Mais pour le réaliser, ne faut-il pas essayer de se placer dans l'attitude passive qu'exigent ces états surnaturels et ainsi essayer de provoquer l'emprise divine ? Ne pourrait-on pas trouver dans l'enseignement de saint Jean de la Croix une invitation à adopter d'une façon habituelle, pendant cette période de transition, une telle attitude passive ?

Folie ! répond sainte Thérèse [2] :

Si Sa Majesté n'a pas encore commencé à nous enivrer de ses délices, je ne saurais comprendre comment on pourrait empêcher l'entendement de discourir ; il en résulterait plus de dommage que de profit. C'est là un point qui a été très discuté entre plusieurs personnages adonnés à la spiritualité. Pour moi, je confesse mon peu d'humilité ; mais je ne trouve pas qu'ils m'aient donné une raison convaincante pour que je me range à leur avis. L'un d'eux m'alléga un certain livre du saint religieux appelé Pierre d'Alcantara... Or, après avoir lu le livre, nous trouvâmes qu'il disait la même chose que moi [3].

Notons que dans ce passage, la Sainte parle de l'âme qui est déjà dans le recueillement surnaturel. A plus forte raison, ne devra-t-elle pas se condamner à la passivité, lorsque l'emprise divine ne se fait sentir d'aucune façon :

Il est très important, écrit-elle ailleurs, de ne point chercher à élever par nous-mêmes notre esprit, tant que le Seigneur ne l'attire pas à un degré supérieur. Quand il le fait, on le comprend aussitôt. Mais ce serait plus dangereux encore pour les femmes d'y travailler, car le démon pourrait les faire tomber dans quelque illusion [4].

Mais alors, me direz-vous, comment pourrons-nous les obtenir (les faveurs surnaturelles), si nous ne cherchons pas à nous les procurer ? Je réponds à cela qu'il n'y a pas de meilleur moyen que celui que j'ai indiqué, c'est-à-dire de ne point rechercher de telles faveurs... [5]

Ce point étant discuté, la Sainte expose en divers endroits de ses traités, les raisons du conseil impérieux qu'elle donne.

La première et principale raison est qu'une telle attitude est entachée d'orgueil. La contemplation est un don gratuit de la Miséricorde divine :

---

1. IVᵉ Dem., ch. II, p. 877.
2. *Vie*, ch. XII, p. 119.
3. IVᵉ Dem., ch. III, p. 883.
4. *Vie*, ch. XII, p. 120-121.
5. IVᵉ Dem., ch. II, p. 877.

Jusqu'à l'union de volonté

Sa Majesté, écrit-elle, n'est point obligée à nous les accorder (ces faveurs), comme elle l'est à nous donner la gloire du ciel, si nous gardons ses commandements...

Nous manifesterions de bien peu d'humilité, si nous nous imaginions obtenir une si haute faveur par nos misérables services...

Ou encore si nous n'avions pas « la persuasion » que « nous ne méritons nullement ces faveurs et ces goûts de Dieu...[1] ».

Or, c'est l'humilité seule qui peut attirer les effusions de la Miséricorde. C'est ainsi que l'humilité devient la grande loi, la disposition la plus importante pour obtenir la contemplation :

A coup sûr vous désirez savoir comment elle (l'âme) acquiert une telle grâce. Je vais donc vous dire ce que j'ai compris à ce sujet... Lorsque vous vous serez conformées à ce que j'ai marqué pour ceux qui habitent les Demeures précédentes, pratiquez l'humilité et encore l'humilité. C'est par elle que le Seigneur se laisse vaincre et nous accorde tout ce que nous lui demandons[2].

L'humilité n'est pas seulement un sentiment, elle doit se traduire ici par une attitude. L'âme humble se tiendra comme le pauvre qui n'a rien et qui n'a droit à rien. Sans dissimuler cependant ses désirs légitimes d'union toujours plus intime en l'étreinte divine, elle se soumettra à l'humble labeur des facultés, jusqu'à ce que Dieu se penche sur elle pour l'élever jusqu'à la passivité savoureuse :

Quand vous êtes invité à un repas de noces, nous dit Notre-Seigneur, ne prenez pas la première place... mais prenez plutôt la dernière, afin qu'à son arrivée votre hôte vous dise : « Mon ami, prenez une place plus honorable ». Vous serez ainsi glorifié devant tous les convives. Car celui qui s'élève sera humilié et celui qui s'abaisse sera élevé[3].

La parabole évangélique trouve dans le plan spirituel une application plus rigoureuse encore que dans le plan purement naturel. C'est vers l'humble que se porte la Miséricorde en humiliant le superbe : *Dispersit superbos... Deposuit potentes de sede et exaltavit humiles*[4], chantait la Vierge Marie en son Magnificat.

La dernière place que recherchera l'humilité en cette période, sera celle d'une oraison d'activité paisible. C'est celle qui attirera la grâce élevante de Dieu. Toute autre attitude serait punie tôt ou tard par la privation des faveurs déjà accordées.

---

1. IVᵉ Dem., ch. II, pp. 877-878.
2. *Ibid.*, p. 877.
3. Lc 14, 8-11.
4. Lc 1, 51-52.

Sainte Thérèse ajoute que l'effort pour arrêter l'activité des facultés produirait gêne, souffrance et stupidité :

Ce que je veux dire, écrit-elle, dans le livre de sa *Vie*, c'est que nous n'ayons ni la présomption, ni même la pensée de le suspendre nous-mêmes (l'entendement). Nous ne devons pas cesser de l'employer à discourir, sans quoi nous tomberions dans la stupidité et la sécheresse, et nous ne pourrions obtenir aucun bon résultat... De nous-mêmes occuper les puissances de l'âme et nous imaginer que nous pourrons tout à la fois en suspendre l'opération, c'est une véritable folie... Notre travail sera inutile, et l'âme éprouvera en elle-même un petit ennui, comme celui qui s'apprête à sauter et se sent retenu par derrière [1].

Dans le *Château Intérieur* elle ajoute cette remarque :

L'effort même que l'on fait pour ne penser à rien excitera peut-être l'imagination à s'occuper de beaucoup de choses [2].

Effort donc présomptueux, inutile, dangereux et pénible, que de se condamner à la passivité pour obtenir la contemplation.

Mais que doit faire l'âme pendant cette période ? Comment va-t-elle s'activer, sans gêner l'emprise divine, peut-être toute proche ou déjà commençante ? Nous allons essayer de le dire. Mais auparavant, écoutons sainte Thérèse esquisser à grands traits l'attitude de l'âme :

Ce que nous avons à faire, c'est de nous tenir comme des pauvres nécessiteux en présence d'un grand et riche monarque ; à peine ont-ils demandé l'aumône, qu'ils baissent les yeux et attendent en toute humilité. Quand il nous semble que Dieu par des voies secrètes nous fait comprendre qu'il nous écoute, il est bon alors de nous taire, dès lors qu'il nous a permis de nous approcher de lui ; il ne sera pas mal de chercher, si nous le pouvons, bien entendu, à ne pas discourir ; mais si nous ne comprenons pas encore que ce grand Roi nous écoute et nous regarde, nous ne devons pas rester comme des insensés à ne rien faire. C'est ce qui n'arrive que trop à l'âme quand elle a essayé de ne plus discourir ; elle se trouve dans une aridité plus grande ; peut-être même son imagination est-elle plus troublée par suite de l'effort qu'elle a fait pour ne penser à rien. Le Seigneur, au contraire, veut que nous lui adressions alors nos demandes et que nous considérions que nous sommes en sa présence. Il sait d'ailleurs ce qui nous convient. Pour moi, je ne puis croire que des moyens humains réussiraient dans des choses où Sa Majesté, ce me semble, a posé des limites qu'elle se réserve de faire franchir elle-même. Elle a laissé assez d'autres choses à notre disposition, comme les pénitences, les bonnes

1. *Vie*, ch. XII, p. 119.
2. IVᵉ Dem., ch. III, p. 884.

œuvres et l'oraison que nous pouvons faire avec son secours jusqu'au point où notre faiblesse nous le permet [1].

Ces conseils généraux, à la fois si larges et si nuancés, pourraient suffire si nous ne nous trouvions en un point très important de la vie spirituelle, sur lequel on ne jettera jamais trop de lumière, pour aider les âmes à le franchir. Voici donc quelques corollaires pratiques tirés des principes énoncés jusqu'à présent. Nous en ferons ensuite l'application aux diverses oraisons propres à cette période de transition.

II. — *Corollaires pratiques.*

1. *Préparer l'oraison.*

Préparation prochaine par une lecture ou le choix d'un sujet précis : c'est le premier devoir de l'âme pendant cette période.

Sainte Thérèse nous l'a dit : nous n'avons pas le droit d'attendre passivement la venue de la grâce spéciale de la contemplation. Nous devons nous y préparer en usant des facultés qui sont à notre disposition. L'humilité et le bon sens l'exigent.

Mais tout directeur connaît les répugnances, sinon les résistances de certaines âmes sur ce point. L'âme est toute remplie du souvenir, et peut-être de la saveur de l'oraison du matin ou de la veille ; elle désire si ardemment retrouver ce contact nourrissant avec l'obscur ! Ne l'oblige-t-on pas à revenir en arrière ? La préparation faite la veille lui a été inutile et elle eût été gênante si l'âme avait voulu l'utiliser. Le directeur qui exige la préparation de l'oraison, n'est-il pas de ceux que saint Jean de la Croix flagelle avec une si juste sévérité dans la *Vive Flamme*, parce que ne comprenant rien aux voies de l'esprit et entichés de recettes et de méthodes ?

... ils troublent et empêchent les âmes de jouir de la paix de cette contemplation paisible et tranquille dont Dieu les favoriserait et les obligent à reprendre le chemin de la méditation ou du discours imaginaire [2].

Nous avons déjà répondu à cette objection en faisant remarquer que le meilleur moyen pour mériter la grâce de la contemplation est de se tenir humblement à la dernière place, c'est-à-dire d'occuper paisiblement les facultés en attendant que Dieu nous élève Lui-même plus

---

1. IVe Dem., ch. III, pp. 883-884.
2. *Vive Fl.*, str. III, p. 1011.

haut. Cette objection nous oblige cependant à préciser l'obligation de la préparation de l'oraison en indiquant comment il faut la remplir.

Cette préparation doit tenir compte des progrès réalisés et du degré de vie spirituelle auquel l'âme est parvenue. En cette période en effet, lorsque l'âme ne jouit pas de la contemplation surnaturelle, elle est habituellement incapable de s'adonner à la méditation proprement dite. Cette impuissance, qu'elle soit le fruit de grâces mystiques ou d'efforts persévérants qui ont simplifié les opérations de l'intelligence, ne permet plus que les oraisons de simplicité. La préparation de l'oraison sera donc faite pour introduire immédiatement l'âme en ces oraisons.

Elle évitera les longues lectures qui ne pourraient que la fatiguer, la multitude des pensées qui créerait l'agitation. Elle veillera à rester simple, presque schématique, cherchera un verset de la sainte Écriture, une pensée frappante, un regard sur une attitude du Christ Jésus, le mot lumineux ou recueillant qui suffisent à fixer les facultés, à apaiser toute l'âme, à l'occuper, jusqu'à ce qu'il plaise au Maître de l'élever plus haut, et qui lui permettront de retrouver la paix lorsqu'au cours de l'oraison elle s'est laissé emporter par les distractions ou troubler par l'agitation douloureuse des facultés extérieures.

Trouver la pensée, l'image ou le mot qui fixeront l'attention de l'âme ou la recueilleront au début de l'oraison et lui serviront ensuite de bouclier ou de point de repère contre l'agitation pendant l'oraison, tel est le but et le résultat de la préparation en cette période de transition.

Ajoutons deux remarques avant de clore ce paragraphe.

La première, c'est qu'assez fréquemment il suffira que l'âme commence cette préparation pour qu'aussitôt elle se sente recueillie en Dieu et retrouve son oraison surnaturelle, le Maître vigilant manifestant ainsi l'ardeur de son désir de récompenser l'humilité et de répondre aux premières avances d'une âme qui lui est particulièrement chère.

La deuxième remarque d'une grande importance pratique peut être ainsi formulée : lorsque la préparation n'aboutit pas à assurer un aliment aux facultés ni à les recueillir, elle est toujours une garantie contre la tentation d'oisiveté, et sert de témoignage que l'âme se trouve dans la sécheresse contemplative. Apparemment inutile, elle n'est jamais plus précieuse et elle atteint son but en plaçant l'âme sous l'action douloureuse et réelle de Dieu.

Jusqu'à l'union de volonté

2. *Persévérer dans l'oraison active,*

jusqu'à ce que l'âme soit élevée à la contemplation. Ce deuxième corollaire semble ne pas avoir besoin de longs développements, après ce que nous venons de dire de la préparation. Il ne sera pas inutile cependant, d'apporter sur ce point le témoignage de saint Jean de la Croix, alors que nous l'avons entendu surtout nous recommander la passivité :

> Pour que cette doctrine ne reste pas confuse, écrit-il dans la *Montée du Carmel*, il convient de montrer à quel temps, à quelle époque, l'homme adonné à la spiritualité, doit abandonner l'oraison discursive qu'il fait au moyen des représentations, images, formes et figures, dont nous avons déjà parlé ; car il ne doit les abandonner ni plus tôt, ni plus tard que ne le demandent les dispositions de son âme. S'il convient de les quitter à temps pour qu'elles n'empêchent pas l'âme d'aller à Dieu, il est également nécessaire de ne pas abandonner avant le temps la méditation imaginaire, sous peine de retourner en arrière. Sans doute les opérations de ces puissances ne sont pas un moyen proche d'union à Dieu pour ceux qui sont déjà avancés, elles servent cependant aux commençants de moyens éloignés pour disposer et préparer leur esprit par les sens aux choses spirituelles ; elles servent également à écarter en passant toutes les autres formes ou images grossières, matérielles, mondaines, naturelles [1].

Le Saint s'est attaché à fixer avec soin le moment où l'âme doit quitter l'oraison active. Un peu plus loin, il aborde directement la question qui nous occupe :

> Il peut surgir une difficulté au sujet de ce que nous avons dit. La voici. Est-ce que ceux qui progressent, je veux dire ceux que Dieu commence à placer dans cette connaissance surnaturelle de contemplation dont nous nous sommes occupés, ne doivent plus, par le fait même qu'ils commencent à l'avoir, se servir jamais de la méditation ordinaire, des raisonnements et des représentations naturelles ? A cela on répond comme il suit. On ne prétend pas que ceux qui commencent à avoir cette connaissance amoureuse et simple n'aient plus en général à recourir jamais à la méditation ni à la recherche. Dans les débuts, en effet, ils ne possèdent pas cette connaissance à un degré assez parfait pour pouvoir en user dès qu'ils le veulent ; de même ils ne sont pas encore si éloignés de la voie de la méditation, qu'ils ne puissent pas méditer et discourir quelquefois comme auparavant, en se servant des images et des représentations et y trouver quelque nouveau profit. Au contraire, quand, dans ces débuts, ils verront, d'après les signes dont nous avons parlé, que l'âme n'est pas occupée paisiblement dans cette connaissance, on devra profiter de la méditation discursive, jusqu'à ce que l'on ait acquis l'habitude de contempler d'une façon quelque peu parfaite...; tant que l'on ne sera pas arrivé à cet état (être favorisé immédiatement de la paisible

---

1. *Montée du Carm.*, Liv. II, ch. XI, p. 153.

connaissance), qui est celui des âmes déjà avancées, il y a un mélange de l'une et l'autre voie[1].

Précieux enseignement qui fera éviter la tentation de vouloir reprendre son oraison au point où on l'a laissée le matin ou la veille, ainsi que le suggérerait le désir de la saveur surnaturelle et d'une action plus puissante de Dieu. Sainte Thérèse, en effet, nous avertit fréquemment :

Je l'ai dit, et je voudrais qu'on ne l'oublie jamais. Si l'âme grandit, comme nous l'affirmons, et c'est la vérité, elle ne croît pas cependant à la manière des corps. Le petit enfant qui s'est développé et est arrivé à la taille de l'homme mûr, ne recommence pas à décroître et à reprendre un petit corps. Pour l'âme, le Seigneur veut qu'il en soit ainsi[2].

D'où la nécessité, conclut la Sainte, de revenir aux simples considérations, lorsque l'âme n'est plus aussi parfaitement unie à Dieu.

3. *Au cours de l'oraison, l'âme doit revenir à la méditation, lorsqu'elle n'est plus sous l'action de la grâce contemplative.*

La contemplation peut cesser au cours de l'oraison, soit parce que Dieu ne la donne que d'une façon transitoire, soit plus fréquemment parce que l'âme n'est pas fidèle à y correspondre. L'âme se laissera parfois entraîner par les distractions, par le bruit des puissances sensibles, ou même par le flot de la saveur surnaturelle et perdra ainsi le contact avec Dieu d'où elle jaillit. Le vide et l'oisiveté qu'elle trouve alors doivent être remplis par une recherche active de Dieu.

Car si l'âme n'avait pas alors, écrit saint Jean de la Croix, cette connaissance et cette présence de Dieu, il s'ensuivrait qu'elle ne ferait rien et qu'elle n'aurait rien : et, en effet, après avoir abandonné la méditation qui l'aide à discourir par ses puissances sensitives, s'il lui manque aussi la contemplation, ou connaissance générale dont nous avons parlé et où elle tient en activité ses puissances spirituelles, la mémoire, l'entendement et la volonté, qui sont déjà unies dans cette connaissance toute faite et possédée, elle serait nécessairement privée de tout exercice par rapport à Dieu[3].

Le Saint en conclut que dès lors, il faut en revenir à la méditation. C'est en ces moments de trouble causé par les distractions ou l'agitation qui ont fait perdre la contemplation, et dans l'humiliation douloureuse de la

---

1. *Montée du Carm.*, ch. XIII, pp. 169-170.
2. *Vie.*, ch. XV, pp. 153-154.
3. *Montée du Carm.*, Liv., II, ch. XII, pp. 160-161.

sécheresse, qu'apparaît l'utilité de la préparation de l'oraison. Un simple et prompt retour vers la pensée ou l'image recueillante, suffira souvent pour reprendre le contact perdu avec la Réalité divine, ou du moins pour assurer aux facultés un point de repère lumineux et un appui dans la tempête, en attendant qu'elles puissent retrouver un apaisement complet.

Après avoir proclamé la nécessité du retour à la méditation lorsque cesse la contemplation, saint Jean de la Croix ajoute :

> Il faut savoir ici que cette connaissance générale dont nous parlons est parfois très subtile et très délicate, surtout quand elle est plus pure, plus simple, plus parfaite, plus spirituelle, plus intérieure ; aussi l'âme, tout en s'en occupant, ne la voit pas et ne la sent pas [1].

Il faut le redire ici : toute impression d'oisiveté ne doit pas être combattue par un retour à la méditation, surtout lorsque l'âme a déjà été favorisée de la contemplation. Le problème délicat du discernement de la contemplation se pose fréquemment en ses formes subtiles de contemplation simple et sèche. Il appartient au directeur de faire ce discernement et de donner à l'âme des directives générales en rapport avec ses besoins.

Une dernière conclusion des principes posés paraîtra d'une application plus difficile encore :

4. *Dans les oraisons contemplatives imparfaites, l'âme devra assurer la paix et le silence aux facultés qui sont sous l'emprise de Dieu, mais continuer à agir avec les puissances libres et dans la mesure où elle le peut sans troubler la paix du fond de l'âme.*

C'est sur ce point que portaient les discussions « entre plusieurs personnages adonnés à la spiritualité » auxquelles sainte Thérèse fait allusion dans le chapitre troisième des quatrièmes Demeures. Il s'agissait, d'une façon précise, de savoir si le recueillement passif, mais sans attention amoureuse, imposait le devoir de suspendre l'entendement. Nous avons déjà entendu la Sainte nous exposer sa pensée et en trouver la justification dans le livre du « saint religieux appelé Pierre d'Alcantara », dont on lui opposait le témoignage. Fidèle au principe maintes fois affirmé, que la passivité est une attitude orgueilleuse

---

1. *Montée du Carm.*, Liv. II, ch. XII, p. 162.

et stérile dans l'attente de l'emprise divine, sainte Thérèse soutient que dans la contemplation imparfaite, les facultés qui ne sont pas sous l'action de Dieu doivent continuer à agir, dans la mesure où leur activité ne trouble pas les régions de l'âme saisies par Dieu.

Il nous paraît que la discussion dont parle sainte Thérèse résultait moins d'une opposition de doctrine que d'un manque de pénétration psychologique de la part de ses contradicteurs et d'une expérience spirituelle chez eux encore incomplète.

Dans les premières expériences contemplatives, en effet, l'âme est toute à la douceur nouvelle de la saveur divine ou au contraire à la tristesse de sa sécheresse impuissante et au regret des consolations d'autrefois. L'impression de plénitude qui accompagne toute action surnaturelle, même en son degré le plus infime, déborde dans la conscience psychologique et y crée une impression d'enveloppement complet ou même d'union parfaite. La sécheresse contemplative crée la même impression de débordement, mais celle-ci de vide douloureux en toutes les facultés. L'âme est alors trop surprise et déconcertée par la nouveauté du spectacle intérieur pour se découvrir elle-même sous la grâce qu'elle reçoit. Elle ne saurait faire de distinction précise entre ses facultés ; elle ne peut qu'affirmer son impuissance à dépasser cette plénitude et à laisser certaines facultés en repos en agissant modérément avec d'autres.

Par contre, sainte Thérèse, dont la haute expérience contemplative a dominé, en les dépassant, ces états premiers et qui les a analysés avec sa merveilleuse pénétration psychologique, y discerne nettement, ainsi que nous l'avons vu en ses descriptions du recueillement passif et de l'oraison de quiétude, l'emprise divine et la liberté des facultés, des régions de paix et des zones d'agitation.

Son enseignement est éminemment utile à l'âme aveugle en ces débuts. Dès lors que l'attention de celle-ci est éveillée sur ce point, elle arrive plus aisément à discerner elle-même, pendant la contemplation, ce que l'expérience de sainte Thérèse lui a révélé. Ce qu'elle jugeait précédemment distinctions subtiles et peut-être vaines, lui devient lumineux et elle ne tarde pas à apprécier la merveilleuse efficacité des conseils qui en découlent :

J'ai dit, écrit-elle, que dans ce premier recueillement, dans cette oraison de quiétude, les puissances de l'âme ne sont pas privées de leur opération. Tant que dure cette oraison, l'âme goûte un tel bonheur avec Dieu, que la volonté lui restant unie, malgré les

571

écarts de l'entendement et de la mémoire, elle conserve la quiétude et la paix [1].

Occuper les puissances qui restent libres ; respecter le repos surnaturel de celles qui sont sous l'action de Dieu, en évitant toute activité désordonnée qui pourrait le troubler ; ne donner par conséquent en cette période qu'une activité paisible dans l'oraison : telles sont les directives qui résument l'enseignement de nos Maîtres.

Mais ces directives générales doivent tenir compte dans le domaine pratique de situations si différentes, d'états d'âmes si divers qu'il nous sera fort utile pour en saisir toute la portée, de suivre encore nos Saints dans l'application qu'ils en ont faite eux-mêmes aux oraisons de cette période.

Sainte Thérèse nous donnera son enseignement nuancé et précis pour les oraisons de recueillement passif et de quiétude ; saint Jean de la Croix sera notre guide dans la sécheresse contemplative.

III. — *Applications aux oraisons contemplatives.*

1. *Le recueillement passif.*

Il a déjà été question de ce recueillement surnaturel qui, dans l'ordre logique et bien souvent aussi dans l'ordre chronologique, est la première des oraisons contemplatives. Sainte Thérèse le distingue soigneusement du simple recueillement actif ; il n'est cependant qu'une « disposition à écouter les paroles divines » :

> J'ai lu, ce me semble, écrit sainte Thérèse, que ce recueillement surnaturel ressemble à l'acte par lequel le hérisson et la tortue rentrent en eux-mêmes ; celui qui a écrit cette comparaison devait sans doute en avoir l'intelligence. Toutefois, ces animaux rentrent en eux-mêmes quand ils veulent, tandis que le recueillement surnaturel n'a pas lieu quand nous le voulons, mais seulement lorsqu'il plaît à Dieu de nous le donner [2].

Que doit faire l'âme dont les facultés sont recueillies par le coup de sifflet suave du bon Pasteur ?

Ou bien ce recueillement passif est le prélude et la préparation à une action de Dieu plus qualifiée, et l'âme n'a qu'à s'abandonner à cette action, ou bien ce recueillement passif n'est qu'une emprise de Dieu qui ne poussera pas plus loin son action. Dès lors, il n'y a pas à hésiter :

---

1. *Vie.*, ch. xv, p. 145.
2. IVᵉ Dem., ch. iii, p. 882.

Dans l'oraison de recueillement, écrit sainte Thérèse parlant de ce deuxième cas, il ne faut pas laisser la méditation ni le travail de l'entendement... [1] Si Sa Majesté n'a pas encore commencé à nous enivrer de ses délices, je ne saurais comprendre comment on pourrait empêcher l'entendement de discourir ; il en résulterait plus de dommage que de profit [2].

Puisqu'en effet dans ce recueillement les facultés ne sont pas enchaînées, elles ont le devoir de profiter de leur liberté pour chercher Dieu activement, en utilisant la facilité singulière que leur assure le recueillement passif.

Dieu nous a donné nos facultés pour que nous nous en servions, explique la Sainte, et chacune d'elles aura sa récompense ; il ne faut donc pas chercher à les tenir dans une sorte d'enchantement, mais les laisser accomplir leur office, jusqu'à ce qu'il plaise à Dieu de les appeler à un état plus élevé [3].

Cette activité, d'ailleurs, doit se faire « sans violence et sans bruit », car les

opérations intérieures de Dieu sont toutes suaves et pacifiques ; or faire une chose pénible causerait plus de dommage que de profit [4].

Sainte Thérèse nous laisse donc penser que cette activité des facultés sera bien simplifiée et se bornera à soutenir une attention générale à Dieu et à sa présence :

Voici ce que je comprends, écrit-elle. Ce qui convient le mieux à l'âme que le Seigneur a daigné élever à cette demeure, c'est de faire ce que j'ai dit. Elle doit s'appliquer sans violence et sans bruit à empêcher les discours de l'entendement, mais non pas à le suspendre ; j'en dis autant de l'imagination. Il est bon, au contraire, qu'elle se rappelle qu'elle est en la présence de Dieu, et considère qui Il est. Si ce que l'entendement éprouve en lui-même le ravit, à la bonne heure ; mais qu'il ne cherche pas à comprendre ce que c'est, car une telle faveur est accordée à la volonté ; qu'il la laisse donc en jouir, sans rien faire de plus que de lui suggérer quelques paroles d'amour ; car bien que nous ne cherchions pas à rester alors sans penser à rien, cela arrive souvent, mais dure très peu de temps [5].

Ces derniers conseils ont déjà trait à l'oraison de quiétude et résument un enseignement que sainte Thérèse s'est plu à développer, parce qu'elle l'estimait pratique pour un grand nombre d'âmes :

---

1. IVe Dem., ch. III, p. 886.
2. *Ibid.*, p. 883.
3. *Ibid.*, p. 885.
4. *Ibid.*, p. 884.
5. *Ibid.*, p. 885.

Jusqu'à l'union de volonté

Daigne Sa Majesté m'aider à bien faire comprendre ce point. Car il y a beaucoup, oui, beaucoup d'âmes qui arrivent à ce degré, mais il y en a bien peu qui le dépassent, et je ne sais à qui en attribuer la faute. A coup sûr, ce n'est pas à Dieu [1].

2. L'oraison de quiétude.

Décrite assez longuement dans le chapitre déjà cité, l'oraison de quiétude est une petite étincelle de son véritable amour que le Seigneur commence à allumer dans l'âme [2].

L'âme

possède en même temps un très grand contentement, le repos de ses puissances et un plaisir très suave... Elle n'ose ni changer de place, ni se remuer, car il lui semble que ce trésor lui échapperait ; parfois même elle voudrait ne pas respirer [3].

Pour décrire cette suavité, les comparaisons viennent nombreuses à l'esprit de sainte Thérèse :

Quand cette eau céleste coule de la source dont j'ai parlé qui est au plus intime de nous-mêmes, tout notre intérieur s'élargit et se dilate... L'âme elle-même est impuissante à comprendre les dons qui lui sont accordés alors. Elle respire une suave odeur..., comme si dans ce fond intime il y avait un brasier où l'on jetât des parfums les plus embaumés. On ne voit ni la flamme du brasier, ni l'endroit où il est, mais la chaleur et la fumée odoriférante pénètrent l'âme entière, et même bien souvent, je le répète, le corps lui-même y participe [4].

Mais dans cette oraison, note sainte Thérèse, seule la volonté est prise :

L'âme s'imagine qu'elle n'a plus rien à désirer ; ses puissances sont dans une telle quiétude qu'elles ne voudraient pas se remuer ; de fait, tout semble l'empêcher d'aimer. Toutefois les puissances ne sont pas tellement enchaînées qu'elles ne pensent à celui auprès de qui elles se trouvent. Deux d'entre elles restent libres. La volonté seule est captive [5].

Même remarque dans le *Château Intérieur* [6] et dans le livre de sa *Vie* :

Les puissances ne sont ni perdues, ni endormies. La volonté seule est occupée, sans savoir comment, à se rendre captive. Elle ne peut que donner son consentement, pour que Dieu l'empri-

---

1. *Vie*, ch. XV, p. 146.
2. *Ibid.*, p. 147.
3. *Ibid.*, p. 145.
4. IVᵉ Dem., ch. II, p. 876.
5. *Chem. Perf.*, ch. XXXIII, p. 738.
6. IVᵉ Dem., ch. II, p. 877.

sonne, assurée qu'elle est de devenir la captive de celui qu'elle aime. O Jésus ! O mon Dieu ! comme votre amour nous aide ici ! Il tient le nôtre tellement enchaîné qu'il ne lui laisse pas la liberté d'aimer alors autre chose que vous ![1]

Le devoir de l'âme est évidemment de protéger cette paix de la volonté captive de celui qui l'a prise. Cette paix est moins menacée par les tentations extérieures, que par l'agitation des facultés intérieures, par l'entendement et la mémoire.

Sainte Thérèse qui semble avoir beaucoup souffert du bruit de ces facultés, revient en tous ses traités sur cette lutte intérieure et sur les moyens d'y triompher. L'entendement, l'imagination, la mémoire participent parfois à la jouissance de la volonté ; fréquemment elles semblent l'ignorer. Dans les deux cas, leur activité peut être dangereuse.

Quand elles ont part en effet à la jouissance,

elles viennent au secours de la volonté pour la disposer à jouir d'un si grand bien[2].

Mais leur secours est plutôt nuisible, car il porte l'agitation :

Ces deux puissances sont alors comme des colombes qui, non contentes de la nourriture que le maître du colombier leur donne, sans aucun travail de leur part, vont en chercher ailleurs et s'en trouvent si mal qu'elles reviennent... Elles pensent évidemment être utiles à la volonté, mais souvent au contraire la mémoire ou l'imagination lui fait tort, en lui représentant le bonheur dont elle jouit[3].

Quant à l'entendement, il

cherche beaucoup de paroles et de considérations pour rendre grâce de ce bienfait, entasse ses péchés et ses fautes pour se pénétrer de son indignité. Toutes ces choses se remuent alors, l'entendement les représente, la mémoire s'agite ; et j'avoue que parfois ces deux puissances me fatiguent[4].

En d'autres occasions, l'entendement et les autres puissances sont quasi affolés :

L'entendement s'arrête, ou mieux, est arrêté, parce qu'il voit qu'il ne comprend pas ce qu'il veut ; voilà pourquoi il se porte ici et là comme un insensé, sans trouver de repos nulle part[5].

---

1. *Vie*, ch. XIV, pp. 137-138.
2. *Ibid.*, p. 138.
3. *Ibid.*
4. *Ibid.*, ch. XV, pp. 148-149.
5. IVe Dem., ch. III, p. 886.

Jusqu'à l'union de volonté

L'âme se trouvant dans une quiétude profonde, dit encore sainte Thérèse dans le *Chemin de la Perfection*, il arrive parfois que l'entendement (ou l'imagination) est complètement troublé : il lui semble que ce n'est point dans sa maison que cela se passe ; il s'imagine être pour ainsi dire comme un hôte dans une demeure étrangère où il n'est pas content de se trouver, et il en cherche une autre, parce qu'il ne sait pas se fixer[1].

Impression étrange, certes ! Et cependant n'est-il pas normal, ce désarroi fiévreux des facultés devant l'immobilité et le silence de la volonté, leur maîtresse, de même que l'impression de n'être plus chez soi en cette demeure désormais sous l'emprise d'une puissance mystérieuse qui ne révèle que sa force.

On le voit, l'oraison de quiétude vit sous des climats bien différents. Comment faire pour la protéger contre la bonne volonté intempestive des facultés ou contre leur agitation ?

La volonté doit donc se tenir dans le repos et la prudence pour comprendre qu'on ne négocie pas bien avec Dieu à force de bras ; ce serait comme si l'on jetait sans discrétion de grosses bûches sur l'étincelle ; on ne pourrait que l'éteindre. Qu'elle le reconnaisse et qu'elle dise en toute humilité : Seigneur, que puis-je faire ici ? Quel rapport peut-il y avoir entre la servante et son maître, entre la terre et le ciel ? ou autres paroles d'amour qui se présentent à ce moment. Qu'elle soit bien pénétrée de la vérité de ce qu'elle dit : qu'elle ne se préoccupe pas, non plus, de l'entendement qui n'est qu'un importun. Elle voudra peut-être lui faire partager son bonheur et chercher à le tenir recueilli. Car elle se trouve souvent unie à Dieu dans un doux repos, tandis que l'entendement se livre à toutes sortes d'écarts. Ce qu'elle a de mieux à faire, c'est de le laisser s'égarer, sans aller à sa recherche. Qu'elle se tienne donc en repos dans la jouissance de cette faveur ; qu'elle soit recueillie comme une prudente abeille. Car si les abeilles n'entrent jamais dans la ruche et s'en vont toutes à la chasse les unes des autres, le miel ne se fera guère. Ainsi donc l'âme qui n'y veillera point subira un grand dommage, surtout si l'entendement est subtil. Quand, en effet, il commence tant soit peu à bien arranger ses discours, à trouver de belles raisons, et à les présenter sous une forme séduisante, il s'imagine faire quelque chose[2].

Voici une déclaration plus énergique encore, au sujet de l'entendement :

Lorsque la volonté est dans cette quiétude, elle ne doit pas faire plus de cas de l'entendement que d'un fou. Si elle veut l'attirer à elle, il lui arrivera forcément d'être distraite et quelque peu troublée. Au degré d'oraison où elle est parvenue, tout cela ne serait

---

1. *Chem. Perf.*, ch. XXXIII, p. 741.
2. *Vie.*, ch. XV, p. 149.

que fatigue pour elle ; elle n'y gagnerait rien ; elle perdrait, au contraire, ce que le Seigneur lui donne sans aucune fatigue de sa part [1].

Dégagée de l'agitation de l'entendement et des autres facultés, la volonté « abandonnée entre les bras de l'amour [2] » ne doit pas rester inactive :

Il ne faut pas ici abandonner entièrement l'oraison mentale, remarque la Sainte, ni certaines prières même vocales si parfois on a le désir ou le pouvoir d'en faire ; car, si la quiétude est profonde, il est difficile de parler ; du moins ce ne sera qu'avec une peine excessive [3].

L'activité sera donc plus ou moins grande, selon le degré de quiétude. Écoutons encore sainte Thérèse préciser celle qui convient :

Nous voyant si près de Sa Majesté, nous devons lui demander des grâces, la prier pour l'Église, pour ceux qui se sont recommandés à nous, pour les âmes du Purgatoire, et cela sans bruit de paroles, mais avec un grand désir d'être exaucés ; c'est là une oraison qui comprend beaucoup, et obtient plus que tous les discours de l'entendement. Que la volonté réveille en elle certaines considérations qui se présenteront naturellement à la vue de son avancement, afin d'enflammer cet amour ; qu'elle produise des actes d'amour, en se demandant ce qu'elle fera pour payer tant de bienfaits ; mais, comme je l'ai dit, qu'elle se tienne en garde contre le bruit de l'entendement, qui est à la recherche de grandes pensées. Ce qu'il y a de plus opportun ici, ce sont de petites pailles placées sur ce feu avec humilité ; ce qui vient de nous ne mérite même pas le nom de paille, sans doute, mais contribue mieux cependant à allumer ce feu, qu'une grande quantité de bois ; je veux dire que des considérations très savantes, à notre point de vue, étoufferaient cette étincelle divine dans l'espace d'un Credo [4].

Voici une autre comparaison par laquelle la Sainte nous redit quelle douceur et quelle paix doivent présider aux interventions nécessaires de l'activité en cette quiétude :

Il est bon de rechercher alors une plus grande solitude pour donner plus de liberté d'action au Seigneur et laisser Sa Majesté travailler notre âme comme sa propriété. Il faut tout au plus prononcer de temps en temps une parole douce comme le souffle qui

---

1. *Chem. Perf.*, ch. XXXIII, pp. 741-742.
2. IVᵉ *Dem.*, ch. III, p. 886.
3. *Vie*, ch. XV, p. 151.
4. *Ibid.*,, pp. 149-150.

Jusqu'à l'union de volonté

rallume le flambeau éteint, mais qui, je crois, suffirait à l'éteindre, s'il brûlait encore. Je dis que le souffle doit être doux, de peur qu'en arrangeant beaucoup de paroles avec l'entendement, nous n'occupions la volonté [1].

D'ailleurs, que l'âme ne se préoccupe pas trop de l'activité à fournir. Qu'elle

s'abandonne entre les bras de l'amour. Sa Majesté lui apprendra ce qu'elle a à faire en cet état, où elle ne doit avoir pour ainsi dire d'autre souci que celui de se reconnaître indigne d'une si haute faveur et d'en rendre grâces [2].

1. *Chem. Perf.*, ch. XXXIII, p. 741.
2. IVᵉ Dem., ch. III, p. 886.

La sécheresse contemplative

Le soleil est tout prêt à entrer dès le matin dans votre appartement dès que vous en ouvrez les fenêtres. Telle est la conduite de Dieu qui veille sur Israël [1].

Sécheresse contemplative, tel est le nom que nous avons donné aux premières formes de la contemplation décrites par saint Jean de la Croix.

Entre cette sécheresse contemplative et la quiétude savoureuse de sainte Thérèse, nous avons signalé des notes de ressemblance qui permettent de les situer à la même étape spirituelle. Des différences subsistent assez notables.

Ces deux formes d'expérience contemplative nous introduisent dans des climats différents. La quiétude thérésienne accuse ses effets surtout dans la volonté et ils y sont positifs et savoureux. La sécheresse san-johannique semble atteindre surtout l'entendement, et elle y introduit des effets privatifs parce que lumineux.

Le contemplatif de notre époque est généralement attiré par le climat san-johannique parce qu'il y trouve plus d'affinité avec sa propre expérience. Aussi la doctrine de saint Jean de la Croix connaît-elle un renouveau d'actualité.

C'est en effet vers saint Jean de la Croix qu'est allée la grande et puissante contemplative que fut sainte Thérèse de l'Enfant-Jésus. Elle aussi, décrivant son oraison, parle avec insistance de sécheresse, « d'aridité la plus absolue ». Saint Jean de la Croix devint son Maître

---

1. *Vive Fl.*, str. III, p. 1006.

et son docteur mystique. Elle en savait de mémoire des pages entières et les récitait en récréation à ses novices :

Ah ! que de lumières, écrit-elle, n'ai-je pas puisées dans les œuvres de Notre Père saint Jean de la Croix !... A l'âge de dix-sept et dix-huit ans, je n'avais pas d'autre nourriture spirituelle [1].

Ces indications ne sauraient être négligées. Elles révèlent des besoins, et nous invitent à étudier avec plus de détails la ligne de conduite de l'âme en cette oraison san-johannique de sécheresse contemplative pendant la nuit des sens.

Pour éviter toute confusion, soulignons d'abord que la sécheresse dont il s'agit est authentiquement contemplative ; c'est-à-dire qu'elle réalise les trois signes exigés par saint Jean de la Croix. Si les trois signes ne s'y trouvaient pas réunis, il faudrait de toute évidence, pour obéir à saint Jean de la Croix lui-même, revenir à la méditation et à l'activité des facultés pour alimenter le commerce d'amitié avec Dieu.

Dès lors que la sécheresse est reconnue comme étant le fruit de l'action de Dieu, le double devoir déjà signalé s'impose à l'âme : respecter l'action de Dieu et la compléter.

Saint Jean de la Croix se plaît à insister sur le premier devoir au point de paraître négliger le second.

Cette insistance, un peu surprenante de prime abord, et qui semble s'opposer à sainte Thérèse, apparaît à la réflexion, parfaitement justifiée par le caractère privatif de cette contemplation et par ses conséquences. En effet, la saveur n'y est pas ordinairement perçue, surtout dans les débuts, parce que trop subtile pour une âme qui est toute au souvenir des grâces d'autrefois et à la lutte contre les divagations des facultés. Il est d'autant plus nécessaire d'affirmer l'existence de la contemplation qu'elle est plus cachée, d'autant plus utile de rappeler ses exigences de silence que cette sécheresse contemplative, qui affecte spécialement les tempéraments intellectuels, les trouve plus sensibles au manque de lumière et qu'elle provoque chez eux des réactions plus douloureuses d'impuissance, d'agitation et de divagations.

L'accent mis par saint Jean de la Croix sur le respect de l'action de Dieu par le silence répond donc à un besoin particulier de ces âmes. Il n'implique pas d'ailleurs la méconnaissance du devoir de coopération active.

---

1. *Man. Autob.*, A fol. 83 r°.

L'attitude à garder pendant cette sécheresse ne saurait être précisée en tous ses détails. Elle est faite de souplesse et de fidélité tenace. Deux directives permettent de la réaliser, que l'on peut ainsi énoncer :

A. Tendre par la foi vers la région paisible de l'esprit et s'y maintenir.

B. Négliger le bruit du sens inférieur de l'âme et y apporter parfois quelque apaisement au moyen de certaines industries.

A. — *TENDRE PAR LA FOI VERS LA RÉGION PAISIBLE DE L'ESPRIT ET S'Y MAINTENIR*

Nous sommes dans la nuit passive du sens, qui est un passage du sens à l'esprit par adaptation du premier au second. C'est la lumière contemplative qui fait cette adaptation et réalise ce passage.

Cette première directive indique quelle doit être la coopération active : l'âme doit, par sa docilité, favoriser ce passage du sens à l'esprit et coopérer activement avec la grâce qui le réalise, en faisant des actes de foi.

Mais l'âme comprendra-t-elle cette directive ? Pour favoriser un mouvement, encore faut-il en avoir pris conscience. Pour se porter vers la région de l'esprit, encore faut-il comprendre dans leur portée concrète et leur localisation vivante, la signification des mots « sens » et « esprit ».

Ces localisations sont familières aux mystiques qui nous parlent tous d'une « cellule intérieure », d'un « fond de l'âme », d'une région plus intime et plus paisible qui est le siège de la présence et de l'activité de Dieu, dans l'âme. Pour saint Jean de la Croix, le sens comprend les puissances sensibles et les facultés intellectuelles dans leurs rapports immédiats avec elles, par conséquent la périphérie de l'âme. L'esprit désigne les régions plus intérieures [1].

Ces notions deviendront plus tard familières à l'âme, elles éclaireront son expérience en la précisant. Pour l'instant, elles restent uniquement spéculatives et ne se réfèrent à aucune expérience précise. Dans la quiétude

---

1. Cf. *Jusqu'à l'union de volonté*, ch. III « Les nuits », p. 536.

thérésienne, il y a une perception indiquant que la saveur monte d'une source profonde. Il est aisé ainsi d'identifier l'esprit avec ces régions profondes qui produisent la quiétude. L'âme comprend que le mouvement du sens vers l'esprit est celui qui la libère des emprises extérieures pour la mettre sous le jaillissement de la source.

Dans la sécheresse contemplative, en ces débuts du moins, une grisaille lourde et sombre enveloppe l'âme et ses facultés, qui semble interdire entre elles toute distinction et les unifier dans la même impuissance et immobilité.

En ces conjonctures, comment trouver la direction où se trouve l'esprit et favoriser un mouvement dont on a l'impression de ne rien percevoir ?

Il est cependant un critérium pratique qui reste à la portée de l'âme. C'est celui de la paix et du silence. Le « sens » pour saint Jean de la Croix, ce sont les faubourgs où règnent l'agitation et le bruit, car les puissances sensibles s'y trouvent. « L'esprit » est à proprement parler la demeure de Dieu. C'est là qu'il vit et agit dans la paix, là qu'il se laisse saisir par la foi, ou parfois, se laisse soupçonner par l'expérience comme la seule et transcendante Réalité. L'esprit est le point de rencontre de Dieu qui se donne comme Père, et de l'âme qui le cherche avec sa grâce filiale. Cette demeure divine est silencieuse, car c'est dans le silence que Dieu engendre et que toute divine vie est reçue.

Cette expérience du silence et de la paix qui accompagne toute génération spirituelle, est la première et la plus constante. Elle est possible dans la sécheresse contemplative au moyen de l'acte de foi ou acte anagogique.

La foi en effet, vertu théologale, « seul moyen proportionné et prochain pour atteindre Dieu [1] », soulève l'intelligence soumise et avec elle toute l'âme et lui fait prendre contact avec Dieu. Elle introduit donc dans le monde surnaturel et dans cette région de l'esprit où Dieu agit et se donne.

En cette sécheresse qui est vraiment contemplative, la foi pénétrant dans son objet divin y trouve, pour la perfectionner en son exercice, l'action de Dieu par les dons du Saint-Esprit. Cette action de Dieu qui fait la foi vive, lui assure, sinon une saveur perçue, du moins une influence qui l'apaise silencieusement et l'invite au repos dans son objet.

---

1. *Montée du Carmel*, Liv. II, ch. VIII, p. 132.

Ainsi donc, l'activité de la foi vive produit pour le moins, comme minimum d'expérience, une impression subtile de silence et de paix. C'est ce silence qui indique à l'âme la région de l'esprit vers laquelle elle doit tendre, et qui lui précise les actes qu'elle doit fournir pour y parvenir.

Elle y parviendra par conséquent en faisant des actes de foi ou mieux, des actes anagogiques, c'est-à-dire des actes simples d'une vertu théologale qui dépassent les prémisses ou fondements, écartent enquêtes et raisonnements et vont directement vers leur objet divin pour se reposer en Lui seul.

Quelle forme donner à ces actes ? C'est ici que la directive, pour s'adapter à tous, doit rester une simple flèche indicatrice fixant le but à atteindre à travers des régions sans sentiers où chacun doit chercher son chemin. Et cependant, à condition qu'on sache les dépasser légèrement pour trouver sa voie propre, quelques indications peuvent être données, quelques points de repère peuvent être fixés. Les moyens qui ont réussi à certains, les conseils des grands spirituels doivent surtout retenir notre attention.

I. — *L'aspiration amoureuse.*

Voici Jean de Saint-Samson, le saint aveugle, clair flambeau de la réforme carmélitaine de Touraine au XVIIe siècle, qui, pour conduire l'âme dans la paix des régions de l'esprit, préconise l'exercice de « l'aspiration ».

L'aspiration, dit-il, est un élancement amoureux et enflammé du cœur et de l'esprit par lequel l'âme se surpassant elle-même et toute chose créée, va s'unir étroitement à Dieu en la vivacité de son expression amoureuse. Ceux qui ont des dispositions pour l'aspiration, note-t-il, doivent faire des efforts jusqu'à ce que leur aspiration, plus étroite que large, leur soit douce, sensible et savoureuse.

On y parviendra progressivement. Au début, l'aspiration s'appuie sur des choses visibles ; peu à peu, elle devient plus concise, plus brève, elle se resserre et contient en elle-même « les vérités réduites d'une manière plus essentielle ». On parvient ainsi à « l'amour lui-même ».

L'amour produit par l'aspiration est si fort en certaines âmes que la volonté entre toute seule dans le sein amoureux de Dieu qu'elle goûte au-dessus de toute intelligence et de toute expression, tandis que l'entendement demeure à la porte comme étonné et suspendu en son action. C'est un flux amoureux, inondant vivement et entraînant, ravissant, couvrant de ses flots au milieu desquels l'âme est Dieu même, son esprit, sa divinité, autant qu'une créature peut l'être en cette vie [1].

Cet exercice de l'aspiration qui fait refluer l'âme en Dieu par des actes d'amour de moins en moins délayés en des formules et de plus en plus subtils et pénétrants, est souverainement efficace, comme l'assure Jean de Saint-Samson. Il utilise en effet l'acte d'amour qui est l'acte anagogique par excellence et fixe ainsi l'âme par l'amour en son Objet qui est Dieu Amour.

Jean de Saint-Samson note qu'il ne faut pas aborder trop tôt l'exercice de l'aspiration, car chez les débutants, l'amour n'est pas assez fort pour les soulever efficacement.

Le grand mystique aveugle fait aussi remarquer que cet exercice ne convient pas à toutes les âmes, même contemplatives. Il est propre

à ceux qui profitent notablement dans les voies mystiques, spécialement s'ils sont d'une nature affective. Car certains esprits n'y sont jamais propres, s'occupant en Dieu et de Dieu par la sainte et amoureuse spéculation qui est, elle aussi, une excellente voie mystique [2].

II. — *L'acte de foi anagogique.*

Nous retrouvons sous la plume de Jean de Saint-Samson la distinction entre les tempéraments affectifs, chez qui la contemplation est surtout amoureuse et qui peuvent remonter vers la source par l'amour dont ils expérimentent la saveur, et les tempéraments intellectuels, en qui la contemplation est surtout connaissance et par suite sécheresse. Chez ces derniers, vers lesquels nous sommes constamment ramenés, le sentiment de l'amour moins éveillé peut être moins utilisé. Leur contemplation est plus sèche qu'amoureuse, plus statique que dynamique. La paix qui en fait le fond peut être accompagnée de toutes sortes d'impressions : immobilité et silence absolu, perception de la Réalité divine à travers un nuage opaque, impression d'un mur qui empêche toute marche en avant ou même impression d'être repoussé. On ne peut que

---

1. *Vie de Jean de Saint-Samson,* par le P. Sernin, pp. 141-143 ; *Maximes spirituelles*, par le même, pp. 155-158. Cf. *Vie Spirituelle*, année 1925, qui donne un résumé fort instructif de la doctrine de Jean de Saint-Samson. Voir plus spécialement sur l'aspiration, ch. VI, p. 134 et s.
2. *Vie de Jean de Saint-Samson.*

caractériser ces états aussi nombreux et aussi variés que les âmes et que les moments de contemplation en chacune.

C'est l'exercice de la vertu de foi qui leur convient. Mais comment pratiquement en faire les actes ? Ce ne sera pas habituellement en utilisant une formule, mais en maintenant un regard fixé, en gardant une attitude intérieure qui expriment l'orientation de l'âme vers Dieu, attention paisible et actualisée, ouverture à son action.

C'est bien en effet par la foi que le contact avec Dieu est établi et maintenu. Les dons du Saint-Esprit d'ordinaire perfectionnent la foi qui agit. Nous n'avons pas le droit de compter sur une emprise de Dieu qui suspende les facultés et agisse sans notre concours.

La sécheresse et l'impuissance nous laissent le devoir d'exercer activement notre foi d'une façon paisible et subtile, de la tenir éveillée en un regard pénétrant sur la Réalité perçue ou soupçonnée, en une oraison jaculatoire brève et ramassée que l'on redit sans cesse parce qu'à chaque fois elle rend Dieu présent et vivant, ou encore en une simple attitude de paix sous l'action de Dieu, en une attente patiente d'un Dieu qui s'est caché et nous a réduits à l'impuissance pour que nous le trouvions plus profondément.

Sainte Thérèse de l'Enfant-Jésus, tour à tour reste paisible dans le souterrain où ne brillent que les clartés qui tombent « des yeux baissés de la Face de Jésus », ou garde le regard fixé sur le nuage qui dissimule le Soleil divin dont elle consent à attendre les clartés lumineuses jusqu'au « jour sans couchant où s'éteindra sa foi [1] ». Sainte Jeanne de Chantal conseille à l'âme de se tenir immobile en présence du Maître, comme une toile devant l'artiste qui doit l'animer d'un dessin vivant.

Mais au-delà de ces modes particuliers, voici l'enseignement de saint Jean de la Croix sur l'exercice de la foi en ces régions :

L'âme arrivée à cet état doit suivre une méthode tout opposée à la première. Précédemment on lui donnait un sujet de méditation, et elle méditait, maintenant on doit lui enlever tout sujet de méditation et, je le répète, ne pas la laisser méditer ; d'ailleurs le voudrait-elle qu'elle ne le pourrait ; au lieu de trouver du recueillement elle ne réussirait qu'à tomber dans des distractions... En voulant se servir des sens, elle se détournerait de ce bien pacifique et tranquille que Dieu répand peu à peu dans son esprit... Voilà pourquoi lorsque l'âme est dans cet état, il ne faut jamais lui imposer l'obligation de méditer, de s'exercer à produire des actes

---

1. Cf. Lettre à sœur Agnès de Jésus, 30-31 août 1890 et poésie « Pourquoi je t'aime, ô Marie ».

de raisonnements, de chercher de la suavité et de la ferveur. Ce serait mettre un obstacle à l'agent principal qui, je le répète, n'est autre que Dieu. C'est Lui qui, d'une manière secrète et paisible, répand peu à peu dans l'âme une sagesse et une connaissance pleines d'amour, sans recourir à des actes particuliers, bien qu'Il le fasse parfois durant quelque temps. L'âme doit se contenter alors d'élever avec amour son attention vers Dieu sans former d'autres actes particuliers. Elle doit, je le répète, se conduire d'une manière passive, sans faire par elle-même le moindre effort, et garder pour Dieu une attention pleine d'amour, simple, candide, comme fait quelqu'un qui ouvre les yeux pour regarder avec amour. Dès lors en effet que Dieu, dans sa manière d'agir, traite l'âme avec une connaissance simple et pleine d'amour, l'âme dans sa manière de le recevoir doit traiter avec Lui également avec une connaissance simple et pleine d'amour[1].

... Pour la recevoir (la connaissance surnaturelle), l'âme doit être absolument indépendante de sa manière naturelle d'agir, libre, tranquille, pacifique et pleine de sérénité à l'exemple de Dieu, comme l'air qui reçoit d'autant plus la lumière et la chaleur du soleil qu'il est plus pur, plus exempt de vapeurs, plus purifié et plus calme.

Ainsi donc l'âme ne doit être attachée à rien, ni à un exercice de méditation discursive, ni à une saveur quelconque, sensible ou spirituelle ou à un autre mode d'agir quel qu'il soit[2].

... Elle doit être sans appui créé, à son poste, l'esprit dégagé de tout, elle doit surtout accomplir ce que faisait le Prophète Habacuc pour se préparer à écouter le Seigneur : « Je me tiendrai debout, dit-il, et je serai sur mes gardes, je demeurerai ferme sur mes remparts, et je contemplerai ce qu'on me dira[3] ». C'est comme s'il disait : j'élèverai ma pensée au-dessus de toutes les opérations et de toutes les connaissances qui peuvent atteindre mes sens, comme aussi au-dessus de tout ce qu'ils ont pu garder ou retenir en eux-mêmes. Cela fait, je laisserai tout en bas, je consoliderai mes pas sur les remparts de mes puissances et ne les laisserai accomplir aucun acte, pour que je puisse recevoir par la voie de la contemplation ce qui me sera communiqué de la part de Dieu ; car, nous l'avons déjà dit, la contemplation pure consiste à recevoir[4].

Ce texte décrit d'une façon particulièrement heureuse l'isolement paisible de l'âme dans la région de l'esprit.

Le Saint ne se lasse pas d'insister sur le dégagement et la paix nécessaires à la pureté de la foi. En cette séche-resse qui ressemble parfois à la mort, l'âme doit être affermie contre l'activisme intellectuel qui cherche un aliment en la pensée distincte et contre le découragement qui s'affaisse dans la passivité complète. Elle doit garder sa foi éveillée, droite, pure, dégagée de tout, telle une antenne

1. *Vive Fl.*, str. III, pp. 996-997.
2. *Ibid.*, pp. 997-998.
3. Ha 2, 1.
4. *Vive Fl.*, str. III, p. 999.

dressée au-dessus de tous les bruits du monde pour recueillir les ondes de l'Infini.

Quand l'âme est ainsi détachée de tout, qu'elle est dans un dénuement complet, et qu'elle a, je le répète, accompli tout ce qui dépendait d'elle, il est impossible que Dieu ne fasse pas de son côté ce qu'il faut pour se communiquer à elle au moins dans le secret du silence ; c'est même plus impossible qu'il ne l'est au rayon du soleil de ne pas illuminer un espace serein où il ne rencontre aucun obstacle. Ainsi le soleil est tout prêt à entrer dès le matin dans votre appartement aussitôt que vous en ouvrez les fenêtres. Telle est la conduite de Dieu « qui veille sur Israël [1] ». Il ne dort pas mais il entre dans l'âme qui est absolument détachée de toutes les créatures, et la remplit de ses trésors. Dieu est donc tout prêt à pénétrer dans les âmes comme le soleil dans un appartement [2].

Par contre avec quel ton triste le saint Docteur nous parle des dommages causés par l'agitation volontaire au sein de la contemplation :

... Ces onctions variées de l'Esprit Saint sont donc délicates et élevées... mais avec quelle facilité elle (l'âme) peut les perdre ! Il suffit pour tout troubler du plus petit acte qu'elle veuille accomplir par elle-même à l'aide de sa mémoire, de son entendement et de sa volonté, ou bien du moindre usage de ses sens, de ses tendances et de ses connaissances personnelles qu'elle voudra faire, ou encore de la plus petite saveur ou consolation qu'elle acceptera, et alors tout est troublé et perdu. Il y a là une imprudence grave qui est bien de nature à exciter la douleur et la compassion. Oh ! quel malheur affreux ! On ne le soupçonne pas au début : ce n'est qu'un petit rien qui s'est intercalé dans ces onctions saintes, et cependant le dommage qui en résulte est plus grand, plus douloureux et plus déplorable que si l'on jetait dans le trouble et si l'on perdait une foule d'âmes vulgaires qui ne sont pas en état de recevoir des émaux si riches et si variés. Figurez-vous qu'un tableau, qui est un chef-d'œuvre d'art et de délicatesse soit retouché sans goût et sans art par une main maladroite. Est-ce qu'il n'y aurait pas là un dommage plus grand, plus important et plus fâcheux que si l'on abîmait et perdait une foule de peintures vulgaires ? Or il s'agit ici d'une œuvre très délicate du Saint-Esprit et elle est gâtée par une main maladroite [3].

Ces citations, on l'aura remarqué, sont empruntées à la *Vive Flamme d'Amour*. Elles semblent par conséquent ne s'appliquer qu'à la contemplation parfaite de l'âme parvenue aux sommets. En fait, de même qu'il n'y a qu'une contemplation surnaturelle, il n'existe qu'une attitude contemplative. L'une et l'autre se perfectionnent progressivement. Leur développement est constamment en une

---

1. Ps 120, 4.
2. *Vive Fl.*, str. III, pp. 1005-1006.
3. *Ibid.*, p. 1002.

interdépendance mutuelle très étroite et, dès le principe, il est réglé par les mêmes lois.

Puisque la sécheresse dont nous nous occupons est nettement contemplative, l'âme doit déjà connaître la réponse parfaite à donner à l'action de Dieu et s'efforcer de réaliser l'attitude contemplative dans toute la mesure où s'exerce l'intermittence de la contemplation et où le permet l'inadaptation de ses facultés.

C'est le sens, bruyant et lourd dans sa marche, qui fait obstacle à la réception parfaite du souffle de l'Esprit Saint. Est-il possible de le rendre moins nuisible, de se dégager de ses agitations troublantes ? La deuxième directive va nous le dire.

B. — *NÉGLIGER LE BRUIT DU SENS, ET Y APPORTER PARFOIS QUELQUE APAISEMENT PAR CERTAINES INDUSTRIES*

L'exercice de la foi ou même l'aspiration amoureuse, bien qu'ouvrant toujours l'âme à la lumière de Dieu, n'étendent pas en effet toujours le règne de la paix jusque dans les facultés inférieures. Ces puissances au contraire s'agitent, exigeantes et bruyantes, gênant ainsi le mouvement de libération vers l'esprit. Que faire pour apaiser ce bruit [1] ?

Le devoir de l'âme est de négliger ce bruit et d'y échapper en se portant par un mouvement plus vigoureux

---

1. Dans les mystiques purement naturelles, comme les mystiques hindoues, on trouve une technique très poussée pour l'apaisement des puissances et la simplification de leurs opérations. Ainsi la Baghavad Gîtâ nous présente plusieurs yogas ou voies d'ascèse pour parvenir à se perdre dans l'Un, à savoir : la connaissance, la dévotion, les œuvres et la contemplation directe (cf. *La Baghavad Gîtâ*, traduction d'après Shrî Aurobindo, et *Discipline monastique,* par Swâmi Brahmânanda). Remarquons que ces techniques n'aboutissent qu'à une sublimation de l'activité des facultés et à une perte dans l'Un ou l'Universel que l'on proclame Dieu. La mystique catholique cherche l'union avec un Dieu personnel, vivant et distinct de nous. Elle aspire à l'union parfaite avec Lui et non à une fusion panthéistique. Dans sa marche vers l'Un, elle compte sur l'effort de l'homme, mais surtout sur l'action de Dieu. Sa technique assez poussée, ainsi qu'elle apparaît dans le cadre austère des Ordres monastiques contemplatifs, n'est pas une technique de force qui veut atteindre un but, mais une technique de souplesse qui veut se plier au mouvement de la grâce, et respecter la liberté de Dieu qui doit réaliser en nous le vouloir et le faire.

La mystique naturelle peut produire un surhomme parvenu à des états supérieurs. La mystique catholique produit un enfant de Dieu, mû par l'Esprit de Dieu.

vers l'esprit. Le cerf poursuivi par les chiens, dit Tauler, accélère sa marche vers la source d'eau vive. Saint Jean de la Croix note que l'âme déjà parfaite excelle à échapper aux terreurs que le démon produit dans le sens en courant s'enfermer dans la cachette obscure de la foi, en l'esprit. Ce bruit qui règne dans le sens est excellemment purificateur et contribue à faire goûter le silence de l'esprit. Mais en cette période de transition, moins que partout ailleurs, la voie de l'homme n'est point en son pouvoir. En effet, soit inexpérience des débuts qui gaspille les forces en efforts violents, soit disposition particulière du tempérament qui ne peut soutenir la passivité, soit même préoccupations obsédantes du moment qui ont envahi le champ des facultés, il est souvent difficile, parfois même impossible de s'élever un instant au-dessus de cette agitation, ou du moins, de la dominer suffisamment pour que ne soit pas troublée la paix de la région supérieure. La fatigue survient, le corps lui-même se lasse de cette immobilité, l'énervement se manifeste. Il faut user de discrétion pour éviter des désordres plus graves, ou même pour ménager les forces et soutenir l'effort de résistance.

I. — *Discrétion.*

La discrétion imposera-t-elle de laisser l'oraison pour se donner à l'activité qui assure en effet dans ces cas une diversion et un repos ? En certains cas, cette diversion peut être nécessaire. Sainte Thérèse nous dit en effet, que pour supporter certains dégoûts ou la frénésie qui suit certaines grâces d'union, il est bon de laisser l'oraison pour s'adonner à l'activité :

> Le meilleur remède, écrit-elle à ce propos, je ne dis pas pour guérir ce mal, car je n'en trouve pas, mais pour arriver à le supporter, c'est de s'occuper à des œuvres extérieures de charité et d'espérer en la miséricorde de Dieu [2].

La Sainte donne la même directive à certains tempéraments dont la faiblesse ne peut pas supporter les effets sensibles de la contemplation. Mais c'est un traitement d'exception. Dans le premier cas, il s'agit d'âmes qui subissent certaines épreuves particulièrement laborieuses des sixièmes Demeures ; dans le second, nous nous trouvons en présence de tempéraments dont la faiblesse exige une surveillance attentive. On ne saurait sans danger généraliser le conseil. Dans la sécheresse contemplative,

---

1. VIᵉ Dem., ch. I, p. 936.

abandonner l'oraison pour l'activité à cause de la souffrance de sécheresse qu'on y trouve, serait, pour l'ordinaire, céder à une tentation dangereuse et souvent séduisante.

Tentation dangereuse, à cause des effets funestes que nous avons indiqués en rapportant l'enseignement de saint Jean de la Croix ; d'autant plus dangereuse que la diversion que promet l'activité et la saveur spirituelle que parfois elle apporte, la font séduisante. Dieu se fait en effet parfois plus sensiblement présent à l'âme au sein de ses occupations extérieures que pendant l'oraison. Il semble s'éloigner quand l'âme le cherche et se cacher derrière un voile épais qui laisse passer seulement la subtile impression d'une lointaine présence ; tandis qu'il paraît revenir et déborder suavement jusque dans ses sens lorsque l'âme cesse elle-même sa douloureuse recherche intérieure, et s'ouvre au monde extérieur en revenant à ses occupations habituelles. Cette expérience savoureuse vient confirmer l'impression de stérilité laissée par la sécheresse contemplative et apporte un cachet de certitude à la pensée que cette oraison n'est que perte de temps. Tentation séduisante certes, mais tentation certainement. Essayons de le montrer car le danger est grave.

Pendant la contemplation et par elle, la lumière et l'amour descendent sur l'âme ; c'est l'abondance de la lumière ainsi que l'inadaptation des facultés qui produisent la sécheresse et la non-perception. Les effets surnaturels semblent ne pas dépasser la région de l'esprit, et ainsi les facultés inférieures sont paralysées ou agitées.

Or, que cesse la contemplation, et les facultés reprennent leur activité dans les conditions habituelles. En cette activité même, l'âme prend conscience du travail réalisé en elle par la contemplation, et des richesses qu'elle a reçues. Les facultés sont devenues plus pénétrantes, plus aptes à saisir le divin dans les créatures ; elles semblent elles-mêmes chargées de lumière et d'amour. Il y a un instant, l'âme s'épuisait dans la recherche d'un Dieu qui ne se livrait pas et paraissait insaisissable. Voici maintenant qu'à cette âme que la sécheresse a altérée de divin, toutes choses apparaissent pleines et débordantes de ce Dieu caché et découvrent en leurs profondeurs leurs secrets divins. Les textes sacrés brillent de clartés nouvelles ; les maximes des saints disent leurs sens profonds, la nature elle-même étale en toutes ses beautés, les vestiges du Dieu qui la créa. L'âme est en fête. Dans les facultés apaisées, la lumière brille et la saveur surnaturelle déborde.

Succédant à la sécheresse de la contemplation, cette fête de l'âme pourrait faire croire à une ascension à un état spirituel plus élevé. Nous savons maintenant qu'il n'en est rien. C'est la prise de conscience des bienfaits de la contemplation qui crée cette joie, et cette prise de conscience n'a lieu que lorsque cesse la contemplation. C'est la joie que donne au réveil la prise de conscience du bien-être produit par un sommeil reposant ou par la disparition d'un point douloureux en une intervention chirurgicale. La joie est pour le réveil, mais c'est le sommeil ou l'intervention qui ont dispensé le bienfait [1].

Que penser de celui qui chercherait la joie du réveil mais refuserait l'immobilité du sommeil ? Attitude pour le moins étrange et qui ferait tout perdre, et le bienfait, et les joies de la prise de conscience. Ainsi en serait-il de l'âme séduite par les saveurs goûtées dans l'activité après la sécheresse contemplative, qui croirait pouvoir en jouir continuellement en laissant la sécheresse pour ne s'adonner qu'à l'activité.

II. — *Patience.*

La sécheresse contemplative est un bien ; il faut la supporter malgré la fatigue et les tentations séduisantes. Telle est la loi. Mais pour tenir sans danger et sans faiblir, l'énergie persévérante a besoin de discrétion et d'humble patience. Cela a été dit déjà à propos de la lutte contre les distractions et sécheresses de la première période de la vie spirituelle [2]. Il faut le répéter ici, car la discrétion et la patience ne furent jamais plus nécessaires et elles doivent se faire ingénieuses.

C'est une guerre d'usure sans profit et néfaste que celle que l'on mène contre des forces que l'on ne peut dominer en soi. Telle est l'agitation des facultés en cette sécheresse contemplative. A lutter contre elle avec violence, on épuiserait promptement ses forces et on troublerait les opérations pacifiques de la contemplation. Les facultés n'obéissent complètement à la volonté que sous sa contrainte immédiate. Elles sont agitées en cette sécheresse parce que la volonté est sous l'emprise de Dieu. Cette dernière ne peut revenir vers elles qu'en laissant le contact divin. La violence et les efforts directs d'apai-

---

1. L'étude des grâces d'union complète des cinquièmes Demeures ou des ravissements des sixièmes, nous placera en face du même phénomène. Nous verrons que c'est le réveil des facultés après ces grâces qui ont suspendu toute leur activité consciente, qui permet à l'âme d'explorer les richesses substantielles qu'elle y a reçues et d'en jouir pleinement.
2. *Premières étapes*, ch. VI, pp. 223-226.

sement sont donc une fatigue et font perdre la contemplation qu'ils voulaient servir. La patience est le seul remède efficace.

Toutefois, lorsque cette agitation des facultés est telle que l'acte anagogique ne réussit pas à la dépasser pour entrer dans la paix de l'esprit, ou lorsqu'au cours de la contemplation elle menace de déborder dans toute l'âme, on peut essayer d'en arrêter les effets nocifs en mettant les facultés sous une influence apaisante. Il s'agit de trouver la diversion qui arrêtera cette agitation le temps suffisant pour permettre l'évasion vers l'esprit, ou qui mettra assez d'ordre dans le sens pour que ne soit point troublée la nudité de la contemplation.

III. — *Quelques influences apaisantes.*

Trouver les moyens qui assurent cette heureuse évasion est un art. Ces moyens sont différents suivant les âmes et leur efficacité n'est souvent qu'éphémère. Chacun doit chercher ceux qui lui conviennent et les changer lorsqu'ils sont usés. C'est dire que les indications qui vont suivre apporteront des suggestions plutôt que des conseils précis.

Sainte Thérèse de l'Enfant-Jésus nous dit que dans ses sécheresses, qui étaient sûrement contemplatives, elle recourait en ces moments de lassitude à la prière vocale :

> Quelquefois lorsque mon esprit est dans une si grande sécheresse qu'il m'est impossible d'en tirer une pensée pour m'unir au Bon Dieu, je récite très lentement un « Notre Père » et puis la salutation angélique ; alors ces prières me ravissent, elles nourrissent mon âme bien plus que si je les avais récitées précipitamment une centaine de fois [1]...

La récitation lente de quelque prière aimée, quelques oraisons jaculatoires habituellement savoureuses à l'âme peuvent arrêter les premiers mouvements d'une tempête qui s'annonce, parfois même l'apaiser lorsqu'elle est déchaînée. La prière vocale est la compagne nécessaire de la contemplation chez certains tempéraments auxquels de longues habitudes d'activité rendent insupportable l'immobilité qu'elle impose. C'est ainsi que des âmes qui semblent ne pas pouvoir prier autrement que vocalement peuvent être de grandes contemplatives. Cas assez fréquent parmi des personnes de culture intellectuelle peu étendue, dont la vie extérieure et la conversation accusent une union à Dieu très intime. A tous les contemplatifs,

---

1. *Man. Autob.*, C fol. 25 v°.

d'ailleurs, la prière vocale peut apporter de l'apaisement et ils doivent y recourir de temps en temps. En la prière vocale faite en ces circonstances, l'âme devra s'attacher moins à pénétrer le sens des paroles par une application de l'intelligence, qu'à retirer la saveur recueillante qu'elles contiennent.

Le choix de la prière peut être d'une grande importance. Celle qui placera les facultés dans l'atmosphère même de la contemplation actuelle, sera excellente. Tel psaume, par exemple, traduira admirablement la solitude de l'âme, le sentiment de son impuissance ; tel autre exprimera la confiance qui jaillit des profondeurs de silence et de misère où elle gît. L'unité de l'âme se fera ainsi, au moins un instant, et avec elle, l'apaisement. Nous devons noter ici l'influence particulièrement apaisante de la prière à la Sainte Vierge. Certaines âmes y trouvent toujours un secours efficace. D'autres préfèrent aller à une prière de confiance en la miséricorde et à une prière d'humilité qui leur est toujours savoureuse car Dieu se penche toujours sur l'humilité confiante.

Les attraits de grâce sont un guide excellent pour ce choix. L'expérience enseignera ainsi à chacun les formules qui lui sont plus aidantes et vers lesquelles par conséquent il a le devoir de revenir plus fréquemment.

Cette prière, le plus souvent, sera un cri de l'âme, une exclamation, un appel, des mots qui évoquent un sujet d'oraison aimé, ou une lumière surnaturelle imprimée dans l'âme, qui expriment un besoin profond, une aspiration de tout l'être, et qui pour ce motif résonnent avec tant de force et portent en eux une saveur si nourrissante qu'il suffit de les prononcer pour que tout s'apaise et que les puissances docilement accourent, avides du recueillement qu'ils apportent. « Mon Seigneur et mon Dieu ». « Je suis Celui qui est, tu es celle qui n'est pas ». « Mon Dieu, ayez pitié de moi ». Formules riches et puissantes qui bercent en quelque sorte le sommeil des facultés tandis que l'âme savoure silencieusement en ses profondeurs la mystérieuse et substantielle vérité divine que ces mots expriment en langage humain.

L'agitation reviendra peut-être, mais c'est beaucoup gagner que de gagner du temps. C'est même tout gagner, car il s'agit moins de supprimer toute agitation que de permettre à l'âme de maintenir ou de reprendre le contact, malgré tous les obstacles, avec Celui qui la tient sous son ineffable clarté.

L'attitude du corps pendant l'oraison n'est pas indifférente et peut contribuer à l'apaisement de l'âme. Le besoin se fera sentir parfois de prendre une attitude physique qui exprime le sentiment intérieur, et qui harmonisant les attitudes intérieures et extérieures fera l'unité de l'être. Mais il faut veiller à ce que la recherche de cette unité n'impose pas une fatigue physique excessive ou ne provoque pas l'énervement. La discrétion est encore ici nécessaire. L'attitude physique tout en étant reposante ne doit pas favoriser l'assoupissement des facultés, et en libérant de toute contrainte gênante, doit être un appui pour l'âme et la soutenir dans sa douloureuse et énergique attente de Dieu.

On ne saurait oublier l'influence apaisante de l'Eucharistie, de « Jésus-Sacramenté » comme disent excellemment certaines langues étrangères. La communion eucharistique peut produire des effets physiques, et l'expérience montre que le seul voisinage de Jésus-Hostie, l'entrée dans une église où il réside, produisent des effets sensibles d'apaisement intérieur sur certaines âmes d'oraison. Il leur suffit ensuite de faire de temps en temps des actes de foi en la présence divine, de fixer le tabernacle ou de porter parfois vers lui leur regard pour que se maintiennent ces effets d'apaisement. Ce n'est pas le moment de chercher si ces effets ont une cause uniquement surnaturelle, il nous suffit de les signaler pour que l'âme en quête de recueillement utilise ce voisinage de Jésus-Hostie qui enchaîne si bien les sens intérieurs.

Pour d'autres âmes, au contraire, ce voisinage est plutôt une gêne et une cause d'agitation. Sollicitées à la fois par l'attirance de Jésus-Hostie et par un besoin intense de recueillement au-dedans d'elles-mêmes, elles restent en suspens, incertaines, hésitant à choisir et inquiètes encore même après avoir choisi. A ces âmes, comme à bien d'autres d'ailleurs, la solitude complète semble préférable et plus apaisante. Elle les libère de toute contrainte intérieure et extérieure, d'une certaine pudeur irraisonnée, de la crainte de se singulariser et de laisser paraître le rayonnement de la grâce intérieure, et seule, elle leur permet de se livrer complètement à l'emprise divine. Nulle part mieux que dans la solitude elles trouvent Dieu, Esprit vivant et Amour débordant, et perçoivent le souffle léger de sa présence divine et les onctions délicates de son action dans les profondeurs. Aussi, bien que ne méconnaissant pas les effets apaisants de la présence eucharistique, elles n'hésitent pas à la sacrifier pour aller au silence nourrissant du désert. Qui oserait les blâmer, alors que l'histoire nous montre combien nombreuses furent les âmes que le désert attira et combien puissantes et remplies de Dieu il les rendit au monde.

Telle est la diversité des âmes, de leur grâce et de leurs besoins. Chacun, éclairé par son expérience dont une sage direction aidera à préciser les données, devra trouver ce qui lui convient. Tout choix prématuré de méthodes ou de moyens pourrait être funeste ou gênant. C'est ainsi qu'on découvrira son chemin à soi pour fuir à travers le bruit vers la paix et le silence des profondeurs.

L'évasion sera parfois impossible, soit que l'âme ait tardé à fuir et n'y ait songé efficacement que lorsqu'elle était déjà engluée, soit que l'image ou la pensée étrangère ait acquis aussitôt la force d'une obsession, soit que le bruit venant de l'extérieur impose une gêne à laquelle on ne puisse se soustraire.

Il ne reste plus à l'âme qu'à gémir de son impuissance, à appeler le secours de Dieu et l'intercession des saints qui apaisent en délivrant. L'humble patience n'est pas une disposition qui toujours libère, mais elle fait toujours trouver en cette agitation une purification certainement plus méritoire et peut-être plus efficace que celle que procure la saveur du silence. Écoutons sainte Thérèse de l'Enfant-Jésus nous confier ce qu'elle faisait en de telles circonstances :

Longtemps, à l'oraison du soir, je fus placée devant une sœur qui avait une drôle de manie, et je pense... beaucoup de lumières, car elle se servait rarement d'un livre ; voici comment je m'en apercevais : aussitôt que cette sœur était arrivée, elle se mettait à faire un étrange petit bruit qui ressemblait à celui qu'on ferait en frottant deux coquillages l'un contre l'autre. Il n'y avait que moi qui m'en apercevais, car j'ai l'oreille extrêmement fine (un peu trop parfois). Vous dire, ma Mère, combien ce petit bruit me fatiguait, c'est chose impossible ; j'avais grande envie de tourner la tête et de regarder la coupable qui, bien sûr, ne s'apercevait pas de son tic, c'était l'unique moyen de l'éclairer ; mais au fond du cœur je sentais qu'il valait mieux souffrir cela pour l'amour du bon Dieu et pour ne pas faire de la peine à la sœur. Je restais donc tranquille, j'essayais de m'unir au bon Dieu, d'oublier le petit bruit... tout était inutile, je sentais la sueur qui m'inondait et j'étais obligée de faire simplement une oraison de souffrance, mais tout en souffrant, je cherchais le moyen de le faire non pas avec agacement, mais avec joie et paix, au moins dans l'intime de l'âme, alors je tâchai d'aimer le petit bruit si désagréable ; au lieu d'essayer de ne pas l'entendre (chose impossible) je mettais mon attention à le bien écouter, comme s'il eût été un ravissant concert, et toute mon oraison (qui n'était pas celle de quiétude) se passait à offrir ce concert à Jésus [1].

C'est la même ascèse d'humble patience qui convient à ce calme plat, plus déconcertant encore que l'agitation

---

1. *Man. Autob.*, C fol. 30 r° et v°.

des facultés, car le bruit donne une impression de vie et laisse soupçonner parfois une présence, tandis que le calme absolu crée la certitude de l'absence de la Réalité divine dont l'âme est assoiffée.

Dans ce silence fait d'impuissance, de vide, sainte Thérèse se représente son âme comme un jardin dont Dieu lui-même est le jardinier :

> Je goûtais la joie la plus vive à me représenter mon âme comme un jardin et le Seigneur qui s'y promenait. Je le suppliais d'augmenter le parfum de ces petites fleurs des vertus qui commençaient, ce me semble, à vouloir éclore. Je lui demandais de les cultiver, dans le seul but d'augmenter sa gloire, puisque je ne voulais rien pour moi ! Je le priais même de couper celles qu'il voudrait, bien assurée que j'étais qu'elles repousseraient plus belles. Je me sers du mot « couper », car il y a des temps où l'âme ne connaît plus ce jardin. Tout y paraît aride, on dirait qu'il n'y aura plus d'eau pour l'entretenir ; il semble que l'âme n'a jamais possédé la moindre vertu. La souffrance est extrême. Dieu veut que le pauvre jardinier regarde comme perdue toute la peine qu'il a prise à cultiver et arroser le jardin. L'heure est venue où il faut véritablement sarcler le jardin, et enlever jusqu'à la racine les mauvaises herbes qui y sont demeurées, quelque petites qu'elles soient ; il faut de plus reconnaître l'insuffisance de tous nos efforts dès que Dieu nous retire l'eau de sa grâce, faire peu de cas de notre misère qui n'est que néant, et nous estimer même au-dessous du néant. L'âme réalise alors de grands progrès dans l'humilité, et les fleurs du jardinier commencent à croître de nouveau [1].

L'humble patience de sainte Thérèse de l'Enfant-Jésus dans les mêmes circonstances emprunte à sa grâce de pauvreté spirituelle une note particulière de simplicité. Qu'importe le mode pourvu que l'âme reste paisible et que Dieu puisse agir en toute liberté ?

> ... J'aurais dû, ma Mère chérie, vous parler de la retraite qui précéda ma profession ; elle fut loin de m'apporter des consolations, l'aridité la plus absolue et presque l'abandon furent mon partage. Jésus dormait comme toujours dans ma petite nacelle ; ah ! je vois bien que rarement les âmes Le laissent dormir tranquillement en elles. Jésus est si fatigué de toujours faire des frais et des avances qu'Il s'empresse de profiter du repos que je Lui offre, Il ne se réveillera pas sans doute avant ma grande retraite de l'éternité, mais au lieu de me faire de la peine, cela me fait un extrême plaisir... [2].

Mais il lui arrive de dormir, tellement ce vide est lourd. Voici qu'elle a trouvé le moyen de ne pas s'agiter au réveil :

1. *Vie*, ch. xiv, pp. 142-143.
2. *Man. Autob.*, A fol. 75 v°.

Eh bien ! je ne me désole pas... je pense que les petits enfants plaisent autant à leurs parents lorsqu'ils dorment que lorsqu'ils sont éveillés ; je pense que pour faire des opérations les médecins endorment leurs malades. Enfin je pense que : « Le Seigneur voit notre fragilité, qu'Il se souvient que nous ne sommes que poussière [1] ».

Ne croyons pas cependant à la paresse ni au laisser-aller. Sainte Thérèse sait s'activer aussi dans ce vide de la sécheresse qu'elle connaît pendant ses actions de grâces. Voici le moyen qu'elle emploie habituellement pour le remplir :

Je me figure mon âme comme un terrain libre et je prie la Sainte Vierge d'ôter les décombres qui pourraient m'empêcher d'être libre ; ensuite je la supplie de dresser elle-même une vaste tente digne du Ciel, de l'orner de ses propres parures et puis j'invite tous les Saints et les Anges à venir faire un magnifique concert. Il me semble, lorsque Jésus descend dans mon cœur, qu'Il est content de se trouver si bien reçu et moi je suis contente aussi... Tout cela n'empêche pas les distractions et le sommeil de venir me visiter, mais au sortir de l'action de grâces, voyant que je l'ai si mal faite, je prends la résolution d'être tout le reste de la journée en action de grâces... [2].

Dans son admirable *Lettre à sœur Marie du Sacré-Cœur* du 14 septembre 1896, la Sainte précise grâce à l'histoire du petit oiseau qu'il faudrait pouvoir citer en entier, son attitude de contemplation faite d'un regard obstinément fixé sur Dieu à travers toutes les impuissances et les brouillards, malgré les faiblesses et même le sommeil qui viennent la gêner ou l'interrompre.

Moi je me considère comme un faible petit oiseau, couvert seulement d'un léger duvet ; je ne suis pas un aigle, j'en ai simplement les yeux et le cœur, car malgré ma petitesse extrême, j'ose fixer le Soleil Divin... Avec un audacieux abandon, il veut rester à fixer son Divin Soleil ; rien ne saurait l'effrayer, ni le vent ni la pluie, et si de sombres nuages viennent à cacher l'Astre d'Amour, le petit oiseau ne change pas de place... Lorsqu'il veut fixer le Divin Soleil et que les nuages l'empêchent de voir un seul rayon, malgré lui ses petits yeux se ferment, sa petite tête se cache sous la petite aile, et le pauvre petit être s'endort, croyant toujours fixer son Astre Chéri. À son réveil il ne se désole pas, son petit cœur reste en paix, il recommence son office d'amour ; il invoque les Anges et les Saints qui s'élèvent comme des aigles vers le Foyer dévorant, objet de son envie [3].

Quelles vérités lumineuses et quelle sagesse profonde dans ces formules et dans ces moyens apparemment enfantins !

1. Ps 102, 14. *Man. Autob.*, A fol. 75 v°-76 r°.
2. *Man. Autob.*, A fol 79 v°-80 r°.
3. *Ibid.*, B fol. 4 v°-5 r°.

Jusqu'à l'union de volonté

Ces expériences exposées avec un charme si prenant nous présentent non des méthodes à adopter, mais une leçon de cette souplesse dont l'âme doit user, un exemple de la variété des moyens adaptés à ses goûts et aux circonstances, moyens qu'elle doit savoir découvrir pour tenir vaillante, paisible et éveillée en sa foi et s'ouvrir à toute la puissance de la lumière divine qui lui arrive.

Car c'est bien de cela qu'il s'agit, uniquement de cela : veiller paisiblement dans la foi, face à la Sagesse d'amour dont la présence est signalée par cette obscurité, en ce mélange de silence et de bruit, et qui de la nuit fait jaillir des sources vivifiantes et transformantes [1].

---

1. L'enseignement donné ici est la même que celui qui a été donné dans le chapitre sur le silence (III⁰ partie, ch. v) et surtout celui sur la foi (III⁰ partie, ch. x). Il est d'une telle importance pratique que l'on ne saurait trop insister et surtout le présenter sous des aspects différents qui permettent de le préciser. Saint Jean de la Croix ne s'est pas lassé de le répéter sous des formes différentes en ses divers traités.

CHAPITRE SEPTIÈME

Nuit active
en dehors de l'oraison

Si vous ne voulez ni les écouter (mes conseils), ni les mettre en pratique, restez avec votre oraison mentale toute la vie[1].

A. — *ASCÈSE ABSOLUE*

C'est dans le *Chemin de la Perfection*, à la suite de son exposé sur les vertus nécessaires au contemplatif, que sainte Thérèse donne cet avertissement en cette forme énergique, presque rude. Sans détachement, sans humilité, sans don de soi réalisés en une forme absolue, Dieu ne donne pas la grâce de la contemplation. Ou plutôt, précise la Sainte : lorsqu'une âme pratique ces vertus sans y mettre cette note d'absolu qui en assure la perfection, Dieu la visite de temps à autre comme le fait le maître pour les ouvriers de sa vigne, mais il ne la traite pas comme sienne en lui prodiguant tous ses dons. En d'autres termes, la contemplation ne se développe pas en dehors de cet absolu dans l'ascèse.

Voilà qui nous surprend. C'est qu'en effet, la division classique en période ascétique et période mystique dans le développement de la vie spirituelle, nous a laissé l'impression qu'il est un temps pour acquérir les vertus par un effort persévérant et un temps pour aimer et se laisser aimer par Dieu, dans l'abandon et la paix d'une demeure pacifiée.

Sainte Thérèse semble s'inscrire en faux contre une pareille conception. Voici un texte déjà cité, mais qu'il faut relire à cause de son importance :

---

1. *Chem. Perf.*, ch. XVIII, p. 657.

Jusqu'à l'union de volonté

Vous me demanderez peut-être, mes filles, pourquoi je vous parle des vertus, quand vous avez tant de livres qui en traitent, et que vous désirez seulement que je vous entretienne de la contemplation. Je vous réponds que, si vous m'aviez priée de vous parler de la méditation, j'aurais pu le faire et donné à toutes le conseil de ne point l'omettre, alors même que l'on ne possèderait pas encore de vertus, parce que c'est par là que l'on commence à les acquérir toutes. C'est même une condition de vie pour tous les chrétiens que de s'y adonner...

Quant à la contemplation, mes filles, c'est autre chose... ce roi dont nous parlons ne se livre qu'à ceux qui se livrent complètement à Lui [1].

La pensée de sainte Thérèse est très nette : au début de la vie spirituelle, lorsque l'âme fait la méditation, c'est la fidélité à l'oraison qui importe surtout ; lorsque l'âme est devenue contemplative, c'est l'ascèse qui doit prendre les devants. A ses filles du monastère de Saint-Joseph d'Avila qui demandent des conseils pour progresser dans la contemplation qui leur est devenue habituelle, elle répond en écrivant le *Chemin de la Perfection*, dont les vingt premiers chapitres exposent l'ascèse absolue que doit pratiquer le contemplatif :

Voyez le porte-drapeau dans les batailles. Il ne se bat point ; mais il ne laisse pas pour cela de courir de grands dangers. Il doit souffrir intérieurement plus que tous les autres, parce que, comme il porte l'étendard, il ne peut parer les coups, et doit se laisser mettre en pièces plutôt que de le lâcher.

Ainsi les contemplatifs doivent arborer l'étendard de l'humilité et supporter tous les coups qu'on leur donne, sans en rendre aucun ; leur office est de souffrir comme le Christ, de tenir toujours la croix bien haut, sans jamais l'abandonner, malgré les dangers où ils sont, ni montrer la moindre faiblesse au milieu de leurs souffrances. C'est dans ce but que Dieu leur a confié un office si honorable [2].

N'interprétons pas cette comparaison dans le sens d'une ascèse faite uniquement de passivité douloureuse. Il s'agit bien d'une ascèse active, comme le prouve l'exposé des vertus que sainte Thérèse a fait dans les pages précédentes.

A peine est-il besoin de signaler, tellement cela paraît évident pour qui a seulement ouvert les traités de saint Jean de la Croix, que la même affirmation se retrouve sous la plume du docteur mystique du Carmel. Dès le début de la *Montée du Carmel*, le Saint nous découvre les

---

1. *Chem. Perf.*, ch. XVII, p. 656.
2. *Ibid.*, ch. XX, p. 669.

rudes exigences de l'amour divin, en nous montrant l'unique sentier qui conduit au sommet du Carmel, sur lequel est inscrit cinq fois « rien ». Et saint Jean de la Croix commente :

Pour arriver à goûter tout, veillez à n'avoir goût pour rien.
Pour arriver à savoir tout, veillez à ne rien savoir de rien.
Pour arriver à posséder tout, veillez à ne posséder quoi que ce soit de rien.
Pour arriver à être tout, veillez à n'être rien en rien.
Pour arriver à ce que vous ne goûtez pas, vous devez passer par ce que vous ne goûtez pas.
Pour arriver à ce que vous ne savez pas, vous devez passer par où vous ne savez pas.
Pour arriver à ce que vous ne possédez pas, vous devez passer par où vous ne possédez pas.
Pour arriver à ce que vous n'êtes pas, vous devez passer par ce que vous n'êtes pas.

Moyens de ne pas empêcher le tout :

Quand vous vous arrêtez à quelque chose, vous cessez de vous abandonner au tout.
Car pour venir du tout au tout, il faut se renoncer du tout au tout.
Et quand vous viendrez à avoir tout, il faut l'avoir sans rien vouloir.
Car si vous voulez avoir quelque chose en tout, vous n'avez pas purement en Dieu votre trésor [1].

Tel est le code de la route qui conduit au sommet du Carmel. Telle est la charte qui règle la participation de l'âme à cette œuvre de transformation par l'amour, idéal présenté par les maîtres du Carmel.

Certainement, à beaucoup, ces préceptes paraîtront exagérés ; ils y verront un défi lancé aux énergies morales de l'homme. D'autres, au contraire, les trouveront lumineux et leur austérité même leur paraîtra savoureuse. Ils auront l'impression, en lisant sainte Thérèse et saint Jean de la Croix, que ces maîtres traduisent en langage précis et clair, les exigences murmurées dans l'âme par le Maître intérieur et leur indiquent le moyen d'y être fidèle. L'héroïsme de cette ascèse, le climat dans lequel elle les introduit, leur devient source de paix et assure leur équilibre spirituel.

Ces derniers ont sur les premiers l'avantage d'avoir une certaine connaissance expérimentale de l'absolu, d'avoir perçu, au moins dans une lumière confuse, quelque chose de la pureté de Dieu et de ses exigences à l'égard de ceux qui l'approchent.

---

1. *Montée du Carm.*, Liv. I, ch. XIII, p. 86.

Jusqu'à l'union de volonté

En d'autres termes, pour comprendre l'enseignement de la *Montée du Carmel* et du *Chemin de la Perfection*, il faut être au moins un commençant dans la contemplation. C'est pour ces commençants et les progressants dans les voies contemplatives que ces traités ont été écrits. N'en doutons pas.

Les préceptes absolus qu'on y trouve sont la conséquence rigoureusement logique de l'opposition radicale qui existe entre Dieu et le péché, entre la grâce et les tendances mauvaises, entre l'esprit et la chair :

> Dans l'ordre naturel des choses, écrit saint Jean de la Croix, une forme ne peut s'introduire dans un sujet si elle n'en a pas tout d'abord chassé la forme contraire ; car celle-ci, tant qu'elle dure, lui est un obstacle ; il y a incompatibilité entre les deux ; de même, tant que l'âme est assujettie à l'esprit sensible et animal, elle est incapable de recevoir l'esprit purement spirituel [1].

L'âme doit travailler avec toutes ses énergies, à réduire cette opposition : c'est la coopération que Dieu exige d'elle pour réaliser Lui-même l'envahissement de sa grâce. Les traités : la *Montée du Carmel* et le *Chemin de la Perfection*, seront pour l'âme en cette période, non pas des ouvrages qui présentent un idéal lointain dont on veut s'inspirer, mais des manuels de vie qui fournissent à tout instant la formule pratique de réalisation, adaptée aux besoins du moment.

C'est donc à la réalisation de l'absolu que l'âme doit travailler avec tout ce qu'elle comporte d'ascèse énergique et parfois violente. Le développement de la contemplation en dépend. Qu'il nous soit permis d'insister. On a dissocié trop souvent contemplation et ascèse, quiétude et vertu, parfois pour les opposer. Cette erreur pratique est extrêmement funeste, car elle invite au repos, ou du moins le permet, alors que l'effort de vertu est on ne peut plus nécessaire.

Relisons encore sainte Thérèse qui ne se lasse pas de redire sous des formes variées cette vérité importante :

> L'important pour nous, écrit-elle, c'est de lui en faire (du palais de notre âme) un don absolu, après l'avoir débarrassé de tout objet créé, pour qu'il puisse en disposer comme d'un bien propre... Dieu ne force pas notre volonté ; il prend ce que nous lui donnons. Mais il ne se donne pas complètement, tant que nous ne nous sommes pas donnés à lui d'une façon absolue. Voilà un fait certain. Comme cette vérité est extrêmement importante, je ne saurais trop vous la rappeler. Le Seigneur ne peut agir librement

---

1. *Montée du Carm.*, Liv. I, ch. VI, p. 50.

dans l'âme que quand il la trouve dégagée de toute créature et toute à lui ; sans cela, je ne sais comment il le pourrait, lui qui est si ami de l'ordre [1].

Mais, ajoute ailleurs la Sainte, avec un peu de tristesse :

Nous sommes si lents à faire à Dieu le don absolu de nous-mêmes que nous n'en finissons plus de nous préparer à cette grâce [2].

La plume de saint Jean de la Croix, nous le savons, marque ces mêmes affirmations d'un trait plus net encore. Pauvreté spirituelle absolue équivaut pour lui à union divine parfaite. Aussi le manque d'énergie dans le détachement est-il la cause la plus apparente de l'échec et de l'arrêt des âmes dans les ascensions mystiques. Dans la *Vive Flamme d'Amour*, il écrit :

Nous devons expliquer le motif pour lequel il y en a si peu qui parviennent à cet état élevé de perfection de l'union avec Dieu. Or, sachons-le bien ; ce n'est pas parce que Dieu veut restreindre le nombre de ces âmes privilégiées ; son désir est plutôt que tous soient parfaits. Mais il en trouve très peu qui veuillent entreprendre une œuvre si haute et si sublime. A peine leur a-t-il envoyé une légère épreuve, qu'il les trouve faibles ; ces âmes fuient la souffrance, elles ne veulent pas supporter le moindre chagrin, ni la plus petite mortification ; elles ne souffrent rien avec patience [3].

Concluons que la nuit active du sens n'impose pas des devoirs moins rigoureux en dehors de l'oraison que pendant l'oraison. La fidélité à se plier patiemment à l'action de Dieu dans la contemplation, ne peut trouver toute son efficacité sur la Miséricorde divine que dans l'ascèse généreuse et absolue qui doit l'accompagner.

On ne peut dissocier la fidélité à l'Esprit de Dieu dans l'oraison de la générosité dans la pratique de l'ascèse absolue, en dehors de l'oraison.

Cette ascèse absolue ne peut être réalisée d'un seul coup. Un maître est nécessaire pour en régler la progression. Ce maître, c'est la Sagesse d'amour qui s'est éveillée dans l'âme et dont la lumière et l'action envahissantes ont chaque jour de nouvelles exigences.

B. — *RÉALISATION DE L'ASCÈSE*

C'est en se mettant au pas de Dieu que la générosité de l'âme trouvera l'ascèse nécessaire en cette nuit du sens.

---

1. *Chem. Perf.*, ch. XXX, p. 727.
2. *Vie*, ch. XI, pp. 103-104.
3. *Vive Fl.*, str. II, pp. 961-962.

Jusqu'à l'union de volonté

L'âme ne doit pas douter, en effet, que ce réveil de la Sagesse d'amour qu'elle expérimente au moins de temps en temps dans l'oraison d'une façon savoureuse ou douloureuse, ne soit le signe d'un désir d'emprise complète qui connaît un commencement de réalisation. Dieu veille sur Israël et sa sollicitude est constante pour cette âme sur laquelle il a affirmé déjà ses droits d'une façon particulière. A n'en pas douter, il prépare avec toutes les ressources de sa sagesse et les tendresses de son amour, les envahissements complets dont il a donné les gages.

Mais comment l'âme va-t-elle discerner cette action providentielle et découvrir pratiquement cette lumière directrice de Dieu, qui paraît s'envelopper d'une ombre plus mystérieuse que celle de la contemplation la plus obscure ? Ici, moins que partout ailleurs, on ne saurait parler de méthode ou de signes précis. Quelques indications peuvent être données cependant pour permettre à l'âme de faire entrer son activité ascétique dans le rythme de l'action de Dieu.

I. — La lumière intérieure.

Quelle que soit la sécheresse de la contemplation dont l'âme jouit en cette période, la lumière de Dieu n'en est jamais absente. Cette lumière déchire rarement la nuit à la façon d'un éclair. Elle éclaire parfois l'âme sur Dieu, et toujours sur elle-même.

Semblable à une voiture dont des phares puissants guident la marche, ou mieux encore, à un astre lumineux qui éclaire lui-même sa route, Dieu, en son envahissement, projette des nappes lumineuses qui mettent en un relief saisissant les obstacles dressés sur son chemin et découvrent même les moyens à prendre pour faciliter sa progression.

C'est ainsi qu'apparaissent non plus seulement les défauts extérieurs qui s'étalent habituellement, mais les tendances profondes qui se dissimulent. C'est une tendance d'orgueil ou d'égoïsme, inconnue sous cette forme, ou qui se recouvrait d'un motif honorable, sinon surnaturel. C'est un besoin de silence ou de soumission, un désir de don complet, qui surgissent des profondeurs obscures de l'inconscient et s'imposent exigeants et impérieux à l'attention de l'âme.

Parfois, la lumière devient précise : elle met en relief un détail insignifiant en apparence, elle exige un acte minime et qui paraît peu raisonnable.

D'ordinaire, la lumière découvre le fond mauvais de l'âme en ses profondeurs, ce « péché » au sens paulinien du mot, dont les ramifications pénètrent en toutes les facultés et dont l'influence s'étend à tous les actes.

Ces lumières, par leur précision, par la masse de péché qu'elles découvrent et surtout par les profondeurs nouvelles et vivantes qu'elles atteignent et qu'elles blessent, déconcertent l'âme. Il arrive qu'elle voudrait bien se dérober à leurs exigences ; et lorsqu'elle est décidée à les suivre, elle se demande dans quelle mesure elle le peut et le doit.

Ces lumières sont bien une manifestation de la sollicitude du Maître intérieur qui les fait jaillir sous les pas de l'âme, au fur et à mesure de ses besoins.

Ce détail qui brille est un indice de tendances profondes qui, comme certains récifs dangereux en mer, n'émergent que par un point quasi imperceptible. Cet acte minime qui est exigé est une preuve d'amour à laquelle le Maître attache un prix particulier et dont l'avenir montrera l'importance. Cette masse confuse du péché qui apparaît, c'est le fond de misère, l'abîme de péché qui souille notre nature humaine et qu'il importe tant de connaître, pour être dans la vérité et prendre une attitude d'humilité devant Dieu.

Précieusement, il faut recueillir ces indications qui se détachent très nettes dans la nappe lumineuse que répand le phare intérieur. Si on ne répondait pas à ces exigences, le phare pourrait s'éteindre. Le tourment cesserait, mais l'âme serait peut-être fixée définitivement dans la médio-crité. Elle ne verrait plus ce lien qui la retient, l'empêchant de monter vers son Dieu, ou ce poids de misère qui doit alimenter son humilité et purifier sa confiance :

Tant que l'âme aura des tendances volontaires, elle ne pourra, si petite que soit l'imperfection, réaliser de progrès. Qu'importe que l'oiseau soit retenu par un fil léger ou une corde ? Le fil qui le retient a beau être léger, l'oiseau y reste attaché comme à la corde, et tant qu'il ne l'aura pas rompu, il ne pourra voler[1].

L'âme qui n'a pas profité de la lumière pour rompre le lien, ou du moins, rétracter la tendance, risque désormais d'y rester définitivement enchaînée, et, ce qui est pire, de ne plus voir désormais ce qui la rive en son immobilité.

Cependant, comme en cette période de transition, le surnaturel et le naturel se trouvent étroitement mêlés, et que l'âme n'a pas encore assez de discernement pour distinguer la lumière divine de ses contrefaçons, elle ne devra suivre les lumières précises, surtout si elles sont importantes et si elles semblent imposer des actes peu

---

1. *Montée du Carm.*, Liv. I, ch. XI, pp. 73-74.

raisonnables, qu'après les avoir soumises à un guide expérimenté. En les exposant, elle veillera à les placer dans les circonstances concrètes qui seules, peuvent les expliquer, et dévoiler les exigences divines. Le guide spirituel les interprétera selon les lois de la sagesse surnaturelle qui peuvent imposer la folie de la croix, en cette période, et il soutiendra l'âme dans l'effort généreux qu'elle doit fournir.

Les lumières générales et confuses sur le fond mauvais de l'âme, ont, par elles-mêmes, une grande utilité pratique, car elles sont déjà purifiantes. Elles ne peuvent cependant guider l'ascèse qu'à la condition d'être précisées et interprétées.

Ces précisions, on les trouvera d'abord dans les traités d'ascèse, écrits pour cette période de la vie spirituelle. Saint Jean de la Croix nous offre son analyse pénétrante des vices spirituels des commençants. Les traités de sainte Thérèse sont remplis de remarques ou de traits qui découvrent les subtiles tendances, reptiles venimeux, couleuvres ou simples lézards, sous le masque spirituel dont, si complaisamment, elles se revêtent. L'expérience de l'âme, confuse en cette période, a besoin, pour devenir pratique, de s'expliciter au contact de l'enseignement des maîtres plus éclairés sur Dieu et sur les profondeurs de l'âme.

Ces heureuses et nécessaires explications seront fournies par le guide spirituel, par les supérieurs, ou même par l'entourage. Ne pourrait-on pas dire qu'il n'est rien de plus caché pour nous que les tendances qui apparaissent en toute notre conduite et qui se manifestent avec la clarté de l'évidence à ceux qui nous entourent ? Elles font tellement partie de nous que depuis longtemps nous y sommes habitués, s'il est vrai que nous ne les ayons pas pleinement justifiées. Si la lumière de Dieu, en les découvrant, rompt le charme ou du moins la paix de nos bons rapports avec elles, nous en sommes déconcertés et nous n'en voyons pas les détails. Consultons un juge à la fois clairvoyant et charitable qui n'aura pas de peine à nous dévoiler les formes multiples et visibles de cette tendance et à nous indiquer ainsi les points qui appellent l'énergie de nos efforts.

II. — *Les événements providentiels.*

D'une manière plus précise et plus sûre que les lumières intérieures, les événements providentiels fixent le devoir de l'âme en cette période et éclairent sa marche dans la réalisation de l'absolu.

L'action de la Providence s'étend à tout, et en ce qui concerne les hommes, elle poursuit un but unique qui est l'édification du corps mystique du Christ, et par conséquent la sanctification des élus qui en sont les membres. Causes nécessaires ou causes libres sont entre les mains de la Sagesse divine des instruments dont elle utilise avec un art souverain et délicat la puissance, la bonne volonté ou la haine pour la réalisation de son grand œuvre.

Comment douter que cette Sagesse n'entoure d'une sollicitude toute spéciale les âmes qu'elle a appelées, qu'elle a justifiées, et sur lesquelles elle affirme par des emprises expérimentées, son dessein particulier de sanctification et de consommation dans l'unité ?

Vous serez haïs de tous à cause de mon nom, mais il ne tombera pas un cheveu de votre tête, disait Jésus à ses apôtres [1].

N'est-ce pas à tous les privilégiés du choix divin que s'applique cette parole du Maître de toutes choses ? Pourrait-il vraiment laisser au hasard les événements qui touchent de telles âmes et qui gêneraient son œuvre de sanctification en elles ? L'affirmation très nette de l'Apôtre répond à cette question :

Nous savons en effet, écrit-il, que Dieu fait tout concourir au bien de ceux qui l'aiment, de ceux qui, selon son propos, sont les appelés [2].

Plus tard, lorsqu'elle sera parvenue aux fiançailles spirituelles, Dieu se montrera divinement jaloux de cette âme, au point que sainte Thérèse peut écrire :

Notre-Seigneur veut, ce me semble, faire comprendre à tous que désormais cette âme est sienne, et que personne ne peut y toucher. Que l'on attaque son corps, sa réputation, ses biens, soit : il le permet, parce que de tout cela il tirera sa gloire ; quant à son âme, il ne souffrira pas qu'on y touche ; et si elle-même ne commet pas la faute énorme de se séparer de son Époux, il la protégera contre tous les assauts du monde et même contre tous ceux de l'enfer [3].

Dès maintenant, Dieu veille sur elle avec une amoureuse sollicitude et par tous les moyens, procure sa sanctification qui lui importe plus que tout le reste dans le monde.

L'âme doit croire à cette sollicitude amoureuse et efficace de la Sagesse divine. Elle doit en découvrir le témoignage en tout ce qui lui arrive et puiser en tous les

---

1. Lc 21, 17-18.
2. Rm 8, 28.
3. IVᵉ Dem., ch. vi, p. 965.

événements qui la touchent, la grâce et la lumière qui y ont été déposées pour elle. Grâce et lumière, d'autant plus précieuses qu'elles sont précises, pratiques, de tous les instants et qu'elles lui viennent à un moment où l'obscurité et la sécheresse de son oraison, en même temps que les difficultés extérieures, rendent sa marche incertaine et hésitante.

Une humble et amoureuse soumission suffira habituellement pour recueillir ces trésors.

Cette soumission devient plus difficile lorsque, dans la production de l'événement qui affecte l'âme, est intervenue une cause libre. Il nous paraît, en effet, que la cause libre est seule agissante. Sa liberté, les motifs que nous connaissons de son choix dans un sens déterminé, nous voilent en effet sa qualité d'instrument et diminuent d'autant à nos yeux l'efficacité de l'influence de la cause première qui est Dieu. Le déterminisme des lois physiques nous semble laisser plus de place à l'action providentielle. C'est ainsi que notre foi découvre plus aisément la causalité première de Dieu dans un accident dû à des causes naturelles que dans celui qui est le fruit de la malveillance. Nous oublions que la Sagesse éternelle, qui atteint d'un bout du monde à l'autre avec force et suavité, se joue des obstacles qu'elle transforme en moyens, que, pure et simple, elle pénètre et utilise avec la même aisance pour la réalisation de ses desseins la liberté de la volonté humaine et le déterminisme des causes naturelles. Elle opère, comme en se jouant, à travers le monde et c'est dans son action auprès des hommes qu'elle trouve ses plus beaux triomphes. *Ludens in orbe terrarum... deliciae meae cum filiis hominum* [1]. C'est aussi dans l'action de Dieu, à travers et par les causes secondes humaines, que notre foi amoureuse trouvera ses triomphes les plus profitables et les plus fréquents.

Dans le même ordre pratique, soulignons qu'en la période de vie spirituelle où nous sommes, la foi doit être plus éveillée du côté des situations providentielles que du côté des événements. Un événement passe et son influence est ordinairement limitée. Une situation, par hypothèse, reste et s'impose. Elle nous est une source plus abondante de lumière et de grâce pour la réalisation des desseins de Dieu. Le milieu familial dans lequel nous avons été élevés, l'éducation reçue, telle qualité naturelle, telle déficience physique ou morale, une impuissance habituelle peuvent

---

1. Pr 8, 31.

fixer la vocation d'une âme et lui apporter des grâces efficaces de sainteté.

La Providence crée, adapte, modifie ces situations selon les besoins de ceux qu'elle aime, pour donner la grâce nécessaire ou imposer ses exigences d'une façon claire et parfois impérieuse. En lisant la vie des saints, on pourrait croire qu'ils sont le fruit de leur milieu ou des situations qu'ils ont vécues. En réalité, c'est Dieu qui fait ses saints et qui, amoureusement et progressivement, pour récompenser leur fidélité, les accule à l'héroïsme pour faire monter de leur âme les cris et les mouvements qui libèrent pour les sommets. Tobie a été éprouvé parce qu'il a été fidèle. De l'âme de Job, éprouvé lui aussi à cause de sa fidélité, monte l'acceptation paisible et résignée : « Dieu nous l'avait donné, Dieu nous l'a enlevé, que son saint nom soit béni ». Dieu torture admirablement ses saints, constatent les théologiens carmes de Salamanque. Ce sont ces tourments admirables produits par la lumière divine sur leur âme et par les situations qu'ils durent subir, qui leur assurèrent la sainteté. Que notre admiration pour eux soit moins raisonneuse et que, dépassant les causes secondes comme ils le firent eux-mêmes, elle aille à la cause première qui les voulut efficacement saints et en procura les moyens à leur fidélité.

D'excellents ouvrages disent les avantages et les richesses spirituelles de cet abandon à la Providence qui dirige tout pour le bien de ceux qui l'aiment. Il est un problème pratique dont cependant ils ne donnent pas la solution et qui se pose d'une façon plus aiguë en ces quatrièmes Demeures, période de transition pendant laquelle le surnaturel et le naturel sont étroitement mêlés, l'action divine intermittente et incomplète laisse place à l'activité des facultés et même à l'initiative personnelle. Ce problème pratique est celui-ci : dans quelle mesure faut-il s'abandonner et dans quelle mesure faut-il agir ? Doit-on accepter paisiblement les événements ou a-t-on le devoir de réagir contre eux et même d'essayer de les modifier ?

C'est un problème que celui qui a expérimenté à la fois la portée des événements providentiels sur son âme et l'efficacité de son action personnelle ne peut pas ne point se poser et parfois avec une certaine inquiétude. Ne voyons-nous pas sainte Thérèse de l'Enfant-Jésus en des régions plus élevées cependant, et si ferme dans son enseignement de la voie d'enfance spirituelle et de l'abandon, en proie elle aussi à des inquiétudes et, en ce rêve si consolant de la fin de sa vie, demander à la céleste visiteuse :

Jusqu'à l'union de volonté

Ma Mère... dites-moi encore si le Bon Dieu ne me demande pas quelque chose de plus que mes pauvres petites actions et mes désirs [1].

On retrouve dans le plan de l'action les obscurités qui font la souffrance de l'oraison. Ne faut-il pas, en effet, que la nuit enveloppe la volonté comme elle enveloppe l'intelligence ? L'une et l'autre doivent quitter le monde du sens ; l'obscurité qu'elles y trouvent et qui est un signe de purification, est destinée providentiellement à les orienter vers une lumière plus haute et plus simple.

Il nous paraît qu'on chercherait en vain, en cette période à résoudre spéculativement ce problème de l'abandon et de l'activité. L'âme doit se résigner à l'obscurité et ne point chercher des provisions de lumière pour sa marche dans la région qu'elle aborde et qui est sans sentiers.

Mais par contre, la lumière pour chacune de ses démarches et de ses attitudes brillera généralement au moment voulu et venant par les moyens que nous avons indiqués précédemment.

Quand je vous ai envoyés en mission, demandait le Maître à ses apôtres, sans bourse, sans besace et sans souliers, avez-vous manqué de quelque chose ? — De rien ! répondirent-ils [2].

Telle est la situation de l'âme et telle pourrait être sa réponse au point de vue spirituel. Pourquoi donc se préoccuperait-elle de provisions de route ou de principes qui concilieraient sa double obligation d'abandon et d'activité ?

Un problème plus particulier vient la tourmenter parfois et la gêner dans son obéissance. Il arrive que les événements extérieurs ou les ordres des supérieurs viennent contrarier nettement ses attraits ou empêcher la réalisation de lumières intérieures certaines. C'est ainsi qu'une âme qui sent un besoin profond du silence et du recueillement, nécessaires en effet au développement de sa vie d'oraison, se voit obligée par les événements ou par ordre des supérieurs à une activité débordante et pleine de soucis. Que doit-elle faire et à quelle de ces deux manifestations de la volonté divine doit-elle obéir ?

Sans hésiter, nous répondons : ces deux manifestations de la volonté divine sont l'une et l'autre authentiques ; l'âme doit obéir aux deux. C'est qu'habituellement, en

1. *Man. Autob.*, B fol. 2 r° et v°.
2. Lc 22, 35.

effet, elles ne sont pas contradictoires, et l'Esprit de Dieu ne manifeste ses vouloirs en des sens différents que pour obliger l'âme à une heureuse conciliation, à un sage dosage qui est vraiment sa volonté. Ne voit-on pas, dans tout véhicule automoteur, des freins dont la puissance est réglée prudemment sur celle du moteur lui-même ? Ainsi Dieu, donnant un attrait intérieur, en règle sagement la réalisation par des événements extérieurs et les ordres des supérieurs.

L'attrait intérieur indique le sens de la marche et assure l'énergie nécessaire ; les indications extérieures précisent la voie à suivre et la mesure à garder. L'activité et les soucis, qui semblent gêner l'attrait de silence, le purifient au contraire en détruisant la gourmandise spirituelle ou la paresse qui pourraient s'y mêler, limitent les moments pendant lesquels on peut s'y livrer et assurent aux facultés le mouvement que l'immobilité du silence rend nécessaire.

Ces lumières, que l'âme avait tout d'abord opposées, disent au contraire la sollicitude affectueuse de la Sagesse divine pour l'âme dont elle a pris la direction et qu'elle veut faire complètement sienne. S'il arrivait cependant qu'en certaines circonstances l'ordre du supérieur ou les événements soient tout à fait contraires à un attrait intérieur ou à une lumière précise, l'âme, après avoir fait connaître et contrôler si possible son état, devrait sans hésiter obéir aux indications extérieures comme à celles qui, pour le moment, lui apportent de la façon la plus authentique la volonté de Dieu. Toute autre ligne de conduite pourrait l'égarer en des régions où, en suivant ses lumières personnelles, elle perdrait Dieu et ne trouverait plus qu'elle-même.

III. — *La prudence.*

Les deux directives qui viennent d'être données visent à mettre l'âme sous la direction de la Sagesse qui fixera les modes et la progression de l'ascèse à fournir en cette période.

Voici cependant que sainte Thérèse nous rappelle, pour cette période, la nécessité d'une prudence guidée par la raison éclairée par la foi.

De multiples motifs en font un devoir. La nouveauté d'abord des régions où l'âme est parvenue et des modes d'agir qui lui sont imposés ; les tendances qui, mortifiées sur le plan extérieur, se manifestent vivantes sur le plan spirituel ; la confiance présomptueuse que peuvent nourrir les grâces reçues et l'impression de force qu'elles laissent ; le démon enfin dont l'action trouve en ces circonstances des conditions particulièrement favorables. Il sait qu'il doit s'efforcer de saisir les âmes en cette période obscure du passage du sens à l'esprit, sous peine de les voir échapper définitivement à son action et lui ravir beaucoup d'âmes. Voici un avertissement de sainte Thérèse :

J'insiste donc, écrit-elle, pour que l'on ne s'expose pas au danger, car le démon travaille beaucoup plus à séduire une seule de ces âmes, qu'un grand nombre d'autres à qui le Seigneur n'accorde pas de telles faveurs. Elles peuvent en effet porter un tort considérable au démon en entraînant d'autres âmes à leur suite et peut-être même en rendant les plus signalés services à l'Église de Dieu. Mais n'y aurait-il d'autre raison que celle de l'amour particulier que Sa Majesté leur témoigne, que cela suffirait pour que le démon ne néglige aucun moyen de les perdre. Voilà pourquoi elles sont violemment tentées, et, si elles s'égarent, leur chute est beaucoup plus profonde que celle des autres [1].

Aussi la Sainte termine-t-elle l'exposé des quatrièmes Demeures en donnant ce dernier avis :

Si je me suis beaucoup étendue à traiter de cette Demeure, c'est parce qu'elle est celle, à mon avis, où entrent le plus grand nombre d'âmes ; de plus, le naturel s'y trouvant mêlé au surnaturel, le démon peut y causer plus de préjudice que dans les autres dont je vais parler et où le Seigneur ne lui laisse pas tant de pouvoir [2].

Sainte Thérèse signale quelques-uns des devoirs spéciaux qu'impose la prudence si nécessaire en cette période.

L'âme doit d'abord éviter les occasions. Le sentiment de sa force, la connaissance des grâces reçues pourraient lui faire négliger les précautions prises jusqu'alors contre sa faiblesse :

Je voudrais, écrit la Sainte, donner un avis très important à l'âme qui se verrait arrivée à cet état. Elle doit veiller avec un soin extrême à ne pas se mettre dans l'occasion d'offenser Dieu, car elle n'est pas encore formée ; elle est semblable au petit enfant qui commence à téter : s'il s'éloigne du sein de sa mère, que lui adviendra-t-il, sinon la mort ? [3].

Voilà qui est bien dit et met ce contemplatif qui jouit d'une oraison de quiétude, en sa place de commençant.

---

1. IVe Dem., ch. III, p. 888.
2. *Ibid.*, pp. 890-891.
3. *Ibid.*, p. 887.

Ces occasions à éviter sont, non seulement les occasions de péché, mais celles surtout qui pourraient l'éloigner de l'oraison :

Je redoute beaucoup qu'une âme à qui Dieu accorde une telle faveur ne tombe dans ce malheur (péché) si elle s'éloigne de l'oraison sans une pressante nécessité ; supposé même qu'elle ne la reprenne pas sans retard, elle ira de mal en pis. Il y a, je le sais, beaucoup à craindre dans ce cas. Je dis ce que j'ai vu. Je connais quelques personnes dont je ne saurais trop déplorer l'infortune, parce qu'elles se sont éloignées de celui qui leur montrait tant d'amour en se donnant à elles comme ami, et en le leur prouvant par des œuvres [1].

La persévérance, que sainte Thérèse a recommandée maintes fois, spécialement dans le *Chemin de la Perfection* [2] et dans sa *Vie* [3], comme une condition assurée de succès dans l'oraison, doit être recommandée d'une façon spéciale en cette période, non seulement à cause des difficultés de l'oraison elle-même mais plus encore pour les sollicitations extérieures dont l'âme est l'objet, sollicitations qui répondent assez fréquemment à un besoin d'apostolat qui s'éveille, et qui constituent un véritable danger pour le contemplatif.

Les premières grâces contemplatives transparaissent habituellement et peuvent susciter une certaine admiration. D'autre part l'âme éprouve le besoin de donner à d'autres les richesses qui lui paraissent débordantes. N'est-ce pas le mouvement normal de la charité ? Écoutons sur ce point notre prudente maîtresse :

Voici encore, dit-elle, une autre tentation très ordinaire chez les commençants. A peine ont-ils goûté les douceurs et les avantages de la vie d'oraison, qu'ils veulent voir tout le monde dans une très haute perfection. Ce désir n'est pas mauvais, mais le mode de le réaliser peut n'être pas bon, s'il n'est accompagné de beaucoup de prudence et d'adresse pour ne point paraître faire la leçon aux autres. Celui qui veut procurer au prochain le bien dont il s'agit ici doit être lui-même très enraciné dans la vertu, sans quoi il ne sera pour les autres qu'un sujet de tentations. C'est là un fait qui m'est arrivé à moi-même, à l'époque où, comme je l'ai dit, je cherchais à porter d'autres personnes à l'oraison...

A part cela, il y a encore un autre grand inconvénient, c'est que l'âme y perd. Au début, elle doit veiller surtout à ne prendre soin que de sa perfection, et à vivre comme s'il n'y avait sur la terre que Dieu et elle [4].

---

1. IVᵉ Dem., ch. III, pp. 887-888.
2. *Chem. Perf.*, ch. XXIII-XXV.
3. *Vie*, ch. VIII.
4. *Vie*, ch. XIII, pp. 126-127.

Jusqu'à l'union de volonté

Que ces avis ne s'adressent pas seulement aux âmes des premières Demeures mais à celles qui ont goûté les oraisons contemplatives, l'allusion de sainte Thérèse à son expérience personnelle au temps où elle avait connu l'oraison d'union le prouve, ainsi d'ailleurs que les affirmations très nettes que nous recueillons un peu plus loin sous sa plume :

Une seule visite (troisième eau), si peu qu'elle dure, suffit à un tel jardinier pour y répandre avec abondance cette eau dont en définitive il est le créateur... Il fait croître les fruits, et il les fait mûrir, de telle sorte qu'elle (l'âme) peut vivre des fruits de son jardin. Telle est la volonté du Seigneur. Il ne lui permet pas toutefois d'en distribuer, jusqu'à ce qu'elle se soit bien fortifiée par cette nourriture. Si elle se contentait de la goûter, elle n'en tirerait pas profit, et, ne recevant rien de ceux à qui elle la donnerait, elle les soutiendrait et nourrirait à ses dépens ; elle s'exposerait peut-être elle-même à mourir de faim [1].

La troisième eau dont parle la Sainte en ce passage, et qui ne donne pas le droit de songer à un apostolat personnel, est le sommeil des puissances, supérieur à la simple oraison de quiétude. Remarquons toutefois que sainte Thérèse parle à des personnes qui n'ont ni le sacerdoce, ni une fonction d'apostolat, et qui ne peuvent par conséquent agir sur le prochain que par débordement de leur plénitude divine personnelle.

Lorsque l'âme est parvenue au quatrième degré d'oraison, donc à l'oraison d'union, elle peut commencer à donner, sans dommage pour elle, de ses richesses :

Comme elle comprend clairement que les fruits de son jardin ne viennent pas d'elle-même, elle peut désormais commencer à en faire part aux autres, sans s'appauvrir. Elle donne déjà des signes qu'elle possède des trésors célestes ; elle brûle du désir de les distribuer, et elle supplie le Seigneur de ne pas la laisser seule dans une telle abondance. Elle procure le bien du prochain, presque à son insu et sans rien faire par elle-même dans ce but [2].

Parvenue aux ravissements qui caractérisent les sixièmes Demeures, l'âme ne court plus aucun danger. Ces dangers du monde lui sont au contraire profitables parce que occasions de victoire :

De là, l'âme considère ceux qui sont en bas, comme une personne qui est en lieu sûr. Bien loin de redouter les dangers, elle les désire au contraire, comme si on lui donnait en quelque sorte l'assurance de la victoire [3].

---

1. *Vie*, ch. XVII, p. 165.
2. *Ibid.*, ch. XIX, p. 183.
3. *Ibid.*, ch. XX, p. 206.

Ces conseils de sainte Thérèse, qui n'ont de valeur absolue que pour les contemplatifs sans mission d'apostolat, fournissent des indications très précieuses à tous ceux qui, par devoir d'état, sont obligés de procurer le bien spirituel du prochain. Ils leur disent combien, en ces premières périodes de ferveur débordante, ils doivent soigneusement protéger leur union à Dieu, serait-elle enrichie déjà de grâces contemplatives, contre une activité excessive d'apostolat et contre les dangers qui en accompagnent l'exercice.

En ce besoin d'apostolat il y a une certaine présomption qui procède elle-même du sentiment des richesses reçues ou mieux de la communication faite aux sens, de la grâce spirituelle. Sur ces perceptions sensibles du spirituel se greffent d'autres dangers plus graves encore qui pourront être étudiés d'une façon plus complète avec saint Jean de la Croix au début de la nuit de l'esprit.

Nous devons signaler maintenant un cas particulier qui, par les apparences, semble appartenir aux sixièmes Demeures, mais qui relève cependant des premières oraisons contemplatives des quatrièmes Demeures. C'est bien à propos des quatrièmes Demeures que sainte Thérèse le décrit longuement :

Je voudrais vous prémunir contre un péril dont je vous ai déjà parlé ailleurs [1] et dans lequel j'ai vu tomber des personnes d'oraison et surtout des femmes... Voici ce dont il s'agit. Quelques-unes, par suite de leurs grandes pénitences, de leurs oraisons ou de leurs veilles, et même sans cela, sont d'une complexion très délicate ; si elles reçoivent quelque consolation spirituelle, leur nature succombe. Lorsqu'elles éprouvent un certain contentement intérieur et une défaillance extérieure, ou cette faiblesse qui arrive dans le sommeil des puissances qu'on appelle spirituel, et qui est quelque chose de plus élevé que ce que j'ai dit, il leur semble que c'est tout un ; elles se laissent aller à une sorte d'enivrement ; plus elles s'y laissent aller, et plus l'enivrement augmente, parce que leur nature se débilite toujours davantage ; elles s'imaginent qu'il s'agit vraiment d'un ravissement. Pour moi, j'appelle cela de la niaiserie ; car elles ne font pas autre chose alors que de perdre le temps et de ruiner leur santé.

J'ai connu une personne qui restait huit heures en cet état sans perdre le sentiment et sans rien éprouver des choses de Dieu. Quelqu'un comprit ce que c'était ; il l'obligea à dormir, à manger et à modérer ses pénitences ; c'est ainsi qu'il la délivra. Son confesseur et d'autres personnes s'y étaient trompés ; elle-même se faisait illusion, mais elle n'avait pas voulu tromper. Je crois bien

---

1. *Fondat.*, ch. VI.

que le démon y était pour quelque chose ; il voulait en tirer quelque gain et il n'y avait déjà que trop réussi [1].

Ces phénomènes ont paru à sainte Thérèse assez importants et assez nombreux pour qu'elle leur consacre tout un chapitre du livre des *Fondations* et précise la description psychologique. Voici le passage qui donne les traits caractéristiques :

Je dirai ce que je comprends de cet état, écrit la Sainte. Nous sommes tellement portés par nature au plaisir, que, si le Seigneur commence à nous accorder une faveur, nous en savourons la joie au point de ne vouloir plus ni remuer, ni rien faire dans la crainte de la perdre ; et à la vérité, sa douceur surpasse celle de tous les plaisirs du monde. Supposez que cela se produise chez une personne d'une complexion faible, dont l'esprit ou mieux dont l'imagination vive s'est à peine portée vers un objet qu'elle s'y arrête et ne s'en détourne plus. Elle ressemble à beaucoup d'autres personnes qui demeurent absorbées quand elles pensent à une chose, n'ayant même aucun rapport avec Dieu, et fixent un objet sans remarquer ce qu'elles regardent : ce sont des personnes d'une nature paresseuse ; il semble que la distraction leur fait oublier ce qu'elles voulaient dire. Ainsi en est-il dans le cas présent selon le caractère, la complexion, ou le degré de faiblesse. Que serait-ce donc s'il y avait de la mélancolie ? Elle leur suggérerait mille illusions agréables [2].

De tels cas pathologiques à forme aiguë se trouvent parfois ; heureusement ils sont assez rares. Plus fréquemment, on retrouve des cas moins nettement caractérisés où les mêmes déficiences se présentent sous des apparences différentes.

Tous ces tempéraments sont affectés, et c'est la cause de tout le désordre, par une faiblesse psychique qui assure à toute action surnaturelle de Dieu ou même à toute impression spirituelle des effets si intenses dans les puissances sensibles qu'on ne peut, de prime abord, qu'être trompé sur la qualité de l'action surnaturelle dont ces vibrations sensibles nous apportent un écho. Il y a eu un simple recueillement passif, et voici que l'âme défaille comme si elle avait été emportée dans un ravissement avec suspension des puissances ; une simple consolation spirituelle produit un sommeil des puissances qui se prolonge indéfiniment.

Parce que ces personnes sont aisément et profondément absorbées dans l'oraison, qu'elles trouvent une certaine saveur à se laisser prendre et que l'activité extérieure ne leur apporte, par contraste, que dégoût et impuissance,

---

1. IVe Dem., ch. III, pp. 888-889.
2. *Fondat.*, ch. VI, p. 1110.

elles ne désirent que contemplation et union intime profonde avec Dieu dans la nuit. Parce qu'elles enregistrent avec une grande intensité, et même parfois avec finesse, toute impression spirituelle, et que l'expérience, le langage des grands spirituels ne semblent plus avoir de secrets pour elles, on les croit remarquablement douées pour la vie contemplative. Les richesse spirituelles sensibles qui s'étalent en elles peuvent être une cause d'erreur grave dans la direction. Croire à leurs attraits et les encourager à les cultiver peut avoir, en effet, des conséquences très funestes, tant dans l'ordre physique que sur le plan moral et spirituel.

Persuadée qu'elle reçoit des faveurs qualifiées l'âme recherche ces effets sensibles, en particulier cette absorption, les entretient et s'y abandonne.

Un des premiers et peut-être le moindre des inconvénients dont parle sainte Thérèse et que nous résumons en quelques mots, est une perte de temps et du mérite

que les puissances ont coutume d'apporter à l'âme quand elles recherchent soigneusement le bon plaisir de Dieu[1].

L'amour-propre est normalement nourri par ces phénomènes et il peut se développer en des proportions effrayantes. L'âme n'est point préservée en effet de la vaine gloire, comme en toute grâce mystique authentique, par l'écrasement suave que produit le contact divin.

Mais surtout, ces vibrations trop fortes et ces absorptions usent les forces physiques, « atrophient les puissances et les sens », dit sainte Thérèse, et « les rendent incapables d'obéir à l'âme[2] ». Si l'âme trompée joint à cette fatigue des mortifications et des jeûnes qui, en augmentant la faiblesse, favorisent encore ces états,

les ravissements ainsi produits, conclut la Sainte, conduisent peu à peu au tombeau ou à la folie si on n'y apporte remède[3].

Pour y apporter remède, il faut discerner assez promptement ces états ; ce qui n'est pas toujours chose facile, assure sainte Thérèse, d'autant qu'une action de Dieu authentique s'y mêle assez ordinairement, que ces âmes sont de bonne foi et qu'on ne saurait par conséquent les considérer et les traiter comme illusionnées et trompées. Et comme, d'autre part, cette faiblesse psychique et la

---

1. *Fondat.*, ch. VI, p. 1112.
2. *Ibid.*
3. *Ibid.*, p. 1110.

nervosité qui l'accompagne assurent fréquemment aux dons naturels et aux qualités morales réelles des personnes qu'elles affectent un certain brillant extérieur fort séduisant, on comprend qu'une prudence ordinaire ne puisse suffire à déceler ces cas en leurs premières manifestations et qu'un don particulier, éclairé par l'expérience, soit nécessaire.

Sainte Thérèse donne cependant certains signes qui peuvent favoriser la prospection. On ne peut pas résister à la force du véritable ravissement, tandis qu'avec un peu d'énergie on peut arrêter les effets de cette absorption. La force divine, dans le vrai ravissement, ne s'exerce que pendant un temps assez court, bien que ses effets puissent se prolonger pendant un certain temps. Au contraire, l'absorption se prolonge habituellement pendant un temps assez long, parce que l'âme s'y abandonne. Signe le plus authentique, le véritable ravissement produit de grands effets de vertu et spécialement d'humilité ; l'absorption, au contraire, paralyse et « n'opère pas plus dans l'âme que si elle n'avait pas existé », ce qu'elle produit, « c'est une fatigue dans le corps [1] ».

Nous traitons de ce cas à propos de l'ascèse en dehors de l'oraison car c'est à cette ascèse qu'appartiennent les remèdes efficaces pour en prévenir ou en arrêter le développement.

On doit éloigner, en effet, ces tempéraments de toute vie purement contemplative. C'est le rôle de Marthe qui leur convient, quels que soient leurs attraits et même leurs aptitudes apparentes pour le rôle de Marie. Si ces personnes sont déjà engagées dans cette vie, il est nécessaire de réduire le temps consacré à l'oraison, de les en éloigner même complètement pendant certaines périodes et de leur assurer constamment la diversion extérieure du travail.

On supprimera aussi les mortifications qui les affaiblissent et on fortifiera le corps par un repos approprié et une nourriture plus abondante.

J'ai connu, écrit sainte Thérèse, une personne qui restait huit heures en cet état sans perdre le sentiment et sans rien éprouver des choses de Dieu. Quelqu'un comprit ce que c'était ; il l'obligea à dormir, à manger et à modérer ses pénitences ; c'est ainsi qu'il la délivra [2].

Ces conseils de modération semblent nous éloigner notablement, sinon aller à l'encontre, de la réalisation

---

1. *Fondat.*, ch. VI, p. 1117.
2. IVᵉ Dem., ch. III, p. 889.

énergique de l'absolu que nous avons reconnue indispensable pour le développement de l'action de Dieu dans l'âme en cette période. Et cependant, c'est bien le renoncement absolu que l'on impose à cette âme en la privant des saveurs de l'oraison qui sont si prenantes, et en la faisant marcher contre ses attraits que si volontiers elle appelle divins et manifestation certaine de la volonté de Dieu.

Cette forme de renoncement nous laisse entrevoir combien peuvent être variées les exigences de Dieu en ses premières emprises, la prudence que doit avoir le directeur pour les préciser, la souplesse nécessaire à l'âme pour les réaliser.

CHAPITRE HUITIÈME

L'obéissance

Le chemin le plus rapide pour parvenir au sommet de la perfection est celui de l'obéissance. [1].

Les quatrièmes Demeures nous font songer à ces fourrés dont la végétation verdoyante s'étale jeune, vigoureuse et pleine de promesses, enchevêtrement confus de branches, de lianes et de ronces, pénombre que rendent plus obscure les rayons qui y pénètrent, mais d'où monte la vie. Elles présentent en effet un mélange de naturel et de surnaturel, d'action de Dieu, mais intermittente et imparfaite, et de réactions surprenantes des facultés.

Parviendrons-nous à mettre de la clarté dans ce chaos ?... On ne saurait trop multiplier les efforts, car il importe hautement à la gloire de Dieu que l'âme ne se laisse pas arrêter par les difficultés en ces fourrés.

En somme, les pages précédentes l'ont montré, l'âme doit apprendre ici à se soumettre à la Sagesse d'amour et à se plier à son action. C'est donc un problème pratique d'obéissance qui se pose pour elle à tout instant. Aussi bien, peut-on dire que l'obéissance est la vertu qui caractérise cette période.

Une étude sur cette vertu d'obéissance doit donc faire œuvre de clarté et permettre de résumer comme de préciser, en nous les montrant sous un autre angle, les devoirs de l'âme en cette période.

A. — *NATURE DE L'OBÉISSANCE*

L'obéissance est une vertu qui unit l'homme à Dieu en le soumettant à la volonté divine, manifestée par Dieu

---

1. *Fondat.*, ch. v, p. 1103.

lui-même ou ses représentants. On a pu dire de cette vertu qu'elle est presque théologale [1]. En fait, elle se rattache à la vertu de justice qui nous fait rendre à Dieu ce qui lui est dû. Dieu a des droits souverains sur nous qui sommes ses créatures. La soumission à son bon vouloir et l'exécution en tous ses détails de la mission qu'il nous a confiée sont pour nous un devoir que nous impose sa souveraineté absolue.

D'ailleurs le plan à la réalisation duquel il nous demande de travailler est infiniment sage. Il doit procurer à la fois la gloire de Dieu et notre bonheur. Il n'y a rien que de hautement raisonnable, sage et sain en tout ce que Dieu exige de nous : ce Maître absolu n'exerce son pouvoir que pour notre bien et en respectant notre liberté. La sagesse des desseins de Dieu, aussi bien que son souverain pouvoir, fondent donc notre obéissance.

La volonté divine nous parvient par divers canaux : tout d'abord celui de la loi inscrite par Dieu dans les êtres et qui les dirige vers leur fin providentielle. Conforme à leur nature, cette loi est physique et nécessaire pour les créatures privées de raison ; morale pour l'homme, puisque respectant sa liberté et s'adressant à sa raison qui en explore les premiers principes pour en faire jaillir l'ensemble de nos devoirs naturels, envers Dieu, envers nous-mêmes et envers le prochain.

Au code de la loi naturelle s'ajoutent les préceptes de la loi évangélique, formulés par le Christ et qui conduisent l'homme vers sa fin surnaturelle.

Dieu a commis aussi le droit et la charge de manifester sa volonté à ses représentants : tous ceux qui, directement ou indirectement, détiennent une part d'autorité.

Il n'y a pas de pouvoir qui ne vienne de Dieu, proclame l'Apôtre, et ceux qui existent sont ordonnés de Dieu. En sorte que celui qui se révolte contre l'autorité, se révolte contre l'ordre établi par Dieu [2].

Parmi ces représentants de Dieu, l'Église occupe un rang spécial. Sa mission spirituelle, autant que les pouvoirs qu'elle a reçus directement du Christ, assurent à son autorité une primauté que tout le monde doit reconnaître.

Cette délégation divine confère tant à la puissance séculière qu'à l'Église, le droit de faire des lois générales, de donner des commandements particuliers, de subdéléguer une partie de leur autorité. Chacun rencontre ainsi

---

1. P. Jean de Jésus-Marie.
2. Rm 13, 1-2.

constamment dans n'importe quel domaine de sa vie personnelle ou sociale, tout un réseau de canaux lui apportant les manifestations concrètes et diverses de l'impératif divin.

Dieu se réserve en certains cas de manifester Lui-même sa volonté aux âmes, par des illuminations intérieures et même de la faire exécuter par les motions de son Esprit. C'est cette intervention directe de Dieu dans la vie de l'âme qui constitue à la fois, la grâce et la difficulté des quatrièmes Demeures. C'est elle qui pose sous un jour nouveau le problème de l'obéissance.

B. — *EXCELLENCE DE L'OBÉISSANCE*

« Ce que je veux surtout t'apprendre, écrit saint Jérôme au moine Rusticus, c'est de ne pas t'abandonner à ton arbitre personnel ».

N'a-t-on pas dit en effet que l'obéissance est la première des vertus morales ? Saint Grégoire explique cette primauté :

L'obéissance est la seule vertu qui fasse germer les vertus dans nos âmes et qui les maintienne après les avoir implantées [1].

Elle assure l'ordre extérieur dans la cité aussi bien que l'ordre intérieur dans l'âme. Sans elle, point de cohésion dans les efforts, ni de subordination dans un groupement ; aussi est-elle considérée comme la force principale des armées.

C'est elle qui fait la beauté et l'harmonie des puissances célestes. Aussi saint Grégoire dit-il encore :

Si la seule beauté de l'ordre fait qu'il se trouve tant d'obéissance là où il n'y a pas de péché, combien plus doit-il y avoir de subordination et de dépendance parmi nous où le péché mettrait tant de confusion sans ce secours [2].

Cassien assure que dans les Thébaïdes, les moines les plus détestables étaient les sarabaïtes qui prenaient eux-mêmes soin de se procurer le nécessaire, vivaient indépendants des anciens, faisaient ce qui leur plaisait et se consumaient nuit et jour dans les travaux.

Le jugement de Cassien est un écho de la parole de Dieu dans Isaïe : « Pourquoi avons-nous jeûné sans que vous

---

1. Saint Grégoire, *Morales*, Liv. XXXV, ch. XXIV, n° 28.
2. *Ibid.*, *Epist.*, L. V, ép. LIV.

daigniez nous regarder ? s'écrie le peuple. Pourquoi avons-nous humilié nos âmes et avez-vous feint de l'ignorer ? » « C'est qu'en ces jours de jeûne, répond le Seigneur, j'ai retrouvé votre propre volonté [1] ».

Aucun sacrifice ne saurait être, en effet, agréé par Dieu, si ne l'accompagne l'offrande de nos facultés humaines par excellence, l'intelligence et la volonté libre. Ce sont elles qu'immole à Dieu l'obéissance. Aussi est-il écrit que « l'obéissance est meilleure que le sacrifice [2] ».

Et parce que l'obéissance est le plus parfait des sacrifices [3], elle est la preuve et le signe de l'amour qui aspire à donner : « Celui qui aime observe les commandements [4] », souligne l'apôtre de l'amour. Cela lui apparaît si évident qu'il affirme :

Celui qui se vante de connaître Dieu et ne garde pas ses commandements est un menteur ; mais celui qui observe sa parole possède véritablement la charité parfaite de Dieu [5].

L'obéissance est plus qu'une preuve de l'amour, elle en est un acte unissant. Sa prééminence parmi les autres vertus, les richesses qu'elle apporte, son efficacité pour l'acquisition de la perfection, lui viennent de sa valeur unitive.

Saint Thomas définit la perfection : une adhésion au souverain bien. Dans le programme de perfection que proposent les vœux de religion, l'obéissance crée, avec le souverain bien qui est Dieu, l'union que préparent et stabilisent la pauvreté et la chasteté, en brisant les attaches aux biens extérieurs et sensibles. La pauvreté et la chasteté ont un rôle surtout négatif ; à l'obéissance, le rôle positif d'unir à Dieu et à sa volonté.

Un texte du livre de l'Ecclésiastique nous découvre le mystère de l'obéissance et la source de ses richesses. Il est écrit :

Fons sapientiae Verbum Dei in excelsis, et ingressus illius mandata ëterna. La source de la Sagesse, c'est le Verbe dans les profondeurs des Cieux ; elle entre dans le monde par les lois éternelles [6].

En quelques mots l'auteur inspiré, ou plutôt la Sagesse elle-même, nous dit son œuvre, son origine et sa descente

1. Is 58, 3.
2. 1 S 15, 22.
3. Saint Jean de la Croix, *Maxime* 286, p. 1222.
4. Jn 14, 21.
5. 1 Jn 2, 4-5.
6. Si 1, 5.

623

parmi nous. Cette Sagesse est Dieu, elle est le Verbe au sein de la Trinité sainte. Elle a organisé le monde tandis que Dieu le créait, et, de ce monde, elle a assuré l'ordre et la marche régulière en s'installant dans les lois éternelles qu'elle lui a fixées. Relisons le texte : « *ingressus illius* », la Sagesse entre véritablement dans le monde par la loi. La loi est plus qu'une manifestation du Verbe, elle est sa demeure ici-bas. Incomparable dignité de la loi, temple matériel qui abrite la Sagesse, qui la manifeste et la donne. C'est cette dignité et cette richesse divine de la loi qui font la valeur et la richesse de l'obéissance.

L'obéissance, en effet, est une soumission de la volonté de l'homme à la volonté de Dieu manifestée par la loi ou un ordre. La véritable obéissance n'est point seulement soumission extérieure, simple adhésion et exécution de l'ordre reçu, elle est une soumission de l'esprit qui franchit la porte de ce temple matériel qu'est la loi, pour saisir la divine présence qui la vivifie et lui donne sa raison d'être. A travers l'écorce ou plutôt le voile de l'ordre reçu ou de la loi, l'obéissance cherche Dieu et communie véritablement à Lui.

Communion à Dieu par l'obéissance, n'est-ce point trop dire ? N'est-ce point affirmer une certaine incarnation de Dieu dans la loi et dans les supérieurs qui nous le donneraient à la façon des espèces eucharistiques ?

Gardons les distances qu'impose la transcendance du mystère de l'autel, la présence dans l'hostie du corps et du sang immolés du Christ Jésus ; soulignons que les mêmes mots peuvent avoir, en des cas divers, un sens plus ou moins plein. Ces remarques faites, n'hésitons pas à affirmer que l'obéissance surnaturelle nous fait communier à la Sagesse et donc à Dieu, dans la loi et dans les supérieurs.

C'est ainsi que pour parvenir à cette adhésion stable à Dieu qui est la perfection, trois moyens de communion à Lui nous sont offerts.

La communion eucharistique, qui nous assure la présence et l'action vivifiante du corps, du sang, de l'âme et de la divinité de Jésus en état d'immolation, donc de diffusion de sa vie. C'est le sacrement par excellence, signe signifiant et produisant la grâce *ex opere operato* et nous donnant l'auteur de la grâce. C'est le sacrement qui fait les saints et qui construit l'Église.

La contemplation, par le contact avec Dieu qu'établit la foi vive, livre aussi aux envahissements vivifiants de la lumière du Verbe qui transforme de clartés en clartés jusqu'à la ressemblance de Dieu. La communion se fait ici à travers la formule dogmatique par la foi greffée sur l'intelligence. C'est une communion dans la lumière savoureuse de l'amour.

La communion que réalise l'obéissance surnaturelle, à travers le voile que sont la loi et le supérieur, atteint elle aussi, véritablement Dieu et nous unit à Lui par l'amour greffé sur la volonté.

Ces trois communions ont une efficacité unissante diverse : celle de la communion eucharistique, considérée en elle-même, est incomparablement la plus grande. Celle de la contemplation, qui comporte une intervention de Dieu par les dons du Saint-Esprit se place au second rang, avant la communion par l'obéissance qui garde cependant son efficacité propre.

Mais si nous considérons non plus leur valeur en soi, mais leur fréquence, nous constatons que la communion eucharistique n'est possible qu'une fois par jour ; que la contemplation surnaturelle reste le privilège de certaines âmes et en certaines heures ; tandis que la communion par l'obéissance est un bien de tous les instants. On peut donc penser que cette dernière, en raison même de sa fréquence, se place dans la vie spirituelle des âmes parmi les plus importants et les plus efficaces moyens de sanctification. « Le chemin le plus rapide pour parvenir au sommet de la perfection est celui de l'obéissance » écrit sainte Thérèse [1]. Une analyse des bienfaits qu'elle procure comme communion à la Sagesse, nous le découvrira encore mieux.

La communion à la Sagesse nous assure toutes les propriétés de la Sagesse divine elle-même. La Sagesse est d'abord lumière, car elle a sa source dans le Verbe qui est la lumière dans le sein de Dieu et qui éclaire toute intelligence venant en ce monde. L'obéissance nous fait participer à la lumière de la Sagesse.

Les pensées de Dieu dépassent nos pensées, comme le ciel dépasse la terre. Les desseins de Dieu sont infinis comme l'intelligence qui les a conçus. Leur transcendance nous les rend obscurs et impénétrables. Comment à ce dessein de Dieu sur le monde dont nous ne connaissons que la formule générale et qui garde en son mystère jusqu'à la fin de notre vie le rôle qui nous y est confié, pourrons-nous assurer la coopération humaine, donc intelligente et libre, que nous lui devons ? Comment, dans le jeu mouvant des passions et des volontés des

---

1. *Fondat.*, ch. v, p. 1103.

hommes, dans la complexité des événements extérieurs, découvrir le vouloir présent de Dieu sur nous ?

C'est dans la loi et dans les ordres des supérieurs que la Sagesse a placé la lumière pratique qui nous indique la volonté de Dieu. *Omnia mandata tua veritas* [1], chante le psalmiste. *Lucerna pedibus meis verbum tuum et lumen semitis meis* [2]. Tous vos commandements nous apportent la vérité ; votre parole est le flambeau qui éclaire mes pas, la lumière qui brille sur ma route. *Declaratio sermonum tuorum illuminat et intellectum dat parvulis*, l'explication de vos paroles éclaire et instruit les petits [3].

C'est par l'obéissance que l'homme capte cette lumière et la fait entrer dans sa vie. L'obéissance marche toujours dans la lumière. Elle n'impose à l'intelligence la soumission qu'afin de lui faire dépasser ses lumières propres, qui ne peuvent être que limitées, pour la faire entrer dans la grande lumière de Dieu. Mystérieusement mais sûrement, elle indique à l'âme les sentiers que lui a tracés la Sagesse et la conduit en ces régions que cette Sagesse lui a fixées comme demeure d'éternité.

Du Fils qui est le rayonnement lumineux de la gloire du Père, saint Paul affirme que Dieu a tout créé par lui et qu'il conserve tout par la puissance de son Verbe [4]. Comme la lumière, la toute-puissance et la force sont des propriétés du Verbe Sagesse. Cette force, il la communique à ses instruments. Ceux-ci la reçoivent comme un des fruits de leur communion à la Sagesse par l'obéissance.

Viriliter agite et confortetur cor vestrum, est-il écrit. Agissez virilement ou, mieux, obéissez courageusement et votre cœur sera fortifié. La force conférée par l'obéissance reste un des fruits les plus mystérieux de la communion à la Sagesse. Et cependant, elle est un fait d'expérience. Après les hésitations du début, quelle que soit sa faiblesse, l'obéissance trouve dans l'adhésion à la volonté divine, la force pour continuer sa route vers le but à atteindre.

La fécondité de l'obéissance et ses victoires sont les meilleures preuves de l'intervention de la Sagesse pour soutenir son action. « L'obéissant, est-il écrit, chantera ses victoires [5] », ses réussites, pourrions-nous traduire.

---

1. Ps 118, 86.
2. Ps 118, 105.
3. Ps 118, 130.
4. He 1, 2-3.
5. Pr 21, 28.

La Sagesse, en effet, est éminemment féconde. « Elle atteint d'un bout du monde à l'autre et dispose tout avec douceur [1] ». Le Verbe de Dieu ne remonte jamais vide [2], mais il réalise tout ce qu'il exprime ; c'est dire que la Sagesse réalise tous ses desseins et selon qu'elle les a ordonnés.

En communiant à la Sagesse, l'obéissant fait sienne cette fécondité. Son activité participe à la fécondité de l'activité divine qu'elle seconde et s'assure au succès réservé au dessein divin auquel elle coopère. C'est parce qu'ils entrent par leur obéissance dans la ligne des décrets de la Sagesse que les saints sont des réalisateurs prestigieux, dont les œuvres résistent à l'épreuve du temps qui use les œuvres les mieux assises, et aux révolutions qui renversent les civilisations.

Comme l'Église qui reste forte et sereine au sein des plus violentes tempêtes, ainsi les grands Ordres religieux fondés par les saints survivent plus fervents, aux plus sanglants bouleversements. L'instrument humain que Dieu a saisi et qui s'est livré à Lui peut être faible ; parfois il sera assez peu doué naturellement et cependant la lumière dont il jouit va plus loin que les intuitions du génie, la force qui le soutient l'élève au-dessus du héros, aussi la fécondité qui s'attache à son activité est celle qui appartient à la Sagesse elle-même.

Dans l'épître aux Corinthiens, l'Apôtre avait mis en relief les jeux déconcertants de la Sagesse qui se plaît à choisir ce qui est insensé et faible aux yeux du monde pour confondre ce qui est sage et ce qui est fort [3] ; dans l'épître aux Philippiens il célèbre à la fois cette folie de la croix et l'obéissance qui en explique la fécondité, en soulignant que c'est l'obéissance qui fut le principe de la glorification du Christ :

Le Christ Jésus s'est anéanti lui-même en prenant la nature d'un esclave et en devenant semblable aux autres hommes. Et quand il fut bien constaté qu'il avait tous les dehors d'un homme, il s'humilia encore davantage en se faisant obéissant jusqu'à la mort et la mort de la croix. A cause de quoi, Dieu l'a exalté en lui donnant un nom au-dessus de tout nom, pour qu'au nom de Jésus tout genou fléchisse au ciel, sur la terre et dans les enfers, et que toute langue proclame que Jésus-Christ est le Seigneur, à la gloire de Dieu le Père [4].

---

1. Sg 8, 1.
2. Is 55, 11.
3. 1 Co 1, 27.
4. Ph 2, 7-11.

L'épître aux Hébreux apporte un complément à cette pensée et à cet éloge de la fécondité de l'obéissance :

Et maintenant, parvenu à son terme (le Christ) est devenu pour tous ceux qui lui obéissent cause de salut éternel[1].

La Sagesse descend ici-bas par la loi ; c'est l'obéissance qui l'y reçoit. « La Sagesse, souffle de la puissance de Dieu[2] » et l'obéissance, humble coopération humaine, assurent le règne de Dieu ici-bas. Leur union n'a pas seulement ce triomphe terrestre ; elles remontent vers Dieu pour jouir éternellement de leur victoire en une gloire commune dans le sein de Dieu.

C. — *QUALITÉS DE L'OBÉISSANCE*

L'obéissance ne devient la parfaite collaboratrice de la Sagesse qu'au prix de plusieurs démarches. Pour être ordonnée, elle doit chercher le représentant autorisé de la Sagesse ; pour devenir surnaturelle elle doit voir en ce représentant, Dieu qui se cache ; il lui faut enfin consentir à la totalité des exigences divines.

I. — *Obéissance ordonnée.*

L'obéissance ordonnée est celle qui donne à chacun des représentants de Dieu la soumission due à l'autorité dont il est revêtu.

La Sagesse, souveraine maîtresse et ordonnatrice du monde, transmet en effet ses vouloirs par de multiples canaux qui sont les lois et les supérieurs. La loi naturelle, l'Église, l'État, par leurs lois positives et leurs représentants qualifiés, ont établi un réseau complexe d'obligations et de prescriptions qui enserrent l'homme de toutes parts. Le religieux en son couvent, outre les obligations communes à tous les chrétiens, trouve, multipliées comme à plaisir, les prescriptions qui émanent de sa Règle, des Constitutions, du Cérémonial et de la vigilance constante de ses supérieurs, qui règlent toute sa vie et fixent tous ses gestes. Comment en ce dédale apparent ordonner son obéissance et donner à chaque autorité la soumission qui lui est due ? Un discernement s'impose.

---

1. He 5, 9.
2. Sg 7, 25.

Ainsi qu'il convient à la Sagesse, qui dispose toutes choses avec force et suavité depuis leur principe jusqu'à leur terme, les autorités déléguées par elle sont hiérarchisées et ont été établies chacune en son domaine propre. La loi naturelle est à la base de la moralité ; les lois positives qui l'explicitent lui doivent un respect filial. L'Église a l'autorité souveraine que requiert sa mission spirituelle, qui est la plus haute. L'État règne sur le temporel et le régit par le jeu d'une administration souvent compliquée. L'autorité de l'Église prime celle de l'Ordre religieux qui reçoit d'elle les lois qui conviennent à sa mission particulière.

Ordonner son obéissance consistera donc à retrouver l'ordre divin établi par la Sagesse en cherchant en chaque cas, l'autorité légitime (parce que déléguée en ce domaine par la Sagesse). Le problème est d'ordinaire assez simple. Les codes de lois et la raison avisée des spécialistes tranchent les cas douteux.

On n'aurait donc pas à insister sur ce point, si assez fréquemment, spécialement chez ceux qui ont fait profession d'obéissance, le jugement ne subissait l'influence de leurs goûts et préférences. Parmi les lois qui s'imposent à nous, on accordera plus d'importance à celles qui nous saisissent plus fréquemment et de plus près, de leurs obligations précises. C'est ainsi que les lois de l'Église s'estomperont dans le lointain ou même dans l'oubli, tandis que les règles ou même les simples usages de la vie monastique prendront une telle importance dans la vie, qu'y manquer et surtout les changer, produira une émotion et même un trouble que la conscience ne devrait connaître que pour des fautes graves. De même, dans un milieu fermé, on subira la fascination du supérieur le plus rapproché, dont l'autorité s'étendra progressivement au point qu'elle apparaîtra bientôt comme la seule légitime en tous les domaines. Ou encore, parmi les supérieurs, l'inférieur ne reconnaîtra d'autorité réelle qu'à celui qui lui paraît saint ou doué de certaines qualités qu'il apprécie, ou surtout avec lequel il se trouve en sympathie. C'est à lui qu'il recourra en toutes circonstances et c'est le seul dont les décisions seront sans appel. Et cependant ce ne sont ni les qualités naturelles, ni les dons surnaturels, pas même la sainteté qui sont le fondement de l'autorité, mais uniquement la délégation divine. Scribes et Pharisiens furent maudits par Jésus et cependant le Maître demande qu'on leur obéisse car ils sont sur la chaire de Moïse et ont hérité de son autorité.

En ces cas où le jugement lui-même est faussé, ordonner son obéissance exigera plus qu'un effort intellectuel, un redressement moral est nécessaire qui mettra en pleine lumière et en parfaite obéissance.

Il peut arriver aussi que deux lois ou deux supérieurs s'opposent par des prescriptions différentes ou contradictoires en un domaine qui paraît mitoyen à leur autorité. Épreuve délicate pour la conscience de celui qui doit obéir. C'est lui-même parfois qui l'aura provoquée par des enquêtes superflues auprès des supérieurs. L'embarras présent le rendra plus discret à l'avenir. Un examen plus approfondi des droits de chacun des supérieurs permettra ordinairement de découvrir l'autorité légitime dans les cas litigieux. L'obéissance à l'égard du véritable représentant de Dieu, le silence respectueux à l'égard de l'autre, permettront de résoudre surnaturellement le conflit.

Conflit plus grave, celui qui oppose les vouloirs de Dieu nettement manifestés à l'âme par voie surnaturelle et ceux du directeur ou du représentant de l'Église. Nous disons « vouloirs de Dieu nettement manifestés » pour ne parler que des cas où le conflit est réel, et éliminer les manifestations que l'erreur ou la mauvaise foi qualifient de divines. Lors donc que l'opposition est véritable entre la volonté de Dieu manifestée à l'âme et la volonté des supérieurs, et qu'il s'agit de réalisations extérieures qui sont soumises à l'autorité de l'Église, on ordonnera son obéissance en se soumettant à l'autorité de l'Église.

Mais n'est-ce-pas violer les droits de Dieu, principe et source de toute autorité ? N'est-ce-pas soustraire l'âme à son action souveraine et l'empêcher de parvenir à la perfection qui n'est point autre chose qu'une emprise totale de Dieu sur elle ? « Ceux-là sont les vrais fils de Dieu qui sont mus par l'Esprit de Dieu », affirme l'Apôtre [1]. Saint Augustin précise « le juste n'a pas de loi » affirmant la prééminence, dans l'état de perfection, de l'amour sur les contraintes extérieures de la loi. Et cependant l'affirmation du Christ Jésus à ses apôtres est nette et impérative :

Je vous le dis en vérité, tout ce que vous lierez sur la terre sera lié au ciel, et tout ce que vous délierez sur la terre sera délié au ciel [2].

En quittant la terre, Jésus n'a laissé qu'une autorité, celle de l'Église. Il s'y soumet lui-même et ne veut faire aucune œuvre ni aucun mouvement extérieur qu'elle ne lui ait permis. Mystère ineffable de la condescendance

---

1. Rm 8, 14.
2. Mt 18, 18.

divine ! C'est sur cette disposition établie par Dieu que s'appuie sainte Thérèse pour affirmer à propos des paroles surnaturelles :

> Si la chose que l'on vous dit est importante et qu'il s'agit d'accomplir quelque œuvre pour vous ou pour une tierce personne, ne faites jamais rien, et n'ayez jamais la pensée de rien faire avant d'avoir pris l'avis d'un confesseur éclairé, prudent et vrai serviteur de Dieu, quelle que soit l'expérience que vous ayez de ces choses, et quelle que soit l'évidence que vous pensiez avoir que ces paroles viennent de Sa Majesté. C'est là en effet ce que Dieu veut. Par là on n'omet pas de se conformer à ce qu'il commande, dès lors qu'il nous a prescrit, au contraire, de considérer le confesseur comme son représentant [1].

La volonté de Dieu va-t-elle pour cela être arrêtée ? La Sainte ne le pense pas. Dieu lui-même agira sur l'autorité qui semble l'arrêter.

> Notre-Seigneur, quand il le jugera bon, lui (au confesseur) donnera le même courage et en même temps il l'assurera que nous sommes animés de son Esprit ; dans le cas où il ne le ferait pas, nous ne sommes tenus à rien de plus. Suivre une autre ligne de conduite et se guider par nos propres lumières serait, à mes yeux, très dangereux [2].

Dieu se réserve d'éclairer lui-même sur les voies extraordinaires d'une âme, le maître commis à sa direction et auquel elle doit la soumission. Ce qui paraissait difficulté pour ordonner l'obéissance fait éclater la disposition merveilleuse de la Sagesse qui s'oblige elle-même à prouver deux fois qu'elle dicte directement ses volontés à une âme.

Ordonner son obéissance ne comporte pas certes toujours de telles difficultés. Il était cependant nécessaire de les signaler, car l'expérience le prouve, les errements les plus graves de l'obéissance et qui font parfois scandale, viennent de ce qu'elle n'a pas su ou voulu reconnaître l'autorité légitime et qu'ainsi, elle n'est pas entrée dans le plan de la Sagesse divine.

II. — *Obéissance surnaturelle.*

L'obéissance surnaturelle est celle qui, par un regard de foi, découvre Dieu dans la loi et le supérieur, et fait monter jusqu'à Lui sa soumission.

---

1. VIe Dem., ch. III, pp. 950-951.
2. *Ibid.*, p. 951.

Jusqu'à l'union de volonté

C'est par la foi, en effet, que s'établit le contact surnaturel avec Dieu. Notre-Seigneur exigeait la foi de ceux qui sollicitaient un bienfait. La foi de la chananéenne l'émeut ; celle du centurion le fait tressaillir, tandis que l'hémorroïsse de Capharnaüm lui arrache sa guérison par un geste de foi audacieuse. C'est qu'en faisant adhérer à Dieu, la foi établit le contact qui permet le débordement de la Miséricorde divine. Ce contact par la foi est nécessaire à toute communion surnaturelle avec Dieu. Le païen sans la foi, qui recevrait le pain eucharistique, ne réaliserait qu'un contact physique avec les saintes espèces et ne communierait pas véritablement au Christ Jésus. C'est la foi vive qui est l'instrument spécifique de la contemplation. Quant à l'obéissance, si elle n'est pas surnaturelle, elle obtient certains effets extérieurs déjà appréciables, mais elle ne peut prétendre être une communion à la Sagesse et y puiser ses richesses surnaturelles de lumière, de force et de fécondité que si elle est armée de l'antenne de la foi qui la porte jusqu'à Dieu lui-même. Chaque acte d'obéissance, d'ailleurs, porte en lui une capacité indéfinie de surnaturel ; c'est avec la mesure de sa foi que, normalement, l'âme y puise et s'en enrichit. Il importe donc souverainement d'actualiser sa foi en obéissant, pour profiter de ce moyen de sanctification qui est constamment à notre portée.

Actualiser sa foi exige un effort. Ceux-là particulièrement ne songent pas à le faire à qui l'obéissance offre peu de difficultés. Dociles ou même passifs par tempérament, n'ayant point d'idées personnelles, et leur volonté manquant d'énergie pour s'affirmer et courir un risque quelconque, obéir leur paraît habituellement, sinon constamment, le parti le plus facile. Cette facilité à se soumettre en tout peut en faire d'excellents éléments de communauté ou de masse. Ils risquent fort de s'y abandonner et de ne la dépasser que rarement pour aller à Dieu avec une foi avide d'une grâce dont ils ne sentent pas le besoin. Leur obéissance est facile, mais peu ou point surnaturelle.

C'est un danger semblable qui menace ceux qui sont très attachés à leur supérieur. Cet attachement légitime est toujours louable quand il reste discret. Il risque cependant de maintenir l'âme en des relations simplement naturelles avec le supérieur et d'arrêter l'élan de la foi. Il appartient en effet à la foi, de percer les voiles, ces « surfaces argentées [1] » qui cachent toujours ici-bas l'or de la présence divine, de les dépasser pour atteindre Dieu

---

1. *Cant. Spir.*, str. XI, p. 737.

632

lui-même. S'il advient que ces surfaces argentées soient éclatantes de beauté, leurs charmes peuvent devenir un obstacle qui retient et fait oublier le trésor incomparable qu'elles abritent. Ainsi les qualités éminentes d'un supérieur et l'affection qu'on lui porte, après avoir été un moyen qui facilite si heureusement l'obéissance, peuvent être obstacle qui arrête le mouvement de la foi vers Dieu que ce supérieur représente. L'illusion peut être complète. On obéissait parfaitement, croyait-on. Le supérieur change, l'obéissance semble avoir disparu avec les surfaces argentées qui lui servaient d'appui. La facilité avait fait renoncer à l'effort de dépassement et dans l'inaction la fine pointe de la foi s'est émoussée.

A celui, au contraire, qui ne trouve pas chez le supérieur les qualités qui plaisent, cet effort de dépassement vers Dieu apparaîtra nécessaire comme le seul moyen pour rester fidèle à son devoir. Ces difficultés sont peut-être disposition providentielle à son égard. S'il est vrai que lui-même soit bien doué et destiné plus tard à conduire les autres, il importe souverainement qu'il apprenne tout d'abord à communier à Dieu par l'obéissance. Il ne saurait être un interprète fidèle de la volonté de Dieu pour ses inférieurs si, lui-même, par l'obéissance surnaturelle, n'a pas appris à ouvrir son âme à la lumière de Dieu et ne l'a pas faite docile et souple sous sa motion.

III. — *Obéissance complète.*

Cette qualité nouvelle vise à assurer la perfection de l'acte même d'obéissance.

Une soumission purement extérieure ne saurait évidemment suffire. L'obéissance engage tout d'abord la volonté. Elle unit la volonté humaine à la volonté divine en soumettant la première à la seconde. A n'en pas douter l'obéissance exige en premier lieu la remise complète de la volonté.

Mais peut-on dissocier la volonté de l'intelligence qui l'éclaire et fixe ses choix ? Dieu est notre maître absolu. Un hommage ne serait pas digne de lui qui ne serait que partiel. D'ailleurs, pour qu'elle soit une communion à la Sagesse, l'obéissance doit lui apporter notre être tout entier. Pour être parfaite, l'obéissance doit être complète, humaine au sens plein du mot, en soumettant à Dieu toutes nos facultés, les plus hautes surtout, l'intelligence et la volonté.

La soumission de l'intelligence pose un problème dont on ne peut dissimuler les difficultés. Faite pour la vérité, comme la volonté pour le bien, l'intelligence ne peut être soumise qu'à la vérité. Personne ne peut l'obliger à une soumission constante et inconditionnelle s'il ne peut garantir posséder toujours la vérité. Dieu lui-même, l'Église infaillible, ont droit à cette soumission complète. Le supérieur, légitimement mandaté par Dieu pour transmettre ses vouloirs, n'est pas pour cela infaillible. Il a droit à la soumission de la volonté. Les risques d'erreur que lui laisse son mandat lui permettent-ils de prétendre à une soumission complète de l'intelligence ?

Voici un cas pratique pour concrétiser le problème. Un religieux employé à une besogne en laquelle il est passé maître, reçoit de son supérieur l'ordre de la réaliser d'une autre façon. Respectueusement, comme il se doit, il met en avant son expérience et les inconvénients de l'ordre donné. Le supérieur maintient l'ordre. Le religieux l'exécute avec toute sa bonne volonté. Malgré cela, le résultat est celui qu'il avait prévu : il apparaît clairement que le supérieur s'est trompé. Le religieux, dans l'obéissance complète qu'il voulait donner à l'ordre reçu, devait-il faire entrer la soumission de son jugement alors que le supérieur se trompait [1] ?

La solution du problème se trouve dans une distinction entre jugement spéculatif et jugement pratique. Le premier porte sur la chose en soi, indépendamment des circonstances prescrites, et peut être réservé lorsqu'on a l'évidence pour soi. Ainsi, l'inférieur pouvait sans manquer à son devoir formuler ce jugement : « en m'appuyant sur mon expérience, je puis affirmer que la meilleure façon de faire ce travail est celle dont j'use habituellement ».

Le jugement pratique a pour objet le cas concret, tel qu'il se présente dans la circonstance particulière avec l'ordre du supérieur. Ce jugement doit être soumis pour que l'obéissance soit parfaite. Il pourra se formuler ainsi dans le cas présent : « la meilleure façon de faire ce travail dans la circonstance présente, étant donné l'ordre du supérieur, est celle qu'il m'indique ».

La soumission du jugement pratique suffit à la perfection de l'obéissance. L'ordre du supérieur ne comporte point en soi la définition d'une vérité générale ; tout au plus peut-il s'appuyer sur l'énoncé d'une vérité particulière dont la portée ne dépasse pas l'ordre qui est donné.

Mais, dira-t-on, donner même la soumission du

---

1. Nous prenons un cas extrême et presque extraordinaire, bien que possible. Normalement, en effet, en pareil cas, le supérieur aura, pour donner un tel ordre, des motifs qui seront justifiés par l'expérience.

jugement pratique comporte le risque d'adhésion à l'erreur, puisque les données peuvent être contredites par les résultats de l'exécution de l'ordre reçu ! C'est juger superficiellement de la valeur de l'obéissance. Il est possible, en effet, comme dans l'exemple donné plus haut, que les effets matériels et extérieurs de l'acte d'obéissance ne correspondent pas à l'intention du supérieur et de l'exécutant, que par conséquent il y ait une erreur. Mais cette erreur n'est que partielle. Elle laisse à l'acte d'obéissance sa valeur la plus haute, qui est d'être une soumission à la volonté de Dieu manifestée authentiquement par le supérieur même lorsqu'il se trompe [1]. Cette soumission du jugement et de la volonté, c'est ce que Dieu considère en premier lieu dans l'acte d'obéissance. C'est le parfum qui lui est agréable, l'hommage qu'il attend de nous et qu'il agrée. Il reste donc vrai que, même lorsque l'acte d'obéissance aboutit à un échec apparent, le mieux est de poser cet acte parce que Dieu le veut ainsi. Le jugement pratique, qui se soumettait en reconnaissant l'excellence de cet acte, n'était donc point erroné.

Nous touchons ici à un point important sur lequel nous devons insister. Cette soumission non seulement de la volonté, mais du jugement qui doit adhérer à l'obscur ou l'invraisemblable est d'un tel prix devant Dieu qu'elle devient la principale coopération de l'homme aux grandes œuvres de Dieu. Abraham avait reçu la promesse formelle qu'il serait le père d'un grand peuple. L'ordre lui est donné d'immoler Isaac, son fils unique. Il se met en devoir d'obéir. C'est ainsi qu'il mérite de voir la promesse réalisée et de devenir le père des croyants.

Sainte Thérèse, en 1571, était toute prise par ses fondations qui s'étendaient depuis trois ans. Pour ramener la paix au monastère de l'Incarnation que la Sainte avait quitté pour entreprendre sa Réforme, le Père Hernandez, visiteur, l'en nomme prieure. Elle devait abandonner son œuvre, revenir en un monastère où on ne la désirait pas. Le Père visiteur ne se dégageait-il pas habilement d'un gros souci en le passant à Thérèse ? Qui ne voyait cela ? Elle accepte cependant. La paix revient à l'Incarnation et l'année suivante, la Sainte y reçoit la grâce du mariage spirituel.

Le mystère de l'Annonciation nous offre un tableau plus simple encore et une leçon plus émouvante.

---

1. L'autorité du supérieur est indépendante de son jugement. Aussi ses décisions, pourvu qu'elles ne soient pas tyranniques, tirent leur force de cette autorité et non point des motifs donnés pour les justifier.

Jusqu'à l'union de volonté

L'archange propose le mystère : « Comment cela se fera-t-il puisque je ne connais point d'homme ? » répond la Vierge. C'est l'obscurité pour elle. « Le Saint-Esprit descendra sur vous et la vertu du Très-Haut vous couvrira de son ombre ». L'ange n'a pas dissipé l'obscurité du mystère. Il a annoncé simplement l'intervention directe de Dieu. « Voici la servante du Seigneur, qu'il me soit fait selon votre parole [1] ». La Vierge s'est soumise et le mystère de l'Incarnation se réalise aussitôt.

Avant de devenir sur les sommets la coopératrice humaine des plus hautes œuvres de Dieu, l'obéissance doit être la plus constante et la plus fidèle preuve de l'amour [2], l'humble et quotidien exercice qui surnaturellement fortifie et assouplit les facultés humaines, les livre progressivement à l'action de Dieu et leur mérite, autant que faire se peut, la première des emprises définitives et profondes, l'union de volonté.

1. Lc 1, 34-38.
2. Cf. Jn 14, 21.

CHAPITRE NEUVIÈME

L'union de volonté

Telle est l'union que j'ai désirée toute ma vie et que je ne cesse de demander à Notre-Seigneur [1].

Voici que s'achève le rude labeur des quatrièmes Demeures, labeur soutenu par des emprises savoureuses, mais réalisé dans la souffrance, la nuit du sens, selon la terminologie san-johannique.

Une récompense divine lui est offerte qui est une véritable transformation : l'union de volonté. Laissons la parole à sainte Thérèse. La gracieuse comparaison du ver à soie va lui permettre de résumer les étapes franchies, de situer la nouvelle grâce et d'en marquer l'importance :

Vous aurez entendu parler de la façon merveilleuse dont se fait la soie et dont Dieu seul peut être l'inventeur. Vous aurez appris, en outre, comment elle vient d'une semence qui ressemble à de petits grains de poivre... or, dès que les mûriers commencent à se couvrir de feuilles, cette semence se met, elle aussi, à prendre vie sous l'action de la chaleur ; et tant que l'aliment qui doit la soutenir n'est pas prêt, elle demeure comme morte. C'est donc avec les feuilles de mûrier que se nourrissent les vers qui viennent de cette semence. A peine ont-ils grandi, qu'on place devant eux de petites branches, où avec leurs petites bouches ils filent la soie qu'ils tirent d'eux-mêmes ; ils font ainsi de petites coques très étroites, où ils se renferment. C'est là que ces vers qui sont grands et difformes trouvent la fin de leur vie ; puis de cette coque elle-même sort un papillon blanc très gracieux...

L'âme, représentée par ce ver de terre, commence à vivre quand, à l'aide de la chaleur de l'Esprit Saint, elle commence à profiter du secours général que Dieu nous accorde à tous, et à user des remèdes qu'il a confiés à l'Église, comme la confession fréquente, la lecture des bons livres, les sermons... Avec eux, elle reprend peu à peu la vie ; elle se soutient par les moyens que je viens de dire et les bonnes méditations ; enfin elle a grandi, et c'est l'état où je la considère, sans me préoccuper de son état

---

1. Ve Dem., ch. III, p. 914.

précédent. Or, quand ce ver, dont j'ai parlé au commencement, a grandi, il commence à filer la soie et à construire la demeure où il doit mourir.

Par là, vous voyez, mes filles, ce que nous pouvons réaliser avec le secours de Dieu, afin que Sa Majesté devienne notre demeure, comme elle l'est dans cette oraison d'union, et comment d'ailleurs nous préparons nous-mêmes cette demeure [1].

La Sainte explique que pour la construction de cette demeure divine, ce qui est en notre pouvoir, c'est retrancher de nous-mêmes et donner de nous-mêmes, comme font les petits vers à soie.

Nous aurons à peine accompli tout ce qui dépend de nous, que Dieu prendra ce petit travail qui n'est rien, l'unira à sa grandeur et lui donnera tant de prix qu'il en sera Lui-même la récompense...

Courage donc, mes filles, hâtons-nous d'accomplir cette œuvre et de former le tissu de notre petite coque mystique... Qu'il meure, oui, qu'il meure, comme le fait le ver à soie, dès qu'il a terminé l'ouvrage pour lequel il a été créé ; et alors vous constaterez comment vous verrez Dieu, et vous vous trouverez enveloppées de sa grandeur, ainsi que le petit ver à soie dans sa coque. Quand je dis que vous verrez Dieu, je l'entends de la manière que j'ai expliquée et d'après laquelle il se donne à sentir dans l'oraison d'union.

Considérons maintenant ce que devient ce ver mystique ; car c'est pour en arriver là que j'ai dit tout ce qui précède. Lorsqu'il est élevé à cette oraison d'union, il est bien mort au monde et il se transforme en un petit papillon blanc [2].

La transformation opérée par l'oraison d'union équivaut à une véritable métamorphose. Tel est le sens de la comparaison que sainte Thérèse souligne elle-même.

Je vous le dis en toute vérité, cette âme ne se reconnaît plus. Il y a la même différence entre son état passé et son état actuel qu'entre ce ver à soie difforme et le petit papillon blanc [3].

Avant d'étudier cette action profonde de Dieu dans l'âme, nous devons signaler un problème que soulève la description thérésienne et sa terminologie.

En décrivant la même étape de la vie spirituelle, c'est-à-dire celle qui marque la fin de la purification du sens, saint Jean de la Croix ne parle pas d'union de volonté, mais uniquement de contemplation.

Elle (l'âme) passe ordinairement un temps très long et même des années, où, après avoir franchi l'état des commençants, elle doit s'exercer dans celui de ceux qui progressent. Semblable à celui qui

---

1. Vᵉ Dem., ch. ii, pp. 901-903.
2. *Ibid.*, pp. 903-904.
3. *Ibid.*, p. 904.

est sorti d'une étroite prison, elle s'avance dans les choses de Dieu avec beaucoup plus d'aisance et de satisfaction, comme aussi avec une joie plus abondante et plus intime que dans les débuts avant son entrée dans cette nuit... C'est avec la plus grande facilité qu'elle trouve immédiatement dans son esprit une douce et amoureuse contemplation ainsi qu'une saveur spirituelle sans qu'il lui en coûte le moindre raisonnement [1].

Les différences signalées précédemment entre les deux maîtres spirituels du Carmel [2] se sont-elles accrues au point que le désaccord soit maintenant complet sur la description des cinquièmes Demeures ?

De la contemplation savoureuse devenue habituelle et facile ou de l'union de volonté, quelle est la note essentielle ?

Remarquons tout d'abord combien est brève la description de saint Jean de la Croix. Notre Saint est un directeur. Or, de même que le médecin va vers les malades et non vers les bien-portants, le directeur va aux âmes dans la peine et la difficulté. Dans l'itinéraire spirituel, saint Jean de la Croix s'attarde donc aux périodes de transition qui sont les plus laborieuses et les plus obscures. Parce que directeur avisé et compatissant, il est le docteur des nuits. Les périodes d'euphorie, telles les cinquièmes Demeures, bien que l'âme y passe d'ordinaire un temps assez long et même des années parce qu'elle y trouve paix et saveur, le retiennent très peu. Ses descriptions, à quelques lignes près, se bornent à ce que nous avons cité.

Que dans les quelques lignes consacrées à cette période, qui pour lui est période intermédiaire entre les deux nuits, saint Jean de la Croix mette en relief les effets contemplatifs, cela ne nous étonne pas, car ainsi l'exigeaient à la fois la logique de son exposé et la note particulière de son expérience. Jean capte surtout la lumière, a-t-il été dit précédemment [3], et Thérèse, l'amour. Le premier signale donc la contemplation douce et savoureuse, la deuxième parle de l'union de volonté qui est le fruit de l'amour : deux aspects différents d'un même état, dont nous sont ainsi révélées les multiples richesses.

Mais, outre que la brièveté même des textes de saint Jean de la Croix nous interdit d'y voir un exposé complet de cette période et d'y chercher des données précises que le Saint n'a pas voulu fournir, nous pensons que les

_____

1. *Nuit Obsc.*, Liv. II, ch. I, p. 547. Nous n'oserions pas affirmer que ces descriptions correspondent exclusivement aux Vᵉ Demeures thérésiennes, mais elles les comprennent certainement, puisqu'elles se rapportent au « temps très long » qui sépare la nuit du sens (début des IVᵉ Demeures) de la nuit de l'esprit (VIᵉ Dem.).

2. Cf. *supra*, ch. II, « Dieu lumière et Dieu Amour », p. 517.

3. *Ibid.*

descriptions de sainte Thérèse, plus développées, sont aussi plus près de la vie. Aussi, tandis que nous devons utiliser largement l'enseignement de saint Jean de la Croix pour l'étude des quatrièmes et sixièmes Demeures, la doctrine de sainte Thérèse sera notre unique guide en ces cinquièmes Demeures.

Les quatre chapitres des cinquièmes Demeures sont consacrés à la description, d'abord d'une grâce mystique d'union (chap. I et II), ensuite d'un état d'union ou union de volonté proprement dite (chap. III et IV). Habituellement, on dissocie ces deux descriptions. La première, se rapportant à une grâce extraordinaire, est laissée aux initiés et aux spécialistes ; on étudie la deuxième parce qu'elle n'est point une grâce passagère, mais un état devenu stable, et surtout parce que sainte Thérèse déclare qu'on peut y parvenir par ses propres efforts.

Cette dissociation nous paraît rompre arbitrairement l'unité des cinquièmes Demeures thérésiennes ; elle risque de faire méconnaître la valeur de l'union de volonté elle-même, et de fausser la perspective en laquelle elle s'inscrit.

A n'en pas douter, l'union de volonté constitue la caractéristique des cinquièmes Demeures. C'est cette union de volonté que la Sainte veut étudier et mettre en relief ; c'est elle qui est l'objet de ses ardents désirs.

Telle est l'union que j'ai désirée toute ma vie et que je ne cesse de demander à Notre-Seigneur [1].

Quel sera le rôle de la grâce mystique par rapport à l'union de volonté ? Elle est le « chemin raccourci [2] » qui y conduit. Donc, pour accéder à ce bienheureux état, deux voies s'ouvrent devant l'âme : le raccourci de la grâce mystique et le chemin ordinaire des efforts persévérants.

Mais sous prétexte que les grâces extraordinaires n'ont qu'un intérêt pratique limité, ne nous contentons pas d'étudier la voie ordinaire, sans considérer le raccourci. Nous négligerions un enseignement des plus importants. Chez sainte Thérèse les grâces mystiques, jalons lumineux qui marquent les étapes, sont aussi des symboles qui disent la grâce de l'étape et précisent sa qualité. Ici, la grâce mystique indique les régions profondes où s'établit l'union de volonté. L'enseignement est à souligner comme des plus opportuns.

---

1. Ve Dem., ch. III, p. 914.
2. *Ibid.*

Que d'illusions, en effet, à propos de cette union de volonté ! Il est si aisé de la confondre avec une bonne volonté persévérante, avec quelques goûts surnaturels ou encore avec des désirs ardents. Sainte Thérèse a pourchassé ces illusions ; écoutons-la.

Je me prends à rire parfois de certaines âmes ; quand elles sont en oraison, elles se croient prêtes à être humiliées et méprisées publiquement pour l'amour de Dieu ; et ensuite elles cacheront, si elles le peuvent, une légère faute qu'elles ont commise. Mais si on les accuse faussement, les voilà hors d'elles-mêmes [1].

Voici maintenant

des personnes tellement appliquées à examiner leur oraison et tellement encapuchonnées lorsqu'elles s'y livrent, qu'elles semblent ne pas oser bouger pour ne pas en détourner la pensée, dans la crainte de perdre ce petit peu des goûts et la consolation qu'elles y trouvent, et quand je les vois s'imaginer que toute la perfection consiste en cela, je me dis qu'elles comprennent bien peu ce que doit être le chemin qui mène à l'union. Non, mes Sœurs, non ; ce n'est pas là le chemin. Ce sont des œuvres que le Seigneur demande de nous [2].

Et la Sainte donnant comme exemple d'œuvre à réaliser, les soins à donner à une malade en sacrifiant ses dévotions, conclut :

...faites-le, non pas tant par amour pour elle que par amour pour Dieu, qui le veut, comme vous le savez. Telle est la véritable union à sa volonté [3].

Sainte Thérèse parle à ses filles, ses exemples sont empruntés à leur vie. Il serait facile de les transposer dans un autre milieu.

La Sainte signale une illusion plus subtile encore :

Ne vous imaginez pas toutefois y être parvenues (à l'union de volonté) si votre conformité à la volonté de Dieu est telle que vous n'éprouviez aucune douleur à la mort d'un père ou d'un frère, ou que vous vous réjouissiez au milieu des épreuves et des maladies. Cette disposition est bonne, mais elle provient parfois de la prudence qui, ne pouvant rien contre ces maux, fait de nécessité vertu [4].

Ce sont des signes plus profonds qui permettent de reconnaître la véritable union de volonté. L'analyse de la grâce mystique d'union va nous permettre de les découvrir.

---

1. Vᵉ Dem. ch. III, p. 917.
2. *Ibid.*
3. *Ibid.*, p. 918.
4. *Ibid.*, p. 915.

A. — *LA GRÂCE MYSTIQUE D'UNION*

Sainte Thérèse nous présente d'abord la grâce d'union mystique comme un approfondissement des faveurs précédentes. Elle la compare ainsi à la forme la plus élevée de la quiétude qui est le sommeil des puissances, pour en marquer les différences.

Ne vous imaginez pas que c'est un sommeil des puissances comme dans la Demeure précédente. Je dis sommeil, parce qu'il semble en effet que dans cette Demeure l'âme est comme endormie : elle ne dort pas complètement, et elle ne se sent pas, non plus, éveillée. Mais ici, toutes nos puissances sont endormies et même profondément endormies par rapport à toutes les choses du monde et à nous-mêmes. Et en vérité, l'âme est comme privée de sentiment durant le peu de temps que dure cette oraison d'union ; et le voudrait-elle, il lui serait impossible de penser à rien d'ici-bas... Enfin, elle est comme complètement morte au monde, pour vivre davantage en Dieu ; voilà pourquoi c'est une mort délicieuse. C'est une mort ; car l'âme est affranchie de toutes les opérations qu'elle peut avoir, tout en étant unie à son corps [1].

Il y a donc une véritable suspension des puissances, qui prend la forme d'un évanouissement avec perte de conscience.

Je ne sais même pas s'il reste assez de vie au corps pour respirer, continue la Sainte. En y réfléchissant en ce moment, il m'a semblé que non ; du moins, si on respire, on ne s'en rend pas compte [2].

Cette perte de conscience est d'ailleurs très courte,

l'âme ne voit, ni n'entend, ni ne comprend rien durant le temps de cette oraison ; ce temps est court sans doute, mais il doit lui paraître encore beaucoup plus court qu'il ne l'est en fait [3].

Le réveil est suivi d'angoisses.

L'âme, tant qu'elle n'a pas une longue expérience, se demande avec anxiété ce qui a eu lieu. Était-elle dans l'illusion ? Était-elle endormie ? Est-ce une faveur de Dieu, ou bien n'est-ce pas le démon qui s'est transformé en ange de lumière ? Mille doutes l'envahissent, et il est bon qu'elle les ait, car, je le répète, notre nature elle-même peut nous tromper alors quelquefois [4].

Cette obscurité complète caractérise la grâce d'union mystique des cinquièmes Demeures. Les grâces mystiques des sixièmes Demeures seront reçues dans la lumière.

---

1. V⁰ Dem., ch. I, p. 894. — Cf. *Chem. Perf.*, ch. XXXIII, p. 738.
2. V⁰ Dem., ch. I, p. 894.
3. *Ibid.*, p. 898.
4. *Ibid.*, p. 895.

Une certitude cependant s'affirme dans cette obscurité, et cette certitude est essentielle à la grâce, au point que sainte Thérèse affirme qu'elle est le signe le plus certain de son authenticité.

Je veux vous donner un signe clair à l'aide duquel vous ne pourrez ni vous tromper, ni douter que la faveur vient de Dieu... Dieu s'établit lui-même dans l'intime de cette âme, de telle sorte que, quand elle revient à elle-même, elle ne saurait avoir le moindre doute qu'elle n'ait été en Dieu et que Dieu n'ait été en elle. Cette vérité s'imprime si fortement en elle, et se passerait-il plusieurs années sans qu'elle reçût de nouveau une pareille grâce, qu'elle ne pourrait ni l'oublier ni la révoquer en doute [1].

Cette certitude, indépendante de toute vision, Dieu seul peut la donner, affirme la Sainte [2]. Elle est telle qu'elle lui fit connaître à elle-même la présence de Dieu dans l'âme.

Je connais une personne qui, ne sachant pas encore que Dieu est en toutes choses par présence, par puissance et par essence, le crut fermement après une faveur de cette sorte [3].

Cette certitude révèle à l'âme ce qui s'est passé dans l'obscurité de cette emprise. Il y a eu une véritable union de Dieu avec l'essence de l'âme. Les affirmations de la Sainte sont nettes, bien qu'elles ne soient exprimées que par allusion.

Il (le Seigneur) entre dans le centre de notre âme, sans passer par aucune de ses portes, comme il entra chez ses disciples, quand il leur dit : La paix soit avec vous, ou qu'il sortit du sépulcre, sans lever la pierre qui le fermait [4].

Elle avait déjà dit :

Sa Majesté, en effet, est unie d'une manière si étroite à l'essence de l'âme qu'il (le démon) n'ose pas s'approcher, et qu'il ne doit même pas connaître ce secret [5].

Et, situant cette grâce par rapport à celles qui suivront dans les Demeures suivantes, sainte Thérèse dira qu'elle est une première entrevue avec l'Époux qui se propose de s'unir définitivement cette âme. Le Maître veut donc en venir, comme on dit, à une entrevue avec elle et se l'unir. Nous pouvons dire qu'il en est vraiment ainsi et que l'entrevue est de très courte durée [6].

---

1. Ve Dem., ch. I, p. 897-898.
2. *Ibid.*, p. 898.
3. *Ibid.*
4. *Ibid.*, p. 900.
5. *Ibid.*, pp. 895-896.
6. *Ibid.*, ch. IV, p. 921.

B. — *EFFETS DE LA GRÂCE MYSTIQUE :*
UNION DE VOLONTÉ

En cette entrevue, qui se fait dans une union tout entière de l'âme, et non pas seulement de quelqu'une de ses puissances avec Dieu [1], le Maître opère une œuvre profonde :

Dieu prive complètement (l'âme) d'intelligence par rapport à toutes les choses créées, pour mieux imprimer en elle la véritable sagesse [2].

Utilisant une parole du Cantique des Cantiques, la Sainte dit ailleurs :

Dieu l'a placée dans le cellier du vin et il a réglé en elle la charité [3].

Qu'est-ce à dire, sinon que ce contact divin a produit une infusion abondante de charité.

Cet amour est en telle abondance et de telle qualité que l'âme en reste marquée. Tels sont les effets des touches substantielles, profonds et immuables comme l'essence de l'âme qu'ils affectent. Cette grâce mystique d'union réalise une emprise effective de Dieu sur l'âme ; celle-ci se trouve désormais marquée d'un certain sceau divin :

Il (Dieu) veut que, sans qu'elle sache comment, elle (l'âme) sorte de l'oraison d'union marquée de son sceau ; car, en vérité, l'âme en cet état est absolument comme une cire sur laquelle on imprime le sceau ; ce n'est pas la cire qui se l'imprime elle-même ; elle est seulement disposée à le recevoir ; elle est molle, et encore ce n'est pas elle qui s'amollit de la sorte ; elle est dans le repos et reçoit l'impression sans résistance [4].

Cette emprise de Dieu après une grâce d'union, nous avertit sainte Thérèse, n'est pas encore définitive. Elle peut se perdre et le démon ne manque pas d'user de ses artifices les plus subtils pour la détruire :

Elle (l'âme) n'a eu qu'une seule entrevue avec l'Époux ; aussi le démon ne négligera aucun effort pour la combattre et la détourner des fiançailles...
Je vous l'assure, mes filles, j'ai connu des âmes très élevées qui étaient arrivées à cet état. Or le démon à force de ruses et de pièges les a fait tomber ; tout l'enfer se ligue pour les séduire ; et,

---

1. Vᵉ Dem., ch. I, p. 899.
2. *Ibid.*, p. 898.
3. *Ibid.*, ch. II, p. 908.
4. *Ibid.*

comme je l'ai dit souvent, si le démon perd une seule de ces âmes, il en perd en même temps une foule d'autres, comme l'expérience le lui a prouvé[1].

Il faut attendre en effet les fiançailles spirituelles pour que l'âme soit prise par Dieu de telle sorte qu'aucun ennemi ne pourra l'en séparer[2].

Bien que les liens créés par la grâce d'union puissent être rompus par l'habileté du démon, de ce contact avec Dieu l'âme est sortie véritablement transformée, au point qu'elle

ne se reconnaît plus. Il y a la même différence entre son état passé et son état actuel qu'entre ce ver à soie difforme et le petit papillon blanc[3].

Ces paroles de la Sainte, déjà citées, et qui évoquent la métamorphose du ver à soie en papillon, nous disent les effets extraordinairement profonds et féconds de la grâce d'union. Il y a eu infusion abondante d'amour en ce contact de Dieu. Il est normal que ce soit la volonté qui en accuse les effets les plus puissants, puisqu'elle est la faculté réceptive de l'amour. Prise par Dieu, elle est tout abandonnée à son bon vouloir :

Elle a fait l'abandon complet d'elle-même entre les mains de Dieu, et l'amour qu'elle lui porte la rend tellement soumise qu'elle ne sait et ne veut rien, si ce n'est qu'il dispose d'elle à son gré[4].

Cet abandon et cette souplesse de la volonté qui comportent d'ailleurs des degrés et se perfectionneront dans la suite, assurent

la paix en cette vie et en l'autre ! Car, à moins qu'elle (l'âme) ne se trouve dans quelque danger de perdre Dieu, ou qu'elle ne voie qu'il est offensé, aucun des événements de ce monde ne saurait la troubler, ni la maladie, ni la pauvreté, ni la mort même, excepté celle des personnes qui sont nécessaires à la défense de l'Église. Cette âme, en effet, comprend clairement que Dieu sait mieux ce qu'il fait, qu'elle-même ne sait ce qu'elle désire[5].

---

1. Vᵉ Dem., ch. IV, p. 922. — Dans les pages qui suivent, sainte Thérèse décrit finement cette action subtile du démon qui arrive à séparer de Dieu une âme déjà prise par Lui : « Le démon arrive avec tous ses artifices, et sous prétexte de bien, il la fait se séparer de cette volonté divine en de petites choses, et l'engage dans d'autres qu'il lui représente comme n'étant pas mauvaises ; peu à peu il en arrive à obscurcir son entendement, et à refroidir sa volonté ; il développe en elle l'amour-propre, jusqu'à ce qu'il l'éloigne enfin par des manquements successifs de la volonté de Dieu et l'amène à faire la sienne ». (Vᵉ Dem., ch. IV, p. 924).
2. VIᵉ Dem., ch. IV, p. 965.
3. Vᵉ Dem., ch. II, p. 904.
4. *Ibid.*, p. 908
5. *Ibid.*, ch. III, p. 913.

Jusqu'à l'union de volonté

L'emprise divine a produit un détachement qui est un déracinement. C'est là un des effets les plus sensibles. L'âme est comme perdue au milieu de ce qui l'occupait auparavant :

Mais que ne pouvez-vous voir l'inquiétude de notre mystique papillon, bien qu'il n'ait jamais encore goûté autant de paix et de calme ! écrit la Sainte. C'est là vraiment un spectacle bien capable de nous porter à louer Dieu ; car il ne sait où se poser ni où se fixer. Après avoir goûté un si profond repos en Dieu, il ne trouve rien sur la terre qui puisse le contenter, surtout quand le Seigneur lui a donné souvent à boire du vin de ses délices, où il trouve presque chaque fois de nouveaux profits. Désormais, il ne compte pour rien les œuvres qu'il a accomplies, quand il n'était qu'un simple ver et formait peu à peu le tissu de sa coque... Son attachement aux parents, aux amis, aux biens de ce monde, ne pouvait être vaincu ni par ses efforts, ni par ses résolutions, ni par sa volonté ; elle (l'âme) se sentait toujours plus enchaînée ; maintenant elle est tellement libre que c'est même une peine pour elle d'être obligée d'accomplir ce qu'elle doit pour ne point offenser Dieu. Tout la fatigue, parce qu'elle sait que le véritable repos ne saurait lui venir des créatures [1].

Ce détachement, qui fait que le papillon « se trouve tout dépaysé au milieu des choses de ce monde [2] » et « ne s'arrête point aux goûts spirituels, ni aux joies de la terre [3] », s'accompagne d'ardeurs d'amour qui produisent de grands désirs de glorifier Dieu :

Il regarde comme peu de chose tout ce qu'il peut faire pour Dieu, tant ses désirs de le glorifier sont intenses [4].

Désirs efficaces qui lui assurent la force pour pratiquer les austérités de l'immolation apostolique :

De faible qu'elle était pour se livrer aux austérités, elle est devenue forte pour les accomplir [5].

Cet amour crée pour les âmes une sollicitude étrange, tellement elle est nouvelle, forte et douloureuse :

O puissance de Dieu ! il n'y a que peu d'années, et peut-être que peu de jours, cette âme ne songeait qu'à elle-même. Qui donc lui a donné une sollicitude si pleine d'angoisses ? [6]

Sainte Thérèse insiste sur la souffrance que vaut à l'âme l'amour qui lui a été infusé :

---

1. Ve Dem., ch. II, p. 905-906.
2. *Ibid.*, p. 906.
3. *Ibid.*, ch. IV, p. 920.
4. *Ibid.*, ch. II, p. 905.
5. *Ibid.*, pp. 905-906.
6. *Ibid.*, p. 907.

Je sais le tourment qu'a enduré et endure une âme que je connais à la vue des offenses faites à Notre-Seigneur ; il est tellement cruel qu'elle préférerait de beaucoup la mort à ce tourment [1].

Mais ce qui l'afflige le plus, c'est la perte des chrétiens [2].

Son désir de glorifier le Seigneur est de telle sorte qu'elle voudrait se consumer et endurer mille fois la mort par amour pour Lui. Et alors elle appelle de tous ses vœux les plus rudes travaux, sans qu'elle puisse faire autre chose. Son souhait le plus ardent est de se livrer à la pénitence, de rechercher la solitude. Elle voudrait que Dieu fût connu de tous les hommes [3].

En fait, cette grâce d'union est toujours féconde pour les autres, l'âme serait-elle infidèle :

Je suis persuadée, en effet, que Dieu ne veut pas qu'une faveur aussi haute que celle de l'union soit donnée en vain, et que, si elle ne sert à l'âme qui en est l'objet, d'autres au moins ne puissent en profiter. Durant le temps qu'elle persévère dans le bien et possède les désirs et les vertus dont j'ai parlé, elle est toujours utile aux autres et leur communique le feu divin qui la consume ; mais alors même qu'elle ait déjà perdu ces biens, il lui arrive de conserver encore le désir d'être utile au prochain ; elle est également heureuse de faire connaître les grâces que Dieu prodigue à ceux qui l'aiment et qui le servent. J'ai connu une personne de cette sorte... qui fit beaucoup de bien, oui, beaucoup [4].

Telles sont les richesses merveilleuses déposées dans l'âme par la grâce d'union mystique. Le contact avec Dieu a été de courte durée, les fruits de ce contact sont permanents. Très heureusement, sainte Thérèse distingue la grâce mystique de ses effets. La grâce est extraordinaire et réservée à certaines âmes ; ses effets, parce qu'ils constituent l'union de volonté qui caractérise les cinquièmes Demeures, sont souverainement désirables.

Mais ces désirs, pour légitimes qu'ils soient, peuvent-ils être efficaces ? Comment faire siens de tels fruits sans la grâce mystique ? Ou mieux : comment parvenir à l'union de volonté sans cette suspension des puissances ? Sainte Thérèse a résolu le problème : la grâce mystique est un raccourci. Il existe une voie ordinaire qui s'ouvre à toutes les âmes.

Pour cela faut-il qu'il y ait ce que nous avons exposé au sujet de la suspension des puissances ? Non. Dieu, qui est tout-puissant, a beaucoup de moyens pour enrichir les âmes et les introduire dans ces Demeures, sans les faire passer par le chemin raccourci dont il a été question [5].

---

1. Vᵉ Dem., ch. II, p. 909.
2. *Ibid.*, p. 907.
3. *Ibid.*, p. 905.
4. *Ibid.*, ch. III, p. 911-912. — Cf. *Vie*, ch. XIX, p. 183.
5. Vᵉ Dem., ch. III, p. 914.

C. — *LA VOIE ORDINAIRE*
VERS L'UNION DE VOLONTÉ

Au seuil de cette voie nouvelle, sainte Thérèse nous avertit gravement que, pour être ordinaire, la route n'en sera pas moins rude :

Toutefois, mes filles, sachez bien que ce ver mystique doit mourir et qu'il nous en coûtera alors beaucoup plus. Dans l'autre union, l'âme éprouve tant de joie de la vie nouvelle à laquelle elle est passée, qu'elle se trouve puissamment aidée pour faire mourir ce ver. Mais dans celle-ci, il faut que l'âme, tout en vivant de sa vie ordinaire, lui donne elle-même la mort. Je vous avoue que le travail sera beaucoup plus pénible [1].

L'image du raccourci qui coupe la grand'route sinueuse semble assurer à celle-ci la facilité dans la lenteur. Nous devons corriger : au raccourci, la rapidité et une certaine facilité ; à la voie ordinaire, la lenteur et la rude ascèse.

Ne nous en étonnons pas. C'est bien au même point que doivent conduire les deux voies : grâce mystique et voie ordinaire. Remettons-nous en mémoire les effets déjà décrits de l'union mystique ; deux mots les résument : amour qualifié et détachement absolu. Le changement dans le mode d'acquisition pourrait bien, comme inconsciemment, nous faire diminuer la valeur de ces mots et des réalités de ce qu'ils signifient. C'est l'union de volonté elle-même qui serait mise en jeu de la sorte. Elle ne saurait être vraie sans cet amour qualifié que réalise une emprise divine profonde, sans le détachement absolu nécessaire au règne de cet amour.

I. — *Ascèse de détachement.*

Nous le comprenons aisément : pour parvenir à ce détachement des parents, des amis, et des biens de ce monde, qui assure la liberté parfaite et qui fait « qu'on se trouve tout dépaysé au milieu de ce monde [2] », « il faut travailler beaucoup, oui beaucoup, et ne nous négliger en rien [3] ».

---

1. V⁰ Dem., ch. III, p. 914.
2. *Ibid.*, ch. II, p. 906.
3. *Ibid.*, ch. I, p. 893.

Ce travail énergique portera sur la pratique des vertus, de l'obéissance particulièrement, qui livre la volonté et le jugement, sur le don de soi qui doit être complet.

Mais considérez, mes filles, ce que vous avez à faire ici. Dieu ne veut pas que vous vous réserviez quoi que ce soit, peu ou beaucoup. Il réclame pour lui tout ce que vous avez ; et, selon que votre don sera plus ou moins absolu ses faveurs seront plus ou moins élevées ; il n'y a pas de meilleure preuve que celle-là pour reconnaître si notre oraison est arrivée ou non jusqu'à l'union [1].

Le glaive de l'ascèse active ne peut réaliser à lui seul une telle libération. L'âme ne sait le manier qu'en suivant ses vues limitées et inconsciemment égoïstes. Elle se ménage sans le savoir et fait des mouvements de compensation. D'ailleurs, comment pourrait-elle sans cruauté apparente, sans présomption ou sans blesser la charité, se priver de biens nécessaires et briser des affections légitimes comme celles des parents et des amis ? Seul le glaive de Dieu a le droit de rompre certains liens et peut pénétrer dans les profondeurs libératrices. Il le fait par les événements et par les causes secondes libres. La vie des saints et l'expérience des âmes, dont la vaillance a su attirer le regard de Dieu et mériter cet honneur, nous découvre avec quelle force miséricordieuse la Sagesse d'amour excelle à torturer ceux qu'elle appelle à la parfaite union.

II. — *Exercice de l'amour.*

La part de l'âme ne se limite pas à l'ascèse de détachement. Plus important encore est le développement de l'amour. L'union est œuvre de l'amour. Aussi, avec saint Jean de la Croix, convient-il de redire qu'il importe souverainement que l'âme s'exerce à l'amour [2]. Certaines âmes assurent à cet exercice de l'amour une telle primauté que la préoccupation du détachement passe chez elles au second plan. Telle sainte Thérèse de l'Enfant-Jésus. Ce qui a été dit de la grâce mystique d'union paraît justifier leur attitude. Le détachement y est le fruit de l'infusion d'amour. L'amour y est à la fois terme et moyen. Pourquoi n'en serait-il pas ainsi dans la voie ordinaire ? Mais encore faut-il veiller à ce que ce détachement soit réel, car il doit paraître pour authentiquer la qualité de l'amour. Quoi qu'il en soit de cette primauté,

---

1. Ve Dem., ch. I, p. 894.
2. *Vive Fl.*, str. I, p. 941.

il est certain que seul l'amour peut donner au travail de détachement sa perfection et assurer à l'âme cet abandon et cette souplesse qui sont le propre de la véritable union de volonté.

Que comporte cet exercice de l'amour ? S'adressant à ses filles, sainte Thérèse les met en garde contre l'illusion créée par l'intensité du sentiment, surtout contre cette recherche de Dieu inquiète et gourmande qui ne voudrait le saisir que dans le recueillement et les goûts. Nous l'avons entendue déjà railler aimablement ces « personnes encapuchonnées » qui semblent ne pas oser bouger dans la crainte de perdre tant soit peu les goûts et la consolation, car

elles comprennent bien peu ce que doit être le chemin qui mène à l'union. Non, mes Sœurs, non ; ce n'est pas là le chemin. Ce sont des œuvres que le Seigneur demande de nous. Si, par exemple, vous voyez une malade à qui vous puissiez procurer du soulagement, n'ayez aucune crainte de laisser là vos dévotions pour l'assister et lui montrer de la compassion ; si elle souffre, partagez sa douleur ; s'il vous faut jeûner pour qu'elle ait la nourriture nécessaire, faites-le, non pas tant par amour pour elle que par amour pour Dieu, qui le veut, comme vous le savez. Telle est la véritable union à sa volonté [1].

Voilà, clairement affirmée, l'importance des actes pour réaliser cette union qui réside dans la volonté et non point dans la sensibilité. Il faut donc des actes et des actes qui développent vraiment la charité. N'est-ce pas le lieu de rappeler que ceux-là seulement développent la vertu, qui utilisent toute la force de la vertu déjà acquise et qui sont appelés pour cela intenses, tandis que les actes faibles, bons en soi, mais qui n'exercent pas toute la charité acquise, risquent plutôt d'en diminuer la force. Cette vérité théologique est d'une portée pratique considérable. Intensité d'ailleurs veut dire perfection de l'acte en lui-même et pureté d'intention, et non point nécessairement effort ou violence pour le poser.

Il apparaît ainsi que le développement de la charité et l'union de volonté qui en est le fruit, sont liés à des impondérables. Telle personne marche accomplissant son devoir, bonnement, sans ferveur comme sans lâcheté apparentes : ses actes sont bons mais faibles. Telle autre, sa voisine, s'en distingue à peine, mais sa ferveur éveillée soutient une fidélité attentive à purifier son intention et à ajouter à ses actes ce petit rien qui en assure la perfection : ses actes sont bons et intenses. Cette dernière

---

1. Vᵉ Dem., ch. III, pp. 917-918.

et elle seule, s'exerce en l'amour. Les années passent dans une vie commune qui les unit et les différencie assez peu extérieurement. Cependant, la deuxième est parvenue à l'union de volonté, tandis que la première, mieux douée peut-être, s'est endormie dans une facilité et un automatisme qui ont arrêté tout progrès.

III. — *Intervention de Dieu.*

Pas plus qu'au détachement et à la souplesse que nous a montrés la grâce mystique, l'effort actif de l'âme ne saurait parvenir à l'amour qui réalise l'union de volonté. Certes, il est toujours vrai de dire que la charité est chose divine et que seul l'Esprit Saint peut la diffuser dans nos cœurs. Il est vrai aussi qu'elle peut être objet de mérite. Or nous précisons ici, en affirmant que l'amour qualifié de l'union de volonté, même dans la voie ordinaire, n'est pas uniquement le fruit des mérites de l'âme. Il est donné par une intervention miséricordieuse de la Sagesse divine. Il importe de souligner cette vérité afin que l'union de volonté ne soit pas attribuée aux seuls efforts de l'âme et que même la voie ordinaire ne soit pas considérée comme exclusivement ascétique.

Pour sainte Thérèse en effet, le travail de l'âme n'aboutit qu'à réaliser

la disposition nécessaire pour être unies complètement à la volonté de Dieu [1]...

Nous aurons à peine accompli tout ce qui dépend de nous, écrit-elle, que Dieu prendra ce petit travail qui n'est rien, l'unira à sa grandeur et lui donnera tant de prix qu'il en sera lui-même la récompense [2].

C'est Lui qui

a beaucoup de moyens pour enrichir les âmes et les introduire dans ces Demeures [3].

D'ailleurs, outre que l'union de deux êtres libres exige la convergence de leur amour réciproque, et donc la participation libre de chacun d'eux, l'union de volonté est une emprise de Dieu sur l'âme et laisse par conséquent la part principale à son action.

---

1. V⁰ Dem., ch. III, p. 915.
2. *Ibid.*, ch. II, p. 903.
3. *Ibid.*, ch. III, p. 914.

Jusqu'à l'union de volonté

Cette intervention divine qui infuse miséricordieusement l'amour s'est déjà produite dans les oraisons de quiétude ou de sécheresse contemplative qui, sous des expériences diverses, sont toutes infusion d'amour dans la volonté [1]. Saint Jean de la Croix lui-même, dans les quelques lignes qu'il a consacrées à cette période, la caractérise par la facilité à trouver une douce et amoureuse contemplation ainsi qu'une saveur spirituelle [2]. Il apparaît donc que Dieu enchaîne progressivement l'âme par des liens suaves ou douloureux jusqu'à ce que soit réalisée l'union de volonté.

Aussi pour distinguer de la voie ordinaire le raccourci qu'est la grâce mystique, il convient de mettre en relief beaucoup moins l'intervention directe de Dieu, qui est commune et nécessaire aux deux, que le mode de cette intervention. Sainte Thérèse, dans un texte déjà cité, nous donne la solution du problème :

> Pour cela (parvenir à l'union de volonté), faut-il qu'il y ait ce que nous avons exposé au sujet de la suspension des puissances ? Non. Dieu, qui est tout-puissant, a beaucoup de moyens pour enrichir les âmes et les introduire dans ces Demeures, sans les faire passer par le chemin raccourci dont il a été question [3].

C'est la suspension des puissances, donc le mode extraordinaire et puissant par lequel la grâce est donnée, et non pas une qualité spéciale de cette grâce, qui caractérise le raccourci. Quelle que soit la voie qui y conduise, l'union de volonté est constituée par une emprise amoureuse de Dieu sur la volonté, qui devient ainsi abandonnée et souple sous ses motions.

Grâce précieuse « mais hélas ! qu'ils sont peu nombreux ceux qui doivent y arriver ! [4] » ; grâce souverainement désirable qui marque une étape d'une extrême importance dans le chemin de la perfection, qui surtout est une base de départ pour les dernières étapes vers la sainteté, pour la réalisation de hautes destinées dans le plan divin.

---

1. Dans l'oraison de quiétude spécialement, sainte Thérèse se plaît à souligner que seule la volonté est constamment enchaînée. La quiétude est donc une préparation directe à l'union de volonté.
2. *Nuit Obsc.*, Liv. II, ch. I, p. 547.
3. Ve Dem., ch. III, p. 914.
4. *Ibid.*

CHAPITRE DIXIÈME

Le mystère de l'Église

Pour qu'ils soient un comme nous sommes un ! [1]

C'est une véritable transformation de l'âme que réalise l'union de volonté. Les effets de la grâce mystique nous l'ont montré. Une étape importante est franchie. Une autre est annoncée par cette transformation qui place l'âme au seuil d'un monde nouveau. Ce monde n'apparaît encore que dans une demi-clarté qui laisse imprécises les formes tout en révélant leur grandeur. Mais clarté d'aube chargée d'espérance qui dans les prochaines Demeures se transformera en une pleine lumière et découvrira des splendeurs.

Recueillons avec soin ces clartés qui font partie des richesses de l'union de volonté. Ce sont des indices précieux qui donnent la solution d'importants problèmes et permettent une orientation vers des réalisations nouvelles.

A. — *LE ZÈLE DES ÂMES*

« L'âme ne se reconnaît plus [2] », écrit sainte Thérèse. Ce changement s'accompagne de surprise et même d'inquiétude lorsqu'il est produit brusquement par la grâce mystique.

Le petit papillon qui a laissé sa chrysalide et dont les ailes ont poussé, ne sait plus où se poser, car « il se trouve tout dépaysé au milieu des choses de ce monde. Mais où ira-t-il, ce pauvre petit papillon [3] ? »

---

1. Jn 17, 22.
2. Vᵉ Dem., ch. II, p. 904.
3. *Ibid.*, p. 906. Nous appuyant sur la convergence des deux voies vers la même union de volonté, à l'exemple de sainte Thérèse elle-même, nous décrivons l'union de volonté d'après les effets de la grâce mystique. L'action soudaine et profonde de cette grâce donne une conscience plus nette et plus vive du changement opéré.

Jusqu'à l'union de volonté

Ce désarroi n'est point l'effet passager d'un éblouissement. Il vient à l'âme du détachement réalisé ; plus encore, des désirs nouveaux et profonds qui la soulèvent. Désirs certes de retourner en ces régions obscures d'où elle est revenue avec la certitude « d'avoir été en Dieu et Dieu en elle [1] », mais aussi sollicitude ardente et douloureuse pour Dieu et pour les âmes, qu'elle ne se connaissait pas à un tel degré.

Il n'y a que peu d'années, et peut-être que peu de jours, cette âme ne songeait qu'à elle-même. Qui donc lui a donné une sollicitude si pleine d'angoisses ? [2]

Je sais le tourment qu'a enduré et endure une âme que je connais à la vue des offenses faites à Notre-Seigneur ; il est tellement cruel qu'elle préférerait de beaucoup la mort à ce tourment [3].

Voilà un fait nouveau que la Sainte se plaît à mettre en relief. Longuement, elle évoque le martyre de Notre-Seigneur qui « voyait sans cesse les offenses énormes qui se commettaient contre son Père [4] », et son désir ardent de la souffrance et de la mort pour le salut des pécheurs. La souffrance de l'âme, toutes proportions gardées, ressemble à celle du Christ.

Elle est essentielle à cet état :

Si quelqu'un affirmait, que depuis qu'il est parvenu à cet état, il se trouve toujours dans le repos et dans les délices, je dirais, au contraire, qu'il n'y est jamais parvenu [5].

En ces pages où elle traite de l'union de volonté avec cette logique qui est la sienne, non point logique de la pensée, mais logique de la description qui embrasse tout ce qu'elle découvre devant elle, sainte Thérèse parle de l'œuvre immense de conversion réalisée par les grands saints qui avaient reçu de telles faveurs et y ont correspondu [6].

A n'en pas douter, l'union de volonté donne une orientation de fond vers le salut des âmes. C'est le fait important que nous devons retenir.

D'où lui vient ce zèle ? La Sainte répond :

Je vais vous le dire. N'avez-vous pas entendu ce que je vous ai dit déjà plus haut de l'Épouse des Cantiques en parlant d'un autre

---

1. Ve Dem., ch. I, p. 898.
2. *Ibid.*, ch. II, p. 907.
3. *Ibid.*, p. 909.
4. *Ibid.*
5. *Ibid.*, p. 906.
6. *Ibid.*, ch. IV, p. 923.

654

sujet ? Dieu l'a placée dans le cellier du vin et il a réglé en elle la charité. Voilà l'explication des souffrances de l'âme [1].

La charité a été ordonnée par Dieu lui-même dans l'âme, vers son double objet : Dieu et le prochain. Et, commentant le double précepte, la Sainte écrit :

La marque la plus sûre, à mon avis, pour savoir si nous avons ce double amour, consiste à aimer véritablement le prochain... Soyez certaines que plus vous découvrirez en vous de progrès dans l'amour du prochain, plus vous serez avancées dans l'amour de Dieu [2].

Cette importance donnée à l'amour du prochain, le sacrifice même que la Sainte demande des dévotions aux actes de charité [3] sont caractéristiques d'un nouvel état d'âme. Il y a peu de temps encore, sainte Thérèse signalait comme un danger grave pour l'âme de vouloir distribuer les fruits de son jardin. L'âme qui recevait cet avis avait bu de la troisième eau, celle de la quiétude parfaite qu'est le sommeil des puissances [4]. Après la grâce d'union « elle peut désormais commencer à en faire part aux autres, sans s'appauvrir [5] ».

C'est peu dire : l'âme affermie, non seulement peut, mais doit donner de ses richesses, bien qu'avec prudence encore. Elle en sent le besoin impérieux.

Expliquer ce changement profond en disant que Dieu a ordonné la charité ne semble pas suffisant. Pourquoi l'ordre de la charité exige-t-il en effet que l'âme se tourne maintenant vers le prochain ? Sainte Thérèse ne le dit pas explicitement, car elle se défend d'être théologienne et de pouvoir donner la raison de bien des choses qu'elle a observées. Elle nous donne cependant la clef du problème.

En développant la comparaison du ver à soie, elle fait cette remarque, au premier abord singulière :

Or quand ce ver, dont j'ai parlé au commencement, a grandi, il commence à filer la soie et à construire la demeure où il doit mourir. Je voudrais vous montrer maintenant que cette demeure pour l'âme c'est le Christ. J'ai lu, ce me semble, ou entendu dire quelque part que notre vie est cachée dans le Christ ou en Dieu, ce qui est tout un, ou que le Christ est notre vie [6]. Mais que la citation soit exacte ou non, peu importe pour le but que je me propose [7].

---

1. V⁰ Dem., ch. II, p. 908.
2. *Ibid.*, ch. III, p. 916.
3. *Ibid.*, p. 918.
4. *Vie*, ch. XVII, p. 165.
5. *Ibid.*, ch. XIX, p. 183. Cf. *supra*, ch. VII « Hors de l'oraison », p. 599.
6. Col 3, 3-4.
7. V⁰ Dem., ch. II, p. 903.

Jusqu'à l'union de volonté

Cette affirmation surprenante, que rien ne relie à ce que la Sainte a exposé précédemment, et qui l'oblige à expliquer comment nous pouvons travailler à ce que « Sa Majesté devienne notre demeure, comme elle l'est dans cette oraison d'union [1] », semble apporter un élément nouveau qui augmente la complexité de la description. Un instant de réflexion nous montre qu'il n'en est rien. Cette affirmation nous révèle en effet une expérience spirituelle des plus importantes et des plus intéressantes. Que dans l'union de volonté, sainte Thérèse ait réalisé qu'elle était introduite dans le Christ, et que désormais le Christ serait la demeure où sa vie serait cachée, qu'est-ce donc, sinon la découverte de son incorporation au Christ dans l'Église, de son insertion dans le Christ total ? Que cette incorporation au Christ soit expérimentée par elle en ce moment comme un fait vivant et vécu obscurément, c'est un grand événement. Nous comprenons le changement d'attitude de son âme, précédemment observé. Une orientation nouvelle de sa vie ne nous étonnera pas. Mystère d'unité, mystère d'obscurité, source d'une telle lumière ! Arrêtons-nous un instant pour l'explorer.

B. — *LE MYSTÈRE DE L'ÉGLISE*

L'union de volonté est une emprise de la Sagesse d'amour sur la volonté. L'âme est désormais marquée d'un sceau divin [2] qui, pour n'être pas indélébile, est cependant permanent et produit abandon et souplesse. Expliquons le symbole en disant que la Sagesse est installée habituellement dans la volonté pour y régner en maîtresse.

La Sagesse ne peut régner que pour réaliser la pensée de Dieu. Elle est elle-même Pensée de Dieu. Elle ne conquiert, n'agit et ne fait agir que pour étaler, vivante et concrète, dans les événements et dans les âmes, la pensée de Dieu sur le monde. Cette pensée de Dieu sur le monde, nous la connaissons par l'apôtre saint Paul, c'est

le mystère qui, de toute éternité, était tenu caché en Dieu, le Créateur universel... qui, en d'autres générations, n'a pas été notifié aux enfants des hommes, comme il a été maintenant révélé à ses saints apôtres et prophètes dans l'Esprit ; à savoir

---

1. V⁰ Dem., ch. II, p. 903.
2. *Ibid.*, p. 908.

que les gentils sont cohéritiers et membres du même corps, et copartageants de la promesse dans le Christ Jésus [1].

Ce dessein, c'est de sauver tous les hommes sans distinction en les identifiant tous avec le Christ Jésus, dans l'unité de son corps mystique.

Dans l'éternité, Dieu contemplait déjà le Christ total, l'Église, et y trouvait ses complaisances comme dans le chef-d'œuvre de sa miséricorde. Sorti pour créer, Dieu allait, à travers toutes les vicissitudes des œuvres de son amour, vers la réalisation de son Christ. *Finis omnium Ecclesia*, l'Église est la fin de toutes choses, au témoignage de saint Épiphane. Les vicissitudes mêmes, chute des Anges, péché de l'homme, n'étaient permises par Dieu que comme occasion et moyen pour déployer toute la force de son bras, toute la mesure de l'amour qu'il voulait donner au monde. Saint Augustin n'a-t-il pas dit que Dieu ne permit la chute des anges qu'afin de pouvoir créer l'homme ? Le péché de l'homme est une « heureuse faute [2] » qui nous a valu le Christ rédempteur.

C'est par le Christ Jésus que Dieu va réaliser son mystère de miséricorde ; le Christ qui a une génération éternelle car il est le Verbe de Dieu :

Il est l'image du Dieu invisible, le premier-né de toute créature ; en lui tout a été créé au ciel comme sur terre, tant les choses visibles que les invisibles, les trônes, les dominations, les principautés, les vertus : tout a été créé par lui et pour lui. Il était avant toute chose et toute chose subsiste par lui [3].

Après la chute de l'homme, il s'est incarné, et dans le plan nouveau de la Rédemption, au Verbe incarné, le Christ Jésus, Dieu a donné la primauté et la plénitude en toutes choses :

Il est la tête de son corps qui est l'Église. Il est le chef, le premier-né des morts, et par suite il a la prééminence en tout. Il a plu (au Père) de faire de lui la demeure de tout le plérôme (divin) et, par son entremise, de se réconcilier soi-même avec toutes les créatures, établissant la paix par l'effusion du sang de sa croix (c'est-à-dire) par lui-même, aussi bien sur la terre que dans le ciel [4].

L'épître aux Éphésiens affirme aussi ce dessein éternel de Dieu d'unifier tout dans le Christ :

Il nous a fait connaître la mystère de sa volonté, arrêté en lui-même de toute éternité selon son bon plaisir, et qu'il devait

---

1. Ep 3, 5-9.
2. Liturgie du Samedi Saint, *Exsultet*.
3. Col 1, 15-17.
4. *Ibid.*, 18-20.

réaliser en la plénitude des temps (à savoir) de tout réunir en le Christ, et les choses du ciel et celles de la terre [1].

Dans sa pensée éternelle, Dieu ne voit que son Christ, et c'est en Lui qu'il découvre chacun d'entre nous, parce que c'est en Lui qu'il nous a placés :

C'est en lui qu'il nous a choisis dès avant la création du monde, pour que la charité nous rendît saints et sans tache à ses yeux. Il nous a prédestinés à être ses enfants adoptifs par Jésus-Christ, suivant le bon plaisir de sa volonté, pour faire éclater la gloire de la grâce qu'il nous a départie par son (Fils) bien-aimé...
C'est en lui, prédestinés que nous étions par le dessein de celui qui fait toutes choses par un acte délibéré de sa volonté, c'est en lui que nous avons été appelés à être la louange de sa gloire, nous tous qui tournions déjà nos espérances vers le Christ [2].

Aussi ce décret divin qui nous dit l'amour éternel du Père pour son Christ, et pour nous dans le Christ, doit faire jaillir de nos cœurs une hymne de reconnaissance :

Béni soit Dieu, le Père de Notre-Seigneur Jésus-Christ qui, du haut du ciel, nous a comblés de toutes sortes de bénédictions spirituelles dans le Christ [3].

Le Christ Jésus est venu ici-bas pour réaliser ce décret divin, volonté de Dieu [4]. Il n'a dévoilé ce dessein de Dieu que progressivement et en termes voilés, pour ménager la faiblesse de ses auditeurs et ne pas heurter de front leurs interprétations égoïstes des promesses messianiques. Il parle du royaume de Dieu qu'il vient établir, des lois de son développement, de ses exigences. Il se dit la voie qu'il faut suivre, la porte du bercail qui doit rassembler toutes les brebis, le bon pasteur de ces brebis ; il est la lumière qui éclaire, la vérité qui brille pour tous, la vie qui doit se répandre dans toutes les âmes. Il est enfin la nourriture des âmes : on ne peut avoir la vie qu'en mangeant sa chair et en buvant son sang :

C'est moi qui suis le pain de vie... En vérité, en vérité, je vous le dis, si vous ne mangez la chair du Fils de l'homme et si vous ne buvez son sang, vous n'aurez pas la vie en vous... Celui qui mange ma chair et boit mon sang demeure en moi, et moi en lui. De même que je vis par mon Père vivant qui m'a envoyé, de même celui qui me mange vivra par moi [5].

_____

1. Ep 1, 9-10.
2. *Ibid.*, 1, 4-6, 11-12.
3. *Ibid.*, 1, 3.
4. Le Christ a dit en venant en ce monde : « Me voici, je viens, ô Dieu, pour faire votre volonté » He 10, 5.7.
5. Jn 6, 48.54-58.

Ce langage paraissait dur et obscur aux Juifs. Comment ne l'aurait-il pas été, abordant de si près le mystère caché auquel se référaient les affirmations précédentes ? Lorsque le mystère sera révélé en pleine lumière, toute la prédication de Jésus y trouvera son explication.

Cette révélation sera faite après la Cène aux apôtres devenus les prêtres et les amis du Christ, alors que la présence eucharistique verse dans leur âme l'onction qui éclaire et embrase. Jésus leur dit :

Je suis la vigne, vous les sarments... Demeurez en moi, et moi en vous... Celui qui demeure en moi et moi en lui, porte beaucoup de fruit, car sans moi vous ne pouvez rien faire... C'est en ceci que mon Père sera glorifié, que vous porterez beaucoup de fruit et que vous serez devenus mes disciples [1].

Il leur avait dit déjà ce qu'il est lui-même :

En ce jour-là, vous saurez que je suis en mon Père, et vous en moi, et moi en vous. Celui qui, ayant mes commandements, les observe, c'est celui-là qui m'aime, et celui qui m'aime sera aimé de mon Père, et moi aussi, je l'aimerai, et je me manifesterai à lui [2].

Les apôtres avaient tressailli sous cette lumière qu'ils attendaient et qui expliquait, en l'unifiant, tout l'enseignement reçu précédemment.

Et maintenant, Jésus priait à haute voix en présence de ses apôtres, et dans sa prière parlait clairement sur lui-même, sur sa mission, fixait le but de sa vie et les intentions de son sacrifice.

Des intentions il n'en avait qu'une pour lui, pour ses apôtres, pour tous ceux qui plus tard devaient croire à leur parole :

... que tous soient un, comme vous, Père, êtes en moi et moi en vous ; et qu'ils soient, eux aussi, un en nous, pour que le monde croie que vous m'avez envoyé. Je leur ai communiqué la gloire que vous m'avez donnée, afin qu'ils soient un comme nous sommes un ; moi en eux, et vous en moi, qu'ils soient consommés en l'unité, pour que le monde sache que vous m'avez envoyé, et que vous les avez aimés comme vous m'avez aimé [3].

Le Christ est mort pour l'unité de son corps mystique. Le sang qu'il a répandu est le sang de la nouvelle alliance que Dieu est venu contracter avec les hommes, le lien qui a uni tout ce qui était séparé. Dieu l'a ressuscité et

Dieu qui est riche en miséricorde, poussé par la grande charité dont il nous a aimés, nous a rendu la vie en même temps qu'au

---

1. Jn 15, 4.5.8.
2. *Ibid.*, 14, 20-21.
3. *Ibid.*, 17, 21-23.

Christ... il nous a ressuscités avec lui et fait asseoir dans les Cieux avec lui et par lui, le Christ Jésus [1].

C'est par la réception du corps et du sang du Christ que nous entrons dans le Christ, et que nous nous plaçons sous son action rédemptrice et unificatrice. C'est ainsi que se crée « un seul homme nouveau », que nous sommes réconciliés « avec Dieu dans un même corps, par la moyen de la croix » et que nous est donné « accès aux uns et aux autres auprès du Père par le même Esprit [2] ».

L'œuvre se poursuit à travers les siècles. Le dessein de Dieu se réalise en nous et dans le monde :

Ainsi n'êtes-vous plus ni des étrangers ni de simples hôtes ; vous êtes de la même cité que les saints, vous êtes de la maison de Dieu. Vous êtes bâtis sur le fondement des apôtres et des prophètes, le Christ Jésus en personne étant la pierre d'angle. C'est par lui que l'édifice entier, parfaitement liaisonné, monte et devient un temple saint dans le Seigneur. C'est par lui (et) par l'Esprit (Saint) que votre propre édifice devient la demeure de Dieu [3].

Cet édifice ou Christ total garde comme qualité essentielle et vitale cette unité que le Christ a demandée pour lui :

Un seul corps et un seul esprit, de même que, par votre vocation, vous avez la même espérance. Un seul Seigneur, une seule foi, un seul baptême, un seul Dieu et Père universel, qui est au-dessus de tout, agit en tout et est en tout [4].

Cependant, dans ce corps si parfaitement unifié, il y a des membres divers. Cette diversité vient de la mesure différente de grâce que le Christ a jugé bon d'accorder à chacun d'entre nous [5], et de la diversité des fonctions qu'il nous a confiées :

C'est lui-même (le Christ) qui des uns a fait des apôtres, d'autres des prophètes, d'autres des évangélistes, des pasteurs ou des docteurs [6].

A l'un, l'Esprit donne le discours de sagesse ; à un autre, le même Esprit donne le discours de science ; à un autre encore, l'Esprit donne la foi ; à un autre, toujours cet Esprit unique départit le charisme des guérisons. Il donne encore tantôt le don d'opérer des miracles, tantôt la prophétie, tantôt le discernement des esprits, tantôt le don des langues, ou le don de les interpréter. Mais tout cela, c'est le même et unique Esprit qui le fait, distribuant ses dons à chacun comme il lui plaît [7].

1. Ep 2, 4-6.
2. *Ibid.*, 2, 15-18.
3. *Ibid.*, 19-22.
4. *Ibid.*, 4, 4-6.
5. *Ibid.*, 4, 7.
6. *Ibid.*, 4, 11.
7. 1 Co 12, 8-11.

La plénitude du Christ descend sur chacun d'entre nous. Nous recevons sa grâce qui nous fait participer à sa filiation divine et à tous ses privilèges. Nous sommes fils et héritiers du Père comme lui ; nous sommes prêtres et rois avec lui.

Mais cette plénitude, en descendant sur nous, étale ses richesses, les reflets de sa beauté divine, et la diversité des fonctions de son sacerdoce. Tel un prisme qui, recevant la lumière blanche, en montre toutes les virtualités, ainsi le corps mystique du Christ découvre, en les étalant dans ses membres, toutes les richesses que nos pauvres yeux ne sauraient embrasser d'un seul regard dans la plénitude simple et lumineuse du Christ Jésus. Le plan divin qui a fait cette unité a voulu aussi la diversité. En nous prédestinant à être ses enfants adoptifs dans le Christ [1], Dieu nous y a placés en un membre de son corps mystique pour y publier une vertu particulière du Christ [2] et y remplir une fonction de son sacerdoce.

Notre participation au Christ n'est pas seulement réceptive, mais elle est active. Le Christ montant au Père a envoyé l'Église dans le monde, comme son Père l'avait envoyé, pour prêcher, baptiser et sauver. La vie qu'il répand est amour. Cet amour, parce que bien diffusif de soi, est toujours en marche pour de nouvelles conquêtes. Ceux qu'il a envahis sont entraînés aussi dans son mouvement et deviennent des instruments de son action, des canaux de la vie qu'il répand.

Telle est l'Église dont le Christ est la tête :

C'est par lui que le corps entier, joint et uni par tous les liens qui le desservent, chaque membre gardant d'ailleurs son opération propre, réalise sa croissance organique et monte comme un édifice dans la charité [3].

Telle est la pensée de Dieu qui se réalise progressivement, mais sûrement, malgré tous les obstacles, à travers les siècles. C'est la grande réalité, le fait qui domine l'histoire des peuples et du monde. Elle est la fin et la raison de toutes choses. Aussi, lorsque le Christ total sera parvenu « à l'état d'homme parfait, à la mesure de la taille qui convient au complément du Christ [4] », la figure de ce monde passera et la réalité apparaîtra : celle du Christ « en qui Dieu a déployé la force de son bras lorsqu'il l'a ressuscité d'entre les morts et fait asseoir à sa droite,

---

1. Ep 1, 5.
2. 1 P 2, 9.
3. Ep 4, 16.
4. *Ibid.*, 13.

au-dessus de toute principauté, de toute puissance, de toute autorité », en qui il a réalisé son dessein en le donnant « comme tête à l'Église qui est son corps », et en assurant « l'achèvement de celui qui n'est totalement parfait qu'avec ses membres »[1].

C. — *LE MYSTÈRE DE L'ÉGLISE*
ET LA SPIRITUALITÉ DE SAINTE THÉRÈSE

Le mystère de l'Église nous révèle le dessein de l'amour divin, son mouvement ; il nous livre le secret de la politique divine dans le monde, le but de son action dans les âmes et de son activité extérieure par les événements. Ce dogme ne saurait être simplement objet de notre contemplation. Il est essentiellement pratique et doit entrer dans notre vie spirituelle. Il nous dit que nous avons une place à occuper, une mission à remplir dans le corps mystique du Christ. Occuper cette place, réaliser cette mission sont choses inséparables de notre perfection, ou plutôt la constituent et la précisent. La sainteté ne peut se trouver que dans l'accomplissement de la pensée de Dieu. La spiritualité qui veut nous conduire à la sainteté doit nous révéler ce dessein unique de Dieu qu'est l'Église, nous guider vers la place qui nous y est réservée, nous faire réaliser la mission qui nous y est confiée.

Cette découverte de l'Église est l'événement important qui accompagne l'union de volonté. La découverte est encore obscure, comme les autres découvertes des cinquièmes Demeures. Ce n'est que plus tard qu'elle brillera dans la lumière et une pleine conscience. Nous avons recueilli précédemment les signes qui montrent qu'elle est profonde et certaine.

Dieu a ordonné la charité dans l'âme. Cet amour ardent dépasse le Christ Jésus pour aller au Christ communiqué et répandu dans ses membres. Cet amour ardent est inquiet parce qu'il n'a pas saisi encore distinctement son objet. Il ne sait où se poser, mais il souffre déjà beaucoup pour le Christ et pour ses membres. Il est déjà fécond sans le savoir[2]. Dieu a ordonné la charité dans l'âme, ce qui veut dire qu'il a ordonné son double objet, Dieu et les âmes, vers la réalité unique dans laquelle ils s'unissent : l'Église.

---

1. Ep 1, 20-23.
2. Cf. descriptions faites plus haut.

Pourquoi Dieu a-t-il attendu si longtemps pour donner l'expérience de ce mystère et imprimer à l'âme le mouvement spirituel qui y correspond ? La Sagesse procède avec force et douceur, avec poids et mesure. Il était nécessaire que l'âme s'affermisse dans son union avec Dieu. Sainte Thérèse nous a dit que le souci de la perfection personnelle était primordial dans la première période, que le débutant devait avant tout s'orienter vers Dieu, organiser son ascèse en fonction de cette recherche de Dieu pour la rendre efficace ; que les désirs d'apostolat pouvaient être nuisibles s'ils détournaient du regard sur Dieu. Récemment encore, elle nous montrait le danger que les débordements divins des premières oraisons surnaturelles font courir à l'âme, en la portant à se donner sans mesure et avec profit pour les autres, alors qu'elle ne peut renouveler ses forces. Illusions de l'activité propre, de l'orgueil, de la force reçue dans la quiétude : sainte Thérèse les a signalées toutes. Son invitation actuelle à entrer dans le mouvement de l'amour de Dieu, dans l'Église, est sûre et doit être suivie.

Sa vie apporte une précieuse confirmation et une illustration à son enseignement. La Sainte nous dit que dans les premières années de sa vie religieuse elle fut élevée parfois à l'oraison d'union [1]. Ces faveurs la rendirent très forte dans les grandes souffrances de sa maladie et lui permirent d'exercer un apostolat très fructueux spécialement auprès de son père et de quelques personnes du monde. Après une longue période d'attente, que la Sainte appelle période de tiédeur, l'emprise divine se fit sentir de nouveau sur son âme. Parmi les hautes faveurs qu'elle reçoit alors, visions et révélations qui appartiennent, il est vrai, aux sixièmes Demeures, se trouve la transverbération [2] qui lui confère la grâce de maternité spirituelle. Bientôt, l'effet de cette grâce apparaît dans l'instauration de la Réforme et la fondation du monastère de Saint-Joseph d'Avila.

Il paraît bien que la Sainte, en fondant ce monastère, se proposait seulement de créer une solitude qui lui permît de vivre dans une intimité profonde avec le Christ Jésus [3].

Cependant, ajoute-t-elle, au fur et à mesure que le temps s'écoulait, s'allumaient en moi les plus ardents désirs de contribuer au salut de quelques âmes. Il me semblait souvent que j'étais

---

1. *Vie*, ch. IV, p. 39.
2. *Ibid.*, ch. XXIX, pp. 308-309.
3. *Ibid.*, ch. XXXII ; *Chem. Perf.*, ch. I.

comme une personne qui, ayant un riche trésor en réserve et voulant en faire part à tout le monde, se trouverait les mains liées, sans pouvoir le distribuer. Mon âme me semblait donc ainsi enchaînée. Les grâces dont le Seigneur la favorisait à cette époque étaient très élevées, mais, demeurant en moi seule, elles me paraissaient mal employées. Je ne cessais de travailler à la gloire de Dieu par mes pauvres prières et je portais les Sœurs à faire de même. Je stimulais leur zèle pour le salut des âmes et l'augmentation de l'Église. Tous ceux qui s'entretenaient avec elles se retiraient toujours édifiés. C'est de la sorte que je contentais les vifs désirs dont j'étais embrasée [1].

Les nouvelles reçues des guerres de religion qui sévissent en France [2] et la visite du Père franciscain, de retour des Indes occidentales, qui lui dit « combien de millions d'âmes s'y perdaient faute d'instruction religieuse [3] » accroissent et explicitent ces ardeurs d'apostolat, la déterminent à fonder de nouveaux monastères en leur donnant un but apostolique [4] et à étendre sa Réforme aux religieux qui, eux, pourraient travailler au salut des âmes.

Ainsi nous apparaît comment progressivement, sainte Thérèse a découvert l'Église qui est le Christ total, comment elle a expérimenté l'unité qui la constitue, les liens de vie profonde qui unissent les âmes au Christ et entre elles, en portant dans son cœur les blessures que le Christ recevait en France et en souffrant jusqu'aux larmes, de la misère morale de ces millions d'âmes qui se perdaient dans la lointaine Amérique. Entrée ainsi par les profondeurs dans l'Église de son temps, elle y a trouvé la place et la mission que Dieu, en son dessein éternel, lui avait assignées à elle-même et à sa Réforme.

Cette double découverte n'est pas intellectuelle. Profonde et vivante, elle procède d'une lumière d'amour qui pénètre toute l'âme, y crée un mouvement de fond et s'impose désormais à toute l'activité intérieure et extérieure.

Ce zèle nouveau n'est plus en effet, comme on l'affirme parfois, un simple débordement du superflu qui laisserait l'âme à elle-même et à ses soucis de perfection personnelle, ne lui permettant d'utiliser pour les autres que les forces inemployées. C'est un mouvement de fond et vital, qui emporte toute l'âme et la livre tout entière à l'Église et à ses membres. Ce n'est pas un vase qui déborde, mais un bassin dont toutes les vannes sont ouvertes pour

---

1. *Fondat.*, ch. I, p. 1074.
2. *Chem. Perf.*, ch. I, p. 583
3. *Fondat.*, ch. I, p. 1075.
4. *Chem. Perf.*, ch. I, p. 584.

féconder le champ de l'Église. La perfection actuelle pour cette âme est dans le don complet d'elle-même et sans réserve aucune, à l'Église.

Mais ne court-elle pas quelque danger à se donner ainsi sans mesure ? Oui peut-être en ces cinquièmes Demeures, et sainte Thérèse l'en avertit [1], tout en affirmant la nécessité de ce don ; mais bientôt cette perte de soi ne sera plus qu'un enrichissement. Bien plus, dès maintenant, elle est nécessaire au perfectionnement de l'âme. Pour mériter la purification essentielle dont elle a besoin, il faut tout d'abord qu'elle rende de grands services à Dieu [2], et c'est l'exercice du zèle qui lui assurera normalement une part importante de cette purification elle-même. Mais n'anticipons pas.

Qu'il nous soit permis cependant de signaler dès maintenant l'écueil de cette spiritualité qui ne veut être que recherche de pureté et de perfectionnement de l'âme, qui ne va à Dieu que pour recevoir et devenir un satellite brillant du Soleil divin. Pour cela, on fuit, on s'isole, on évite tous les contacts, soit intérieurs soit extérieurs, qui pourraient être un obstacle à la réalisation de cette beauté que l'on veut sans tache et uniquement divine. Sainte Thérèse nous a dit combien cette attitude d'âme était indispensable pendant une première période. D'autre part, il est des vocations et des états qui n'ont pas le droit de se porter à l'action extérieure. Mais, ces réserves faites, qui ne voit le subtil égoïsme spirituel qui se cache dans cette conception de la perfection qui renoncerait pour toujours à entrer dans le mystère de l'Église ? Cet égoïsme arrêterait le mouvement de l'amour s'il ne lui donnait la mort. Le splendide isolement de cette âme pourrait tout au plus ressembler à ces lacs qui retiennent les eaux du torrent et les fixent ; il est à craindre qu'en gardant jalousement ses eaux, il n'oblige le torrent à détourner son cours, et ne trouve bientôt, dans le vide de son âme, que le souvenir des dons reçus autrefois.

A n'en pas douter, l'âme en ces régions, doit se donner. Par l'union de volonté, le Christ est devenu sa demeure. Elle ne progressera qu'en se laissant emporter par le mouvement de la pensée et de l'amour du « Christ qui a aimé son Église et a donné sa vie pour elle [3] ». Pour l'âme comme pour le Christ, l'Église est devenue la réalité

---

1. Ve Dem., ch. IV, p. 922.
2. *Vive Fl.*, str. II, p. 963.
3. Ep 5, 25.

vivante dans laquelle et pour laquelle elle doit vivre, travailler et mourir. L'union de l'âme avec le Christ est orientée vers une unité plus haute, celle du Christ avec son Église.

Sommes-nous en face d'une loi générale ? Cette découverte pratique de l'Église, après une période qui prépare l'emprise divine, s'impose-t-elle à toute sainteté ? Certes, il est bien des moyens de découvrir et de réaliser pratiquement le dogme de l'Église. Sainte Thérèse nous présente une expérience qu'on ne saurait affirmer universelle. Mais si nous nous détachons des modes extérieurs et ne retenons que la ligne générale, ne la retrouvons-nous pas dans les ascensions spirituelles des géants de sainteté, que l'Esprit Saint, dans les premiers siècles de l'Église, conduisit sur les sommets ? L'Esprit Saint saisit les apôtres, les enflamma des ardeurs du zèle et les livra à l'Église pour que, dans la souffrance et les travaux, ils y devinssent des apôtres parfaits et des saints. Ceux qu'on appelle à juste titre les Pères de l'Église avaient vécu pour la plupart d'abord dans la solitude ; c'est là que l'Esprit les saisit pour les lancer de nouveau dans le monde, comme des témoins et des instruments de sa grâce, et leur faire réaliser, dans les travaux soutenus pour sa gloire, à la fois leur mission et leur sainteté.

Telle est en effet l'ordonnance du plan divin : la Sagesse prend une humanité, elle l'immole et la donne en nourriture : Incarnation, Rédemption, l'Église ! Telle est la logique divine des mystères, telles sont les étapes des réalisations divines, l'Église étant la fin de toutes choses. Nous devons retrouver partout cette logique et cette ordonnance. C'est elle qui doit marquer par conséquent les étapes de la sainteté.

Et, en effet, dans la spiritualité que nous présente sainte Thérèse, l'union de volonté, qui est une emprise de la Sagesse, sera suivie des travaux purificateurs et rédempteurs des sixièmes Demeures qui précéderont l'union et le don parfait à l'Église, aux septièmes Demeures.

SAINTETÉ
POUR L'ÉGLISE

« C'est là qu'habite l'âme déjà blessée d'amour de Dieu [1] », écrit sainte Thérèse au seuil des sixièmes Demeures. Dieu a pris cette âme et s'est manifesté à elle. En ce contact profond, des ardeurs d'amour se sont allumées. C'est un printemps plein de promesses, mais ce n'est qu'un printemps. Les bourgeons gonflés de sève réclament pour éclater et s'épanouir à la fois les ondées bienfaisantes et les ardeurs brûlantes du soleil. L'âme n'est pas assez transparente pour qu'apparaisse en elle la face de son Dieu ; son regard n'est pas assez pur pour la découvrir. Ne faut-il pas aussi qu'elle devienne en même temps un parfait instrument de l'amour ?

La Sagesse elle-même se met à l'œuvre. Nulle part elle n'étalera des jeux divins plus brillants et plus miséricordieux. Elle enrichit et appauvrit ; elle se découvre pour embraser et elle se cache pour attiser la flamme des désirs ; elle brise pour assouplir et elle blesse pour guérir. Ainsi elle purifie, transforme et pacifie.

Pauvre et confiante, souple et forte, l'âme parvient aux fiançailles spirituelles ; c'est une première étape. Elle sera élevée plus tard au mariage spirituel ou union transformante et découvrira alors en elle les plus hautes merveilles que Dieu puisse réaliser ici-bas en une pure créature.

En ces régions où l'action divine se fait transformante et unissante, sainte Thérèse se trouve chez elle. Elle s'y attarde volontiers. Cent pages, plus du tiers du *Château Intérieur*, sont consacrées à la description des sixièmes

---

1. VIe Dem., ch. I, p. 927.

Demeures ; trente-cinq pages aux septièmes Demeures. En tout, plus de la moitié du traité. Remercions-en la Sainte. C'est ici, en effet, le véritable domaine de la Sagesse, celui où elle établit son règne dans l'âme et où elle réalise son grand œuvre de sanctification.

Régions peu fréquentées, dira-t-on ! Oui, il faut le reconnaître, les saints sont rares. Aussi rares que les âmes qui se livrent sans aucune réserve aux volontés et aux opérations de l'Amour.

Ne reculons pas cependant devant cette étude. La lumière qui brille sur ces sommets, pour être sublime, n'en est que plus simple et plus limpide. Elle précise en des lignes nettes et pures le but à atteindre. Elle projette aussi ses feux sur les pentes de la montagne où nous cheminons. Puisse-t-elle faire grands nos désirs et forte notre confiance !

CHAPITRE PREMIER

Enrichissements divins

C'est Dieu lui-même qui opère alors [1].

Sur les hauts plateaux de l'union de volonté, « pendant un temps très long et même des années [2] », l'âme a trouvé les facilités reposantes de la marche en palier et la nourriture savoureuse des hauts pâturages. Avec le psalmiste, elle peut dire :

> Yahweh est mon Pasteur...
> Il me fait reposer dans de verts pâturages,
> Il me mène près des eaux rafraîchissantes
> Il restaure mon âme [3].

Le divin Pasteur la prépare ainsi aux rudes tâches qui l'attendent.

Voici en effet, qu'aux confins du plateau se dressent les pentes abruptes de la nuit de l'esprit. Leur ombre austère s'est parfois déjà projetée sur la route en ces signes avant-coureurs dont parle saint Jean de la Croix [4]. L'âme est maintenant à pied d'œuvre. L'ascension s'impose. S'y refuser serait se stabiliser, peut-être tout perdre.

Il est normal que, dès le début de cette période d'ascension des sixièmes Demeures, sainte Thérèse parle des souffrances qu'on y trouve ; plus normal peut-être encore, que saint Jean de la Croix, que la nuit attire parce que les âmes y sont en détresse, aille directement aux obscurités de l'angoisse.

Pour nous qui avons seulement le désir d'expliquer et de commenter l'enseignement de nos maîtres carmélitains, nous croyons devoir parler d'abord des enrichissements divins de cette période. Ce n'est pas crainte de

---

1. *Vive Fl.*, str. III, p. 1023.
2. *Nuit Obsc.*, Liv. II, ch. I, p. 547.
3. Ps 22, 1-3. Trad. Crampon.
4. *Nuit Obsc.*, Liv. II, ch. I, p. 548.

décourager, mais plutôt désir d'éclairer en mettant au premier plan la vérité qui explique tout en cette étape suprême d'ascension et qui donne la perspective réelle et vivante en laquelle doivent s'insérer tous les phénomènes qu'on y rencontre.

Cette vérité c'est « que dans l'état dont nous parlons, c'est Dieu qui est l'agent [1] ». Si la nuit voile d'obscurité la face du bon Pasteur, il reste présent cependant et plus actif que jamais. C'est Lui qui illumine, purifie, embrase et unit. La nuit n'est si obscure et si douloureuse que parce que le Pasteur conduit l'âme « par les droits sentiers, à cause de son nom [2] ».

Affirmer cette vérité de l'action prédominante de Dieu, marquer les traits caractéristiques de cette action et en indiquer les modes divers, tel sera l'objet de notre étude préliminaire.

A. — *LA SAGESSE, OUVRIÈRE DE SAINTETÉ*

Dans les quatrièmes Demeures, l'action de Dieu étant intermittente et n'atteignant que certaines puissances, elle était mélangée à beaucoup d'éléments humains et d'activité naturelle. L'union de volonté a marqué un progrès très sensible. L'âme prise par Dieu, arrachée à son milieu, est orientée par celui qui la saisit vers d'autres régions et d'autres tâches. L'union de volonté, emprise de Dieu sur l'âme, est une base de départ car elle va permettre à Dieu d'agir à son gré.

Le sceau divin que l'âme a reçu, porte en lui l'annonce du dessein de Dieu ; il ne livrera son secret qu'à l'expérience des régions supérieures. Pour l'instant, tout est obscurité et ardeurs nouvelles. En cette obscurité cependant une certitude brille : l'âme a été en Dieu. De Dieu qui l'a prise et des régions secrètes où il l'a conduite, elle garde la nostalgie ardente. Le petit papillon est inquiet, dit sainte Thérèse, et ne sait où se poser.

Mais où ira ce pauvre petit papillon ? Retourner au lieu d'où il est sorti ? il ne le peut. Car je le répète, l'âme ne saurait arriver par elle-même à cette faveur ; tous ses efforts sont inutiles, tant qu'il ne plaît pas à Dieu de la lui accorder de nouveau [3].

Cette union est exclusivement œuvre de Dieu. Cette vérité proclamée à l'occasion de la grâce mystique d'union

---

1. *Vive Fl.*, str. III, p. 995.
2. Ps 22, 3.
3. Vᵉ Dem., ch. II, p. 906.

des cinquièmes Demeures était déjà clairement contenue dans la classification des divers degrés d'oraison donnée par la Sainte dans le livre de sa *Vie*. Toutes les oraisons supérieures à la quiétude et au sommeil des puissances des quatrièmes Demeures sont figurées par la pluie abondante qui marque une action plénière de Dieu.

Enfin, écrit la Sainte, il y a la pluie abondante : c'est le Seigneur qui arrose alors sans aucun travail de notre part, et ce mode d'arrosage est sans comparaison supérieur à tous ceux dont nous avons parlé [1].

Les descriptions du *Château Intérieur*, plus précises et plus nuancées laisseront mieux voir les degrés et les effets de ces emprises parfaites et, il faut le noter, l'affirmation de l'action souveraine de Dieu en ces régions reste sous-jacente en chacune. Elle est à peine répétée tant elle est considérée comme vérité reconnue. Pour sainte Thérèse, ces régions sont le domaine de la théologie mystique ou sagesse secrète de Dieu. Ce sont des ateliers divins où la Sagesse œuvre elle-même la sainteté des âmes, ou plutôt c'est une Demeure qui est « le Christ ou Dieu lui-même, ce qui est tout un [2] ». Aussi l'unique préoccupation de la Sainte sera-t-elle de déceler les contrefaçons que la maladie, la mauvaise foi ou le démon peuvent produire.

Plus explicites encore sont les affirmations de saint Jean de la Croix. A tous les degrés de cette ascension, le saint Docteur revient sur la part prépondérante et essentielle de l'action de Dieu. Voici une définition de la nuit :

Cette nuit obscure est une influence de Dieu dans l'âme qui la purifie de ses ignorances... C'est là dans le secret que Dieu instruit l'âme et lui apprend la perfection de l'amour sans qu'elle-même y coopère ou comprenne de quelle sorte est cette contemplation infuse. En tant qu'elle est sagesse de Dieu pleine d'amour, Dieu en produit les effets principaux dans l'âme ; car il la dispose à l'union d'amour avec lui en la purifiant et en l'éclairant. Ainsi c'est la même Sagesse pleine d'amour qui purifie les esprits bienheureux en les éclairant, et qui purifie l'âme ici-bas en l'illuminant [3].

Pendant les longues sécheresses silencieuses, « c'est Dieu qui est là et qui fait son œuvre dans l'âme [4] ».

Dans la *Vive Flamme*, le traité serein et paisible des plus hauts états de la vie spirituelle, le Saint revient

1. *Vie*, ch. XI, p. 107.
2. Vᵉ Dem., ch. II, p. 903.
3. *Nuit Obsc.*, Liv II, ch. V, p. 558.
4. *Ibid.*, ch. VIII, p. 576.

plusieurs fois sur les rudes ascensions qui les ont précédés pour proclamer énergiquement la même vérité :

Il faut savoir avant tout, écrit-il, que si l'âme cherche Dieu, son Bien-aimé, qui est Dieu, la cherche elle-même avec infiniment plus d'amour [1].

C'est pour la préparer à l'union non pas seulement par des purifications douloureuses, mais par des onctions enrichissantes.

L'âme doit comprendre que Dieu, par toutes ces faveurs, ces onctions et les parfums de ces onctions n'a d'autre désir que de la préparer à d'autres onctions plus élevées, plus délicates et plus dignes de lui ; il veut la faire parvenir à une disposition tellement pure et spirituelle qu'elle mérite son union avec lui et sa transformation substantielle en lui avec toutes ses puissances.

L'âme doit bien considérer que dans cette affaire, c'est Dieu qui est le principal agent [2].

Il importe, en, effet, que l'âme ne l'ignore pas, pour qu'elle se laisse

conduire par la main là où elle ne saurait aller par elle-même, c'est-à-dire à ces choses surnaturelles qui dépassent la portée de son entendement, de sa volonté et de sa mémoire [3].

C'est avec plus de vigueur encore que le Saint rappelle cette vérité au directeur qui a ses idées et ses méthodes.

Le guide spirituel de ces âmes doit bien considérer que le principal agent, le guide moteur de ces âmes, dans une pareille affaire, ce n'est pas lui, mais l'Esprit Saint qui ne cesse jamais de veiller sur elles. Ils ne sont eux-mêmes que des instruments [4].

Les préparations terminées, l'action de Dieu va s'amplifiant, s'approfondissant. Dieu se précipite dans l'âme purifiée pour la prendre tout entière.

Ainsi le soleil est tout prêt à entrer dès le matin dans votre appartement aussitôt que vous en ouvrez les fenêtres. Telle est la conduite de Dieu qui veille sur Israël ; il ne dort pas [5] ; mais il entre dans l'âme qui est détachée absolument de toutes créatures et la remplit de ses trésors. Dieu est donc tout prêt à pénétrer dans les âmes comme le soleil dans un appartement [6].

---

1. *Vive Fl.*, str. III, p. 992.
2. *Ibid.*, p. 993.
3. *Ibid.*
4. *Ibid.*, p. 1004.
5. Ps 120, 4.
6. *Vive Fl.*, str. III, p. 1006.

Enrichissements divins

Envahissements divins, blessures de « cette flamme qui est l'Esprit Saint [1], » fiançailles spirituelles, tous « jeux de la Sagesse éternelle [2] » conduisent l'âme à l'union parfaite.

Les jeux divins continuent en la substance de l'âme où l'Esprit Saint célèbre la fête de l'amour [3], où le Verbe repose comme endormi et se soulève parfois en d'admirables réveils [4] qui découvrent à l'âme ses sublimes richesses, la brûlure suave de l'Esprit Saint, la touche délicate du Verbe et la douce main du Père [5]. L'action de Dieu en ces hautes régions est directe, bien que pour l'ordinaire elle reste hiérarchisée comme toute action providentielle.

Cette même Sagesse de Dieu qui purifie les anges de leurs ignorances, explique le Saint, les instruit et les éclaire sur ce qu'ils ignoraient ; elle découle de Dieu et passe par les premières hiérarchies pour arriver jusqu'aux dernières, et de celles-ci enfin jusqu'aux hommes. Voilà pourquoi il est dit dans la sainte Écriture, en toute vérité et en toute propriété de termes, que toutes les œuvres des anges, comme toutes leurs inspirations sont d'eux et de Dieu à la fois. Dieu, en effet, a coutume de faire dériver ses volontés par les anges ; et ceux-ci à leur tour se les communiquent les uns aux autres sans retard, comme le rayon de soleil qui traverse une foule de vitres placées sur une même ligne. S'il est vrai que le rayon les traverse toutes, cependant chaque vitre le renvoie à l'autre, mais avec plus ou moins de force et d'éclat, selon qu'elle est plus ou moins rapprochée du soleil... Il suit de là que l'homme étant le dernier à qui parviendra cette contemplation amoureuse, quand il plaira à Dieu de la lui donner, la recevra à sa manière imparfaite et d'une façon très limitée et pénible [6].

Bien des faveurs extraordinaires comme les visions et même cette grâce de paternité qui assure les prémices de l'esprit et permet de les transmettre [7] sont l'œuvre des anges.

Les plus hautes faveurs cependant, comme la blessure dont parle la deuxième strophe de la *Vive Flamme,* sont des touches

que la Divinité seule fait à l'âme sans l'intermédiaire d'une forme ou d'une figure quelconque [8].

---

1. *Vive Fl.*, str. i, p. 926.
2. *Ibid.*, p. 918.
3. *Ibid.*, p. 919.
4. *Ibid.*, str. iii.
5. *Ibid.*, str. ii.
6. *Nuit Obsc.*, Liv. II, ch. xii, p. 599.
7. *Vive Fl.*, str. ii, pp. 950-951.
8. *Ibid.*, str. ii, pp. 949-950.

Sainteté pour l'Église

Que les communications surnaturelles arrivent directement à l'âme par une touche immédiate de Dieu ou par la causalité instrumentale des anges, elles sont œuvre de la Sagesse d'amour dans le sens que nous indiquons, c'est-à-dire qu'elles excluent la causalité humaine et procèdent d'une action première de Dieu et d'un de ses vouloirs particuliers pour l'âme.

D'ailleurs, l'âme qui, habituellement, ne se rend pas compte de la présence d'un intermédiaire lorsqu'il existe (il faut pour le découvrir la pénétration d'un saint Jean de la Croix ou d'une sainte Thérèse), prend conscience de ce vouloir particulier et de cette action de Dieu. Elle se sent l'objet d'une emprise précédée elle-même d'un choix divin. Dès la première page de son autobiographie, sainte Thérèse de l'Enfant-Jésus exprime avec la simplicité délicieuse qui lui est propre cette prise de conscience très nette du choix divin qui explique tout :

> Ouvrant le Saint Évangile, mes yeux sont tombés sur ces mots : « Jésus étant monté sur une montagne, il appela à Lui ceux qu'il lui plut et ils vinrent à Lui [1]. » (St-Marc, Chap. III, v. 13). Voilà bien le mystère de ma vocation, de ma vie tout entière et surtout le mystère des privilèges de Jésus sur mon âme... Il n'appelle pas ceux qui en sont dignes, mais ceux qu'il Lui plaît ou comme le dit St Paul : « Dieu a pitié de qui Il veut et Il fait miséricorde à qui Il veut faire miséricorde [2]. Ce n'est donc pas l'ouvrage de celui qui veut ni de celui qui court, mais de Dieu qui fait miséricorde [3] » [4].

L'efficacité de ce choix divin se découvre à l'âme beaucoup plus dans l'enchaînement merveilleux des grâces reçues, que dans telle faveur particulière :

> Votre amour m'a prévenue dès mon enfance, écrit sainte Thérèse de l'Enfant-Jésus en s'adressant à Dieu, il a grandi avec moi et maintenant c'est un abîme dont je ne puis sonder la profondeur [5].

Le témoignage de la petite Sainte rejoint celui de l'Apôtre qui avait écrit : « C'est par la grâce de Dieu que je suis ce que je suis [6] ».

Tous les saints qui ont franchi les plus hauts degrés de la sainteté s'unissent ainsi dans un chant de reconnaissance qui rend à Dieu ce qu'ils en ont reçu, c'est-à-dire la sainteté elle-même.

---

1. Mc 3, 13.
2. Ex 33, 19.
3. Rm 9, 16.
4. *Man. Autob.*, A fol. 2 r°.
5. *Ibid.*, C fol. 35 r°.
6. 1 Co 15, 10.

Cette prise de conscience dans la lumière des sommets et la conviction qu'elle crée, nous paraissent le témoignage le plus impressionnant de l'action souveraine de Dieu dans l'œuvre de la sanctification, spécialement en ces dernières étapes où la Sagesse d'amour se révèle par des interventions directes.

B. — *CARACTÈRES DE CETTE ACTION DIVINE*

Avant d'étudier en détail l'action de Dieu en cette dernière étape de la vie spirituelle, signalons dès maintenant ce qui la caractérise, afin d'en prendre une idée d'ensemble.

En ces régions, la Sagesse infuse l'amour dont la profondeur indique la qualité, un amour qui purifie et unit, qui est source de lumière, qui réalise progressivement une présence divine intérieure et fait de l'âme un instrument divin.

I. — *La Sagesse infuse de l'amour.*

L'union de volonté était déjà le fruit d'une infusion d'amour qualifié et sainte Thérèse note que les sixièmes Demeures sont habitées par une âme blessée par l'amour [1]. Toutes les faveurs décrites ultérieurement par la Sainte ont comme effet principal le développement d'un amour que l'âme reçoit passivement. Les impulsions délicates et subtiles dont elle parle en premier lieu sont « quelque étincelle échappée de ce brasier d'amour qui n'est autre que mon Dieu, tombée sur l'âme pour lui faire sentir les ardeurs de ce feu [2] ». Les ravissements font « grandir au plus intime d'elle-même cette étincelle. L'âme tout entière est embrasée ; elle se renouvelle comme le phénix [3] ». « Comme l'âme brûle d'un amour si tendre, écrit encore la Sainte, la plus petite occasion qui active son feu lui fait prendre son vol. Voilà pourquoi les ravissements lui sont très fréquents [4] ». Tour à tour, les peines qui « sont destinées à faire concevoir un désir plus vif de

1. VIᵉ Dem., ch. I, p. 927.
2. *Ibid.*, ch. II, p. 940.
3. *Ibid.*, ch. IV, p. 957.
4. *Ibid.*, ch. VI, p. 974.

jouir de l'Époux divin » [1] et les visions qui révèlent sa présence augmentent l'amour jusqu'à ce qu'enfin arrivent ces angoisses quasi intolérables [2] qui annoncent l'union parfaite.

Saint Jean de la Croix qui avait souligné précédemment les effets de la lumière divine, parle maintenant à peu près le même langage que sainte Thérèse. C'est une âme blessée par l'amour qu'il nous présente lui aussi au début du *Cantique*, et dans la *Vive Flamme*. Ce sont les envahissements de l'amour, reçus passivement dans la contemplation qui constituent la nuit obscure qu'il appelle splendidement la « nuit obscure du feu d'amour [3] ». C'est la même flamme, à savoir l'Esprit Saint, qui plus tard la glorifiera et qui maintenant la pénètre pour la purifier [4]. Ces assauts de l'amour dans l'âme ressemblent à ceux du feu matériel qui attaque un madrier, l'enveloppe, le dessèche, le pénètre et le transforme en feu [5].

Cette comparaison traduit bien l'expérience des flammes de l'amour que sainte Thérèse de l'Enfant-Jésus exprimait en quelques mots après son offrande à l'Amour miséricordieux :

Ah ! depuis cet heureux jour, il me semble que l'Amour me pénètre et m'environne, il me semble qu'à chaque instant cet Amour Miséricordieux me renouvelle, purifie mon âme et n'y laisse aucune trace de péché... [6].

Toute l'action de Dieu est infusion d'amour ; c'est l'amour qui fait la conquête de l'âme, passive sous ses assauts.

Ce mot amour exprime toute l'expérience de l'âme en ses contacts intimes avec le souverain Bien, diffusif de lui-même. C'est ce même mot qui, de tout temps, a résumé l'expérience de ceux qui ont le plus approché Dieu et ont senti le dynamisme ardent de l'Être infini se penchant sur la misère humaine pour lui communiquer sa vie consumante et l'entraîner dans le mouvement de sa charité : « Dieu est feu consumant [7] », « Dieu est Amour [8] » ont dit Moïse, saint Jean, saint Paul.

---

1. VIᵉ Dem., ch. IV, p. 956.
2. *Ibid.*, ch. XI, pp. 1018 et s.
3. *Nuit obsc.*, Liv. II, ch. XII, p. 597.
4. *Vive Fl.*, str. I, p. 926.
5. *Ibid.* Voir aussi *Nuit de l'esprit*, ch. X, pp. 588-589 où la comparaison est plus développée.
6. *Man. Autob.*, A fol. 84 rº.
7. Ex 3, 2-6 ; Dt 4, 24 ; He 12, 29.
8. 1 Jn 4, 16.

II. — *Amour qualifié par les profondeurs où il agit.*

La comparaison du feu attaquant le bois, révèle déjà une pénétration progressive du feu de l'amour dans l'âme, d'une façon imparfaite cependant. Il faut l'expliquer, car profondeur signifie ici qualité.

Dans l'union mystique des cinquièmes Demeures, la rencontre divine s'est faite dans « le centre de l'âme [1] » :

Dieu s'établit lui-même dans l'intime de cette âme, de telle sorte que, quand elle revient à elle-même, elle ne saurait avoir le moindre doute qu'elle n'ait été en Dieu et que Dieu n'ait été en elle [2].

Ces régions profondes découvertes aux cinquièmes Demeures, vont s'ouvrir progressivement à la fois à l'action de la Sagesse et au regard de l'âme. C'est ce qui fait écrire à la Sainte, en décrivant ces cinquièmes Demeures :

Ce qui se passe dans la prochaine Demeure (sixième) est presque la même chose que dans celle-ci [3].

Au cours de la description des sixièmes Demeures, elle ajoutera :

Ces deux Demeures (celle-ci et la dernière) pourraient très bien être unies ; de l'une à l'autre, en effet, il n'y a point de porte fermée [4].

Déjà dans le livre de sa *Vie*, avec une expérience moins développée, il est vrai, elle avait groupé les oraisons de ces trois dernières Demeures sous la dénomination générale d'oraisons d'union.

Certes, de profondes différences justifient ce cloisonnement en Demeures séparées [5], mais ce que la Sainte a voulu signaler et qui nous importe pour l'instant, c'est que dans les grâces caractéristiques des cinquièmes Demeures et d'une façon de plus en plus habituelle dans les Demeures suivantes, l'action de Dieu est localisée en ces régions profondes, à savoir le centre de l'âme qui est la Demeure même de Dieu [6].

---

1. Ve Dem., ch. i, p. 900.
2. *Ibid.*, p. 898.
3. *Ibid.*, ch. ii, p. 905.
4. VIe Dem., ch. vi, p. 958.
5. VIIe Dem., ch. i, pp. 1029-1030, où se trouvent indiquées les différences entre l'union mystique simple et celle du mariage spirituel.
6. VIIe Dem., ch. ii, p. 1039.

Sainteté pour l'Église

Saint Jean de la Croix ne situe pas autrement les opérations de l'amour en cette période. La contemplation que l'âme y reçoit, est « le langage de Dieu à l'âme, ou de pur esprit à esprit pur ; tout ce qui est inférieur à l'esprit ne peut le percevoir [1] ».

Dans la *Vive Flamme* les localisations sont encore plus précises. Le Saint indique que, non seulement les blessures d'amour qui précèdent immédiatement l'union et les touches du Verbe qui la suivent [2], mais aussi les onctions subtiles et délicates qui purifient « pénètrent jusqu'au plus intime de la substance de l'âme [3] ».

Ces localisations, familières à tous les mystiques, ne sont point de purs symboles créés par l'imagination ; ils sont le fruit d'une expérience très nette. Sainte Thérèse se sent arrachée au monde extérieur par la grâce mystique et introduite dans l'obscurité des profondeurs d'elle-même ; par le vol de l'esprit elle est entraînée en Dieu ; et dans le mariage spirituel elle est mise en présence de ce Dieu qui habite le centre de son âme.

Saint Jean de la Croix semble avoir un sens plus aigu encore de la profondeur. Après avoir établi la distinction entre la région des sens ou faubourgs bruyants, et celle de l'esprit, cachette très sûre contre tous les ennemis, « profonde et vaste solitude..., immense désert qui de toutes parts est sans limites [4] », il semble constamment préoccupé pour lui et pour les autres, de découvrir et de faire découvrir de nouvelles profondeurs dans l'âme. Toute sa technique spirituelle est dans un dépassement incessant dans la profondeur pour trouver Dieu davantage.

---

1. *Nuit obsc.*, Liv. II, ch. XVII, p. 628.
2. *Vive Fl.*, str. II, pp. 955-956.
3. *Ibid.*, str. III, p. 1023.
Ce serait le moment d'étudier avec les théologiens si cette action de Dieu, ou infusion d'amour dans les profondeurs de l'âme et jusqu'en sa substance, se fait par les dons du Saint-Esprit ou directement sans leur intermédiaire.
Cette étude nous ferait sortir de la ligne que nous impose notre but exclusivement pratique. Qu'il nous soit permis cependant de faire remarquer que si l'on considère les dons du Saint-Esprit, non pas seulement dans leur diversité spécifique, qui oriente chacun d'eux vers un don particulier de Dieu, mais dans leur réalité essentielle et commune qui est la passivité ou puissance obédientielle de la charité, on ne voit pas pourquoi les dons du Saint-Esprit ne suffiraient pas à recevoir cette action de Dieu dans la substance de l'âme. Il importerait donc, avant tout, on le voit, que la théologie s'attache à préciser la nature intime des dons pour résoudre ces problèmes, plutôt que d'aller vers le thème plus facile des propriétés de chaque don en particulier.
4. *Nuit obsc.*, Liv. II, ch. XVII, p. 629.

C'est qu'en effet, saint Jean de la Croix a saisi que profondeur équivaut à qualité et force de l'amour. Lui seul peut nous expliquer cela :

Tout d'abord, note-t-il, nous devons savoir que l'âme, en tant que substance spirituelle, n'a ni haut, ni bas, ni partie plus profonde ou moins profonde, comme les corps soumis aux lois de la quantité. Elle n'est pas composée de parties ; son intérieur ne diffère en rien de son extérieur ; elle est complètement simple [1].

Cependant

dans le langage ordinaire, nous appelons le centre le plus profond de l'âme le point extrême où peut parvenir son être, sa vertu, la force de son opération et de son mouvement.

Ces préliminaires posés, le Saint continue :

Or le centre de l'âme c'est Dieu ; quand elle y arrive selon la capacité de son être, la force de son activité et de ses inclinations, elle est parvenue à son centre le plus profond et le dernier qu'elle puisse atteindre en Dieu [2].

Cette force de pénétration, ce poids qui entraîne vers les profondeurs n'est pas autre chose que l'amour. *Amor, pondus meum*. L'amour est un poids selon la parole de saint Augustin.

Il faut remarquer, explique en effet saint Jean de la Croix, que l'amour est une inclination de l'âme, une force ou une faculté qu'elle possède pour aller à Dieu ; c'est par l'amour qu'elle s'unit

---

1. *Vive Fl.*, str. I, p. 919. Cette affirmation de la simplicité de l'âme semble rendre illusoires les localisations dont il a été question et l'expérience mystique sur laquelle elles s'appuient. Il n'en est rien cependant.
Remarquons d'abord que la simplicité de l'âme n'empêche pas la distinction des puissances de l'âme entre elles et avec l'essence de l'âme. Dans la substance elle-même sainte Thérèse voit une certaine différence entre l'âme et l'esprit, comme celle qui existe entre la flamme et le foyer. L'action de Dieu peut donc, à juste titre, être expérimentée d'une façon distincte sur chacune des facultés ou sur la substance de l'âme.
Mais il convient surtout de noter que l'expérience porte davantage sur le dynamisme de l'amour que sur son terrain d'action. Or, cet amour, infusé par Dieu dans la substance de l'âme, la conquiert et la pénètre progressivement à la façon de l'huile qui pénètre et imbibe progressivement un corps dur. C'est ce progrès conquérant de l'amour qu'atteint l'expérience et qu'elle enregistre comme un mouvement. Lorsque l'âme a reçu la mesure d'amour pour laquelle elle est faite, ou en d'autres termes, lorsque l'amour a développé toute sa force en conquérant l'âme et ses facultés selon la perfection que Dieu a fixée pour elle, cet amour a atteint le centre le plus profond et a réalisé l'union dont il était capable. On le voit, la substance de l'âme reste simple, mais il y cependant un progrès de l'amour conquérant, et c'est ce progrès qui est expérimenté comme un approfondissement.
Ces explications semblent s'accorder avec ce que dit ensuite saint Jean de la Croix de la force de pénétration de l'amour.
2. *Vive Fl.*, str. I, pp. 919-920.

à Lui ; voilà pourquoi plus elle possède de degrés d'amour, plus elle pénètre dans les profondeurs de Dieu et se concentre en Lui. Aussi pouvons-nous dire que, par les degrés d'amour que l'âme gravit, nous pouvons compter les degrés toujours plus intimes du centre divin où elle pénètre... C'est de la sorte que nous pouvons comprendre cette parole du Fils de Dieu qui nous déclare que dans la maison de son Père il y a beaucoup de demeures [1]. Ainsi, pour que l'âme soit dans son centre qui est Dieu, il suffit qu'elle ait un degré d'amour... ; si elle en possède deux, elle s'unira à Lui et s'enfoncera davantage en Lui en pénétrant dans un centre plus intérieur ; si elle en possède trois, elle avancera encore d'un degré de plus dans l'intimité de Dieu [2].

Sens et esprit ne constituent donc qu'une première mesure ou étape de la profondeur. Lorsque l'esprit est atteint, l'amour en se perfectionnant creuse dans la substance de l'âme des profondeurs successives qui sont le signe de sa qualité.

Ce langage rejoint le symbolisme thérésien du *Château Intérieur* dans lequel le développement de l'amour et de l'union à Dieu est marqué par la progression à travers des Demeures de plus en plus intérieures jusqu'à la septième où se réalise l'union transformante.

Intériorisation et profondeur sont donc en fonction de la qualité et de la force de l'amour. Aussi le Saint ajoute :

Quand donc l'âme nous déclare ici que la flamme d'amour l'a blessée dans son centre le plus profond, elle signifie que l'Esprit Saint l'a blessée et l'a investie dans tout ce qui est sa substance, sa vertu, et sa force .

III. — *Amour purifiant et unissant.*

Nous indiquons ici seulement pour mémoire cette propriété de l'amour. Déjà signalée, elle doit faire l'objet de plus longs développements car elle marque l'œuvre essentielle de l'amour en ces régions au point que sixièmes Demeures sont synonymes de purification profonde et de marche vers la perfection de l'union.

IV. — *Amour source de lumière.*

Après avoir signalé que les grâces des trois dernières Demeures se situent dans les mêmes profondeurs du centre de l'âme, sainte Thérèse note comme différence la plus

1. Jn 14, 2.
2. *Vive Fl.*, str. I, p. 921.
3. *Ibid.*, p. 922.

notable entre la grâce d'union mystique des cinquièmes
Demeures et l'union transformante des septièmes, le fait
que la première est reçue dans l'obscurité complète.

Dieu rendait alors l'âme aveugle et muette comme saint Paul lors
de sa conversion. Il lui enlevait la faculté de connaître comment et
de quelle manière était la faveur dont elle jouissait, car la joie
profonde que l'âme éprouvait alors était de se voir près de Dieu.
Mais quand Dieu l'unissait à Lui, elle ne comprenait plus rien, vu
que toutes ses puissances étaient suspendues. Ici (dans l'union transformante) il en est autrement. Notre Dieu de bonté veut que les écailles
des yeux de l'âme tombent enfin pour qu'elle voie et comprenne
par un mode extraordinaire quelque chose de la faveur qu'il lui
accorde [1].

C'est déjà la lumière qui distinguait des précédentes, les
faveurs des sixièmes Demeures. Décrivant ces faveurs, la
Sainte constate :

L'âme n'a jamais été aussi éveillée du côté des choses de Dieu,
et elle n'a jamais eu autant de lumière ni autant de connaissance
par rapport à Sa Majesté [2].

Ces lumières sont « certains secrets, certaines choses du
ciel, ou visions imaginaires », paroles intérieures, dont
l'âme peut ensuite rendre compte [3].

Elles font partie intégrante des ravissements, au point
que sainte Thérèse déclare :

Pour moi je suis persuadée que, si une âme ne comprend pas
certains de ces secrets de Dieu dans les ravissements dont elle est
l'objet, il ne s'agit pas de ravissements véritables, mais de quelque
faiblesse naturelle [4].

Ces faveurs extraordinaires thérésiennes signalent et
mettent en relief la qualité particulière de la grâce de la
Demeure dans laquelle elles se situent. Elles fournissent
donc, pour la détermination des étapes, des indications
précieuses qu'il est d'ailleurs aisé de vérifier.

Au début de la vie spirituelle, l'amour se nourrissait
de la connaissance distincte des vérités de la foi
réalisée selon les lois psychologiques normales. Lorsque
l'amour a jailli directement du fond de l'âme, soit en flots
savoureux ou dans une sécheresse paisible, il a mis
l'entendement dans l'impuissance. L'obscurité qui en
résultait est devenue plus profonde au début des sixièmes

---

1. VIIe Dem., ch. I, pp. 1029-1030.
2. VIe Dem., ch. IV, p. 958.
3. *Ibid.*
4. *Ibid.*, p. 961.

Demeures : c'est la pleine nuit de la purification de l'esprit. Mais outre que ces nuits sont parfois striées d'éclairs qui déchirent leur voile de ténèbres, et que l'âme est constamment éclairée par la contemplation infuse, sur elle-même et sur la transcendance de Dieu, au point qu'elle

voit combien sont vils, insuffisants et impropres tous les termes ou expressions dont on se sert pour parler ici-bas des choses divines [1],

voici qu'en ces sixièmes Demeures apparaissent les premières clartés de l'aurore :

De même que les approches du matin, écrit saint Jean de la Croix, chassent l'obscurité de la nuit et annoncent la lumière du jour, de même l'esprit qui jouit du calme et du repos en Dieu est élevé des ténèbres de la connaissance naturelle à la lumière matinale de la connaissance surnaturelle de Dieu. Cette connaissance n'est pas encore la connaissance claire de Dieu, ce n'en est qu'une connaissance obscure ; elle est semblable à cette partie de la nuit qu'on appelle le lever de l'aurore ; ce n'est plus la nuit, mais ce n'est pas encore le jour ; c'est quelque chose qui tient des deux à la fois [2].

Ce lever de l'aurore est produit par la lumière qui jaillit de l'amour. Saint Jean de la Croix nous explique en effet que les vérités surnaturelles s'inscrivent dans notre âme de deux façons : au moyen de la foi dans l'entendement et par l'amour dans la volonté.

L'âme dit qu'elle porte les vérités esquissées dans son cœur ou dans son âme par le moyen de l'entendement et de la volonté, écrit le Saint. C'est en effet l'entendement qui possède ces vérités qui lui sont infusées par la foi. Mais leur connaissance étant imparfaite l'âme dit que ces vérités sont esquissées ; car de même qu'une esquisse n'est pas une peinture parfaite, de même la connaissance de la foi n'est pas une connaissance parfaite...

Au-dessus de cette ébauche de la foi, il y a une autre ébauche, celle de l'amour dans l'âme de celui qui aime ; elle s'opère par la volonté... L'amour, en transformant ceux qui s'aiment, établit entre eux une telle ressemblance qu'on peut dire que chacun d'eux est l'autre et que tous les deux ne sont qu'un. La raison en est que dans l'union et la transformation d'amour chacun d'eux donne la possession de lui-même à l'autre, chacun s'abandonne, se livre et s'échange pour l'autre ; chacun d'eux vit dans l'autre, et est pour ainsi dire l'autre, et tous les deux ne sont qu'un par la transformation de l'amour [3].

---

1. *Nuit obsc.*, Liv. II, ch. XVII, p. 629.
2. *Cant Spir.*, str. XIII-XIV, p. 766.
3. *Ibid.*, str. XI, pp. 739-740.

Le langage précis de la théologie éclaire ces affirmations de saint Jean de la Croix. L'entendement, éclairé par la foi, ne saurait puiser dans les vérités surnaturelles que la connaissance dont il est capable, à savoir la connaissance analogique ou conceptuelle exprimée par les formules dogmatiques. Esquisse, mais qui peut être perfectionnée ici-bas.

Mais voici que l'amour se met à l'œuvre. Il transforme l'âme et l'unit à Dieu dans une compénétration mutuelle et une ressemblance qui deviennent chaque jour plus parfaites. De cette compénétration jaillit, grâce au don de sagesse, une expérience affective et une connaissance fruitive. La charité, participation de la vie de Dieu, a divinisé l'âme, l'a fait passer en Dieu comme la goutte d'eau dans l'océan et, par ce contact, elle lui fait expérimenter Dieu en elle, et lui donne ce qu'on appelle la connaissance par connaturalité [1].

Cette connaissance par connaturalité affective, qui procède de l'ébauche tracée dans la volonté par l'amour, devient assez nette aux sixièmes Demeures pour être comparée au lever de l'aurore. Elle ira normalement se développant avec les envahissements progressifs de l'amour. Éclairée parfois en des éblouissements soudains, par ce « murmure des zéphyrs pleins d'amour », communication et très haute connaissance de Dieu qui émanent de contacts substantiels [3], elle est habituellement « générale et obscure [4] », subtile et secrète, donnée à l'âme comme « une substance déjà toute comprise, dégagée de tout accident et de toute image [4] ». Elle est cependant réelle et vivante comme l'amour qui l'engendre. Et parce qu'elle procède d'un contact avec les profondeurs de Dieu et qu'elle balbutie les secrets intimes qu'elle y a expérimentés, elle corrige l'imperfection essentielle de la simple connaissance de foi, solidaire de la faiblesse de nos humbles moyens humains de connaître.

On peut, conclut saint Jean de la Croix, appeler cela une esquisse d'amour en comparaison de cette transformation parfaite qui ne s'accomplit que dans la gloire. Pourtant cette esquisse de transformation réalisée sur la terre, est déjà un bonheur excellent [5].

---

1. Sur cette connaissance par connaturalité, cf. J. Maritain dans *Études Carmélitaines*, octobre 1938, « L'expérience mystique naturelle et le vide », pp. 116-139.
2. *Cant Spir.*, str. XIV, p. 760.
3. *Vive Fl.*, str. III, p. 1009.
4. *Cant. Spir.*, str. XIII-XIV, p. 760.
5. *Cant. Spir.*, str. XI, pp. 740-741.

Sainteté pour l'Église

V. — *Amour réalisant les présences divines.*

Incontestablement, les lumières les plus précieuses données par cette science d'amour ont trait aux présences divines dans l'âme.

Déjà l'emprise du recueillement passif, les flots de la quiétude qui débordent sur la volonté ou sur toutes les facultés comme dans le sommeil des puissances, ont révélé à l'âme, aux quatrièmes Demeures, la présence en elle d'une source vivante et profonde. La source lui restait cependant lointaine comme l'est le glacier à celui qui se désaltère aux eaux vives du torrent qui en vient. Peut-être même s'est-elle trop délectée en cette saveur d'éternité et, comme noyée en cette plénitude débordante qui comblait ses désirs et ses capacités, a-t-elle cru qu'elle avait touché le sommet de l'expérience mystique et ne s'est-elle pas suffisamment dégagée de ces flots bienfaisants pour porter son regard vers la source vivante d'où ils lui venaient ? La saveur, plus subtile et plus austère, de la sécheresse contemplative peut produire les mêmes effets d'enveloppement aveuglant, et limiter à ce qu'elle donne, les aspirations de l'âme. Ces richesses savoureuses ne sont cependant que des dons de Dieu, peu de chose auprès du contact de Dieu lui-même que procurent les Demeures supérieures. La grâce mystique d'union des cinquièmes Demeures est une première entrevue qui donne à sainte Thérèse la certitude que Dieu est présent dans l'âme [1]. Les faveurs des sixièmes Demeures, les appels de l'Aimé, ses visites et ses absences vont étendre la blessure d'amour faite par ce premier contact. L'âme s'achemine ainsi vers l'entrevue des fiançailles où s'échangent les promesses, et vers le mariage spirituel qui consacre la possession mutuelle dans une vision intellectuelle du Bien-Aimé.

Dans cette chaîne de faveurs extraordinaires décrites par sainte Thérèse, apparaît lumineuse la grâce de fond de cette période et son développement progressif. Pour toutes les âmes en effet, quelles qu'elles soient, « toute la nuit de l'esprit n'est que l'acheminement douloureux vers cette connaissance expérimentale de l'Objet divin [2] ».

Acheminement douloureux, car la présence manifestée à l'âme n'est point assez claire et, en temps ordinaire,

---

1. V⁰ Dem., ch. IV, p. 921 ; ch. I, p. 898.
2. P. Lucien de Saint-Joseph, art. « A la recherche d'une structure » dans *Études Carmélitaines*, octobre 1938, p. 269.

pour lors, elle se voile d'ombres épaisses. Mais l'âme ne veut plus que l'Aimé lui-même :

> Ne m'envoyez plus
> Désormais de messagers
> Qui ne savent pas répondre à ce que je veux.

Comme l'âme constate que rien ne peut guérir sa douleur hors la vue et la présence du Bien-Aimé, elle ne veut aucun autre remède [1].

Le besoin de Dieu lui-même, au-delà de tous ses dons, de ses lumières et de ses emprises, fait le dynamisme de cette période. La réalisation progressive de sa présence en est un des traits caractéristiques.

S'adressant à Dieu, l'âme lui demande de révéler lui-même sa présence :

> O fontaine cristalline,
> Si sur vos surfaces argentées
> Vous faisiez apparaître tout à coup
> Les yeux tant désirés
> Que je porte esquissés dans mon cœur ! [2]

La double esquisse de la foi et de l'amour que l'âme porte en elle, lui révèle en premier lieu Dieu lui-même. Celle de l'amour est moins imparfaite. D'ailleurs, c'est celle qui jaillit des contacts vivants et directs de cette période. C'est vers elle que l'âme se porte pour réaliser la présence divine dont elle a un besoin si ardent.

Il s'agit en effet, de réaliser, au sens moderne du mot, la présence divine en l'enrichissant de relations intimes et profondes et de contacts directs et vivants [3]. Dieu ne change pas. Il est uniformément présent partout, sans plus ni moins. Ce qui peut changer, ce sont nos relations avec Lui, à savoir l'amour qu'Il répand, celui que nous Lui rendons. Ce sont ces échanges d'amour qui, en nous transformant et nous unissant à Lui, produisent la connaissance par connaturalité, créent la présence et nous la font réaliser.

C'est de l'obscurité de l'amour que monte la présence divine ; ce sont les profondeurs où l'amour fait ses échanges et réalise la ressemblance, qui nous livrent les traits de l'Aimé. Cette présence, indépendante de toute vision ou perception extraordinaire, fruit premier et

---

1. *Cant. Spir.*, str. VI, p. 716.
2. *Ibid.*, str. XI, p. 736.
3. C'est dans ce sens de réalisation de présence par la foi et surtout par l'amour, que saint Paul souhaite aux Éphésiens que Dieu leur fasse réaliser l'habitation du Christ dans leur âme : *Christum habitare per fidem in cordibus vestris* (Ep 3, 17).

essentiel de la connaissance par connaturalité, est obscure mais vivante, comme l'étreinte amoureuse qui la produit ; elle devient continuelle lorsque l'amour a rendu l'âme transparente et a scellé les liens de l'union.

La réalisation de cette présence comporte des étapes que nous aurons à préciser. Recueillons pour l'instant quelques témoignages qui disent combien elle est vivante et profonde au sein des ombres qui l'enveloppent.

Saint Jean de la Croix nous parle du Verbe qui repose, endormi, « dans le centre et le fond de son âme, dans sa pure et intime substance » et qui se soulève parfois en des réveils suaves et affectueux [1].

Sainte Thérèse de l'Enfant-Jésus disait à Mère Agnès de Jésus :

> Je ne vois pas bien ce que j'aurais de plus après la mort que je n'aie déjà en cette vie. Je verrai le bon Dieu, c'est vrai ; mais pour être avec Lui, j'y suis déjà tout à fait sur la terre [2].

Et pour marquer l'obscurité de cette présence vivante qu'aucune grâce extraordinaire ne révèle, elle écrivait pour expliquer le tableau « Le rêve de l'Enfant Jésus » :

> J'ai peint ce divin Enfant de manière à montrer ce qu'il est à mon égard... En effet Il dort presque toujours... Le Jésus de la pauvre Thérèse ne la caresse pas comme il caressait sa Sainte Mère [3].

Cette réalisation de présence ne s'arrête pas à la déité ; elle va d'une façon plus ou moins distincte, suivant la grâce de chacun, à chacune des trois Personnes divines [4], au Christ Jésus spécialement à qui la charité divine nous apparente comme fils de Dieu et nous incorpore comme membres de son Église. Peut-être même nous révèle-t-elle la présence de Marie, dont la fonction maternelle ne saurait rester inactive en cette génération spirituelle dont nous sommes les sujets [5].

---

1. *Vive Fl.*, str. IV, p. 1036.
2. *Dern. Ent.*, CJ 15.5.7.
3. Lettre à sœur Marie-Aloysia, de la Visitation du Mans, 3 avril 1894.
4. Certaines visions de sainte Thérèse, dont le symbolisme est ordinairement si près de la réalité, éclairent fort bien cette présence pénétrante d'amour qu'il faut réaliser. La Sainte vit un jour les trois Personnes divines se reproduisaient distinctement au-dedans de son âme (*Relations*, IX, p. 538), que leur image était empreinte en son âme (*Relations*, XXXIX, p. 562). Enfin, un jour, « au centre d'elle-même (de son âme) je vis le Christ Notre-Seigneur. Je le voyais, ce me semble, très clairement dans toutes les parties de mon âme, comme dans un miroir, et ce miroir, à son tour, se représentait tout entier sous je ne sais quel mode dans ce même Seigneur, par une communication toute d'amour qu'il me serait impossible de dépeindre » (*Vie*, ch. XL, p. 464).
5. Cf. *La Vie Mariale au Carmel*, éd. du Carmel, 1943, art. « Les Frères de Notre-Dame », par le P. Marie-Eugène de l'E.-J., pp. 28-35.

VI. — *Amour qui forme l'apôtre parfait.*

L'amour s'installe dans la volonté avant d'éclairer l'intelligence ; il saisit l'âme, la transforme et l'unit à Dieu, avant de s'épancher en connaissance de connaturalité. Aussi, il livre l'âme à Dieu comme instrument de ses desseins, avant même, ou plutôt en même temps qu'il en fait un contemplatif qui le découvre.

Unie à Dieu et transformée en Lui, l'âme ne peut plus s'en détacher et l'accompagne partout où le poids de miséricorde l'entraîne. Avec le Christ, elle redescend vers le monde et trouve dans l'Église son objet plénier, Dieu et le prochain. Active et réalisatrice, la charité ne peut que partager les travaux et l'immolation du Christ pour son Église.

Aussi, les mêmes envahissements d'amour qui, en cette étape suprême, unissent à Dieu et font réaliser sa présence, forment l'apôtre parfait qui est instrument de Dieu. Cette formation peut comporter des grâces charismatiques, tels les assauts du chérubin qui « transperce l'âme qui est déjà tout en feu » et lui confère ainsi « des trésors et des grandeurs en rapport avec la succession plus ou moins grande de ses enfants [1] ». Elle repose toujours sur des emprises profondes et elle est faite de découvertes lumineuses du Christ total, d'ardeurs pour le servir et l'accroître, de purification des facultés opératives et de travaux extérieurs aussi, dans la mesure où l'exige la mission particulière de l'âme, ainsi prise par Dieu.

A dire vrai, cette formation de l'apôtre apparaît assez peu dans les écrits de sainte Thérèse et surtout de saint Jean de la Croix qui ont plutôt mis en relief les virtualités contemplatives de la charité. Ils ne la découvraient pas dans leur expérience intérieure. La puissance d'action de l'amour ne s'affirme pas dans une prise de conscience psychologique, comme la réalisation de la présence de Dieu ; ce sont les faits extérieurs qui la proclament. Aussi, c'est à leur vie et à la mission réalisée par nos maîtres que nous demanderons de suppléer au silence de leurs écrits. Ils nous montreront que l'amour fait les apôtres parfaits, car seul il peut faire des instruments de Dieu, et comment il féconde l'action qu'il vivifie de sa flamme.

1. *Vive Fl.*, str. II, p. 951.

Sainteté pour l'Église

C. — LES MODES D'AGIR DIVINS

Comment, ou plutôt sous quelles modalités extérieures, Dieu infuse-t-il cet amour qualifié, dont les hautes virtualités s'étalent dans la contemplation lumineuse et dans la fécondité de l'apostolat ? Est-il possible de donner une réponse à cette question et peut-elle être utile ?

Certes, nous sommes en un domaine où la Sagesse règne en affirmant sa liberté et en déployant ses ressources variées jusqu'à l'infini. La région est sans sentiers tracés. Inutile donc de les chercher. Ce serait une erreur dangereuse de prétendre en tracer.

Toutefois, à condition qu'on sache se garder de toute systématisation *a priori* et même de toute généralisation rigoureuse, ces modes divins d'agir que nous constatons dans la vie des saints, peuvent être l'objet d'une étude profitable. Leur diversité qui nous découvre les étonnantes ressources de la Sagesse, nous laisse entrevoir, en même temps, une admirable unité dans l'action de Dieu. A les explorer, on apprend quelques lois de l'action de Dieu et surtout quelle souplesse elle exige de tous ceux qui veulent s'y soumettre amoureusement.

Au Carmel, trois saints qui ont franchi les étapes et nous ont livré leur âme, s'offrent à nos investigations. Trois saints, trois âmes différentes, peut-être trois voies. Certainement, une même école, une seule sainteté [1].

I. — Sainte Thérèse d'Avila.

Voici d'abord sainte Thérèse qui nous expose les modes d'agir divins dont elle a l'expérience, avec un débordement de vie profonde, une pénétration et un discernement de l'humain et du divin qui font des descriptions

---

1. La systématisation est à la fois d'autant plus aisée et plus dangereuse que l'expérience de ces hautes régions est moins fréquente. Faute de vérification expérimentale personnelle on ne peut distinguer dans l'enseignement des saints ce qui est personnel de ce qui est essentiel et on l'universalise indistinctement jusqu'en ses moindres détails. On a pu croire ainsi que les étapes et les faveurs extraordinaires de sainte Thérèse devaient se retrouver chez tous les saints. Un rapprochement entre trois saints du Carmel, sainte Thérèse, saint Jean de la Croix, sainte Thérèse de l'Enfant-Jésus, nous permettra, espérons-le, d'éviter cet écueil ou du moins facilitera quelques discernements précieux et peut-être suffisants.

des sixièmes et des septièmes Demeures, des pages incomparables par le souffle divin qui les anime et par la finesse de la psychologie humaine qui s'y étale [1].

Commençons maintenant à parler, écrit-elle, de la manière dont l'Époux se conduit envers elle (l'âme déjà blessée) ; voyons comment, avant d'être complètement tel à son endroit, il se fait vivement désirer [2].

Telle est, en ces sixièmes Demeures, la tactique divine : faire croître les désirs pour augmenter l'amour et obtenir de l'âme une préparation plus active et plus intense à l'union parfaite.

Ces désirs, Dieu les attise par des appels, dans lesquels il se fait pressentir, par des visites si soudaines et si rapides qu'il se laisse à peine entrevoir. La blessure douloureuse et suave faite par la première entrevue en est élargie. La flamme de l'amour monte plus ardente et plus vifs deviennent les désirs de possession :

Dieu emploie des moyens si délicats que l'âme elle-même ne les comprend pas, et je ne crois pas pouvoir en parler de façon à en donner l'intelligence, si ce n'est à celui qui les connaît par expérience. Ce sont des impulsions tellement délicates et subtiles qui partent du plus intime de l'âme, que je ne trouve aucune comparaison qui puisse en donner une idée exacte... Bien souvent, tandis que l'âme est distraite et qu'elle ne pense même pas à Dieu, Sa Majesté la réveille subitement ; on dirait un éclair qui passe de suite, ou un coup de tonnerre ; cependant elle n'entend aucun bruit, mais elle comprend très bien que Dieu l'appelle...

Elle sent qu'elle a été blessée d'une manière ineffablement suave ; mais elle ignore qui l'a blessée et comment elle l'a été. Elle voit que cette blessure est un don précieux et elle voudrait ne jamais en guérir... Si sa peine est très vive, elle est en même temps pleine de suavité et de douceur [3].

Ainsi qu'il lui arrive fréquemment, la Sainte précise très heureusement, alors qu'elle redit son impuissance à expliquer :

En effet je vous affirme, écrit-elle, que le Bien-Aimé montre clairement qu'il est avec l'âme ; par ailleurs, qu'il paraît l'appeler

---

1. Dans le livre de sa *Vie* (ch. XVIII à XXXII et ch. XXXVII à XL), la Sainte avait fait de presque toutes les grâces des sixièmes Demeures des descriptions qui restent précieuses parce qu'elles contiennent des détails qu'on ne trouve pas ailleurs. Toutefois, dans le *Château Intérieur* que la Sainte écrit alors qu'elle est parvenue au mariage spirituel, elle domine plus parfaitement son sujet ; la description est plus sobre bien que toujours vivante ; bien des impressions trop chaudes sont tombées et les vibrations de l'âme sont plus paisibles et plus profondes ; les détails caractéristiques sont mis en relief et tout s'inscrit dans une perspective que la Sainte découvre désormais complètement.
2. VIᵉ Dem., ch. II, p. 938.
3. *Ibid.*, pp. 938-939.

par un signe tellement certain qu'elle ne peut en douter ; c'est un coup de sifflet si pénétrant qu'elle ne peut pas ne pas l'entendre...

Je me demande en ce moment si cet état ne viendrait pas de ce que quelque étincelle s'est échappée de ce brasier d'amour qui n'est autre que mon Dieu et est tombée sur l'âme pour lui faire sentir les ardeurs de ce feu. Mais comme elle n'était pas encore assez puissante pour la consumer et que ce feu est si suave, elle reste avec sa peine ; tel est l'effet que l'étincelle a produit en touchant l'âme. C'est, ce me semble, la meilleure comparaison que j'aie pu trouver [1].

Voici une autre faveur qui ressemble fort à la précédente :

Tout à coup l'âme est, ce semble, enflammée d'une manière délicieuse, comme si soudain elle respirait un parfum tellement pénétrant qu'il se répandît dans tous ses sens. Je ne dis pas que c'est un parfum ou quelque chose de cette sorte, mais je me sers de cette comparaison pour montrer comment il est donné à l'âme de sentir que l'Époux est là et excite en elle le désir suave de jouir de sa présence... Cette faveur a la même source que ces flammes d'amour dont j'ai parlé [2].

Ces faveurs soulèvent toute l'âme vers la divine présence qu'elle porte en elle. Voici

un autre moyen de réveiller l'âme. Bien que cette faveur soit en quelque sorte plus haute que les précédentes, elle peut être plus dangereuse... Il s'agit des paroles que Dieu adresse à l'âme de beaucoup de manières [3].

A cause de ce danger, la Sainte veut « s'y arrêter quelque peu [4] ». Puisque nous aurons à y revenir, ainsi que sur les faveurs qui vont suivre, nous pouvons passer rapidement.

Il faut signaler cependant que ces paroles qui « obligent l'entendement à donner toute son attention [5] », qui « sont paroles et œuvres à la fois... par l'autorité et l'empire qu'elles apportent avec elles [6]... le calme, la force, le courage, l'assurance, la paix et la lumière [7] » qu'elles laissent, révèlent une présence vivante et rapprochée, la présence du Maître de toutes choses.

Les développements d'amour que ces visites et ces angoisses assurent, préparent l'âme à cette entrevue des fiançailles où se fait l'échange des promesses.

---

1. VIᵉ Dem., ch. II, pp. 939-940.
2. *Ibid.*, pp. 942-943.
3. *Ibid.*, ch. III, p. 944.
4. *Ibid.*
5. *Vie*, ch. XXV, p. 253.
6. VIᵉ Dem., ch. III, p. 946.
7. *Vie*, ch. XXV, p. 264.

Ces fiançailles sont conclues dans un ravissement, une entrevue dans la lumière qui est accompagnée parfois de transports, de vol d'esprit qui montrent la faiblesse du corps et la force irrésistible du « Géant infini [1] ».

Les visions intellectuelles et imaginaires qui mettent en présence du Christ, hôte de l'âme, et des saints qui forment sa cour, font œuvre de lumière aussi et fixent le regard de l'âme tout entière vers cette divine présence ; tandis que des blessures plus profondes que toutes les précédentes laissent dans l'âme une ardeur d'amour et des désirs d'une intensité telle que les liens du corps se rompraient si Dieu n'arrêtait son action.

Le mariage spirituel vient enfin sceller l'union et changer les promesses en communication des personnes, dans la transformation d'amour. Cette emprise suprême fut marquée, pour sainte Thérèse, par une vision imaginaire très haute, la remise d'un clou et une parole du Christ-Époux qui lui disait la portée de cette faveur. Désormais, dans la possession mutuelle, Dieu et l'âme jouissent de leur amour réciproque devenu parfait. La vision intellectuelle est constante, bien que dans une clarté qui varie et modifie l'intensité de la joie qui l'accompagne.

Ainsi donc, à considérer l'itinéraire spirituel de sainte Thérèse d'après la description qu'elle en fait, il nous apparaît jalonné par des faveurs extraordinaires qui lui furent puissants moyens de sanctification. Le chemin raccourci qu'elle signale aux cinquièmes Demeures continue dans les étapes suivantes. C'est par ce sentier abrupt mais rapide, que Dieu lui a fait gravir les sommets. Tel est le jugement que semble imposer une vue d'ensemble des voies suivies par la Sainte.

Mais nous avons le devoir de nous défier des synthèses hâtives, de n'accepter qu'avec circonspection la lumière même claire qui s'en dégage. La vérité est en effet ici plus nuancée. Cette maîtresse de vie spirituelle a une expérience qui déborde largement ces faveurs.

Il vous semblera, mes Sœurs, écrit-elle au début des septièmes Demeures, qu'après vous avoir exposé tant de particularités de cette voie spirituelle, il n'en reste plus aucune à ajouter. Ce serait une insigne folie de se l'imaginer. Les grandeurs de Dieu n'ayant point de limites, ses œuvres, non plus, n'en sauraient avoir... Aussi ne vous étonnez point de ce que j'en ai dit et de ce que j'en dirai encore ; c'est un rien auprès de ce qu'il y aurait à ajouter [2].

---

1. VIᵉ Dem., ch. v, p. 968.
2. VIIᵉ Dem., ch. I, p. 1026.

Sainteté pour l'Église

La Sainte a un sens trop pénétrant de la transcendance divine pour poser des limites à la puissance de Dieu et aux moyens d'agir de sa sagesse. D'ailleurs, n'a-t-elle pas aussi le sentiment obscur que tous les travaux que Dieu lui impose pendant cette période d'ascension de 1560 à 1572, fondation du monastère d'Avila avec les tourmentes qui l'accompagnent, extension de sa réforme aux religieux, fondations de monastères en Castille et retour comme prieure au monastère de l'Incarnation en 1571, lui furent sources de grâces précieuses et peut-être décisives. Elle n'en parle pas et nous laisse le soin d'expliciter et de conclure.

Voici cependant une expérience qu'elle note et qui n'est pas faveur extraordinaire.

Il y a encore d'autres voies, écrit-elle, par lesquelles Sa Majesté se communique aux âmes. Elles sont beaucoup plus élevées et moins dangereuses que celles dont nous avons parlé, parce que, à mon avis, le démon ne pourra les contrefaire ; toutefois il est plus difficile d'en donner une idée que des visions imaginaires dont il a été question, parce que ce sont des faveurs très cachées [1].

La Sainte décrit alors les perceptions surnaturelles qui sont purement intellectuelles et ceci nous conduit à saint Jean de la Croix.

II. — Saint Jean de la Croix.

Moins que jamais, en ces régions, on ne saurait parler de différence essentielle entre l'expérience de sainte Thérèse et celle de saint Jean de la Croix. Chacun d'eux garde évidemment sa grâce et son génie. Sainte Thérèse instruit en donnant son expérience positive qui, sous la souplesse de sa plume, garde toute sa richesse vivante. Le père et directeur qu'est saint Jean de la Croix va vers les âmes en difficulté et, avec sa science précise de théologien, signale les dangers des dons divins et découvre les trésors cachés sous certains états de dénuement et de pauvreté douloureuse. Les deux saints se complètent ainsi, l'un éclairant l'autre, et nous offrant à deux, une synthèse doctrinale dont on ne saurait sans danger dissocier les éléments.

Mais nous le savons par sa vie aussi bien que par ses allusions en ses écrits, saint Jean de la Croix connaît par expérience les faveurs extraordinaires décrites par

---

1. VIᵉ Dem., ch. x, p. 1013.

sainte Thérèse. De certaines il parle peu, et en donne le motif à propos des ravissements :

Ce serait ici le lieu, écrit-il dans le commentaire de la douzième strophe du *Cantique*, de parler des différentes sortes de ravissements et d'extases, et autres élévations ou vols d'esprit qui se produisent d'ordinaire chez les personnes spirituelles. Mais comme mon but n'est que d'exposer brièvement ces strophes, ainsi que je l'ai promis dans le prologue, j'en laisse le soin à celui qui en parlera mieux que moi. D'un autre côté, la bienheureuse Thérèse de Jésus, notre Mère, a déjà traité de ces questions spirituelles en des pages admirables, et j'espère de la bonté de Dieu qu'elles ne tarderont pas à être imprimées [1].

A la bienheureuse Thérèse donc, le soin d'expliquer ces visites divines qui ont des effets extérieurs ; le Saint a un autre message, dont le commentaire des treizième et quatorzième strophes du même *Cantique* nous découvre l'objet :

Il ne faut pas croire toutefois que ces visites engendrent toujours des craintes et des défaillances naturelles. Comme on l'a déjà dit, cela arrive à ceux qui commencent à entrer dans l'état d'illumination et de perfection, et dans ce genre de communication, car dans d'autres cela se passe plutôt avec la plus grande suavité [2].

Le Saint décrit alors une communication divine qui prend une autre forme et ressemble à la nuit paisible :

Durant ce sommeil spirituel dont l'âme jouit sur le sein de son Bien-Aimé, elle possède et elle goûte complètement le repos, le calme et la quiétude d'une nuit paisible. Elle reçoit en même temps une connaissance extrêmement profonde mais obscure de la divinité [3].

Il s'agit évidemment de la contemplation infuse dont il parle abondamment dans le livre de la *Nuit de l'esprit* et dans la *Vive Flamme* :

C'est là la théologie mystique que les théologiens appellent sagesse secrète, et qui d'après saint Thomas [4] se communique et s'infuse par la voie de l'amour. Cette opération s'accomplit secrètement à l'insu de l'activité naturelle de l'entendement et des autres puissances ; toutes les puissances en effet sont incapables d'un tel résultat ; l'Esprit Saint seul l'infuse et en orne l'âme, qui, nous dit l'Épouse des Cantiques, ne s'en est pas aperçue et ne comprend pas comment cela s'est passé [5].

---

1. *Cant. Spir.*, str. XII, p. 745.
2. *Ibid.*, str. XIII-XIV, p. 765.
3. *Ibid.*
4. *Sum. th.*, IIa IIae, qu. 180, art. 1.
5. *Nuit Obsc.*, Liv. II, ch. XVII, pp. 625-626.

Sainteté pour l'Église

Cette contemplation « selon l'expression de saint Denys, est un rayon de ténèbres pour l'entendement [1] » ; ou mieux encore, dit notre saint Docteur, « le langage de Dieu à l'âme, ou de pur esprit à esprit pur [2] ».

Nous sommes dans les mêmes régions profondes que nous avaient découvertes les grâces mystiques. Mais ici tout est « silence profond [3] » et obscurité pour les sens qui ne savent rien des opérations divines, aussi bien que pour le directeur qui voudrait les pénétrer :

Ce chemin qui mène à Dieu... est aussi secret et caché au sens de l'âme que l'est pour le corps le sentier suivi sur la mer, qui n'en garde ni vestige ni empreinte [4].

L'âme est ainsi emportée en un abîme secret dont parfois elle a le sentiment net :

Outre les effets qu'elle produit d'ordinaire, cette contemplation absorbe parfois l'âme d'une manière intime et la cache dans un abîme secret où elle se voit clairement très éloignée et séparée de toute créature. Il semble alors à l'âme qu'on la place dans une profonde et vaste solitude où ne peut avoir accès aucune créature humaine ; c'est comme un immense désert qui de toutes parts est sans limite ; et ce désert est d'autant plus rempli de charmes, d'attraits et de délices, qu'il est plus profond, plus vaste et plus solitaire [5].

Une œuvre de grâce, qui ne le cède en rien à celle des autres visites divines, s'opère dans ce silence :

Les biens que cette communication silencieuse et cette contemplation impriment dans l'âme, sans qu'elle le sente alors, sont, je le répète, inestimables. Ce sont, en effet, des onctions très mystérieuses et, par suite, très délicates de l'Esprit Saint [6].

Dans cet abîme de sagesse l'âme s'élève et grandit en s'abreuvant aux sources mêmes de la science de l'amour [7].

Cette contemplation en effet n'est point le privilège exclusif des âmes déjà purifiées, comme semblait l'insinuer le passage du *Cantique* cité tout à l'heure [8]. Elle est « la voie qui conduit l'âme aux perfections de l'union avec Dieu [9] ». C'est elle qui agit « lorsque l'âme se trouve dans

1. *Vive Fl.*, str. III, p. 1008.
2. *Nuit Obsc.*, Liv. II, ch. XVII, p. 628.
3. *Vive Fl.*, str. III, p. 998.
4. *Nuit Obsc.*, Liv. II, ch. XVII, p. 630.
5. *Ibid.*, pp. 628-629.
6. *Vive Fl.*, str. III, p. 1001.
7. *Nuit Obsc.*, Liv. II, ch. XVII, p. 629.
8. *Cant. Spir.*, str. XIII et XIV, p. 765.
9. *Nuit Obsc.*, Liv. II, ch. XVII, p. 629.

les angoisses et les ténèbres de la purification [1] ». Cette contemplation « si simple, si générale et si spirituelle [2] » est « un escalier secret » par lequel l'âme « déguisée » s'achemine vers Dieu [3], car

de même que l'échelle sert à monter et à escalader une forteresse pour s'emparer des biens, des richesses et de tous les trésors qui s'y trouvent, de même cette secrète contemplation sert à l'âme sans qu'elle sache comment, à monter jusqu'à la connaissance et à la possession des richesses et des trésors du ciel [4].

Le Saint insiste, explique, semble se répéter. C'est qu'il est dans son domaine. C'est là son message. Il l'affirme en disant qu'il s'est proposé

d'expliquer cette nuit de la contemplation à beaucoup d'âmes qui s'y trouvaient et qui n'en avaient pas connaissance [5].

Car il importe beaucoup à l'âme de savoir

que si, dans cette solitude, elle ne sent pas qu'elle avance ou agisse, elle avance néanmoins beaucoup plus que si elle agissait par elle-même, parce que c'est Dieu qui alors la porte dans ses bras [6].

Ces derniers mots nous font penser à sainte Thérèse de l'Enfant-Jésus. L'ensemble évoque une gracieuse description d'un état semblable que sainte Thérèse d'Avila n'expérimente pas seulement pendant l'oraison mais aussi pendant la journée :

D'autres fois, écrit-elle, mon âme est dans une sorte de stupidité. J'exprime ce qui est. Je ne fais, ce semble, ni bien, ni mal ; je me contente de suivre les autres, comme on dit, sans éprouver ni peine, ni consolation ; la vie et la mort, la joie et la douleur, tout m'est indifférent ; on dirait que je ne sens rien. L'âme est alors, selon moi, comme le petit ânon qui s'en va paissant, se soutient par l'aliment qu'on lui donne et mange sans presque s'en apercevoir. Une fois dans cet état, en effet, elle ne doit pas être sans puiser un aliment dans quelques faveurs insignes de Dieu ; car elle n'a aucune répugnance à supporter cette vie si misérable et l'accepte avec une indifférence parfaite. Mais comme elle ne sent ni les mouvements ni les effets intérieurs, elle n'a pas l'intelligence de son état [7].

Un tel état déconcerte un peu sainte Thérèse habituée aux débordements divins. Cependant avec ce « il me

---

1. *Nuit Obsc.*, Liv. II, ch. XVII, p. 626.
2. *Ibid.*
3. *Ibid.*, p. 625.
4. *Nuit Obsc.*, Liv. II, ch. XVIII, p. 631.
5. *Ibid.*, ch. XXII, p. 653.
6. *Vive Fl.*, str. III, p. 1023.
7. *Vie*, ch. XXX, pp. 323-324.

semble », qui chez elle n'enlève rien à la valeur de ses affirmations, elle continue :

Il me semble maintenant que l'âme est alors comme un navire qui fend les eaux par un vent très modéré et fait beaucoup de chemin sans qu'on s'en aperçoive [1].

Sainte Thérèse connaît bien le calme plat et la fécondité de l'action profonde de Dieu qu'il dissimule. Ne séparons donc pas par des arêtes trop vives l'expérience thérésienne de celle de saint Jean de la Croix. Il reste cependant que saint Jean de la Croix est le docteur de ce mode d'agir divin, silencieux et obscur, qu'est la contemplation infuse.

III. — *Sainte Thérèse de l'Enfant-Jésus.*

La comparaison sanjuaniste de Dieu qui « porte l'âme dans ses bras » nous a fait penser tout à l'heure à sainte Thérèse de l'Enfant-Jésus. La ressemblance entre les deux saints ne se borne pas à un jeu d'images. Elle est si profonde que sainte Thérèse de l'Enfant-Jésus peut être appelée la plus illustre des filles de saint Jean de la Croix. En ce qui concerne spécialement le point que nous traitons, il est clair que nous retrouvons le même climat de contemplation en passant du docteur mystique à la maîtresse des petites âmes.

Les comptes rendus d'oraison de la petite Sainte de Lisieux sont bien connus. Elle écrit pendant sa retraite de prise d'habit :

Rien auprès de Jésus. Sécheresse !... Sommeil !... [2]

Le pauvre agnelet ne peut rien dire à Jésus et surtout Jésus ne lui dit absolument rien [3].

Et encore :

L'Agneau se trompe en croyant que le jouet de Jésus n'est pas dans les ténèbres, il y est plongé. Peut-être, et l'agnelet en convient, ces ténèbres sont-elles lumineuses, mais, malgré tout, ce sont des ténèbres [4]...

Un an et demi après, pendant la retraite de profession, c'est la même impuissance et la même obscurité :

---

1. *Vie*, ch. xxx, p. 324.
2. Lettre à sœur Agnès de Jésus, 6 janvier 1889.
3. Lettre à sœur Marie du Sacré-Cœur, 6 ou 7 janvier 1889.
4. Lettre à sœur Agnès de Jésus, 8 janvier 1889.

Je ne comprends pas la retraite que je fais, écrit-elle, je ne pense à rien, en un mot je suis dans un souterrain bien obscur !... [1]

Lettres et *Manuscrits Autobiographiques* apportent le même témoignage [2]. L'impuissance semble augmenter. A partir de 1892 tous les auteurs spirituels la laissent dans l'aridité [3]. Il n'est pas d'instant où elle soit moins consolée que pendant ses actions de grâces [4].

Cependant de cette obscurité jaillit une certitude : Dieu l'instruit et travaille en son âme :

Ce Bien-Aimé instruit mon âme, Il lui parle dans le silence, dans les ténèbres [5].

Même après l'offrande à l'Amour miséricordieux et le débordement divin qui la suit en 1895, Dieu ne change pas son mode d'agir profond dans la sécheresse de l'âme :

Ne croyez pas que je nage dans les consolations ; oh non ! ma consolation c'est de n'en pas avoir sur la terre. Sans se montrer, sans faire entendre sa voix, Jésus m'instruit dans le secret ; ce n'est pas par le moyen des livres, car je ne comprends pas ce que je lis [6].

Voici enfin une page que la Sainte écrivait en 1890 et en laquelle elle marquait les traits caractéristiques de son itinéraire spirituel :

Avant de partir, son Fiancé a semblé lui demander dans quel pays elle voulait voyager, quelle route elle désirait suivre... La petite fiancée a répondu qu'elle n'avait qu'un désir, celui de se rendre au sommet de la montagne de l'Amour...

Alors Jésus m'a prise par la main et il m'a fait entrer dans un souterrain où il ne fait ni froid ni chaud, où le soleil ne luit pas, et que la pluie ni le vent ne visitent pas ; un souterrain où je ne vois rien qu'une clarté à demi voilée, la clarté que répandent autour d'eux les yeux baissés de la Face de mon Fiancé...

Je ne vois pas que nous avancions vers le terme de la montagne, puisque notre voyage se fait sous terre, mais pourtant il me semble que nous en approchons, sans savoir comment [7].

En lisant ces lignes, on comprend que sainte Thérèse de l'Enfant-Jésus se soit nourrie avec avidité des écrits de saint Jean de la Croix :

---

1. Lettre à sœur Agnès de Jésus, 1er septembre 1890.
2. Cf. *Lettres* début septembre 1890 - *Man. Autob.*, A fol. 75 v°.
3. *Man. Autob.*, A fol. 83 r° et v°.
4. *Ibid.*, A fol. 79 v°.
5. Lettre à Céline, 15 août 1892.
6. *Man. Autob.*, B fol. 1 r°, l. 17-21.
7. Lettre à sœur Agnès de Jésus, 30-31 août 1890.

Sainteté pour l'Église

Ah ! que de lumières n'ai-je pas puisées dans les œuvres de Notre Père Saint Jean de la Croix ! écrit-elle. À l'âge de dix-sept et dix-huit ans je n'avais pas d'autre nourriture spirituelle [1].

En cette période décisive de ses ascensions, elle y trouvait la description rassurante de la pénombre et du vide paisible dans lesquels elle vivait, la confirmation que c'était là modes d'agir divins silencieux et profonds, et que sur cette pauvreté elle pouvait appuyer avec confiance l'ardeur immense de ses désirs d'amour.

Saint Jean de la Croix a expliqué à elle-même sainte Thérèse de l'Enfant-Jésus. Il nous l'explique à nous aussi, si bien qu'il semble qu'on ne puisse découvrir toutes les merveilleuses profondeurs de la voie d'enfance spirituelle qu'à la lumière de la doctrine du docteur mystique.

Par contre, la Sainte de Lisieux met à notre portée saint Jean de la Croix en le traduisant en un langage et une expérience que nous saisissons parce qu'ils sont ceux de notre temps. Ainsi traduite à notre usage cette expérience de sainte Thérèse de l'Enfant-Jésus garde toute sa valeur : elle reste une parfaite réalisation sanjuaniste, parce que dépouillée de grâces extraordinaires et appauvrie même de saveur spirituelle.

De ces confins extrêmes de la pauvreté spirituelle dans l'oraison, nous sommes conduits comme insensiblement par sainte Thérèse de l'Enfant-Jésus vers d'autres modes d'agir divins qui sortent du cadre de l'oraison proprement dite.

Nous disons « habituellement » car nous avons déjà entendu sainte Thérèse nous assurer, avec une expérience des emprises divines, que les âmes encapuchonnées qui mettent la perfection à ne rien perdre des goûts de l'oraison, « comprennent bien peu ce que doit être le chemin qui mène à l'union. Ce sont les œuvres que le bon Dieu demande de nous », ajoute-t-elle, en précisant qu'il ne faut pas hésiter à abandonner ses dévotions pour secourir un malade [2]. Ses travaux apostoliques de fondation et les souffrances qu'elle y a rencontrées ont largement contribué à lui mériter les infusions débordantes d'amour qui l'ont conduite au mariage spirituel.

Le témoignage de saint Jean de la Croix sur ce point est précieux :

Il faut avoir rendu de grands services à Dieu, avoir manifesté beaucoup de patience et de constance, avoir enfin mené une vie

---

1. *Man. Autob.*, A fol. 83 r°.
2. Vᵉ Dem., ch. III, p. 917.

700

et accompli des œuvres qui nous rendent agréables à ses yeux, pour qu'il nous accorde une grâce signalée comme celle des épreuves plus intérieures afin de nous combler de dons et de récompenses [1].

Et le Saint cite l'exemple de Job et de Tobie, éprouvés parce qu'ils avaient été fidèles, par des souffrances qui les ont perfectionnés.

Travaux et souffrances méritent donc des infusions d'amour et sont même nécessaires à l'ascension en ces hautes régions. Dieu n'infuse pas seulement dans les grâces extraordinaires d'oraison et dans la contemplation, l'amour qui purifie et qui transforme. Sainte Thérèse de l'Enfant-Jésus nous le montre plus nettement encore que sainte Thérèse et saint Jean de la Croix.

C'est pendant l'exercice du chemin de la Croix au chœur, qu'elle reçoit la blessure de l'Amour miséricordieux [2]. Mais la plupart des grâces importantes de sa vie lui sont données en dehors de l'oraison. Telle la grâce de Noël 1886, qui opère une transformation psychologique et lui permet de « commencer pour ainsi dire une course de géant » et qui lui vient après un effort de vertu [3] ; tel le zèle des âmes « ardeur inconnue et très vive » qui la fait « sortir du cercle étroit » où elle vivait et qui s'allume en son âme à la vue d'une image de Notre-Seigneur en Croix ; « je fus frappée, écrit-elle, par le sang qui tombait d'une de ses mains Divines [4] ». Elle dit elle-même que c'est le plus souvent au milieu des occupations de la journée que lui viennent les lumières :

Jésus n'a point besoin de livres ni de docteurs pour instruire les âmes ; Lui le Docteur des docteurs, il enseigne sans bruit de paroles... Jamais je ne l'ai entendu parler, mais je sens qu'Il est en moi ; à chaque instant, Il me guide et m'inspire ce que je dois dire ou faire. Je découvre juste au moment où j'en ai besoin des lumières que je n'avais pas encore vues, ce n'est pas le plus souvent pendant mes oraisons qu'elles sont le plus abondantes, c'est plutôt au milieu des occupations de ma journée [5].

D'autre part, voici qu'elle affirme fréquemment dormir pendant l'oraison. Ne dormant pas assez la nuit, elle s'assoupissait souvent au chœur pendant les heures d'oraison et pendant l'action de grâces, malgré ses efforts. Elle ne s'en désole pas cependant :

---

1. *Vive Fl.*, str. II, pp. 963-964.
2. *Dern. Ent.*, CJ 7.7.2.
3. *Man. Autob.*, A fol. 44 v°.
4. *Ibid.*, A fol. 45 v°.
5. *Ibid.*, A fol. 83 v°.

Sainteté pour l'Église

Je devrais me désoler de dormir (depuis 7 ans) pendant mes orai-sons et mes actions de grâces ; eh bien, je ne me désole pas... je pense que les petits enfants plaisent autant à leurs parents lorsqu'ils dorment que lorsqu'ils sont éveillés, je pense que pour faire des opérations les médecins endorment leurs malades. Enfin je pense que « le Seigneur voit notre fragilité, qu'Il se souvient que nous ne sommes que poussière » [1].

A n'en pas douter, la petite Sainte pense que le sommeil n'empêche pas Dieu d'agir, ou même que Dieu en profite pour infuser plus profondément sa grâce.

Mais citer ces textes et mettre en relief ces affirmations, n'est-ce pas trop prouver ? Ne pourrait-on pas en conclure que sainte Thérèse de l'Enfant-Jésus n'est nullement contemplative ? Nous ne le pensons pas, car elle montra pour l'oraison une estime et une fidélité à s'y rendre qui la faisaient passer par-dessus toutes les difficultés et lui faisaient écrire :

Un savant a dit : « Donnez-moi un levier, un point d'appui, et je soulèverai le monde ». Ce qu'Archimède n'a pu obtenir parce que sa demande ne s'adressait point à Dieu et qu'elle n'était faite qu'au point de vue matériel, les Saints l'ont obtenu dans toute sa pléni-tude. Le Tout-Puissant leur a donné pour point d'appui : Lui-même et Lui seul ; pour levier : l'oraison qui embrase d'un feu d'amour, et c'est ainsi qu'ils ont soulevé le monde ; c'est ainsi que les Saints encore militants le soulèvent et que, jusqu'à la fin du monde, les Saints à venir le soulèveront aussi. [2]

Comment d'ailleurs aurait-elle pu se sanctifier dans un Ordre contemplatif comme le Carmel, sans en utiliser pleinement le moyen propre qui est l'oraison et la contem-plation ?

On ne saurait donc douter que sainte Thérèse de l'Enfant-Jésus ne soit une contemplative et que Dieu n'ait versé abondamment son amour en elle dans le silence de l'orai-son. Son témoignage toutefois a une portée plus générale. A le considérer dans son ensemble, il nous découvre à la fois les modes d'agir de Dieu à l'égard d'une âme qu'il a prise, et l'attitude de souplesse humble et confiante que l'amour crée en elle pour rester sous cette emprise divine et lui assurer toute son efficacité.

Cette étude sommaire sur les trois saints carmélitains montre que pour verser dans leur âme la charité qui leur a fait gravir les sommets, Dieu a utilisé trois moyens :

---

1. *Man. Autob.*, A fol. 75 v°-76 r°.
2. *Ibid.*, C fol. 36 r° et v°.

les grâces extraordinaires, la contemplation infuse, l'activité de l'amour dans les œuvres. Les trois modes d'agir se retrouvent chez les trois saints, mais à des degrés variés : chez sainte Thérèse, les faveurs extraordinaires et les travaux d'apostolat se détachent en grand relief tandis que la contemplation infuse silencieuse semble rester au deuxième plan. Chez saint Jean de la Croix, la contemplation infuse et les faveurs dominent tandis que les œuvres paraissent moins pendant la période d'ascension. Chez sainte Thérèse de l'Enfant-Jésus [1], les faveurs extraordinaires sont peu nombreuses ; par contre la contemplation, l'humble accomplissement du devoir d'état et l'amour des âmes lui furent des moyens puissants pour attirer les flots de l'Amour infini.

S'il nous était permis de nous élever à des conclusions plus générales, embrassant toutes les âmes, nous les formulerions ainsi. Les modes d'agir divins qui élèvent les âmes aux sommets sont aussi variés que les vouloirs particuliers de la Sagesse et les vocations des âmes. C'est habituellement par une synthèse des trois moyens indiqués que l'amour parfait est infusé. Une voie exclusivement contemplative, sans faveurs extraordinaires et sans activité extérieure de charité, semble extrêmement rare quoique possible. Il paraît possible aussi, quoique peut-être plus rare encore, qu'une âme soit élevée à la transformation d'amour alors que nullement contemplative, elle s'adonne uniquement aux travaux de l'apostolat.

Ces analyses psychologiques et ces distinctions subtiles nous redisent une vérité plus simple et plus profonde, à savoir que Dieu est Amour. C'est ce poids infini de l'amour qui fait que Dieu se penche vers nous pour nous envahir et nous transformer en Lui. Cet amour actif, qui trouve sa joie à nous conquérir et à régner en nous, attend de notre part la coopération d'une attitude et d'actes qui expriment l'amour. Cette attitude et ces actes exigés par Dieu sont déterminés d'une façon plus immédiate par les devoirs d'état, les événements, la lumière intérieure de notre grâce. Le contemplatif atteindra Dieu dans le silence de l'oraison ; l'apôtre appellera son emprise dans les angoisses de ses difficultés et la méritera par ses travaux. Que la preuve d'amour voulue par Dieu soit donnée généreuse et l'Amour divin

---

1. Même chez sainte Thérèse de l'Enfant-Jésus les grâces extraordinaires, quoique peu nombreuses, ont eu une influence décisive. Cf. grâce de Noël 1886, blessure de l'Amour miséricordieux, sans parler de sa guérison miraculeuse.

descend pour nous envahir et s'installer en nous comme en sa demeure.

Si quelqu'un m'aime il observera mes préceptes, nous viendrons à lui et nous ferons en lui notre demeure [1].

Cet amour de Dieu qui nous presse, ses irruptions dans l'âme qu'il a reconnue fidèle, son action profonde et douloureuse pour rendre l'âme digne d'un tel Hôte et adaptée au rôle qu'elle doit remplir, l'installation définitive et son règne parfait dans l'âme, c'est tout cela qui fait la trame du drame douloureux et héroïque que nous présentent les sixièmes et septièmes Demeures.

S'il nous était permis de nous élever à des conclusions plus générales, embrassant toutes les âmes, nous les formulerions ainsi. Les modes d'agir divins qui élèvent les âmes aux sommets sont aussi variés que les vocations particulières de la Sagesse, et les vocations des âmes. C'est habituellement par une synthèse des trois moyens indiqués que l'amour parfait est infusé. Une voie exclusivement contemplative, sans faveurs extraordinaires et sans activité extérieure de charité, semble extrêmement rare quoique possible. Il paraît possible aussi, quoique peut-être plus rare encore, qu'une âme soit élevée à la transformation d'amour alors que nullement contemplative, elle s'adonne uniquement aux travaux de l'apostolat.

Ces analyses psychologiques et ces distinctions subtiles nous ramènent une vérité plus simple et plus profonde à savoir que Dieu est Amour. C'est ce point infini de l'amour qui fait que Dieu se penche vers nous, pour nous envahir et nous transformer en Lui. Cet amour actif qui trouve sa joie à nous conquérir et à régner en nous, attend de notre part la coopération d'une attitude et d'actes qui expriment l'amour. Cette attitude et ces actes exigés par Dieu sont déterminés d'une façon plus immédiate par les devoirs d'état, les événements, la lumière intérieure de notre grâce. Le contemplatif atteindra Dieu dans le silence de l'oraison. L'apôtre appellera son emprise dans les angoisses de ses difficultés et la mettra par ses travaux. Que la preuve d'amour voulue par Dieu soit donnée généreuse et l'Amour divin

1. Jn 14, 23.

704

CHAPITRE DEUXIÈME

Faveurs extraordinaires
Paroles et Visions

*Si Notre-Seigneur ne m'avait accordé tant de grâces,
je n'aurais jamais eu, je crois, assez de courage pour
entreprendre les œuvres qui se sont accomplies* [1].

Les enrichissements divins de cette période sont des enrichissements d'amour. C'est par une infusion abondante d'un amour de plus en plus qualifié que Dieu purifie, éclaire, transforme, s'unit l'âme définitivement. Vérité fondamentale qui explique ces ascensions et que, pour ce motif, on ne saurait trop mettre en relief.

Dans la description de ce travail magnifique de la charité, la plus belle des œuvres de Dieu qu'il nous soit permis de contempler ici-bas, les grands spirituels, sainte Thérèse en particulier, font une place notable aux grâces extraordinaires. Certes, ces maîtres n'ignorent pas que ces faveurs ne sont pas nécessaires à la sainteté ; ils nous signalent cependant le rôle important qu'elles peuvent y tenir. Ces phénomènes brillants qui jalonnent en effet très heureusement les étapes et les éclairent, ont aussi une puissance de sanctification tout à fait singulière.

Sainte Thérèse justifie ses longues descriptions en écrivant au début des sixièmes Demeures :

Dieu a un autre moyen de réveiller l'âme. Bien que cette faveur soit en quelque sorte plus haute que les précédentes, elle peut être plus dangereuse. Aussi je veux m'y arrêter quelque peu [2].

Dangereuses en effet, les faveurs surnaturelles peuvent l'être parce qu'elles sont sujettes à des contrefaçons et

---

1. *Relations*, XXVII, p. 551.
2. VIe Dem., ch. III, p. 944.

que parfois elles nourrissent l'orgueil et l'illusion ; non pas cependant au point de justifier cette atmosphère de défiance qu'à cause d'elles certains entretiennent autour de la vie mystique en général, ou de légitimer le sourire sceptique sinon railleur que leur seule évocation fait apparaître sur les lèvres [1].

Pour dissiper craintes et équivoques, sainte Thérèse nous propose son remède habituel : faire œuvre de lumière. Arrêtons-nous quelques instants pour apprendre d'elle et de saint Jean de la Croix ce que sont les faveurs extraordinaires et quels sont leurs effets ; leur fréquence et leur moment ; comment Dieu les produit ; comment discerner leur origine divine et enfin quelle attitude d'âme prendre pour les recevoir.

A. — *QU'EST-CE QU'UNE FAVEUR EXTRAORDINAIRE ET QUELLES SONT-ELLES ?*

I. — *Définition.*

Les faveurs extraordinaires dont nous parlons ici, sont des formes particulières de l'action directe de Dieu sur l'âme qui produisent une connaissance distincte, soit à l'aide d'une impression sur les sens, soit par une infusion de lumière dans l'intelligence.

Précisons les termes. Par action directe de Dieu nous entendons, comme il a été dit précédemment, une action de Dieu qui n'exclut pas l'action d'un instrument, mais en laquelle l'âme n'intervient en aucune façon pour la produire et qu'elle reçoit passivement.

Le mot extraordinaire qualifie ce mode particulier de l'action directe de Dieu qui s'exerce directement sur les facultés ou sur les sens pour y produire une lumière ou une image.

---

1. Il est des personnes qui refusent et des directeurs qui interdisent d'étudier l'enseignement des saints concernant ces faveurs extraordinaires, pour ne pas favoriser les illusions. Il faut reconnaître en effet que cette étude peut, en des imaginations trop vives ou certains tempéraments peu équilibrés, faire naître ou développer des désirs de manifestations extraordinaires. D'autre part, l'ignorance de la doctrine des maîtres laisse les directeurs hésitants et craintifs devant les faits préternaturels. Il n'est pas rare de constater que la défiance à l'égard de la doctrine accompagne une crédulité naïve à l'égard de tous les faits merveilleux.

C'est ainsi que resteront dans le mode ordinaire d'agir divin, toute infusion de charité, quelle que soit son intensité, les contacts les plus profonds et les touches substantielles avec la lumière confuse de connaturalité qu'elles produisent, même si cette lumière est assez puissante et assez claire pour être comparée à une lumière d'aurore, car elle est le fruit normal de la charité et des dons.

Par contre toutes les lumières surnaturelles qui ne sauraient être le fruit normal de la charité, parce que distinctes ou en raison du mode suivant lequel elles sont reçues, de même toutes les images en général, seront attribuées à une action extraordinaire de Dieu qui, se penchant sur nos moyens humains de connaître, sur nos sens et notre intelligence, infuse directement la lumière par un moyen adapté à leur capacité.

On le voit, le terme extraordinaire ne qualifie point ici l'abondance et la qualité exceptionnelle d'une infusion d'amour, ni la puissance merveilleuse de ses effets comme une conversion ou une extase [1], pas même la rareté d'un état ou d'un phénomène mystique telle l'union de volonté ou union transformante, mais un mode particulier de l'action divine, qui par un jeu de contrastes, n'est extraordinaire que parce que Dieu, pour nous éclairer, s'y abaisse jusqu'à nous parler le langage adapté à nos sens et à notre intelligence.

Dieu parlera ce langage humain à l'âme, souvent dans l'extase ; il y joindra habituellement une abondante effusion de charité, mais quelle que soit la transcendance des dons divins qui l'accompagnent, c'est l'action directe sur les facultés qui constitue la faveur extraordinaire dont nous parlons.

Saint Jean de la Croix a classifié ces connaissances extraordinaires d'après les puissances qui les reçoivent. Il distingue ainsi les communications qui parviennent à l'âme par les sens corporels extérieurs (la vue, l'ouïe, l'odorat, le goût et le toucher) comme les visions extérieures, les paroles, les saveurs, les parfums, etc... [2] ; celles qui sont formées surnaturellement dans l'imagination comme les visions imaginaires [3] ; enfin les connaissances claires et

---

1. On parlera plus loin, à la suite de la *Nuit de l'esprit*, des effets extérieurs et physiques de l'action de Dieu, tels ceux de l'extase. Il ne paraît pas en effet que dans la suspension des sens ou l'extase, il y ait un effet direct de l'action de Dieu, mais seulement une réaction de faiblesse des puissances naturelles, sous la force extraordinaire de l'action de Dieu.
2. *Montée du Carm.*, Liv. II, ch. x, pp. 137 et s.
3. *Ibid.*, ch. xiv, pp. 173 et s.

distinctes qui, par voie surnaturelle, arrivent directement à l'entendement par visions intellectuelles, révélations, paroles intérieures et sentiments spirituels [1]. Cette classification est exhaustive et correspond au plan logique de la *Montée du Carmel.*

Par contre, la classification thérésienne est tout expérimentale. La Sainte ne signale que les paroles et les visions et ramène à ces deux chefs, en faisant d'ailleurs les distinctions nécessaires, tous les modes de l'action extraordinaire de Dieu. D'où, entre les classifications thérésienne et san-johannique quelques chassés-croisés qui pourraient créer des confusions si l'on s'arrêtait à la terminologie sans aller jusqu'à la définition. C'est ainsi que certaines visions intellectuelles de vérités de sainte Thérèse, sont des révélations d'après saint Jean de la Croix.

Nous adopterons la classification thérésienne en l'éclairant de l'enseignement de saint Jean de la Croix. Nous éviterons ainsi des longueurs, peut-être des redites, tout en donnant sur les problèmes que soulève la question des faveurs extraordinaires, un enseignement qui suffira à notre sujet.

II. — *Faveurs extraordinaires chez sainte Thérèse.*

a) *Les paroles.* C'est vers 1540 que se place la première communication extraordinaire dont est favorisée sainte Thérèse. La Sainte avait alors vingt-cinq ans. Le Christ lui apparut avec un visage sévère tandis qu'elle s'entretenait au parloir avec une personne, pour lui donner à entendre que de telles liaisons ne lui convenaient pas [2]. Cette manifestation reste isolée. Plus de quinze ans s'écouleront avant la période des grandes faveurs extraordinaires dont les premières en date sont les paroles intérieures (1557) :

Il s'agit, écrit-elle, des paroles que Dieu adresse à l'âme de beaucoup de manières ; les unes semblent venir du dehors, les autres du plus intime de l'âme ; tantôt elles se font entendre à la partie supérieure, tantôt elles sont tellement extérieures qu'on les entend par les oreilles comme le son d'une voix articulée [3].

---

1. *Montée du Carm.*, Liv. II, ch. XXI, pp. 247 et s.
2. *Vie*, ch. VII, p. 67.
3. VI° Dem., ch. III, p. 944.

Toutefois, les paroles que sainte Thérèse entend sont habituellement intérieures :

Ces paroles sont très distinctes, mais on ne les entend pas des oreilles du corps ; on les perçoit cependant d'une manière beaucoup plus claire que par le sens de l'ouïe. Tous les efforts que l'on ferait pour ne pas les entendre seraient inutiles [1].

Saint Jean de la Croix consacre une étude très pénétrante à ces paroles. Il en distingue trois sortes : les paroles successives, les paroles simplement formelles et les paroles substantielles.

1. Les paroles successives

sont certaines paroles ou certains raisonnements que l'esprit a coutume de former et de produire en lui-même lorsqu'il est recueilli [2].

A considérer la définition, ces paroles successives ne sont point des faveurs extraordinaires puisque c'est l'esprit et non point Dieu qui les formule. Le Saint cependant les étudie assez longuement parce que

l'esprit agit comme instrument et l'Esprit Saint l'aide souvent à produire et à former ces pensées, ces paroles et ces raisonnements pleins de vérité. Il se les dit donc à lui-même, comme s'il se trouvait avec une tierce personne. L'entendement est alors uni à la vérité qu'il considère et profondément recueilli. L'Esprit Saint lui est uni par cette vérité, comme il l'est d'ailleurs à toute vérité. De là vient que l'entendement, communiquant de cette sorte avec le Saint-Esprit moyennant cette vérité, forme successivement dans son intérieur les autres vérités qui sont en rapport avec celle qu'il considérait ; mais c'est l'Esprit Saint, son maître, qui lui ouvre la porte et lui communique sa lumière. Telle est l'une des manières dont il se sert pour instruire l'âme. C'est ainsi que l'entendement, éclairé et enseigné par ce maître, comprend ces vérités, et en même temps forme de lui-même ces paroles sur des vérités qui lui viennent d'autre part. Les paroles de la Genèse [3] trouvent bien ici leur application : « C'est la voix de Jacob, mais ce sont les mains d'Esaü » [4].

Cette influence lumineuse de l'Esprit Saint peut donner une haute valeur à ces paroles, surtout lorsque l'Esprit divin se communique avec abondance. Mais l'illusion est facile. Même lorsque

il n'y a en soi aucune illusion dans cette communication faite à l'entendement, et dans cette illustration dont il est éclairé, ... il

---

1. *Vie*, ch. xxv, p. 252.
2. *Montée du Carm.*, Liv. II, ch. xxvi, p. 278.
3. Gn 27, 22.
4. *Montée du Carm.*, Liv. II, ch. xxvii, pp. 279-280.

peut y en avoir et il y en a souvent dans les paroles formelles et les raisonnements que l'entendement forme alors [1].

L'entendement a commencé sous une influence divine, il continue de son propre mouvement :

Certains entendements très vifs et très subtils qui, étant recueillis dans la considération de quelque vérité, discourent naturellement avec la plus grande facilité sur des pensées, s'expriment en paroles et en raisonnements pleins de sentiments, et s'imaginent ni plus ni moins que tout cela est de Dieu... Les faits de ce genre sont nombreux. Beaucoup d'âmes sont dans l'illusion sur ce point... Elles écrivent même ou font écrire ce qui se passe en elles. Et il arrive que cela n'est rien, qu'il n'y a pas la substance de la moindre vertu et ne sert qu'à entretenir la vaine complaisance [2].

Le Saint a une grande expérience des faits de ce genre. Aussi il ne se lasse pas de flageller ce travers :

Ce qui se passe de nos jours est quelque chose d'effrayant, écrit-il. Une âme quelconque est-elle déjà parvenue à quatre sous (mara-védis) de méditation, et entend-elle quelques-unes de ces paroles intérieures au milieu de son recueillement, qu'aussitôt elle baptise le tout comme venant de Dieu ; elle suppose qu'il en est ainsi, et elle répète : Dieu m'a dit ceci, Dieu m'a répondu cela. Or il n'en est rien ; comme nous l'avons remarqué, ce sont ces âmes qui le plus souvent se parlent ainsi à elles-mêmes [3].

Le démon d'ailleurs peut se mettre de la partie et par ses suggestions prendre la suite de l'Esprit Saint.

Ce mal est de tous les temps et on ne peut s'empêcher de penser que de nos jours bien des messages divins à grand succès ne sont faits que de paroles successives où l'inspiration divine peut ne pas manquer au principe, mais où elle reste certainement limitée. La doctrine de saint Jean de la Croix sur ce point est donc toujours pratique. Elle doit être méditée.

2. Les paroles formelles sont authentiquement des faveurs surnaturelles.

Elles sont bien différentes des paroles successives et se produisent dans l'esprit, recueilli ou non, et par voie surnaturelle sans le concours d'aucun sens [4].

Cependant, il y a des degrés parmi elles :

Ces paroles sont parfois très formelles ; d'autres fois elles le sont moins ; très souvent elles sont comme des pensées qui sont commu-

1. *Montée du Carm.*, Liv. II, ch. XXVII, p. 280.
2. *Ibid.*, pp. 283-284.
3. *Ibid.*, p. 281.
4. *Ibid.*, ch. XXVIII, p. 287.

niquées à l'esprit sous la forme d'une réponse ou autrement, comme si on lui parlait ; quelquefois ce n'est qu'un mot, d'autres fois il y en a deux ou davantage ; ou encore ce sont des paroles successives comme les précédentes, car elles ont coutume de durer, elles instruisent l'âme et discutent avec elle, sans que l'esprit y prenne part, et tout se passe comme si une personne s'entretenait avec une autre. Nous en avons un exemple dans Daniel [1] qui nous dit que l'Ange parlait en lui [2].

Ces paroles peuvent être simplement formelles et n'ont pour but alors que « de donner un enseignement ou d'éclairer sur quelque point [3] ». Le démon peut les produire ; et comme ces paroles simplement formelles produisent assez peu d'effet dans l'âme, il est peu facile de les distinguer.

3. Les paroles substantielles, par contre, sont des paroles formelles nettement caractérisées parce qu'elles impriment dans l'âme ce qu'elles signifient :

Il en serait ainsi, par exemple, si Notre-Seigneur disait formellement à une âme : Sois bonne ! et qu'immédiatement elle fût essentiellement bonne... Ou encore si, la voyant en proie à une crainte excessive, il lui disait : « Ne crains pas » et qu'elle se sentît tout à coup pleine d'énergie et en paix. Car la parole de Dieu, comme dit le Sage [4], est pleine de puissance. Elle produit substantiellement dans l'âme ce qu'elle signifie... Telle est la puissance que Notre-Seigneur, d'après le saint Évangile, manifesta dans ses paroles ; il ne disait qu'un mot et aussitôt il guérissait les malades et ressuscitait les morts. C'est de cette sorte que sont les paroles substantielles qu'il adresse à certaines âmes. Elles sont d'une telle importance et d'un si haut prix, qu'elles lui communiquent la vie, la vertu et un bien incomparable . Parfois même une seule de ces paroles lui procure plus de bien que tout ce qu'elle a pu acquérir de méritoire dans toute sa vie [5].

Il n'appartient qu'à Dieu d'attacher une telle efficacité à des paroles formelles ; aussi on ne saurait douter de leur origine lorsqu'elles sont substantielles. Saint Jean de la Croix signale cependant une exception, celle de l'âme qui se serait donnée par un pacte volontaire au démon qui pourrait ainsi imprimer en elle « non des effets de bien, mais des effets pleins de malice [6] ».

Il semble que toutes les paroles dont sainte Thérèse fait une mention explicite dans ses écrits furent substantielles :

---

1. Dn 9, 22.
2. *Montée du Carm.*, Liv. II, ch. XXVIII, pp. 287-288.
3. *Ibid.*, p. 288.
4. Qo 8, 4.
5. *Montée du Carm.*, Liv. II, ch. XXIX, pp. 292-293.
6. *Ibid.*, p. 294.

Sainteté pour l'Église

N'aie pas peur, ma fille, c'est moi, lui dit Notre-Seigneur, je ne t'abandonnerai pas... A ces seules paroles, mon cœur retrouva le calme, la force, le courage, l'assurance, la paix et la lumière [1]...

Le Seigneur me dit : De quoi as-tu peur ? Ne sais-tu pas que je suis tout-puissant ? J'accomplirai ce que je t'ai promis. Ces paroles, qui se sont en effet très bien accomplies, laissèrent aussitôt en moi, ce semble, la force d'entreprendre d'autres œuvres...

Souvent il m'adressait des réprimandes. Il le fait encore quand je tombe dans quelque imperfection. Ces paroles alors sont capables de faire rentrer une âme dans son néant. Du moins, elles portent avec elles l'amendement, car Sa Majesté, comme je l'ai dit, donne en même temps le conseil et le remède.

D'autres fois, surtout quand il veut m'accorder quelque faveur signalée, il me rappelle mes péchés passés. L'âme alors s'imagine qu'elle comparaît déjà devant son vrai Juge, et elle voit la vérité sous un jour si lumineux qu'elle ne sait où se mettre [2].

Quand ces paroles lui annonçaient des événements futurs, elles laissaient

la certitude la plus profonde... que Dieu saura trouver pour (les) réaliser d'autres moyens que les hommes ne connaissent pas, et qu'enfin sa parole doit s'accomplir, comme en réalité elle s'accomplit [3].

Ne rapportant que des paroles substantielles, sainte Thérèse indique par là qu'elle ne reconnaît que celles-là comme authentiquement divines.

Saint Jean de la Croix, guidé par le souci de signaler le divin partout où il se trouve, a étendu utilement son champ d'investigation jusqu'aux paroles simplement formelles et même successives, pour en dégager la part d'influence et d'action divine. Toutefois comme à son avis, en ces deux groupes les influences surnaturelles et naturelles sont si mélangées et les effets surnaturels si peu nets qu'un doute subsiste toujours à leur sujet, il est donc prudent de réserver avec sainte Thérèse, le nom de « paroles intérieures » aux paroles substantielles qui portent en elles le signe authentique de leur origine surnaturelle.

b) *Les visions*. Le terme de visions prête à confusion. Précisons-en le sens.

Saint Jean de la Croix fait remarquer que « lorsqu'il s'agit de l'âme, comprendre et voir sont une seule et même chose [4] ». En ce sens, on peut dire que toute

1. *Vie*, ch. XXV, p. 264.
2. *Ibid.* ch. XXVI, pp. 269-270.
3. VIᵉ Dem., ch. III, pp. 947-948.
4. *Montée du Carm.*, Liv. II, ch. XXI, p. 247.

connaissance, quel que soit son objet ou son mode, est une vision de la vérité.

Pris dans son acception ordinaire et commune, le mot de vision a un sens beaucoup plus restreint : on le réserve à la perception par le sens extérieur de la vue ou par le sens intérieur de l'imagination, d'une forme corporelle. C'est ainsi que nous disons que sainte Bernadette a eu une vision extérieure de la Sainte Vierge et que sainte Thérèse a eu des visions intérieures de l'humanité du Christ Jésus.

Sainte Thérèse n'use pas du mot de vision en son sens le plus large, en l'appliquant à toute connaissance ; elle ne le réserve pas non plus aux seules perceptions sensibles des formes corporelles. Les premières manifestations surnaturelles dont elle est favorisée après les paroles intérieures, sont des perceptions de présences, sans aucune image sensible ; elle les appelle visions intellectuelles. Ces visions intellectuelles seront complétées un peu plus tard par des visions imaginaires. Surviendront enfin des visions intellectuelles pures qui auront pour objet Dieu ou ses attributs. Avant de définir, écoutons les descriptions si vivantes de la Sainte :

1. Visions intellectuelles de substances corporelles.

Alors que sainte Thérèse s'affligeait d'un décret de l'Inquisition qui interdisait la lecture d'un grand nombre de livres spirituels écrits en langue castillane, elle entendit Notre-Seigneur lui dire :

« N'en aie point de peine, je te donnerai un livre vivant ». Je ne pus comprendre alors, ajoute la Sainte, pourquoi cette parole m'avait été dite, car je n'avais pas eu encore de visions. Mais très peu de jours après, j'en eus l'intelligence parfaite [1].

Elle continue :

Me trouvant en oraison un jour de fête du glorieux saint Pierre, je vis près de moi, ou plutôt je sentis le Christ, car je ne vis rien ni des yeux du corps, ni de ceux de l'âme ; il me semblait qu'il était tout près de moi et que c'était Lui qui me parlait. Comme j'ignorais alors complètement qu'il pût y avoir de semblables visions, je fus saisie au début d'une grande frayeur, et je ne faisais que pleurer. Mais à peine le Sauveur eut-il prononcé une parole pour me rassurer, que je me trouvais, comme de coutume, calme, heureuse et affranchie de toute crainte. Il me semblait qu'il marchait toujours à côté de moi, mais je ne voyais pas sous quelle forme... Toutefois je sentais d'une manière évidente qu'il se tenait toujours

---

1. *Vie*, ch. XXVI, p. 272.

à ma droite et qu'il était témoin de toutes mes œuvres ; si je me recueillais tant soit peu, ou si je n'étais pas très distraite, je ne pouvais ignorer qu'il fût près de moi [1].

Cette vision est bien différente de la présence de Dieu expérimentée dans l'oraison d'union ou de quiétude. La Sainte le note avec précision : dans ces oraisons,

on comprend que Dieu est présent par les effets qui sont produits dans l'âme, et que Sa Majesté veut, par ce mode, se faire sentir. Ici on reconnaît clairement que Jésus-Christ, fils de la Vierge, est là [2].

C'est une véritable perception d'une présence rapprochée et agissante. Comment l'appeler sinon vision, bien que les sens ne voient pas la forme corporelle de cette présence ? Comment surtout l'expliquer ? Parlant à la troisième personne, sainte Thérèse expose l'embarras qu'elle éprouvait pour le faire :

Elle s'en alla donc, toute préoccupée, trouver son confesseur. Celui-ci lui dit : Puisque vous ne voyez rien, comment savez-vous que c'est Notre-Seigneur ? Dites-moi quel visage il avait ? Elle lui répondit qu'elle ne le savait pas, qu'elle ne voyait pas de visage et ne pouvait rien ajouter à ce qu'elle avait dit ; ce qu'elle savait, c'est que c'était Notre-Seigneur qui lui parlait, et que ce n'était pas une illusion [3].

De telles assurances ne devaient pas suffire, on le conçoit, à un confesseur qui n'avait que son bon sens pour juger de ces faits. Il multipliait les questions :

Mais qui donc, me demanda le confesseur, vous a dit que c'était Jésus-Christ ? – Lui-même, ai-je répondu, me le dit souvent. Or, avant qu'il me l'eût dit, c'était déjà imprimé dans mon entendement, et, avant même cette impression, il me le signifiait, mais je ne le voyais pas [4].

Et la vision durait « plusieurs jours et même parfois plus d'un an [5] », sans que le confesseur et le conseil des initiés pussent résoudre ce cas embarrassant. Heureusement, quelques années plus tard, saint Pierre d'Alcantara vint à Ávila et, avec l'autorité de son expérience personnelle et de sa sainteté, il put rassurer la Sainte [6] et les spirituels qui la tourmentaient par leurs inquiétudes [7].

---

1. *Vie*, ch. XXVII, p. 274.
2. *Ibid.*, p. 276.
3. VI⁰ Dem., ch. VIII, p. 995.
4. *Vie*, ch. XXVII, p. 276.
5. VI⁰ Dem., ch. VIII, p. 995.
6. *Vie*, ch. XXX, p. 313 (en 1554 probablement).
7. *Ibid.*, ch. XXVIII, p. 297.

2. Visions imaginaires.

Sainte Thérèse n'était pas encore rassurée sur les visions intellectuelles lorsqu'elle fut favorisée des visions imaginaires :

> Considérons à présent, écrit la Sainte, comment Notre-Seigneur est avec nous. Représentons-nous que nous avons dans une cassette d'or une pierre précieuse d'une valeur extraordinaire et d'une vertu inestimable. Il est absolument certain qu'elle est là, quoique nous ne l'ayons jamais vue, mais sa vertu ne manque pas de se faire sentir, quand nous la portons sur nous. Tout invisible qu'elle soit restée à nos regards, nous ne manquons pas de l'estimer... Mais nous n'osons la regarder, ni ouvrir le coffret qui la contient... Le propriétaire seul en connaît le secret et en possède la clef ; il nous a prêté le bijou pour notre avantage ; mais il ouvrira le coffret quand il lui plaira de nous le montrer... Or il lui plaît parfois d'ouvrir subitement le coffret pour faire une faveur à la personne à qui il l'a prêté... Il en est de même ici lorsque Notre-Seigneur veut bien donner à une âme une marque plus particulière de son amour. Il lui montre clairement sa très sainte humanité de la manière qu'il veut. Il se manifeste tel qu'il était lorsqu'il conversait en ce monde, ou apparaissait après sa résurrection. Bien que la vision ait lieu avec une rapidité comparable à celle de l'éclair, cette image très glorieuse demeure tellement gravée dans l'imagination que je regarde comme impossible qu'elle s'en efface jamais jusqu'à ce qu'elle la voie dans ce séjour où elle en jouira éternellement [1].

Cette image est vivante et incomparablement belle :

> La splendeur de Notre-Seigneur est comme une lumière infuse, comme celle d'un soleil recouvert d'un voile aussi transparent qu'un diamant qu'on pourrait polir. Son vêtement semble comme une toile très fine de Hollande [2].

Dans le livre de sa *Vie*, plus longuement encore, la Sainte décrit cette clarté auprès de laquelle « la clarté du soleil perd son lustre », cette « splendeur infuse, qui charme délicieusement la vue, sans lui causer la moindre fatigue », cette « lumière qui n'a point de nuit... telle enfin que le plus grand génie ne saurait, même après une longue vie, s'en former une idée [3] ».

Aussi l'âme en est bouleversée :

> L'âme est loin de s'attendre à avoir une vision, elle n'en a même pas la moindre pensée, quand soudain l'image de Notre-Seigneur se montre complètement ; elle bouleverse toutes les puissances et les sens et les remplit de crainte et de trouble pour les établir aussitôt dans une paix délicieuse. De même que, au moment où

---

1. VIe Dem., ch. IX, pp. 1002-1003.
2. *Ibid.*, p. 1004.
3. *Vie*, ch. XXVIII, p. 290.

saint Paul fut terrassé, il y eut une tempête et une forte agitation dans l'air, de même, dans ce monde intérieur dont nous parlons, il se produit d'abord une grande secousse, puis en un instant, comme je l'ai dit, tout rentre dans la paix [1].

Presque chaque fois qu'il accorde cette faveur à une âme, elle tombe en extase [2].

Aussi est-ce pour ménager sa faiblesse naturelle, assure sainte Thérèse, que Notre-Seigneur lui découvrit progressivement ses mains, son visage divin et enfin

un jour de la fête de saint Paul, pendant la messe, sa sainte humanité tout entière, tel qu'on le peint ressuscité [3].

Sainte Thérèse déclare n'avoir jamais contemplé de telles visions avec les yeux du corps, mais toujours avec les yeux de l'âme [4]. Elle n'a donc jamais eu de visions corporelles extérieures, mais uniquement des visions imaginaires.

Ces visions imaginaires se doublaient habituellement d'une vision intellectuelle :

Ces deux sortes de visions viennent presque toujours ensemble. Oui, c'est bien ainsi qu'elles viennent. Les yeux de l'âme contemplent dans la vision imaginaire l'excellence, la beauté et la gloire de la sainte humanité de Notre-Seigneur, tandis que dans la vision intellectuelle, dont j'ai parlé, il nous est donné d'entendre comment le Sauveur est en même temps le Dieu souverain qui peut tout, régit tout, gouverne tout et remplit tout de son amour [5].

La vision imaginaire recouvre la vision intellectuelle en l'habillant de formes vivantes et resplendissantes [6].

Toutes les puissances intérieures de l'âme, intellectuelles et sensibles, se trouvent saisies par la même présence qui se manifeste à chacune suivant son mode propre. Ainsi nous comprenons que sainte Thérèse puisse affirmer que ces visions imaginaires, doublées de visions intellectuelles,

semblent en quelque sorte plus avantageuses que les autres (visions intellectuelles seules) parce qu'elles sont plus en rapport avec notre nature [7].

---

1. VIe Dem., ch. IX, p. 1006.
2. *Ibid.*, p. 1004.
3. *Vie*, ch. XXVIII, p. 288.
4. *Vie*, ch. XXVIII, p. 289 ; VIe Dem., ch. IX, p. 1003.
5. *Vie*, ch. XXVIII, p. 294.
6. Au chapitre XXXIII de sa *Vie* (p. 367), sainte Thérèse décrit une vision dans laquelle elle découvre Notre-Dame dans une vision intellectuelle et imaginaire, et saint Joseph dans une vision qui n'est qu'intellectuelle.
7. VIe Dem., ch. IX, p. 1002.

La vision précédente (intellectuelle), explique-t-elle en effet, où Dieu se montre à l'âme sans image, est plus élevée, à coup sûr ; mais celle-ci a l'avantage d'être plus appropriée à notre faiblesse, car elle porte le plus grand secours à la mémoire pour qu'elle n'oublie pas une si haute faveur et que l'entendement y puise une occupation constante ; aussi est-il très utile qu'une si divine présence soit représentée et demeure gravée dans l'imagination [1].

3. Visions de substances spirituelles.

Les visions précédentes, qu'elles fussent imaginaires ou intellectuelles, portaient sur des substances ayant un corps. Les visions de substances spirituelles sont celles qui font percevoir à l'âme des substances qui ne possèdent pas de formes corporelles, telles des vérités, des anges ou Dieu lui-même. Ces visions de substances spirituelles peuvent être imaginaires ou intellectuelles suivant qu'elles sont perçues par les sens à l'aide d'une image ou par l'intelligence à l'aide d'une lumière qui lui est infusée.

Ces visions, par leur nature même, posent des problèmes plus délicats. Avant de les aborder recueillons les témoignages de sainte Thérèse qui a expérimenté les plus caractéristiques parmi les visions de ce genre. Nous trouvons chez elle trois catégories de visions de substances spirituelles : les visions d'événements cachés ou à venir, les visions d'attributs divins et de l'âme elle-même, les visions enfin de la sainte Trinité.

α) **Visions de choses cachées.** Ces visions de choses cachées, visions à distance ou de l'avenir sont assez nombreuses chez sainte Thérèse ; elle en fut favorisée jusqu'à la fin de sa vie. Ces visions sont habituellement imaginaires et intellectuelles à la fois ; la lumière explique l'image et l'image fixe la lumière en des formes sensibles et précises.

Un autre jour, je priais au pied du très Saint-Sacrement, quand m'apparut un saint dont l'Ordre a été un peu déchu. Il ouvrit un grand livre qu'il tenait en mains, et me dit de lire quelques paroles qui s'y trouvaient écrites en caractères très gros et très nets. J'y lus ceci : Dans les temps à venir, cet Ordre sera prospère et aura beaucoup de martyrs.

Une autre fois, tandis que j'étais au chœur, à Matines, j'eus une vision. Je vis se placer devant moi six ou sept religieux qui semblaient du même Ordre et tenaient des épées à la main. Je crus comprendre par là qu'ils doivent défendre la foi. Un autre jour,

---

1. *Vie*, ch. XXVIII, pp. 293-294.

en effet, étant en oraison, j'eus une extase. Il me semblait que j'étais au milieu d'une vaste plaine où se trouvaient une foule de combattants. Les religieux de cet Ordre luttaient avec le plus grand courage. Leur visage était beau et tout en feu. Ils renversaient un grand nombre d'ennemis vaincus et en tuaient d'autres. Ce combat me semblait livré contre les hérétiques [1].

Purement charismatiques, c'est-à-dire données pour le bien des autres, ces visions n'entrent pas à proprement parler dans la vie spirituelle de la Sainte et ne présentent pas un développement progressif en harmonie avec ses ascensions spirituelles.

β) Visions ayant pour objet Dieu ou l'âme. Dans le livre de sa *Vie*, sainte Thérèse note, parmi les faveurs reçues, certaines lumières éblouissantes, celle par exemple par laquelle il lui est donné

de comprendre d'une manière si claire, comment il y a un seul Dieu et trois Personnes en Dieu que, dit-elle, j'en fus toute surprise et profondément consolée [2].

Simple lumière ou vision, nous ne saurions le préciser.

Mais voici une lumière sur Dieu vérité qui a fortement impressionné la Sainte et qu'elle considère comme « une haute faveur ». C'est une vision dont elle fait mention à la fois dans le livre de sa *Vie* et dans le *Château Intérieur* [3].

Mon âme semblait tout imprégnée et remplie de cette Majesté que j'avais vue d'autres fois, écrit la Sainte. Me trouvant donc dans cette Majesté, il me fut donné de comprendre une vérité qui est la plénitude de toutes les vérités... Je compris ce que c'est pour une âme que de marcher dans la vérité, en présence de la Vérité même... Cette vérité dont je parle, et qui a daigné se révéler à moi, est en soi la vérité même ; elle est sans commencement et sans fin... N'ayant rien vu, je ne saurais dire comment cela se passa [4].

Cette vision intellectuelle est accompagnée d'une parole intérieure et d'une image qui se grave profondément dans son âme.

Une image très vive de cette divine Vérité qui me fut représentée s'est gravée en moi ; je ne saurais en dire ni le mode, ni le degré [5].

Nous croyons pouvoir rattacher cette manifestation d'une haute vérité à « cette sorte de vision et de langage »

---

1. *Vie*, ch. XL, p. 469.
2. *Ibid.,* ch. XXXIX, pp. 459-460.
3. *Ibid.,* ch. XL, pp. 461-463 ; VIᵉ Dem., ch. X, p. 1015.
4. *Ibid.,* ch. XL, pp. 461-463.
5. *Ibid.,* p. 462.

que sainte Thérèse décrit à propos des visions intellectuelles [1] et dans laquelle

Dieu grave au plus intime de l'âme ce qu'il veut lui faire
connaître, et là il le lui représente sans image ni forme de paroles,
mais de la même manière que dans la vision (intellectuelle) dont
je viens de parler. Et qu'on remarque avec le plus grand soin cette
manière dont le Seigneur fait entendre à l'âme ce qu'il veut, en lui
découvrant de grandes vérités ou de hauts mystères ; car bien
souvent, quand il m'explique une vision dont il m'a favorisée,
c'est ainsi qu'il m'en donne l'intelligence... Cette sorte de vision
ne nous est pas toujours donnée dans la contemplation ; c'est
même fort rare ; mais quand elle arrive, je dis qu'il n'y a alors
aucune opération, aucun acte de notre part ; c'est Dieu, ce semble,
qui fait tout. Il en est comme d'une nourriture qui se trouverait
dans notre estomac sans que nous l'ayons mangée ; nous ignorons
comment elle y est entrée, mais nous comprenons bien qu'elle y
est... Ici l'âme n'agit nullement... Elle trouve tout préparé et
mangé ; elle n'a pas autre chose à faire qu'à en jouir... En un
instant, en effet, l'âme se trouve savante, elle découvre dans une
lumière si claire le mystère de la très sainte Trinité et certains
autres mystères très relevés, qu'il n'y a pas de théologien contre
qui elle n'osât soutenir et défendre ces sublimes vérités [2].

Ces descriptions si précises qui mettent en relief à la
fois la passivité de l'âme et la richesse lumineuse de ce
trésor qu'elle découvre soudain en elle, nous exposent le
mécanisme de la vision intellectuelle, infusion directe par
Dieu d'une lumière dans l'âme.

A la suite de cette vision intellectuelle de la Vérité, sainte
Thérèse raconte une vision, imaginaire celle-ci, de l'âme
habitée par Dieu :

Mon âme tout entière me semblait comme un clair miroir sans
revers, ni côtés, ni haut, ni bas qui ne fût tout resplendissant. Au
centre d'elle-même je vis le Christ Notre-Seigneur sous la forme
où il a coutume de m'apparaître. Je le voyais, ce me semble, très
clairement dans toutes les parties de mon âme, comme dans un
miroir, et ce miroir, à son tour, se représentait tout entier sous je
ne sais quel mode dans ce même Seigneur, par une communication
toute d'amour qu'il me serait impossible de dépeindre... Cette vision
me semble très avantageuse pour les personnes adonnées au recueillement intérieur [3].

Cette vision est utile pour le recueillement, parce que
la lumière y est illustrée par une image qui saisit les sens.
A n'en pas douter, la vision est à la fois intellectuelle et
imaginaire et nous y découvrons la superposition de cette
dernière sur la première, superposition dont sainte

---

1. *Vie*, ch. XXVII, pp. 277-280.
2. *Ibid.*, pp. 277-279.
3. *Vie*, ch. XL, pp. 464-465.

Thérèse a célébré les avantages à propos des visions imaginaires de substances corporelles.

Parfois l'image est beaucoup moins nette, au point que la Sainte n'ose pas affirmer qu'elle existe. La vision intellectuelle se détache au contraire plus nettement :

> Étant un jour en oraison, poursuit la Sainte, j'eus une vision de très courte durée et je ne pus rien distinguer de précis. Il me fut représenté, au milieu de la plus vive clarté, comment on voit toutes les créatures en Dieu et comment Dieu les contient toutes. J'avoue que je ne saurais décrire cette vision, mais elle demeura profondément imprimée en moi... Il me semblait voir quelque chose, quoique je ne puisse pas l'affirmer. Cependant on doit bien voir quelque chose, puisque je vais en donner une comparaison... Peut-être aussi je ne sais pas me rendre compte de ces visions, qui ne me semblent pas imaginaires, bien que quelques-unes doivent l'être un peu... Je dis donc que la Divinité est comme un diamant très clair et beaucoup plus grand que le monde tout entier ; ou encore comme un miroir semblable à celui auquel j'ai comparé l'âme dans la vision précédente... Il est de telle sorte qu'il contient tout en lui-même et il n'y a rien qui existe en dehors de son immensité [1].

Il faut noter que dans ces visions de substances spirituelles, nous retrouvons le même ordre progressif que dans les visions de substances corporelles ; la vision intellectuelle est donnée la première ; la vision imaginaire vient s'ajouter à la vision intellectuelle pour la perfectionner et augmenter la puissance de ses effets. Le même développement progressif apparaît dans les visions de la sainte Trinité, du moins en celles qui précèdent le mariage spirituel.

γ) Visions de la sainte Trinité. Ces visions de la sainte Trinité marquent un approfondissement singulier de la vie divine dans l'âme et y apportent un élément nouveau. La vision intellectuelle dont la Sainte est favorisée en premier lieu, produit chez elle une certaine surprise.

> Le mardi après l'Ascension [2], je restai un instant en oraison, au sortir de la communion que j'avais faite avec difficulté... et je me plaignais au Seigneur de notre pauvre nature. Soudain, mon âme commença à s'enflammer. Je croyais véritablement avoir une vision intellectuelle de la présence en moi de la sainte Trinité. Il fut donné à mon âme, par une certaine représentation ou image de la vérité, de voir, autant du moins que ma faiblesse en était capable, comment il y a trois personnes en un seul Dieu. Il me

---

1. *Vie*, ch. XL, pp. 466-467.
   Sainte Thérèse décrit en quelques mots cette même vision dans le *Château Intérieur*, VIᵉ Dem., ch. X, p. 1014.
2. Le 29 mai 1571 au monastère de Saint-Joseph d'Avila.

semblait que ces trois personnes me parlaient, qu'elles se reproduisaient distinctement au dedans de mon âme. Je compris le sens
de ces paroles du Seigneur : « Les trois personnes divines habiteront
dans l'âme qui est en état de grâce... » Je voyais, en effet, la sainte
Trinité présente au dedans de moi de la manière que j'ai exposée...
Mon âme vit, ce me semble, s'imprimer si profondément en elle
l'image de ces trois Personnes divines que je contemplais et qui ne
sont qu'un seul Dieu que, si cette faveur durait, il me serait impossible de n'être pas recueillie dans une telle compagnie [1].

Cette présence intellectuelle lui est en effet continuée.
Elle la signale un mois après :

Cette présence en moi des trois Personnes divines dont j'ai parlé
au commencement a continué jusqu'à ce jour, fête de la commé-
moration de saint Paul, d'une manière presque constante. Habituée comme je l'étais à la présence seule de Jésus-Christ, il me
semblait toujours que j'étais quelque peu gênée par la vue des
trois Personnes, bien que je sache qu'elles ne sont qu'un seul Dieu.
Comme je m'entretenais aujourd'hui de cette pensée, le Seigneur
me dit : « Tu te trompes en te représentant les choses de l'âme
comme celles du corps ; sache qu'elles sont très différentes, et que
l'âme est capable de jouir beaucoup ». Il me parut que, semblable
à une éponge toute pénétrée et imbibée d'eau, mon âme était
imprégnée de la Divinité, et que d'une certaine manière, elle jouissait vraiment de la présence des trois personnes et les possédait
en elle. J'entendis alors cette parole : « Ne songe pas à me renfermer en toi, mais à te renfermer en moi ». Il me semblait que les
trois Personnes divines étaient au dedans de mon âme ; je les
voyais se communiquer à chacune des créatures, sans exception, tout
en demeurant en moi [2].

Sainte Thérèse écrit cette relation peu de temps après
avoir été favorisée de ces visions dont la nouveauté
embarrasse sa plume. Lorsque sept ans après, elle écrira
le *Château Intérieur*, sa plume aura retrouvé toute son
aisance ; désormais élevée à des états supérieurs, elle
comprend mieux la nature de ces visions et peut préciser
l'état qu'elles caractérisent.

Elle nous apprend alors que ces visions intellectuelles
de la sainte Trinité sont données à l'âme dès qu'elle entre
dans les septièmes Demeures et avant qu'elle soit favorisée
de la grâce du mariage spirituel.

Dès qu'elle est introduite dans cette Demeure, les trois Personnes
de la très sainte Trinité se montrent à elle par une vision intellectuelle, ou une certaine représentation de la vérité, à la lumière
d'une flamme qui éclaire d'abord son esprit, comme une nuée
d'une incomparable splendeur. Elle voit que ces trois Personnes
sont distinctes ; puis, par une connaissance admirable qui lui est

1. *Relations*, IX, pp. 538-539.
2. *Ibid.*, XI, pp. 540-541.

donnée, elle comprend avec la plus complète certitude que ces trois Personnes sont une seule substance, un seul pouvoir, une seule sagesse et un seul Dieu. Ce que nous connaissons par la foi, l'âme le comprend on peut le dire, par la vue ; néanmoins elle ne voit rien, ni des yeux du corps, ni des yeux de l'âme, car ce n'est pas une vision imaginaire. Les trois Personnes se communiquent alors à elle, lui parlent et lui donnent l'intelligence de ces paroles par lesquelles Notre-Seigneur dit dans le saint Évangile qu'il viendra lui-même avec le Père et le Saint-Esprit habiter dans l'âme qui l'aime et qui garde ses commandements... Bien qu'elle n'ait pas habituellement cette vue aussi claire des trois Personnes divines, elle n'a qu'à y réfléchir pour se retrouver avec elles [1].

Nous voici donc renseignés : sainte Thérèse est entrée dans les septièmes Demeures le mardi de l'Ascension 1571, lorsqu'elle fut favorisée de cette vision intellectuelle de la Trinité sainte, qui dès lors devint habituelle.

Cette vision intellectuelle d'une nature particulière, puisqu'elle est produite par « la lumière d'une flamme », n'atteindra sa perfection que dans le mariage spirituel. En lisant les *Relations* de sainte Thérèse on a l'impression qu'en attendant, cette vision intellectuelle est elle-même soutenue et perfectionnée par des visions d'un autre genre.

La Sainte, la même année, note :

Me trouvant un jour en oraison, le Seigneur me montra dans une sorte de vision intellectuelle l'état d'une âme qui est en grâce avec Dieu. Je vis la sainte Trinité lui tenir compagnie et par le fait même lui donner le pouvoir de dominer le monde entier... Il me montra, en outre, une âme en état de péché mortel ; elle est privée de tout pouvoir, semblable à une personne qui est complètement liée et attachée, qui a les yeux bandés, qui, malgré ses efforts, ne peut ni voir, ni marcher, ni entendre, et qui enfin se trouve dans d'épaisses ténèbres. Je fus tellement touchée de pitié pour les âmes qui sont en cet état que tous les tourments possibles me sembleraient légers pour en délivrer une seule [2].

L'année suivante, le 22 septembre 1572, deux mois avant le mariage spirituel, la Sainte est favorisée d'une vision imaginaire qu'elle expose assez longuement pour indiquer les précisions qu'elle apporte à la vision intellectuelle :

L'adorable Trinité se représenta à moi de telle sorte que par certains modes et certaines comparaisons, je la contemplai très clairement dans une vision imaginative. D'autres fois, il est vrai, elle s'était montrée à moi dans une vision intellectuelle ; mais au bout de quelques jours, je ne pouvais plus, comme maintenant,

---

1. VIIe Dem., ch. I, pp. 1030-1031.
2. *Relations*, XVIII, pp. 543-544.

occuper mon esprit de cette vérité ni y trouver de la consolation. Aujourd'hui, je reconnais que cette vision est conforme à ce que j'ai entendu des théologiens, quoique je ne le comprisse pas aussi bien alors...

Ce qui fut représenté à mon esprit, ce sont trois Personnes distinctes, qu'on peut voir et à qui on peut parler séparément. Depuis lors, j'ai considéré que le Fils seul a pris la chair humaine, ce qui montre bien cette vérité. Ces trois Personnes s'aiment, agissent en commun et se connaissent... Ces trois Personnes n'ont qu'une seule volonté, qu'un seul pouvoir, qu'une seule autorité. Aussi l'une ne peut rien sans l'autre, et toutes les créatures n'ont qu'un seul Créateur [1].

Enfin, le 18 novembre 1572, à l'occasion du mariage spirituel, sainte Thérèse est favorisée de deux visions qui ont un caractère particulier qu'elle-même souligne. C'est d'abord une vision imaginaire de la sainte humanité du Christ :

La première fois que Notre-Seigneur accorde cette faveur à l'âme, il veut lui montrer par une vision imaginaire sa très sainte humanité, pour qu'elle en ait une pleine connaissance et n'ignore point la faveur si souveraine dont elle est l'objet. Il se manifestera peut-être à d'autres personnes sous une autre forme...

Il vous semblera que cette faveur n'avait rien d'extraordinaire, dès lors que Notre-Seigneur s'était déjà manifesté d'autres fois à cette personne de la même manière. Néanmoins cette vision était tellement différente des précédentes, que cette personne en fut toute hors d'elle-même et remplie d'effroi, d'abord à cause de la force spéciale de cette vision, ensuite à cause des paroles que Notre-Seigneur lui fit entendre, et enfin parce que, à part la vision précédente, elle n'avait pas vu d'autres visions se manifester dans l'intérieur de son âme [2].

En même temps, l'union de l'âme avec Dieu

se contracte au centre le plus intime de l'âme, qui doit être la demeure où Dieu lui-même habite, et où, ce me semble, il entre sans qu'il ait besoin de passer par aucune porte. Je dis qu'il n'est pas besoin de porte, parce que, dans tout ce que j'ai exposé jusqu'à présent, il semble que Notre-Seigneur agit par le moyen des sens et des puissances, et il devait en être ainsi de l'apparition de sa sainte humanité ; mais ce qui se passe dans l'union du mariage spirituel est tout différent. Le Seigneur se montre au centre de l'âme non dans une vision imaginaire, mais dans une vision intellectuelle beaucoup plus délicate encore que les précédentes [3].

Cette vision intellectuelle si haute semble être la découverte de la présence de Dieu dans l'âme, grâce à l'union parfaite qui est contractée avec lui et « bien que

---

1. *Relations*, XXVI, pp. 549-550.
2. VII⁰ Dem., ch. II, pp. 1034-1035.
3. *Ibid.*, p. 1035.

cette insigne faveur ne doive pas avoir sa perfection complète tant que nous vivons sur la terre [1] », elle marque cependant un sommet et déjà une possession définitive. Désormais en effet « l'âme demeure toujours avec Dieu dans ce centre dont nous avons parlé », assure sainte Thérèse [2].

III. — *Qualité de ces faveurs.*

Ces communications divines que nous venons d'énumérer, paroles et visions, sont-elles toutes des faveurs extraordinaires, c'est-à-dire des faveurs produites par une action directe de Dieu sur les facultés ou sur les sens ? Essayons de le préciser. La classification de ces faveurs donnée par saint Jean de la Croix nous y aidera.

a) Paroles. — Si, à la lumière de la définition donnée, nous examinons les paroles intérieures que rapporte sainte Thérèse, il apparaît clairement que ces paroles, étant des paroles substantielles, sont des faveurs extraordinaires.

Les paroles successives décrites par saint Jean de la Croix, étant prononcées par l'âme sous l'action de la lumière divine, ne sont pas faveurs extraordinaires.

Quant aux paroles simplement formelles, elles sont par définition des faveurs extraordinaires, puisque produites directement par Dieu. Toutefois, comme leurs effets sont peu sensibles, il est difficile de les discerner en bien des cas, des paroles successives. Il est donc prudent de s'abstenir d'un jugement sur leur qualité.

b) Visions. — Il est moins facile de qualifier les visions thérésiennes. C'est en ce domaine surtout que la classification san-johannique va nous être utile.

1. Saint Jean de la Croix distingue trois sortes de visions : les visions proprement dites, les révélations et les connaissances de vérités. Les visions proprement dites pénètrent directement à l'aide d'une lumière surnaturelle les choses absentes du ciel et de la terre et portent sur Dieu, sur les réalités spirituelles ou sur les réalités corporelles.

---

1. VIIe Dem., ch. II, p. 1034.
2. *Ibid.*, p. 1036.

La vision de Dieu et des substances spirituelles est de l'autre vie, car on ne peut voir Dieu sans mourir. Le Saint admet cependant que les visions de cette sorte sont possibles ici-bas,

très rarement et en passant, et encore Dieu doit-il alors veiller à soutenir les conditions de la vie naturelle, puisqu'il en retire totalement l'esprit et que l'âme n'anime plus le corps... Mais ces visions si substantielles qui furent accordées à saint Paul, à Moïse et à Élie... sont très rares ; elles n'arrivent presque jamais et ne sont accordées qu'à un très petit nombre [1].

Les visions de réalités corporelles sont ces visions de substances corporelles dont il a été parlé précédemment.

Toutes ces visions sont des faveurs extraordinaires.

Les révélations consistent dans la manifestation des secrets et des mystères. Elles concernent Dieu lui-même, c'est-à-dire le mystère de la Trinité et les attributs divins, ou encore ce que Dieu est dans ses œuvres et dans tous les autres dogmes de la foi. Comme la Révélation est close, les faveurs de ce genre illustrent ou manifestent une vérité déjà connue et en donnent l'intelligence. Les révélations « se font ordinairement par des paroles, des figures, des symboles [2] ».

Les connaissances qui consistent

à comprendre et à voir avec l'entendement les vérités de Dieu ou des créatures, et d'une manière qui surpasse ce qui a été, ce qui est et ce qui sera [3]

peuvent avoir pour objet le Créateur ou les créatures.

Les connaissances sur Dieu sont la pure contemplation. Elles sont le fruit de l'amour unissant. Dans leur forme parfaite elles

ne peuvent être accordées qu'à l'âme parvenue à l'union avec Dieu ; car elles sont cette union même ; cette union consiste à les posséder par une certaine touche qui se fait de l'âme à la divinité [4].

Les touches substantielles, en enrichissant l'âme, actualisent ces connaissances qui sont les plus précieux de tous les dons, parce qu'elles procèdent de l'union et sont l'union même.

---

1. *Montée du Carm.*, Liv. II, ch. XXII, pp. 251-252.
2. *Ibid.*, ch. XXV, p. 273.
3. *Ibid.*, ch. XXIV, p. 260.
4. *Ibid.*, p. 262.

Ces connaissances sur Dieu ne sont pas des faveurs extraordinaires, puisqu'elles sont le fruit de la connaturalité réalisée par la charité. Bien que les plus hautes et les plus désirables, elles sont dans la ligne normale du développement de la grâce et sont produites par elle.

Les connaissances sur les objets inférieurs à Dieu sont fort différentes ; elles se rapportent aux choses en soi, aux faits, aux événements qui se passent parmi les hommes. Saint Jean de la Croix nous dit que ces connaissances peuvent procéder soit d'un charisme, don particulier de sagesse ou de prophétie, soit d'une aptitude de l'esprit purifié qui, à l'aide d'indices extérieurs minimes, découvre les réalités profondes. Dans les deux cas, une lumière divine est nécessaire pour actualiser le don ou l'aptitude.

Ces connaissances ne sont donc pas pour l'ordinaire, des faveurs extraordinaires dans le sens qui a été indiqué. Saint Jean de la Croix insiste pour qu'on ne s'y arrête pas ou même qu'on s'en défie [1].

2. Cette classification nous apporte des lumières précieuses pour préciser la nature des visions dont sainte Thérèse fut favorisée. Examinons-les successivement.

Les visions intellectuelles ou imaginaires de substances corporelles que nous avons décrites étaient des visions proprement dites et à ce titre doivent certainement être considérées comme faveurs extraordinaires.

Des distinctions doivent être faites dans les phénomènes surnaturels que nous avons groupés sous le titre de visions de substances spirituelles.

Parmi les visions de substances spirituelles décrites par sainte Thérèse, en est-il que l'on puisse qualifier de visions de Dieu ou de réalités spirituelles au sens san-johannique ? Nous ne le pensons pas [2]. Les visions les plus hautes racontées par sainte Thérèse, celles de la sainte Trinité, persistent, tandis que les visions de Dieu dont parle saint Jean de la Croix ne durent qu'un instant. Les visions thérésiennes que nous connaissons peuvent s'expliquer sans qu'on soit obligé de recourir à un phénomène aussi rare et extraordinaire que paraît être la faveur décrite par le Docteur mystique. Si un

---

1. *Montée du Carm.*, Liv. II, ch. XXIV, p. 265-271.
2. Il est possible que la Sainte ait joui de telles visions et ne les ait pas décrites.

doute subsistait à ce sujet il faudrait, nous semble-t-il, l'élucider en étudiant non les visions de la sainte Trinité, mais la vision de Dieu Vérité qui fit une impression si profonde sur la Sainte.

Cette vision de Dieu Vérité qui est accompagnée d'une parole intérieure et d'une image qui se grave en elle, les visions de l'âme habitée par le Christ, de l'âme en état de grâce et en état de péché, la vision imaginaire de la sainte Trinité nous paraissent être des révélations au sens de saint Jean de la Croix. Le Saint dit en effet, que cette manifestation de secrets divins est faite ordinairement à l'aide de paroles, figures et symboles. Ces révélations sont des faveurs extraordinaires.

Les visions thérésiennes de l'avenir sont aussi faveurs extraordinaires, parce que révélations procédant d'une infusion extraordinaire de lumière divine distincte. [1]

Les visions intellectuelles de la sainte Trinité dont l'âme est favorisée à l'entrée des septièmes Demeures, ne sont pas des révélations mais des connaissances spirituelles qui procèdent de ce degré suprême de charité. Elles ne sont donc pas des faveurs extraordinaires au sens strict de la définition. Dans la période qui précède le mariage spirituel, cette vision intellectuelle dure un certain temps au témoignage de sainte Thérèse mais semble s'affaiblir après quelques jours [2]. L'union n'étant pas parfaite, la vision intellectuelle ne l'est pas non plus ; mais chez sainte Thérèse elle fut soutenue alors par des faveurs extraordinaires que nous avons qualifiées de révélations. Lorsque l'âme est parvenue au mariage spirituel, la vision intellectuelle trouve sa perfection dans la perfection même de l'union réalisée. Désormais les faveurs extraordinaires peuvent cesser. L'âme est en possession d'une lumière qui leur est supérieure, celle qui procède de l'amour unissant, et qui découvre d'une façon constante le trésor divin qui habite en elle et l'union parfaite réalisée avec lui [3].

Les expériences de sainte Thérèse sont en parfaite harmonie avec l'enseignement de saint Jean de la Croix qui au-dessus de toutes les lumières reçues par voie extraordinaire, place la lumière d'aurore qui monte de la perfection de l'amour unissant.

---

1. *Montée du Carm.*, Liv. II, ch. XXV, p. 273.
2. *Relations*, XXVI, p. 549.
3. On trouvera plus loin dans le chapitre « Fiançailles et mariage spirituels », pp. 972 et s., de plus longs développements sur la vision intellectuelle de la sainte Trinité.

Sainteté pour l'Église

B. — EFFETS DES FAVEURS
EXTRAORDINAIRES

Le souci légitime d'ailleurs, de ne pas nourrir les désirs des grâces extraordinaires porte parfois à minimiser les effets de ces faveurs. Proclamer la vérité sur ce point nous semble préférable, même si quelques inconvénients devaient en résulter en certains cas particuliers. Or la vérité est que ces faveurs ont habituellement une influence considérable dans le développement de la vie spirituelle des personnes qui les reçoivent et dans la réalisation de la mission qui leur est confiée. Il en fut ainsi pour sainte Thérèse.

I. — Sanctification de l'âme.

La première parole intérieure qu'entend sainte Thérèse et qui est ainsi formulée : « Je ne veux plus que tu converses désormais avec les hommes, mais seulement avec les anges [1] », la détache des conversations de parloir et de toute affection qui n'est pas purement spirituelle.

Depuis lors, je n'ai jamais pu, écrit-elle, avoir ni affection, ni goût, ni amour spécial, si ce n'est pour les personnes que je vois aimer Dieu et s'appliquer à le servir... Depuis ce jour je me sentis fermement résolue à ne négliger aucun sacrifice pour ce Dieu qui, en un instant, avait entièrement transformé sa servante. Aussi il n'était plus nécessaire de me presser sur ce point [2].

Autant, sinon plus, que les paroles intérieures, les visions et révélations sont lourdes de lumière et de grâce. Elles sont « d'un très grand secours pour acquérir les vertus dans une très haute perfection [3] » et elles laissent « l'âme tellement bien instruite de certaines grandes vérités, qu'elle n'a pas besoin d'autre maître [4] ». Elles la pénètrent d'humilité [5] et l'embrasent d'amour [6].

L'âme, par cette vision, est vraiment transformée ; elle est toujours absorbée en Dieu. Il lui semble qu'elle commence de nou-

---

1. *Vie*, ch. XXIV, p. 250.
2. *Ibid.*
3. VIe Dem., ch. IX, p. 1011.
4. *Ibid.*, p. 1006.
5. *Vie*, ch. XXIX, p. 301.
6. *Ibid.*, p. 307.

728

veau à aimer Dieu de l'amour le plus ardent et, à mon avis, le plus élevé [1],

écrit la Sainte à propos des visions imaginaires.

Ces effets de grâce, véritables joyaux, étaient si visibles qu'elle pouvait les présenter comme preuves de l'action divine à ceux qui en doutaient :

Ces joyaux, je pouvais les montrer, écrit-elle. Tous ceux qui me connaissaient voyaient clairement que mon âme était toute transformée. Mon confesseur lui-même l'affirmait ; ce changement sur tous les points était très profond ; loin d'être caché, il était manifeste pour tous [2].

Ce témoignage de sainte Thérèse est si abondamment confirmé par l'hagiographie des saints qu'il est à peine besoin d'insister. A l'exemple des pêcheurs de Galilée qui, après avoir entendu l'appel du Maître, contemplé ses traits et reçu miraculeusement son Esprit, devinrent les apôtres, à l'exemple de Saul, terrassé sur le chemin de Damas, qui devint l'apôtre des nations, bien des âmes ont été transformées par une parole substantielle ou une vision, et orientées efficacement vers une mission qui leur était ainsi révélée.

Il faut noter toutefois que ces effets de transformation ne procèdent pas directement de la faveur, mais d'une grâce qui leur est adjointe [3].

II. — *Lumière.*

L'effet propre des faveurs extraordinaires est la lumière et une lumière d'une telle qualité qu'elle peut avoir sur la vie spirituelle une influence extraordinaire.

Cette lumière à la fois claire et transcendante, adaptée et débordante, pénètre dans les facultés et les plus humbles puissances du connaître chez l'homme, leur révèle d'une façon immédiate et vivante les réalités surnaturelles dont elle grave dans les profondeurs l'image ou le souvenir et, en avivant le désir, leur facilite désormais le contact.

---

1. *Vie*, ch. XXVIII, p. 293.
2. *Ibid.*, p. 296.
3. Une parole simplement formelle reste une faveur extraordinaire, bien qu'ayant peu d'effet sanctifiant.
Une révélation peut de même n'apporter que la lumière sur un point particulier sans cesser d'être faveur extraordinaire.

Sainte Thérèse souligne combien spécialement les visions intellectuelles qui se prolongeaient, entretenaient la présence continuelle de Notre-Seigneur :

> Sans doute, nous savons que Dieu est présent à toutes nos œuvres. Mais notre nature est telle que nous l'oublions souvent, tandis que l'âme favorisée de cette grâce (vision intellectuelle) n'a pas de distraction ; le Seigneur, qui est près d'elle, la maintient toujours attentive. Bien plus, comme elle a presque continuellement un amour actuel pour celui qu'elle voit ou qu'elle sent près d'elle, elle reçoit beaucoup plus souvent les autres grâces dont nous avons parlé... Aussi quand le Seigneur l'en prive, elle se trouve dans une solitude profonde [1].

La vision imaginaire est encore plus utile, au témoignage de la Sainte, [2] parce que plus adaptée à nos moyens ordinaires de connaître par les sens, et parce qu'elle grave dans la mémoire des images vivantes qui ne s'en effaceront plus.

L'expérience mystique trouve dans la lumière des faveurs extraordinaires un secours précieux. Cette expérience est essentiellement obscure et le reste même lorsque sa lumière mérite d'être appelée une clarté d'aurore. Dans la période ténébreuse de la nuit de l'esprit elle paraît ensevelie dans la nuit ; c'est alors que surviennent normalement le plus grand nombre de faveurs extraordinaires et que l'âme en reçoit le secours le plus opportun.

L'expérience mystique garde toujours la certitude de posséder un trésor divin. Mais ce trésor est dans un coffret et elle n'en peut jouir parfois qu'en fermant les yeux. La foi, il est vrai, lui explicite le mystère caché en une formule parfaite ; mais cette formule elle-même, garde jalousement sous le voile de sa surface argentée et lumineuse, le mystère de l'or de sa substance. La faveur extraordinaire ouvre un instant le coffret qui laisse voir ainsi son trésor [3]. Elle semble déchirer la surface de la formule dogmatique qui, bien que lumineuse, est une écorce ; elle fait éclater la vie divine que cette formule contient et protège, et la fait déborder en une explicitation lumineuse et vivante sur les facultés qui la reçoivent dans la surprise et dans la joie.

Pierre dormait sur le Thabor, malgré sa foi ardente, tandis que Jésus priait. Voici qu'avec Jacques et Jean, il est introduit dans la vision resplendissante qui lui rend

---

1. VIᵉ Dem., ch. VIII, pp. 997-998.
2. *Vie*, ch. XXVIII, p. 293.
3. VIᵉ Dem., ch. IX, p. 1003.

sensibles les richesses intérieures de la prière du Maître. On conçoit qu'il veuille dresser la tente sur le Thabor. Il affirmera plus tard que les formules de la foi sont plus sûres que les visions : « *habemus firmiorem propheticum sermonem* [1] », écrira-t-il, mais c'est après avoir fait appel au témoignage de sa vision de la gloire du Christ qui lui en avait donné une conscience personnelle vivante et profonde.

Les faveurs extraordinaires enrichissent l'âme et marquent profondément la vie spirituelle des saints en tout son développement. Fréquemment au seuil de la voie étroite dans laquelle il engage ses privilégiés, Dieu place une faveur extraordinaire qui, tel un phare, en signale l'entrée, en éclaire le sentier et les rudes montées et déjà, de ses puissantes clartés, en découvre le sommet. Les visions du Christ Jésus dont fut favorisée sainte Thérèse, donnèrent à sa vie, à sa doctrine et à sa mission, ce caractère christocentrique qui est une de leurs richesses. On a pu souligner à juste raison que le mystère du Christ total qui est la pensée maîtresse de la prédication et de la spiritualité paulinienne, se trouve déjà tout entier dans la vision initiale du Christ Jésus qui le terrasse sur le chemin de Damas et qui se dit le Jésus que Saul persécute en poursuivant les chrétiens [2]. Qui pourra préciser ce que les visions répétées et les paroles de la Vierge Immaculée laissèrent dans l'âme de Bernadette ? Certainement un appel à la sainteté et à la réalisation de la beauté découverte, appel dont la puissance efficace s'étala sur une rude pauvreté humaine recouverte des charmes délicats de la simplicité divine. N'est-ce pas aussi la beauté et le sourire guérisseur de la Vierge qui s'est imprimé sur la physionomie conquérante de sainte Thérèse de l'Enfant-Jésus ?

III. — *Effets charismatiques.*

Le profit immense que peut en retirer l'âme, ne doit pas nous dissimuler que ces faveurs extraordinaires sont en soi charismatiques. C'est donc dans le bien qu'elles procurent au prochain et à l'Église plutôt que dans leurs effets sanctifiants, que nous devons chercher leur effet spécifique et le but auquel elles sont providentiellement ordonnées.

---

1. 2 P 1, 19.
2. Cf. P. Mersch, *Le Corps Mystique du Christ*, Ire partie, ch. IV.

Sainteté pour l'Église

Ces faveurs extraordinaires sont données par Dieu pour assurer lumière, force et crédit dans la réalisation des missions surnaturelles. Ce but n'exclut pas le précédent, pas plus que le bien de l'Église, fin de toutes choses, n'exclut la sanctification des membres qui travaillent à l'édifier, mais au contraire l'exige et le procure. Bien de l'Église et bien spirituel particulier des âmes s'harmonisent dans le plan divin. Il importe cependant de souligner ce caractère charismatique comme le caractère essentiel de ces faveurs extraordinaires. C'est celui qui apparaît le plus clairement dans l'histoire du peuple hébreu et dans l'histoire de l'Église. C'est le seul qui explique la fréquence de ces signes sensibles de l'action de Dieu ou leur absence dans les voies particulières de la sainteté.

Saul est choisi comme un vase d'élection et l'apôtre des Gentils. La vision qui le convertit, lui assure lumière et force pour la réalisation de sa mission.

Les faveurs extraordinaires qui aident si puissamment sainte Thérèse à parvenir à l'union transformante, sont une préparation évidente à sa mission de réformatrice et de maîtresse de vie spirituelle. La vision et les assauts du chérubin lui confèrent visiblement la grâce de maternité. Elle reconnaît elle-même la lumière et le soutien efficace qu'elle a trouvés dans ces faveurs :

Si Notre-Seigneur ne m'avait accordé tant de grâces, écrit-elle en 1572, je n'aurais jamais eu, je crois, assez de courage pour entreprendre les œuvres qui se sont accomplies, ni assez de force pour supporter les travaux, les contradictions et les critiques qui ont plu sur moi. Depuis l'origine de ces fondations, les craintes que j'avais précédemment d'être trompée se sont évanouies. J'ai eu la certitude que Dieu lui-même agissait en moi ; voilà pourquoi j'ai entrepris des œuvres difficiles... Il est donc évident que si Notre-Seigneur a voulu ramener notre Ordre à sa ferveur primitive, si pour cela il a voulu dans sa miséricorde se servir de moi, Sa Majesté devait me donner les qualités qui me manquaient... Pour mener ce projet à bonne fin, il devait manifester d'autant plus sa grandeur qu'il employait un instrument plus imparfait [1].

Les indiscrétions même, si douloureuses pour sainte Thérèse, qui feront connaître sa vie d'âme, augmenteront son crédit pour ses fondations. C'est une vision de l'âme juste qui lui fournira le sujet de son chef-d'œuvre, le *Château Intérieur*, dont elle jalonnera les étapes les plus importantes avec le signe lumineux d'une faveur extraordinaire qui en illustrera la grâce.

---

1. *Relations*, XXVII, p. 551.

Dieu, qui accrédite le culte des saints par des miracles, n'hésite pas à marquer du signe de la faveur extraordinaire la doctrine et le mouvement de piété qu'il veut universaliser dans son Église. Les révélations faites à sainte Marguerite-Marie propagent le culte du Sacré-Cœur et les apparitions de sainte Bernadette créent le mouvement des foules vers Lourdes. Les ressources de la Sagesse sont infinies. Dieu eût pu prendre d'autres moyens pour parvenir au même but. Il lui plaît ordinairement de choisir les moyens les plus adaptés et les plus simples et d'accréditer par le sceau divin de ses faveurs extérieures, les missions extérieures extraordinaires.

C. — *FRÉQUENCE ET MOMENT DES FAVEURS EXTRAORDINAIRES*

Extraordinaire est presque synonyme de rare. Les faveurs extraordinaires sont rares en effet, mais d'une rareté qui comporte des degrés.

Dans l'Ancien Testament, remarque saint Jean de la Croix, comme

la foi n'était pas encore fondée, ni la loi évangélique établie, il fallait que l'on s'adressât à Dieu directement et que Dieu répondît, par des paroles, des visions ou des révélations, par des figures ou des images, ou enfin par beaucoup d'autres manières de nous faire connaître la vérité... Des rapports de cette sorte non seulement étaient permis, mais ils étaient même commandés ; et quand les enfants d'Israël ne lui obéissaient pas sur ce point, Dieu le leur reprochait... Nous voyons dans la sainte Écriture que Moïse consultait souvent le Seigneur. Le roi David et tous les rois d'Israël faisaient de même quand une guerre ou quelque difficulté surgissait ; telle était aussi la coutume des prêtres et des prophètes de la Loi ancienne...[1]

Les faveurs extraordinaires dans l'Ancien Testament faisaient donc partie de l'ordre normal de la Providence qui les utilisait pour exercer son autorité sur son peuple choisi et lui dicter ses volontés. Saint Jean de la Croix ajoute :

Mais aujourd'hui que la foi est fondée sur le Christ et que la loi évangélique est manifestée dans cette ère de la grâce qu'il nous a donnée, il n'y a plus de motif pour que nous l'interrogions comme avant, ni pour qu'il nous parle ou nous réponde comme alors. Dès lors qu'il nous a donné son Fils qui est sa Parole, il n'a pas d'autre

1. *Montée du Carm.*, Liv. II, ch. xx, pp. 230-231.

parole à nous donner. Il nous a tout dit, et d'un seul coup, en cette seule Parole ; il n'a donc plus à nous parler. Tel est le sens de ce texte par lequel saint Paul veut engager les Hébreux à se séparer de ces anciennes pratiques et manières de traiter avec Dieu qui étaient en usage sous la loi de Moïse, et à jeter les yeux sur le Christ seulement : « *Multifariam multisque modis olim Deus loquens patribus in prophetis ; novissime diebus istis locutus est nobis in Filio :* Ce que Dieu a révélé à nos pères en divers temps et de diverses manières par l'intermédiaire des prophètes, il l'a dit maintenant et tout à la fois en ces derniers jours par son Fils [1] ». L'Apôtre nous donne à entendre par là que Dieu s'est fait comme muet ; il n'a plus rien à dire ; car ce qu'il disait par parties aux prophètes, il l'a dit tout entier dans son Fils, en nous donnant ce tout qu'est son Fils [2].

La Révélation est close à la mort du dernier apôtre, témoin direct du Christ Jésus. Dieu nous a tout dit. Nous n'avons plus le droit d'attendre des révélations nouvelles, ni d'en désirer. Désirs et efforts ne peuvent plus se porter que vers la découverte du dépôt confié à l'Église et vers son explicitation progressive. La liberté de Dieu ne se trouve pas, de ce fait, diminuée. Il se réserve de parler lui-même aux hommes pour leur découvrir des vérités particulières. Il le fait encore, mais ce langage par paroles ou figures est devenu, sous la nouvelle loi, à proprement parler, extraordinaire.

Est-il possible de déterminer la fréquence de ces communications extraordinaires ? Saint Jean de la Croix, si attentif à mortifier tous les désirs sur ce point, semble inscrire ces faveurs comme un fait presque normal dans le développement de la vie spirituelle :

Dieu perfectionne l'homme, écrit-il, selon la nature même de l'homme. Il commence par ce qu'il y a de plus bas et de plus extérieur, afin de l'élever jusqu'au degré le plus haut et le plus intérieur. Il le perfectionne donc tout d'abord dans les sens du corps... Lorsque les sens sont quelque peu disposés, il les perfectionne encore d'ordinaire ; il leur accorde quelques faveurs surnaturelles et quelques délices pour les affermir davantage dans le bien, et leur offre quelques communications surnaturelles, comme, par exemple, des visions de saints ou de choses saintes et corporelles, des parfums et des paroles très suaves, ou une très grande satisfaction dans le toucher...

Lorsque l'âme est ainsi disposée par cet exercice naturel, Dieu a coutume de l'éclairer et de la spiritualiser davantage par quelques visions surnaturelles, qui sont celles que nous appelons ici imaginaires, et qui, nous l'avons déjà dit, produisent de grands fruits dans l'esprit ; car les unes et les autres lui enlèvent graduellement quelque chose de sa grossièreté et le perfectionnent, bien que très lentement.

---

1. He 1, 1-2.
2. *Montée du Carm.*, Liv. II, ch. xx, p. 232.

C'est ainsi que Dieu élève peu à peu l'âme ; il la fait passer de degré en degré jusqu'à ce qu'il y a de plus intérieur [1].

Saint Jean de la Croix attribuait à ces faveurs extraordinaires d'autres effets que celui de contribuer au détachement progressif de l'âme ; nous le savons par les passages parallèles où il en traite ; mais il est intéressant de noter à ce propos que les communications surnaturelles ne lui apparaissent pas comme un phénomène anormal et très rare chez les spirituels.

Pendant les vingt premières années de sa vie religieuse, sainte Thérèse n'a qu'une vision du Christ [2]. Elle a quarante ans environ lorsque s'ouvre pour elle, vers 1555, la période des grâces extraordinaires. Elle est alors aux sixièmes Demeures et Dieu la prépare ainsi à remplir sa mission de réformatrice. Elle entend d'abord des paroles, a des visions intellectuelles et ensuite imaginaires. Les visions disparaîtront progressivement au mariage spirituel pour laisser la place aux perceptions plus hautes qui accompagnent l'union transformante. Les locutions ne cessent pas, et la Sainte reçoit ainsi des lumières précises sur ce qu'elle doit faire.

Si nous étendons notre champ d'observation, nous constatons qu'il est peu de saints canonisés, de ceux par conséquent que Dieu place sur le chandelier pour éclairer et diriger dans son Église, qui n'aient été favorisés au moins de quelques-unes de ces faveurs extraordinaires. Sainte Thérèse de l'Enfant-Jésus, que l'on se plaît à citer comme un modèle parfait et un guide dans les voies ordinaires de la sainteté, a été favorisée du sourire de la Sainte Vierge qui l'a guérie et d'une vision prophétique de son père. Ces faveurs s'étendent d'ailleurs bien au-delà du cercle assez restreint des saints canonisés, et le plus souvent elles se situent au début d'une vie spirituelle que Dieu veut profonde ou, plus tard, pour préciser une mission et l'accréditer.

On ne saurait toutefois les déclarer nécessaires au développement de la sainteté même la plus haute, pas même à la réalisation d'une mission serait-elle la plus brillante. Elles ne sont pas non plus, comme telles, une preuve suffisante de la sainteté. Dieu les distribue comme il veut et quand il veut, de même qu'il fait ses saints par les moyens et les voies qu'il a choisis. La Sagesse d'amour n'a d'autre loi que son bon vouloir.

---

1. *Montée du Carm.*, Liv. II, ch. xv, p. 185-186.
2. *Vie*, ch. vii, pp. 67-68.

D. — *COMMENT DIEU PRODUIT-IL CES GRÂCES EXTRAORDINAIRES ?*

Nous limitons le problème aux faveurs vraiment extraordinaires, à celles qui sont produites par une action directe de Dieu dans les facultés. Se trouvent éliminées, par conséquent, non seulement l'expérience mystique, mais les paroles successives et la vision intellectuelle de la sainte Trinité.

Il s'agit donc de savoir comment Dieu agit sur les facultés pour y créer une lumière ou une image. Devant ce problème difficile sainte Thérèse humblement déclare :

Mon dessein, écrit-elle, n'est pas d'expliquer comment Dieu éclaire notre sens intérieur de cette lumière si puissante, ni comment il produit dans notre entendement une image de lui-même si vive qu'il paraît nous être véritablement présent. C'est là une question qui regarde les savants ; d'ailleurs il n'a pas voulu m'en donner l'intelligence [1].

Et cependant, nous n'avons rien de plus clair sur cette question que les témoignages de sainte Thérèse et de saint Jean de la Croix. Nous allons donc les recueillir. Mais la difficulté du problème va nous obliger à procéder par affirmations ou touches successives qui n'auront pas la prétention de répondre à toutes les questions qu'on peut se poser sur ce sujet.

I. — *Action directe.*

Les faveurs extraordinaires sont produites par une action directe de Dieu qui élimine toute coopération de l'âme autre qu'une passivité réceptrice.

Visions imaginaires et visions intellectuelles, affirment les deux saints, sont produites dans les facultés sans aucune activité de leur part et leur sont communiquées par voie surnaturelle. Nous avons déjà recueilli sur ce point l'affirmation de sainte Thérèse qui s'émerveille de cette « image vivante [2] », « image de lui-même si vive, précise la Sainte à propos de Notre-Seigneur, qu'il nous paraît être véritablement présent [3] ».

---

1. *Vie*, ch. XXVIII, pp. 290-291.
2. *Ibid.*, p. 292.
3. *Ibid.*, p. 290.

Saint Jean de la Croix comprend sous le nom de visions imaginaires

toutes les choses qui peuvent se représenter surnaturellement à l'imagination sous le nom d'images, formes, figures ou apparences, et cela d'une manière plus parfaite, plus vive que toutes les conceptions qui viennent par la voie connaturelle des sens [1].

Quant aux visions intellectuelles qui sont produites

sans qu'il y ait une intervention quelconque d'un sens corporel extérieur ou intérieur, elles s'offrent à l'entendement clairement et distinctement par voie surnaturelle d'une manière passive, sans que l'âme pose un acte quelconque ou agisse personnellement et se conduise d'une manière active et comme par elle-même [2].

Il en est de même des paroles intérieures. Qu'elles semblent venir du dehors ou du plus intime de l'âme, qu'elles se fassent entendre à la partie supérieure ou qu'elles soient « tellement extérieures qu'on les entende par les oreilles comme le son d'une voix articulée [3] », elles sont très distinctes, surtout les paroles intérieures qui sont perçues d'une manière beaucoup plus claire que par le sens de l'ouïe [4]. Voilà donc nettement affirmée la causalité divine et la passivité des facultés humaines [5].

Comment s'exerce cette causalité divine sur la passivité de l'âme ? C'est tout le problème à résoudre. On ne peut le faire qu'en faisant une distinction entre les perceptions intellectuelles et les perceptions sensibles.

II. — *Lumières infusées dans l'intelligence.*

Les lumières extraordinaires, autrement dit les visions intellectuelles de substances spirituelles et les révélations, sont infusées directement dans l'intelligence par Dieu.

1. *Montée du Carm.*, Liv. II, ch. xiv, p. 173.
2. *Ibid.*, ch. xxi, p. 247.
3. VI° Dem., ch. iii, p. 944.
4. *Vie*, ch. xxv, p. 252.
5. De cette étude comparative des faveurs extraordinaires une remarque générale explicative se dégage : saint Jean de la Croix a le souci de signaler l'action de Dieu partout où il la découvre ; sainte Thérèse, par contre, réserve le nom de surnaturel à ce qui apparaît dégagé de toute causalité humaine efficiente.
Déjà d'ailleurs précédemment, saint Jean de la Croix avait signalé l'action de Dieu dès le principe de la contemplation, tandis que sainte Thérèse réservait le qualificatif de surnaturel aux oraisons de recueillement passif et surtout de quiétude où l'action de Dieu est dominante. Aussi le champ du surnaturel est plus vaste pour saint Jean de la Croix ; il est plus nettement caractérisé chez sainte Thérèse.

Sainteté pour l'Église

Parlant des lumières qu'elle trouve en elle sans pouvoir expliquer comment elles y sont arrivées, sainte Thérèse écrit :

Il me semble que le Seigneur veut, par tous les moyens possibles, procurer à cette âme quelque connaissance de ce qui se passe dans le ciel. Il lui fait voir, à mon avis, comment, là-haut, on se comprend sans parler ; c'est là un fait que j'avais toujours ignoré, je l'avoue, jusqu'au jour où le Seigneur, par pure bonté, a daigné m'en rendre témoin et me le montrer dans un ravissement. Il en est de même ici ; Dieu et l'âme se comprennent par cela seul que Sa Majesté veut être entendue d'elle [1].

Cette allusion au langage angélique nous fournit l'explication clef des perceptions intellectuelles extraordinaires : Dieu infuse directement dans l'intelligence la lumière au moyen probablement d'espèces impresses. C'est un langage d'esprit à esprit qui, exprimant des lumières précises et distinctes, doit être reçu sous cette forme précise par l'intelligence elle-même.

III. — *Perceptions sensibles.*

Peut-on affirmer que toutes les perceptions sensibles extraordinaires, telles les visions et auditions, sont produites par Dieu de la même façon, c'est-à-dire par la création d'une image ou d'une perception dans les sens ? Le fait que les êtres qui sont perçus surnaturellement ont un corps apte à être saisi par les sens, change les données du problème. Aussi, des distinctions s'imposent.

1. On peut affirmer d'abord que les personnes dont l'âme perçoit la présence dans une vision surnaturelle ou par une parole sont réellement présentes. Notre-Seigneur, la Sainte Vierge, les saints sont donc près de l'âme lorsqu'ils se manifestent dans une faveur extraordinaire. Puisque Dieu prouve par les effets qu'il est l'auteur de cette vision ou parole intérieure et qu'il crée la certitude de la présence, nous ne pouvons pas supposer que Dieu crée une impression fausse et mette ainsi l'âme dans l'illusion. La réalité de la présence nous semble donc reposer sur la véracité même de Dieu.

2. De cette réalité de la présence, on ne saurait toutefois conclure que dans les faveurs extraordinaires les sens perçoivent la réalité corporelle de la personne dont la présence est certaine.

---

1. *Vie*, ch. XXVII, p. 280.

Sainte Thérèse assure en effet, que toutes ses visions furent intérieures, c'est-à-dire imaginaires. Les sens extérieurs, instruments normaux de la perception des corps, n'y contribuaient donc en rien. Admettre la perception réelle de la présence corporelle ne servirait qu'à poser un nouveau problème, celui de la perception miraculeuse d'une réalité sensible extérieure par un sens intérieur. Il semble donc normal de conclure que les visions thérésiennes ayant pour objet des substances corporelles, étaient comme les visions intellectuelles, produites par l'impression directe d'une image dans les sens.

3. Que penser des visions sensibles qui sont extérieures et dans lesquelles, par conséquent, peuvent intervenir les sens extérieurs aptes à percevoir les réalités sensibles ?

Si les personnes qui se manifestent avec une présence corporelle n'ont pas de corps, tels les anges, ou n'en ont pas actuellement, tels les saints dans le ciel, le principe d'économie des forces nous porte à admettre que sauf le cas où un ange aurait une longue mission à remplir ici-bas, Dieu ne donne pas un corps d'emprunt à ces esprits, mais se contente de créer une image dans les sens de celui qui est favorisé de la vision.

Si les personnes qui se manifestent ont réellement un corps, comme Notre-Seigneur et la Sainte Vierge, est-ce en rendant visible leur corps réel qu'elles se manifestent ? La réponse affirmative ne semblerait pas douteuse si sainte Thérèse elle-même ne rapportait l'opinion d'après laquelle Notre-Seigneur ne s'est jamais manifesté lui-même depuis son Ascension, sauf à l'apôtre saint Paul. Saint Jean de la Croix dit de même que « le Christ n'apparaît presque jamais personnellement [1] ». Cette opinion négative de nos deux maîtres nous incline donc à penser que même les apparitions sensibles extérieures, telles celles dont furent favorisées sainte Bernadette et sainte Marguerite-Marie, sont pour l'ordinaire constituées sensiblement par une image que Dieu imprime dans les sens. Cette invisibilité du corps réel et cette création de la vision par impression d'image expliqueraient parfaitement que seules une ou plusieurs personnes en jouissent tandis que les voisins ne peuvent que percevoir le reflet de l'apparition sur le visage de la personne qui en est favorisée surnaturellement.

---

1. *Nuit Obsc.*, Liv. II, ch. XXIII, p. 659.

4. Les auditions, paroles intérieures ou extérieures, sans perception de présence sensible doivent, semble-t-il, s'expliquer de la même façon ; l'impression surnaturelle dans les sens d'une perception auditive suffit à en expliquer tous les effets.

Nous pouvons donc conclure que les faveurs extraordinaires sont produites habituellement, sinon toujours, par une infusion surnaturelle de lumière dans l'intelligence ou par l'impression d'une image ou d'une perception dans les sens.

IV. — *Dieu utilise les archives de la mémoire.*

Poursuivant notre enquête en ces régions obscures avec la lumière que nous donnent nos maîtres, nous pouvons nous demander quelle est la part personnelle de Dieu dans la création et l'impression de cette lumière ou de cette image dans l'intelligence ou dans les sens.

Pour résoudre ce problème, recueillons précieusement une loi générale que saint Jean de la Croix énonce dans la *Montée du Carmel* :

Ordinairement, écrit-il, tout ce qui peut s'accomplir par l'industrie de l'homme, Dieu ne le fait pas Lui-même [1].

L'activité de Dieu s'exerce habituellement par l'utilisation des causes secondes. Sa puissance créatrice et sa providence conservatrice s'ensevelissent volontairement dans le monde sous l'activité débordante de la vie des êtres. Ainsi triomphe la Sagesse divine, humblement mais combien magnifiquement, en se dissimulant sous les voiles des signes sensibles et de l'activité des êtres qu'elle a fait participer à sa puissance.

Ce qui est vrai de l'action ordinaire et providentielle de Dieu, s'applique aussi à son action extraordinaire Dieu y réduit au minimum les interventions de son action directe et personnelle. Il importe en ce domaine extraordinaire surtout, de ne jamais oublier cette loi et de la défendre ainsi contre la tendance au « miraculisme » qui voit volontiers une intervention personnelle de Dieu partout où apparaît le merveilleux ou une exception aux lois ordinaires de la nature. Les mœurs divines nous obligent au contraire, à admettre ce principe pratique d'investigation, à savoir que chaque fois qu'un effet

---

1. *Montée du Carm.*, Liv. II, ch. xx, p. 240.

surnaturel peut être produit par l'intermédiaire d'une cause seconde, nous devons croire que Dieu l'a utilisée à moins que son action directe personnelle ne soit évidente ou puisse être prouvée.

Les visions nous offrent une heureuse occasion pour l'application de ce principe. Dieu est l'auteur des visions, mais son action n'ira pas jusqu'à créer tous le éléments qui les constituent, puisque les archives de la mémoire lui offrent une ample réserve d'images qu'il peut utiliser pour les construire. De fait, les resplendissantes théophanies de l'Ancien Testament sont constituées par des images connues des prophètes qui en furent favorisés. L'architecture de Babylone, familière à Ézéchiel, a fourni, semble-t-il, les images dont se compose la grande vision initiale des quatre animaux ailés. Soit dans les prophètes antérieurs, soit dans les souvenirs de saint Jean, on retrouverait probablement toute la richesse des images des visions de l'Apocalypse. Ce serait une étude fort intéressante que de rechercher les sources qui ont alimenté les visions de sainte Thérèse ; en retrouvant les éléments dont elles sont construites on n'infirmerait en rien leur origine surnaturelle. Dieu auteur de la vision, telle l'imagination créatrice, utilise les images connues pour créer le tableau, mais il y met une splendeur vivante qui est un reflet de sa gloire et lui assure des effets surnaturels qui révèlent la puissance créatrice de sa main. Telle est l'action directe de Dieu dans les faveurs extraordinaires.

V. — *Dieu s'adapte admirablement.*

Cette action directe de Dieu, en se fondant ainsi dans l'humain qu'elle utilise, s'adapte merveilleusement aux conditions de la vie psychologique de l'âme. Cette adaptation de Dieu doit être soulignée comme un caractère important de ses interventions.

Dieu qui consent à parler le langage des signes humains pour nous donner sa lumière, pousse la condescendance jusqu'à s'adapter à nos tempéraments et à nos besoins particuliers dans le choix de ces signes pour nous atteindre plus sûrement. A la foi qui a conservé sa pureté et sa simplicité, il parlera le langage des signes extérieurs et brillants qui la fera vibrer. Pour la foi que le rationalisme a rendue prudente et critique, il aura un langage plus intellectuel. Visions et révélations seront plus nombreuses pour le XVIe siècle espagnol. Pour atteindre et toucher nos esprits modernes portés au scepticisme, Dieu semble délaisser le langage des signes extérieurs extraordinaires pour infuser directement sa lumière dans les âmes. Moins de faveurs extraordinaires, mais des dons de pure et sèche contemplation plus largement répandus : c'est ainsi que la Miséricorde descend en s'adaptant, sur la pauvreté spirituelle de notre temps.

Ce souci divin d'adaptation se manifeste avec une délicatesse touchante dans les interventions extraordinaires elles-mêmes. Visions et paroles manifestent la transcendance de leur origine par la force qu'elles portent en elles et par leurs effets, mais elles restent si simples, si humaines, si près de nous par les éléments qui les constituent qu'elles ne heurtent ni ne choquent. Dieu y descend près de l'âme et s'y révèle comme Dieu, mais en se faisant homme. Il use de la richesse pittoresque de leurs symboles pour parler aux Hébreux, et fixer ses enseignements dans leur âme. C'est dans le patois de Lourdes que la Vierge répond à la question de Bernadette et lui révèle qu'elle est l'Immaculée-Conception. Dans la manifestation extraordinaire, le divin et l'humain, le transcendant et l'ordinaire se trouvent si admirablement unis que l'harmonie simple qui en résulte devient un signe de son origine surnaturelle.

VI. — *Dieu utilise la causalité instrumentale des anges.*

Cet agencement d'images et cette merveilleuse adaptation à l'humain, œuvre de Dieu certainement, doivent-ils être attribués à son action personnelle ? Le principe énoncé tout à l'heure intervient ici encore avec ses exigences rigoureuses dont les faits vont nous permettre de vérifier l'application.

Créer une vision en imprimant une image dans les sens intérieurs, donner une lumière distincte en faisant entendre une parole, ne dépasse pas la puissance ordinaire de l'ange qui, comme pur esprit, a pouvoir sur toutes les natures inférieures. Il est donc normal que Dieu utilise la puissance de l'ange pour produire ces grâces extraordinaires. L'ange devient cause instrumentale entre les mains de Dieu qui reste l'agent principal.

L'Ancien Testament nous montre fréquemment des anges utilisés par Dieu non seulement comme messagers mais comme instruments au point de lui paraître identifiés. Abraham reçoit trois anges, qui lui font part de la mission dont ils sont investis pour la destruction de Sodome. Tandis que le patriarche les accompagne sur la route, voici, nous dit l'auteur sacré [1], qu'entre le Seigneur lui-même et Abraham s'engage un dialogue dramatique qui prolonge la conversation du patriarche avec les messagers célestes. Il a paru normal à l'auteur inspiré de substituer ainsi brusquement Dieu lui-même à ses anges, et l'unité du récit n'en souffre pas, tellement l'ange n'est vraiment qu'instrument divin.

Dans les descriptions des manifestations de Dieu aux prophètes, l'auteur inspiré signale presque indifféremment le Seigneur ou l'ange du Seigneur, et, dans la même vision, attribue parfois successivement les paroles à l'un et à l'autre. On ne saurait mieux affirmer la causalité instrumentale de l'ange et, par suite, l'identification du messager et de son maître.

Une illustration typique et vivante de cette causalité instrumentale de l'ange est présentée dans cet assaut du séraphin qu'est la transverbération [2]. Dans la *Vive Flamme*, saint Jean de la Croix place auprès des touches substantielles cette faveur charismatique qui est une des plus hautes accordées par Dieu. Il l'en distingue cependant avec soin, car les premières sont

une touche que la Divinité seule fait à l'âme sans l'intermédiaire d'une forme ou d'une figure quelconque [3]

tandis que l'ange intervient dans la faveur charismatique. Sainte Thérèse nous indique comment, et sa description est pleine d'intérêt :

Je voyais donc l'ange qui tenait à la main un long dard en or, dont l'extrémité en fer portait, je crois, un peu de feu. Il me semblait qu'il le plongeait parfois au travers de mon cœur et l'enfonçait jusqu'aux entrailles. En le retirant, on aurait dit que ce fer les emportait avec lui et me laissait tout entière embrasée d'un immense amour de Dieu [4].

Sous des formes sensibles, la vision nous montre comment est accordée cette grâce de fécondité spirituelle. Cet amour, « prémices de l'esprit » par lequel Dieu confère à cette âme, qu'il consacre comme chef, « des trésors et des grandeurs en rapport avec la succession plus ou moins grande d'enfants qui doivent embrasser sa règle et son esprit [5] », ne peut être donné que par Dieu. Mais c'est

---

1. Gn 18, 16-33.
2. *Vive Fl.*, str. II, pp. 950-951 ; *Vie*, ch. XXIX, pp. 308-309.
3. *Ibid.*, str. II, p. 949.
4. *Vie*, ch. XXIX, p. 309 ; sainte Thérèse affirme de même qu'aux sixièmes Demeures ce n'est pas Dieu lui-même, mais un ange qui parle (VIᵉ Dem., ch. III, p. 947).
5. *Vive Fl.*, str. II, p. 951.

l'ange, de très haute hiérarchie [1], parce que la faveur est tout à fait singulière, qui est chargé d'infuser ce « peu de feu » dans les profondeurs de l'âme. L'ange est un instrument libre et vivant dont Dieu, semble-t-il, utilise l'action pour toutes les grâces charismatiques.

Ce problème de la causalité instrumentale angélique dans la production des faveurs extraordinaires en appelle un autre : celui du discernement de l'origine divine de ces faveurs extraordinaires.

E. — DISCERNEMENT DE L'ORIGINE DIVINE DE CES FAVEURS

Ce qui est au pouvoir de l'ange, de par sa nature de pur esprit, est aussi au pouvoir du démon qui, dans sa chute, a gardé les dons de sa nature angélique. Utiliser les archives de la mémoire sensible et intellectuelle pour représenter dans la mémoire et l'imagination une foule de connaissances ou d'idées fausses, les imprimer dans l'esprit et dans les sens avec tant d'efficacité et de certitude que l'âme se persuade qu'il ne peut en être autrement que ce qui lui est alors représenté [2], former des visions, faire entendre des paroles est un jeu auquel le démon excelle. Il peut aussi faire naître des sentiments spirituels par son influence sur les sens corporels [3], utiliser sa pénétration pour simuler les révélations de l'avenir. Il y a beaucoup de visions et de paroles qui viennent du démon, affirme saint Jean de la Croix :

D'une façon générale en effet le démon imite les procédés et les rapports de Dieu avec l'âme ; il singe si bien ces communications, pour s'insinuer près d'elle, comme le loup ravisseur revêtu de la peau de brebis qui entre dans le troupeau, qu'on a peine à le reconnaître [4].

1. Saint Jean de la Croix parle des assauts du séraphin ; sainte Thérèse classe parmi les chérubins celui qui lui apparut avec un dard.
Le P. Bañez a cru d'ailleurs devoir rectifier dans une note où il dit : « il me semble plutôt qu'il est de ceux qu'on appelle séraphins ». Le détail est de peu d'importance. Il est cependant permis de faire remarquer qu'il est normal que le chérubin, l'ange embrasé d'amour par excellence, soit l'instrument de cette grâce d'amour fécondant.
2. *Montée du Carm.*, Liv. III, ch. IX, p. 335.
3. *Ibid.*, Liv. II, ch. XXX, p. 298.
4. *Ibid.*, ch. XIX, p. 223.

Il lui est d'autant plus facile de singer l'action de Dieu et de se transformer en ange de lumière que

Dieu permet d'ordinaire que le démon ait connaissance des faveurs conférées par le moyen du bon ange pour qu'il s'y oppose de toutes ses forces d'après les proportions de la justice et ne puisse alléguer de son droit en prétextant qu'on ne lui permet pas de vaincre l'âme, comme il l'a dit de Job [1].

Saint Jean de la Croix rappelle à ce propos comment

tous les véritables prodiges, accomplis par Moïse, étaient contrefaits par les magiciens de Pharaon [2],

et il ajoute :

Ce n'est pas seulement ce genre de visions corporelles que le démon imite ; il s'ingère également dans les communications spirituelles qui viennent du bon ange, il parvient à les voir, comme nous l'avons dit [3].

On peut donc conclure pour le moins, que les contrefaçons diaboliques des faveurs extraordinaires sont aussi nombreuses que les faveurs véritables. Les désordres psycho-pathologiques viennent augmenter singulièrement le nombre de ces contrefaçons [4].

Ces désordres en effet, qui semblent enlever l'usage de certaines facultés et rompent ainsi l'équilibre harmonieux qui fait la valeur de la personne, portent par contre à leur maximum les virtualités de certaines puissances sensibles. Toutes les forces de l'être sont captées par la puissance hypertrophiée qui les épuise en les absorbant. En attendant la déchéance totale, l'hypertrophie s'étale parfois en des étrangetés qui pourraient faire croire à l'action de forces préternaturelles.

---

1. Jb 2, 4-6. *Nuit Obsc.*, Liv. II, ch. XXIII, p. 658.
2. *Nuit Obsc.*, Liv. II, ch. XXIII, p. 659.
3. *Ibid.*
A ce propos, saint Jean de la Croix fait remarquer que la puissance de l'ange est plus grande que celle du démon. Non seulement en effet, l'action du bon ange est marquée du sceau divin qui lui assure des effets transcendants, mais l'ange, jouissant de la vie surnaturelle et instrument de Dieu auprès d'une âme qui s'ouvre à son action, peut lui faire des communications spirituelles, tandis que le démon ne peut que contrefaire ce qu'il y a de sensible dans les communications divines. Le démon pourrait cependant agir directement dans l'âme de celui qui lui serait livré par un pacte (*Montée du Carm.*, Liv. II, ch. XXIX, p. 294).
4. On trouvera dans les *Études Carmélitaines*, 2e série (1931-1938), sous la direction du P. Bruno, des études approfondies et une documentation abondante sur ces questions.
Voir spécialement le n° d'octobre 1938 qui donne des études sur le P. Surin, signées du P. de Guibert, du P. Olphe-Galliard ; sur Marie-Thérèse Noblet par le Pr. Lhermitte, R. Dalbiez, le Dr Achille-Delmas.

Sainteté pour l'Église

Les études pénétrantes de psychiatres modernes en ce domaine et certaines de leurs conclusions n'auraient pas étonné, pensons-nous, sainte Thérèse et saint Jean de la Croix, et leur auraient apporté d'heureuses précisions à ce qu'avaient découvert leur expérience des âmes et leur pénétration psychologique. Le diagnostic qu'ils portent sur ces cas nous paraît presque trop général et trop simple si nous le rapprochons des formules techniques, rudes et plus précises, de la psychiatrie moderne; mais la défiance qu'ils conseillent, les remèdes qu'ils proposent nous montrent qu'ils les ont parfaitement entendus. Écoutons sainte Thérèse :

> Parfois et même souvent, il peut y avoir illusion surtout chez les personnes faibles d'imagination ou mélancoliques, je dis, notablement mélancoliques. A mon avis, il n'y a pas à faire cas de ce que disent ces deux sortes de personnes, alors même qu'elles affirmeraient qu'elles voient, qu'elles entendent et qu'elles comprennent. On ne doit pas, non plus, les troubler, en leur disant que c'est le démon qui leur parle. Il faut seulement les écouter comme des personnes malades... Si on leur disait que c'est là un effet de la mélancolie, on n'en finirait jamais avec elles; elles jureraient qu'elles voient et qu'elles entendent ce qu'elles racontent, parce qu'elles le croient ainsi [1].

L'attitude de saint Jean de la Croix est plus rigoureuse :

> Il convient donc à l'âme, écrit-il, de les repousser les yeux fermés, sans examiner d'où elles proviennent. Sans cela, elle se prêtera si bien à celles du démon et lui donnera à lui-même tant de prise que, loin de recevoir celles de Dieu, elle recevrait celles du démon, et celles-ci deviendraient si nombreuses que, celles de Dieu venant à cesser, tout ce qui se passerait alors ne serait que l'œuvre du démon, sans que Dieu y fût pour rien [2].

Ce refus absolu est prudence et met en sûreté les richesses dans la nuit de la foi. Il reste cependant que l'âme a besoin de connaître l'origine des manifestations extraordinaires dont elle est l'objet, lorsqu'elles lui imposent une mission ou certains devoirs à remplir. Le directeur, en ces cas du moins, doit pouvoir faire les discernements nécessaires. Sainte Thérèse n'a écrit si longuement sur cette question que pour nous donner les signes de l'action de Dieu. De son enseignement détaillé, retirons les traits les plus caractéristiques.

a) Le premier signe, négatif il est vrai, mais important, de l'origine divine des faveurs extraordinaires est qu'elles ne présentent rien qui soit contraire à la raison ou à la foi.

---

1. VI⁰ Dem., ch. III, pp. 944-945.
2. *Montée du Carm.*, Liv. II, ch. X, pp. 142-143.

Dieu s'adapte, même en ses modes d'agir extraordinaires, à l'ordre naturel qui nous régit. Visions et révélations divines ne présentent rien de choquant. Dieu y parle notre langage. Tout y est mesure, sincérité et vérité, équilibre et simplicité.

Par contre, les troubles pathologiques et l'action du démon se révèlent par un manque de mesure, des étrangetés, des détails cocasses, par l'orgueil qui se montre dans le souci de paraître ou d'étonner, et par le mensonge qui sans tarder est pris à son propre piège. En se manifestant, Dieu parle le langage de l'honnête homme qui est un bon chrétien ; le démon et le malade jouent au surhomme.

b) Les signes positifs sont plus probants, sinon plus clairs. Un seul d'entre eux ne constitue pas une preuve, chacun est un indice ; c'est la convergence de tous qui engendre la certitude.

1. En s'adaptant à l'humain, Dieu ne saurait cependant dissimuler sa transcendance. En ces manifestations extraordinaires elle s'affirme par une certaine majesté, une force, une autorité qui produisent en l'âme le respect et l'humilité.

Parmi les marques qui indiquent que les paroles viennent de Dieu

la première et la plus sûre, écrit la Sainte, consiste dans l'autorité et l'empire qu'elles apportent avec elles ; elles sont paroles et œuvres à la fois [1].

Parlant des visions, elle dit :

O mon Jésus ! que ne puis-je faire comprendre avec quelle majesté vous vous dévoilez à l'âme ! Comment dire jusqu'à quel point vous vous montrez le Maître absolu de la terre et des cieux, de mille autres mondes encore, et de mondes et de cieux sans nombre que vous pourriez créer ! A la vue de cette Majesté, l'âme comprend que tout cela ne serait encore rien pour un Maître tel que vous [2] !

On devine l'impression de l'âme devant cette puissance qui se manifeste et parfois écrase :

Ces paroles, en effet, écrit la Sainte, se font entendre parfois avec une majesté souveraine, et sans considérer celui qui nous les dit, nous sommes pris de frayeur si ces paroles sont pour nous des reproches ; mais si elles sont des paroles d'amour, elles nous consument d'amour [3].

---

1. VIe Dem., ch. III, p. 946.
2. *Vie*, ch. XXVIII, p. 292.
3. *Ibid.*, ch. XXV, p. 256.

La Sainte avoue maintes fois que pour recevoir ces faveurs divines il faut avoir beaucoup de courage [1], et que toujours elles produisent l'humilité et la confusion :

Là on trouve la confusion et le vrai repentir du péché. Malgré l'amour dont l'âme se voit l'objet de la part de son Dieu, elle ne sait où se mettre et se consume tout entière [2].

2. Cette humilité devient un signe certain de l'action de Dieu :

Supposé, écrit la Sainte, que Dieu fasse des faveurs et des caresses, l'âme doit considérer avec soin si elle se croit meilleure pour cela. Mais si, au fur et à mesure que les paroles qu'elle entend deviennent plus tendres, elle ne conçoit pas de plus vifs sentiments de confusion, elle doit croire que ces paroles ne viennent pas de l'esprit de Dieu [3].

Même la vision intellectuelle, qui n'a rien de sensible,

fait naître dans l'âme beaucoup de confusion et d'humilité, tandis que le démon produit un effet tout contraire [4].

Le démon peut singer l'action de Dieu, mais en ses créations il ne saurait mettre ce halo de « gloire » qui émane de Dieu et que signale souvent la Sainte :

Ce dernier, confie-t-elle, a cherché trois ou quatre fois, ce me semble, à me montrer ainsi Notre-Seigneur par une fausse représentation. Il peut bien prendre une forme de chair, mais il ne saurait contrefaire la gloire d'une telle vision quand elle vient de Dieu [5].

Les forces préternaturelles du démon sont suffisantes pour créer une certaine humilité ou écrasement. Mais combien différente de l'humilité vraie ! Elle produit

le trouble, le dégoût, l'inquiétude ; l'âme perd la dévotion et la suavité dont elle jouissait précédemment, et se trouve impuissante à faire oraison [6].

Cette fausse humilité se reconnaît à des signes évidents. Elle cause dès le début de l'inquiétude et du trouble ; tout le temps qu'elle dure, elle agite l'âme, la tient dans les ténèbres, l'affliction, les sécheresses et les répugnances pour l'oraison et pour toute sorte de bien. Elle semble étouffer l'âme et enchaîner le corps, pour entraver tout progrès [7].

---

1. VIᵉ Dem., ch. IV, p. 956 et ch. V, p. 967.
2. *Vie*, ch. XXVIII, p. 293.
3. VIᵉ Dem., ch. III, p. 953.
4. *Ibid.*, ch. VIII, p. 997.
5. *Vie*, ch. XXVIII, p. 294.
6. *Ibid.*
7. *Ibid.*, ch. XXX, p. 316.

L'humilité qui vient de Dieu expérimente l'écrasement de sa transcendance en même temps que la suavité de son amour :

L'âme est dans la joie et la paix, les suavités et la lumière. La peine qu'elle éprouve est une peine qui l'encourage... Elle gémit d'avoir offensé Dieu, mais elle se sent dilatée par sa miséricorde. La lumière qui l'inonde la porte non seulement à se confondre elle-même, mais aussi à chanter les louanges de cette Majesté suprême qui l'a supportée si longtemps [1].

3. Cette humilité est vérité [2], car elle procède de la lumière divine. Cette lumière est un autre signe des manifestations surnaturelles.

Paroles et visions s'imposent à l'âme sans qu'elle le veuille, et les paroles spécialement sont claires et distinctes jusque dans leur expression [3]. Elles ont une plénitude de sens étonnante :

Une seule parole divine embrasse beaucoup de choses que notre entendement ne pourrait trouver de sitôt [4].

Ces paroles, dit encore la Sainte, nous procurent des vérités si profondes qu'il nous aurait fallu beaucoup de temps pour les mettre en ordre [5].

Quant aux visions qui accompagnent les ravissements, elles

procurent tant de connaissances à la fois, que l'imagination et l'entendement n'auraient pu, après beaucoup d'années, en forger la millième partie [6].

Les facultés en sont d'abord éblouies. L'âme ne peut pas fixer la vision [7] ; mais la lumière qui est imprimée en elle et qu'elle n'oubliera plus [8], devient pour elle comme un parchemin lumineux qui en se déroulant découvre progressivement ses richesses, ou comme un phare qui jette fréquemment ses feux sur sa route.

C'est ainsi que sainte Thérèse dit des paroles intérieures qu'elles

ont une certaine vertu que je ne saurais expliquer et donnent souvent à comprendre beaucoup d'autres choses que celles qu'elles expriment par le son [9].

1. *Vie*, ch. xxx, p. 317.
2. VI⁰ Dem., ch. x, p. 1016.
3. VI⁰ Dem., ch. iii, p. 951.
4. *Ibid.*, p. 952.
5. *Vie*, ch. xxv, p. 256.
6. VI⁰ Dem., ch. v, p. 971.
7. *Ibid.*, ch. ix, pp. 1003-1004.
8. *Vie*, ch. xxv, p. 257 ; VI⁰ Dem., ch. iv, pp. 958-959.
9. VI⁰ Dem., ch. iii, p. 952.

La Sainte s'appuie sur son expérience pour faire remarquer que

Moïse dut découvrir, à la vue du buisson ardent, des vérités tellement profondes, qu'elles lui donnèrent le courage d'entreprendre ce qu'il a accompli pour le peuple d'Israël [1].

4. Ces faveurs, nous l'avons déjà dit, quand elles se renouvellent, enrichissent singulièrement l'âme et la transforment. Ces effets profonds sont un des signes les plus certains de l'action de Dieu. « *A fructibus eorum cognoscetis eos* : Vous les connaîtrez à leurs fruits [2] », disait Jésus en parlant des prophètes. Mais la sainteté et les fruits d'apostolat authentiquent une mission plutôt qu'une faveur extraordinaire, qui peut être isolée.

Grâce à tous ces signes, sera-t-il facile de discerner l'origine de ces manifestations extraordinaires ? Qui oserait l'affirmer ?

Sainte Thérèse fait une remarque qui, ne diminuant en rien la valeur de ces signes, indique que l'appréciation n'en est pas toujours aisée. De bonnes dispositions ne suffisent pas, dit-elle,

pour que l'on puisse discerner les effets du bon et du mauvais esprit. Aussi faut-il agir toujours avec beaucoup de prudence ; car les personnes qui ne seraient pas élevées dans l'oraison au-dessus de ces grâces dont je viens de parler, pourraient facilement se laisser tromper, si elles avaient des visions ou des révélation [3].

Un peu plus loin, elle précise que l'expérience d'un certain degré d'oraison est nécessaire :

Il y a une très grande différence entre ces fausses représentations et les véritables visions, écrit-elle. Aussi une âme parvenue seulement à l'oraison de quiétude la distinguera très bien, selon moi, par les effets dont j'ai parlé plus haut en traitant des paroles surnaturelles. La différence, en effet, est frappante [4].

Il faut donc connaître au moins l'oraison surnaturelle de quiétude, celle qui fait goûter Dieu, pour juger de la qualité de l'action de Dieu. Humilité, écrasement, douceur, paix et lumière, ce parfum de Dieu, ces traces de son passage, qui peut les discerner avec certitude sinon celui qui est habitué à les savourer en ses contacts fréquents avec Dieu ? La nécessité de cette expérience surnaturelle limite déjà le nombre de ceux qui sont aptes à juger expérimentalement de la valeur de ces signes.

---

1. VIe Dem., ch. IV, p. 960.
2. Mt 7, 16.
3. *Vie*, ch. XXV, p. 259.
4. *Ibid.*, ch. XXVIII, p. 294.

Il faut ajouter que cette action surnaturelle est accompagnée habituellement de contrefaçons ou du moins d'essais de contrefaçons diaboliques chez le même sujet ou dans l'entourage, de réactions naturelles et parfois morbides chez les tempéraments diminués ou simplement en cours de purification, que par conséquent cette action surnaturelle n'apparaît, dégagée de tous les éléments nocifs ou inférieurs, que chez certains saints déjà purifiés. Aussi le discernement des faveurs surnaturelles sauf lorsqu'il plaît à Dieu de les sanctionner par la preuve du miracle, est une tâche ardue, pleine de difficultés, qui exige plus que la prudence, un don de conseil qui lui soit adapté.

F. — *ATTITUDE DE L'ÂME*
DEVANT CES FAVEURS

I. — *Ne pas s'y complaire.*

Ces difficultés sont un premier motif qui justifie le conseil souvent répété par saint Jean de la Croix, à savoir de repousser indistinctement toutes ces manifestations extraordinaires, sans obligation pour les directeurs de faire le discernement :

Dieu ne leur impose point ce travail, écrit le Saint ; il ne leur prescrit pas non plus d'exposer les âmes pures et simples à ce danger et aux difficultés de ce discernement. Ils ont une doctrine saine et sûre, la foi ; c'est par elle qu'ils doivent réaliser des progrès. Pour cela, il est nécessaire de fermer les yeux à tout ce qui vient des sens, ainsi qu'aux connaissances claires d'objets particuliers. Saint Pierre était absolument certain d'avoir eu une vision de la gloire de Notre-Seigneur Jésus-Christ à sa transfiguration, et cependant, après l'avoir racontée dans sa seconde épître canonique, il ne la donne pas comme le principal témoignage de son assurance, et, pour recommander la foi, il ajoute : *Et habemus firmiorem propheticum sermonem ; cui benefacitis attendentes, quasi lucernae lucenti in caliginoso loco.* Nous avons un témoignage plus sûr (que cette vision du Thabor), ce sont les paroles des prophètes, auxquelles vous faites bien de vous attacher comme au flambeau qui brille dans un lieu obscur [1].

Ailleurs, saint Jean de la Croix trouve six inconvénients à se complaire en ces manifestations [2]. Le premier et le

1. 2 P 1,19 ; *Montée du Carm.*, Liv. II, ch. xiv, pp. 181-182.
2. *Montée du Carm.*, Liv. II, ch. x, pp. 141-142.

plus important est celui d'amoindrir la foi et, par conséquent, d'arrêter la marche de l'âme vers l'union divine.

Ce rejet ne doit pas se tourner en mépris, remarque le Saint. Ces faveurs surnaturelles sont, elles aussi, un moyen ou même une voie pour aller à Dieu. Le don de Dieu doit être respecté et utilisé :

> Les communications surnaturelles sont un moyen ; et puisqu'elles sont un moyen ou une voie par où Dieu les mène (ces âmes)... il ne faut ni s'en étonner, ni s'en scandaliser [1].

Mais, insiste le saint Docteur, « sauf dans quelques cas, fort rares d'ailleurs [2] » où l'on peut y prêter attention, le meilleur moyen de les utiliser parfaitement c'est de les repousser :

> Si elles sont mauvaises, on repousse par le fait même les pièges du démon ; si elles sont bonnes, on écarte les obstacles à la foi et ainsi on recueille le fruit qu'elles doivent produire [3].

En nous attachant aux bonnes, nous développons un esprit de propriété, nous pouvons tomber dans l'illusion soit parce que nous interprétons ces communications d'après nos vues, donc dans un sens faux, comme le firent les Juifs pour les prophéties concernant le Messie, soit parce que Dieu lui-même en change la réalisation pour certains motifs, comme il advint de la destruction de Ninive prédite par Jonas [4]. Certes, ces communications apportent à l'âme

> quelque connaissance nouvelle, un peu plus d'amour et de suavité au service de Dieu. Or, pour produire cet effet, il n'est pas nécessaire que l'âme veuille les accepter... Cet effet a lieu non seulement d'une façon simultanée, mais d'une façon principale ; dans le même temps où elles apparaissent, leur effet est produit passivement dans l'âme, qui ne pourrait l'empêcher alors même qu'elle le voudrait... [5]

En les repoussant on en retire la grâce et on en évite les dangers ; on entre dans le dessein de Dieu qui fait de ces communications des moyens adaptés à notre faiblesse pour nous conduire à l'union divine [6].

---

1. *Montée du Carm.*, Liv. II, ch. xx, p. 245.
2. *Ibid.*, ch. x, p. 146.
3. *Ibid.*, p. 143.
4. *Ibid.*, ch. xvi-xviii. En ces chapitres saint Jean de la Croix développe longuement cette doctrine qui lui tient à cœur. Son insistance et le ton absolu qu'il met en ces conseils s'expliquent bien par la vague d'illuminisme qui sévissait en son temps et qui, chez les spirituels, mettait à la mode les faveurs extraordinaires.
5. *Montée du Carm.*, Liv. II, ch. xiv, p. 178.
6. *Ibid.*, ch. xv, pp. 183 et s.

II. — *Ne pas les désirer.*

Pour ces mêmes motifs, il ne faut pas désirer ces communications extraordinaires. Le désir aveugle fait accepter trop facilement ces communications lorsqu'elles se produisent et livre à tous les pièges du démon. La doctrine de saint Jean de la Croix sur ce point trouve une précieuse confirmation dans l'enseignement de sainte Thérèse qui énumère six raisons qui rendent ces désirs dangereux [1].

Outre le manque d'humilité qu'il y a en ces désirs,

il est très certain que l'âme est déjà trompée ou très exposée à l'être, car le démon n'a besoin que de voir une petite porte entr'ouverte pour nous tendre toutes sortes de pièges.

... une fois l'imagination placée sous l'influence d'un désir ardent, on se figure voir et entendre ce que l'on veut [2].

La Sainte d'ailleurs rappelle que si ces faveurs « doivent être d'un très grand secours [3] », elles ne sont pas nécessaires à la perfection :

Ainsi il y a beaucoup de personnes qui sont saintes et qui n'ont jamais su ce que c'est que d'avoir une seule de ces visions, tandis qu'au contraire d'autres personnes qui les reçoivent ne le sont pas [4].

III. — *S'en ouvrir à un guide spirituel.*

Nos deux maîtres donnent un dernier conseil au sujet de ces communications surnaturelles, c'est de s'en ouvrir à un guide spirituel et de s'en remettre à lui :

Quelque communication que reçoive une âme et de quelque manière que ce soit, par voie surnaturelle, écrit saint Jean de la Croix, elle doit l'exposer tout de suite avec clarté, précision, perfection, simplicité et en toute vérité à son directeur spirituel... il est très nécessaire d'en parler au directeur alors même qu'on ne le croirait pas utile [5],

afin de se dépouiller ainsi de ces biens, de rester dans l'humilité, et d'entrer dans le plan de Dieu qui, par ce moyen, assure à l'âme tout le bénéfice de ces grâces [6].

---

1. VIᵉ Dem., ch. IX, pp. 1009 et s.
2. *Ibid.*, p. 1010.
3. *Ibid.*, p. 1011.
4. *Ibid.*
5. *Montée du Carm.*, Liv. II, ch. XX, p. 243.
6. *Ibid.*, p. 244.

Sainteté pour l'Église

Sainte Thérèse recommande la même ouverture d'âme simple et sincère [1]. Elle précise le conseil en disant :

> Je vous conseille de vous adresser à un homme très instruit, et, si vous le pouvez, à quelqu'un qui soit en même temps très élevé dans la spiritualité... Une fois qu'elle aura traité de son intérieur avec ces personnes, que la Sœur se tienne tranquille et qu'elle ne consulte plus [2].

Consulter beaucoup, c'est s'exposer à des indiscrétions,

> surtout quand le confesseur a peu d'expérience, se montre timide, ou pousse lui-même à rechercher d'autres conseils. Alors ce qui aurait dû rester très secret devient public ; l'âme est persécutée et tourmentée... Ainsi donc il faut agir avec beaucoup de prudence ; c'est là ce que je recommande instamment aux prieures [3].

Les ouvertures faites, l'âme doit obéir au guide qu'elle a choisi :

> C'est là en effet ce que Dieu veut. Par là on n'omet pas de se conformer à ce qu'il commande, dès lors qu'il nous a prescrit, au contraire, de considérer le confesseur comme son représentant ; nous ne pouvons douter qu'il nous parle par son intermédiaire... Suivre une autre ligne de conduite et se guider par nos propres lumières serait, à mes yeux, très dangereux. Voilà pourquoi, mes sœurs, je vous en conjure au nom de Notre-Seigneur, que cela ne vous arrive jamais [4] !

Ces conseils si sages ont pour but de faire rentrer, autant qu'il est possible, dans la voie ordinaire en les soumettant à l'autorité de l'Église, ces interventions extraordinaires de Dieu qui, par leur nature, semblaient devoir lui échapper.

Après avoir affirmé sa liberté dans la distribution de ses dons, la Miséricorde divine nous montre par l'obéissance qu'elle impose, sa soumission au plan éternel et unique de la Sagesse, qui est de tout ramener à Dieu, en unissant parfaitement les âmes dans le Christ total.

C'est dans la perspective de ce dessein de la Sagesse que sainte Thérèse et saint Jean de la Croix ont placé ces faveurs extraordinaires, pour en apprécier la valeur et préciser la conduite à tenir à leur égard. Ces grâces, semblables à ces météores dont le sillage lumineux s'inscrit un instant dans l'apparente placidité et le clair-obscur

---

1. VIᵉ Dem., ch. IX, p. 1007.
2. *Ibid.*, ch. VIII, p.1000.
3. VIᵉ Dem., ch. VIII, p. 1001 ; la Sainte se rappelle les graves ennuis que lui valurent les indécisions du P. Balthazar et les indiscrétions dont furent l'objet les relations de sa *Vie* faites à ses confesseurs.
4. VIᵉ Dem., ch. III, pp. 950-951.

d'un ciel étoilé, nous font prendre conscience de la force toujours agissante de l'Esprit d'amour qui vit dans l'Église et les âmes. Parce que brillants et extraordinaires, ces phénomènes pourraient prendre dans nos préoccupations et nos désirs, ou même dans notre conception de la vie spirituelle, une place de premier plan qui serait une usurpation et un danger. Elles ne sont que des moyens, très utiles, mais délicats à manier, pour s'acheminer vers l'union à Dieu. Cette union parfaite à Dieu, c'est la seule chose qui importe ; aussi, entre les faveurs extraordinaires, et l'oraison unissante, il n'y a pas à hésiter : on doit orienter les premières vers la deuxième, les sacrifier même si c'est nécessaire, car l'union à Dieu est le seul bien que nous puissions désirer et demander d'une façon absolue.

L'homme spirituel doit comprendre par là le mystère de la porte et du chemin, c'est-à-dire du Christ par qui il faut passer pour s'unir à Dieu ; il doit savoir que plus il s'anéantira par amour pour Dieu, dans ses deux parties sensitive et spirituelle, plus aussi il s'unira à Dieu et plus son œuvre sera grande. Quand il arrivera à ce degré où il sera réduit à rien, et dans la suprême humiliation, son âme alors achèvera son union spirituelle avec Dieu. C'est là l'état le plus glorieux et le plus élevé auquel on puisse parvenir en cette vie. L'union ne consiste donc point dans les jouissances, dans les consolations, dans les sentiments spirituels, mais dans la mort réelle de la Croix au point de vue sensitif et spirituel, intérieur et extérieur [1].

Résumons ce texte de saint Jean de la Croix : les plus belles et les plus hautes richesses divines, en dehors de la possession de Dieu lui-même, doivent être occasion et cause de nouveaux appauvrissements.

Nous voici déjà au nœud central de notre étude en cette dernière période d'ascension : les nuits purificatrices de l'esprit.

---

1. *Montée du Carm.*, Liv. II, ch. VI, pp. 124-125.

CHAPITRE TROISIÈME

La nuit de l'esprit :
le drame

La montagne du Sinaï était toute fumante parce que Yahweh y était descendu dans le feu ; la fumée en montait comme d'une fournaise et toute la montagne tremblait fortement [1]... La montagne flambait jusqu'au ciel parmi des ténèbres, des nuées et de l'obscurité [2].

Cette théophanie sinaïtique nous offre un symbole puissant et précis, presqu'une description de la nuit de l'esprit. Dieu descendait sur le Sinaï pour donner la Loi à son peuple et il affirmait son autorité en faisant éclater extérieurement sa puissance terrible. C'est pour affirmer et établir sa royauté que Dieu vient en l'âme dans la nuit de l'esprit. Comment pourrait-il le faire sans montrer qui il est ? Les enrichissements de son amour seront accompagnés de témoignages de sa puissance qui ressemblent à des éclats de sa colère. La loi d'amour n'a pu supprimer la transcendance divine. Lorsque Dieu étreint l'homme en des contacts profonds, les antinomies de l'humain et du divin éclatent en une lumière et une force terribles : l'amour embrase, la pureté noircit, la force ébranle, la lumière éblouissante enveloppe la rencontre de la nuée du mystère. « La montagne flambait jusqu'au ciel parmi des ténèbres, des nuées et de l'obscurité... la fumée en montait comme d'une fournaise et la montagne tremblait fortement ». Telle est la nuit de l'esprit. Les souffrances intérieures et les ébranlements extérieurs qu'elle produit en font un drame. Avant d'essayer de la décrire, précisons-en les causes ; nous terminerons en signalant les formes extérieures qui en abritent les splendeurs terribles [3].

---

1. Ex 19, 18.
2. Dt 4, 11.
3. La nuit de l'esprit fut le sujet proposé au Congrès de psychologie religieuse tenu au Couvent des Carmes d'Avon les 21-23 sept. 1938. Les

A. — *CAUSES DE LA NUIT DE L'ESPRIT*

A n'en pas douter, ce sont les envahissements divins étudiés précédemment qui font la nuit de l'esprit.

La définition qu'en donne saint Jean de la Croix ne laisse aucun doute à ce sujet :

Cette nuit obscure est une influence de Dieu dans l'âme qui la purifie de ses ignorances et de ses imperfections habituelles, aussi bien naturelles que spirituelles. Les contemplatifs l'appellent contemplation infuse, ou théologie mystique [1].

Cette influence de Dieu est hautement qualifiée et directe. Elle est « le langage de Dieu, de pur esprit à esprit pur [2] ». Elle est une irruption de Dieu dans l'âme. Mais comment se fait-il qu'une visite si intime produise obscurité et souffrance ? Dieu avait parlé ainsi autrefois à Moïse « de bouche à bouche [3] » sur le Sinaï pour lui donner la Loi de crainte. Nous trouvons-nous ici de nouveau devant une haute manifestation du Dieu de l'Ancien Testament ? Il n'en est rien. C'est « la Sagesse de Dieu pleine d'amour », reprend saint Jean de la Croix qui vient « disposer l'âme à l'union d'amour avec Lui en la purifiant et en l'éclairant [4] ». Cette Sagesse d'amour ne se propose que le bonheur de l'âme.

La cause ne vient pas de ce que la contemplation ou l'infusion divine produise par elle-même de la peine, explique le saint Docteur ; elle apporte, au contraire, une abondance de suavité et de délices dont l'âme ne tardera pas à jouir [5].

---

rapports qui y furent présentés par des théologiens, des philosophes, des médecins neurologues et psychiatres, ont été réunis dans le numéro d'octobre 1938 des *Études Carmélitaines*. Ils constituent une étude pénétrante et suggestive sur la nuit de l'esprit, ses formes différentes et ses contrefaçons, ses concomitances et ses succédanés. Nous les utiliserons largement et nous y renvoyons le lecteur. Voir aussi *Douleur et stigmatisation*, *Études Carmélitaines* numéro d'octobre 1936 et *Illuminations et sécheresses*, octobre 1937, qui donnent les rapports des Congrès précédents.

1. *Nuit Obsc.*, Liv. II, ch. v, p. 558.
Commentant le verset 19 du Ps 76 : *Illuxerunt corruscationes tuae orbi terrae*, Jean de la Croix écrit : « La lumière que les éclairs de Dieu projettent sur la terre, signifie la lumière que cette divine contemplation répand dans les puissances de l'âme ; le frémissement et le tremblement de la terre signifient la purification douloureuse que l'âme subit alors » (*Nuit Obsc.*, Liv. II, ch. xvii, p. 630).
2. *Nuit Obsc.*, Liv. II, ch. xvii, p. 628.
3. Ex 33, 11.
4. *Nuit Obsc.*, Liv. II, ch. v, p. 558.
5. *Ibid.*, ch. ix, p. 587.

Sainteté pour l'Église

La cause véritable de l'obscurité et de la souffrance est dans l'âme elle-même.

C'est pour deux motifs que cette divine Sagesse, non seulement est pour l'âme une nuit pleine de ténèbres, mais encore une peine et un tourment. Le premier, c'est l'élévation de la Sagesse divine qui dépasse la capacité de l'âme et par cela même est pleine d'obscurité pour elle. Le second, c'est la bassesse et l'impureté de l'âme, ce qui fait que cette lumière est pour elle pénible, douloureuse, et même obscure [1].

Voici nettement indiquées les causes de la nuit. La Sagesse se communiquant à l'âme y trouve deux obstacles à son action, l'inaptitude et l'impureté. Ces deux obstacles provoquent une lutte et une violence de la part de la Sagesse, une souffrance dans l'âme. Le torrent divin vient buter contre la roche qui l'arrête ou qui restreint son lit. Il y a choc et lutte entre la force d'envahissement du courant et la passivité de l'obstacle. Le torrent limpide mugit et couvre d'écume la roche. Celle-ci doit soutenir une pression croissante. La comparaison est grossière. Elle montre cependant l'opposition, la violence et la souffrance qui en résultent. Lorsque la roche aura cédé, c'est-à-dire lorsque l'inaptitude et l'impureté de l'âme ne présenteront plus d'obstacles, le torrent envahisseur reprendra sa course rapide mais paisible.

Tout le problème de la nuit est dans ce jeu de contraste et d'opposition. Il faut préciser encore. Ces affirmations n'expliquent pas tout. Elles ne disent pas, par exemple, pourquoi l'opposition se manifeste seulement à cette heure avec cette violence. Depuis de longues années, en effet, la Sagesse divine se communique à cette âme. Les quatrièmes et cinquièmes Demeures sont franchies et l'âme en a expérimenté les richesses divines. La nuit des sens est terminée et a laissé ses fruits bienfaisants et paisibles. Pourquoi ce changement et ces luttes nouvelles ? Saint Jean de la Croix va nous fournir la réponse.

Certes, les communications surnaturelles déjà reçues sont bien authentiques, et elles ont réalisé un travail important. Elles ont suffisamment dégagé l'âme des opérations des sens pour l'ouvrir à la contemplation surnaturelle. Les sens apaisés respectent silencieusement l'action de Dieu dans l'esprit et savourent même à leur façon les communications divines. Les passions ont été subjuguées, les tendances mortifiées, spécialement ces

---

1. *Nuit Obsc.*, Liv. II, ch. v, p. 558.

vices capitaux dont saint Jean de la Croix avait détaillé les méfaits dans le domaine spirituel [1].

L'âme se libère des imperfections qui s'attachaient à elle par suite de ses passions et des affections dont le propre est d'arrêter son élan et de lui cacher la lumière [2].

Désormais son imagination et ses puissances ne sont plus embarrassées comme elles l'étaient par les liens du raisonnement ou des préoccupations spirituelles. C'est avec la plus grande facilité qu'elle trouve immédiatement dans son esprit une douce et amoureuse contemplation ainsi qu'une saveur spirituelle sans qu'il lui en coûte le moindre raisonnement [3].

Et cependant, la purification des sens n'est qu'un prélude. Elle

n'est, dit notre Docteur mystique, que la porte et le principe de la contemplation qui mène à celle de l'esprit ; son but est plutôt d'accommoder les sens à l'esprit, que d'unir l'esprit à Dieu. Mais les taches du vieil homme restent encore dans l'esprit, bien que lui ne s'en aperçoive pas et ne le voie pas [4].

A dire vrai, le gros travail reste à faire pour adapter l'esprit à Dieu, le purifier et ainsi rendre l'union possible. Une action de Dieu appropriée va réaliser cette tâche. Les communications diverses de la période précédente atteignaient les facultés. De la source profonde qui est Dieu présent dans l'âme, l'eau vive jaillissait et répandait ses flots bienfaisants sur l'intelligence et la volonté. A la sécheresse du début avait succédé une prédominance de la paix et de la saveur qui enchaînaient suavement les facultés en favorisant une activité plus haute.

Les communications divines de la nouvelle période, ainsi qu'il a été dit précédemment, sont directes et autrement profondes. Depuis la grâce d'union mystique et l'union de volonté qui en est le fruit, l'action de Dieu se situe dans la substance de l'âme. Dieu y parle un langage qui est un secret pour les sens [5]. Il « pénètre dans l'essence de l'âme en tant que pur esprit [6] » ; c'est pour s'y installer en maître et y régner de là sur toute l'activité des facultés. Désormais celles-ci sont sous sa direction.

---

1. Cf. Quatrième Partie, ch. III, « Les nuits », p. 520.
2. *Nuit Obsc.*, Liv. I, ch. XIII, p. 536.
3. *Ibid.*, Liv. II, ch. I, p. 547.
4. *Ibid.*, ch. II, p. 550.
5. *Ibid.*, ch. XVII, p. 628.
6. Dom Mager, « Fondement psychologique de la purification passive », dans *Études Carmélitaines*, oct. 1938, p. 246.
Dans cette étude pénétrante, le savant doyen de la faculté de théologie de Salzbourg, localise l'action de Dieu dans les diverses phases des purifications passives.

Sainteté pour l'Église

Cette irruption divine produit une véritable révolution psychologique. Intelligence et volonté agissaient jusqu'alors d'après les lois de l'agir humain, c'est-à-dire se guidaient en suivant l'attraction de leur objet propre qui leur était présenté par les sens ou les autres facultés. Désormais elles sont soumises à la motion de Dieu qui leur vient des profondeurs de l'âme [1]. Retournement psychologique : elles se mouvaient dans une interdépendance mutuelle et sous une influence qui venait de l'extérieur. Maintenant elles sont mues et la motion leur vient de Celui qui habite dans l'essence de l'âme [2].

On conçoit qu'il en résulte un certain désarroi, et même un ébranlement douloureux, car cette action intérieure de Dieu s'exerce parfois avec violence, et elle est toujours accompagnée d'une lumière qui éblouit et d'une force qui paralyse.

L'inaptitude des facultés à être mues par Dieu et à recevoir les infusions de la Sagesse est constituée, on le voit, par leurs habitudes psychologiques normales d'agir. La résistance qu'elles opposent à l'action directrice de Dieu qui vient des profondeurs est le premier obstacle que fera tomber la nuit de l'esprit pour adapter l'esprit à Dieu. Elle sera aussi la première cause des souffrances de cette nuit.

Saint Jean de la Croix nous avertit que cette inaptitude de l'âme se double d'impuretés dont la purification constituera le deuxième but de la nuit et la deuxième cause de souffrances.

Les conséquences du péché originel, tendances, attaches, habitudes imparfaites, sont restées dans l'esprit après la purification du sens [3]. Celle-ci a coupé les branches, c'est-à-dire a arrêté les manifestations extérieures, mais elle a laissé le tronc et les racines qui sont dans l'esprit, aux racines même des facultés. Ces tendances foncières alourdissent l'âme, l'entraînent vers l'extérieur, l'attachent à elle-même et rendent encore plus difficile l'orientation vers Dieu et la soumission à la Sagesse.

A ces tendances que saint Jean de la Croix appelle imperfections habituelles, s'ajoutent les imperfections actuelles. Ces dernières sont bien différentes suivant les

---

1. « Sous cette influence, l'intelligence et le volonté n'agissent plus comme mues par leur objet propre, mais par l'essence la plus intime de l'âme ». Dom Mager, *op. cit.*, p. 246.
2. Ce renversement psychologique que doit produire la nuit de l'esprit est heureusement mis en lumière par le R. P. Lucien de Saint-Joseph, dans l'article « A la recherche d'une structure », *Études Carmélitaines*, oct. 1938, pp. 254-281.
3. *Nuit Obsc.*, Liv. II, ch. II, p. 550.

âmes. Elles viennent ordinairement d'une fâcheuse utilisation des biens spirituels dont la nuit des sens a enrichi l'âme.

Quelques-uns, écrit le Saint, comprennent ces biens spirituels d'une façon si étrange et si conforme aux sens qu'ils tombent dans des inconvénients et des dangers plus grands que ceux dont nous avons parlé au commencement. Ils reçoivent une foule de communications et de pensées dans leurs sens et dans leur esprit ; bien souvent ils ont des visions imaginaires et spirituelles. Dans cet état ils ont aussi fréquemment des sentiments pleins de saveur. Or c'est alors que le démon et l'imagination tendent très ordinairement des pièges à l'âme [1].

Fausses visions, orgueil spirituel, présomption, telles sont les tentations et les fautes que connaissent ces âmes. Certaines, précise le Saint,

s'y endurcissent de telle sorte qu'elles rendent très douteux leur retour au pur chemin de la vertu et du véritable esprit.

Parmi ceux qui se trouvent dans l'état de progressants il n'y en a aucun qui, malgré tous ses efforts, n'ait encore beaucoup de ces affections naturelles et de ces habitudes imparfaites... d'autant plus incurables qu'elles sont plus spirituelles que les précédentes... Voilà pourquoi il convient à l'âme qui doit arriver à l'union, d'entrer dans la seconde nuit, celle de l'esprit [2].

La nuit de l'esprit, purificatrice et douloureuse, est produite par la rencontre dans les profondeurs de l'âme de l'action divine qui s'y exerce et de toutes les imperfections qui s'y trouvent :

Ces deux contraires, en effet, explique saint Jean de la Croix, ne peuvent pas subsister dans le même sujet qui est l'âme et nécessairement l'âme doit peiner et souffrir ; car elle est le champ de combat où ces deux contraires vont lutter l'un contre l'autre [3].

L'enjeu de la rencontre entre le divin et l'humain, entre la pureté de Dieu et l'impureté de l'âme, est trop important pour que le démon n'intervienne pas de toute la puissance dont il dispose. Encore un peu de temps et l'âme purifiée par la nuit de l'esprit sera à l'abri de ses atteintes et lui deviendra terrible. Le démon utilisera les avantages qu'il possède encore sur elle grâce à ses imperfections et à ses attaches au sensible. Saint Jean de la Croix note en effet que :

le démon se poste avec toute sa perfidie sur le passage qui va du sens à l'esprit [4].

1. *Nuit Obsc.*, Liv. II, ch. II, p. 551.
2. *Ibid.*, p. 552.
3. *Ibid.*, ch. v, p. 560.
4. *Vive Fl.*, str. III, p. 1020.

Sainteté pour l'Église

L'obscurité de ces régions, le désarroi de l'âme déconcertée par la nouveauté de ses expériences et par l'intensité de sa souffrance, créent des conditions particulièrement favorables aux interventions du prince des ténèbres et du mensonge.

Par certains indices extérieurs de calme et de profond silence dans les sens, le démon arrive aisément à déceler les communications divines que l'âme reçoit dans l'esprit.

Dieu, affirme saint Jean de la Croix, permet d'ordinaire que le démon ait connaissance des faveurs qu'il confère par le moyen du bon Ange, pour qu'il s'y oppose de toutes ses forces d'après les proportions de la justice et ne puisse alléguer de son droit en prétextant qu'on ne lui permet pas de vaincre l'âme, comme il l'a dit de Job [1].

Telles sont les données du problème de la nuit de l'esprit et les causes qui la provoquent. Cette nuit est une rencontre ou plutôt un véritable combat organisé par la Sagesse d'amour qui ne veut établir son règne parfait dans l'âme qu'après avoir réduit son inaptitude au divin et vaincu toutes les puissances du mal qui ont sur elle quelque pouvoir.

La nuit de l'esprit est un véritable drame. Pour en éclairer l'horreur et en expliquer la fécondité il faut le rapprocher du drame de Gethsémani qu'il prolonge. Gethsémani vit la collusion de la pureté de Dieu et du péché du monde dans l'Humanité du Christ qui portait ce double poids. Cette Humanité sainte y fut écrasée, brisée, anéantie. Quelques plaintes aux apôtres, des gémissements dans la nuit, la sueur de sang, laissèrent deviner l'horreur du drame silencieux et profond qu'enveloppait l'obscurité du mystère. Et cependant le rachat de l'humanité, la naissance et les développements de l'Église ont révélé la qualité de la victoire remportée par la patience du Christ en ce combat. La nuit de l'esprit est une participation à cette souffrance et à cette victoire du Christ.

N'identifiez pas complètement les deux combats. Des distinctions s'imposent. Jésus portait l'onction de la divinité et le péché du monde. Pour hautes que soient ses communications avec Dieu, l'âme n'en reçoit qu'une grâce créée et limitée ; le péché qu'elle porte est le sien. Le combat du Christ avait pour enjeu le salut de l'humanité entière et il y fut victorieux. La nuit de l'esprit a pour enjeu la haute perfection d'une âme. Et cependant dans la nuit de l'esprit, il ne s'agit pas que d'une âme Ce n'est pas un combat individuel. Celui qui sort victo-

1. Jb 2, 4-6 ; *Nuit Obsc.*, Liv. II, ch. XXIII, p. 658.

rieux de l'épreuve devient nécessairement un apôtre, un entraîneur. Or donc, toutes proportions gardées, c'est bien Gethsémani qui se prolonge dans la nuit de l'esprit que subissent les vaillants. L'Église entière est intéressée à leur victoire.

B. — *LE DRAME*

La première nuit ou purification est amère et terrible pour les sens... La seconde est incomparablement plus horrible et épouvantable pour l'esprit [1],

écrit saint Jean de la Croix.

« La première prépare la seconde », dit encore le Saint :

Car pour endurer une purification si pénible et si dure il faut une telle disposition, que si la faiblesse de la partie inférieure n'avait pas été tout d'abord réformée, et si elle n'avait puisé du courage dans des communications avec Dieu, pleines de douceur et de suavité, elle n'aurait jamais été disposée à une si grande souffrance et elle n'en aurait pas eu la force [2].

Au début des sixièmes Demeures, sainte Thérèse s'écrie à son tour :

O mon Dieu, par quelles épreuves intérieures et extérieures ne doit-elle (l'âme) pas passer jusqu'au jour où elle entrera dans la septième Demeure ! J'y pense quelquefois et je me dis avec crainte que, si on les prévoyait, il nous serait très difficile, vu la faiblesse de notre nature, de nous exposer à les endurer et à les souffrir, malgré la perspective des biens qui nous seraient promis [3].

Saint Jean de la Croix résume son expérience :

Les âmes en vérité descendent en enfer toutes vivantes [4].

Nous voici avertis par le témoignage vécu de nos deux maîtres. Comme d'autre part ces souffrances nous restent mystérieuses tant par leur nature même que par leur intensité, nous n'avons d'autre ressource pour les décrire que d'utiliser largement les descriptions que nous en ont laissées ceux qui les ont vécues.

Pour procéder avec ordre, utilisons la division suggérée par sainte Thérèse, de souffrances intérieures et de souffrances extérieures. Les premières surtout spirituelles, sont les plus importantes ; les secondes plus visibles sont habituellement une conséquence des premières.

---

1. *Nuit Obsc.*, Liv. I, ch. VIII, p. 509.
2. *Ibid.*, Liv. II, ch. III, p. 554.
3. VI⁰ *Dem.*, ch. I, p. 928.
4. *Nuit Obsc.*, Liv. II, ch. VI, p. 568.

Sainteté pour l'Église

I. — *Souffrances intérieures.*

Les pages douloureuses et magnifiques que saint Jean de la Croix a consacrées à la description de la détresse de l'âme sous l'action de Dieu font de lui le poète incomparable de la nuit.

L'ordre qu'il adopte en cette description est plus apparent que réel. Il ne s'agit en effet que d'une seule et même souffrance, d'un poids qui oppresse, d'une obscurité qui paralyse, d'une angoisse qui étreint. Pour en marquer l'intensité et la profondeur, le saint Docteur procède par touches successives. Il en découvre les divers aspects, les place sous des éclairages différents, signale quelques traits particuliers et les reprend pour les accentuer. Voici que sa plume semble s'arrêter impuissante. Il fait alors appel à la poésie rude et sublime des textes scripturaires, à la puissance de leur souffle inspiré et se laisse porter par eux. Il nous introduit ainsi dans le gouffre d'une souffrance sans nom. Lorsque nous avons l'impression de sombrer avec lui dans la désespérance, il se redresse soudain avec une force sereine qui nous soulève avec lui dans la lumière et la certitude du triomphe prochain de Dieu et de sa grâce.

Voici d'abord un tableau d'ensemble :

C'est dans la pauvreté, l'abandon, le dénuement de toutes les pensées de mon âme, c'est-à-dire dans les ténèbres de mon intelligence, dans les angoisses de ma volonté, dans les afflictions et les chagrins de ma mémoire que je suis sortie [1],

déclare l'âme dès le début. Toutes les facultés, on le voit, sont atteintes. Dans ce tourment généralisé, une souffrance domine et semble être la cause de toutes les autres : c'est l'éblouissement provoqué par l'irruption de la lumière divine.

Quand cette divine lumière de la contemplation investit l'âme qui n'est pas encore complètement éclairée, elle produit en elle des ténèbres spirituelles, parce que non seulement elle la dépasse, mais parce qu'elle la prive de son intelligence naturelle et en obscurcit l'acte. Voilà pourquoi saint Denys et d'autres théologiens mystiques appellent cette contemplation infuse un rayon de ténèbres... David dit à son tour : « *Nubes et caligo in circuitu ejus* ; La nuée et l'obscurité environnent Dieu [2] ». Il n'en est pas ainsi en réalité ; mais cela paraît tel pour notre faible entendement ; il est aveuglé par cette lumière immense ; il est ébloui ; il est

1. *Nuit Obsc.*, Liv II, ch. IV, p. 556.
2. Ps 96, 2.

incapable de s'élever à une telle hauteur. David l'explique quand il ajoute : « *Prae fulgore in conspectu ejus nubes transierunt* ; A l'éclat de sa présence les nuées se sont interposées [1] » ; cela veut dire qu'elles se sont interposées entre notre entendement et Dieu [2].

Cette lumière si éblouissante qu'elle paralyse les facultés et cache le foyer divin d'où elle procède, éclaire par contre étonnamment les impuretés de l'âme et souligne puissamment l'opposition entre la pureté de Dieu et l'impureté de l'âme. Ce sont deux contraires qui s'affirment et qui ne peuvent pas subsister dans le même sujet. Il doit donc y avoir lutte et souffrance.

Quand, en effet, cette pure lumière investit l'âme, c'est pour en chasser les impuretés [3].

L'âme découvre ainsi douloureusement combien elle est loin de Dieu et même opposée à Dieu.

Alors l'âme se reconnaît si impure et si misérable qu'il lui semble que Dieu s'élève contre elle, et qu'elle-même s'élève contre lui. Comme elle s'imagine alors qu'elle est rejetée de Dieu, elle éprouve tant de peine et tant de chagrin qu'elle passe par l'une des épreuves les plus sensibles auxquelles Job ait été soumis. Il disait en effet : « *Quare posuisti me contrarium tibi et factus sum mihimetipsi gravis* ; Pourquoi m'avez-vous mis en opposition avec vous et suis-je devenu un fardeau pour moi-même ? » [4].

Cette opposition fait sentir à l'âme le poids de la force divine. Elle en est écrasée et accablée. C'est pour elle une nouvelle souffrance.

Comme cette divine contemplation, explique le Saint, investit l'âme avec quelque vigueur... le sens et l'esprit sont pour ainsi dire oppressés par un poids immense et invisible ; ils souffrent et endurent une telle agonie qu'ils regarderaient la mort comme un soulagement et un bonheur. Le saint homme Job qui connaissait cet état par expérience a dit : « *Nolo multa fortitudine contendat mecum, ne magnitudinis suae mole me premat* ; Je ne voudrais pas que Dieu lutte contre moi avec beaucoup de force, dans la crainte qu'il ne m'accable du poids de sa grandeur » [5].

Le divin et l'humain ne s'affrontent pas seulement de l'extérieur mais ils se compénètrent pour s'anéantir l'un l'autre. C'est ce qui produit la troisième souffrance.

Le divin avilit et détruit si bien la substance spirituelle en l'absorbant dans de si profondes ténèbres que l'âme se sent anéantie et défaillante à la vue de ses misères et que l'esprit endure

---

1. Ps 17, 13.
2. *Nuit Obsc.*, Liv. II, ch. v, p. 559.
3. *Ibid.*, p. 560.
4. Jb 7, 20 ; *Nuit Obsc.*, Liv. II, ch. v, p. 560.
5. Jb 23, 6 ; *Nuit Obsc.*, Liv. II, p. 561.

une mort cruelle. Il lui semble qu'elle est comme engloutie dans le ventre ténébreux d'une bête, où elle se sent digérée, et éprouve ces angoisses que Jonas endurait dans le ventre du monstre marin... Ce genre de torture et de tourment dépasse en réalité tout ce qu'on peut imaginer. David le décrit en ces termes : « *Circumdederunt me dolores mortis... dolores inferni circumdederunt me... in tribulatione mea invocavi Dominum, et ad Deum meum clamavi* ; Les douleurs de la mort m'ont environné... Les douleurs de l'enfer m'ont assailli... dans ma tribulation j'ai invoqué le Seigneur, et j'ai crié vers mon Dieu [1] » Mais ce que cette âme angoissée ressent le plus, c'est qu'elle regarde comme évident que Dieu l'a rejetée, qu'il l'a en horreur, qu'il l'a reléguée dans les ténèbres... Il y a plus, il lui semble avoir la redoutable appréhension que cet état sera éternel. Elle se croit en outre l'objet du même abandon et du même mépris de la part des créatures et surtout de la part de ses amis. C'est pour cela que David, continuant ses plaintes, a dit aussitôt : « *Longe fecisti notos meos a me, posuerunt me abominationem sibi* ; Vous avez éloigné de moi mes amis et ils m'ont pris en abomination [2] ».

Cette action de Dieu dans l'âme en creuse les profondeurs, y fait douloureusement le vide. C'est la quatrième souffrance que produit la flamme purificatrice.

L'âme, écrit saint Jean de la Croix, sent en effet en elle-même un vide profond, une disette extrême de trois sortes de biens appropriés à ses goûts, et qui sont les biens temporels, naturels et spirituels ; de plus, elle constate qu'elle est au sein de trois maux opposés, et qui sont les misères de ses imperfections, les sécheresses ou le vide de ses facultés, et le délaissement de son esprit envahi de ténèbres [3].

En ce délaissement et privation de tout appui, l'âme éprouve l'angoisse du vide ainsi qu'une impression d'étouffement.

L'âme alors souffre, continue le Saint, non seulement du vide et de la suspension de ces appuis naturels et de ces appréhensions, ce qui est pour elle un tourment plein d'angoisse, comme celui d'une personne qui est suspendue et retenue en l'air et ne peut respirer, mais elle souffre encore de ce que Dieu la purifie, comme le feu qui enlève les scories et la rouille des métaux. Il anéantit, chasse et consume en elle toutes les attaches ou habitudes imparfaites qu'elle a contractées dans le cours de sa vie. Or, comme ces défauts sont profondément enracinés dans la substance de l'âme, cette purification lui est d'ordinaire des plus pénibles [4].

Avec son sens profond des Écritures, le Docteur mystique applique à ce tourment purificateur, à cette refonte

1. Ps 17, 5-7.
2. Ps 87, 9 ; *Nuit Obsc.*, Liv. II, ch. VI, pp. 563-564.
3. *Nuit Obsc.*, Liv. II, ch. VI, p. 565.
4. *Ibid.*, p 566.

de l'âme sous l'action du feu divin, les symboles vigoureux des ossements et de la marmite d'Ézéchiel :

De la sorte, écrit-il, se vérifie cette parole d'Ézéchiel : « *Congere
ossa, quae igne succendam ; consumentur carnes, et coquetur uni-
versa compositio, et ossa tabescent* ; Entassez les os, et je les brû-
lerai ; les chairs seront consumées ; tout cet amas sera cuit et les
os seront desséchés [1]... » Le même prophète dit encore à ce propos :
« *Pone quoque eam super prunas vacuam ut incalescat et liquefiat
aes ejus ; et confletur in medio ejus inquinamentum ejus et consu-
matur rubigo ejus* ; Mettez aussi la chaudière vide sur les charbons,
afin qu'elle s'échauffe, que l'airain se fonde, que ses souillures du
dedans se détachent et que sa rouille se consume [2] ». Il signifie par
là l'indicible tourment que l'âme endure quand elle est purifiée par
le feu de cette contemplation. Le prophète dit en effet que, pour se
purifier et se dégager des scories et des affections qu'elle porte en
elle-même, l'âme doit en quelque sorte s'annihiler et se détruire,
tant elle s'est assimilée à ces passions et à ces imperfections [3].

Cette comparaison si expressive montre qu'il ne s'agit
pas seulement d'un brisement, d'une purification superficielle, mais d'un bouleversement intérieur, d'une création
nouvelle de l'âme dans le feu. La plaie n'est pas seulement extérieure, l'âme n'est qu'une plaie, elle est en
fusion sous l'action de la flamme ardente. Elle parvient
ainsi jusqu'aux limites extrêmes de la puissance humaine
de souffrir.

Si Dieu ne veillait lui-même à ce que ces sentiments qui se produisent ne fussent promptement tempérés, l'âme ne tarderait pas au
bout de très peu de jours à se séparer de son corps. Aussi est-ce par
intervalles qu'elle sent la profondeur de son indignité. Mais parfois son tourment est tel qu'il lui semble que l'enfer s'entr'ouvre
devant elle et que sa perte est assurée. Ce sont ces âmes qui en
vérité descendent en enfer toutes vivantes [4].

Le souvenir de la prospérité passée, c'est-à-dire des grâces
dont l'âme a été favorisée avant d'entrer dans cette nuit,
contribue à rendre plus lourde la souffrance présente.

C'est ce que Job, qui en avait fait l'expérience, a exprimé en ces
termes : « Moi qui étais autrefois si opulent, me voici tout à coup
réduit en poussière ; il m'a saisi au col, il m'a foulé aux pieds ; il
a fait de moi comme un but à ses traits. Ses lances m'entourent de
toutes parts ; il a blessé mes reins ; il ne m'a pas épargné et il a
répandu mes entrailles sur la terre. Il m'a coupé en morceaux et a
ajouté plaies sur plaies ; il s'est précipité sur moi comme un géant.
J'ai cousu un sac sur ma peau et j'ai couvert ma chair de cendre.

---

1. Ez 24, 10.
2. *Ibid.*, 11.
3. *Nuit Obsc.*, liv. II, ch. VI, pp. 566-567.
4. *Ibid.*, pp. 567-568.

Sainteté pour l'Église

Mon visage s'est gonflé à force de pleurer, et mes paupières se sont obscurcies » [1].

Job et Jérémie sont les grands poètes bibliques de la souffrance. Après avoir cité abondamment le premier, saint Jean de la Croix emprunte la plume du second pour donner une idée des tourments de cette nuit, si nombreux et si terribles qu'il se déclare lui-même impuissant à les décrire [2].

Avant de terminer l'explication de ces vers, dit-il en effet, et pour faire comprendre un peu mieux ce que l'âme éprouve en cette nuit, je rapporterai le sentiment de Jérémie. Sa souffrance est telle qu'il en répand des larmes abondantes et s'exprime en ces termes : « Je connais ma pauvreté sous le coup des verges de l'indignation de Dieu. Il m'a conduit et m'a introduit dans les ténèbres, et non dans la lumière. Il ne cesse tout le jour de tourner et de retourner sa main contre moi. Il a fait vieillir ma peau et ma chair ; il a brisé mes os. Il a bâti autour de moi une enceinte et m'a entouré de fiel et de labeur. Il m'a placé dans des lieux ténébreux comme ceux qui sont morts pour toujours. Il m'a entouré d'un rempart pour que je n'en sorte pas ; il a aggravé le poids des entraves de mes pieds. Quand j'ai crié vers lui, quand je l'ai prié, il a rejeté ma prière. Il a barré mon chemin avec des pierres de taille et il a détruit mes sentiers. Il est devenu pour moi un ours aux aguets, un lion caché en embuscade. Il a bouleversé mes sentiers et m'a brisé. Il a tendu son arc et m'a fait comme un but à ses flèches. Il a lancé dans mes reins les flèches de son carquois. Je suis devenu un objet de dérision pour tout mon peuple et le sujet de ses chansons tout le jour. Il m'a rempli d'amertume ; il m'a enivré d'absinthe ; il a brisé mes dents une à une et il m'a nourri de cendres. La paix a été bannie de mon âme ; j'ai oublié tous les biens, et j'ai dit : La fin de mes maux ne peut venir, et mon espérance en Dieu s'est évanouie. Souvenez-vous pourtant de mon indigence, de mes révoltes, de l'absinthe et du fiel. Pour moi je m'en souviendrai, et mon âme se desséchera en moi » [3].

En toutes les plaintes que l'âme formule par la bouche de Job et de Jérémie, c'est Dieu qu'elle accuse. C'est Lui en effet qui est la cause de tous les maux. Son action miséricordieuse est cruelle à l'âme qu'elle prépare pour l'union parfaite. Pour la purifier et l'embellir Dieu la blesse douloureusement.

Nouveau tourment : Dieu semble déchaîner contre l'âme la puissance haineuse du démon. Saint Jean de la Croix nous a déjà avertis que le démon connaît habituellement par des indices extérieurs, ou par une permission spéciale de Dieu, les communications de Dieu à l'âme.

---

1. Jb 16, 13-17 ; *Nuit Obsc.*, Liv. II, ch. VII, pp. 568-569.
2. *Nuit Obsc.*, Liv. II, ch. VII, p. 569.
3. *Ibid.*, pp. 569-570 ; Lm 3, 1-20.

Lorsque ces communications prennent une forme sensible, sentiments, visions, paroles, son jeu consiste à contrefaire l'action divine en produisant les mêmes phénomènes, ou encore à suggérer des pensées de présomption et d'orgueil qui lui permettent de tromper et de séduire l'âme [1]. Lorsque les régions où se font les communications purement spirituelles sont fermées au démon, celui-ci s'efforce de les troubler par une action indirecte.

Voyant alors, explique saint Jean de la Croix, qu'il ne peut s'y opposer puisqu'elles se passent au fond de l'âme, il n'omet rien pour agiter et troubler la partie sensitive qui est à sa portée. Il suscite en elle des souffrances, des fantômes horribles, des craintes, pour inspirer de l'inquiétude et du trouble dans sa partie supérieure et spirituelle, là où sont les biens qu'elle reçoit alors et dont elle jouit [2].

Quand la communication spirituelle comporte un élément sensible, le démon parvient à s'y entremettre plus aisément et trouble l'esprit par le moyen des sens.

Et c'est alors un supplice et un chagrin qui sont beaucoup plus profonds parfois qu'on ne saurait le dire. Comme le combat s'engage alors ouvertement entre deux esprits, l'horreur que le mauvais inspire au bon, qui est celui de l'âme, est intolérable, s'il parvient à y jeter le trouble [3].

Parfois le démon réussit à manifester sa présence à l'âme d'une façon spirituelle.

Pour lutter contre l'âme en la façon spirituelle dont elle est visitée, il lui représente son esprit horrible afin de combattre et de détruire le spirituel par le spirituel [4].

Si l'âme ne parvient pas alors à s'échapper promptement dans l'obscurité de la foi, le démon semble prévaloir et il

... cause à l'âme des troubles et des terreurs. C'est alors pour elle une peine qui surpasse tous les tourments de cette vie. Dès lors, en effet, que cette terreur est communiquée par un esprit à un esprit d'une façon claire et quelque peu dégagée de tout ce qui est corporel, elle est plus angoissante que toute la douleur des sens. Elle ne dure pas longtemps ; sans quoi, si l'épreuve se prolongeait, l'esprit quitterait le corps, tant est affreux le tourment que provoque l'esprit mauvais. Une fois l'épreuve terminée, il en reste un souvenir qui par lui-même est suffisant pour causer une peine profonde [5].

---

1. *Nuit Obsc.*, Liv. II, ch. II, p. 551.
2. *Ibid.*, ch. XXIII, pp. 656-657.
3. *Ibid.*, p. 658.
4. *Ibid.*, pp. 659-660.
5. *Ibid.*, p. 660.
A propos de l'action du démon en cette période, sainte Thérèse écrit :

Sainteté pour l'Église

L'âme ne trouve donc au-dedans d'elle-même que des causes de souffrance. Dieu et le démon semblent s'unir pour la tourmenter. Peut-elle du moins espérer un peu de consolation spirituelle de l'extérieur ? Sainte Thérèse a détaillé ses épreuves sur ce point :

L'âme ne goûte aucune consolation au milieu de cette tempête. Si elle va en chercher auprès du confesseur, elle s'imagine que tous les démons se sont mis d'accord avec lui pour qu'il la tourmente davantage. Je connais un confesseur qui déclara à une personne que cet état lui paraissait dangereux, vu les diversités des peines dont il se composait, et lui commanda de le prévenir lorsqu'elle en serait de nouveau assiégée. Mais, l'état de cette personne empirant toujours, il finit par comprendre qu'elle n'y pouvait rien [1].

Et cependant, assure saint Jean de la Croix, il convient d'avoir une grande compassion pour l'âme que Dieu introduit dans cette nuit de tempête et d'horreur [2].

O Jésus, écrit sainte Thérèse, quel spectacle de compassion que de voir une âme ainsi désemparée [3].

Les témoignages de sympathie et les encouragements n'arrivent pas à percer le mur d'angoisse qui l'entoure. Saint Jean de la Croix l'affirme aussi bien que sainte Thérèse :

On a beau lui exposer, écrit le Saint, tous les motifs de consolation qui lui viendront des biens renfermés dans ces peines, elle ne peut y ajouter foi. Elle est totalement enivrée et imprégnée du sentiment des maux où elle voit clairement ses misères ; aussi elle s'imagine que ses directeurs s'expriment de la sorte parce qu'ils ne voient pas comme elle tout ce qu'elle ressent et ne la comprennent pas [4].

Combien peu lui servent toutes les consolations de la terre ! dit à son tour sainte Thérèse... voyez les damnés : trouveraient-ils un

---

« Ces âmes croient ce que l'imagination, qui est alors maîtresse, leur représente et toutes les folies que le démon veut leur insinuer. Le Seigneur doit sans doute permettre à ce dernier de les tenter et même de leur persuader qu'elles sont réprouvées de Dieu. De nombreuses angoisses torturent alors l'âme intérieurement. Son tourment est tellement sensible et intolérable que je ne saurais le comparer qu'à celui de l'enfer ». VIe Dem., ch. I, pp. 933-934.

1. VIe Dem., ch. I, p. 934. Dans le même chapitre, sainte Thérèse parle du « tourment qu'éprouve cette âme lorsqu'elle rencontre un confesseur si prudent et si peu expérimenté qu'il ne regarde rien comme assuré. Il a peur de tout, il doute de tout, parce qu'il voit des choses extraordinaires, spécialement s'il découvre quelque imperfection dans les âmes qui sont l'objet de telles faveurs... Aussi il condamne tout immédiatement et l'attribue au démon ou à la mélancolie... Voilà une pauvre âme qui est agitée des mêmes craintes, et elle s'adresse au confesseur comme à son juge ; or si elle s'entend condamner par lui, elle ne peut manquer de tomber dans un tourment et un trouble tels que celui-là seul qui les aura éprouvés, pourra comprendre quelle est la profondeur de son affliction ». VIe Dem., ch. I, pp. 932-933.

2. *Nuit Obsc.*, Liv II, ch. VII, p. 571.
3. VIe Dem., ch. I, p. 935.
4. *Nuit Obsc.*, Liv. II, ch. VII, p. 572.

allègement à leurs maux si vous leur présentiez tous les plaisirs du monde ? Non certes ; ils n'y puiseraient au contraire qu'un accroissement de torture. Il en est de même, ce me semble, dans le cas présent. Le tourment que l'âme endure vient d'en haut, et toutes les délices de la terre sont impuissantes à la soulager [1].

Toutefois la prison semble parfois s'entrouvrir :

La voilà au large et en liberté... Son bonheur est même parfois si profond qu'il lui semble que ses épreuves sont déjà terminées [2].

Éclaircie passagère :

Quand l'âme se croit le plus en sûreté, et se tient le moins sur ses gardes, cet ennemi (le péché en elle) la fait tomber dans un état pire que le premier, plus dur, plus ténébreux, plus lamentable, et dont la durée sera longue et peut-être plus longue que le précédent [3].

Ces alternatives augmentent la souffrance et font douter que jamais n'arrive la fin de l'épreuve.

Ainsi tout contribue à rendre plus aigu le tourment de l'âme, jusqu'à son amour ardent qui la porte vers Dieu et lui donne la perception très nette

des raisons pour lesquelles elle mérite d'être rejetée de celui qu'elle aime tant et après lequel elle soupire de tous ses vœux [4].

Telles sont les souffrances qui caractérisent la nuit de l'esprit. Les échos que nous en avons recueillis en découvrent la profondeur et l'intensité. Leur diversité n'est qu'apparente ; elle est faite de la complexité des réactions sous l'action d'une cause unique. Cette cause c'est le glaive purificateur de la lumière divine qui atteint les blessures du péché à la racine même des facultés pour les cicatriser et les guérir. La nuit de l'esprit est avant tout un drame des profondeurs. Et cependant ce drame, parce qu'intense et profond, produit en des régions plus extérieures des répercussions qui impressionnent davantage parce que plus visibles.

II. — *Souffrances extérieures.*

En notre nature humaine, le péché a accentué la division ; toutefois le corps et l'âme y restent si étroitement unis qu'ils se chargent mutuellement l'un l'autre, du poids de toute contrainte qui les accable. Aussi il est

---

1. VIᵉ Dem., ch. I, p. 935.
2. *Nuit Obsc.*, Liv. II, ch. VII, pp. 572-573.
3. *Ibid.*, p. 574.
4 *Ibid.*, p. 575.

normal que la souffrance spirituelle de l'âme, si intense dans la nuit de l'esprit se répande sur le corps, et s'y accuse par des effets sensibles. D'ailleurs, puisque la nuit de l'esprit doit parfaire la purification du sens, il semble nécessaire qu'elle atteigne les puissances sensibles non seulement par ricochet ou rayonnement, mais directement pour y réaliser son œuvre. De cette lessive, l'âme doit sortir avec cette pureté essentielle qui la dispose à l'union parfaite à Dieu et avec cette souplesse qui en fera un instrument docile et adapté aux tâches que Dieu lui réserve dans son Église.

Pour tous ces motifs, la souffrance devient extérieure et sensible. Dans les manifestations extérieures de la nuit de l'esprit, nous distinguerons trois groupes de phénomènes :

a) Les ébranlements qui sont la conséquence habituelle de l'action intérieure de Dieu ;

b) Les épreuves produites par les agents extérieurs ;

c) Les phénomènes ou désordres qui prennent une forme extraordinaire sous l'influence soit de tendances pathologiques, soit d'un agent surnaturel ou préternaturel.

Cette étude pourrait s'étendre en des développements fort intéressants, aborder utilement l'examen de cas particuliers. Limité par notre plan d'ensemble nous nous bornerons à déterminer les diverses catégories de phénomènes et à porter sur chacune d'elles des jugements d'ensemble qui puissent éclairer l'attitude pratique à prendre à leur égard.

a) Ébranlements ordinaires produits par l'action de Dieu.

1. *Phénomènes psychologiques.* — Habituellement ce sont les facultés qui perçoivent avec le plus d'intensité l'action que Dieu exerce sur le centre de l'âme. C'est d'abord la force de cette action de Dieu qu'elles enregistrent pendant cette période où elle s'exerce avec une si particulière intensité. Sainte Thérèse décrit dès les cinquièmes Demeures les pertes de conscience et suspensions des facultés produites par les contacts enrichissants de Dieu avec la puissance de l'âme [1]. Lorsque l'âme est soulevée dans les rapts ou ravissements, les

---

1. Ve Dem., ch. I, p. 894.

facultés sont de nouveau suspendues et comme anéanties en leurs opérations propres [1]. Lorsqu'elles retrouvent la conscience d'elles-mêmes et leur liberté, elles éprouvent une impression de douloureuse surprise [2], une certaine terreur de se sentir à la merci de cette force mystérieuse qui surgit soudain et les maîtrise comme un géant les ferait d'une paille [3]. Bien que l'action de Dieu les ait mises dans la paix, elles ne peuvent s'empêcher de craindre d'avoir été victimes d'une illusion ou d'une action du démon [4]. Une autre réaction assez habituelle qui suit la reprise de conscience, est une agitation qui peut aller jusqu'à une certaine frénésie. Les facultés semblent affirmer ainsi leur indépendance après la contrainte qu'elles ont subie ; ou plutôt telles des enfants que l'autorité du maître a maintenus attentifs et appliqués pendant un temps assez long, elles laissent déborder, désordonnés et bruyants, les élans de vie qu'une force supérieure a puissamment maîtrisés et comprimés en elle.

Ces phénomènes psychologiques sont ordinairement transitoires, comme le choc produit dont ils sont une réaction. Il en est de plus constants qu'il faut attribuer au retournement psychologique réalisé par la nuit de l'esprit.

Dieu prenant progressivement la direction de l'âme en imposant de l'intérieur ses lumières et ses motions, le processus normal de l'activité des facultés s'en trouve bouleversé ; d'autant que les sens qui fournissaient aux facultés leur aliment, se trouvent eux-mêmes paralysés. Il en résulte dans le domaine psychologique un désarroi profond qui se traduit par une impuissance et des impressions douloureuses.

Ce n'est pas seulement la méditation ou travail de conceptualisation sur les vérités dogmatiques qui est impossible, mais aussi cette attention amoureuse qui s'était si avantageusement substituée au raisonnement pendant la première nuit. Parce qu'elle atteint maintenant la racine des facultés, l'impuissance s'est généralisée et étendue. Elle se porte même sur les affaires temporelles que l'âme ne semble plus apte à traiter. Des trous dans la mémoire font perdre conscience du temps et de ce qu'on fait. A cette âme habituée à jouir de l'action de Dieu en elle dans la saveur lumineuse intérieure et dans

---

1. VIᵉ Dem., ch. IV, p. 958.
2. Vᵉ Dem., ch. I, p. 895.
3. VIᵉ Dem., ch. V, p. 968.
4. Vᵉ Dem., ch. I, p. 895.

l'équilibre fécond des facultés qui en étaient le fruit, cette impuissance, ce vide et ces déficiences donnent l'impression, parfois la certitude, que Dieu l'a abandonnée et qu'elle va sombrer dans une déchéance pathologique.

Il lui semble, écrit saint Jean de la Croix, que Dieu a interposé un nuage devant elle pour que sa prière ne passe pas jusqu'à lui... [1] Si l'âme se livre quelquefois à l'oraison, sa prière est faite avec tant de sécheresse et si peu de dévotion, qu'il lui semble que Dieu ne l'écoute pas et n'en tient aucun compte... Elle est incapable de prier ou d'assister avec beaucoup d'attention aux offices divins ; il lui est encore moins possible de s'occuper de choses ou d'affaires temporelles. De plus, elle est parfois tellement absorbée, sa mémoire lui fait tellement défaut, qu'il s'écoule de longs moments sans qu'elle sache ce qu'elle a fait ou pensé, ni ce qu'elle fait ou va faire ; et malgré ses efforts, elle ne peut se fixer à rien de ce qui l'occupe [2].

L'expérience de sainte Thérèse en ces régions ne diffère pas de celle de saint Jean de la Croix. La Sainte parle d'un obscurcissement de l'entendement tel « qu'il est incapable de discerner la vérité [3] », d'une domination de l'imagination qui impose aux autres facultés « toutes les folies que le démon veut leur insinuer [4] ». La prière est impossible ou du moins semble infructueuse. Mais laissons parler sainte Thérèse :

Que fera donc cette pauvre âme lorsqu'elle se trouvera de longs jours en cet état (impuissances douloureuses et angoisses) ? Si en effet elle récite une prière, c'est comme si elle ne la récitait pas ; je dis qu'elle n'y trouve aucune consolation intérieure, car alors elle n'en a pas ; elle ne comprend même pas les prières vocales qu'elle récite. Quant à la prière mentale, ce n'est nullement l'heure de s'y livrer ; ses puissances en sont incapables. La solitude lui est plutôt nuisible.

Un autre tourment pour elle, c'est qu'elle ne peut souffrir ni compagnie ni conversation. Aussi malgré tous ses efforts elle manifeste très facilement à l'extérieur du dégoût et de la tristesse. Pourrait-elle vraiment dire ce qu'elle éprouve ? Non, cela ne saurait s'exprimer, parce qu'il s'agit d'angoisses, et de peines spirituelles auxquelles il est impossible de donner le nom qui convient [5].

Ce marasme généralisé, cette obscurité de fond qui couvre de son voile d'impuissance douloureuse toutes les facultés sont des phénomènes psychologiques caractéristiques de la nuit de l'esprit. Dans la nuit du sens le

---

1. Lm 3, 44.
2. *Nuit Obsc.*, Liv. II, ch. VIII, p. 576.
3. VIᵉ Dem., ch. I, p. 933.
4. *Ibid.*, p. 934.
5. *Ibid.*, pp. 935-936.

fond de l'âme gardait vie et activité ; plus tard, lorsque le retournement psychologique sera réalisé, il y aura parfois des troubles et des agitations en quelques facultés ainsi que sainte Thérèse dit l'expérimenter en écrivant le prologue du *Château Intérieur* [1], mais l'âme continue à agir d'une façon féconde.

Cette impuissance complète, ce désordre des facultés, conséquence d'une apparente démission de la volonté, cette souffrance sans cause qui puisse être discernée, bref l'ensemble de ces phénomènes psychologiques à forme aiguë, font penser à des cas pathologiques que la psychiatrie aurait tôt fait de qualifier et de classer. Cependant ces phénomènes, qui peuvent prendre des formes diverses suivant les tempéraments et porter la trace des tendances pathologiques au degré infime où elle se trouvent chez l'homme bien équilibré, sont la conséquence normale de l'action de Dieu dans l'âme.

Cette action vigoureuse et profonde produit normalement un choc qui ébranle ; le retournement psychologique, qui en est un effet bienfaisant, ne peut, en une première période que désorienter et anéantir douloureusement les facultés. Ces affirmations sont nécessaires pour dissiper toute équivoque, et fixer des limites à l'extraordinaire dont nous aurons à parler un peu plus loin.

2. Phénomènes physiques. — L'ébranlement produit par l'action intérieure de Dieu se propage à travers les puissances de l'âme, telles les ondulations à la surface des flots ; il parvient jusqu'aux plus extérieures. Aux phénomènes psychologiques qui témoignent combien sont affectées les facultés de l'âme, s'ajoutent donc les phénomènes physiques qui montrent les effets de l'ébranlement subi par les sens et le corps. Dès le début des

---

1. « Il se fait un tel bruit dans ma tête depuis trois mois, et elle est tellement fatiguée, que je puis à peine écrire même pour les affaires indispensables ». Prologue du *Livre des Demeures*, p. 811.

Elle explique plus loin : « Tandis que j'écris ces lignes, je réfléchis à ce qui se passe dans ma tête, c'est-à-dire à ce grand bruit dont j'ai parlé au début et qui me rendait presque impossible le travail que l'on m'a commandé. Il me semble entendre le bruit d'une foule de fleuves qui se précipitent, d'oiseaux qui chantent et de sifflements ; je le perçois, non dans les oreilles, mais dans la partie supérieure de la tête, où, dit-on, réside la partie supérieure de l'âme ». IVe Dem., ch. I, pp. 869-870.

Cinq mois plus tard, elle parle encore du mal de tête qui l'empêche de se relire. Ve Dem., ch. IV, p. 920.

Ce bruit intérieur ne l'empêche pas alors d'écrire son chef-d'œuvre, le *Château Intérieur*.

sixièmes Demeures, sainte Thérèse signale les maladies parmi les épreuves que l'âme trouve en ces régions :

> Le Seigneur, écrit-elle, a coutume alors d'envoyer également de très graves maladies. C'est là une épreuve beaucoup plus pénible, surtout quand les souffrances sont aiguës...

> Je connais une personne qui, depuis quarante ans que Dieu a commencé à lui accorder la faveur dont nous avons parlé [1], pourrait assurer en toute vérité qu'elle n'a pas passé un seul jour sans souffrir et sans endurer diverses peines ; je veux parler de son peu de santé ainsi que de ses grandes épreuves [2].

Sainte Thérèse signale la concomitance des grâces mystiques et des maladies mais n'affirme pas cependant une relation de causalité. Le rapprochement qu'elle fait le suggère. D'ailleurs, elle-même signale que l'action de Dieu aux sixièmes Demeures se porte sur les sens et le corps par visions, extases, élévations du corps.

> Pensez-vous que ce soit peu de trouble pour cette personne qui, étant en pleine possession de ses sens, écrit la Sainte, se voit emporter l'âme et même, comme nous l'avons lu de certains saints, le corps avec elle, sans savoir où elle va, ni qui l'emporte... Mais ne pourrait-elle pas y résister par quelque moyen ? Non. Ce serait pire encore. Je le sais d'une personne qui en a l'expérience... Si elle résiste, il l'emporte avec plus d'impétuosité encore ; voilà pourquoi cette personne avait pris le parti de ne pas plus résister au ravissement que la paille à l'ambre qui l'attire à soi, comme vous l'aurez peut-être remarqué... Et puisque je viens de parler de la paille, il est bien certain que, s'il est facile à un géant d'enlever une paille, il ne l'est pas moins à notre Géant infini et tout-puissant d'enlever l'esprit [3].

La comparaison du Géant infini soulevant un brin de paille traduit l'impression de force transcendante que la Sainte a éprouvée en ces ravissements. En cet affrontement de la puissance surnaturelle qui fait sentir son action jusque sur le corps, les forces physiques s'épuisent d'abord à résister. Vaincues, elles doivent subir la domination de cette force inconnue qui rompt leur équilibre et leur activité normale. Il y a donc un véritable brisement physique.

On objectera peut-être que cette action directe sur le corps, qui produit les ravissements accompagnés de lévitation, fait partie des grâces extraordinaires et qu'on ne saurait par conséquent en tirer une loi générale. Mais

---

1. Il s'agit de la grâce d'union mystique dont la Sainte fut favorisée pendant son noviciat ou l'année qui suivit. Cf. *Vie*, ch. IV, p. 34.

2. VIe Dem., ch. I, p. 931.
Pour ces épreuves de santé, voir *Vie*, ch. V, et *Fondations, passim*.

3. VIe Dem., ch. V, pp. 967-968.

voici que sainte Thérèse nous parle elle-même d'une action purement spirituelle qui met les jours en danger. Il s'agit d'une blessure faite au plus profond et au plus intime de l'âme par un certain rayon de feu.

Pour moi, écrit la Sainte, j'ai vu une personne en cet état, et j'ai cru véritablement qu'elle allait mourir. Il n'y aurait eu rien d'étonnant à cela, car évidemment le danger de mort est très grand. Ainsi, bien que cet état soit de courte durée, il laisse le corps absolument brisé ; le pouls est alors si lent que l'on semble vraiment sur le point de rendre l'âme à Dieu, ni plus ni moins. Le corps perd sa chaleur naturelle ; mais le feu intérieur qui consume l'âme est tellement ardent, que s'il augmentait quelque peu, Dieu la mettrait au comble de ses désirs. On ne sent point alors de douleurs dans le corps, bien que, je le répète, il soit brisé et que, durant les deux ou trois jours qui suivent, il reste sans force même pour écrire et tout endolori [1].

Saint Jean de la Croix nous donne l'explication de ces brisements et affaissements, sous l'action spirituelle. Il écrit au début de la *Nuit de l'esprit* :

Comme en définitive cette partie sensitive de l'âme est faible et incapable de supporter les fortes impressions de l'esprit, il en résulte que ceux qui sont dans l'état de progrès, et vu le rejaillissement de l'esprit sur la partie sensitive, éprouvent dans cette partie sensitive de nombreuses faiblesses, des souffrances, des fatigues d'estomac et par suite également des fatigues d'esprit. C'est ce que le Sage exprime en ces termes : « Le corps, qui est sujet à la corruption, appesantit l'âme [2] ». De là il suit que ces communications dont nous parlons ne peuvent être ni très fortes, ni très intenses, ni très spirituelles, ni telles qu'il le faudrait pour l'union divine, car elles participent à la faiblesse et à la corruption de la sensualité. Voilà ce qui explique les ravissements, les extases, les dislocations des os qui se produisent toujours quand les communications ne sont pas purement spirituelles, c'est-à-dire pour l'esprit seul ; et c'est le cas pour les parfaits. Ils sont déjà purifiés dans la seconde nuit, celle de l'esprit ; on ne voit plus chez eux ces ravissements, ces agitations du corps ; ils jouissent de la liberté d'esprit sans que leurs sens en soient offusqués ou tourmentés [3].

En ces quelques lignes se trouvent résumées de bien précieuses affirmations. D'abord que les communications spirituelles reçues dans l'esprit rejaillissent sur la partie sensitive [4] ; ensuite l'assurance que les défaillances des sens sont produites par la violence du choc des communications spirituelles contre la lourdeur, l'impureté, le

_____

1. VI⁰ Dem., ch. XI, p. 1020.
2. Sg 9, 15.
3. *Nuit Obsc.*, Liv. II, ch. I, p. 549.
4. Saint Jean de la Croix avait dit ailleurs que le sens et l'esprit « prennent chacun à leur manière le même aliment spirituel et le puisent à la même source ». *Nuit Obsc.*, Liv. II, ch. III, p. 553.

manque d'adaptation des sens qui font obstacle à leur expansion, et en arrêtent la force. Ravissements et extases sont donc des faiblesses, la conséquence normale de la résistance offerte par le manque de souplesse et de pureté. De fait, à mesure que le sens sera purifié, il laissera progressivement toute liberté à l'esprit et ces phénomènes extérieurs disparaîtront.

On s'explique ainsi que les premiers chocs spirituels puissent causer des troubles physiques plus profonds. De fait, les grâces d'union que reçoit sainte Thérèse pendant les premières années de sa vie religieuse, ne furent pas étrangères à cet ébranlement physique qui la conduisit aux portes du tombeau [1]. N'est-il pas permis de croire que la maladie étrange que subit sainte Thérèse de l'Enfant-Jésus fut causée à la fois par l'action de Dieu et par l'ébranlement moral produit par l'entrée au Carmel de sa sœur Pauline [2] ?

3. *Localisations physiques.* — La neurologie qui étudie la transmission physiologique des perceptions intellectuelles, nous avertit que les réactions que ces perceptions produisent sont diffuses et étendues. Cette loi est à retenir ; elle nous laisse prévoir que des malaises généraux seront l'effet normal de la purification ou nuit de l'esprit [3].

Toutefois, en certains cas, et suivant le tempérament de l'organisme qu'il affecte, ce malaise prendra des formes particulières ou localisera ses effets. De même qu'un choc reçu par une poutrelle d'acier répand ses vibrations sur toute la surface mais révèle la paillette d'air qui s'y cache en la brisant en ce point faible, de même le choc divin dont l'irradiation s'étend sur tout le corps, affecte plus douloureusement les points faibles de cet organisme et dévoile les tendances pathologiques qui l'affectent.

---

1. *Vie*, ch. v, p. 49. — Parlant de l'union mystique au ch. XVIII, p. 177, sainte Thérèse écrit, par contre : « Cette oraison, quelque longue qu'elle soit, ne cause aucun préjudice à la santé : du moins elle ne m'en a porté aucun. Si malade que je fusse lorsque Dieu m'accordait cette faveur, je ne me souviens pas d'en avoir été incommodée. Bien au contraire, j'en éprouvais une amélioration très sensible ».
Cette affirmation de sainte Thérèse semble prouver que les effets sensibles de l'emprise divine deviennent bienfaisants à mesure que les sens assouplis ne lui offrent plus cette résistance qui les brise eux-mêmes.
2. *Man. Autob.*, A fol. 25 v°, 27 r° et s. Dans ces deux cas, l'intervention d'une cause préternaturelle n'est pas à exclure.
3. Au sujet de la nature de la douleur morale et de sa transmission physiologique par excitation des centres sensitifs corticaux affectés aux perceptions intellectuelles, voir les études du Pr. Le Grand et du Dr Tinel dans les *Études Carmélitaines*, oct. 1936, pp. 98-129 et 93-97. Le Dr Tinel écrit : « A mesure que l'on s'élève dans les étages superposés du système nerveux, les réactions deviennent naturellement plus diffuses et plus étendues ». *Art. cité*, p. 95.

De telles conditions rendent fort difficile le diagnostic des troubles physiques produits par l'action de Dieu. Le malaise général ne décèle point sa cause et la localisation qui attire l'attention risque d'égarer l'observation et le diagnostic. La collaboration du médecin et du directeur est nécessaire à de tels cas. Le médecin, serait-il psychiatre, ne saurait ordinairement saisir toutes les données du problème et suffire à une telle cure. Si, trompé par la localisation du mal, il lui attribuait une cause purement physiologique et prétendait la maîtriser uniquement par une thérapeutique appropriée, ses interventions pourraient devenir funestes [1]. Le rôle du médecin en pareil cas consiste, moins que jamais, à supprimer une douleur [2] dont il ne saurait atteindre la cause ; il doit soutenir et fortifier l'organisme pour qu'il puisse porter le poids physique de la grâce et les ébranlements produits par sa pression constante sur l'âme ou par le choc de ses effusions extraordinaires. Le directeur veillera pendant ce temps, à ce que ces malaises et la médication nécessaire ne replient pas l'âme sur elle-même et ne l'occupent trop de son mal et des soulagements possibles. Plus vigoureusement que jamais, il l'aidera à se dépasser elle-même et à ne regarder que Dieu qui ne la blesse que pour guérir. Une longue patience animée par l'espérance surnaturelle, sera donc sinon l'unique, du moins le plus efficace des remèdes. Puisque, en effet, ces ébranlements physiques sont le résultat de l'action intense de Dieu et du manque de souplesse et de pureté du patient, le devoir de celui-ci est clair : ne rien faire qui puisse diminuer la force et l'efficacité surnaturelle de l'action divine et attendre

---

1. Il serait peu délicat pour la science médicale de nos jours, combien plus avisée et pénétrante, de rappeler le traitement empirique que subit sainte Thérèse à Bécédas et qui faillit la tuer. Il reste cependant qu'un traitement, bien que tout à fait scientifique, peut être fort nuisible lorsqu'il méconnaît la cause surnaturelle principale qui a provoqué le désordre. Nous songeons surtout aux interventions chirurgicales hâtives, faites sans un diagnostic certain et vérifié. La psychanalyse peut, elle aussi, avoir des effets nocifs pour le progrès spirituel.

2. Dans l'étude déjà citée (*Études Carmélitaines*, oct. 1936, p. 99), le Pr. Le Grand, à la suite de Westfried, fait remarquer que la douleur a une fonction prophylactique parce qu'elle attire l'attention sur une défectuosité de fonctionnement de l'organisme qui, sans elle, pourrait passer inaperçue. Il faut utiliser cette heureuse indication pour découvrir le mal et le guérir. La médication doit atteindre ce mal et ne pas se contenter de soulager momentanément la douleur, du moins lorsque le mal peut être vraiment enrayé. Dans le cas dont nous nous occupons, cette remarque est d'une grande importance. L'abus des calmants, en créant un besoin de soulagement immédiat, diminue la résistance du sujet et risque de neutraliser la purification qui doit se faire dans la patience, la souplesse, la pureté et le dégagement de soi. Le problème est délicat. Il faut réaliser un dosage pour soutenir sans affaiblir, pour apaiser et dégager de soi.

patiemment que cette action divine produise elle-même la pureté et la souplesse qui en neutraliseront les effets sensibles.

b) Épreuves venant des agents extérieurs.

Comme pour le Christ Jésus durant sa passion, tout doit devenir cause de souffrance pour l'âme en cette période. La douleur doit l'envelopper de toutes parts. Tous semblent ligués contre elle. A la souffrance intérieure de Gethsémani et à la sueur de sang qui en manifeste extérieurement la violence et la profondeur, s'ajoute la persécution des puissances de ce monde.

O mon Dieu, écrit sainte Thérèse, par quelles épreuves intérieures et extérieures ne doit-elle pas passer jusqu'au jour où elle entrera dans la septième Demeure !...

Il est bon, je crois, que je vous raconte quelques-unes de ces épreuves dont j'ai la certitude...

Voici une personne qui est critiquée par celles avec lesquelles elle a des rapports et même par celles avec lesquelles elle n'en a pas et qui, ce semble, ne devaient jamais de la vie s'occuper d'elle. On dit qu'elle fait la sainte ; qu'elle se livre à des exagérations pour tromper le monde, et montrer que les autres sont imparfaites quand leur vie est plus chrétienne sans toutes ces cérémonies ; mais il faut noter que cette personne ne fait rien d'étrange, si ce n'est qu'elle s'applique à bien accomplir les devoirs de son état. Ceux qu'elle regardait comme ses amis s'éloignent d'elle ; et ce sont ceux qui lui portent les plus forts coups de dents ; et il en résulte une peine qui lui est très sensible. On lui dit qu'elle est égarée et tombée dans une profonde illusion ; que ce qui se passe en elle vient du démon ; qu'elle doit être comme telles et telles qui se sont perdues ; qu'elle est une occasion de ruine pour la vertu ; qu'elle trompe ses confesseurs. On va même prévenir ces derniers et leur rappeler ce qui est arrivé à d'autres qui se sont perdus par cette voie ; en un mot, on emploie contre elle toutes sortes de moqueries et des propos mordants.

Je connais une personne qui eut une peur extrême de ne pouvoir plus trouver à qui se confesser, par suite des critiques dont elle était l'objet et sur lesquelles je ne m'arrêterai pas, parce qu'elles sont trop nombreuses [1].

La Sainte dit ici son expérience et les épreuves particulières que lui valurent les faveurs extraordinaires dont elle était l'objet [2]. Pour compléter la description il faut se rappeler les troubles qui accompagnèrent la fondation du monastère de Saint-Joseph d'Avila, les difficultés

---

1. VIᵉ Dem., ch. I, pp. 928-929.
2. *Vie*, ch. XXVIII, p. 287.

rencontrées dans les fondations des autres monastères et au début de son priorat au monastère de l'Incarnation ; et encore les souffrances de la prison de Tolède pour saint Jean de la Croix, les critiques et persécutions dont fut l'objet le Curé d'Ars, et avec lui tous les saints dont la sainteté a eu un rayonnement extérieur.

Il ne semble pas que la sainteté, en cette période où elle franchit les dernières étapes et affirme déjà la puissance extraordinaire de son action, puisse éviter de telles épreuves, spécialement les critiques des gens de bien qui furent si pénibles à sainte Thérèse, de son propre aveu.

C'est qu'en effet la critique trouve assez aisément en ces âmes un aliment. Ces âmes ne sont pas encore complètement purifiées. L'emprise de Dieu sur la volonté laisse subsister dans les facultés des tendances encore bien naturelles et qui se montrent telles. Ces tendances se manifestent dans les relations avec Dieu et dans les rapports avec le prochain. Elles trouvent dans l'activité de l'apostolat qui tend à diminuer le contrôle de l'âme, une certaine liberté d'expansion et elles prennent plus de relief. Ainsi apparaissent des modes de penser, des façons d'agir, des vivacités, des rudesses extérieures, des écarts de langage parfois, des manques de prudence dans l'utilisation des dons surnaturels, des mouvements mal réprimés d'égoïsme et d'orgueil. Il est bien clair que la purification n'est point terminée et que l'onction de la grâce n'a pas tout pénétré. Certes il n'est pas douteux que le divin existe en cette âme ; mais l'humain s'y étale dans une lumière de contraste qui lui donne du relief. Cette impureté et cette rudesse tout humaine dans ses rapports avec Dieu et avec les hommes, que l'âme découvre elle-même sous une lumière divine crue et humiliante, apparaissent aussi et s'imposent au regard de l'observateur extérieur, même bienveillant. Elles posent un problème : comment concilier une telle force et puissance de l'amour divin avec de l'humain imparfait qui s'étale assez bruyamment [1] ?

N'exagérons pas les déficiences de l'âme en cette période. Ne les nions pas non plus. Elles ne disparaîtront que lorsque le mode d'agir humain aura cédé complètement à l'emprise divine. Et alors encore, il y aura des

---

1. On se souvient que le jugement défavorable porté par maître Daza et le conseil qu'il avait réuni à Avila pour juger de l'origine surnaturelle des faveurs que recevait la mère Thérèse, était motivé par le fait qu'elle ne possédait pas les vertus en rapport avec les faveurs qui lui étaient faites. *Vie*, ch. xxv, pp. 261-262.

façons personnelles de penser et d'agir qui pourront être pénibles à l'entourage le plus bienveillant. Mais en attendant que l'amour ait couvert la multitude des péchés [1], les actes qu'il inspire et dirige, portent des traces visibles de la source peccamineuse qui n'est pas encore complètement purifiée. Des déficiences réelles qui semblent souiller une action de Dieu authentique, expliquent le scandale des faibles et les doutes qui assaillent les prudents.

Ce mélange n'excuse pas toutefois, et même n'explique pas, toute l'agitation qui se fait autour de ces âmes qui, nous dit sainte Thérèse, ne font rien d'étrange si ce n'est qu'elles s'appliquent à bien accomplir les devoirs de leur état [2]. A voir le problème dans son ensemble, tout au plus peut-on dire que ce mélange offre une occasion facile à la détraction qu'anime la passion.

L'opposition violente et les persécutions que subissent ces âmes trouvent leur cause véritable et leur source dans la haine que soulève sous ses pas, en ce monde, la charité divine par son action et ses triomphes. Le monde et le prince de ce monde, le démon y voient une atteinte à leurs droits. Jésus en a averti ses apôtres.

Si le monde vous hait, sachez qu'il m'a haï avant vous. Si vous étiez du monde, le monde aimerait ce qui serait à lui. Mais parce que vous n'êtes pas du monde, et que je vous ai retirés du monde, c'est le motif de la haine du monde. Souvenez-vous de la parole que je vous ai dite : Le serviteur n'est pas plus grand que son maître [3].

Dieu a choisi cette âme et son emprise montre qu'il la veut toute sienne. Les ébranlements physiques, les obscurités de la nuit, les fruits de vertu autant que les grâces extraordinaires disent l'efficacité du choix divin. L'union de volonté a déjà livré cette âme à sa mission dans l'Église. Sainte Thérèse en cette période a déjà reçu la grâce de maternité et fondé des monastères, saint Jean de la Croix est réformateur à Durvelo, à Pastraña et au monastère de l'Incarnation avant de parvenir au mariage spirituel. La lumière est déjà sur le chandelier et si son

---

1. 1 P 4, 8. Notre affection admirative pour les saints qui accepte en certains cas qu'ils se soient convertis du péché à la vertu, tolère à peine la possibilité d'un progrès chez eux, ailleurs que dans la pureté de l'amour. Pour les admirer plus à notre aise, nous les désincarnons de l'humaine faiblesse et de ses lois de progrès. Ce manque de perspective fausse la vision de la sainteté et de son développement, et en nous privant d'un exemple vivant, nous rend injustes pour l'entourage du saint qui a contribué à sa formation par ses déficiences et aussi par sa patience.
2. VIᵉ Dem., ch. I, p. 929.
3. Jn 15, 18-20.

rayon d'action est encore réduit, elle éclaire cependant « tous ceux qui sont dans la maison [1] ».

La fécondité de l'apostolat révèle déjà la qualité de l'emprise et annonce une action plus puissante pour le jour où l'instrument sera devenu parfait. Un tel choix de Dieu et une emprise si qualifiée sont de véritables événements dans le monde spirituel des âmes. Ils émeuvent la haine aussi bien que l'amour. Celui-ci se réjouit de ces conquêtes divines. Celle-là irritée, s'agite et mobilise toutes ses forces.

Parmi les puissances du mal, le démon fait figure et remplit le rôle de meneur de jeu subtil et puissant. Sa jalousie haineuse ne saurait rester impassible devant cette âme qui va lui échapper définitivement, et bientôt lui nuire. Cette âme est devenue son ennemi personnel. Aussi il utilise contre elle toutes les ressources de sa puissance. A l'action que nous avons déjà signalée, il joindra une action plus extérieure. En ce domaine extérieur et sensible, il retrouve tous ses moyens et une certaine supériorité. Pour arrêter la marche de cette âme et paralyser son action, le démon soulèvera personnes et choses ; tout lui sera bon, passions des hommes et leurs bons désirs qu'il utilisera, lois de la nature qu'il mettra en action pour créer l'agitation et le trouble, la contradiction et les persécutions.

Le livre de Job, les Évangiles, les vies de saints, la fondation du monastère de Saint-Joseph d'Avila, la prison de Tolède de saint Jean de la Croix, les épreuves du Curé d'Ars, celles si étranges parfois que subissent les fondateurs d'Ordres religieux, nous découvrent ce jeu caché et puissant du démon qui, avec une pénétration surprenante, discerne parmi ses adversaires le principal agent surnaturel, son rôle extérieur serait-il de second plan, le frappe au point sensible, construit des plans subtils et grandioses de destruction, simule toujours avec un art déconcertant et devient violent avant de céder à la force surnaturelle qui le réduit à l'impuissance.

Et cependant, fait digne de remarque, ces interventions si actives du démon s'exercent habituellement dans le domaine soumis aux causes secondes naturelles. Elles n'en émergent que rarement. Le démon ne se porte dans le domaine extérieur du merveilleux que lorsqu'il y est attiré, pour la simuler, par une action de Dieu qui s'y fait éclatante, ou lorsque la rage de la défaite lui a fait

---

1. Mt 5, 15.

abdiquer toute prudence. Pourquoi attirerait-il inutilement l'attention et signalerait-il ouvertement sa présence alors que sa puissance de dissimulation est son moyen d'action le plus efficace ? Le problème du discernement de l'action du démon n'en devient que plus difficile [1].

Pour résoudre ce problème, il ne faut jamais oublier que le démon n'a qu'un but et qu'une tactique : nuire en trompant. Il est une puissance mauvaise qui règne dans les ténèbres et par le mensonge. Nous avons quelque peine à concevoir une telle perversité ténébreuse. Dieu vérité et lumière, livre son action à nos investigations rationnelles et accrédite de son sceau divin ses œuvres et la mission de ses envoyés. Autant nous nous habituons aisément à ces mœurs divines qui servent si bien nos besoins de clarté, autant nous avons de la difficulté à nous faire aux méthodes du démon, ce professionnel du mensonge, qui ment toujours et ne dit parfois une partie de la vérité que pour mieux tromper ensuite. L'habitude des rapports avec le prochain, basés sur la bonne foi et sur l'amour de la vérité, nous rend facilement naïfs avec le démon et dans le discernement de son action. La demande que nous avons entendu formuler, de soumettre les interventions du démon à une investigation critique et scientifique qui permette d'authentiquer son action, n'est-elle point une de ces naïvetés ? Comment enchaîner plus fort que soi et soumettre à un examen de sincérité et de lumière, un menteur professionnel invisible qui ne peut régner que dans les ténèbres ? Tout au plus se laissera-t-il parfois examiner pour fausser les données déjà acquises et pour agir sur les examinateurs afin de les mieux tromper.

Le démon n'obéit qu'à la puissance divine de l'exorciste. Le jeu caché de cet esprit n'est découvert que par le don surnaturel du discernement des esprits. Sauf les cas où son action prend des formes extérieures et merveilleuses, seul ce don peut interpréter les indices à l'aide d'une lumière plus profonde, découvrir le plan ourdi par la haine et la trame d'une action qui s'est développée dans la nuit, discerner enfin la présence subtile de l'esprit malfaisant. Découvert ou même soupçonné, le démon cherche d'ordinaire à disparaître. La plus fâcheuse victoire de ce spécialiste de la dissimulation, serait qu'en se soustrayant à toute enquête menée avec les exigences de la critique scientifique, il pût faire croire à son absence

---

1. Sur le discernement du merveilleux diabolique, lire l'article très intéressant de Roland Dalbiez sur Marie-Thérèse Noblet, *Études Carmélitaines*, oct. 1938, p. 210-234.

ou même à sa non-existence. Le démon existe et son action nocive est aussi certaine que sa jalousie haineuse.

Ces tribulations extérieures dans lesquelles paraît triompher le génie des puissances du mal, servent, elles aussi, l'œuvre de Dieu. Dieu ne les permet que dans ce but. Elles unissent plus étroitement l'âme au Christ et au mystère de son immolation dans lequel il se donne. Après l'agonie spirituelle dans la grotte de Gethsémani, le Christ Jésus fut conduit devant les divers prétoires de Jérusalem et entendit les cris et les malédictions de la foule. « Il fallait que le Christ entrât ainsi dans sa gloire [1] ». En marchant dans les traces sanglantes du Christ et en participant à ses diverses souffrances, l'âme recueille en toutes ses puissances les effets purificateurs du sang rédempteur. Son identification au Modèle divin s'exprime dans les facultés en une science plus profonde de la charité. A expérimenter ainsi douloureusement sa faiblesse, la profondeur du péché en elle-même et chez les autres, sa puissance haineuse dans le monde, ses violences aveugles chez tous, l'âme apprend l'humilité devant Dieu, devant elle-même, devant l'œuvre à réaliser dans l'Église ; elle découvre progressivement les conditions divino-humaines dans lesquelles se développe le royaume de Dieu ici-bas, la part de Dieu et la part de l'homme, la puissance efficace de la charité divine, la patience indulgente et silencieuse que cette charité requiert de l'instrument humain pour triompher des forces du péché.

Cette souffrance extérieure même lorsque le démon en est l'auteur, est éminemment utile. Elle perfectionne l'instrument et sert déjà à l'extension du royaume de Dieu.

Retrouverons-nous ces mêmes effets bienfaisants dans les épreuves extérieures à forme extraordinaire dont il nous reste à parler ? C'est un problème bien complexe qu'il nous faut aborder.

c) Phénomènes extérieurs extraordinaires.

Sous ce titre, nous groupons tous les phénomènes extérieurs liés à l'action de Dieu dans l'âme ou paraissant avoir des rapports avec elle, qui par leur rareté et leur forme merveilleuse semblent exiger une causalité préternaturelle ou surnaturelle.

On se souvient de saint Paul terrassé sur le chemin de Damas qui, « bien que ses yeux fussent ouverts ne voyait

1. Lc 24, 26.

rien » et qui, conduit à Damas, « fut trois jours sans voir et sans prendre ni nourriture ni boisson » jusqu'à ce qu'Ananie lui ayant imposé les mains, « aussitôt, il lui tomba des yeux comme des écailles et il recouvra la vue. Il se leva et il fut baptisé ; et après qu'il eut pris de la nourriture, il reprit force [1] ».

Sainte Thérèse est parfois soulevée du sol par la force divine au cours des extases. Sainte Thérèse de l'Enfant-Jésus souffre d'une maladie mystérieuse dont elle est guérie par le sourire de la statue de la Sainte Vierge qui s'anime. Saint François d'Assise sur l'Alverne, après un jeûne de quarante jours, reçoit aux mains et aux pieds les stigmates qui en font un Christ crucifié, vivant parmi les hommes. Les biographies des saints nous présentent fréquemment des manifestations extérieures du surnaturel qui découvrent aux yeux des croyants leur union profonde avec Dieu.

Parfois ces phénomènes mystiques ou paraissant tels, sont entourés de circonstances troublantes. La sainteté du sujet n'y est rien moins qu'évidente. Un mystique, ou prétendu tel, est affligé de maladies qui pourraient expliquer les phénomènes extérieurs. Ou encore, et c'est le cas le plus fréquent, il y a un mélange de bien et de mal, d'humain et de divin qui est déconcertant. Le Père Surin écrit des ouvrages qui sont lus avec grand profit par les fidèles et même par sainte Thérèse de l'Enfant-Jésus ; d'autre part, sa biographie nous présente quantité de faits qu'il explique lui-même par la possession, mais que la quasi-universalité de ses confrères attribue à un déséquilibre psychique et à la folie.

La supercherie et la mauvaise foi étant écartées (car nous ne voulons pas faire ici de la critique historique), et en ne retenant que les faits dûment prouvés, nous nous trouvons devant un problème à résoudre : quelle est en tout cela la part de Dieu, celle du démon ou de la nature ? Quels sont les phénomènes à attribuer à chacune de ces causes ? Problème d'autant plus complexe que des phénomènes divers se retrouvent dans le même sujet. La stigmatisée de Konnersreuth, Thérèse Neumann, a des extases, des visions, parle diverses langues et vit dans un jeûne perpétuel. Les médecins déclarent trouver de l'hystérie en Marie-Thérèse Noblet dont la vie missionnaire héroïque et féconde fut remplie au dire de son biographe d'épreuves diaboliques, de visions et de révélations, accompagnées de stigmates et d'extases.

---

1. Ac 9, 8-9, 17-19.

Ajoutons qu'il n'est pas deux cas semblables. Il n'y a que des cas individuels. On peut classer les phénomènes ; il est quasi impossible de grouper les cas sinon par quelques affinités. Thérèse Neumann a des visions, mais elle ne ressemble en rien à sainte Thérèse d'Avila. Le Père Surin est un écrivain spirituel, mais comment le placer auprès de saint Jean de la Croix pour le lui comparer ?

La complexité de ces problèmes ne nous semble pas un motif suffisant pour les éluder. La lumière des principes qui permettrait de les éclairer, étendrait en effet son action bienfaisante bien au-delà des cas de merveilleux extraordinaire qui éveillent si puissamment la curiosité du grand public. Les cas frontières sont nombreux qui relèvent des mêmes causes et présentent le même enchevêtrement de l'humain et du divin. Les difficultés de ces questions ne doivent donc pas nous empêcher de chercher la lumière et une ligne de conduite pratique, pour les résoudre.

Parmi ces phénomènes on peut dès l'abord en distinguer de deux sortes : 1° les phénomènes physiques qui affectent le corps extérieurement, par exemple la lévitation, l'extase, les stigmates ; 2° les phénomènes psychiques dont les manifestations extérieures indiquent que les facultés de l'âme subissent une influence étrangère, tels par exemple certains troubles intellectuels ou affectifs. Les premiers sont plus apparents, plus aisément observables, semblent solliciter plus impérieusement une causalité surnaturelle. Les seconds plus intérieurs, plus complexes, paraissent plus mystérieux. On aborde ceux-là avec plus de confiance, ceux-ci nous trouvent plus défiants. Ces premières impressions résisteront-elles à un examen plus approfondi [1] ?

1. *Phénomènes physiques.* — Saint Jean de la Croix nous a appris que les communications spirituelles de Dieu à l'âme ont normalement un rejaillissement sur les sens et sur le corps.

---

1. On ne peut pas traiter de ces questions sans tenir compte des études pénétrantes faites par des psychiatres, des théologiens et des philosophes et publiées par les *Études Carmélitaines* sur la Madeleine de Pierre Janet (*Études Carm.*, avril et oct. 1931 : P. Bruno de Jésus-Marie, Dr Le Grand, P. Gardeil) ; sur les stigmatisations (*Études Carm.*, oct. 1936 : Pr. Lhermitte, Dr Le Grand, Tinel, Van Gehuchten, Wunderle, Vinchon, Dom Mager) ; sur la nuit du sens et la nuit de l'esprit et les cas du P. Surin et de Marie-Thérèse Noblet (*Études Carm.*, oct. 1937, oct. 1938 et avril 1939 : Pr. De Greeff, J. Lhermitte, Dr Achille-Delmas, Giscard, Pr. Roland Dalbiez, P. de Guibert, Olphe-Galliard, etc.). Nous avons largement utilisé ces articles et les conversations suggestives qui suivaient les exposés aux Congrès de psychologie tenus à Avon en 1936-37-38.

Sainteté pour l'Église

Comme en définitive cette partie sensible de l'âme est faible et incapable de supporter les fortes impressions de l'esprit, il en résulte que ceux qui sont dans l'état de progrès, et vu le rejaillissement de l'esprit sur la partie sensitive, éprouvent dans cette partie sensitive de nombreuses faiblesses, des souffrances, des fatigues d'estomac et par suite également des fatigues d'esprit [1].

Quelle peut être la puissance de ce rejaillissement sur les sens ? Quelles en sont les limites, quels sont les phénomènes physiques qui ne sont plus en son pouvoir et qui exigent par conséquent une action directe et extraordinaire de Dieu au sens indiqué précédemment [2] ? Tel est le problème qui se pose.

Nous ne l'aborderons pas dans toute son ampleur en traitant de chaque catégorie de phénomènes. Nous devons nous limiter. Nous ne nous arrêterons pas aux extases et ravissements qui, d'après saint Jean de la Croix, sont un effet des communications spirituelles les plus intenses avant que soit terminée la purification.

Voilà ce qui explique, écrit le Saint, les ravissements, les extases, les dislocations des os qui se produisent toujours quand les communications ne sont pas purement spirituelles, c'est-à-dire pour l'esprit seul ; et c'est le cas pour les parfaits. Ils sont déjà purifiés dans la seconde nuit, celle de l'esprit [3].

Le problème de l'action extraordinaire de Dieu ne se pose donc pas à leur sujet. Le rayonnement de l'action purement spirituelle suffit à les produire en des tempéraments affaiblis ou qui sont imparfaitement purifiés [4].

Ce problème de l'extraordinaire pourrait se poser à propos de la lévitation. Mais ce phénomène est difficilement observable parce que transitoire.

Par contre, les stigmates sont des phénomènes sinon permanents, du moins assez fréquemment renouvelés pour que savants, spécialistes de tout ordre et maîtres

---

1. *Nuit Obsc.*, Liv. II, ch. I, p. 549.
2. Cf. *supra*, « Faveurs extraordinaires », p. 705 et s.
3. *Nuit Obsc.*, Liv. II, ch. I, p. 549.
4. Au chapitre VI du livre des *Fondations* et au chapitre III des IVe Dem., sainte Thérèse indique clairement que la défaillance sous l'action de Dieu peut être l'effet d'une faiblesse physique : « quelques personnes, dit-elle, par suite de leurs grandes pénitences, de leurs oraisons ou de leurs veilles et même sans cela, sont d'une complexion très délicate ; si elles reçoivent quelque consolation spirituelle, leur nature succombe... J'ai connu une personne qui restait huit heures en cet état sans perdre le sentiment... » (IVe Dem., ch. III, p. 889). Nous avons là un témoignage du rejaillissement de l'action spirituelle sur le corps, action qui est faussement amplifiée par la faiblesse de ce dernier. Sainte Thérèse a cru nécessaire d'insister beaucoup sur ces cas typiques qui lui paraissent extrêmement importants pour mettre au point la valeur des indices extérieurs, dans l'appréciation du spirituel dans les âmes.

de la vie spirituelle puissent les observer à leur aise. Ce sont surtout des phénomènes bien caractérisés et en soi si merveilleux que, si vraiment le rejaillissement sensible du spirituel peut se produire, ils nous conduisent certainement aux limites extrêmes que sa puissance puisse atteindre. Nous allons donc retenir les stigmates comme un cas type nous fournissant les données les plus importantes du problème et permettant par conséquent d'envisager les diverses solutions possibles.

α) *Le cas de Thérèse Neumann.* — Les stigmates sont des blessures apparentes sur le corps qui représentent un ou plusieurs traits de la Passion. Les premiers en date, semble-t-il, et les plus célèbres sont les stigmates dont fut favorisé saint François d'Assise deux ans avant sa mort, au cours d'un jeûne de quarante jours sur le mont Alverne. Le Saint descend de la montagne portant aux mains, aux pieds et au côté les plaies sanglantes de Jésus crucifié.

Depuis lors, ces phénomènes se sont reproduits. Le docteur Imbert-Gourbeyre a établi un catalogue de trois cent vingt et un cas de stigmatisés ou prétendus tels [1]. La plupart de ces cas, il est vrai, ne résistent pas à une critique serrée des documents qui les attestent [2]. Il serait imprudent cependant de conclure de l'absence des preuves exigées par la critique moderne, à la fausseté de tous ces récits ou à la supercherie de ces stigmatisés. Quoi qu'il en soit du passé, plusieurs cas de stigmatisation ont été observés de nos jours d'une façon assez précise et scientifique pour qu'on puisse les considérer comme des faits historiquement certains. Tels, par exemple, les stigmates de Gemma Galgani et ceux de Thérèse Neumann. Ces derniers serviront de base à notre étude et à nos réflexions.

Thérèse Neumann, l'aînée d'une famille de neuf enfants, est née le 8 ou 9 avril 1898 d'une pauvre famille paysanne à Konnersreuth, en Bavière. Pieuse, robuste et laborieuse, elle s'adonne aux travaux des champs et entre au service d'un paysan de son village. En 1918, à la suite d'un effort violent et d'un refroidissement, elle tombe malade. Les accidents se succèdent : chutes, paralysie de divers membres, plaies diverses, cécité, qui semblent la conséquence de son état général. Le docteur qui la suit diagnostique : hystérie grave par suite d'un accident très sérieux. Le 29 avril 1923, au jour de la béatification de

---

1. Dr Antoine Imbert-Gourbeyre, professeur à la Faculté de médecine de Clermont-Ferrand. *La stigmatisation, l'extase divine et les miracles de Lourdes. Réponse aux libres-penseurs.* Clermont-Ferrand, 1894.
2. Voir l'article de P. Debongnie dans les *Études Carm.*, oct. 1936, pp. 22-59 : « Essai critique sur l'histoire des stigmatisations au Moyen Age ».

Sainteté pour l'Église

sainte Thérèse de l'Enfant-Jésus, elle recouvre subitement la vue ; le 17 mai 1925, jour de la canonisation, elle est favorisée d'une apparition lumineuse dans laquelle une voix mystérieuse lui annonce qu'elle retrouvera l'usage de ses membres sans que cessent les douleurs. Au début du Carême 1926, Thérèse se sent très indisposée. Dans la nuit du jeudi au vendredi, 4-5 mars, elle a une vision de Notre-Seigneur au Mont des Oliviers avec ses apôtres. Elle éprouve dans la région du cœur une douleur violente et aiguë. Le sang commence à couler au côté, des blessures apparaissent aux mains et aux pieds. Il y a aussi une effusion de sang des yeux pendant la nuit et le vendredi avant midi. Depuis lors les plaies saignent dans la nuit du jeudi au vendredi et le vendredi avant midi, chaque semaine, sauf aux temps liturgiques de Noël et de Pâques et les jours de fête de précepte. Depuis mars 1927, il y a aussi la plaie de la couronne d'épines [1]. Ces stigmates saignent pendant ou à la suite des visions sur la Passion. Ces visions lui font suivre et revivre dans la nuit du jeudi au vendredi et jusqu'au vendredi après-midi, les diverses scènes de la Passion. Chaque vision dure de dix à quinze minutes et est accompagnée d'un état d'extase, sans qu'on puisse préciser si l'extase précède la vision ou est provoquée par elle. Thérèse

est alors assise dans son lit, elle a les bras étendus, les yeux fermés, mais regardant comme dans des distances infinies et elle fait des grands gestes mimiques [2].

Son visage trahit une participation intime de l'intelligence, de la volonté et de la sensibilité à ce qu'elle contemple en vision. Presque toutes ses expressions mimiques sont en étroite relation avec le Christ et la foi, l'enthousiasme, la jubilation font resplendir ses traits lorsqu'elle reconnaît les sentiments correspondants dans le Christ ou d'autres personnes de la scène. Puis, de nouveau, se manifestent les sentiments de compassion, de crainte, d'anxiété, de dégoût ou de colère quand elle les voit chez les personnages de la vision. Ces sentiments dépassent en force et en expression les limites naturelles, en ce sens que des états d'âme et des émotions opposées se suivent sans transition avec une grande rapidité. A peine a-t-elle quelque chose de joyeux, l'instant qui suit, ses larmes coulent. Aussi vite changent les scènes dans la vision, aussi vite les expressions mimiques se succèdent [3].

---

1. « *Konnersreuth* comme fait et comme problème », par Dom Mager, *Études Carm.*, avril 1933, pp. 39-51.
2. *Art. cité*, p. 43.
3. *Konnersreuth*, ch. VI, pp. 43-46, par Fahsel. Cité par P. Lavaud dans « Les Phénomènes extatiques chez Thérèse Neumann », *Études Carm.*, avril 1933, p. 68. Fahsel écrit à propos du regard de Thérèse Neumann pendant la vision extatique : « Les yeux suivent d'un regard très vif et avec la plus grande attention la scène qui se déroule et dont ils ne veulent, autant que possible, rien laisser perdre. Si on lui passe la main devant les yeux, la direction du regard dans le lointain n'est pas troublée ». *Ibid.*, p. 67.

Les visions partielles de la Passion se succèdent au nombre « d'une quarantaine, plus ou moins selon les cas » et sont accompagnées de l'activité plus ou moins intense des plaies stigmatiques [1].

Ces visions sont suivies d'un état de recueillement ou d'absorption dans lequel Thérèse Neumann

retombe comme abandonnée par la force qui la soutenait. Ses yeux se ferment... Elle entend et peut parler [2]. Elle est habituellement calme et tranquille, souvent immobile. Mais on s'aperçoit en lui parlant qu'elle est intérieurement prise et dominée par ce qu'elle vient de voir, quand il s'agit d'un événement saisissant. Son émotion se traduit par la façon dont elle en parle, ce qu'elle fait d'ailleurs volontiers et sans réticence [3].

Elle jouit alors de lumières supérieures pour discerner les objets ou personnes consacrés, et les dispositions des cœurs. Thérèse Neumann connaît un autre état mystique que l'on a appelé état de repos extatique. C'est

le repos d'un sommeil où son âme est unie avec Dieu par la plus haute contemplation et l'extase, et repose en lui. Ce sommeil fortifie et restaure physiquement Thérèse d'une manière mystérieuse. Il intervient chaque fois que ses souffrances physiques, soit dans la Passion du vendredi, soit dans les substitutions mystiques, ont presque atteint la limite de ce qu'il lui est possible de supporter... Il se manifeste presque chaque fois qu'elle reçoit la sainte Eucharistie... Cet état dure de douze à vingt minutes, parfois une heure... Pendant ces moments de repos s'opère en elle une prompte et merveilleuse rénovation de ses forces épuisées... Le rapide et profond changement qui s'est accompli en elle est manifeste à tous les yeux... L'accomplissement sans défaillance de nombreuses prédictions a confirmé depuis plusieurs années la certitude des amis de Thérèse qu'elle jouit, au moins par intervalle, dans l'état de repos extatique, du don de prophétie, pénètre les secrets des cœurs [4].

Si nous ajoutons que « depuis Noël 1926 Thérèse ne prend plus aucune nourriture, ni solide ni liquide [5] », nous aurons fait un exposé succinct des faits de Konnersreuth qui montrent en quelle abondance de phénomènes extraordinaires se situe la stigmatisation de Thérèse Neumann et qui laissent entrevoir la complexité des problèmes qu'elle pose.

---

1. *Art. cité*, du P. Lavaud, p. 69. On trouvera dans le même article, pp. 70-75, le récit des visions fait par Thérèse Neumann elle-même, qui montre combien elles sont soudaines, vivantes et précises en ce qui concerne la personne de Jésus.
2. *Ibid.*, p. 76.
3. *Ibid.*, p. 65.
4. *Ibid.*, pp. 81-83.
5. *Art.* de Dom Mager déjà cité, p. 44.

β) *Comment se produit la stigmatisation ?* — 1° *Exposé des solutions possibles.* — Comment expliquer la stigmatisation ? A quelles causes l'attribuer ? A l'action de Dieu ou du démon ou à un jeu des lois de la nature ? A ces diverses causes en même temps ? et dans quelle mesure ? Tel est le problème.

La solution la plus simple serait de réserver à l'action de Dieu la production d'un phénomène si merveilleux, lorsque évidemment est éliminée la supercherie. Mais encore faut-il préciser la nature de cette action de Dieu.

Est-ce Dieu lui-même qui intervient avec sa toute-puissance pour produire ce phénomène en dehors des lois de la nature créée [1], de telle sorte que la stigmatisation soit un miracle au sens actuel du mot, comme par exemple la résurrection d'un mort, la multiplication des pains, la reconstitution instantanée d'un os ou d'un tissu ? Certainement non. Les stigmates peuvent être en effet produits par un homme muni d'un instrument ou par un ange.

Mais en utilisant un ange comme instrument qui imprimerait les stigmates, Dieu resterait l'auteur principal et son action pourrait être appelée directe, ainsi qu'il a été dit précédemment à propos des visions [2].

Peut-on admettre qu'une action divine indirecte qui utiliserait un processus psycho-physiologique, suffirait pour produire ce phénomène merveilleux ? Dieu créerait dans l'âme des sentiments d'amour et de compassion très intenses par une blessure d'amour en y joignant habituellement une vision imaginaire des scènes de la Passion, et ces sentiments très vifs s'extérioriseraient par les plaies de Jésus crucifié. Bref, les stigmates seraient un rejaillissement sensible localisé, d'une action de Dieu sur l'âme.

Le démon aurait le même pouvoir de produire les stigmates. Son action s'y exercerait soit par une action directe soit, si on admet la deuxième opinion, par l'extériorisation de sentiments intenses et de fausses visions qu'il aurait créées lui-même.

Enfin, si les stigmates peuvent être produits par un processus psycho-physiologique, il n'y aurait pas de difficultés, semble-t-il, à admettre que des malades doués d'une hypersensibilité et victimes de visions halluci-

---

1. « Est dit miracle, un fait qui est en dehors de l'ordre de toute nature créée ; Dieu seul peut faire le miracle, car ce que fait l'ange ou toute autre créature par sa puissance propre est dans l'ordre d'une nature créée, et que ce motif n'est pas un miracle ». Telle est la définition du miracle d'après saint Thomas (*Sum. th.*, Ia, qu. 110, art. 4).
2. Cf. *supra*, « Faveurs extraordinaires », pp. 744-751.

natoires puissent eux-mêmes par cette voie, recevoir des stigmates sans intervention préternaturelle.

On le voit, à propos des stigmates, deux problèmes distincts se posent ; le premier problème général, qui peut être ainsi énoncé : Les stigmates peuvent-ils être produits par un processus psycho-physiologique mis en œuvre par une action indirecte de Dieu ou du démon, ou par une cause psycho-pathologique ? Ou bien exigent-ils une action directe de Dieu ou du démon ?

Deuxième problème, particulier à chaque cas : Quel est l'esprit qui a produit les stigmates ? Ou même ne sont-ils pas le fruit d'une affection pathologique, s'il est vrai qu'elle puisse suffire à les produire ?

Le deuxième problème d'une importance majeure se rattache au problème général du discernement des esprits qui a été étudié précédemment [1] ; il ne retiendra pas pour l'instant, notre attention. Nous nous arrêterons au premier qui, bien que plus spéculatif, a une portée considérable car il pose jusqu'en ses limites extrêmes, le problème qui nous préoccupe, à savoir le problème de la répercussion du spirituel sur le sensible et de la contribution du tempérament à la production des phénomènes extérieurs de la vie mystique.

2° *Discussion.— Action directe de Dieu.* — Que les stigmates exigent une action directe de Dieu ou du démon, utilisant un instrument, c'est l'opinion la plus courante, celle que semblent accréditer les récits de la stigmatisation de saint François d'Assise. Pendant son jeûne sur le mont Alverne, un jour autour de la fête de l'Exaltation de la Sainte Croix, un séraphin lui apparaît crucifié et remplit son âme de joie et d'amour compatissant.

Après un entretien céleste et familier, la vision disparut, dit saint Bonaventure, lui laissant au cœur une ardeur ineffable et imprimant dans sa chair des traces merveilleuses du Crucifié... En effet apparurent dans ses mains et ses pieds les marques des clous, se montrant dans la partie intérieure des mains et sur la partie supérieure du pied, et les pointes sur le côté opposé. Son côté droit, comme transpercé par la lance, était ouvert par une cicatrice rouge où coulait souvent du sang qui se répandait sur ses vêtements [2].

---

1. Cf. Cinquième Partie, « Faveurs extraordinaires », pp. 744-751.
2. Saint Bonaventure, *Vie de saint François*. Légende du Bréviaire pour la fête des stigmates de saint François. Celano, dans la *Vita prima*, n'indique pas l'action directe du séraphin pour produire les stigmates : « son cœur était tout occupé de cette apparition quand dans ses mains et ses pieds commencèrent à apparaître les marques des clous telles qu'il venait de les voir dans l'homme crucifié au-dessus de lui. »

Sainteté pour l'Église

Plus nettement encore, saint François de Sales précise l'action directe du séraphin dans la production des stigmates. Il écrit dans le *Traité de l'amour de Dieu* :

Voyant aussi d'autre part la vive représentation des plaies et blessures de son Sauveur crucifié, il sentit en son âme ce glaive impétueux qui transperça la sacrée poitrine de la Vierge Mère au jour de la Passion, avec autant de douleur intérieure que s'il eût été crucifié avec son Sauveur... Cette âme donc ainsi amollie, attendrie et presque toute fondue en cette amoureuse douleur se trouve par ce moyen extrêmement disposée à recevoir les pressions et marques de l'amour et douleur de son souverain Amant... L'âme sans doute se trouvait toute transformée en un second crucifix. Or l'âme comme forme et maîtresse du corps, usant de son pouvoir sur iceluy, imprima les douleurs des playes dont elle était blessée es endroits correspondants à ceux esquels son Amant les avait endurées. L'amour est admirable pour aiguiser l'imagination pour qu'elle pénètre jusqu'à l'extérieur... Mais de faire les ouvertures en la chair par dehors, l'amour qui estait dedans ne le pouvait bonnement faire. C'est pourquoi l'ardent séraphin venant au secours, darda ses rayons d'une clarté si pénétrante qu'elle fit réellement les playes extérieures du crucifix en la chair, que l'amour avait imprimées intérieurement en l'âme [1].

Ces récits semblent affirmer l'impuissance du processus psychologique à produire les plaies extérieures, quelle que soit l'intensité de la souffrance physique par laquelle le corps participe à la compassion de l'âme aux souffrances de Jésus crucifié. Les stigmates de saint François d'Assise seraient produits par une action directe de Dieu utilisant l'action instrumentales de l'ange.

Cette opinion est soutenue vigoureusement par d'éminents neurologues. Le professeur Jean Lhermitte, membre de l'Académie de médecine, écrit :

Le processus de la stigmatisation nous apparaît comme absolument inintelligible, impensable... En vérité, il n'existe aucun processus physiologique qui, de près ou de loin, se rapproche de la stigmatisation. Celle-ci, lorsqu'elle n'est pas supercherie, appartient en propre à une catégorie de sujets et répond à un mécanisme qui échappe complètement aux prises des savants. Et si l'on nous obligeait à suivre la terminologie employée plus loin par M. l'abbé Journet, nous affirmerions qu'il n'y a ni stigmatisation psychologique, ni stigmatisation dia-psychologique, mais exclusivement une stigmatisation tout ensemble extra-psychologique et extraphysiologique... [2]

Ces affirmations catégoriques d'un maître éminent trancheraient la question si d'autres neurologues et des psychologues expérimentés ne lui opposaient des juge-

---

1. Saint François de Sales, *Traité de l'amour de Dieu*, Liv. VI, ch. xv.
2. Pr. J. Lhermitte, « Le problème médical de la stigmatisation » dans *Études Carm.*, oct. 1936, pp. 72-73.

ments plus nuancés et qui rendent plausible une autre solution du problème.

— *Processus psycho-physiologique*. — Tous reconnaissent que parmi les expériences faites jusqu'à présent dans les cliniques ou laboratoires, aucune ne prouve scientifiquement le processus psycho-physiologique des stigmates. Ce processus est donc au point de vue scientifique une hypothèse, mais une hypothèse qu'il est légitime de faire, et qui peut-être s'impose.

Je ne vois aucune impossibilité, écrit le professeur Paul Van Gehuchten, à ce que chez certains sujets très sensibles, il puisse se produire après une longue préparation suggestive, des manifestations vaso-motrices locales qui aillent jusqu'à la formation de phlyctènes et d'hémorragies. Sans doute, ni l'anatomie ni la physiologie ne peuvent nous donner la clef du mécanisme lui-même, mais il suffit d'un seul cas bien étudié, où la suggestion produise des hématidroses et des stigmates, pour que ce que l'on considère encore comme une hypothèse devienne une certitude [1].

On peut à la rigueur concevoir, dit à son tour le docteur Tinel, qu'une représentation particulièrement vive des souffrances du Christ en croix ait pu, au moyen d'un processus complexe d'attention, de suggestion, d'extériorisation psychique et de projection mentale à la périphérie, provoquer l'apparition de zones cutanées véritablement et intensément douloureuses dans les parties du corps correspondant aux cinq plaies, des mains, des pieds et du côté... C'est le facteur psychologique [2].

Le docteur Georges Wunderle, professeur à l'Université de Wurzbourg, est plus affirmatif :

Pendant longtemps, écrit-il, au point de vue psychologique, on n'osait pas croire à la possibilité de provoquer la stigmatisation. Et j'avoue qu'il m'a fallu à moi-même bien du temps, dans les longues études psychologiques de ce problème pour me convaincre de cette possibilité. Aujourd'hui, je suis d'avis qu'on ne peut pas tout bonnement récuser le fait d'une stigmatisation naturelle. Le cas du docteur Lechler, malgré les lacunes qu'il présente, en est une preuve convaincante [3].

1. Pr. Paul Van Gehuchten, professeur de neurologie à l'Université de Louvain, « Les stigmates de Louise Lateau », dans *Études Carm.*, oct. 1936, p. 90.
2. Dr Tinel, « Essai d'interprétation physiologique » (*Études Carm.*, oct. 1936, p. 96.)
3. Pr. Georges Wunderle, « Psychologie de la stigmatisation », dans *Études Carm.*, oct. 1936, pp. 157-163. Dans le même article, p. 158, G. Wunderle écrit: « Depuis quelques années, on parle en Allemagne d'un cas de stigmatisation chez une protestante (dans le sanatorium du docteur Lechler)... L'an dernier j'ai vu cette personne, en compagnie du docteur Deutsch, dont les travaux au sujet du cas de Konnersreuth vous sont bien connus. Nous avons pu nous rendre compte de la réalité de la stigmatisation par les marques qu'elle portait et notre croyance dans les procédés de suggestion a été confirmée par des expériences appropriées ».

Sainteté pour l'Église

L'affirmation du docteur Wunderle, à son avis « lourde de conséquences aussi bien pour la théologie mystique que pour la psychologie religieuse [1] », reste nuancée. Il ne prétend pas fournir une explication scientifique de la stigmatisation. Mais, s'appuyant sur le fait particulier dûment constaté, d'une plaie produite par un processus psycho-pathologique, il se croit « capable de comprendre que certaines étapes du processus de la stigmatisation n'ont pas nécessairement une origine surnaturelle [2] ». Il déclare donc par conséquent, comme tout à fait plausible, l'hypothèse d'un processus naturel qui ne rendrait pas nécessaire l'action directe de Dieu dans la production matérielle des stigmates. Le processus se déroulerait ainsi :

La vraie stigmatisation, écrit le docteur Wunderle, suppose toujours un état d'âme profondément commotionné. Une représentation du crucifix, par exemple. Toutes les descriptions de ces événements, à commencer par les témoignages que nous avons de la stigmatisation de saint François d'Assise, confirment cette opinion d'une façon indubitable. En outre, ils sont d'accord pour dire que la stigmatisation spirituelle est comme le fondement de la stigmatisation corporelle [3].

En effet, les récits de la stigmatisation, tant de saint François d'Assise que de Thérèse Neumann, montrent un lien si étroit entre la vision de Jésus crucifié et l'apparition des stigmates, que l'esprit établit normalement une relation de cause à effet. Il apparaît clairement que la vision porte à sa plus haute intensité la compassion intérieure ou la commotion, selon le langage du docteur Wunderle, et qu'elle produit dans le corps du visionnaire une véritable stigmatisation intérieure, c'est-à-dire une localisation dans le corps du visionnaire, des douleurs des plaies qu'il découvre. Saint François de Sales parlant de saint François d'Assise, écrit :

Par la vive représentation des plaies et des blessures de son Sauveur crucifié... l'âme sans doute se trouvait toute transformée en un second crucifix. Or l'âme comme forme et maîtresse du corps usant de son pouvoir sur iceluy, imprima les douleurs des playes dont elle était blessée es endroits correspondants à ceux esquels son Amant les avait endurées. L'amour est admirable pour aiguiser l'imagination pour qu'elle pénètre jusqu'à l'extérieur [4].

---

1. *Art. cité* de G. Wunderle, p. 159.
2. *Ibid.*
3. *Ibid.*, p. 160.
4. Texte déjà cité du *Traité de l'amour de Dieu*, Liv. VI, ch. xv. Saint François de Sales refuse cependant à la stigmatisation intérieure la puissance de produire des plaies extérieures.

Le processus psychologique du docteur Wunderle ne s'arrête pas à cette étape. Citant Görres, il fait intervenir une

force plastique qui imprime la ressemblance corporelle selon les dispositions intérieures de compassion du stigmatisé... La puissance spirituelle transformatrice de l'âme qui rejaillit sur le corps provient de la compassion aux douleurs du Christ crucifié [1].

Détails importants à noter dans les descriptions plus précises de la stigmatisation de Thérèse Neumann : la vision est accompagnée d'extase. Cette extase, loin de provoquer une diminution de connaissance, comme le remarque le docteur Wunderle, indique au contraire une tension extraordinaire de toutes les puissances vers l'objet de la vision, une certaine emprise de l'objet sur les puissances qui deviennent passives sous l'action de la force qui en émane. De fait, on dit de Thérèse Neumann que pendant l'extase

son visage trahit une participation intime de l'intelligence, de la volonté et de la sensibilité à ce qu'elle contemple en vision. Presque toutes ses expressions mimiques sont en étroite relation avec le Christ et la foi [2].

Certes, il y a bien loin de cette mimique à l'impression des stigmates ; mais il n'est pas inutile de souligner ces effets extérieurs qui indiquent l'action puissante de la vision.

Ce processus naturel n'exclut pas la causalité divine dans la production des stigmates. Évidemment, Dieu garde toute liberté pour les imprimer dans une action directe. Même lorsqu'il use des processus psycho-physiologiques, son action reste nécessaire pour porter par une vision créée par lui ou par tout autre moyen, la compassion ou commotion intérieure à la haute intensité nécessaire pour qu'elle s'imprime par les signes extérieurs des stigmates. De même que parmi les paroles surnaturelles il en est de formelles qui sont formulées par Dieu, et d'autres successives, formulées par l'âme sous l'action d'une lumière surnaturelle authentique, ainsi il pourrait exister des stigmates produits par une action directe de Dieu et des stigmates produits par le processus naturel actionné par une intervention divine indirecte.

Ce double mode direct et indirect est à la disposition du démon pour produire des stigmates. Si on admet

---

1. *Art. cité* de G. Wunderle, p. 161.
2. *Konnersreuth*, ch. VI, pp. 43-46, par Fahsel. *Art. cité* du P. Lavaud, *Études Carm.*, avril 1933, p. 68.

l'hypothèse du processus naturel, il faut admettre aussi qu'une affection pathologique peut créer elle aussi l'intensité d'émotion intérieure capable de s'exprimer. Par conséquent, une psychose peut remplacer l'action préternaturelle nécessaire aux tempéraments normaux. Le docteur Wunderle reconnaît enfin

que la stigmatisation n'a pas lieu chaque fois que ce sentiment de compassion est poussé à son maximum [1],

même par une vision imaginaire ou par une vision réelle, ainsi qu'il advint à la Vierge Marie sur le Calvaire. L'efficacité extérieure de la force plastique suppose d'autres conditions.

Quelles sont ces conditions ? Parfois une volonté spéciale de Dieu et dès lors son intervention redevient directe. Pour les cas où le processus naturel a été déclenché, nous connaissons assez bien les lois de la Providence divine pour affirmer qu'elle laisse ce processus se dérouler sous l'action des causes secondes et sans intervention directe de sa part. C'est donc dans le domaine des conditions naturelles qu'il faut avant tout chercher la cause du déroulement du processus jusqu'aux stigmates extérieurs, ou de son arrêt à une étape déterminée. Les conditions favorables à son déroulement pourraient être une hypersensibilité du sujet, une disposition spéciale de tempérament, particulièrement sensible à la force plastique et plus apte à la reproduction extérieure.

Conclusion. — L'hypothèse du processus naturel de stigmatisation, on le voit, n'explique pas tout. Elle laisse bien des points obscurs tant dans le domaine psychologique que dans le domaine physiologique. Elle reste cependant bien séduisante et elle a toutes nos faveurs. Elle semble traditionnelle chez les auteurs mystiques qui, selon la remarque du docteur Wunderle,

voient dans la stigmatisation corporelle et sanglante l'aboutissement du processus qui a commencé dans l'âme élevée à un état mystique [2].

Il cite Görrès et Ruysbrœck. L'intervention de l'ange que saint François de Sales juge nécessaire, et telle qu'il l'explique, pourrait bien ne pas être une intervention directe :

---

1. *Art. cité* de Wunderle, p. 161.
2. *Ibid.*, p. 160.

Pour venir au secours de l'amour impuissant à faire des plaies, dit-il, l'ardent séraphin darda des rayons d'une clarté si pénétrante qu'elle fit réellement les plaies extérieures [1].

Ces rayons lumineux qui émanent de la vision sont-ils vraiment différents de la force plastique dont parle Wunderle ?

Un argument du plus grand poids est l'affirmation très nette de saint Jean de la Croix. Voici ce qu'il écrit à propos de stigmates :

Revenons maintenant à l'opération du séraphin qui produit une plaie et une blessure dans l'intime de l'esprit. Dieu permet parfois que quelque effet de cette faveur apparaisse dans le corps d'une manière conforme à ce qu'elle est à l'intérieur. La blessure et la plaie se manifestent alors extérieurement ; c'est ce qui arriva quand le séraphin blessa d'amour l'âme de saint François, en lui faisant cinq plaies ; l'effet s'en manifesta sur son corps, qui en porta l'empreinte et qui fut blessé lui aussi, comme l'âme. Car d'ordinaire Dieu ne fait aucune faveur au corps, qu'il ne l'ait accordée tout d'abord et surtout à l'âme [2].

D'après saint Jean de la Croix, la stigmatisation intérieure constitue la faveur principale produite par l'action de Dieu. Les stigmates du corps n'en sont qu'une manifestation extérieure permise par Dieu en certains cas. Un peu plus loin, à propos des relations du sensible et du spirituel dans la marche vers Dieu, le Saint précise sa pensée sur la production des stigmates.

Il en est autrement quand l'effet spirituel rejaillit sur les sens ; car dans ce cas il peut se faire qu'il s'agisse d'une surabondance de spiritualité, ainsi que nous l'avons montré quand nous avons parlé des plaies dont la vertu intérieure se manifestait à l'extérieur [3].

Ces textes supposent clairement l'existence d'un processus psycho-physiologique qui exprime par des plaies extérieures la stigmatisation intérieure réalisée par l'action de Dieu. Cette affirmation n'est pas une déclaration générale faite par un mystique qui n'a vu que l'aspect spirituel du problème. Saint Jean de la Croix est un psychologue averti et, a-t-on pu dire, un parfait clinicien. Voici sur les stigmates, des observations cliniques accompagnées des considérations théologiques et spirituelles qui montrent qu'il a étudié, sinon expérimenté le cas :

Alors plus les délices et la force d'amour causées par la blessure à l'intérieur de l'âme sont élevées, plus aussi est vive la douleur qui provient de la blessure faite à son corps ; ces deux effets gran-

---

1. Saint François de Sales, *Traité de l'amour de Dieu*, Liv. VI, ch. XV.
2. *Vive Fl.*, str. II, pp. 951-952.
3. *Ibid.*, p. 953.

dissent simultanément, et voici pourquoi les âmes dont nous parlons, étant déjà purifiées et ayant acquis une force divine spéciale, ce qui est pour leur chair fragile une cause de douleur et de torture, est pour leur esprit devenu fort et sain une source de douceur et de suavité... Mais quand la plaie est produite seulement dans l'âme, sans qu'elle se manifeste à l'extérieur, les délices dont elle est la source peuvent être plus intenses et plus élevées, car la chair est un obstacle pour l'esprit, et si elle en reçoit des biens, elle tire les rênes de son côté, réprime l'élan de ce coursier rapide et modère sa vigueur [1].

On ne trouve chez saint Jean de la Croix aucune allusion à une action directe de Dieu dans la production des stigmates extérieurs. Il ne se pose même pas la question de savoir si cette action directe est nécessaire, tellement il lui paraît clair que la stigmatisation extérieure est un résultat de la stigmatisation intérieure. Cette tranquille assurance en sa conviction, chez un maître si pénétrant pour discerner l'action de Dieu sous ses diverses formes de tous phénomènes psychologiques, compense largement tout ce que les savants découvrent d'obscur et de déconcertant dans le processus psycho-physiologique. Elle est à nos yeux le plus solide argument de cette hypothèse qui trouble encore le neurologue, mais satisfait le mystique et le psychologue.

Somme toute, si le processus naturel de la stigmatisation présente en son développement bien des hiatus d'obscurité, il s'harmonise heureusement avec ce mouvement du spirituel, si souvent signalé par sainte Thérèse et saint Jean de la Croix, qui, jaillissant des sources divines dans l'âme, s'épand en se sensibilisant progressivement en

toute la substance sensitive, à ses membres, à ses os, à ses moelles...
et jusque dans les dernières articulations des pieds et des mains [2],

et cela avec une force merveilleusement agissante qui reste pour nous, encore un mystère.

Au risque de paraître subtil, ajoutons que ce processus naturel nous paraît expliquer bien mieux qu'une action directe de Dieu ou du démon, l'ensemble des faits qu'il a été possible d'observer chez les stigmatisés de notre époque, et l'atmosphère qui règne autour d'eux.

Certes, nous ne voulons pas trancher le cas de Thérèse Neumann, mais il est bien permis de faire remarquer que, pour impressionnants que soient ses stigmates sanglants

---

1. *Vive Fl.*, str. II, p. 952.
2. *Ibid.*, p. 959.

et ses extases, son jeûne perpétuel et son don de pénétration des âmes, on ne peut oublier que tout cela a été précédé d'accidents hystériques graves, et qu'autour de son cas, médecins et théologiens discutent parfois avec passion sans pouvoir apporter d'arguments qui lèvent tous les doutes.

La plupart des cas de stigmatisation sont marqués de ces mêmes caractères. Même lorsqu'un large rayonnement spirituel exclut toute supercherie et semble authentiquer l'action de Dieu, des antécédents de maladie, parfois une diminution physique, une atmosphère de trouble et d'obscurité qui règne autour d'eux, semblent déceler la pluralité des causes dans la production de ce phénomène. Aussi l'Église, en béatifiant Gemma Galgani, a déclaré explicitement qu'elle n'entendait pas se prononcer sur les grâces extraordinaires de sa vie, dont la stigmatisation est une des plus marquantes.

Quelle différence avec sainte Thérèse d'Avila, sainte Catherine de Sienne, dont les grâces extraordinaires furent discutées pendant un certain temps de leur vivant, mais dont l'heureux équilibre humain, la fécondité apostolique, les vertus héroïques firent promptement éclater à tous les yeux, la sainteté personnelle et l'authenticité de la grâce divine qui les avait saisies.

Chez ces saintes, l'action de Dieu, directe et authentique, s'est répandue dans les facultés et dans les sens, et semble s'en être dégagée promptement ; en y passant, elle n'a rien brisé définitivement ni dissocié de l'humain qu'elle a trouvé sur sa route, mais au contraire l'a purifié, enrichi, relevé merveilleusement, jusqu'à faire de ces âmes des types sublimes d'humanité.

Chez les stigmatisés, l'action de Dieu, quand elle existe, en se répandant dans le sens, s'y inscrit et s'y fixe profondément et douloureusement. Pourquoi cet arrêt et cette fixation dans le sensible ? Volonté spéciale et action directe de Dieu, répondra-t-on. C'est possible, et il doit en être ainsi pour certains d'entre eux. Mais puisque l'extase est une faiblesse de l'âme, produite par la raideur et le manque de pureté qui arrêtent l'action de Dieu, les stigmates ne seraient-ils pas eux aussi, une autre faiblesse due à des défauts plus graves du psychisme, qui arrêteraient et fixeraient douloureusement dans les sens l'action spirituelle ?

Quoi qu'il en soit, alors que tout est clair, limpide, merveilleusement humain et hautement divin chez sainte Thérèse et sainte Catherine, autour des stigmatisées qui nous sont connues, nous trouvons pénombre, contradiction troublante de signes, incertitude, manque de limpidité, mélange d'humain et de préternaturel, de merveilleux et de maladif. Si l'épreuve ne les diminue pas, elles n'en sortent pas grandies humainement. Le surnaturel ne nous parvient qu'à travers un processus de réactions, de passivités, de résonances très naturelles, trop naturelles croyons-nous ; nous ne le découvrons qu'immergé dans le sensible et probablement mélangé au pathologique [1].

γ) *Conclusions générales*. — Il est temps de tirer quelques conclusions pratiques :

1° Puisque les phénomènes sensibles les plus extra-ordinaires, tels les extases et même les stigmates, au témoignage de saint Jean de la Croix, ne sont que l'extériorisation dans les sens d'une action spirituelle intense de Dieu sur l'âme, et que, suivant une hypothèse plausible, ces mêmes phénomènes peuvent être produits en certains sujets par un processus psycho-pathologique, la prudence et la loi de l'économie des causes ne nous permettent d'admettre une action directe de Dieu dans la production de ces phénomènes que lorsque cette action est dûment prouvée, sinon directement observée ; elles nous font aussi un devoir d'accueillir avec intérêt les expériences scientifiques ou même les hypothèses raisonnables qui peuvent nous aider à fixer la part de l'humain dans le processus, pourvu que ces explications n'excluent pas la possibilité d'une action surnaturelle, soit à l'origine, soit au cours de son déroulement.

2° Cette influence surnaturelle, quand elle existe, nous arrivant en ces phénomènes sensibles extraordinaires, à travers des activités intérieures, des résonances et des réactions purement naturelles, nous apporte un témoignage spirituel chargé de tous ces éléments dont certains peuvent être suspects.

Tandis qu'il se trouvait au chapitre général de son Ordre à Lisbonne, saint Jean de la Croix refusa malgré les objurgations pressantes du P. Mariano d'aller voir Marie de la Croix, la célèbre stigmatisée qui faisait courir

---

1. Ce jugement ou plutôt ces impressions, très nettes d'ailleurs, concernent les cas qu'il nous a été possible de connaître par des renseignements précis. La stigmatisation de saint François d'Assise se situe sur un autre plan, ainsi que le précise saint Jean de la Croix lorsqu'il parle de la surabondance du spirituel qui jaillit d'une vertu intérieure à travers des facultés profondément purifiées. Jusqu'à plus ample informé, le cas de saint François d'Assise semble unique dans cet ordre élevé.

l'Espagne et le Portugal. Marie de la Croix, il est vrai, était une simulatrice de grand style. Le Saint prétendait ne pas avoir besoin de voir des stigmates pour affirmer sa foi et nourrir son oraison.

Cette attitude du Saint doit inspirer la nôtre à l'égard de ces phénomènes sensibles. Pour aussi extraordinaires qu'ils soient, ils sont si complexes que, sauf pour les cas authentifiés par l'Église, c'est pour le moins perdre un temps précieux et satisfaire une vaine curiosité, que de s'y attarder pour y recueillir une manifestation du surnaturel, ou même pour déterminer leur nature et la qualité du témoignage qu'ils apportent.

Quelques instants de recueillement surnaturel ou d'oraison de quiétude, un acte de foi et un acte d'amour donnent plus sûrement et plus directement Dieu que tous les phénomènes sensibles extraordinaires.

2. *Phénomènes psychiques et troubles mentaux.*

α) *Ressemblance entre les effets psychologiques de la nuit et les troubles psychiques des maladies.*

Les psychiatres signalent une certaine ressemblance entre les effets psychologiques de la nuit et les troubles psychiques qui appartiennent aux maladies mentales.

En lisant les descriptions de la nuit du sens et de la nuit de l'esprit, écrit le professeur De Greeff, le psychiatre éprouve tout d'abord la tentation d'admettre l'hypothèse qu'il se trouve devant un état mental plus ou moins apparenté au rythme des cyclothymies. Et, en effet, examinés rapidement et d'assez loin, les phénomènes décrits par saint Jean de la Croix se laissent réduire à de simples équivalents psychotiques. On est surtout frappé par la tristesse et le découragement des sujets, voire par leur désespoir, leurs idées plus ou moins nettement exprimées d'indignité ou même la certitude qu'ils sont « comme s'ils étaient abandonnés de Dieu »... Et jusque l'interprétation que le sujet donne de son état sent la mélancolie [1].

La remarque ne nous scandalise pas. Un sujet n'a pas deux façons de réagir sensiblement sous un choc, et sa réaction sensible qui en accuse la violence, n'enregistre pas la qualité de la cause qui l'a produit. Il n'est donc pas étonnant que les troubles produits par la puissance de l'action de Dieu dans la nuit, s'apparentent à

---

1. Pr. Etienne De Greeff, « Succédanés et concomitances psychopathologiques de la Nuit obscure (le cas du P. Surin) », dans *Études Carm.*, oct. 1938, p. 152.

certains troubles psycho-pathologiques qui ont une cause différente.

D'ailleurs, même si on ne va pas jusqu'à affirmer avec le psychanalyste que nous portons tous quelque tendance pathologique, il faut bien admettre que ces tendances sont largement répandues dans notre pauvre nature humaine, et qu'elles font partie maintenant des conséquences du péché originel qui l'alourdissent singulièrement. Ces tendances existent à des degrés divers, à l'état bénin la plupart du temps, plus ou moins dissimulées à nous-mêmes sinon aux autres, sous nos habitudes de vie ordinaire, dans les refoulements ou durcissements intérieurs que nous nous imposons, ou mieux dans les compensations que nous cherchons ou que nous demandons à notre entourage. C'est ainsi que l'inquiet, l'obsédé, le mélancolique, le cyclothymique adapte sa vie aux exigences de ses tendances et leur conquiert plus ou moins pacifiquement droit de cité dans son milieu. La vie sociale et surtout la vie commune sont faites de ces accommodements réciproques qui restent inconscients tellement ils sont impérieux à la fois et entrés dans les habitudes, jusqu'à ce que la lumière divine de la nuit en découvre la fallacieuse harmonie.

La purification de l'esprit fait monter à la surface jusqu'à une prise de conscience douloureuse, ces tendances profondément enracinées dans les facultés.

Le feu matériel, écrit saint Jean de la Croix, appliqué au bois, commence tout d'abord par le dessécher ; il en expulse l'humidité et lui fait pleurer toute sa sève. Aussitôt il commence par le rendre peu à peu noir, obscur, vilain ; il lui fait répandre même une mauvaise odeur ; il le dessèche insensiblement ; il en tire et manifeste tous les éléments grossiers et cachés qui sont opposés à l'action du feu...

Or nous devons raisonner de la même manière avec ce feu divin de l'amour de contemplation qui, avant de s'unir l'âme et de la transformer en soi, la purifie tout d'abord de tous ses éléments contraires. Il en fait sortir toutes ses souillures ; il la rend noire, obscure ; aussi apparaît-elle pire qu'avant, beaucoup plus laide et abominable que précédemment. Comme cette divine purification chasse toutes les humeurs mauvaises et vicieuses qui étaient très enracinées et établies dans l'âme, celle-ci ne les voyait pas [1].

Les humeurs dans le langage de saint Jean de la Croix, désignent tout le complexe psycho-physiologique de l'âme et par conséquent les tendances pathologiques dont nous parlons. L'alliage de ces tendances avec la personnalité et les habitudes de vie est dissocié dans la nuit de l'esprit.

---

1. *Nuit Obsc.*, Liv. II, ch. x, pp. 588-589.

Telles les scories extraites du minerai par le feu, qui montent à la surface et recouvrent le métal précieux dont elles ont été séparées, ces tendances s'étalent en surface dans leur noire nudité. Saint Jean de la Croix avait déjà noté dans la nuit des sens une certaine influence de la mélancolie dans la sécheresse contemplative [1] et son action plus nette dans les tentations de luxure [2]. Dans la nuit de l'esprit ces tendances sont portées à leur maximum aigu. Elles colorent fortement les réactions de l'âme sous l'action de Dieu qui offrent ainsi au psychiatre des indices justifiant son diagnostic pessimiste. C'est bien un obsédé, un mélancolique, un cyclothymique qui se présente à nous avec ses caractéristiques bien connues.

β) *Comment distinguer ces divers phénomènes.*

Malgré leurs ressemblances et leur compénétration, les troubles de la nuit peuvent généralement être distingués des désordres des psychoses. Le professeur De Greeff à qui nous avons emprunté les réflexions précédentes, ajoute :

Cependant, tout en considérant comme probable qu'un certain nombre de « nuits » (du sens et de l'esprit) ressortissent plus particulièrement à la cyclothymie, il apparaît que celle-ci ne peut tout expliquer et que, dans un pourcentage de cas plus élevé qu'on ne le croirait, il est impossible d'identifier un état de « nuit » à un état mélancolique fruste [3].

Les signes de la nuit donnés par saint Jean de la Croix permettent habituellement de faire les discriminations

---

1. « Sans doute, il s'y mêlera quelquefois de la mélancolie ou une autre humeur maligne ; mais la sécheresse ne manquera pas pour cela d'avoir son effet purificatif dans la volonté ». *Nuit Obsc.*, Liv. I, ch. IX, p. 513.

2. « Aussi les personnes qui subissent son influence (démon de la luxure) n'osent même plus rien regarder ni penser à quoi que ce soit, car elles se heurtent partout à des tentations. Les personnes mélancoliques en particulier en sont harcelées d'une façon si forte et si véhémente, qu'elles font pitié ; leur vie est triste ; l'épreuve est telle quand elles souffrent de cette humeur qu'il leur semble évident qu'elles sont possédées du démon, et qu'elles sont dans l'impossibilité de le fuir ». *Nuit Obsc.*, Liv. I, ch. IV, p. 496-497.

Sainte Thérèse a consacré un chapitre entier du livre des *Fondations* (ch. VII, pp. 1123-1130) aux mélancoliques et au traitement énergique et maternel qui leur convient. Elle ne semble pas indiquer que les manifestations de cette mélancolie soient dues à une action de Dieu quelconque. Toutefois, ce que nous disons des possibilités d'un développement de la vie spirituelle concomitant avec les troubles mentaux, s'applique à ces mélancoliques dont « le principal effet de cette humeur, dit la Sainte, est d'obscurcir la raison ». (*Ibid.*, p. 1124).

3. De Greeff, *art. cité*, p. 152.

nécessaires. Le Saint a pris soin lui-même d'indiquer quelques-uns des effets propres de la mélancolie.

Toutefois, dans les cas mixtes où, selon le mot de Dom Mager, la cause efficiente principale est mystique, et la cause instrumentale est plus ou moins pathologique [1], c'est-à-dire lorsque le sujet est affecté de tendances pathologiques, le discernement sera plus difficile. Se hâter de juger pourrait avoir des conséquences néfastes.

Le comportement de l'âme et ses progrès qui seront appréciés non d'après la violence des crises ou leur retour périodique, mais d'après des critères d'ensemble saisis sur une large période, permettront de déterminer quelle est de la nuit mystique ou de la psychose, l'influence prédominante qui finira par l'emporter.

Sur le développement de l'une et de l'autre, le professeur De Greefff donne des signes extérieurs extrêmement précieux :

A l'encontre d'une psychose qui, si elle ne détruit pas toujours, appauvrit régulièrement l'esprit et la personnalité, par la stagnation et les aberrations qu'elle leur impose et qui, si elle produit une œuvre intellectuelle, se borne à ressasser indéfiniment les mêmes choses, sans création spirituelle véritable, une expérience comme celle de Jean de la Croix nous apparaît, de notre point de vue psychologique, comme une progression constante, un enrichissement ininterrompu, une régularité de victoires journalières remportées dans les circonstances les plus difficiles [2].

Le cas de saint Jean de la Croix est qualifié de « surnormal » par l'éminent professeur. Habituellement en effet, le sens de la marche de l'âme n'apparaît pas si clairement, les victoires ne sont pas dès l'abord si décisives. Les défaites seront parfois si nombreuses que le combat paraîtra longtemps indécis. La collaboration du médecin et du directeur peut être nécessaire, le premier essayant de neutraliser les effets physiologiques et psychologiques de la psychose, le second soulevant l'âme vers Dieu. Mais il nous paraît que tant qu'apparaissent les signes authentiques de la nuit, on ne saurait traiter le sujet comme un malade ordinaire, et c'est le directeur qui doit exercer l'action prédominante. Car normalement, la tendance pathologique doit céder sous l'action de la nuit et disparaître. Saint Jean de la Croix en effet, après avoir relevé l'influence de la mélancolie dans les tentations de luxure, ajoute :

---

1. Dom Mager, « Fondement psychologique de la purification passive », *Études Carm.*, oct. 1938, p. 253.
2. *Art. cité*, pp. 159-160.

Quand ces épreuves arrivent à ces personnes à cause de la mélancolie, elles ne s'en délivrent pas d'ordinaire jusqu'à ce qu'elles se guérissent de cette humeur en entrant dans la nuit obscure qui les guérit peu à peu de tous leurs maux [1].

Telle est l'assurance encourageante que nous donne le Saint. Les tendances pathologiques ne montent à la surface, telles les scories dans le minerai qui se purifie, et ne prennent un tel relief pendant la nuit obscure, que parce qu'elles sont en éruption. La nuit crée en surface des abcès de fixation qui tirent les humeurs malignes et les éliminent. Elle assure non seulement la purification morale de l'âme, mais la libération du pathologique. L'âme retrouve ainsi dans une liberté entière et dans un parfait équilibre psychologique la ligne normale et régulière d'ascension vers la sainteté. Ce résultat obtenu, il apparaît que les tendances pathologiques ont multiplié les incidents de route, augmenté les souffrances, prolongé l'épreuve, mais que somme toute, elles ont été pour l'âme moyen de progrès, en la dégageant du naturel qui se découvrait si déficient et si vicié, et en l'obligeant à s'enfoncer dans le surnaturel pur.

La transformation réalisée, les incidents de route perdent du relief. L'âme s'étonne qu'elle ait pu y attacher tant d'importance. Le directeur se rend compte combien il eût pu retarder la marche de cette âme par ses hésitations, par ses recherches anxieuses du pathologique et du spirituel, qui ne pouvaient être pour elle qu'occasions d'analyses inutiles et de pertes de temps. Il découvre combien sous l'action de Dieu, est éminemment sage l'attitude de dépassement que conseille saint Jean de la Croix à l'égard de tous les phénomènes sensibles, et cette orientation continuelle vers Lui par la persévérance dans les actes anagogiques. Lorsqu'on a l'assurance que l'âme marche vers Dieu, c'est haute sagesse de ne point s'attarder aux moindres troubles psychologiques qui peuvent se produire pour en rechercher l'origine et la nature, étant donné que généralement ils offrent tous quelque ressemblance avec certains désordres de la psychose et qu'assez fréquemment ils leur sont mélangés en une certaine mesure, étant donné surtout que les moyens les plus efficaces de guérison se trouvent dans l'orientation vers Dieu seul, « parfaite santé de l'âme ».

---

1. *Nuit Obsc.*, Liv. I, ch. IV, p. 497.

Sainteté pour l'Église

D'ailleurs, est-il possible de déterminer la cause de chacun de ces troubles et de faire la part des causes qui interviennent ? Après la première année de sa vie religieuse qui est marquée de grâces mystiques d'union, sainte Thérèse d'Avila tombe malade et la description qu'elle nous fait de sa maladie permet de diagnostiquer des troubles nerveux. Sainte Thérèse de l'Enfant-Jésus souffre à neuf ans d'un mal étrange dont elle est guérie par le sourire de la Sainte Vierge. Action de Dieu puissante, faiblesse ou déficience de tempérament, action du démon ? Qui pourra soulever le voile du mystère pour faire la part de chacune de ces déterminantes ? L'intérêt du problème diminue devant la réussite merveilleuse d'une haute sainteté dans un équilibre humain parfait qui fait de ces âmes des types exceptionnels d'humanité.

γ) *Concomitance de la nuit mystique et des psychoses persistantes.*

La réussite n'est pas toujours aussi parfaite. Les tendances pathologiques ne cèdent pas toujours sous l'action de la nuit [1]. Parfois elles paraissent sous son influence se développer et devenir plus tyranniques. Témoin le cas du P. Surin [2]. Cet échec apparent de la grâce devant la psychose peut-il s'expliquer ? Est-il suivi d'un échec spirituel ? Il appartient aux neurologues et aux psychiatres de répondre à la première question.

La seconde pose un problème difficile. Pour l'éclairer il convient de l'étendre et de le formuler ainsi : Comment et dans quelle mesure une vie spirituelle authentique et profonde est-elle conciliable avec des troubles mentaux ?

1° *Les divers troubles mentaux.* — Le docteur Achille-Delmas catalogue ainsi les troubles mentaux d'après leur cause :

Les maladies mentales sont de deux sortes. Les unes sont dues à des altérations destructives, lésionnelles, organiques de la substance cérébrale ; curables comme les confusions mentales, ou incurables comme les démences en général et les délires chroniques, elles sont

---

1. Saint Jean de la Croix dit explicitement que les tendances de la nature dans lesquelles « la volonté éclairée par la raison n'a aucune part ni avant ni après les actes, n'empêchent que très peu l'union divine ». « Il est impossible, écrit-il, de les faire disparaître et de les mortifier pleinement en cette vie » (*Montée du Carm.*, Liv. I, ch. XI, p. 71). Il est clair que les tendances pathologiques entrent dans la catégorie des tendances naturelles.
2. Voir dans *Études Carm.*, oct. 1938, les articles du Pr. De Greeff (pp. 152-176), du P. Olphe-Galliard (pp. 177-182), du P. de Guibert (pp. 183-189).

incompatibles avec la lucidité, le pouvoir dialectique et quelque sentiment moral élevé. Les autres, au contraire, sans lésions décelables des centres nerveux, limitées à des variations par excès ou par défaut des tendances de l'humeur et du caractère, constituent des déséquilibres de l'activité et de l'affectivité, évoluent d'ordinaire sous forme de paroxysmes réversibles, et peuvent être, au moins dans les formes légères ou moyennes de ces paroxysmes, compatibles avec la lucidité, le discernement et même, pour certains, avec une grande élévation morale [1].

Précisons encore cette heureuse distinction. Parmi les maladies mentales qui proviennent d'altérations organiques, il en est de curables et d'incurables ; certaines ont comme effet la démence complète et persistante ; d'autres ne semblent affecter qu'une faculté ou une région ou sont chroniques. La plupart des maladies mentales de ce premier groupe ne détruisent donc pas complètement ni définitivement la vie mentale de l'individu qu'elles affectent.

Le deuxième groupe de maladies qui sont des déséquilibres de l'activité et de l'affectivité, même si elles diminuent ou détruisent au moment des crises la lucidité et la liberté du malade, ne semblent pas l'atteindre profondément en dehors de ces paroxysmes. Ces alternances d'excitation et de dépression que l'on appelle états cyclothymiques, se trouvent parfois chez des personnalités attachantes et émouvantes [2] et accompagnent parfois le génie [3].

C'est dire que ces troubles, du moins lorsqu'ils n'atteignent point une grande intensité, peuvent permettre sinon favoriser le développement d'une vie intellectuelle et morale supérieure.

Parmi ces troubles affectifs, les psychiatres mettent en une catégorie à part l'hystérie ou mythomanie dont le docteur Achille-Delmas dit qu'elle est

un déséquilibre affectif inné, sous la pression duquel les sujets mythomanes sont poussés, impulsivement et irrésistiblement, mais consciemment à travestir leur comportement et à diriger leur

---

1. Dr Achille-Delmas, « A propos du P. Surin et de M.-Th. Noblet », dans *Études Carm.*, oct. 1938, p. 235.
2. *Ibid.*, p. 237.
3. Les intuitions fulgurantes du génie brillent habituellement en de tels états. Napoléon, semble-t-il, était un cyclothymique. Chez les saints, l'emprise de Dieu crée certainement dans les régions profondes de l'âme une zone de paix stable, mais il semble que la région de l'âme où se meuvent les facultés (les faubourgs d'après saint Jean de la Croix) puisse expérimenter ces hauts et ces bas, l'exaltation sous l'action de la lumière divine et la détresse devant la misère personnelle et les difficultés. Élie était un homme comme nous, dit la sainte Écriture. Une étude psychologique de l'apôtre saint Paul faite à ce point de vue, à l'aide de ses Épîtres, serait fort intéressante.

activité dans le sens du mensonge, de l'artificiel et de la création mythique sous des formes plus ou moins pittoresques, étranges, tumultueuses ou dramatiques. C'est essentiellement un déséquilibre par hypertrophie de la vanité... Cet état est incompatible avec la sincérité, il en est exactement l'inverse [1].

On conçoit que lorsque le médecin se trouve devant la grande hystérie qui s'affirme par une série de manifestations multiples, accompagnées la plupart du temps d'une apparence de sincérité stupéfiante, d'une habileté extrême et d'une force de persévérance inouïe [2], il se croit obligé de faire les plus expresses réserves sur la moralité du sujet.

2° *Possibilités de vie spirituelle en ces divers troubles.* — Comment le médecin psychiatre tout préoccupé d'équilibre humain dans un fonctionnement régulier et harmonieux des facultés, ne serait-il pas déconcerté devant de tels accidents qui rendent toute cure impossible et surtout devant ces tendances comme l'hystérie qui faussent tous les rapports humains en y introduisant le mensonge systématique ? Nous comprenons qu'il hésite à admettre la concomitance possible d'une vie morale et spirituelle authentique avec de tels désordres. Mais le psychiatre, même très pénétrant, ne saurait être institué l'unique juge en ces matières.

— *Distinctions nécessaires.* — Le philosophe et le théologien ont leur mot à dire et peut-être le plus important. Ils nous disent en effet [3] que le champ de la psychologie religieuse s'étend sur divers plans superposés. D'abord le plan empirique ou domaine du phénomène religieux que le savant et le psychologue expérimentent et étudient avec les procédés scientifiques d'observation et d'induction. Au-delà de ce plan phénoménal se trouve le plan ontologique qui est le domaine du philosophe et dans lequel il s'efforce avec raison, de découvrir l'essence même des choses qui fondent la vie religieuse. Au sommet apparaît enfin le plan surnaturel, dans lequel le théologien étudie à la lumière de la foi l'essence même de nos actes religieux et les rattache à leur raison ultime qui est Dieu et la grâce. Trois domaines superposés qui représentent trois réalités ayant chacune sa vie propre. Le domaine expérimental atteint directement la vie sensible ; le domaine ontologique est celui de la vie de

1. Dr Achille-Delmas, *art. cit.*, p. 238.
2. *Ibid.*
3. M. T.-L. Penido, « Les trois plans de la psychologie religieuse », *Études Carm.*, oct. 1937, pp. 1-5.

l'esprit ; le domaine surnaturel est transcendant, c'est celui de la vie divine en notre âme.

Ces trois domaines ont entre eux des rapports étroits. L'acte surnaturel des vertus infuses est greffé sur l'activité des facultés humaines ; il faut qu'il soit humain pour qu'il puisse devenir surnaturel. Cet acte humain et surnaturel jaillit d'une expérience sensible préalable et aura son rejaillissement dans le domaine des phénomènes sensibles. La foi vient de l'ouïe [1], dit l'Apôtre. Ce n'est que par un acte de l'intelligence qu'elle atteint son objet divin. L'acte de foi posé aura ses effets sur la vie extérieure du croyant.

Cette interdépendance n'est pas compénétration. Elle laisse subsister entre ces trois domaines une distinction, non seulement logique, mais réelle. A ces trois domaines correspondent trois réalités, trois vies avec leurs opérations propres. Aussi, quelles que soient les profondeurs du subconscient où elle est enracinée, la tendance pathologique reste localisée dans le sens. Bien qu'intervenant dans l'activité de l'intelligence et de la volonté pour la faire dévier et en brouiller les manifestations extérieures, la psychose n'altère pas la santé de l'intelligence et de la volonté [2]. Celles-ci restent saines bien que les organes qu'elles utilisent pour leurs fonctions soient malades. Aussi, ces facultés restent-elles aptes à produire régulièrement et sainement leurs actes propres, chaque fois que la tendance pathologique n'exerce pas son influence troublante. Il nous paraît même, qu'à travers les déviations imposées à leur activité par la tendance, elles peuvent conserver une certaine rectitude morale. Le malade peut, dans l'intervalle de ses crises, être un homme intelligent et vertueux ; pendant les crises, du moins lorsqu'elles ne lui enlèvent pas toute conscience et toute liberté intérieure, il peut vouloir librement le bien et le réaliser tel qu'il lui apparaît.

A plus forte raison faut-il garder l'inviolabilité du domaine surnaturel de la grâce. La maladie organique ou la psychose peuvent altérer les lumières ou les motions qui en descendent, ainsi que tout ce qui, des sens, monte vers les régions supérieures ; elles peuvent donc faire dévier l'exercice de la vertu surnaturelle, en brouillant et faussant les perceptions du réel extérieur sur lesquelles elle s'appuie. Mais elles ne sauraient jamais atteindre les régions transcendantes où se situe la vie de la grâce.

------

1. Rm 10, 17.
2. P. Gardeil, « Quel rapport y a-t-il entre la vie des vertus et la santé de l'intelligence », *Études Carm.*, oct. 1931, p. 127.

Sainteté pour l'Église

C'est le domaine de Dieu qui est sous son action directe. Lui-même y infuse directement la vie divine. Ses largesses y sont réglées par les mouvements libres de sa miséricorde et par les droits acquis par les actes surnaturels des vertus. Cette vie surnaturelle chez le malade peut donc être enrichie par Dieu quand il le veut et selon la mesure de son choix ; elle l'est certainement chaque fois que le malade pose un acte intérieur surnaturel.

Pour appliquer ces vérités aux cas précédemment exposés distinguons deux catégories parmi les maladies mentales. Celles d'abord qui procédant, soit de variations dans l'affectivité, soit d'altérations lésionnelles organiques, ont des effets localisés ou intermittents ; en ce premier groupe nous mettons même l'hystérie, si peu sympathique et si déroutante au point de vue moral que soit la tendance au mensonge et à l'ostentation qui la caractérise. Deuxièmement, les maladies mentales qui produisent la démence complète.

— *Troubles intermittents ou localisés.* — La localisation ou l'intermittence des troubles laisse au malade du premier groupe la possibilité à certains moments du moins, d'exercer normalement les facultés et de poser des actes moraux. La possibilité d'une vie surnaturelle ne saurait être mise en doute, quelle que soit la difficulté pratique de discerner ensuite dans la vie du malade et surtout dans ses confidences, ce qui est fruit surnaturel ou pathologie mentale, le surnaturel d'ailleurs pouvant être habituellement imprégné de pathologique en ses manifestations.

Cette vie morale et surnaturelle que la psychose pare d'éléments si troublants, peut lui emprunter un secours singulier. Le malade prend conscience de sa maladie, des désordres auxquels elle le conduit, de la mésestime sinon du mépris qu'elle lui attire, de la suspicion qu'elle jette sur toute sa vie intérieure. Il chemine ici-bas dans l'humiliation la plus douloureuse, et peut-être dans la contrainte qui paralyse son activité extérieure et sa liberté. S'il accepte l'épreuve et toutes ses conséquences, n'est-ce pas de l'héroïsme et du mieux caractérisé [1] ?

---

[1] Lire dans l'art. du Pr. De Greeff, *Études Carm.*, oct. 1938, pp. 156-157, le cas de « Sœur Rose-Anne, religieuse missionnaire... Comportement bizarre. La Sainte Vierge lui a parlé... Pour le reste elle est soumise ; offre à Dieu le sacrifice d'être considérée comme aliénée... Le cas est très clair au point de vue psychiatrique, mais l'érudition de la malade, l'héroïsme et la dignité avec lesquels elle supporte cette épreuve, impressionnent fortement l'entourage ».

Cela étant, écrit le Père de Guibert, on ne voit pas ce qui pourrait empêcher Dieu de communiquer à une telle âme ses plus hautes grâces de contemplation infuse. Sans doute, dans les confidences qu'elle pourra faire, il sera impossible de faire toujours exactement le tri entre ce qui est don infus de Dieu et ce qui est pathologie mentale... Mais cette impossibilité ne change pas le fond des choses, et on conçoit fort bien que Dieu favorise ainsi particulièrement cette âme en raison des immenses difficultés et des dures épreuves qu'elle rencontre pour réaliser son ascension dans l'amour au milieu des obscurités et des tempêtes de sa cruelle maladie [1].

Ceci est écrit à propos du Père Surin en qui

nous pouvons constater avec certitude un intense amour de Dieu au milieu des pires étrangetés et inconséquences de sa vie..., la présence simultanée d'accidents et d'états psycho-pathologiques des plus graves et de dons intellectuels et moraux insignes [2].

— *Démence complète.* — Que penser de la démence complète qui paralyse toute activité raisonnable des facultés ? Plus de vie intellectuelle, plus de vie morale, plus de vie spirituelle ! Est-ce la mort de tout ? Qui oserait l'affirmer ? Que reste-t-il sous cette mort apparente produite par la paralysie ou une lésion des organes au service des fonctions intellectuelles ? N'y a-t-il pas sous cette gangue une âme douée peut-être d'une belle intelligence, d'une noble rectitude, ornée des dons de la grâce ? Est-il bien vrai que toute activité de cette double vie intellectuelle et surnaturelle est arrêtée ? Ne nous hâtons pas trop de l'affirmer. Il est des morts physiques apparentes qui ne sont que paralysie des organes. Il est des attitudes figées dans le mutisme absolu et l'inactivité totale, qui sont compatibles avec une lucidité et une vie intérieure morale élevée [3]. Même s'il est vrai que la vie des facultés est immobilisée sous le linceul de la mort, l'âme a pu accepter d'avance l'épreuve entrevue, désirée, non pour elle-même, mais comme épreuve purificatrice et rédemptrice. Nous songeons à l'offrande faite par Monsieur Martin, le père de sainte Thérèse de l'Enfant-Jésus, et qui aboutit à la paralysie complète atteignant les facultés mentales.

---

1. P. de Guibert, « Le cas du P. Surin », *Études Carm.*, oct. 1938, pp. 187-188.
2. *Ibid.*, p. 189.
3. C'est la conclusion des observations faites par le docteur Achille-Delmas sur le cas d'une jeune fille qui a continué pendant des années à suivre les offices, à se confesser et à communier aux grandes fêtes, à faire ponctuellement jeûnes et abstinences et cela sans se départir de son mutisme, de son inactivité et de son attitude figée. *Études Carm.*, oct. 1938, p. 236.

Sainteté pour l'Église

Lui-même, écrit le Père Piat, gardera longtemps assez de lucidité pour sanctifier l'amertume de cet anéantissement de la personnalité, cependant que ses filles trouveront là l'épreuve capitale destinée à les pousser de l'avant sur la voie royale de la croix [1].

On trouve d'autres exemples d'une telle épreuve, qui semble avoir conduit les âmes dans des profondeurs humiliantes de l'anéantissement qui furent pour elles les sommets d'un sacrifice rédempteur dont Dieu seul peut dire les fruits. Nous ne voudrions pas mériter le reproche d'exalter de telles déchéances humaines et de les nimber de gloire surnaturelle. Certes, elles ne baignent pas toutes par leur cause et par leur développement, dans le surnaturel. Les cas que nous citons sont-ils extraordinaires ? Qui pourra nous le dire ? Quoi qu'il en soit, nous avons cru devoir réagir contre la promptitude à porter des jugements pessimistes et injustes sur toutes les déficiences mentales [2], contre la tendance à dresser toujours la sainteté sur les sommets de l'équilibre humain et à ne pas vouloir la reconnaître ailleurs que sur ce piédestal [3]. Combien sont différents les jugements de Dieu !

Pour Dieu, écrit encore le Père de Guibert, il n'y a pas de différence entre les âmes créées et rachetées par lui : l'âme de telle pauvre hystérique, vraie loque humaine traînant depuis des années dans les cliniques, ne lui est moins chère que celle, humainement magnifique, du grand savant de l'étudie. Pourquoi dès lors se refuser à croire que devant la pauvreté humaine des ressources de cette âme en fait de progrès moral, Dieu ne recourra pas parfois à ses grands moyens de sanctification, laissant peut-être intacte l'épaisse gangue qui couvre cette âme, mais y faisant naître, aux profondeurs échappant à nos observations, un vrai et grand amour infus par lui. Il y a les saintetés que Dieu nous donne la consolation de pouvoir constater et toucher du doigt dès cette vie. Il y a aussi celles dont il se réserve à lui seul le spectacle en ce monde,

---

1. P. Piat, *Histoire d'une famille*, ch. XVI, p. 305.
2. Sainte Thérèse de l'Enfant-Jésus écrivait finement à propos de la pratique de la charité : « Je me suis dit que je devrais être aussi compatissante pour les infirmités spirituelles de mes sœurs, que vous l'êtes, ma Mère Chérie, en me soignant avec tant d'amour.
   J'ai remarqué (et c'est tout naturel) que les sœurs les plus saintes sont les plus aimées... Les âmes imparfaites au contraire, ne sont point recherchées... on évite leur compagnie. – En disant les âmes imparfaites, je ne veux pas seulement parler des imperfections spirituelles... je veux parler du manque de jugement, d'éducation, de la susceptibilité de certains caractères, toutes choses qui ne rendent pas la vie très agréable. Je sais bien que ces infirmités morales sont chroniques, il n'y a pas d'espoir de guérison » *Man. Autob.*, C fol. 27 v°-28 r°.
3. Nous parlons évidemment de la sainteté réelle qui se mesure à la charité et qui peut se trouver avec des déficiences pathologiques, et non de la sainteté canonisée qui, pour être proposée à la vénération et à l'imitation des fidèles, doit normalement être débarrassée de tout ce qui pourrait la ternir ou la diminuer au jugement des hommes.

et qui nous étonneront sans doute singulièrement quand la chrysalide sera devenue papillon [1].

Le surnaturel essentiel échappe à l'observation. Ses plus beaux triomphes se dissimulent sous un voile très lourd d'obscurité douloureuse et mystérieuse. Ainsi triomphe l'amour ici-bas depuis le drame du Calvaire. « Se livrer à l'amour c'est se livrer à toutes les angoisses », proclamait sainte Thérèse de l'Enfant-Jésus. Cette parole donne la raison dernière de la nuit de l'esprit ; elle explique l'obscurité qui enveloppe ce drame depuis les profondeurs où il se déroule jusqu'aux régions extérieures des facultés et des sens sur lesquelles il étend son douloureux mystère.

C. — *MODALITÉS DIVERSES DE LA NUIT*

Une description si effrayante du drame de la nuit de l'esprit ne va-t-elle pas faire monter de nos âmes un désir, sinon une prière, celui d'être délivrés d'une sainteté qui impose de telles souffrances ? Du moins n'est-il pas possible d'aller vers la sainteté par un chemin où ne se rencontrent pas des épreuves si terribles ? Cette question ne peut pas recevoir de réponse précise. Nous sommes dans le domaine de la Sagesse d'amour. C'est elle qui mène le jeu, un jeu d'amour, miséricordieux mais impitoyable contre le péché qu'elle doit détruire pour assurer son triomphe. Elle le conduit librement et selon ses desseins. Ce jeu n'obéit pas aux exigences de notre logique rationnelle et se montre tout à fait indépendant des fluctuations et des frémissements de notre sensibilité. Il n'est point cependant si caché que nous ne puissions rien dire ni rien observer de son rythme irrégulier et de ses modalités extérieures.

Or, une confrontation générale des descriptions san-johanniques avec les cas observés, permet de dire que la réalité vécue par les âmes est à la fois plus douloureuse et moins terrible que les tableaux san-johanniques. Plus douloureuse parce que le docteur mystique n'a pas décrit toutes les formes de souffrances que l'âme rencontre en fait, et qu'il n'a pas pu dire de chacune d'elles les incidents qui les aggravent, l'intensité et la profondeur qui se dérobent à la plume, serait-elle celle d'un saint Jean de la Croix. La réalité a cependant un aspect moins terrible, parce que la description présente en un tableau

---

1. P. De Guibert, *art. cité*, *Études Carm.*, oct. 1938, p. 189.

ramassé, et groupés sur le même plan, des traits divers qui, dans la vie des âmes, ne se retrouvent que dans des instants successifs, ou en des sujets différents, et mêlés à bien d'autres circonstances qui semblent les estomper et en diminuent le relief extérieur sinon la souffrance. La description san-johannique paraît ainsi poussée au noir, bien qu'elle soit vraie. Tous les traits sont exacts et nullement forcés, mais ils se présentent dans la vie sur d'autres dimensions.

I. — *Interruptions.*

Saint Jean de la Croix nous avertit en effet que pendant la période de purification, la souffrance ne garde pas toujours la même intensité :

> L'âme n'est jamais dans le même état, écrit-il ; elle ne fait que monter et descendre. La cause de cette alternative vient de ce que l'état de perfection consistant dans le parfait amour de Dieu et le mépris de soi, Dieu doit nécessairement commencer par exercer l'âme dans l'un et l'autre. Il lui donne donc à goûter cet amour dont il lui montre l'excellence, et il l'éprouve en l'humiliant [1].

Le Saint explique et précise ailleurs ce qui fait la diversité de l'action divine en cette période. L'âme expérimente l'amour lorsque sa flamme est moins ardente, donc moins purifiante et moins douloureuse. Cela nous étonne, mais le témoignage du docteur mystique est formel :

> Cet incendie d'amour n'est pas toujours sensible ; l'âme ne le ressent que par intervalle, lorsqu'elle est moins fortement investie par la contemplation. Car alors elle peut voir le travail qui s'opère en elle ; elle peut même en jouir, parce qu'on le lui découvre. Il lui semble que la main qui l'éprouve s'arrête et que l'on a retiré le fer de la fournaise, pour qu'elle constate la transformation qui s'opère [2].

Heureux arrêt qui assure un répit reposant ! heureuse constatation qui est le plus fortifiant des encouragements !

Ne croyons pas d'ailleurs à un cycle régulier avec des interruptions périodiques, telles que nous les trouvons dans la nature. La Sagesse semble parfois avoir hâte de terminer son œuvre en très peu de temps. Parfois, au contraire, les interruptions sont fort longues. Dieu peut laisser dans l'ombre, comme au repos, telle tendance,

---

1. *Nuit Obsc.*, Liv. II, ch. XVIII, p. 633.
2. *Ibid.*, ch. X, p. 591.

remettre à plus tard l'affinement de l'âme sur un point particulier et la purification parfaite de telle vertu. Il attendra peut-être de longues années avant que sa Sagesse d'amour ne fasse sentir de nouveau sa flamme douloureuse. Lui seul sait pourquoi [1].

II. — *Formes individuelles de la purification.*

Ce feu purificateur est un feu intelligent. Il règle la violence de sa flamme à l'effet qu'il veut produire. A la nuit de l'esprit s'applique aussi la remarque que saint Jean de la Croix fait à propos de la nuit des sens :

> Tous ne sont pas soumis aux mêmes tentations ni aux mêmes épreuves. Dieu les mesure d'après sa volonté, en conformité aux imperfections plus ou moins grandes qu'il y a à déraciner ; c'est aussi d'après le degré d'amour où il veut les élever qu'il leur envoie des humiliations plus ou moins profondes et les éprouve plus ou moins longtemps. Néanmoins, la purification de ceux qui sont forts et plus capables de souffrir est plus intense et plus rapide [2].

D'ailleurs, comme « les fautes sont l'aliment du feu [3] » et que par conséquent la souffrance est différente suivant les péchés atteints par la flamme, il en résulte que la purification de l'esprit prend en chaque âme une forme individuelle spéciale par la nature des épreuves et le genre de souffrances qu'elle impose. La remarque est importante. Il faut donc se garder de toute conception stéréotypée de la nuit. La nuit est toujours une intervention de la Sagesse par le feu ; le chalumeau divin atteint les profondeurs de l'âme avec une violence et suivant un rythme aussi variés que les desseins de Dieu sur elle, et que les formes du péché dont il doit la purifier.

---

1. Cette purification de l'esprit semble pouvoir durer non seulement de longues années mais toute une vie pour aboutir au moment de la mort ou peu de temps avant, à un épanouissement final qui est l'union transformante. Il nous paraît qu'on doit habituellement expliquer ainsi les souffrances qui se prolongent pendant toute une vie et qu'on se hâte trop de qualifier certaines souffrances de souffrances uniquement rédemptrices, sous prétexte qu'elles sont postérieures à une grâce extérieure indiquant un haut degré d'union. Certes, il doit exister ici-bas ailleurs qu'en Notre-Seigneur et chez la sainte Vierge, des souffrances uniquement rédemptrices, mais ne les proclamons telles que si l'état de mariage spirituel ou union transformante a été clairement constaté. Il est plus normal et plus conforme à la dualité de la chair et de l'esprit qui est en nous, que la souffrance soit à la fois purificatrice et rédemptrice. Cf. P. Garrigou-Lagrange, « Nuit réparatrice en saint Paul de la Croix », *Études Carm.*, oct. 1938, pp. 287-291.

2. *Nuit Obsc.*, Liv. I, ch. XIV, p. 543. — Voir aussi *Vive Fl.*, str I, p. 931.

3. *Nuit Obsc.*, Liv. II, ch. X, p. 590.

Sainteté pour l'Église

III. — *Purification immergée dans la vie ordinaire.*

Cette remarque sur le caractère individuel de la purification de l'esprit doit être complétée par un autre trait plus important encore pour l'observateur extérieur.

La purification de l'esprit n'est pas une intervention chirurgicale faite en clinique, ou une expérience de laboratoire ; en d'autres termes, elle n'est pas une intervention surnaturelle sur un sujet qui a été séparé du monde extérieur, isolé en un milieu où a été supprimé tout ce qui pourrait nuire au succès de l'opération et réuni avec soin tout ce qui pourrait le favoriser. La Sagesse ne place pas en serre chaude toutes les âmes qu'elle veut purifier. On pourrait cependant le croire en lisant les descriptions san-johanniques, tellement l'action divine y apparaît pure, haute, dégagée de tout alliage humain, et tellement l'âme y semble elle-même absorbée uniquement par cette rencontre profonde en elle et ce duel douloureux de la lumière qui l'investit et du péché qu'elle porte. Ces descriptions nous convient à un spectacle combien vivant et passionnant d'intérêt ; mais nous avons quelque peine à le situer dans la réalité quotidienne, tellement les forces en action y sont soulevées et absorbées par la violence et par l'enjeu de la lutte.

Et cependant, c'est bien dans la vie quotidienne que se livre ce combat. Saint Jean de la Croix doit à la pureté et à la pénétration de son regard d'avoir pu discerner et abstraire les éléments spirituels de ce drame pour nous les présenter dans leur réalité essentielle [1].

Mieux que personne cependant, il connaît cet art suprême de la Sagesse, fait de simplicité et de souplesse, qui excelle à utiliser les causes secondes, personnes et événements, pour en faire des instruments de sa toute-puissance dans la réalisation de son dessein unique, l'Église et la sanctification des âmes. L'action de la Sagesse est immergée habituellement dans la vie quotidienne et se cache sous le voile des événements les plus ordinaires.

Certes, la solitude et le désert lui offrent un champ d'action particulièrement favorable pour ses opérations

---

1. Nous avons déjà souligné ce don qu'a saint Jean de la Croix de discerner le surnaturel essentiel partout où il se trouve. Autant il se méfie du surnaturel modal, c'est-à-dire des manifestations extérieures qui frappent les sens, parce que l'illusion s'y introduit aisément, autant il a de respect pour le surnaturel lui-même. Aussi il le met en relief pour qu'aucune miette n'en soit négligée et foulée aux pieds.

intérieures les plus hautes. Elle attire au moins pour un temps, en ces ateliers spécialisés de sa grâce, les âmes qu'elle prépare à de hautes destinées. Mais les événements extérieurs, les passions des hommes, lui sont des instruments d'une telle qualité, d'une telle promptitude à agir, d'un maniement si facile, d'une docilité si parfaite à ses motions, qu'elle les utilise très largement pour la purification de ses saints. Saint Jean de la Croix est isolé de tout, en sa maison en planches près du monastère de l'Incarnation, et c'est là qu'il est saisi par les commissaires des Chaussés pour subir dans la prison de Tolède le choc le plus puissant de l'assaut mené contre la réforme thérésienne. De la prison de Tolède, il sortira avec la grâce du mariage spirituel. La vie de sainte Thérèse est remplie de ces assauts des puissances extérieures qui purifient son âme et affermissent son œuvre de réformatrice.

IV. — *Mystérieuse et souvent cachée aux regards.*

L'agitation des passions humaines, le voile plus épais encore de la simplicité des événements ordinaires, sous lesquels elle se dissimule, enveloppent de mystère l'action de la Sagesse, et d'un mystère que la diversité des formes extérieures fait encore plus profond. Aussi cette action peut échapper au regard, non seulement de qui la vit, mais de l'observateur extérieur le plus averti. Peut-être la prise de conscience de cette action divine sera-t-elle plus facile pour le contemplatif, habitué aux introspections et en qui les phénomènes surnaturels seront normalement plus nombreux et mieux caractérisés.

Chez l'actif ou chez le contemplatif pris par des labeurs extérieurs, soumis à des vicissitudes plus nombreuses, le surnaturel affleurera moins d'ordinaire et la prise de conscience de l'action divine sera plus difficile, tellement est épaisse la gangue qui le recouvre, faite de la multiplicité des événements extérieurs et des interventions des causes libres. La Sagesse se découvrira cependant en des lumières soudaines et profondes. En lui la purification se fera aussi intense sinon plus, parce que nourrie de plus de difficultés extérieures et de persécutions, de plus de chutes personnelles et de plus d'angoisses pour des œuvres qui engagent de graves intérêts spirituels et par conséquent de plus d'occasions de s'humilier, d'espérer et d'aimer. Cette purification pourrait même être plus rapide en ces conditions si l'âme savait les utiliser pour fuir son tourment intérieur et n'aller que vers Dieu par la foi et l'abandon [1].

V. — *Éclairée par la lumière et la présence de l'amour.*

Dans ce mystère qui enveloppe l'action de Dieu, tout n'est pas obscurité. Des rayons de clarté y brillent. D'abord ces faveurs extraordinaires dont nous avons parlé précédemment et qui se situent pour le plus grand nombre en cette période. Ensuite un secours plus général et plus constant que l'âme trouve dans une certaine clarté diffuse, dans un certain sentiment que Dieu est là.

Ce feu de l'amour s'enflamme dans l'esprit, écrit saint Jean de la Croix ; c'est là que, oppressée d'angoisses ténébreuses, l'âme se sent blessée d'amour de Dieu d'une manière vive et aiguë ; elle éprouve en même temps un certain sentiment, une certaine conjecture que Dieu est là, sans pourtant rien comprendre de particulier ; car, ainsi que nous l'avons dit, l'entendement est dans les ténèbres [2].

Cette conjecture est une véritable certitude qui ne répand pas habituellement sa paix sur toutes les facultés, mais dont la fermeté s'affirme en bien des circonstances, spécialement chaque fois que l'âme serait tentée de désespoir, ou qu'en sa présence on émet des doutes sur la surnaturalité de l'action qu'elle subit. Ce sentiment est une sécurité et une force immense. Il maintient constamment l'équilibre dans les régions profondes et il émerge à l'extérieur chaque fois que cet équilibre est gravement menacé dans les facultés par les tentations de désespérance.

Aussi, au risque de paraître accumuler les antinomies, nous ne saurions mieux résumer ce tableau de la nuit de l'esprit qu'en disant qu'elle n'est point un enfer mais un purgatoire [3], le royaume de la souffrance, mais aussi celui de la paix, celui où l'amour ne blesse douloureusement avec violence que pour purifier, libérer, guérir, transformer et unir.

---

1. La vie des saints pourrait illustrer merveilleusement ces considérations qui restent mortes parce que générales. On y verrait comment la Sagesse utilise admirablement les difficultés extérieures (difficultés d'argent, opposition des amis, etc.), pour obliger les saints à faire des actes purement surnaturels et à gravir ainsi les derniers degrés de la perfection. Dieu torture admirablement ses saints pour les conduire au but surnaturel qu'il leur a fixé.
2. *Nuit Obsc.*, Liv. II, ch. XI, p. 593.
3. *Nuit Obsc.*, Liv. II, ch. X, p. 590.
« Nous pouvons, en passant, nous faire une idée de la manière dont souffrent les âmes du purgatoire... ».
Voir aussi *Vive Fl.*, str. I, pp. 927-931.

CHAPITRE QUATRIÈME

La conduite de l'âme :

Pauvreté, Espérance, Enfance spirituelle

> *Celui qui naît de la chair est chair, celui qui naît de l'esprit est esprit. Ne t'étonne pas que je t'aie dit : Il faut que vous naissiez d'en haut. Le vent souffle où il veut et tu entends sa voix, mais tu ne sais pas d'où il vient et où il va : ainsi en est-il de quiconque est né de l'esprit [1].*

Cette action de Dieu dans la nuit exige la coopération de l'âme. Quelle est la coopération qui assurera à l'action de la flamme ardente sa pleine efficacité ?

N'est-ce pas le problème qui se posa pour Nicodème lorsqu'il s'en fut pendant la nuit trouver Jésus qui, pour la première fois, se manifestait à Jérusalem ? Si paradoxal que puisse paraître ce rapprochement, il doit être fait. Il apportera une lumière. Le jeune Thaumaturge de Nazareth avait conquis ce chef parmi les Juifs. Celui-ci avait reconnu en Jésus l'esprit de Dieu. « Rabbi, lui dit-il, nous savons que vous êtes un maître venu de la part de Dieu [2] ». Ce préambule indique une attitude d'âme et annonce une question. De ce maître venu de Dieu, Nicodème attendait un enseignement pour se mettre à son école. Jésus prévient la demande : « En vérité, en vérité, je te le dis, nul, s'il ne renaît d'en haut, ne peut voir le royaume de Dieu [3] ». Le grave néophyte est déconcerté. Chez ce docteur de la loi qui se meut à l'aise dans les minuties des prescriptions rituelles et dans les subtilités des interprétations rabbiniques, cette affirmation fait choc en son savoir et en ses habitudes de penser. C'est bien cela que Jésus veut produire en cette âme de bonne volonté. Aussi, il insiste :

---

1. Jn 3, 6-8 ; Jésus à Nicodème.
2. *Ibid.*, 3, 2.
3. *Ibid.*, 3.

Sainteté pour l'Église

En vérité, en vérité, je te le dis, nul s'il ne renaît de l'eau et de l'esprit, ne peut entrer dans le royaume de Dieu. Ce qui est né de la chair est chair, ce qui est né de l'esprit est esprit. Ne t'étonne pas que je t'aie dit : Il faut que vous renaissiez d'en haut. Le vent souffle où il veut et tu entends sa voix, mais tu ne sais pas d'où il vient ni où il va : ainsi en est-il de celui qui est né de l'esprit [1].

L'entrée dans le nouveau royaume exige une nouvelle naissance que, seul, peut opérer le souffle de l'esprit. L'enseignement et la dialectique sont dignes de la miséricorde du Maître qui les donne ainsi que de l'élévation d'esprit et de la bonne volonté du disciple qui les entend. Celui-ci n'est pas encore à point pour les recevoir. Il ne comprend pas et l'avoue :

« Comment cela se peut-il faire ? » Jésus reprit et lui dit : « Tu es le docteur d'Israël et tu ignores ces choses ? [2] »

L'apostrophe semble sévère. Elle est décisive. Nicodème l'accepte ; il humilie la pauvreté de son savoir devant la transcendance du Maître. Voici que la lumière lui arrive à flots maintenant :

Nous parlons de ce que nous savons et nous attestons ce que nous avons vu [3], déclare Jésus.

C'est la révélation du mystère de l'Incarnation et l'annonce de la réalisation prochaine du mystère de la Rédemption.

Personne n'est monté au ciel si ce n'est celui qui est descendu du ciel, le Fils de l'Homme, qui est dans le ciel. De même que Moïse a élevé le serpent dans le désert, ainsi faut-il que le Fils de l'Homme soit élevé afin que tout homme qui croit en lui ait la vie éternelle [4].

Cet esprit qui fait renaître, il faut l'attendre du Christ Jésus en croix. Nicodème retient l'enseignement mystérieux. Il le méditera dans le silence. Il attendra dans l'espérance.

Lorsque Jésus sera élevé en croix, alors que les apôtres seront dispersés par le scandale de la Passion, Nicodème sortira de sa retraite. Prenant cent livres de myrrhe et d'aloès, il ira courageusement ensevelir le corps du Crucifié [5]. Dans la pénombre du Calvaire, du Cœur de Jésus

---

1. Jn 3, 5-8.
2. *Ibid.*, 9-10.
3. *Ibid.*, 11.
4. *Ibid.*, 13-15.
5. *Ibid.*, 19, 39.

transpercé il recueillera le fruit de son attente et de son espérance.

Cet épisode évangélique avec son jeu d'ombre et de lumière, nous apporte un enseignement précieux. Nicodème humilié et ébloui, silencieux et paisible en son attente, a trouvé l'attitude qui permet de renaître sous l'action de l'Esprit. Il est un modèle pour toute âme qui veut renaître sous l'emprise douloureuse de la flamme qui la torture admirablement.

Retenons cette attitude de Nicodème ; elle éclairera tout ce que nous avons à dire sur la conduite de l'âme dans la nuit de l'esprit.

A. — *ESPÉRANCE ET PAUVRETÉ*

Cette renaissance spirituelle s'accomplit en sa forme la plus haute et la plus parfaite dans la nuit de l'esprit sous l'action de la flamme ardente. C'est un véritable combat dont nous avons déjà mesuré les souffrances, une torture admirable.

Quel spectacle admirable ! écrit saint Jean de la Croix. On voit alors des contraires s'élever contre des contraires ; ceux de l'âme contre ceux de Dieu qui l'investissent ; et, comme disent les philosophes, les uns veulent l'emporter sur les autres ; leur champ de bataille c'est l'âme qui est soumise à ce combat. En un mot, les vertus et perfections divines qui sont extrêmement parfaites, luttent contre les habitudes et les propriétés de l'âme qui sont extrêmement imparfaites ; l'âme subit donc en elle-même le combat de ces deux contraires [1].

C'est la flamme de l'Esprit qui agit et mène le combat. L'âme le subit. Vérité fondamentale qu'on ne se lasse pas d'affirmer tellement elle doit commander l'attitude de l'âme en cette période.

La flamme est divine. Cause toute-puissante et transcendante. Le premier devoir de l'âme est de respecter son action et de s'y soumettre. La flamme est large, ardente, douloureuse. Elle investit de ténèbres et elle blesse profondément. L'âme doit en subir les assauts avec patience. *Pati Deum*, souffrir Dieu, telle est l'attitude foncière qui s'impose à l'âme.

Pati Deum, souffrir Dieu ; non pas dans une attitude stoïque qui serait païenne ; mais chrétiennement, silen-

---

1. *Vive Fl.*, str. I, p. 929.

cieusement, volontairement et amoureusement, dans l'attitude du Christ en croix. La patience doit baigner dans l'amour et se laisser transformer par Lui en abandon complet à toutes les opérations divines.

Cet abandon va au-delà de la résignation et soumission passives à l'action de Dieu. Il comporte une coopération active, une véritable ascèse dont on a pu dire qu'elle était mystique. Ascèse mystique en ce sens que, souverainement respectueuse de l'action de Dieu, elle n'agit — mais elle le fait énergiquement — que pour lui ouvrir l'âme entière, y supprimer ce qui peut gêner son développement et assurer ainsi toute son efficacité. Cette ascèse mystique, réponse parfaite du véritable amour, est toujours un art délicat. Elle doit maintenir son activité vigoureuse entre l'activisme orgueilleux qui arrête l'expansion et les initiatives de l'amour de Dieu pour l'âme, et le quiétisme égoïste et paresseux qui fige dans l'immobilité de la tiédeur ou de la mort l'amour de l'âme pour son Dieu. Cette ascèse mystique trouve sa mesure et son expression dans la pratique de la vertu d'espérance.

I. — *Espérance.*

L'espérance est une vertu infuse théologale par laquelle, nous appuyant sur la toute-puissance aidante de Dieu, nous espérons Dieu, qui sera notre béatitude, et les moyens nécessaires pour y parvenir. La foi nous découvre Dieu, l'espérance le désire et espère l'atteindre. Comme la foi, l'espérance est une vertu théologale qui a Dieu pour objet et pour motif ; c'est Lui que nous espérons et nous espérons parce que sa toute-puissance nous sera aidante.

Saint Jean de la Croix, à la suite de l'apôtre saint Paul, souligne que

toute possession est opposée à l'espérance ; cette vertu a pour objet ce que l'on ne possède pas [1].

Dans l'épître aux Romains, l'Apôtre précise :

C'est en espérance que nous avons été sauvés ; mais voir ce que l'on espère ce n'est plus espérer ; ce que l'on voit en effet, pourquoi l'espérer ? Mais si nous espérons ce que nous ne voyons pas, nous l'attendons avec constance [2].

---

1. *Montée du Carm.*, Liv. III, ch. vi, p. 328. — He 11, 1.
2. Rm 8, 24-25.

Cette absence de l'objet que l'on espère crée le désir et le mouvement de l'espérance vers lui. Saint Thomas souligne que la vertu surnaturelle d'espoir se greffe sur une passion de l'appétit irascible qui est

un mouvement de la puissance irascible tendant à l'acquisition d'un bien futur qu'il est difficile mais possible d'atteindre, donc une tension de l'appétit vers cet objet [1]. L'espérance en tant que vertu théologale fait tendre vers Dieu comme vers un bien suprême qui doit être atteint [2].

Ces remarques mettent en relief le caractère dynamique de la vertu d'espérance. La foi découvre ; la charité possède dans l'étreinte ; l'espérance est toute tendue vers l'objet qu'elle connaît par la foi et qu'elle ne possède pas dans toute la mesure du désir de la charité. L'espérance est la vertu de marche dans la vie spirituelle ; elle est le moteur qui l'actionne, les ailes qui la soulèvent. Une âme qui n'espère plus, soit parce qu'elle se trouve comblée et satisfaite par ce qu'elle possède, soit parce qu'elle a renoncé à posséder davantage, a perdu tout dynamisme et n'avance plus [3].

Ce dynamisme de l'espérance peut s'exercer d'une double façon. Il peut produire le mouvement effectif de l'âme vers son objet, une marche vers l'objet, les bras tendus pour le saisir. Ou bien l'âme est paralysée par une certaine force qui émane de l'objet présent mais caché ; tout mouvement vers lui est inutile et risquerait même de l'en éloigner. L'espérance ne peut plus alors que gémir et soupirer ardemment et silencieusement. Dans le premier cas l'espérance semble plus active ; dans le deuxième, elle paraît presque passive et son dynamisme comprimé concentre ses énergies en son regard et en des désirs. Dans le premier cas, l'espérance saisit l'objet en se portant vers lui ; dans le deuxième, elle l'obtient plus efficacement peut-être en l'attirant à elle par ses gémissements et ses aspirations.

On conçoit dès lors qu'à mesure que l'espérance connaît mieux son objet et le découvre en même temps plus lointain et d'un abord plus difficile, elle se tende vers lui avec plus de force et toutes les énergies de son désir. C'est

---

1. *Sum. th.*, Ia-IIae, qu. 40, art. 2.
2. *Ibid.*, IIa-IIae, qu. 17, art. 6, ad 3.
3. La comparaison paulinienne du coureur dans le stade qui déploie ses forces pour parvenir au but fixé (1 Co 9, 24-27) nous présente en un tableau expressif le dynamisme de l'espérance qui utilise toutes les énergies de l'âme pour atteindre Dieu. L'Apôtre note même que « quiconque veut lutter dans le stade s'abstient de tout ». L'espérance surnaturelle se nourrit elle aussi d'ascèse et d'efforts vigoureux.

l'heure de l'espérance : une heure de crise douloureuse, mais aussi l'heure de son triomphe.

La nuit de l'esprit amène cette heure de l'espérance surnaturelle. Dieu s'y découvre dans les effusions de grâce et dans les faveurs extraordinaires qui marquent cette période, dans la sagesse secrète et toujours agissante qui crée une certaine obsession de la transcendance divine. L'obscurité qui règne fait en même temps plus épais le voile, plus grande la distance qui sépare. L'âme, écrasée par sa misère et sa faiblesse, expérimente qu'elle ne peut aller vers ce Dieu, l'unique objet qu'elle puisse désormais désirer. Revenir en arrière, elle ne le peut, car elle est déjà enchaînée par son amour. Se porter vers Lui, elle n'y réussit pas et elle ne doit pas le faire, puisque la flamme divine est dans son âme et l'investit. C'est l'heure de l'espérance profonde, ardente et paisible. Dieu attend ces soupirs qui jaillissent des profondeurs et les ouvrent à son action. Dieu a besoin de ces gémissements qui disent que l'œuvre de purification se réalise et qui livrent toutes les imperfections à l'action de la flamme. Ces gémissements ne sont-ils pas déjà ceux de l'Esprit dont l'Apôtre a écrit :

L'Esprit aussi vient en aide à notre faiblesse, car nous ne savons pas ce que dans nos prières il nous faut demander ; mais l'Esprit lui-même intercède pour nous par des gémissements ineffables, et celui qui sonde les cœurs sait quelles sont les aspirations de l'Esprit, que c'est selon Dieu qu'il intercède en faveur des saints [1].

Cette action authentique de l'Esprit n'exclut pas mais appelle la coopération active de l'âme dans l'exercice de la vertu d'espérance. A l'âme il appartient, et Dieu l'exige, de rester dans la solitude intérieure où Dieu l'a placée et de diriger son regard

en haut et non ailleurs. Tel est le rôle ordinaire de l'espérance dans l'âme qui n'élève les yeux que pour regarder du côté de Dieu. C'est là ce qu'éprouvait David quand il nous a dit : *Oculi mei semper ad Dominum* [2]. Il n'espérait rien d'ailleurs comme il le dit dans un autre psaume : De même que les yeux de la servante sont fixés sur les mains de sa maîtresse, de même nos yeux sont fixés sur le Seigneur notre Dieu, jusqu'à ce qu'Il ait pitié de nous [3] qui avons mis en Lui notre espérance [4].

Dieu n'a accumulé obstacles et épreuves que pour obtenir de l'âme ce regard constant et purifié qui, uni à

---

1. Rm 8, 26-27.
2. Ps 24, 15.
3. Ps 122, 2.
4. *Nuit Obsc.*, Liv. II, ch. XXI, p. 649.

la motion de l'Esprit, produit cette espérance parfaite, semblable à celle d'Abraham qui

> espérant... contre toute espérance eut foi, si bien qu'il devint père d'un grand nombre de nations conformément à la parole : Ainsi sera ta paternité [1].

C'est cette espérance parfaite qui obtient tout ce qu'elle désire. Saint Jean de la Croix l'affirme en comparant cette espérance à une tunique verte dont l'âme serait revêtue.

> L'âme est donc revêtue de cette livrée verte, écrit-il, et son regard est toujours tourné vers Dieu ; elle détourne les yeux de tout objet créé et ne s'attache qu'à Dieu ; aussi est-elle tellement agréable au Bien-Aimé qu'on peut dire en toute vérité qu'elle en obtient autant qu'elle en espère. C'est pour ce motif que l'Époux lui dit dans le Cantique que par un seul de ses regards elle lui a blessé le cœur [2]. Sans cette livrée verte de l'espérance en Dieu seul, il ne convenait pas à l'âme de s'évader pour conquérir un tel amour ; car elle n'aurait rien obtenu ; car c'est la ferme espérance qui touche le cœur de Dieu et obtient tout de Lui [3].

Ce serait toutefois mutiler l'enseignement de saint Jean de la Croix et peut-être favoriser une fausse interprétation de toute sa doctrine spirituelle sur l'espérance que de s'en tenir à cet exposé. Ne laisserait-il pas croire que la perfection de l'espérance réside en son intensité et que ses triomphes ne sont assurés que par sa force et par sa constance ? Or, saint Jean de la Croix ne se lasse pas d'affirmer que c'est dans sa pureté que l'espérance trouve sa perfection et son efficacité. A la suite du saint Docteur, il est nécessaire de le redire et d'insister.

II. — *Pauvreté spirituelle.*

C'est dans la pauvreté spirituelle que l'espérance trouve cette pureté qui fait sa perfection. Il n'est point de vérité plus énergiquement affirmée dans les traités de saint Jean de la Croix.

> On n'espère, écrit-il, que ce dont on n'a pas encore la possession. Mais moins l'âme possède les autres choses, plus elle a de capacité et d'aptitude pour espérer ce qu'elle désire, et par conséquent plus elle a d'espérance. Au contraire, plus on possède de choses et moins on a d'aptitude et de capacité pour espérer, par conséquent moins on a d'espérance [4].

---

1. Rm 4, 18.
2. Ct 4, 9.
3. *Nuit Obsc.*, Liv. II, ch. XXI, p. 649.
4. *Montée du Carm.*, Liv. III, ch. XIV, p. 351.

Sainteté pour l'Église

Il suffit d'ailleurs d'analyser la définition de la vertu d'espérance pour se rendre compte que seule la pauvreté spirituelle peut assurer sa perfection. La vertu d'espérance espère Dieu qui est son objet premier et principal ; elle l'espère à cause de Lui-même, c'est-à-dire à cause de sa toute-puissance aidante. Elle sera d'autant plus parfaite qu'elle espérera Dieu uniquement et à l'exclusion de tout autre motif que Dieu Lui-même. Cette pureté de l'objet et du motif qui fait la perfection de l'espérance est obtenue par l'élimination de tout le reste, par ce dégagement souverain qu'est la pauvreté spirituelle.

C'est bien à cette pauvreté qui n'attend plus que Dieu qu'est promis, en effet, le royaume de Dieu. « Bienheureux les pauvres en esprit, car le royaume des cieux est à eux », telle est la première béatitude proclamée par le Maître dans le sermon sur la montagne [1]. L'enseignement de saint Jean de la Croix dans la *Montée du Carmel* et dans le livre des *Nuits*, fait écho à cette béatitude. Le Saint ne veut qu'enseigner à réaliser ou à subir cet appauvrissement qui doit libérer le mouvement de l'espérance et assurer son épanouissement pour la conquête des biens surnaturels et de Dieu lui-même. L'espérance est semence divine ; Dieu seul peut lui donner accroissement ; à l'âme, la tâche négative de préparer le terrain et de favoriser la croissance.

Cet appauvrissement doit atteindre toutes les richesses naturelles et surnaturelles, tous les biens naturels, intellectuels et spirituels en dehors de Dieu lui-même. Dans le graphique de la *Montée du Carmel*, c'est par le sentier du rien quatre fois répété, que l'âme laissant à droite et à gauche les chemins spacieux des biens de la terre et des biens du ciel, se dirige vers le sommet. Seul le sentier du rien, qui est dénuement total, parfait détachement et pauvreté absolue [2], conduit au tout qui est Dieu et en assure la possession.

Détailler le programme d'appauvrissement tracé par saint Jean de la Croix à l'égard de chaque catégorie des biens naturels ou spirituels affectant les facultés humaines d'intelligence, mémoire et volonté, indiquer la conduite à l'égard de chacun d'eux, nous obligerait à redire tout l'enseignement du Docteur mystique que l'on trouvera aisément dans ses ouvrages. Toutefois, il importe de signaler le rapprochement que fait le Saint entre la purification de la mémoire et la purification de l'espérance.

---

1. Mt 5, 3.
2. *Montée du Carm.*, Liv. I, ch. XIII, p. 84.

La mémoire est un dépôt d'archives qui conserve les biens intellectuels et spirituels déjà acquis. Ce dépôt, au même titre que la bibliothèque pour le travailleur intellectuel, a une importance considérable pour le contemplatif isolé du monde extérieur, et pour tout spirituel qui consacre de longues heures à l'oraison. C'est en ce dépôt que, dans le silence de l'oraison, surtout dans la sécheresse, les facultés vont chercher normalement refuge, occupation, distraction ou consolation. Ces archives sont précieuses. Mais que de pertes de temps à les compulser ou simplement à les revoir ! Surtout que d'attaches s'y nourrissent et s'y fortifient !

Pour libérer l'âme de tant de richesses accumulées, qui retiennent le regard et la volonté, et qui empêchent l'espérance de monter vers Dieu, pure, simple et lumineuse, saint Jean de la Croix voudrait bien brûler toutes ces archives. N'est-ce pas ainsi que l'âme conquerrait dame Pauvreté et en ferait définitivement sa compagne ?

L'âme doit donc se dégager de tout ce qui n'est pas Dieu pour s'unir à Dieu ; voilà pourquoi la mémoire, elle aussi, doit se débarrasser de toutes les connaissances ou images afin de s'unir à Dieu par le moyen d'une espérance pure et mystérieuse. Toute possession, en effet, est opposée à l'espérance ; et cette vertu a pour objet, dit saint Paul, « ce que l'on ne possède pas [1] ». Aussi, plus la mémoire se dépouille et plus elle acquiert d'espérance ; par suite, plus elle a d'espérance et plus elle est unie à Dieu. Car, plus une âme espère en Dieu, plus elle obtient de Lui. Or, je le répète, son espérance grandit en proportion de son renoncement ; c'est quand elle est parfaitement dépouillée de tout, qu'elle jouit parfaitement de la possession de Dieu et est unie à Dieu. Mais ils sont nombreux ceux qui ne veulent pas se priver des jouissances et des douceurs que la mémoire leur fournit par ses connaissances ; voilà pourquoi ils n'arrivent pas à posséder complètement le souverain Bien, ni à goûter ses délices. Car celui qui ne renonce pas à tout ce qu'il possède [2], ne peut pas être le disciple du Christ [3].

Parce qu'elle est l'arche contenant les trésors intellectuels et spirituels dont l'âme va jouir souvent avec un grand esprit de propriété, la mémoire est l'obstacle principal de la purification de l'espérance. D'où l'insistance du Saint à nous inviter à la dégager de tout ce qu'elle possède [4]. Mais cela nous est-il possible ? Détruire les souvenirs, arrêter les opérations naturelles de la mémoire pour la fixer uniquement sur Dieu par l'espé-

---

1. He 11, 1.
2. Lc 14, 33.
3. *Montée du Carm.*, Liv. III, ch. VI, p. 328.
4. *Ibid.*, ch. X, p. 337.

rance, dépasse le pouvoir de l'homme. Saint Jean de la Croix le reconnaît. Il écrit :

> Mais, me direz-vous peut-être, il est impossible à l'âme de dégager sa mémoire et de la dépouiller si bien des images et représentations, qu'elle puisse arriver à un état si élevé. Il y a, en effet, ici deux difficultés qui sont au-dessus des forces et de la capacité de l'homme : la première qui est de se dépouiller de sa nature et de ses aptitudes naturelles, ce qui ne saurait se réaliser ; et la seconde qui est encore plus ardue, est d'atteindre le surnaturel et de s'unir à lui. En réalité, il est impossible d'arriver à ce résultat avec les seules forces de la nature. Il est certain que c'est Dieu qui doit élever l'âme à cet état surnaturel. Quant à l'âme, elle doit ne rien négliger pour s'y disposer, et cela elle le peut naturellement, surtout avec les secours que Dieu lui donne progressivement [1].

Ce texte fixe la part de l'âme dans ce travail. L'ascèse que Dieu lui demande sera, ici encore, une ascèse mystique, c'est-à-dire une coopération à l'action de Dieu qui reste principale, même en ce dégagement des connaissances et opérations naturelles.

Assuré de la fidélité de l'âme, Dieu ne manquera pas de réaliser son œuvre. Saint Jean de la Croix nous indique quelques modes de cette action de Dieu :

> Dieu n'a ni forme ni image qui puissent être comprises par la mémoire ; il s'ensuit donc que quand l'âme est unie à Dieu, comme le prouve l'expérience de chaque jour, elle est comme si elle n'avait ni forme ni figure, l'imagination n'agit plus et la mémoire, enivrée du souverain Bien, est dans l'oubli de tout, et ne se souvenant de rien... C'est quelque chose d'extraordinaire que ce qui se passe parfois alors. Il arrive en effet quelquefois, quand Dieu accorde ces touches d'union à la mémoire, qu'il se produit tout à coup dans le cerveau, à cette partie où elle a son siège, un tressaillement si sensible qu'il semble que l'on s'évanouit, que l'on perd absolument le jugement et l'usage des sens. Cet effet est plus ou moins grand selon la puissance de la touche divine. Mais alors, je le répète, la mémoire est dégagée et purifiée de toutes ses connaissances ; elle est comme hors d'elle-même, et parfois si oublieuse d'elle-même, qu'elle doit faire un grand effort pour se rappeler quelque chose [2].

Cette suspension des opérations naturelles que les touches divines réalisent brusquement mais pour un temps, en des âmes qui en sont au commencement de l'union [3], note le Saint, est produite d'une façon progressive mais définitive par la contemplation unissante :

> Plus la mémoire s'unit à Dieu, déclare notre docteur mystique, et plus les connaissances distinctes qu'elle avait s'affaiblissent, jusqu'à ce qu'elles se perdent complètement [4].

---

1. *Montée du Carm.*, Liv. III, ch. I, p. 311.
2. *Ibid.*, p. 307.
3. *Ibid.*, p. 308.
4. *Ibid.*

Une des souffrances de la purification de l'esprit est constituée par ce vide, cette disette et ces ténèbres dans lesquelles sont placées toutes les facultés privées de leurs opérations propres [1].

Est-il possible de fixer la coopération de l'âme à cette tâche divine ? Saint Jean de la Croix qui l'a exposée longuement dans les livres de la *Montée du Carmel*, la résume et à la fois la précise en quelques mots :

Pour que Dieu vienne produire ces touches d'union, il convient à l'âme de purifier la mémoire, comme nous l'avons dit, de toutes les connaissances sensibles [2].

... Il ne faut point rejeter ce qui se rapporte purement à Dieu et peut favoriser cette connaissance confuse, universelle, pure et simple de Dieu. Ce qu'il faut rejeter ce sont les images, formes, figures ou ressemblances des créatures. Et puisque nous parlons de purification qui prépare aux faveurs divines, la meilleure est la pureté de l'âme ; elle consiste dans le détachement de toute affection aux créatures, aux choses du temps et au souvenir volontaire qu'on en garde, car cette affection, à mon avis, ne peut manquer de s'attacher fortement à l'âme, à cause de l'imperfection que ses puissances apportent d'elles-mêmes dans leurs opérations. Aussi n'y a-t-il rien de mieux que de s'appliquer à les réduire au silence et à ne plus dire un mot, mais à laisser la parole à Dieu [3].

En résumé, l'ascèse de l'âme consiste à préparer par la mortification et la pureté du cœur l'appauvrissement spirituel que Dieu réalise lui-même, à porter humblement et paisiblement cet appauvrissement lorsque Dieu lui-même en fait la grâce, à le protéger et à le continuer ensuite suivant la grâce qui est donnée, par la pratique d'un silence intérieur dans lequel s'enfouissent les opérations des facultés et spécialement celles de la mémoire. C'est dans cette solitude de paix et de silence que se purifie et s'épanouit l'espérance. N'est-ce pas cette ascèse dont saint Paul indique les étapes et les fruits lorsqu'il écrit :

Nous nous glorifions même des tribulations, sachant que la tribulation engendre la patience, la patience la vertu éprouvée, la vertu éprouvée l'espérance. Or l'espérance ne cause pas de déceptions car l'amour de Dieu a été répandu dans nos cœurs par l'Esprit Saint qui nous a été donné [4].

En un autre langage, saint Jean de la Croix exprime les mêmes vérités :

---

1. *Nuit Obsc.*, Liv. II, ch. VI, p. 565 ; ch. III, p. 555.
2. *Montée du Carm.*, Liv.III, ch. I, p. 307.
3. *Ibid.*, ch. II, p. 318.
4. Rm 5, 3-5.

Dès que l'âme, en effet, a purifié ainsi ses puissances et les a dégagées de tout ce qui lui est inférieur et de toute attache à ce qui lui est supérieur, pour les laisser dans l'isolement complet, Dieu les remplit immédiatement de ce qui est invisible et céleste. C'est Dieu qui est son guide dans cette solitude [1].

Cette solitude, où l'âme vivait précédemment et où elle travaillait dans les épreuves et les angoisses parce qu'elle demeurait imparfaite, est désormais son repos et son rafraîchissement parce qu'elle en a fait pleinement la conquête en Dieu [2].

Car de même qu'on

revêt le pauvre quand on le voit dans le dénuement, de même Dieu revêt de sa pureté, de sa joie et de son amour l'âme qui est dépouillée de ses désirs et qui n'a plus ni vouloir ni non-vouloir [3].

Tels sont les biens que la pauvreté assure à l'espérance ici-bas, en attendant que l'une et l'autre s'ensevelissent et disparaissent humblement et silencieusement dans leur triomphe, au seuil de la vision éternelle.

B. — *L'ENFANCE SPIRITUELLE*

Nous aurions pu donner plus de développement à l'enseignement de saint Jean de la Croix, et préciser par le détail les conseils qu'il donne à l'âme en cette période. Il nous a paru préférable de nous en tenir à un exposé assez sobre des principes. Les principes donnés par saint Jean de la Croix sont toujours des phares puissants, qui projettent un faisceau lumineux éblouissant sur les régions sans sentier qui s'étendent jusqu'à l'infini. Espérance et pauvreté spirituelle sont des mots qui, chez des âmes plongées dans la nuit de l'esprit ont des résonances profondes. En leur solitude ténébreuse et ardente, les longs développements n'ont point accès. Seuls y pénètrent certains mots, lourds de la lumière du Verbe divin et riches d'une certaine expérience. Ils y laissent une traînée lumineuse qui trace la route, et ils y créent une paix silencieuse déjà messagère de clartés d'aurore. Les mots d'espérance et de pauvreté prononcés par saint Jean de la Croix sont certainement de ceux-là.

La nappe de lumière qui s'en dégage a besoin cependant d'une explicitation pratique que sainte Thérèse de l'Enfant-Jésus va leur donner.

---

1. *Cant. Spir.*, str. XXXIV, p. 870.
2. *Ibid.*, p. 869.
3. *Avis et Max.*, 360, p. 1233.

La Sainte de Lisieux est une fille authentique de saint Jean de la Croix. On ne peut en douter. Sa doctrine sur l'enfance spirituelle repose sur la doctrine du Docteur mystique ; on ne saurait en éclairer les profondeurs que par l'enseignement du Saint sur l'espérance et la pauvreté spirituelle. La voie d'enfance est-elle autre chose qu'une ascèse mystique, coopération de l'âme à l'action toute-puissante de Dieu ? Nous ne le pensons pas et nous espérons le montrer.

Mais pourquoi le dissimuler, ces fondements étant communs, les superstructures semblent bien différentes dans les deux exposés. Jean de la Croix appartient au XVIᵉ siècle espagnol ; c'est un théologien, au langage austère, une docteur qui énonce des principes et classe sous leurs lumières ses expériences, en s'efforçant d'être aussi impersonnel que possible. Thérèse de l'Enfant-Jésus est plus près de nous ; il nous paraît que nous l'avons connue tellement nous réagissons et parlons comme elle ; c'est une jeune maîtresse qui s'assied près de nous pour nous conter ses expériences ; elle n'est qu'un petit docteur, aux conceptualisations si simples qu'elles semblent pauvres ; mais elle nous conquiert par la lumière si haute et si simple dont ses mots sont remplis, par sa vie et son amour qui débordent, par son enseignement qui ne touche pas seulement les contemplatifs dont elle est, mais atteint toutes les petites âmes, par sa narration simple, vivante, imagée, par le sourire enfin avec lequel elle nous accueille et qui nous dit la délicatesse de l'amour surnaturel qu'elle nous portait avant même que nous l'ayons abordée. Avoir à sa disposition pour éclairer ces régions obscures de la nuit, la lumière convergente de deux enseignements à la fois si ressemblants et si différents, c'est une heureuse fortune et une grâce dont nous devons profiter.

I. — *Fondements de la doctrine de l'enfance spirituelle*.

Révéler Dieu amour aux âmes est le point central et essentiel de la mission de sainte Thérèse de l'Enfant-Jésus. Ce message a comme fondement la grâce la plus importante et la plus profonde de sa vie, à savoir une connaissance expérimentale très profonde de Dieu-amour.

A moi, écrit-elle, Il a donné sa miséricorde infinie et c'est à travers elle que je contemple et adore les autres perfections divines !... Alors toutes m'apparaissent rayonnantes d'amour, la Justice même (et peut-être encore plus que toute autre) me semble revêtue d'amour... Quelle douce joie de penser que le Bon Dieu est Juste, c'est-à-dire qu'Il tient compte de nos faiblesses, qu'Il connaît parfaitement la fragilité de notre nature. De quoi donc aurais-je peur ? Ah ! le Dieu infiniment juste qui daigna pardonner avec tant de bonté toutes les fautes de l'enfant prodigue, ne doit-Il pas être juste aussi envers moi qui « suis toujours avec Lui » [1] ?...

Son autobiographie le montre, elle ne peut voir en effet dans la trame de son existence, que l'action et l'histoire des miséricordes divines sur elle. Comment et quand a-t-elle reçu cette lumière si haute et si simple ? On ne saurait le dire, tellement elle se confond avec sa vie spirituelle et se développe avec elle. Ses approfondissements successifs correspondent aux étapes de ses ascensions spirituelles. La première communion, si ardemment désirée depuis plusieurs années comme prise de contact intime avec Jésus et précédée d'une si fervente préparation lui fait expérimenter les débordements unissants de l'amour divin.

Ce jour-là ce n'était plus un regard, mais une fusion, ils n'étaient plus deux, Thérèse avait disparu, comme la goutte d'eau qui se perd au sein de l'océan. Jésus restait seul, Il était le maître, le Roi [2].

Le bien souverain, diffusif de soi, *bonum diffusivum sui*, qu'est l'Amour, ne se répand que pour unir à Lui l'être aimé, et pour l'absorber en Lui, puisqu'il est l'Infini et que l'âme n'est qu'une créature finie. Il absorbe en Lui-même sans détruire la personne, en transformant. C'est cette toute-puissance de transformation de l'amour que Thérèse de Lisieux expérimente dans la grâce de Noël 1886.

En un instant, l'ouvrage que je n'avais pu faire en 10 ans, Jésus le fit, se contentant de ma bonne volonté qui jamais ne me fit défaut... Je sentis, en un mot, la charité entrer dans mon cœur, le besoin de m'oublier pour faire plaisir et depuis lors, je fus heureuse !... [3]

L'Amour ne veut pas limiter son action à quelques âmes privilégiées. Il aspire à se répandre partout et à conquérir le monde entier. Mais peu d'âmes le comprennent et répondent à ses désirs. Dieu fait expérimenter ses désirs et ses déceptions à la petite Sainte en une autre faveur surnaturelle quelque temps après :

Un Dimanche en regardant une photographie de Notre-Seigneur en Croix, je fus frappée par le sang qui tombait d'une de ses mains

---

1. *Man. Autob.*, A fol. 83v°-84r°.
2. *Ibid.*, A fol. 35 r°.
3. *Ibid.*, A fol. 45 v°.

divines, j'éprouvai une grand peine en pensant que ce sang tombait à terre sans que personne ne s'empresse de le recueillir, et je résolus de me tenir en esprit au pied de la Croix pour recevoir la divine rosée qui en découlait, comprenant qu'il me faudrait ensuite la répandre sur les âmes... [1]

Successivement, ces touches divines ont révélé expérimentalement à sainte Thérèse de l'Enfant-Jésus, toutes les propriétés, les désirs et même les déceptions douloureuses de l'Amour qui est Dieu, lui ont fait dépasser le cercle étroit dans lequel elle vit, aussi bien qu'elle-même. Elle est devenue une apôtre. Elle entre au Carmel « pour sauver les âmes et surtout afin de prier pour les prêtres [2] ».

Ces lumières et ces aspirations se purifieront, s'affirmeront, gagneront en puissance et en profondeur dans la solitude du Carmel, dans une sécheresse contemplative qui dissimule et concentre les ardeurs transformantes de l'amour divin. Pour supporter patiemment ce travail divin, elle trouve le secours efficace de saint Jean de la Croix. Les descriptions de l'amour qu'elle trouve en ses écrits, ce quelque chose de puissant, d'ardent, de délicat, de divin qui s'en dégage, inexprimable certes, mais que rendent sensible la poésie des symboles et la force des mots qui éclatent, les exigences de l'amour détaillées par le Docteur mystique avec une logique rigoureuse, tout explicite lumineusement à la petite Sainte ses intuitions et confirme joyeusement ses certitudes. Il est donc bien vrai que l'Amour divin est infini, qu'il veut se répandre, qu'il se répand en effet sur ceux qui se livrent à lui dans une foi nue et en une espérance pure parce que pauvre de tout... Elle fait sienne la doctrine sanjuaniste du tout par le rien. Ou plutôt elle était déjà sienne ; mais désormais elle peut appuyer sur elle comme sur un rocher très ferme, toute sa vie spirituelle et sa doctrine [3].

A vrai dire, le revêtement extérieur sera un peu différent, nous l'avons constaté. Même lorsqu'il les unit par des liens si étroits et si profonds de filiation spirituelle, Dieu ne fait pas deux saints semblables, surtout lorsque ce sont deux maîtres qui doivent éclairer deux époques différentes.

---

1. *Man. Autob.*, A fol. 45 v°.
2. *Ibid.*, A fol. 69 v°. Réponse lors de l'examen canonique avant sa profession.
3. Voir le développement de ces pensées dans : « Sainte Thérèse de l'Enfant-Jésus, docteur de la vie mystique », par le P. Marie-Eugène de l'E.-J. (Revue *Carmel*, sept. 1947, mars et sept. 1948 [repris dans *Ton amour a grandi avec moi*, éd. du Carmel, 1987, pp. 81-169]).

Sainteté pour l'Église

La lumière a fait tellement de progrès en son âme, que sainte Thérèse de l'Enfant-Jésus demande en 1895 la permission de prononcer un acte de consécration à l'Amour miséricordieux qui la livrera comme une victime aux flammes débordantes qu'il ne peut répandre sur l'humanité infidèle. Elle veut devenir une victime d'amour pour soulager le bon Dieu. L'acte de consécration est prononcé en la fête de la sainte Trinité, 9 juin 1895.

O mon Dieu ! votre Amour méprisé va-t-il rester en votre Cœur ? Il me semble que si vous trouviez des âmes s'offrant en Victimes d'holocaustes à votre Amour, vous les consumeriez rapidement, il me semble que vous seriez heureux de ne point comprimer les flots d'infinies tendresses qui sont en vous...

O mon Jésus ! que ce soit moi cette heureuse victime, consumez votre holocauste par le feu de votre Divin Amour ![1]

L'Amour divin répond à son offrande et vient pour s'emparer d'elle sensiblement, en la blessant, tandis qu'elle fait le chemin de la croix au chœur :

Ma Mère chérie, vous qui m'avez permis de m'offrir ainsi au Bon Dieu, vous savez les fleuves ou plutôt les océans de grâces qui sont venus inonder mon âme... Ah ! depuis cet heureux jour, il me semble que l'Amour me pénètre et m'environne [2].

Nous sommes devant une transformation parfaite, une identification de l'amour divin réalisée. C'est un sommet. La mission de sainte Thérèse de l'Enfant-Jésus et sa doctrine vont en jaillir par des explicitations successives et assez rapides.

Il s'agit de révéler l'Amour, de lui trouver des victimes pour répondre à son besoin de se répandre. Comment se disposer à le recevoir ? Comment l'attirer ? Quelle est la préparation et la coopération de l'âme qui veut devenir son heureuse victime ? N'est-ce pas, en termes un peu différents, le même problème que nous nous sommes posé devant les débordements divins douloureux des sixièmes Demeures ? Il s'agit de trouver une ascèse mystique adaptée à l'action de Dieu et assurant son développement.

La réponse thérésienne n'est pas différente de celle de saint Jean de la Croix, bien que donnée sur un ton différent et sous une autre lumière. C'est l'Évangile qui fournit habituellement à sainte Thérèse de l'Enfant-Jésus l'explicitation et la formule de ses lumières et exigences intérieures. Jésus, dans l'Évangile, demande la foi à

1. *Man. Autob.*, A fol. 84 r°.
2. *Ibid.*

ceux qui implorent une faveur. Cette foi le fait tressaillir lorsqu'elle est ardente [1] et lui arrache effectivement des miracles [2]. Cette foi croit au Christ et attend le bienfait de sa toute-puissance ; cette foi qui s'épanouit en espérance, est celle qui ouvre les écluses de l'amour divin. Aussi cette vertu va-t-elle devenir la disposition foncière de la spiritualité thérésienne, celle qui caractérisera la voie d'enfance spirituelle.

A la question : « Quelle voie voulez-vous enseigner aux âmes ? » elle répond sans hésiter le 17 juillet 1897 :

C'est la voie de l'enfance spirituelle, c'est le chemin de la confiance et du total abandon [3].

La confiance, c'est l'espérance théologale tout imprégnée d'amour ; l'abandon, c'est la confiance qui ne s'exprime plus seulement par des actes distincts mais qui a créé une attitude d'âme.

On n'a jamais trop de confiance dans le bon Dieu si puissant et si miséricordieux. On obtient de lui autant qu'on espère [4].

En ces déclarations de la Sainte de Lisieux, nous retrouvons les affirmations de saint Jean de la Croix. Les affinités sont plus profondes que ne le laissent apparaître ces citations. Poursuivons. Sainte Thérèse de l'Enfant-Jésus a noté que la joie de l'amour divin est beaucoup plus grande lorsqu'il peut donner beaucoup. Joie du père de l'enfant prodigue qui fait un banquet en son honneur [5] ; affirmation de Jésus qu'il y a plus de joie dans le ciel pour un pécheur qui fait pénitence que pour quatre-vingt-dix-neuf justes qui persévèrent [6] ; sa déclaration enfin que sainte Marie-Madeleine a beaucoup aimé parce qu'il lui a beaucoup pardonné [7].

La misère offre à l'Amour une capacité réceptive beaucoup plus grande et moins de droits stricts à ses bienfaits. Par conséquent, l'Amour peut y étaler à la fois la gratuité libre et la puissance débordante de ses effusions. Il est satisfait parce qu'il peut y montrer plus parfaitement ce qu'il est et porte en lui-même. Cette joie de Dieu toutefois, nous déconcerte un peu, comme

---

1. La foi de la chananéenne (Mt 15, 21-28) ; celle du centurion (Mt 8, 10).
2. La foi de l'hémorroïsse dans les rues de Capharnaüm (Mc 5, 25-34).
3. *Procès Apostolique*, p. 169.
4. *Ibid.*, p. 271 [voir : Sœur Marie de la Trinité, *Une novice de sainte Thérèse*, Cerf, 1985, p. 107].
5. Lc 15, 20-32.
6. Lc 15, 7.
7. Lc 7, 47.

elle déconcertait le frère de l'enfant prodigue, armé comme nous-mêmes de cette justice égalitaire qui voudrait régulariser les effusions de l'Amour infini. Avec sainte Thérèse de l'Enfant-Jésus, haussons-nous jusqu'aux mœurs divines de l'Amour pour nous plier à ses lois. Il faut être pauvre, misérable, découvrir cette pauvreté à la puissance d'expansion de l'Amour divin pour l'attirer et le satisfaire. Telle est sa loi.

O ma sœur chérie, écrit la Sainte à sa sœur Marie, je vous en prie, comprenez votre petite fille, comprenez que pour aimer Jésus, être sa victime d'amour, plus on est faible, sans désirs ni vertus, plus on est propre aux opération de l'Amour consumant et transformant. Le seul désir d'être victime suffit, mais il faut consentir à rester toujours pauvre et sans forces, et voilà le difficile car « le véritable pauvre d'esprit où le trouver ? » [1].

Le ton véhément souligne l'importance de la déclaration. Nous voici en présence des fondements de la doctrine spirituelle de sainte Thérèse de l'Enfant-Jésus. Elle nous a livré ainsi son secret :

Ah ! je sens bien que ce n'est pas cela du tout (ses désirs enflammés), qui plaît au bon Dieu dans ma petite âme, ce qui Lui plaît, c'est de me voir aimer ma petitesse et ma pauvreté, c'est l'espérance aveugle que j'ai en sa miséricorde... Voilà mon seul trésor, Marraine chérie, pourquoi ce trésor ne serait-il pas le vôtre ? [2]

Le secret de Thérèse ne diffère pas de celui que nous livre Jean de la Croix. Cet amour thérésien de la petitesse et de la pauvreté s'unissant à l'espérance aveugle en la miséricorde divine, n'est-ce pas cette espérance sanjohannique dégagée de tout et que Dieu comble immédiatement ? Pour les deux Saints, ces deux dispositions complémentaires qui se purifient et se perfectionnent sont non seulement les fondements de la sainteté mais la créent en provoquant irrésistiblement les effusions de l'amour qui transforme et consume. Mais, tandis que saint Jean de la Croix est incomparable et découvre sa grâce de docteur mystique lorsqu'il établit et justifie ces principes, il appartient plus spécialement à sainte Thérèse de l'Enfant-Jésus de nous en montrer l'application et la réalisation dans les détails de la vie quotidienne.

Pour sainte Thérèse de l'Enfant-Jésus, confiance et pauvreté ne sont pas seulement des vertus que l'on doit pratiquer à certaines heures comme tant d'autres, elles

---

1. Lettre à sœur Marie du Sacré-Cœur, 17 septembre 1896.
2. *Ibid.*

deviennent des vertus de base, des dispositions foncières qui règlent tous les mouvements et attitudes de l'âme. Elles créent et deviennent à elles seules une spiritualité complète ; elles constituent, comme le proclame la Sainte, une voie pour aller au bon Dieu [1].

C'est parce qu'elle nous présente sous une forme concrète et vivante une spécialisation heureuse de la pratique de cette vertu d'espérance, que la voie d'enfance offre un enseignement particulièrement précieux pour cette période que nous étudions. Elle est vraiment l'ascèse mystique adaptée aux sixièmes Demeures.

II. — *Voie d'enfance spirituelle.*

Comment ces lumières intérieures se sont-elles concrétisées chez sainte Thérèse de l'Enfant-Jésus sous la forme de l'enfance spirituelle ? Il est difficile de le préciser tellement en cette découverte entrent d'éléments divers, pour la plupart encore inconscients [2]. Elle-même a noté comment se fit l'explicitation dans son esprit :

... je veux chercher le moyen d'aller au Ciel par une petite voie bien droite, bien courte, une petite voie toute nouvelle. Nous sommes dans un siècle d'inventions, maintenant ce n'est plus la peine de gravir les marches d'un escalier, chez les riches, un ascenseur le remplace avantageusement...

Alors j'ai recherché dans les livres saints l'indication de l'ascenseur, objet de mon désir et j'ai lu ces mots sortis de la bouche de la Sagesse Éternelle : « Si quelqu'un est tout petit, qu'il vienne à moi [3]. » Alors je suis venue, devinant que j'avais trouvé ce que je cherchais et voulant savoir, ô mon Dieu ! ce que vous feriez au tout petit qui répondrait à votre appel, j'ai continué mes recherches et voici ce que j'ai trouvé : « Comme une mère caresse son enfant, ainsi je vous consolerai ; je vous porterai sur mon sein et je vous balancerai sur mes genoux [4] ! » Ah ! jamais paroles plus tendres, plus mélodieuses ne sont venues réjouir mon âme ; l'ascenseur qui doit m'élever jusqu'au Ciel, ce sont vos bras, ô Jésus ! Pour cela

---

1. Nous avons noté précédemment que l'espérance est par excellence parmi les vertus théologales, la vertu dynamique, la vertu qui marche vers Dieu. Aussi lorsque sainte Thérèse de l'Enfant-Jésus proclame que sa voie pour aller à Dieu sera la confiance et l'abandon, elle fait preuve d'un sens théologique profond.
2. Voir Abbé Combes, *Introduction à la spiritualité de sainte Thérèse de l'Enfant-Jésus*, ch. VIII « La petite voie d'enfance spirituelle ». Voir spécialement, pp. 292-301, une analyse de quelques éléments qui ont contribué à cette découverte et la note de la p. 297, donnant quelques indications chronologiques.
3. Pr 9, 4.
4. Is 66, 12-13.

je n'ai pas besoin de grandir, au contraire il faut que je reste petite, que je le devienne de plus en plus [1].

Thérèse médite certainement aussi la scène évangélique dans laquelle Jésus présente un enfant à ses apôtres et proclame la nécessité de lui ressembler pour entrer dans le royaume des cieux :

Quiconque se fera petit comme ce petit enfant, c'est lui qui sera le plus grand dans le royaume des cieux [2].

Ces textes scripturaires s'éclairent d'une façon extraordinaire à son regard. La lumière qui en jaillit polarise les éléments épars dans son âme, lumières particulières, convictions, aspirations, et les incarne en une forme vivante, claire et simple : celle du petit enfant qui devient le modèle parfait à imiter et à réaliser.

a) Caractères essentiels.

Parmi les éléments épars, ainsi harmonisés par la lumière divine, se trouvent certainement les dispositions naturelles de Thérèse à être et à rester enfant. Elle a toujours été petite ; et dans sa famille où, la dernière des neuf enfants, elle a vécu sous la tutelle affectueuse de ses grandes sœurs, et au Carmel où, précédée par deux de ses sœurs, entrée à quinze ans et morte à vingt-quatre, elle n'a jamais été que l'aînée du noviciat et n'a pu parvenir à cette majorité canonique qui confère l'exercice des droits de la profession religieuse. Elle a toujours été la petite Thérèse et elle le restera jusque dans le ciel [3], par une grâce qui lui a fait réaliser avec une logique rigoureuse et absolue le modèle présenté par Jésus à ses plus intimes disciples.

Thérèse peut aisément copier les attitudes extérieures de l'enfant, ses gestes affectueux et charmants, voire même adopter son langage. Ces formes extérieures ne sont pas les éléments essentiels et pourraient bien en favoriser la déformation. L'enfant que sainte Thérèse prend et présente comme un modèle n'est pas ce petit être faible qui, par ses charmes conquérants, impose

---

1. *Man. Autob.*, C fol. 2v°-3r°. Ce texte fut écrit par la Sainte en 1897, quelques mois avant sa mort. Comme elle ne parle pas de cette découverte dans le manuscrit dédié à la Rde Mère Agnès de Jésus, dont la rédaction fut terminée en janvier 1896, on pourrait croire que cette explicitation eut lieu au début de 1896.
2. Mt 18, 1-4.
3. « Vous m'appellerez *petite Thérèse* », répond-elle, quand on lui demande comment il faudra la prier lorsqu'elle sera au ciel. *Conseils et souvenirs*, p. 47.

ses désirs et parfois ses caprices ; c'est celui dont elle fait elle-même la description :

Être petit enfant, dit-elle, c'est reconnaître son néant, attendre tout du bon Dieu comme un petit enfant attend tout de son père, c'est ne s'inquiéter de rien, ne point gagner de fortune...

Être petit, c'est ne point s'attribuer à soi-même les vertus qu'on pratique, se croyant capable de quelque chose, mais reconnaître que le bon Dieu pose ce trésor dans la main de son petit enfant, pour qu'il s'en serve quand il en a besoin ; mais c'est toujours le trésor du bon Dieu [1].

Tel est l'enfant : un être essentiellement pauvre et confiant, qui est convaincu que sa pauvreté est son plus précieux trésor. Et quel trésor ! Thérèse ne se lasse pas d'en détailler les richesses, s'appuyant sur les saints Livres et sur ses découvertes. C'est sa faiblesse même qui lui donna l'audace de s'offrir en victime [2]. Comme une enfant, elle a pris le bon Dieu par le cœur, et « c'est pour cela, affirme-t-elle, qu'elle sera si bien reçue [3] ». « Pour les petits, ils seront jugés avec une extrême douceur [4] ». « Les petits enfants ne se damnent pas [5] ». « Même chez les pauvres, tant que l'enfant est tout petit, on lui donne tout ce qui lui est nécessaire, mais quand il a grandi, son père ne veut plus le nourrir [6] ».

Aussi cette pauvreté doit-elle être protégée contre tous les enrichissements qui pourraient la compromettre, contre tous les ennemis de l'extérieur, et surtout de l'intérieur, qui la menacent. Ces ennemis ce ne sont point les biens en eux-mêmes, mais l'esprit de propriété qui se les attribue, la suffisance et l'orgueil qui s'appuient sur eux. Il faut donc s'appauvrir en donnant tout ce que l'on gagne ou que l'on reçoit. Ne pas faire même de provisions de vertus ; c'est à cette condition que le bon Dieu donne à mesure ce qui est nécessaire pour pratiquer la vertu [7]. Il faut que la pauvreté veille avec un soin particulier sur la confiance qui la prolonge vers Dieu et qu'elle la garde pure et dénudée jusqu'à ce qu'elle ait atteint son objet divin.

Aussi quelle grâce lorsque Dieu lui-même vient creuser cette pauvreté et l'approfondir par des lumières surna-

---

1. *Dern. Ent.*, CJ 6.8.8.
2. *Man. Autob.*, B fol. 3 v°.
3. *Procès Apostolique*, p. 169.
4. *Dern. Ent.*, CJ 25.9.1 ; Sg 6,7.
5. *Ibid.*, 10.7.1.
6. *Ibid.*, 6.8.8.
7. *Conseils et Souvenirs*, p. 63.

turelles qui la découvrent mieux à elle-même. Sainte Thérèse de l'Enfant-Jésus écrit :

> Le Tout-Puissant a fait de grandes choses en l'âme de l'enfant de sa divine Mère et la plus grande, c'est de lui avoir montré sa petitesse, son impuissance [1].

Ces lumières sur son néant lui font plus de bien que les lumières sur la foi [2]. Elles unissent en effet dans l'âme, à la conviction profonde, une expérience savoureuse qui fait aimer petitesse et pauvreté. C'est ainsi que la Sainte peut dire :

> Il m'arrive bien des faiblesses mais je ne m'en étonne jamais... C'est si doux de se sentir faible et petit [3].
> Que je suis heureuse de me voir imparfaite et d'avoir tant besoin de la miséricorde du bon Dieu au moment de la mort [4].
> O Jésus ! que ton petit oiseau est heureux d'être faible et petit, que deviendrait-il s'il était grand ?... [5]

Elle déclare ne pas vouloir grandir [6] et quelques jours avant sa mort, elle donne ces assurances :

> On peut bien rester petit même dans les charges les plus redoutables, même en vivant très longtemps.
> Si j'étais morte à 80 ans, que j'aurais été en Chine, partout, je serais morte, je le sens bien, aussi petite qu'aujourd'hui [7].

Cette enfance spirituelle faite de pauvreté jalousement conservée était donc à la portée de Nicodème, cet homme considérable parmi les Juifs. Il pouvait la faire sienne, sans rien supprimer de ce qu'exigeaient son rang et l'exercice de ses fonctions, sans prendre les attitudes et un langage enfantins... Il devait la faire sienne, car pour renaître sous le souffle de l'Esprit, il faut être pauvre, confiant et dépendant en tout de Dieu. Ou plutôt, renaître n'est pas autre chose que devenir progressivement un enfant. Tandis qu'en effet, la génération dans l'ordre naturel, réalisée dans le sein de la mère, s'épanouit dans une séparation progressive jusqu'à ce que l'enfant puisse vivre sa vie indépendante et parfaite, la génération spirituelle se fait en sens inverse par une absorption progressive dans l'unité. Séparés de Dieu par le péché, nous sommes éclairés par sa lumière, pris dans les liens

---

1. *Man. Autob.*, C fol. 4 r°.
2. *Dern. Ent.*, CJ 13.8.
3. *Ibid.*, 5.7.1.
4. *Ibid.*, 29.7.3.
5. *Man. Autob.*, B fol. 5 r°.
6. *Dern. Ent.*, CJ 6.8.8.
7. *Ibid.*, 25.9.1.

de plus en plus étroits de son amour, jusqu'à ce que, devenus de vrais enfants, nous soyons perdus en son sein, ne vivant plus que de sa vie et de son Esprit. « Ceux-là sont les vrais enfants de Dieu qui sont mus par son Esprit [1] », c'est-à-dire ceux qui, par leur pauvreté spirituelle et le dégagement d'eux-mêmes, ont perdu leurs opérations propres et sont entrés dans le sein de Dieu où leur vie et leurs mouvements dépendent en tout de l'Esprit qui engendre. Tel est le sens et la valeur de l'enfance spirituelle. Parfaitement réalisée, elle est déjà la sainteté. A la parole de saint Paul qui en décrit les effets dans le sein de Dieu, fait écho la parole de sainte Thérèse de l'Enfant-Jésus qui nous redit les dispositions qui la réalisent dans l'âme :

Oh ! non la sainteté n'est pas dans telle ou telle pratique, elle consiste en une disposition du cœur qui nous rend humbles et petits entre les mains de Dieu, conscients de notre faiblesse, et confiants jusqu'à l'audace en sa bonté de Père [2].

b) Comment la pratiquer.

Un enseignement d'une telle importance mérite plus que d'être affirmé ; il faut l'explorer par le détail pour en faire jaillir la lumière pratique qui permet de le vivre. Recueillons-en au moins les traits principaux dans la vie d'union à Dieu de sainte Thérèse de l'Enfant-Jésus et dans sa façon de concevoir et de réaliser l'ascèse qui accompagne et nourrit cette union.

1. *Union à Dieu.* — Cette pauvreté conservée et cultivée avec tant de soin a pour résultat de libérer parfaitement l'instinct filial de la grâce sanctifiante. Nous sommes les enfants de Dieu par la grâce qui nous fait les frères du Christ Jésus, le Fils par nature. Nous avons reçu

non un esprit de servitude, mais un esprit de fils adoptifs par lequel nous nous écrions : Abba, Père ! L'Esprit lui-même atteste avec notre esprit que nous sommes enfants de Dieu [3].

Quand donc l'esprit filial s'éveillera-t-il en nous et criera-t-il vers le Père, sinon quand il prendra une conscience plus aiguë de sa faiblesse et de son besoin de la puissance de son Père ? L'enfant, dans le danger, appelle d'instinct sa mère.

---

1. Rm 8, 14.
2. Cf. *Dern. Ent.*, p. 582, note.
3. Rm 8, 15-16.

Sainteté pour l'Église

Lorsqu'on confie les novices à Thérèse de l'Enfant-Jésus, elle sent son impuissance et aussitôt elle se réfugie vers le bon Dieu :

Lorsqu'il me fut donné de pénétrer dans le sanctuaire des âmes, je vis tout de suite que la tâche était au-dessus de mes forces ; alors je me suis mise dans les bras du bon Dieu, comme un petit enfant, et cachant ma figure dans ses cheveux je Lui ai dit : « Seigneur, je suis trop petite pour nourrir vos enfants, si vous voulez leur donner par moi ce qui convient à chacune, remplissez ma petite main et sans quitter vos bras, sans détourner la tête, je donnerai vos trésors à l'âme qui viendra me demander sa nourriture... » En effet, jamais mon espérance n'a été trompée, le bon Dieu a daigné remplir ma petite main autant de fois qu'il a été nécessaire pour que je nourrisse l'âme de mes sœurs [1].

Le recours filial à Dieu en ce besoin particulier est si parfait de délicatesse et d'abandon qu'il indique une grâce longuement exercée. Le sentiment de pauvreté, s'il jaillit plus vigoureux à l'occasion de ces besoins extraordinaires, ne dépend pas de ces circonstances. Il est constant parce que lié à la conviction la plus profonde de l'âme, la mieux expérimentée spirituellement. Dès lors, il crée un besoin constant de Dieu, un appel continuel vers Lui. Cette enfant est toujours près de son Père ; sa grâce filiale, aiguillonnée à tout instant par sa pauvreté, l'y maintient dans une attitude de contact. Aussi sainte Thérèse de l'Enfant-Jésus peut dire :

Je ne vois pas bien ce que j'aurai de plus après la mort, que je n'aie déjà en cette vie. Je verrai le bon Dieu, c'est vrai ! Mais pour être avec Lui, j'y suis déjà tout à fait sur la terre [2].

Cette carmélite qui, avec un sentiment filial si éveillé, pratique excellemment le précepte essentiel de sa Règle qui l'oblige à méditer la loi du Seigneur nuit et jour, a cependant des heures spécialement consacrées à l'oraison. Qu'y fera-t-elle sinon satisfaire encore son instinct filial ? À l'aide de l'Évangile dans lequel elle découvre « toujours de nouvelles lumières, des sens cachés et mystérieux [3] », elle s'efforce de « pénétrer le caractère du bon Dieu [4] ».

Souvent d'ailleurs, surtout lors de l'épreuve contre la foi, ce contact se poursuit en une impuissance douloureuse, en une sécheresse humiliante [5], mais elle continue à fixer le soleil divin d'un regard d'amour. Dans sa *Lettre*

---

1. *Man. Autob.*, C fol. 22 r° et v°.
2. *Dern. Ent.*, CJ 15.5.7.
3. *Man. Autob.*, A fol. 83 v°.
4. *Conseils et Souvenirs*, p. 80.
5. *Man. Autob.*, A fol. 73 r°-73 v° ; C fol. 5 v° et s.

à sœur Marie du Sacré-Cœur elle décrivait ainsi son attitude contemplative :

> Moi je me considère comme un faible petit oiseau, couvert seulement d'un léger duvet ; je ne suis pas un aigle, j'en ai simplement les yeux et le cœur car malgré ma petitesse extrême, j'ose fixer le Soleil Divin, le Soleil de l'Amour et mon cœur sent en lui toutes les aspirations de l'Aigle... que va-t-il devenir ? Mourir de chagrin se voyant aussi impuissant ?... Oh non ! le petit oiseau ne va pas même s'affliger. Avec un audacieux abandon, il veut rester à fixer son Divin Soleil ; rien ne saurait l'effrayer, ni le vent, ni la pluie et si de sombres nuages viennent à cacher l'Astre d'Amour, le petit oiseau ne change pas de place, il sait que par delà les nuages, son Soleil brille toujours, que son éclat ne saurait s'éclipser un seul instant [1].

Ce regard contemplatif qui réalise la définition de la contemplation, *simplex intuitus veritatis sub influxu amoris*, regard simple sur la vérité sous l'influence de l'amour, à travers le brouillard qu'il traverse courageusement, atteint le Soleil d'amour et s'y enrichit de richesses surnaturelles, n'en doutons pas. Sainte Thérèse de l'Enfant-Jésus note elle-même :

> Jésus n'a point besoin de livres ni de docteurs pour instruire les âmes ; Lui, le Docteur des docteurs, il enseigne sans bruit de paroles... Jamais je ne l'ai entendu parler ; mais je sens qu'Il est en moi ; à chaque instant, Il me guide et m'inspire ce que je dois dire ou faire. Je découvre juste au moment où j'en ai besoin des lumières que je n'avais pas encore vues, ce n'est pas le plus souvent pendant mes oraisons qu'elles sont le plus abondantes, c'est plutôt au milieu des occupations de ma journée... [2]

Les réponses divines sont parfois plus sensibles, tels les vols d'esprit, qu'elle a connus [3], les lumières dont elle dit être inondée en 1895 [4], la blessure d'amour qui suit son acte d'offrande à l'Amour miséricordieux :

> ... j'ai été prise d'un si violent amour pour le bon Dieu, dit-elle, que je ne puis expliquer cela qu'en disant que c'était comme si on m'avait plongée tout entière dans le feu. Ah ! quel feu et quelle douceur en même temps. Je brûlais d'amour et je sentais qu'une minute, une seconde de plus, je n'aurais pu supporter cette ardeur sans mourir [5].

Ces interventions divines sont des occasions heureuses qui nous montrent jusqu'à quel degré de détachement est parvenue sa pauvreté spirituelle. D'autres eussent

---

1. *Man. Autob.*, B fol. 4 v°-5 r°.
2. *Ibid.*, A fol. 83 v°.
3. *Dern. Ent.*, CJ 11.7.2.
4. *Man. Autob.*, A fol. 32 r°.
5. *Dern. Ent.*, CJ 7.7.2.

mis en relief, au moins dans une autobiographie, ces grâces singulières. Elle les mentionne à peine. Il faudra une question précise de Mère Agnès de Jésus pour qu'elle dise les effets sensibles de la blessure d'amour [1]. Ce sont les hasards d'une conversation à la fin de sa vie, qui lui feront dévoiler des vols d'esprit et la grâce reçue en 1889 à la grotte de Sainte-Madeleine [2]. On le voit, il est parfait ce dégagement de la mémoire que saint Jean de la Croix réclame pour la purification et la perfection de l'espérance.

Elle ne désire pas les manifestations surnaturelles, pas même voir le bon Dieu ou la sainte Vierge :

Je ne désire pas voir le bon Dieu sur la terre, oh ! non. Et pourtant, je l'aime. J'aime aussi beaucoup la sainte Vierge et les Saints et je ne désire pas les voir non plus [3].

Elle sait la véritable valeur des choses et les met en leur place :

Croyez-moi, écrire des livres de piété, composer les plus sublimes poésies, ne vaut pas le plus petit acte de renoncement [4].
La sainteté ne consiste pas à dire de belles choses, elle ne consiste pas même à les penser, à les sentir... [5]

Lorsqu'elle parle de sa retraite de profession, elle écrit :

Elle fut loin de m'apporter des consolations, l'aridité la plus absolue et presque l'abandon, furent mon partage. Jésus dormait comme toujours dans ma petite nacelle ; ah ! je vois bien que rarement les âmes Le laissent dormir tranquillement en elles. Jésus est si fatigué de toujours faire des frais et des avances, qu'Il s'empresse de profiter du repos que je Lui offre, Il ne se réveillera pas sans doute avant ma grande retraite de l'éternité ; mais au lieu de me faire de la peine, cela me fait un extrême plaisir [6]...

Peut-on concevoir un dégagement plus pur des biens spirituels les plus hauts, une réalisation plus profonde de l'enseignement de saint Jean de la Croix ?

La pauvreté spirituelle de sainte Thérèse de l'Enfant-Jésus n'est pas seulement paisible, elle se dit heureuse et garde précieusement ce bonheur de n'avoir rien non

---

1. *Dern. Ent.*, CJ 7.7.2.
2. *Ibid.*, 11.7.2.
3. *Ibid.*, 11.9.7.
4. Cf. *Conseils et Souvenirs*, p. 62.
5. Lettre à Céline, 26 avril 1889.
6. *Man. Autob.*, A fol. 75 v°.

seulement dans la nudité toute froide, mais dans la tempête et l'épreuve :

> Parfois, il est vrai, le cœur du petit oiseau se trouve assailli par la tempête, il lui semble ne pas croire qu'il existe autre chose que les nuages qui l'enveloppent ; c'est alors le moment de la joie parfaite pour le pauvre petit être faible. Quel bonheur pour lui de rester là quand même, de fixer l'invisible lumière qui se dérobe à sa foi ! [1]

Ces affirmations, qui justifient si magnifiquement son enseignement, eussent ravi le docteur mystique, Jean de la Croix [2].

La pauvreté ne peut être si humblement paisible et si simplement heureuse que parce que le regard de foi qu'elle spiritualise, le mouvement de l'espérance qu'elle libère, ont atteint leur objet divin dans la nuit en des profondeurs déjà rassasiantes. A n'en pas douter, la voie d'enfance conduit aux plus hauts sommets de la contemplation et de l'union transformante, décrits par saint Jean de la Croix. Elle les fait gravir dans la paix et la joie. La simplicité de l'enseignement de sainte Thérèse de l'Enfant-Jésus est sublimité de doctrine, et le sourire dont elle pare toutes choses est perfection de l'amour.

2. *Ascèse de la voie d'enfance.*

α) *Les principes.* — C'est déjà une rude ascèse que de garder le regard obstinément fixé sur Dieu dans la nuit, aussi peut-être le titre de ce paragraphe est-il impropre ! Toutefois, dans le langage commun, ce mot d'ascèse indique l'activité des vertus en dehors de l'oraison. Cette activité est nécessaire.

L'amour se prouve par les actes. Le contemplatif est soumis lui aussi à cette loi. Comment l'enfant va-t-il pratiquer la vertu ? La pauvreté et la faiblesse de l'enfant ne créeront-ils pas plus qu'un obstacle, une véritable impossibilité à la pratique de la vertu ? De fait, sainte

---

1. *Man. Autob.*, B fol. 5 r°.
2. Quelques semaines avant sa mort, le 31 août 1897, la Sainte disait à ses confidentes habituelles : « Ah ! c'est incroyable comme toutes mes espérances se sont réalisées. Quand je lisais saint Jean de la Croix, je suppliais le bon Dieu d'opérer en moi ce qu'il dit, c'est-à-dire la même chose que si je vivais très vieille ; enfin de me consommer rapidement dans l'amour... et je suis exaucée !... » *Dern. Ent.*, CJ 31.8.9.

Sainteté pour l'Église

Thérèse de l'Enfant-Jésus dira lorsque le médecin louera sa patience :

Comment peut-il dire que je suis patiente ! Mais c'est mentir ! Je ne cesse de gémir, je soupire, je crie tout le temps : Mon Dieu, je n'en puis plus, ayez pitié !... ayez pitié de moi ! [1]

Elle avait précisé un mois auparavant :

Je n'ai pas encore eu une minute de patience ! Ce n'est pas ma patience à moi ! On se trompe toujours [2].

Sœur Geneviève de la Sainte-Face, sa sœur, note cependant au procès de béatification que la vertu caractéristique de la Sainte était la force. Certains ont vu en elle une volontaire, entêtée, orgueilleuse, trop tendue, et ont souligné en sa petite voie, uniquement un effort vers la perfection [3].

Que penser de ces divers jugements ? Demandons-le à sainte Thérèse de l'Enfant-Jésus qui à l'aide d'une de ces images gracieuses dont elle a le secret, explique à une novice sa conception de l'ascèse :

Vous me faites penser au tout petit enfant qui ne sait pas encore marcher. Voulant joindre sa mère au haut d'un escalier, il lève son petit pied pour monter la première marche. Peine inutile ! il retombe toujours sans pouvoir avancer. Eh bien ! consentez à être ce petit enfant. Par la pratique de toutes les vertus, levez toujours votre petit pied pour gravir l'escalier de la sainteté. Vous n'arriverez même pas à monter la première marche ; mais le bon Dieu ne demande de vous que la bonne volonté. Bientôt, vaincu par vos efforts inutiles, il descendra Lui-même et vous prenant dans ses bras, vous emportera pour toujours dans son royaume [4].

Sainte Thérèse de l'Enfant-Jésus n'a jamais exposé, semble-t-il, d'une façon aussi claire et aussi complète sa pensée sur l'ascèse des vertus.

Notons d'abord que Thérèse nous présente un enfant qui commence à se tenir debout, « mais ne sait pas encore marcher ». C'est l'enfant que nous connaissons, impuissant mais en qui s'éveillent les forces dont il peut user et dans lesquelles il pourrait déjà avoir confiance.

Cet enfant n'arrivera certainement pas à gravir l'escalier, qui est celui de la perfection. Dieu seul en

1. *Dern. Ent.*, CJ 20.9.1.
2. *Ibid.*, 18.8.4.
3. Van der Meersch, *La Petite Sainte Thérèse*.
4. *Procès Apostolique*, p. 488.

effet, peut faire cet ouvrage et on ne peut l'attendre que de Lui. Vérité que sainte Thérèse de l'Enfant-Jésus proclame parce qu'elle l'a expérimentée. Son attitude héroïque peut donner le change mais elle tient à mettre les choses au point. Rappelons-nous le texte déjà cité :

Je n'ai pas encore eu une minute de patience. Ce n'est pas ma patience à moi ! On se trompe toujours [1].

Ou encore :

Vous savez que moi je suis pauvre, c'est le bon Dieu qui me donne à mesure tout ce qu'il me faut [2].

Elle aime à répéter :

C'est Jésus qui fait tout et moi je ne fais rien [3].

A propos de la disposition d'abandon dans laquelle elle est établie, elle dit :

Cette parole de Job, « quand même Dieu me tuerait, j'espérerais encore en Lui [4] », m'a ravie dès mon enfance ! Mais j'ai été longtemps avant de m'établir à ce degré d'abandon. Maintenant j'y suis ! Le bon Dieu m'y a mise, il m'a prise dans ses bras et m'a posée là ! [5]

Vérité fondamentale et qui s'impose dans le domaine de l'exercice des vertus actives, comme dans la contemplation : c'est Dieu qui fait tout. Devant lui et pour aller à lui, nous sommes de petits enfants impuissants, qui ne peuvent même pas gravir la première marche. Nous ne parviendrons au sommet de l'escalier que lorsque le bon Dieu nous aura pris dans ses bras et nous aura posés là.

Que faire pour qu'il en soit ainsi ? Même problème que pour la contemplation et même solution : d'abord attendre dans l'humble pauvreté qui purifie l'espérance ; accepter d'être les faibles enfants que nous sommes et savoir le rester.

Sentiment de pauvreté et expérience de notre faiblesse d'enfant, tels sont les biens qu'il faut cultiver et développer ; car c'est la petitesse de l'enfant qui attire le bon Dieu et le fait descendre jusqu'au bas de l'escalier pour l'emporter dans ses bras, lui faisant renouveler

---

1. *Dern. Ent.*, CJ 18.8.4.
2. *Conseils et Souvenirs*, p. 63.
3. Lettre à Céline, 6 juillet 1893.
4. Jb 13, 15.
5. *Dern. Ent.*, CJ 7.7.3.

ainsi pour chacun de nous la démarche du Verbe s'incarnant en notre nature pécheresse pour l'emporter captive dans les profondeurs de la Trinité sainte. Dieu répète toujours les mêmes gestes et ses dons sont sans repentance, parce que sa miséricorde n'est pas d'un moment dans le temps, mais qu'elle est éternelle. Mais pour qu'elle renouvelle ses gestes et nous entraîne dans son mouvement, il faut que nous soyons et acceptions d'être pauvres et petits, même lorsque nous avons beaucoup travaillé.

> Quand même j'aurais accompli toutes les œuvres de saint Paul, je me croirais encore « serviteur inutile » [1], dit notre Sainte, mais c'est justement ce qui fait ma joie, car n'ayant rien je recevrai tout du bon Dieu [2].

Cette action souveraine de Dieu dans l'activité des vertus autorise-t-elle un abandon passif complet ? Non certes. Il importe de le remarquer, la loi générale de la contemplation est une loi de silence et de paix. L'âme doit s'apaiser elle-même et purifier l'atmosphère pour que les rayons du Soleil divin puissent agir avec toute leur force. Dans la pratique des vertus, une part plus large d'activité sinon de souffrance est laissée à l'âme.

Reprenons le tableau : par la pratique des vertus, l'enfant doit lever constamment son petit pied pour gravir l'escalier. Dieu sera attiré par la petitesse et vaincu par les efforts inutiles. De fait, sainte Thérèse de l'Enfant-Jésus dira :

> Non, je ne suis pas une sainte, je n'ai jamais fait les actions des Saints. Je suis une toute petite âme que le bon Dieu a comblée de grâces [3].

Mais le même jour, elle avait reconnu qu'elle était une guerrière :

> Je ne suis pas un guerrier qui a combattu avec des armes terrestres mais avec « le glaive de l'esprit qui est la parole de Dieu [4] ». Aussi la maladie n'a pu m'abattre, et pas plus tard qu'hier soir, je me suis servie de mon glaive avec une novice... Je l'ai dit : je mourrai les armes à la main [5].

Pendant son noviciat, elle doit faire beaucoup d'efforts et les fournit généreusement :

---

1. Lc 17, 10.
2. *Dern. Ent.*, CJ 23.6.
3. *Ibid.*, 9.8.4.
4. Ep 6, 17.
5. *Dern. Ent.*, CJ 9.8.1.

... Cela me coûtait beaucoup de demander à faire des mortifications au réfectoire, parce que j'étais timide, je rougissais, mais j'y étais bien fidèle... [1].

Je faisais aussi bien des efforts pour ne pas m'excuser, ce qui me semblait bien difficile... voici ma première victoire, elle n'est pas grande, mais elle m'a bien coûté. — Un petit vase placé derrière une fenêtre se trouva brisé, notre Maîtresse croyant que c'était moi qui l'avais laissé traîner me le montra en disant de faire plus attention une autre fois. Sans rien dire, je baisai la terre, ensuite je promis d'avoir plus d'ordre à l'avenir [2].

Elle assure que « les plus belles pensées ne sont rien sans les œuvres [3] » et elle demande à ses novices des actes vigoureux, si bien qu'on était tenté de la trouver parfois sévère avec elles.

Bien des âmes disent : mais je n'ai pas la force d'accomplir tel sacrifice. Qu'elles fassent donc ce que j'ai fait : un grand effort ! Le bon Dieu ne refuse jamais cette première grâce qui donne le courage d'agir ; après cela le cœur se fortifie et l'on va de victoire en victoire [4].

Conviction de sa petitesse et de sa faiblesse devant le résultat à obtenir, et en même temps activité énergique pour mériter l'intervention de Dieu, tels sont les deux pôles autour desquels se meut l'âme thérésienne. A une novice qui lui demande comment concilier ces deux vertus, elle répond :

Il faut faire tout ce qui est en soi, donner sans compter, se renoncer constamment, en un mot prouver son amour par toutes les bonnes œuvres en notre pouvoir. Mais à la vérité, comme cela est peu de chose, il est nécessaire, quand nous avons fait tout ce que nous croyons devoir faire, de nous avouer des serviteurs inutiles, espérant toutefois que le bon Dieu nous donnera, par grâce, tout ce que nous désirons [5].

Tels sont les principes généraux de l'ascèse de sainte Thérèse de l'Enfant-Jésus. Ainsi qu'il convient à une enfant, la petite Sainte les énonce pauvrement, en une simplicité de termes qui en voile si bien les richesses qu'on a quelque peine à les découvrir. Mais Thérèse a vécu son ascèse avec une énergie incomparable. Sa vie est le plus lumineux commentaire de son enseignement. Pour comprendre la voie d'enfance spirituelle, il faut donc examiner par le détail ses menues actions, observer ses réactions spontanées qui jaillissent du fond, écouter ses réponses aux questions qui lui sont posées. On découvre ainsi que ses gestes et ses attitudes incarnent

1. *Dern. Ent.*, CJ 2.9.3.
2. *Man. Autob.*, A fol. 74 v°.
3. *Ibid.*, C fol. 19 v°.
4. *Dern. Ent.*, CJ 8.8.3.
5. *Conseils et Souvenirs*, p. 50.

avec une logique précise et rigoureuse les principes qu'elle a énoncés. Sa vie est le complément nécessaire de son enseignement, l'explication la plus claire de son ascèse mystique si justement surnommée ascèse de petitesse.

β) *Pratique de l'ascèse de petitesse.*

— *Écarte l'extraordinaire.*

Vers quelles formes d'activité va se porter cette générosité d'enfant, véritable vaillance de guerrier ? Parce que cette générosité est celle d'une enfant convaincue de sa faiblesse, elle écartera dès l'abord tout ce qui est extraordinaire. Qu'est-ce à dire ? Pour Thérèse, est extraordinaire tout ce qui brille ou exige une grande dépense de forces, en n'étant pas dans la ligne du devoir ordinaire. La vaillance des saints en général s'est portée vers ces manifestations vigoureuses et brillantes du grand amour qui les embrasait. L'hagiographie, en quête de merveilleux pour édifier en frappant l'imagination et les sens, a recueilli ces faits et les a si bien mis en relief que nous pensons communément qu'ils font partie intégrante de la sainteté.

Sainte Thérèse de l'Enfant-Jésus semble ne pas avoir échappé à la séduction de ce mirage. Elle écrit à l'abbé Bellière :

> Lorsque je commençai à apprendre l'histoire de France, le récit des exploits de Jeanne d'Arc me ravissait ; je sentais en mon cœur le désir et le courage de l'imiter ; il me semblait que le Seigneur me destinait aussi à de grandes choses [1].

Comment chez cette enfant, ces aspirations profondes et surnaturelles à de grandes choses, ne se seraient-elles pas portées vers le merveilleux, qui se présentait d'une façon si séduisante ? Jésus, son directeur, veillait et le moment venu, il corrige ses aspirations en les précisant :

> Bientôt le bon Dieu me faisait sentir que la vraie gloire est celle qui durera éternellement et que pour y parvenir, il n'était pas nécessaire de faire des œuvres éclatantes mais de se cacher et de pratiquer la vertu en sorte que la main gauche ignore ce que fait la droite [2].

Cette lumière fut une des plus grandes de sa vie, déclare la Sainte. Elle l'oriente vers sa mission de maî-

---

1. Lettre à l'abbé Bellière, 25 avril 1897.
2. *Man. Autob.*, A fol. 31 v°-32 r°.

tresse spirituelle (une disciple de Jeanne d'Arc, en effet, ne pouvait faire école). Elle marquera toute sa spiritualité et en sera un trait caractéristique. Thérèse ne fera pas les actions des saints, mais seulement des actions ordinaires, celles qui sont à la portée de toutes les petites âmes.

Elle est malade pour avoir porté trop longtemps une petite croix de fer dont les pointes s'étaient enfoncées dans sa chair,

et pendant le repos qu'elle dut prendre ensuite, le bon Dieu lui fit comprendre que si elle avait été malade pour avoir fait le petit excès d'enfoncer trop cette croix durant si peu de temps, c'était signe que là n'était pas sa voie, ni celle des « petites âmes » qui devaient marcher à sa suite dans la même voie d'enfance où rien ne sort de l'ordinaire [1].

Décisive, cette lumière la fait entrer définitivement dans l'ascèse de petitesse. Notons que le refus des mortifications extraordinaires n'est point une dérobade. La générosité n'est point en cause. En fait, Thérèse portera des souffrances physiques comme celles du froid, plus rudes que des macérations extraordinaires. Elle ne va plus vers ces dernières parce que Dieu ne les lui impose pas. Faible enfant, elle estime que ce serait pécher par présomption, sortir du plan providentiel, que de rechercher des souffrances qui deviendraient les siennes, et que, par conséquent, elle devrait porter seule.

Oui, expliquait-elle, si toutes les âmes appelées à la perfection avaient dû, pour entrer au ciel, pratiquer ces macérations, Notre-Seigneur nous l'aurait dit, et nous nous les serions imposées de grand cœur [2].

Son désir ardent du martyre est le témoignage de sa générosité :

Le Martyre, voilà le rêve de ma jeunesse ; ce rêve il a grandi avec moi sous les cloîtres du Carmel... Mais là encore, je sens que mon rêve est une folie car je ne saurais me borner à désirer un genre de martyre... Pour me satisfaire, il me les faudrait tous... [3]

La vaillance de Thérèse est celle d'une enfant faible et petite. Sa petitesse est un trésor qu'elle veut à tout prix préserver de tout orgueil. Elle estime n'avoir le droit d'affronter l'héroïsme qu'avec l'assurance que Dieu la soutiendra et que la grâce divine sera héroïque en

---

1. *Procès Apostolique*, p. 168.
2. *Conseils et Souvenirs*, p. 42.
3. *Man. Autob.*, B fol. 3 r°.

elle. Cette ascèse de petitesse est bien une ascèse mystique, c'est-à-dire une ascèse qui ne veut qu'être une coopération à l'action souveraine de Dieu.

— Fidélité aux devoirs d'état et de charité.

Quand donc Thérèse pourra-t-elle avoir l'assurance de cette action souveraine de Dieu qui lui permet de n'être qu'une coopératrice ? La réponse est bien simple : chaque fois que Dieu lui manifestera sa volonté d'une façon précise. La grâce toute-puissante accompagne toujours le devoir que Dieu impose. Dès lors, les devoirs de la vie religieuse, l'observance des lois, l'obéissance aux ordres des Supérieurs, la pratique de la charité fraternelle, tous les devoirs d'état et les souffrances qu'imposent les événements providentiels ou qui sont le résultat de l'action directe de Dieu, entrent dans la volonté de Dieu, et ouvrent par conséquent leur champ immense à la générosité de sainte Thérèse de l'Enfant-Jésus et à sa confiance en la grâce.

La Sainte y entre avec le désir de profiter des moindres occasions pour prouver son amour à Jésus :

Bien loin de ressembler aux belles âmes qui, dès leur enfance, pratiquaient toute espèce de mortifications, je ne sentais pour elles aucun attrait... Mes mortifications consistaient à briser ma volonté, toujours prête à s'imposer, à retenir une parole de réplique, à rendre de petits services sans les faire valoir, à ne point m'appuyer le dos quand j'étais assise, etc... [1]

Je n'ai d'autre moyen de te prouver mon amour que de jeter des fleurs, écrit-elle, c'est-à-dire de ne laisser échapper aucun petit sacrifice, aucun regard, aucune parole, de profiter de toutes les plus petites choses et de les faire par amour... ainsi je jetterai des fleurs devant ton trône, je n'en rencontrerai pas une sans l'effeuiller pour toi... [2]

Elle se montre donc d'une fidélité rigoureuse à tous les préceptes de la Règle, aux moindres usages approuvés, aux prescriptions minutieuses et parfois changeantes de sa Mère prieure ou d'une officière qui a autorité sur elle. Ces petites et douloureuses contraintes lui sont des occasions précieuses dont elle profite avec empressement. Elle est la plus obéissante et la plus simplement mortifiée des religieuses de son monastère.

Elle dévoile ce qu'elle fait et ce qu'elle supporte quand elle dit à ses sœurs :

---

1. *Man. Autob.*, A fol. 68 v°.
2. *Ibid.*, B fol. 4 r° et v°.

Il faut faire bien attention à la régularité. Après un parloir, ne vous arrêtez pas pour parler entre vous, car alors c'est comme chez soi, on ne se prive de rien [1].

Ah ! au ciel, le bon Dieu nous rendra cela, d'avoir porté pour son amour de gros habits sur la terre [2].

A son égard, Dieu a certaines exigences particulières de mortifications du cœur, qui est si vivant en elle :

Je me souviens qu'étant postulante, j'avais parfois de si violentes tentations d'entrer chez vous pour me satisfaire, trouver quelques gouttes de joie, que j'étais obligée de passer rapidement devant le dépôt et de me cramponner à la rampe de l'escalier. Il me venait à l'esprit une foule de permissions à demander, enfin, ma Mère bien-aimée, je trouvais mille raisons pour contenter ma nature. Que je suis heureuse maintenant de m'être privée dès le début de ma vie religieuse [3].

Pratique surtout de la charité fraternelle sur laquelle elle voudra, avant de mourir, écrire les belles pages dédiées à Mère Marie de Gonzague, qui sont son testament spirituel à ses sœurs, et dans lesquelles elle découvre ce qu'elle pratiquait elle-même avec une exquise délicatesse. Qu'elle se charge de conduire au réfectoire sœur Saint-Pierre, paralytique, qu'elle demande à être placée sous la dépendance d'une religieuse aux exigences maniaques, qu'elle donne chaque soir à la porte de sa cellule un sourire à sœur Marie-Philomène qu'elle ne saurait soulager autrement, qu'elle refuse avec un sourire si gracieux que le refus est aussi agréable que le don, ou qu'elle donne un objet qui lui est cher en paraissant heureuse d'en être débarrassée, c'est toujours avec la même simplicité et la même délicatesse qu'elle répond au désir du bon Dieu et qu'elle le sert dans l'âme de ses sœurs.

Il est plus difficile de se laisser imposer la mortification que de la choisir soi-même. Et n'est-ce pas la souffrance imposée qui est la plus providentielle, celle qui vient le plus directement du bon Dieu ? Sainte Thérèse de l'Enfant-Jésus le sait bien. Aussi, avec quel amour, avec quelle passivité étonnante recueille-t-elle les épreuves divines ! Nous lisons dans sa *Vie* au chapitre XII :

Sainte Thérèse de l'Enfant-Jésus avait ce principe qu'il faut aller jusqu'au bout de ses forces avant de se plaindre ; que de fois, elle s'est rendue à Matines avec des vertiges ou de violents maux de tête ! « Je puis encore marcher, se disait-elle, eh ! bien, je dois être à mon devoir »...

---

1. *Dern. Ent.*, CJ 3.8.6.
2. *Ibid.*, 5.8.1.
3. *Man. Autob.*, C fol. 21 v°-22 r°.

Sainteté pour l'Église

Son estomac délicat s'accommodait difficilement de la nourriture frugale du Carmel ; certains aliments la rendaient malade ; mais elle savait si bien le cacher que personne ne le soupçonna jamais... Aussi les Sœurs de la cuisine, la voyant si peu difficile, lui servaient invariablement les restes...

La privation du feu pendant l'hiver fut la plus rude de ses souffrances physiques au Carmel... Il lui arrivait même parfois, de passer la nuit entière à trembler de froid sans pouvoir dormir. Elle aurait obtenu aussitôt un soulagement, si dès les premières années elle l'eût dit à la Maîtresse des novices, mais elle voulut accepter cette rude mortification sans se plaindre, et ne la révéla que sur son lit de mort, par ces mots expressifs : « Ce dont j'ai le plus souffert physiquement, durant ma vie religieuse, c'est du froid, j'en ai souffert jusqu'à en mourir ! » [1]

Elle en mourut, en effet, victime de son ascèse de petitesse qui ne cherchait pas les mortifications extraordinaires mais accueillait avec générosité toutes celles que le bon Dieu lui envoyait.

— *Ascèse héroïque et joyeuse.*

Parmi ces dernières, il faut placer les purifications passives qu'elle subit, spécialement les tentations contre la foi qui furent avec la blessure d'amour, la réponse divine à son offrande à l'Amour miséricordieux. Sous l'étreinte de cette épreuve, « un mur qui s'élève jusqu'aux cieux », qu'elle n'ose pas décrire de crainte de blasphémer, elle réagit en écrivant :

Seigneur, votre enfant l'a comprise votre divine lumière, elle vous demande pardon pour ses frères, elle accepte de manger aussi longtemps que vous le voudrez le pain de la douleur et ne veut point se lever de cette table remplie d'amertume où mangent les pauvres pécheurs avant le jour que vous avez marqué... Mais aussi ne peut-elle pas dire en son nom, au nom de ses frères : Ayez pitié de nous, Seigneur, car nous sommes de pauvres pécheurs !... Oh ! Seigneur renvoyez-nous justifiés... Que tous ceux qui ne sont point éclairés du lumineux flambeau de la Foi le voient luire enfin... ô Jésus s'il faut que la table souillée par eux soit purifiée par une âme qui vous aime, je veux bien y manger seule le pain de l'épreuve jusqu'à ce qu'il vous plaise de m'introduire dans votre lumineux royaume. La seule grâce que je vous demande, c'est de ne jamais vous offenser !...

... Malgré cette épreuve qui m'enlève toute jouissance, je puis cependant m'écrier : « Seigneur, vous me comblez de joie par tout ce que vous faites » (Ps 91). Car est-il une joie plus grande que celle de souffrir pour votre amour ?... Plus la souffrance est intime, moins elle paraît aux yeux des créatures, plus elle vous réjouit, ô mon Dieu, mais si par impossible vous-même deviez ignorer ma

---

1. *Histoire d'une Âme* (1940), ch. XII, pp. 230-232 ; cf. *Conseils et Souvenirs*, p. 116 et s. et *Dern. Ent.*, CJ 18.5.4, 24.7.2, 23.8.4 et note p. 537, ...

souffrance, je serais encore heureuse de la posséder si par elle je pouvais empêcher ou réparer une seule faute commise contre la Foi [1].

Ces dernières paroles nous montrent un autre trait de l'ascèse d'enfance spirituelle, qu'il faut souligner. L'enfant est impuissant et ne saurait franchir des distances ou poser des actes importants et difficiles, que porté par sa mère et soutenu par elle. Thérèse ne peut rien faire même pas aimer, sinon avec l'amour du bon Dieu [2]. Mais l'enfant garde un privilège, un don qui lui est propre parce qu'il appartient à sa faiblesse : c'est celui de la délicatesse et du sourire. Plus la tige de la fleur est tendre et plus elle est souple ; plus la fleur est petite, et plus ses charmes sont prenants. Le sourire à peine dessiné sur les lèvres d'enfant, éclaire déjà tout son visage et attire irrésistiblement la sympathie ; « son doux regard qui brille fait briller tous les yeux », dit le poète.

Chez Thérèse de l'Enfant-Jésus, cette délicatesse et ce sourire de l'enfant ont été cultivés surnaturellement et affinés merveilleusement, à mesure que l'amour divin se développait en son âme. Ils sont devenus, dans l'expression de son amour et sur son visage, la revanche sublime de son impuissance, en même temps que la preuve la plus évidente de la plénitude d'amour réalisée.

Elle souffre et s'immole, mais elle ne voudrait pas que le bon Dieu s'en rendît compte, si c'était possible, pour qu'il n'en ait pas de la peine :

Si elle transpirait dans les grandes chaleurs ou si elle souffrait trop du froid en hiver, elle avait cette pensée exquise de ne s'essuyer le visage et de ne se frotter les mains « qu'à la dérobée, comme pour ne pas donner au bon Dieu le temps de la voir » [3].

Elle s'efforce de sourire pendant les mortifications afin que le bon Dieu, trompé par l'expression de son visage, « ne sût pas que je souffrais [4] ».

Surtout, elle chante sa joie pour donner le change :

Puis, en jetant mes fleurs je chanterai (pourrait-on pleurer en faisant une aussi joyeuse action ?) je chanterai, même lorsqu'il me faudra cueillir mes fleurs au milieu des épines, et mon chant sera d'autant plus mélodieux que les épines seront longues et piquantes [5].

---

1. *Man. Autob.*, C fol. 6 r°-7 r°.
2. *Ibid.*, C fol. 12 v°.
3. *Conseils et Souvenirs*, p. 58.
4. *Ibid.*
5. *Man. Autob.*, B fol. 4 v°.

Sainteté pour l'Église

La joie du bon Dieu lui suffira, même au ciel :

Rien que de voir le bon Dieu heureux, cela suffira pleinement à mon bonheur... C'est pour faire plaisir à Jésus, je ne veux pas donner pour recevoir.

Si, par impossible, le bon Dieu lui-même ne voyait pas mes bonnes actions, je n'en serais nullement affligée ; je l'aime tant que je voudrais pouvoir lui faire plaisir sans même qu'il sache que c'est moi : le sachant et le voyant, il est comme obligé de m'en récompenser. Je ne voudrais pas lui donner cette peine-là [1].

A écouter ces accents, on pourrait croire que nous sommes sortis du sujet que nous devions traiter. Ces accents sont si différents des gémissements douloureux de l'âme dans la nuit de l'esprit ! Pouvons-nous, à cette dernière, présenter sainte Thérèse de l'Enfant-Jésus comme un modèle à imiter ? La délicatesse et le sourire thérésiens ne sont-ils pas de ces fleurs de neige qui ne s'épanouissent que sur les sommets ou qui exigent du moins de hautes altitudes ? En feuilletant les *Lettres* de sainte Thérèse de l'Enfant-Jésus, nous constatons qu'à toutes les étapes de sa vie spirituelle, elle mit en pratique ce que l'ascèse d'enfance spirituelle comporte d'essentiel et de caractéristique. Quelques semaines après son entrée au Carmel, elle écrit à sœur Marie du Sacré-Cœur :

Demandez que votre petite fille reste toujours un petit grain de sable bien obscur, bien caché à tous les yeux, que Jésus seul puisse le voir. Qu'il devienne de plus en plus petit, qu'il soit réduit à rien [2].

Au moment où s'est aggravé l'état de son père en février 1889, elle écrit à Céline :

Ah ! petite sœur chérie, loin de me plaindre à Jésus de la croix qu'il nous envoie, je ne puis comprendre l'amour infini qui l'a porté à nous traiter ainsi. Il faut que notre Père chéri soit bien aimé de Jésus pour avoir ainsi à souffrir !... Je pense encore beaucoup d'autres choses sur l'amour de Jésus, qui sont peut-être beaucoup plus fortes... Quel bonheur d'être humiliée ! C'est la seule voie qui fait les saints !... Oh ! ne perdons pas l'épreuve que Jésus nous envoie ; c'est une mine d'or à exploiter, allons-nous manquer l'occasion ?... Le grain de sable veut se mettre à l'œuvre sans joie, sans courage, sans force, et c'est tous ces titres qui lui faciliteront l'entreprise, il veut travailler par amour [3].

---

1. *Dern. Ent.*, CJ 15.5.2 ; 11.6.1 ; 9.5.3.
2. Lettre à Sœur Marie du Sacré-Cœur, mai 1888.
3. Lettre à Céline, 28 février 1889.

Non, la voie d'enfance spirituelle n'est pas une voie réservée aux parfaits. Elle est une voie d'ascension. La perfection des réalisations thérésiennes : la fidélité absolue de la sainte, l'héroïcité de ses vertus, la délicatesse de ses sentiments et le charme de son sourire, sont des fruits qui nous en montrent l'excellence, mais ne sont pas des conditions pour y entrer. La voie d'enfance s'ouvre devant toutes les âmes, devant celles spécialement que Dieu a saisies et qu'il tient en une étreinte douloureuse sous l'éblouissement de sa lumière.

Pour ces dernières comme pour nous tous, sainte Thérèse a su discerner et mettre en relief cette vérité, à savoir que parmi tout ce qui apparaît dans la vie spirituelle des âmes, activité des facultés, souffrances, impressions même surnaturelles, l'élément essentiel est l'amour de Dieu qui s'y donne et son action souverainement efficace. Simple vérité évangélique, il est vrai. Le mérite de sainte Thérèse de l'Enfant-Jésus est d'avoir su, avec une simplicité géniale d'enfant, la dégager de tout le reste et de l'avoir vécue avec une confiance héroïque d'enfant. Simplicité et héroïsme furent chez elle dons de la miséricorde divine, mais fruits aussi d'une ascèse et d'une technique solidement appuyées sur l'enseignement de son docteur mystique, saint Jean de la Croix.

C'est la vérité que doit vivre l'âme dans la nuit de l'esprit pour en tirer toute la grâce que Dieu y a mise pour elle. Qu'en une humble et paisible espérance, elle se livre aux ardeurs du souffle divin qui passe sur elle, qu'en une généreuse ascèse de petitesse, elle mette toutes ses énergies au service de la grâce qui la porte et la meurtrit. C'est la coopération que l'Esprit attend d'elle pour l'œuvre de renaissance spirituelle qu'il est en train d'opérer.

CHAPITRE CINQUIÈME

Secours et modèles dans la nuit

C'est une trop bonne compagnie que celle du bon Jésus pour que nous nous séparions de lui : j'en dis autant de celle de sa très sainte Mère [1].

Pour cheminer en cette obscurité de la nuit et garder ferme son espérance en ces angoisses de mort, l'âme a-t-elle le droit de chercher d'autres secours que celui qui lui vient de l'action torturante et purifiante de Dieu ? Des secours étrangers ne dissiperont-ils pas l'obscurité bienfaisante de la nuit ? N'arrêteront-ils pas la purification de la vertu d'espérance qui ne peut être parfaite qu'en s'appuyant sur Dieu seul ? Tel est le problème qui se pose. Nous allons essayer de le résoudre en développant les affirmations suivantes.

Dieu a établi entre lui et les hommes, des médiateurs dont l'action est universelle et constante en tous les temps de la vie spirituelle. Ces médiateurs sont Jésus, souverain Prêtre, et Marie, médiatrice et mère de la grâce. Leur action est plus que jamais nécessaire dans la nuit de l'esprit. En fait, elle s'y révèle particulièrement intense, mais en prenant la forme spéciale que lui impose l'obscurité dans laquelle elle s'exerce.

A. — *LE CHRIST JÉSUS, PRÊTRE ET VICTIME*

I. — *Recours nécessaire au Christ aux sixièmes Demeures.*

La spiritualité thérésienne est essentiellement christocentrique. Lui enlever ce caractère serait plus que la

---

1. VIe Dem., ch. VII, p. 992.

mutiler, la détruire. A tout instant dans ses écrits la Sainte affirme la nécessité de chercher le Christ Jésus et de s'unir à lui [1]. Elle ne conçoit pas qu'on puisse prier autrement qu'avec lui. L'oraison de recueillement qui est par excellence l'oraison thérésienne, n'est pas autre chose en effet qu'un recueillement des puissances à l'intérieur de l'âme pour y trouver le Christ Jésus et lui tenir compagnie [2].

La recherche du Christ ne s'impose pas seulement aux débutants, elle est nécessaire à toutes les étapes de la vie spirituelle, déclare sainte Thérèse :

> Cette méthode d'oraison, qui consiste à se tenir dans la compagnie du Sauveur, est profitable dans tous les états. Elle est un moyen très sûr pour faire des progrès dans le premier degré d'oraison et arriver au second en peu de temps. Elle nous sert dans les derniers pour nous protéger contre les tentations du démon [3].
> Tel est le mode d'oraison par lequel tous doivent commencer, continuer et finir. Cette voie est excellente et très sûre, jusqu'à ce que le Seigneur nous élève à d'autres choses surnaturelles [4].

Nous pourrions nous en tenir à ce qui a été dit précédemment sur ce sujet, si sainte Thérèse elle-même n'avait repris vigoureusement aux sixièmes Demeures le débat qu'elle avait exposé ailleurs [5]. C'est en effet dans la nuit de l'esprit que le problème prend toute son acuité. Aussi, bien que de nos jours toute discussion spéculative ait cessé sur ce point, la doctrine thérésienne étant désormais admise par tout le monde, le problème garde cependant une importance pratique assez considérable pour qu'à la suite de sainte Thérèse nous y revenions nous-mêmes pour en préciser les données et les solutions.

1. *La médiation du Christ est universelle.*

La médiation universelle et unique du Christ Jésus dans l'œuvre de notre rédemption et de notre retour vers Dieu est un des dogmes fondamentaux du christianisme. Cette vérité était déjà l'article essentiel de la catéchèse apostolique telle que nous la trouvons dans les discours des Apôtres relatés par les Actes.

---

1. Cf. Première Partie *Perspectives*, ch. v, « Le bon Jésus », p. 67.
2. Cf. Deuxième Partie *Premières étapes*, ch. iv, p. 182.
3. *Vie*, ch. xii, p. 117. Pour trouver l'exposé de ces divers points de doctrine chez sainte Thérèse, voir *Livre de la Vie*, ch. xii et xxii, *Chemin Perf.*, ch. xxviii, *Château Intérieur*, VIe Dem., ch. vii.
4. *Vie*, ch. xiii, p. 130.
5. *Vie*, ch. xii et xxii, Chem. Perf., ch. xxviii.

Sainteté pour l'Église

S'adressant au Conseil des chefs du peuple, quelques jours après la Pentecôte, saint Pierre leur dit courageusement :

> Sachez-le bien, vous tous, et tout le peuple d'Israël. C'est par le nom de Jésus-Christ de Nazareth, que vous avez crucifié, que Dieu a ressuscité des morts, c'est par lui que cet homme est présent devant vous en pleine santé. C'est lui la pierre rejetée par vous les constructeurs, qui est devenue tête d'angle. Et le salut n'est en aucun autre car il n'est sous le ciel aucun autre nom donné parmi les hommes, par lequel nous devions être sauvés [1].

Cette vérité est donnée par saint Paul comme la clef de voûte de son message :

> Béni soit Dieu, le Père de Notre-Seigneur Jésus-Christ qui nous a bénis dans le Christ de toutes sortes de bénédictions spirituelles dans les cieux ! C'est en lui qu'il nous a choisis dès avant la création du monde, pour que nous soyons saints et irréprochables devant lui, nous ayant, dans son amour, prédestinés à être ses fils adoptifs par Jésus-Christ, selon sa libre volonté [2].

C'est sur le Christ et par le Christ, que Dieu restaure toutes choses et qu'il construit le nouvel édifice, œuvre de sa miséricorde, après les destructions opérées par le péché. Cet édifice n'est pas autre chose que le Christ dans la plénitude de l'extension de sa vie et de sa grâce dans les âmes.

> Dieu, qui est riche en miséricorde, à cause du grand amour dont il nous a aimés, et alors que nous étions morts par nos offenses, nous a rendus vivants avec le Christ...
> Aussi n'êtes-vous plus des étrangers, ni des hôtes de passage ; mais vous êtes concitoyens des saints, et membres de la famille de Dieu... dont Jésus-Christ lui-même est la pierre d'angle. C'est en lui que tout l'édifice bien ordonné s'élève, pour former un temple saint dans le Seigneur ; c'est en lui que, vous aussi, vous êtes édifiés pour être par l'Esprit Saint une demeure où Dieu habite [3].

Ce dessein éternel de Dieu dans le Christ est réalisé par le sacrifice de Jésus et par l'effusion de son sang. Vérité inséparable de la première :

> Dieu a voulu réconcilier par lui toutes choses avec lui-même, celles qui sont sur la terre, et celles qui sont dans les cieux, en faisant la paix par le sang de sa croix [4].

> C'est en lui que nous avons la Rédemption acquise par son sang, la rémission des péchés, selon la richesse de sa grâce [5].

---

1. Ac 4, 10-12 ; 2, 14-36 ; 3, 12-16, etc.
2. Ep 1, 3-5.
3. *Ibid*, 2, 4-5. 19-22.
4. Col 1, 20.
5. Ep 1, 7.

... nous avons, par le sang de Jésus, un libre accès dans le sanctuaire, par la voie nouvelle et vivante qu'il a inaugurée à travers le voile, c'est-à-dire à travers sa chair [1].

Il semble inutile de multiplier les citations tellement l'enseignement de l'apôtre saint Paul est pénétré de cette affirmation de la médiation universelle et nécessaire que le Christ réalise par son sang qui nous purifie, nous fait entrer dans son édifice spirituel et nous unit au Père. Toute rénovation spirituelle est liée à l'action efficace du sang du Christ.

Vous aussi, qui étiez autrefois loin de lui... il vous a maintenant réconciliés par la mort de son Fils en son corps de chair, pour vous faire paraître devant lui, saints, sans tache et sans reproche [2].

Cet enseignement apostolique sert de base à la doctrine de l'Église sur la valeur du sacrifice de la Messe qui prolonge le sacrifice du Calvaire et sur l'efficacité de la participation à ce sacrifice par la communion. Sur l'autel, le Christ renouvelle d'une façon non sanglante son immolation. Le chrétien doit assister à la Messe et affirmer son désir de participer aux fruits de ce sacrifice en recevant par la communion le Christ Jésus vivant et immolé ; sinon il n'est pas un chrétien possédant en lui la vie du Christ.

La foi au Christ et à la valeur de son sacrifice est nécessaire pour le salut. Seule elle permet d'en recueillir les fruits de rénovation. Saint Paul écrit aux Colossiens :

Ensevelis avec lui dans le baptême, vous avez été dans le même baptême ressuscités avec lui par votre foi à l'action de Dieu, qui l'a ressuscité d'entre les morts [3].

Cette vérité est plus rigoureusement affirmée en d'autres épîtres, spécialement en l'épître aux Romains et dans l'épître aux Hébreux [4].

Mais maintenant, écrit l'Apôtre dans l'épître aux Romains, en dehors de la Loi s'est manifestée la justice de Dieu, avec pour témoins la Loi et les prophètes, justice de Dieu par la foi en Jésus-Christ pour tous ceux qui croient, sans aucune distinction...
... Nous estimons en effet que l'homme est justifié par la foi indépendamment des œuvres de la Loi [5].

Donc, justifiés par la foi, gardons la paix avec Dieu par Notre-Seigneur Jésus-Christ [6].

---

1. He 10, 19-20.
2. Col 1, 21-22.
3. *Ibid.*, 2, 12.
4. Rm 3 et 4 ; He 10 à 12.
5. Rm 3, 21-22. 28.
6. *Ibid.*, 5, 1.

Sainteté pour l'Église

Dans l'épître aux Hébreux, après avoir montré comment les grands patriarches et prophètes de l'Ancien Testament ont été justifiés par la foi, l'Apôtre conclut :

Donc, nous aussi, puisque nous sommes environnés d'une si grande nuée de témoins, rejetons tout ce qui nous appesantit et le péché qui nous enveloppe, et courons avec persévérance dans la carrière qui nous est ouverte, les yeux fixés sur Jésus, l'auteur et le consommateur de la foi... [1].

2. Médiation plus nécessaire en ces Demeures.

Ces affirmations doctrinales si nettes laissent-elles la liberté de penser qu'en une certaine période de la vie spirituelle, la plus rude assurément, celle de la purification de l'esprit, l'âme a le droit et même le devoir de ne pas recourir explicitement au Christ Jésus pour aller plus rapidement vers l'union avec Dieu ? C'est l'objet du débat entre sainte Thérèse et les spirituels de son temps, ses contradicteurs.

Ces derniers, s'appuyant sur le fait que l'union avec Dieu est chose tout à fait et uniquement spirituelle et que l'âme a déjà franchi les étapes où les créatures sensibles pouvaient lui être utiles pour s'élever à Dieu, soutenaient qu'en ces hautes régions de la vie spirituelle, l'âme perdrait son temps et reviendrait en arrière en s'appuyant sur l'humanité du Christ. Pour s'unir à Dieu il n'y aurait plus dès lors d'autre moyen efficace que le dégagement et le dépassement de tout, qui livreraient à l'emprise de Dieu lui-même.

A l'appui de leur dire, ces spirituels citaient la parole de Jésus lui-même à ses apôtres avant sa passion : « Il vous est bon que je m'en aille. Car si je ne m'en allais pas, le Paraclet ne viendrait pas à vous ; mais si je m'en vais, je vous l'enverrai [2] ». La présence de l'humanité du Christ, d'après son propre témoignage, serait un obstacle à la descente de la plénitude de Dieu.

Nous connaissons la réaction de sainte Thérèse devant ces affirmations. Son humilité reste toujours respectueuse devant ces spirituels qui lui paraissent hommes de doctrine. N'a-t-elle même pas cédé quelque temps devant leur autorité ? Elle en éprouve d'ailleurs des remords cuisants [3]. Maintenant, tandis qu'elle écrit le Château Intérieur, son opinion est faite. Aussi affirme-t-elle

---

1. He 12, 1-2.
2. Jn 16, 7.
3. *Vie*, ch. XXII, pp. 221-222.

vigoureusement son sentiment qui deviendra peu à peu la doctrine acceptée de tous. Elle écrit donc :

> J'ai déjà parlé longuement de ce sujet dans un autre endroit ; on a critiqué, il est vrai, ma manière de voir ; on m'a déclaré que je ne comprenais pas la question ; ce sont là, disait-on, des voies par lesquelles le Seigneur lui-même dirige les âmes, et il est mieux pour celles qui ont déjà franchi les premiers degrés de la vie spirituelle de s'occuper des choses de la divinité et de fuir les corporelles. Mais on ne me fera jamais dire que c'est là un bon chemin. Il peut se faire que je me trompe, comme aussi que nous disions tous au fond la même chose. Toutefois j'ai reconnu moi-même que le démon voulait m'égarer par cette voie. Après une telle expérience, je voudrais vous rappeler ici ce que je vous ai déjà dit plusieurs fois sur ce point, afin que vous vous teniez bien sur vos gardes. Remarquez ce que j'ose même vous dire : ne croyez point celui qui vous tiendrait un autre langage [1].

La Sainte précise ce qu'elle entend par recours à l'humanité du Christ. Il est bien entendu qu'en ces régions de la vie spirituelle on ne peut toujours avoir le Christ présent.

> Lorsque Dieu veut suspendre toutes les puissances de l'âme, comme nous l'avons vu en traitant des différents modes d'oraison, il est clair que, quand même nous ne le voudrions pas, la présence de la sainte Humanité nous est enlevée. Qu'elle nous soit ravie alors, c'est fort bien. Heureuse une telle perte qui nous fait mieux jouir de ce que nous semblons perdre ! L'âme alors s'emploie tout entière à aimer Celui que l'entendement s'est appliqué à connaître ; elle aime ce qu'il n'a pas compris, et elle jouit de ce dont elle ne pourrait jouir aussi parfaitement, si ce n'est en se perdant elle-même, afin, je le répète, de se retrouver plus enrichie. Mais que de nous-mêmes nous mettions notre habileté, nos soins et toutes nos forces à éviter d'avoir toujours présente la sainte Humanité, et plût à Dieu que nous l'eussions toujours présente ! cela, je le répète, ne me paraît pas bien [2].

C'est cette attitude ou même cet effort d'éloignement que sainte Thérèse condamne et qui a les plus fâcheuses conséquences dans la vie spirituelle :

> Pour moi, il est certain que, si beaucoup d'âmes arrivées à l'oraison d'union ne font pas plus de progrès et ne parviennent pas à une très grande liberté d'esprit, c'est à cause de cette erreur [3].

Ses affirmations sont encore plus graves dans le *Château Intérieur* :

> Je ne puis croire que ces personnes font ce qu'elles disent ; il me semble plutôt qu'elles ne se comprennent pas elles-mêmes ; et

---

1. VIᵉ Dem., ch. VII, pp. 985-986.
2. *Vie*, ch. XXII, p. 225.
3. *Ibid.*, p. 222.

ainsi elles se nuisent et elles nuisent aux autres. Au moins, je puis les assurer qu'elles n'entreront point dans ces deux dernières Demeures (sixièmes et septièmes) ; car si elles perdent le guide qui est le bon Jésus, elles n'en trouveront point le chemin ; ce sera beaucoup si elles habitent les précédentes en sécurité [1].

L'abandon du Christ Jésus ferme donc l'accès des sommets de la vie spirituelle ; à peine laisse-t-il jouir sans danger des premières manifestations de la vie mystique propres aux quatrièmes et cinquièmes Demeures. C'est un véritable échec spirituel.

La Sainte l'explique par un manque d'humilité :

L'âme veut s'élever, avant que Dieu ne l'élève... Ce petit défaut d'humilité ne paraît rien, et cependant il cause le plus grand préjudice à l'âme qui veut avancer dans la contemplation...

Dieu se complaît beaucoup à voir une âme prendre humblement son divin Fils pour médiateur et lui porter tant d'amour que, même s'il veut l'élever à une très haute contemplation, elle s'en reconnaisse indigne... [2]

Ce manque d'humilité la prive d'un appui nécessaire :

Une âme qui suit cette voie, marche en l'air, comme on dit. Elle est privée d'appui, quelque remplie de Dieu qu'elle se croie [3].

Mais peut-être faut-il chercher surtout la cause de cette erreur et de ses funestes conséquences dans la gourmandise spirituelle qui accompagne habituellement les premières expériences de la vie mystique. Écoutons encore sainte Thérèse nous faire ses confidences :

Dès que je commençai à avoir un peu d'oraison surnaturelle, je veux dire d'oraison de quiétude, je m'appliquai à éloigner de ma pensée toute chose corporelle ; mais je n'osais aspirer plus haut, car j'y aurais vu de la témérité, à cause de ma vie toujours si imparfaite. Je sentais pourtant, ce me semble, la présence de Dieu, et il en était vraiment de la sorte. Aussi je m'appliquais à me tenir recueillie près de Lui. C'est là une oraison pleine de suavité... L'âme y savoure de profondes délices. Comme je sentais ce profit et cette jouissance, personne n'aurait pu alors me ramener à la considération de la sainte Humanité qui me semblait véritablement être un obstacle [4].

Elle avoue dans le *Château Intérieur* :

Je ne prenais plus de plaisir à penser si longtemps à Notre-Seigneur Jésus-Christ ; je m'entretenais dans cette ivresse en attendant le retour des délices dont j'avais joui. Mais je vis

---

1. VIᵉ Dem. ch. VII, p. 987.
2. *Vie*, ch. XXII, pp. 226-227.
3. *Ibid.*, p. 225.
4. *Ibid.*, p. 221.

clairement que cette voie n'était pas bonne. Comme je ne pouvais toujours goûter ces délices, ma pensée s'en allait ici et là, et mon âme, semblable à l'oiseau qui voltige et ne trouve pas où se poser, perdait beaucoup de temps [1].

Peu d'âmes certes ont le sens spirituel affiné de sainte Thérèse et son humilité. Aussi il nous paraît que même de nos jours, beaucoup se laissent tromper par les saveurs de la quiétude, ou pour parler un langage plus moderne, par l'obscurité savoureuse de la nuit. Elles y voient un sommet alors qu'elle n'est qu'un viatique pour une route encore longue. L'estime et le désir qu'elles en ont les empêchent de s'en détacher pour revenir à une humble recherche du Christ Jésus. Cette erreur les maintient à grand-peine, comme l'indiquait déjà sainte Thérèse, dans les régions de la simple quiétude et leur ferme l'accès des régions plus élevées qui exigent un détachement plus complet et le recours explicite au Christ Jésus.

Quant aux arguments mis en avant pour justifier cet abandon, sainte Thérèse déclare ne pas pouvoir les souffrir :

On allègue, il est vrai, cette parole que le Seigneur adressa à ses disciples : « Il vous est expédient que je m'en aille ». Pour moi, je ne puis souffrir qu'on fasse cette objection. Ah ! certes, le Sauveur n'a pas dit cette parole à sa très sainte Mère, parce qu'elle était ferme dans la foi. Elle savait qu'il était Dieu et homme tout ensemble ; et, bien qu'elle lui portât plus d'amour qu'eux, elle y mettait tant de perfection que la vue de la sainte Humanité lui servait encore de stimulant. Les apôtres ne devaient pas être alors aussi fermes dans la foi qu'ils le furent plus tard, et que nous devons l'être nous-mêmes maintenant [2].

Le départ du Christ en supprimant la présence sensible devait ouvrir leur regard sur la divinité qui leur était voilée. Il fit leur foi plus parfaite et plus lumineuse en leur découvrant tout ce qui est en lui, à savoir sa divinité et son humanité, ainsi que son rôle de médiateur. Le Christ Jésus ne disparaissait sensiblement que pour resplendir en toute sa personne.

Ce départ d'ailleurs était exigé par sa mission et celle que devait remplir l'Esprit Saint. C'est l'Esprit qui devait venir pour soutenir les apôtres et faire l'Église. Mais on ne saurait voir dans ce départ de Jésus et dans la descente de l'Esprit Saint une exclusion de l'un par substitution de l'autre. L'Esprit Saint est l'Esprit du Fils comme il est l'Esprit du Père. Jésus pourra nous

1. VIᵉ Dem., ch. VII, p. 993.
2. *Ibid.*, pp. 992-993.

dire que par lui, il est avec nous jusqu'à la consommation des siècles [1]. Cet Esprit ne vient pas pour remplacer le Christ Jésus, mais pour construire le Christ total en diffusant sa vie en tous ses membres par les mérites de son sang. L'œuvre de l'Esprit sera accomplie lorsque le Christ Jésus aura atteint sa taille d'homme parfait et l'expansion glorieuse que Dieu a voulue pour lui de toute éternité.

Dans la croissance spirituelle de l'âme, ainsi qu'il advint dans le développement de l'Église, se produit un avènement de l'Esprit dont l'ombre lumineuse et ardente voile la présence sensible du Christ Jésus. La nuit de l'esprit est le moment le plus douloureux et le plus obscur de cette éclipse. La flamme ardente de l'Esprit ne la produit que pour perfectionner la foi, la faire entrer plus profondément dans le mystère du Christ et réaliser l'union parfaite avec Lui. Prendre prétexte de l'éclipse pour s'éloigner de Jésus, opposer pratiquement l'action de l'Esprit à celle du Christ lui-même, se soustraire à l'une pour rendre l'autre plus efficace, c'est méconnaître les vérités fondamentales du christianisme, prendre une attitude nettement anti-chrétienne, rendre inefficace l'action de l'Esprit en la séparant du Christ qui en est le principe et la fin.

Tout au plus peut-on admettre que le recours implicite à la médiation du Christ suffise au païen qui ignore son existence ou sa nécessité. Le contemplatif chrétien ne saurait être excusé normalement par l'ignorance. C'est explicitement qu'il doit aller vers le Christ Jésus à toutes les étapes de sa vie spirituelle. Il a le devoir de faire effort pour surmonter les difficultés particulières que ce recours peut présenter dans la nuit de l'esprit, car jamais l'action du Christ ne lui a été plus nécessaire. C'est l'heure en effet où se réalisent excellemment la purification et l'union, deux effets spécifiques de la médiation et de la rédemption du Christ. Son sang est notre propitiation et c'est par lui que tout a été réuni de ce que le péché avait séparé dans le ciel et sur la terre [2]. Ces effets plus intenses ne peuvent être obtenus que par une foi plus profonde et un recours plus constant au Christ et à la vertu de son sang divin. C'est l'heure ou jamais de mettre en pratique les conseils de l'Apôtre dans l'épître aux Hébreux :

Ainsi puisque nous avons en Jésus, le Fils de Dieu, un grand prêtre excellent qui a pénétré les cieux, demeurons fermes dans la

1. Mt 28, 20.
2. Ep 1, 10.

profession de notre foi. Car nous n'avons pas un grand prêtre impuissant à compatir à nos infirmités ; pour nous ressembler, il les a toutes éprouvées, hormis le péché. Approchons-nous donc avec assurance du trône de la grâce, afin d'obtenir miséricorde et de trouver grâce, pour être secourus en temps opportun [1].

Car si le sang des boucs et des taureaux, si la cendre d'une vache, dont on asperge ceux qui sont souillés, sanctifient de manière à procurer la pureté de la chair, combien plus le sang du Christ qui, par l'Esprit éternel, s'est offert lui-même sans tache à Dieu, purifiera-t-il notre conscience des œuvres mortes pour servir le Dieu vivant [2].

Sainte Thérèse complète la pensée de saint Paul en concluant :

Quant à nous qui vivons dans un corps mortel... il nous faut vivre dans la compagnie de ceux qui, ayant eu un corps comme nous, ont accompli de si grandes œuvres au service de Dieu ; à plus forte raison ne devons-nous pas nous éloigner volontairement de la très sainte Humanité de Notre-Seigneur Jésus-Christ qui est pour nous la plénitude des biens et le remède à tous les maux... La vie est longue et les épreuves y sont nombreuses ; nous avons besoin de jeter les yeux sur le Christ notre modèle pour voir comment il les a endurées et de considérer même ses apôtres et les saints afin de pouvoir comme eux les supporter avec perfection. C'est une trop bonne compagnie que celle du bon Jésus, pour que nous nous séparions de lui ; j'en dis autant de celle de sa très sainte Mère [3].

3. *Jésus modèle parfait dans la nuit.*

Dans la nuit de l'esprit tout spécialement, l'âme ne saurait trouver ailleurs que dans le Christ Jésus le modèle parfait à imiter pour profiter de cette épreuve purificatrice. Il y a entre les souffrances intérieures de Jésus en sa passion et celles de la nuit de l'esprit une ressemblance étroite que saint Jean de la Croix a illustrée en utilisant largement pour décrire ces dernières, les textes prophétiques de l'Ancien Testament que l'Église applique à la passion du Christ.

Le Christ est l'Agneau qui porte le péché du monde. Sa passion est faite du déchaînement des forces destructrices du péché qui montent à l'assaut de son humanité ointe de l'onction de la divinité. Tout ce qui peut, en cette humanité, être brisé et mourir, succombe sous la violence du choc. La nuit de l'esprit est faite aussi de la rencontre des deux contraires : l'amour envahissant de Dieu et le péché enraciné dans les profondeurs de

---

1. He 4, 14-16.
2. *Ibid.*, 9, 13-14.
3. VIe Dem., ch. VII, pp. 986, 992.

l'âme. Certes, il n'y a pas de commune mesure entre l'amour dont l'âme est investie et l'onction de la divinité, entre le péché de l'âme et le péché que porte l'Agneau de Dieu, mais les forces en présence étant les mêmes, les souffrances seront semblables, sinon de même intensité.

Jésus montre l'attitude à garder en cette lutte. L'Agneau de Dieu gémit à Gethsémani, mais ses gémissements et sa prière de délivrance s'éteignent dans un abandon complet à la volonté de son Père. Il se tait. Sa patience se nourrit de son amour pour son Père et les âmes, de l'espérance certaine de son triomphe. Auprès de Jésus accablé et fort en son silence, l'âme dans la nuit restera elle aussi silencieuse et ferme en sa patience et en son espérance. « Ne fallait-il pas que le Christ souffrît et entrât ainsi dans la gloire [1] ? ». « Le disciple n'est pas au-dessus du Maître [2] ». « Celui qui marche après moi ne marche pas dans les ténèbres [3] ». « Lorsque je serai élevé de terre, j'attirerai tout à moi [4] ». Dans la nuit, ces paroles répandent leur lumière et apportent leurs certitudes.

« Les yeux fixés sur le Christ, auteur et consommateur de notre foi [5] », l'âme est entraînée dans le déroulement et la participation à ses mystères. Il est vrai que chez le Christ Jésus le mystère de l'Incarnation a précédé le mystère de la Rédemption, que la souffrance en lui est uniquement rédemptrice. Pour nous, pécheurs, la souffrance purificatrice doit préparer l'union parfaite avec Dieu. L'Agneau de Dieu est pur et il est la victime du péché du monde ; l'âme dans la nuit porte son péché et en souffre. Sa souffrance n'est-elle pas déjà rédemptrice ? Qui pourrait le nier ? Quoi qu'il en soit, elle ne peut tenir en ces régions, sous le poids du péché, que soutenue par un contact intime avec la divine Victime.

C'est par ce contact que doit maintenir un regard prolongé et pénétrant, que l'âme puise dans la Face douloureuse du Christ Jésus la science de l'amour divin, celle qui non seulement découvre le sens et la valeur de l'épreuve, mais qui crée la ressemblance et la sympathie. « Expérimentez en vous ce qui est dans le Christ Jésus [6] », nous dit l'Apôtre. La perfection chrétienne est en cette ressemblance et cette sympathie. Notre Christ est cloué sur une croix rugueuse, fixée solidement en

---

1. Lc 24, 26.
2. Mt 10, 24.
3. Jn 8, 12.
4. *Ibid.*, 12, 32.
5. He 12, 2.
6. Ph 2, 5.

notre terre de péché. S'éloigner de ce divin modèle en la période décisive de la purification et de la transformation, c'est s'égarer en des voies détournées et sacrifier à une sublimation naturelle de nos facultés, la réalisation de la perfection chrétienne dont Jésus est le type achevé.

4. *Exemples des saints.*

C'est ce contact du Christ en ses mystères douloureux qu'ont recherché les saints en qui nous admirons les effets des rénovations spirituelles profondes.

Nicodème avait-il compris la relation étroite entre les mystères de renaissance, d'incarnation du Fils de l'homme et d'exaltation sur une croix que Jésus avait évoqués en son entretien ? Quoi qu'il en soit, lorsque le Christ fut cloué en croix, Nicodème se leva, soulevé par la lumière et la grâce reçues, et s'en fut courageusement puiser aux sources de la vie que la mort avait ouvertes en son cœur.

Nous retrouvons le même mouvement de la grâce, et combien richement explicité chez l'apôtre saint Paul. Le Christ glorieux et douloureux l'a terrassé sur le chemin de Damas. La blessure ardente et lumineuse qu'il a gardée de cette première rencontre, en s'élargissant progressivement, lui découvre de plus en plus le mystère du Christ et du Christ crucifié qui « de par Dieu a été fait pour nous sagesse et justice, et sanctification et rédemption [1]».

C'est à lui, Paul,

... le moindre de tous les saints, qu'a été accordée cette grâce d'annoncer parmi les Gentils la richesse incompréhensible du Christ, et de mettre en lumière aux yeux de tous, l'économie du mystère qui avait été caché depuis le commencement en Dieu, le Créateur de toutes choses... [2].

Aussi, l'Apôtre expose les divers aspects et les antinomies de cette sagesse, met en relief ses incomparables richesses d'espérance pour nous, découvre l'union étroite de cette Sagesse éternelle avec le Christ, la nécessité, par conséquent, d'aller la puiser aux sources du Christ crucifié. Il juge que pour lui-même, il ne doit pas

... savoir autre chose que Jésus-Christ, et Jésus-Christ crucifié... scandale pour les Juifs et folie pour les Gentils, mais pour ceux qui sont appelés, soit Juifs, soit Grecs, puissance de Dieu et sagesse de Dieu [3].

---

1. 1 Co 1, 30.
2. Ep 3, 8-9.
3. 1 Co 2, 2 ; 1, 23-24.

Sainteté pour l'Église

Cette union de la Sagesse et du Christ a été expérimentée par saint Jean de la Croix, le docteur du détachement. L'onction de son langage en témoigne lorsqu'il parle de ce « mystère de la porte et du chemin, c'est-à-dire du Christ par qui il faut passer pour s'unir à Dieu [1] », et de l'exemple du Christ qui est « notre lumière et notre modèle [2] » dans le dénuement complet qui est la voie de l'union.

Dans le *Cantique Spirituel*, le Saint exalte la connaissance de la Sagesse de Dieu que l'on trouve dans le mystère du Christ.

Les hautes cavernes sont les mystères sublimes, élevés et profonds de la sagesse de Dieu qui se manifeste dans le Christ... Ce qui est dans le Christ est inépuisable ! C'est comme une mine abondante remplie d'une infinité de filons avec des richesses sans nombre ; on a beau y puiser, on n'en voit jamais le terme ; bien plus, chaque repli renferme ici et là de nouveaux filons à richesses nouvelles ; ce qui faisait dire à saint Paul, du Christ : « *In quo sunt omnes thesauri sapientiae et scientia Dei absconditi* ; dans le Christ sont cachés tous les trésors de la sagesse et de la science de Dieu [3] ».

Le Docteur mystique ajoute :

Mais l'âme ne peut y pénétrer ni les atteindre si, comme nous l'avons dit, elle ne passe pas d'abord et n'entre pas dans la profondeur des souffrances extérieures et intérieures [4].

Cette science des mystères est le fruit à la fois d'un amour qualifié et d'une certaine expérience de la souffrance. La nuit de l'esprit, qui confère l'un et l'autre, loin de détourner du Christ, introduit donc admirablement dans les profondes cavernes de ses mystères. Telle est la conclusion des enseignements de saint Jean de la Croix.

Nombreux sont les saints dont on pourrait citer le témoignage pour illustrer cette doctrine. Revenons vers sainte Thérèse de l'Enfant-Jésus dont l'enseignement vivant prend toujours des formes si actuelles et si attrayantes.

Ce qui a été dit de la voie d'enfance spirituelle ne doit pas faire oublier que cette petite voie est axée sur le Christ Jésus. La recherche de l'ascenseur qui doit suppléer à la petitesse « pour gravir le rude escalier de la perfection » aboutit à cette heureuse découverte : « l'as-

---

1. *Montée du Carm.*, Liv. II, ch. VI, p. 124.
2. *Ibid.*, p. 123.
3. Col 2, 3.
4. *Cant. Spir.*, str. XXXVI, pp. 880-881.

censeur qui doit m'élever jusqu'au Ciel, ce sont vos bras, ô Jésus ! [1] »

C'est Jésus qui doit emporter l'enfant dans les profondeurs de la Trinité sainte. Thérèse écrit dans la *Lettre à sœur Marie du Sacré-Cœur* :

> O Verbe Divin, c'est toi l'Aigle adoré que j'aime et qui m'attires !... Un jour, j'en ai l'espoir, Aigle adoré, tu viendras chercher ton petit oiseau et remontant avec lui au Foyer de l'Amour, tu le plongeras pour l'éternité dans le brûlant Abîme de cet Amour auquel il s'est offert en victime [2].

A son entrée au Carmel, Thérèse avait reçu comme « royaume » l'enfance de Notre-Seigneur avec le nom de sœur Thérèse de l'Enfant-Jésus. Ce mystère convenait si bien à sa jeunesse et à sa grâce ! Il ne devait pas cependant lui suffire. Jésus lui avait découvert la valeur du sang qui coule de ses plaies de Crucifié, et elle avait pris la résolution de se « tenir en esprit au pied de la croix, pour recevoir la divine rosée qui en découlait... [et] la répandre sur les âmes [3] ».

Au Carmel, elle entre plus profondément encore dans la richesse du mystère de la passion de Jésus. Aux souffrances de la sécheresse intérieure et de la rude formation qu'elle connut dès le début de sa vie religieuse, vient s'ajouter après sa prise d'habit (10 janvier 1889) la lourde épreuve qui s'abattit sur sa famille : la paralysie cérébrale de son père que l'on doit placer dans une maison de santé en février 1889.

> Mon désir des souffrances était comblé, cependant mon attrait pour elles ne diminuait pas, aussi mon âme partagea-t-elle bientôt les souffrances de mon cœur. La sécheresse était mon pain quotidien et privée de toute consolation, j'étais cependant la plus heureuse des créatures, puisque tous mes désirs étaient satisfaits ! [4]

Quelques mois auparavant, semble-t-il, elle avait commencé à découvrir les secrets de la sainte Face :

> Jusqu'alors je n'avais pas sondé la profondeur des trésors cachés dans la Sainte Face ; ce fut par vous ma Mère chérie que j'appris à les connaître [5].

Révélation providentielle, préparation à l'épreuve qui provoque un approfondissement de ce mystère. Le 10 janvier 1889, jour de sa prise d'habit, Thérèse signe pour la première fois une lettre à sa compagne de noviciat,

1. *Man. Autob.*, C fol. 3 r°.
2. *Ibid.*, B fol. 5 v°.
3. *Ibid.*, A fol. 45 v°.
4. *Ibid.*, A fol. 73 r° et v°.
5. *Ibid.*, A fol. 71 r°.

Sainteté pour l'Église

sœur Marthe de Jésus : sœur Thérèse de l'Enfant-Jésus de la Sainte Face [1] ; trois mois plus tard, le 4 avril, écrivant à Céline pour l'entretenir de leur épreuve, elle termine en disant :

Jésus brûle d'amour pour nous... Regarde sa Face adorable ! Regarde ces yeux éteints et baissés !... Regarde ces plaies... Regarde Jésus dans sa Face... Là, tu verras comme il nous aime [2].

Le 18 juillet 1890, elle écrivait à nouveau à sa sœur :

Céline, il y a si longtemps... et déjà l'âme du prophète Isaïe se plongeait comme la nôtre dans les beautés cachées de Jésus [3].

Elle joignait à sa lettre la copie des versets 1-5 du chapitre 53 d'Isaïe dans lequel le prophète décrit la physionomie douloureuse du Serviteur de Jéhovah [4].

La sainte Face s'impose au regard de Thérèse à partir de cette époque et jusqu'à la fin de sa vie. Elle la chante dans un cantique :

> Jésus, ton ineffable image
> Est l'astre qui guide mes pas
> Ah ! tu le sais, ton doux Visage
> Est pour moi le Ciel ici-bas.
>
> . . . .
>
> Ta beauté que tu sais voiler
> Me découvre tout son mystère
>
> . . . .
>
> Ta Face est ma seule patrie
> Elle est mon royaume d'amour...
> Mon doux soleil de chaque jour.
>
> Elle est mon repos, ma douceur
> Et ma mélodieuse lyre...
>
> . . . .
>
> Ta Face est ma seule richesse [5].

---

1. Lettre à sœur Marthe de Jésus, 10 janvier 1889.
2. Lettre à Céline, 4 avril 1889.
3. Lettre à Céline, 18 juillet 1890.
4. « Qui a cru à notre parole et à qui la force du bras du Seigneur a-t-elle été révélée ? Le Christ s'élèvera devant le Seigneur comme un arbrisseau et comme un rejeton qui sort d'une terre sèche. Il est sans beauté et sans éclat, nous l'avons vu, il n'avait rien qui attirât les regards et nous l'avons méconnu. Il nous a paru un objet de mépris, le dernier des hommes, un homme de douleurs qui sait ce que c'est de souffrir... Son visage était comme caché... Il paraissait méprisable et nous ne l'avons pas reconnu. Il a pris véritablement nos langueurs sur Lui et il s'est chargé de nos douleurs. Nous l'avons considéré comme un lépreux, comme un homme frappé de Dieu et humilié. Et cependant il a été percé de plaies pour nos iniquités. Il a été brisé pour nos crimes. Le châtiment qui devait nous procurer la paix est tombé sur lui et nous avons été guéris par ses meurtrissures. » (Is 53, 1-5).
   A ce texte, étaient joints les versets 1-5 du ch. 63 d'Isaïe, les versets 14-15 du ch. 7 de l'Apocalypse, quelques versets du Cantique des Cantiques et la strophe VIII du *Cantique de l'âme* de saint Jean de la Croix. Tous ces textes ont trait à la passion et à l'attitude de l'âme devant le Christ souffrant.
5. Poésie : « Mon Ciel ici-bas ! » (PN 20).

Elle compose une consécration à la sainte Face [1]. Dans les dépositions du procès de béatification, nous lisons :

La sainte Face était le miroir où Thérèse voyait l'âme et le cœur de son Bien-Aimé. Cette sainte Face fut son livre de méditation où elle puisait la science d'amour...

Elle l'avait toujours devant elle dans son livre d'office et dans sa stalle, pendant son oraison. Elle était suspendue au rideau de son lit, pendant sa maladie ; sa vue l'aida à soutenir son long martyre [2].

Elle dit elle-même, quelques semaines avant de mourir :

Ces paroles d'Isaïe : « Qui a cru à votre parole... Il est sans éclat, sans beauté... etc » [3] ont fait tout le fond de ma dévotion à la Sainte Face, ou pour mieux dire, le fond de toute ma piété. Moi aussi je désirais être sans beauté, seule à fouler le vin dans le pressoir [4], inconnue de toute créature... [5].

La contemplation de la sainte Face tint, on le voit, une place considérable dans la vie spirituelle de sainte Thérèse de l'Enfant-Jésus, lors spécialement de ses ascensions douloureuses et décisives vers l'union transformante.

En cette période, l'obscurité intérieure ne dissimule pas la sainte Face. C'est au contraire dans la nuit de l'épreuve qu'elle surgit un jour : elle est le soleil divin qui en dissipera l'obscurité douloureuse. Cette pauvreté spirituelle que sainte Thérèse de l'Enfant-Jésus conserve et cultive avec un soin virginal, comme le plus précieux trésor de son espérance en Dieu seul, elle ne pense pas la ternir en s'attachant à la Face de son Bien-Aimé, pour cheminer dans ce souterrain

où il ne fait ni froid ni chaud, où le soleil ne luit pas, et que la pluie ni le vent ne visitent pas ; un souterrain où je ne vois rien qu'une clarté à demi voilée, la clarté que répandent autour d'eux les yeux baissés de la Face de mon Fiancé [6].

En cette clarté à demi voilée elle trouve sans cesse, patience, consolation, humilité, zèle toujours plus ardent pour le salut des âmes.

---

1. Prière : « Consécration à la Sainte Face » (Pri 12).
2. *Procès informatif*, p. 280.
3. Is 53, 2-3.
4. *Ibid.*, 63, 3.
5. *Dern. Ent.*, CJ 5.8.9.
6. Lettre à sœur Agnès de Jésus, pendant sa retraite de Profession, 30-31 août 1890.

Sainteté pour l'Église

Comment nous plaindre, écrit-elle, quand lui-même a été considéré comme un homme frappé de Dieu et humilié !

Le « divin charme », charme mon âme et la console merveilleusement à chaque instant du jour ! Ah ! les larmes de Jésus, quels sourires ! [1]

C'est vraiment sous la lumière de la sainte Face que l'âme de Thérèse grandit et se dilate aux proportions de l'univers.

La petite fleur transplantée sur la montagne du Carmel devait s'épanouir à l'ombre de la Croix ; les larmes, le sang de Jésus devinrent sa rosée et son Soleil fut sa Face Adorable voilée de pleurs... [2]

Source de vie, modèle à imiter, la sainte Face est la grande richesse de Thérèse, le royaume que Jésus lui a apporté en dot au jour de leurs fiançailles divines pour qu'en son âme elle en réalisât tous les traits divins. Aussi elle chante :

> Ta Face est ma seule richesse
> Je ne demande rien de plus
> En elle, me cachant sans cesse,
> Je te ressemblerai, Jésus...
> Laisse en moi la divine empreinte
> De tes traits remplis de douceurs,
> Et bientôt je deviendrai sainte
> Vers toi j'attirerai les cœurs [3].

Touchante et lumineuse confirmation d'une doctrine. Le Christ en sa passion est le meilleur compagnon de route de l'âme qui, douloureusement, chemine dans l'obscurité de la nuit. L'âme a donc le devoir de s'attacher à Lui et de puiser aux sources la lumière et la vie qui jaillissent de ses plaies.

Un problème reste encore à résoudre, le plus important peut-être de l'avis des contradicteurs de Thérèse d'Avila.

II. — *Comment réaliser ce recours à Jésus ?*

1. *Difficultés.*

Ces contradicteurs arguaient en effet de l'impossibilité de s'attacher à l'humanité du Christ pour légitimer leur éloignement volontaire. Sainte Thérèse expose leur opinion :

---

1. Lettre à Céline, 18 juillet 1890.
2. *Man. Autob.*, A fol. 71 r°.
3. Poésie : « Mon Ciel ici-bas ! » (PN 20).

D'après ces auteurs, la contemplation est une œuvre entièrement spirituelle, que toute image corporelle peut troubler ou empêcher. Et il faut considérer que nous sommes complètement environnés de Dieu de toutes parts, et que nous sommes abîmés en lui. Tel serait, d'après eux, le but à atteindre [1].

Il est certain, en effet, que les âmes élevées à la contemplation ne peuvent plus méditer et discourir dans l'oraison comme précédemment. Saint Jean de la Croix donne cette impossibilité comme un signe de la nuit des sens commencée :

Le troisième signe... consiste à ne pouvoir ni méditer ni discourir comme auparavant à l'aide du sens de l'imagination, quelque effort qu'on fasse. Dieu, en effet, commence ici à se communiquer à l'âme, non plus par le moyen des sens, comme il le faisait précédemment, ou par le moyen d'un discours qui compose et ordonne les matières, mais par le moyen de l'esprit pur où il n'y a pas de discours successifs. Il se communique à elle par l'acte de simple contemplation où ne peuvent arriver les sens intérieurs et extérieurs de la partie inférieure. Aussi l'imagination et la fantaisie ne peuvent-elles y trouver un point d'appui pour y faire une considération quelconque, ni s'y fixer alors ou après [2].

Sainte Thérèse reconnaît aussi volontiers que pour cette oraison ou méditation constituée par des

... raisonnements nombreux que nous faisons avec l'entendement... les âmes élevées par Dieu aux choses surnaturelles et à la contemplation parfaite déclarent à bon droit qu'elles ne peuvent s'y livrer ; comme je l'ai déjà dit, j'en ignore le motif ; mais elles ne pourront presque jamais la faire... [3]

La Sainte concède aussi qu'aux moments où la contemplation est parfaite, c'est-à-dire pour elle, lorsque toutes les facultés sont prises et noyées dans une certaine ivresse, celles-ci ne peuvent pas penser mais seulement aimer. Mais cet état ne saurait être que transitoire. La Sainte « considérerait comme suspect l'état d'une âme qui déclarerait être toujours dans ces délices [4] ». D'autre part on perdrait son temps à attendre dans l'inactivité des facultés que cet état revienne [5].

Reste l'impuissance habituelle d'user de l'imagination et du raisonnement discursif. Cette impuissance permet-elle encore le recours à l'humanité du Christ ? A ce sujet sainte Thérèse déclare :

---

1. *Vie*, ch. XXII, p. 220.
2. *Nuit Obsc.*, Liv. I, ch. IX, p. 516.
3. VIe Dem., ch. VII, pp. 989-990.
4. *Ibid.*, p. 992.
5. *Ibid.*, p. 993.

Toutefois elles (ces âmes) auraient tort de dire qu'elles ne peuvent s'arrêter à ces mystères, ni les avoir souvent présents à l'esprit, surtout lorsque l'Église catholique les célèbre. Il n'est pas possible que l'âme, après tant de faveurs reçues de Dieu, perde le souvenir de marques d'amour si précieuses, qui sont, en effet, comme de vives étincelles bien capables de l'embraser davantage encore dans son amour pour Notre-Seigneur [1].

On pourrait croire que sainte Thérèse fait ici allusion aux visions intellectuelles et imaginaires du Christ Jésus, dont elle fut gratifiée et dont le souvenir imprimé en sa mémoire, lui facilitait singulièrement le recours à Notre-Seigneur. Certes, ces faveurs extraordinaires eurent une grande influence sur son oraison ; il est clair cependant que le recours à l'humanité du Christ Jésus, dont elle parle, est indépendant de ces grâces.

Ces personnes, ajoute en effet la Sainte, ne doivent pas se comprendre elles-mêmes. Elles considèrent, en effet, ces mystères d'une manière plus parfaite ; elles les ont tellement présents à l'esprit et imprimés dans la mémoire, que la simple vue du Sauveur prosterné au jardin des Oliviers et répandant une épouvantable sueur suffit pour les entretenir non seulement une heure, mais plusieurs jours. Elles voient qui il est et combien nous avons été ingrats après toutes les souffrances qu'il a endurées ; leur volonté alors, bien que n'ayant pas de tendresse sensible, s'applique aussitôt à désirer glorifier quelque peu une telle miséricorde, souffrir quelque chose pour celui qui a tant souffert, et autres choses semblables dont elles occupent la mémoire et l'entendement. Tel est, à mon avis, le motif pour lequel elles ne peuvent s'appliquer à discourir davantage sur la Passion ; et cela leur fait croire qu'elles ne peuvent y penser. Si elles n'y pensent pas, il est bon qu'elles s'efforcent de le faire ; car, je le sais, l'oraison la plus sublime ne les empêchera point, et je ne saurais trouver bon que l'on ne s'y applique pas souvent [2].

En ce texte important, sainte Thérèse signale comme toujours possible à l'âme contemplative, en dehors des états de suspension des facultés, une activité intellectuelle qui est au-delà du raisonnement discursif, au-delà de l'activité de l'imagination et de la fantaisie, pour employer le langage de saint Jean de la Croix. Cette activité est à n'en pas douter une activité contemplative.

Cette activité contemplative peut être la contemplation théologique, c'est-à-dire celle de la raison éclairée par la foi et soutenue, parfois du moins, par les dons, et qui se fixe sur le Christ Jésus pour pénétrer en son âme et en sa souffrance. Sainte Thérèse croit possible en cet état cette

---

1. VI⁰ Dem., ch. VII, p. 990.
2. *Ibid.*, pp. 990-991.

forme de contemplation. Elle conseille de la pratiquer activement plutôt que de se laisser absorber par le souvenir des délices, en suspendant volontairement l'activité des facultés.

Nous ne pensons pas toutefois que cette contemplation théologique soit celle qui maintient habituellement l'âme devant le Christ Jésus en cette période de la purification de l'esprit. En cette nuit de l'esprit, l'impuissance des facultés est plus profonde que dans la nuit des sens. Les descriptions de saint Jean de la Croix en témoignent. Si l'âme peut encore regarder ou penser, ce n'est que par moments. Il est peu probable qu'elle puisse prolonger ce regard et fixer sa pensée un peu longuement, car elle est ressaisie promptement par l'impuissance et l'obscurité. D'ailleurs les descriptions thérésiennes que nous venons de lire, de même que la dévotion si constante et si profonde de sainte Thérèse de l'Enfant-Jésus à la sainte Face, sont nourries d'autre chose, semble-t-il, que de contemplation théologique.

Cette autre chose est une véritable lumière mystique procédant d'une expérience intérieure et qui éclaire merveilleusement le tableau ou le mystère du Christ que l'intelligence considère. Ce point mérite une explication en raison de son importance.

2. *Expérience intérieure et regard sur le Christ.*

En cette période, malgré la nuit douloureuse, l'amour continue à enrichir la foi vive des richesses de son expérience. Foi et expérience, toutes deux essentiellement obscures, trouvent dans le regard sur le mystère du Christ d'heureuses explicitations.

L'expérience intérieure découvre d'abord que l'amour que nous avons reçu est un amour filial, que cet esprit n'est pas « un esprit de servitude... mais un esprit de fils adoptifs, dans lequel nous nous écrions : Abba, Père. L'Esprit lui-même atteste avec notre esprit que nous sommes enfants de Dieu », affirme l'Apôtre [1].

Ce témoignage en nous de l'Esprit et de la grâce sur le caractère filial de la charité qui nous est donnée, est complété par l'expérience de la connaturalité qui existe entre le Christ Jésus et nous-mêmes. Il est le Fils par nature, nous sommes les fils d'adoption par la grâce ;

---

1. Rm 8, 15-16.

nous sommes « héritiers, cohéritiers du Christ [1] ». Tout ce qui l'unit au Christ se précise et s'éclaire au regard intérieur de l'âme à mesure que se développe la charité qui la transforme et l'identifie à Lui [2].

Cette expérience qui dans la nuit de l'esprit, est douloureuse, liée à l'impuissance et à l'humiliation intérieure a des affinités évidentes avec celle de Jésus crucifié. Aussi dans le regard sur la Passion elle trouve son atmosphère, un épanouissement, la plus heureuse des explicitations. Expérience intérieure et regard sur Jésus s'enrichissent mutuellement en se complétant. L'expérience fait pénétrer dans les profondeurs de la Passion du Christ ; le regard sur le Christ souffrant révèle à l'expérience sa valeur et l'union déjà réalisée. Dans cette découverte et cette prise de conscience, quelle force pour l'âme, quelle compénétration nouvelle avec le Christ Jésus qu'elle découvre si près en elle !

L'accrochage qui s'est fait par un regard sur Jésus souffrant ou le seul souvenir de la Passion a provoqué des échanges en profondeur. Les traits extérieurs du tableau, les formes conceptuelles de la pensée disparaissent, les profondeurs obscures de l'âme vont se reposer dans les profondeurs du mystère du Christ souffrant, dans un débordement d'amour douloureux qui trouve force et lumière en cette rencontre. L'âme qui souffre sous l'action de l'amour rejoint le Christ qui agonise en son amour pour les hommes jusqu'à la fin du monde.

C'est cette rencontre et ses effets qui expliquent ce que sainte Thérèse nous dit de l'oraison de ces contemplatifs :

> ... considérant ces mystères d'une façon plus parfaite... la simple vue du Sauveur prosterné au jardin des Oliviers... suffit pour les entretenir non seulement une heure, mais plusieurs jours. Ils voient qui il est et combien nous avons été ingrats... ; leur volonté alors bien que n'ayant pas de tendresse sensible, s'applique aussitôt à désirer glorifier quelque peu une telle miséricorde [3].

On le voit, les facultés ne sont impuissantes que parce qu'elles sont débordées par une activité plus profonde et plus unissante. Le regard sur le Christ qui ne nourrit plus la méditation ou la contemplation théologique, devient en fait beaucoup plus enrichissant en faisant jaillir force et clarté de l'expérience intérieure qu'il explicite et épanouit. Ce regard sur le Christ n'est pas seulement utile dans la nuit de l'esprit, il est nécessaire

1. Rm 8, 17.
2. Nous reviendrons sur cette identification du Christ et sur la découverte parfaite qui l'accompagne, dans l'union transformante.
3. VIe Dem., ch. VII, p. 990-991.

pour prendre conscience des richesses que l'amour douloureux a déposées dans l'âme et pour en prendre véritablement possession.

3. *Dévotion à la sainte Face chez sainte Thérèse de l'Enfant-Jésus.*

La dévotion à la sainte Face de sainte Thérèse de l'Enfant-Jésus nous offre un exemple du merveilleux enrichissement que l'expérience intérieure peut trouver dans le regard sur le Christ Jésus. Cette dévotion en effet, avec l'épreuve de la maladie de son père qui la nourrit et l'expérience intérieure qu'elle éclaire, orienta la sainte vers l'offrande à l'Amour miséricordieux méconnu et les sommets sublimes de sa vie spirituelle.

Elle lui était venue du Carmel de Tours où avait vécu sœur Marie de Saint-Pierre, l'inspiratrice et la conseillère de M. Dupont, le saint homme de Tours, zélé propagateur du culte à la Face du Christ. Mère Agnès de Jésus avait révélé à Thérèse les secrets de cette sainte Face [1]. Première explicitation de l'expérience intérieure de la Sainte qui se trouvait alors dans l'obscurité et l'impuissance. C'est la paralysie cérébrale de son père qui lui livre définitivement ce royaume.

Ce Christ méprisé, le dernier des hommes, ce visage caché, sans éclat ni beauté, aux yeux éteints et baissés, que décrit Isaïe, n'est-ce pas son père si durement atteint après son offrande comme victime ? La physionomie de ce père, douce victime, dont l'épreuve vient d'imprimer les traits douloureux dans son âme, ne s'y confond-elle pas avec celle de ce Christ silencieux et caché en son oraison d'impuissance mais dont elle garde le sentiment de présence dans la nuit ? Les deux faces douloureuses s'éclairent mutuellement. Celle du Christ ennoblit de sa divine et mystérieuse majesté celle du père bien-aimé ; celle-ci fait plus vivante la sainte Face de Jésus. Les deux se superposent, s'unissent ; elles ne font plus qu'une dans l'âme et sous le regard de Thérèse.

C'est ainsi que s'impose irrésistiblement à elle cette face de l'*Ecce homo* que le procurateur présentait solennellement au monde sur le lithostrotos. Cette sainte Face est un astre qui la fascine, son « soleil de chaque jour ». Elle n'est point cependant un tableau extérieur auquel on fait ses dévotions en certaines circonstances. Imprimée dans les profondeurs à la fois par l'expérience mystique

_____

1. *Man. Autob.* A fol. 71 r°.

et par l'épreuve, elle est une réalité intérieure toujours présente, une apparence humaine aux traits voilés, aux yeux baissés, aux formes indécises mais combien vivantes que l'amour perçoit dans la nuit plus que le regard. Cette réalité fait partie intégrante de sa vie spirituelle. La marche dans « un souterrain où il ne fait ni froid ni chaud... que la pluie ni le vent ne visitent », est éclairée par la clarté voilée qui tombe des yeux baissés de la Face de Jésus [1].

Tout en ce souterrain, et le silence et la pénombre et le mystère de vie qui s'en dégage, tout invite Thérèse à la marche et au dépassement pour aller aux réalités profondes que sa foi vive découvre, à l'amour caché et méconnu qui veut se répandre, à l'offrande nécessaire pour qu'il puisse déborder sur l'âme. Thérèse continue ainsi sa marche vers les sommets en cette nuit dont la Face de Jésus fait une pénombre, silencieusement, patiemment, amoureusement. Elle y parviendra le jour où, s'étant offerte à l'Amour miséricordieux, elle sera envahie et blessée par les flots de cet amour débordant et identifiée ainsi à la divine Victime.

Ce cheminement de Thérèse de l'Enfant-Jésus dans la nuit sous la clarté voilée de la Face du Christ, sa réussite merveilleuse nous apportent un témoignage et une illustration remarquable de la doctrine de Thérèse d'Avila, à savoir que la présence de Jésus reste vivante dans la nuit, dissimulée aux sens mais perçue dans les régions profondes, et que l'âme ne saurait cheminer sûrement en cette obscurité et parvenir au terme qu'en cette divine compagnie et dans le clair-obscur du mystère de sa souffrance.

Nulle part plus qu'en ces régions tourmentées et obscures n'est nécessaire la présence et l'action de Celui qui est la Voie et la Lumière. Seul Jésus peut y indiquer le chemin à suivre et donner la clarté indispensable.

Telle est la nuit de l'esprit. Faite d'une action de Dieu sur l'âme, elle doit être nourrie d'un regard sur le Christ Jésus. Dieu y « fait luire sa clarté dans nos cœurs pour que nous fassions la connaissance de la gloire de Dieu qui resplendit sur la face du Christ [2] » ; l'âme doit contempler cette gloire pour la faire sienne, car Dieu le Père ne saurait étreindre comme fils sur son sein que ceux qui portent le reflet vivant des clartés qui brillent sur la Face de son Christ, son Fils unique et véritable.

----

1. Lettre à sœur Agnès de Jésus, pendant sa retraite de Profession, 30-31 août 1890.
2. 2 Co 4, 6.

B. — *LA VIERGE MARIE, TOUTE MÈRE*

Dans les ténèbres du Calvaire où Nicodème était venu prendre possession du corps de Jésus pour l'embaumer et l'ensevelir, auprès du Crucifié il trouva debout et vaillante, Marie, la mère de Jésus. Celui qui chemine dans la nuit de l'esprit doit y découvrir de même en l'obscurité, auprès de Jésus en sa passion, Marie, la Vierge toute mère. Découverte que nous estimons nécessaire ; nous ne pouvons donc nous dispenser d'en parler.

I. — *Jésus et Marie dans le plan divin.*

Dieu a étroitement uni Jésus et Marie pour la réalisation de son dessein de miséricorde. Pour cette mission commune, Dieu les a faits aussi semblables l'un à l'autre que le permet la transcendance de l'union hypostatique réservée au Christ. On ne saurait donc les séparer.

De fait, on ne peut construire une théologie mariale ferme et en préciser les vérités que dans la lumière du Christ Jésus. L'histoire montre de même que les dogmes concernant le Fils et la Mère s'explicitent à travers les siècles en même temps. Aussi pour étudier les privilèges et le rôle de Marie, on ne saurait mieux faire que de lui attribuer les trois primautés de dignité, d'efficience et de finalité que Dieu a assurées au Christ et qu'il a certainement fait partager à sa Mère [1].

1. *Primauté de dignité.*

Le Christ Jésus a été choisi par Dieu pour être le fondement de toute l'œuvre divine de la Rédemption. Dieu qui avait tout créé par son Verbe a voulu après le péché, tout restaurer par son Verbe incarné. Dans l'épître aux Colossiens, l'Apôtre développe cette pensée d'une façon grandiose :

Il est l'image du Dieu invisible, né avant tout créature ; car c'est en lui que toutes choses ont été créées, celles qui sont dans les cieux et celles qui sont sur la terre... Il est, lui, avant toutes choses, et toutes choses subsistent en lui. Il est la tête du corps de l'Église,

---

1. On ne cherchera pas ici un traité complet de mariologie, mais un bref exposé des vérités qui éclairent les rapports de l'âme dans la nuit de l'esprit avec la Sainte Vierge.

Sainteté pour l'Église

lui qui est le principe, le premier-né d'entre les morts, afin qu'en toutes choses il trouve, lui, la première place. Car Dieu a voulu que toute la plénitude habite en lui ; et il a voulu réconcilier toutes choses par lui avec lui-même, celles qui sont sur la terre et celles qui sont dans les cieux, en faisant la paix par le sang de sa croix [1].

Le Christ, la pierre qui a été rejetée, est devenue la pierre d'angle de tout l'édifice nouveau.

C'est en lui que nous avons été élus...

C'est en lui que tout l'édifice bien ordonné s'élève pour former un temple saint dans le Seigneur ;

C'est en lui que tout le corps coordonné est uni par les liens des membres... grandit et se perfectionne dans la charité [2].

Aussi Dieu a-t-il placé son Christ au-dessus de toutes les créatures, anges et hommes, comme l'affirme l'Apôtre dans l'épître aux Hébreux [3] :

Auxquels des anges, en effet, Dieu a-t-il jamais dit : « Tu es mon Fils, aujourd'hui, je t'ai engendré [4] » ? Et encore : « Je serai pour lui un père et il sera pour moi un fils [5] ». Et, de nouveau, lorsqu'il introduit dans le monde le premier-né, il dit : « Que tous les anges de Dieu l'adorent [6] ».

Cette primauté de dignité repose, non seulement sur le choix divin qui fait du Christ un prêtre éternel, mais aussi sur l'union hypostatique qui associe en lui, dans la personne du Verbe, la nature divine et la nature humaine et qui fait déjà de lui le médiateur entre le ciel et la terre.

Dans cette œuvre de médiation, Dieu a donné au Christ une collaboratrice. Richard de Saint-Laurent met dans la bouche de Dieu, à propos du Christ, la parole qu'il disait d'Adam :

Il n'est pas bon que l'homme soit seul ; faisons-lui une aide qui lui soit semblable [7].

Auprès du nouvel Adam il y aura une nouvelle Ève, la Vierge Marie, la mère des vivants. C'est par elle que le Fils de Dieu va entrer en ce monde, prenant en elle l'humanité qui, ointe de l'onction de la divinité, deviendra le Christ Jésus. Mère de Dieu, dit le grave Cajetan, Marie : « ... atteint aux confins de la divinité par son opération

---

1. Col 1, 15-20.
2. Ep 1, 11 ; 2, 21 ; 4, 16.
3. He 1, 5-6.
4. Ps 2, 7.
5. 2 S 7, 14.
6. Ps 96, 7.
7. Gn 2, 18.

propre, tandis qu'elle conçoit Dieu, l'engendre, l'enfante et le nourrit de son lait ».

Marie est élevée ainsi sur le plan de l'union hypostatique. Le bien et les grâces qu'elle en reçoit sont en rapport avec sa dignité.

La Vierge Marie, dit saint Thomas, par le seul fait qu'elle est Mère de Dieu, reçoit une sorte d'infinité du Bien infini qui est Dieu, et à ce point de vue, il ne peut rien y avoir de plus parfait, de même qu'il n'y a rien de plus parfait que Dieu [1].

Saint Bernardin de Sienne, en un autre langage, énonce la même vérité :

Une femme, pour être digne de concevoir et d'enfanter un Dieu, a dû, pour ainsi dire, être élevée à une certaine égalité de Dieu même par une mesure de perfection et de grâce.

C'est cette « certaine égalité de Dieu » où la place la maternité divine, qui vaut à Marie les privilèges extraordinaires de l'Immaculée Conception, de la plénitude de grâce qui comble sa mesure dès le principe, en attendant que pour les développements successifs et merveilleux, cette plénitude se dilate au point de dépasser toute mesure et toute capacité d'appréciation. Le regard humain ne saurait se porter en ces confins de la divinité qu'elle atteint pour juger et mesurer.

Vraiment, comme l'affirme saint Éphrem, « Dieu seul excepté, elle est supérieure à tout ». Et encore serait-ce limiter la dignité de la Vierge Marie que de n'énoncer que sa maternité divine. Elle est mère sur le plan de l'union hypostatique et dans toute la plénitude du terme. En ce dessein éternel de Dieu, elle est désormais la collaboratrice de toute la fécondité divine. Partout où la paternité divine s'exercera, elle le fera par la maternité de la Vierge Marie. Marie suit donc Jésus en son œuvre rédemptrice, et l'Esprit Saint en son œuvre constructrice du corps mystique. Elle est Mère partout où Jésus est Sauveur, ainsi que partout où l'Esprit Saint est producteur de la grâce dans les âmes et dans l'Église.

Dieu ayant une fois voulu que la volonté de la Vierge coopérât efficacement à donner Jésus-Christ aux hommes, ce premier dessein ne change plus, et toujours nous recevrons Jésus-Christ par l'intermédiaire de sa charité [2].

En s'exprimant ainsi, Bossuet est l'interprète de toute la tradition chrétienne. Nous sommes déjà introduits dans la primauté d'efficience.

---

1. *Sum. th.*, Ia, qu. 25, art. 6, ad 4.
2. Bossuet, IV, *Sermon sur l'Annonciation*, 1ᵉʳ point.

2. *Primauté d'efficience.*

Le choix divin impose au Christ Jésus un rude labeur. La médiation sacerdotale qu'il doit remplir fait de lui un homme qui vivra dans la souffrance et le dénuement, qui portera nos infirmités. Il vivra à Nazareth, mènera une vie d'apostolat, s'enfoncera dans la prière du désert et de la nuit, rencontrera l'indifférence des hommes et la haine du péché de ce monde.

Il est prêtre mais sauveur, et comme tel, victime en sa passion et sur la croix. Les sacrements qu'il institue et spécialement l'Eucharistie, nous assurent le bénéfice de sa souffrance rédemptrice, les effusions de sa vie divine et tous les privilèges de sa personne. Prêtre et victime, lumière et vie, sauveur et nourriture, tout nous vient de lui par les mérites de sa passion et par son action sacerdotale. Nous sommes purifiés, sauvés, sanctifiés, introduits dans la Trinité sainte, non seulement en lui, mais par lui, par son action personnelle.

C'est dans ce domaine de la réalisation du plan divin qu'apparaît le mieux la collaboration de Jésus et de Marie. En prononçant le *fiat* de l'Annonciation et en donnant son consentement au mystère de l'Incarnation, Marie collabore déjà à toute l'œuvre que doit accomplir son Fils. Elle donne le Sauveur et nous vaut déjà le salut par sa maternité divine.

Cette maternité a comme effet de lier intimement et définitivement la Mère et le Fils. La Mère donne sa substance, et l'onction de la divinité qui la saisit pour en faire l'humanité du Christ, en ce contact semble refluer sur la Mère, au dire de certains, comme une quasi-onction.

A mesure que Jésus grandit, que sa mission rédemptrice s'affirme et se réalise, l'union entre Jésus et Marie par le regard contemplatif de la foi vive, par les liens puissants de l'amour mutuel, se fait plus étroite et plus agissante. Le *hoc sentite in vobis quod in Christo Jesu* [1], recommandé par l'Apôtre, ne se réalise jamais à un tel degré. Tout devient commun : offrande, sentiments, pensées, mission. Marie s'offre, prie, travaille avec Jésus, aux mêmes intentions. Ils marchent vers le même but, enveloppés dans le même dessein divin qui les a unis pour le salut de l'humanité. Lorsque Jésus entre dans sa vie publique, Marie, de l'effacement où elle reste, l'accompagne de son offrande. L'œuvre de Jésus est la sienne, les apôtres et les disciples de son Fils sont les siens. L'heure de l'épreuve

---

1. Ph 2, 5.

découvrira combien la communion à la mission de son Fils est généreuse, profonde, absolue. Elle est présente, en effet, au Calvaire. Son attitude dit combien son cœur s'est dilaté aux dimensions de tout le corps mystique du Christ. Avec Dieu le Père, elle donne son Fils unique par amour pour le monde. Elle entend Jésus sanctionner par une parole efficace l'œuvre réalisée en elle par son union avec lui, et lui donner officiellement tout son sens. « Voici votre Mère, voici votre fils ». Par ces paroles, Jésus donne Marie à Jean, Jean à Marie ; Marie est la Mère, Jean est le fils et le type de l'humanité régénérée qui suit Jésus jusqu'au Calvaire. Marie est vraiment la Mère de tous ceux qui ont foi au Christ.

Le plan de Dieu est ainsi dévoilé et mis en lumière. Saint Pierre Damien l'énonce ainsi :

> Aussitôt, du trône de la divinité, le Seigneur tire le nom de Marie dictant que tout se ferait par elle, en elle, avec elle et d'elle, et de même que rien n'a été fait sans Lui, ainsi rien ne doit être refait sans elle.

Marie devient la médiatrice de toute grâce. Elle en est le canal obligatoire. Dans le corps mystique dont Jésus est la tête, elle est le cou par lequel toute vie passe dans les membres.

Bossuet, toutefois, ne semble pas satisfait par ce symbolisme du canal de la grâce. Il écrit :

> Dieu, ayant résolu dans l'éternité de nous donner Jésus par l'entremise de Marie, il ne se contente pas de se servir d'elle comme d'un simple instrument pour ce glorieux ministère ; il ne veut pas qu'elle soit un simple canal d'une telle grâce mais un instrument volontaire qui contribue à ce grand ouvrage, non seulement par ses excellentes dispositions, mais encore par un mouvement de sa volonté [1].

D'après Bossuet, le terme de canal indique une action trop passive ; or, il y a une part active de la volonté de Marie dans cette œuvre. On peut aussi reprocher à ce mot de ne pas indiquer la qualité de l'action de Marie en sa fonction de médiatrice de la grâce.

Cette action est universelle en ce sens que partout où Jésus est cause première, elle est elle-même cause seconde. Elle est mère partout où il est sauveur et tête du corps mystique.

Ce titre de mère implique-t-il une influence sur la grâce elle-même ? Non point certes une action intérieure qui

---

1. Bossuet, IV, *Sermon sur l'Annonciation*, 3ᵉ point.

modifierait en quelque sorte, mais une action réelle en restant extérieure ? La fonction maternelle que Marie exerce dans le mystère de l'Incarnation nous invite à poser ce problème. Marie reçoit le Verbe et le rend en un anéantissement apparent qui ne comporte aucune modification ni diminution réelle. Mais elle a enveloppé la divinité du voile de l'humanité qui fait de Jésus l'Emmanuel, Dieu avec nous. Marie n'est-elle point mère de la grâce dans le même sens, nous transmettant cette grâce divine que Dieu seul peut produire, mais l'enveloppant, grâce à sa fonction maternelle, d'un certain voile qui la fait plus humaine, plus adaptée à nos besoins, plus saisissable pour nous ? Il appartient à la théologie d'étudier ce point et de le préciser en s'appuyant sur le fait que les dons de Dieu sont sans repentance, et que la maternité de Marie qui s'est exercée d'une façon si active dans la production de l'humanité de Jésus, ne saurait être réduite au rôle passif de canal, même volontaire, dans l'édification du corps mystique de son Christ [1]. Cette influence de Marie sur la grâce qu'il nous semble logique d'admettre, la fait mariale en la laissant toute divine. Par cette grâce divine et mariale, comme Jésus dont elle nous fait les frères, nous devenons vraiment les fils du Père et les fils de Marie.

3. *Primauté de finalité.*

Cette action souveraine du Christ nous fixe en lui et nous fait ses sujets. Nous sommes son royaume et sa conquête, acquis par son sang pour que nous annoncions les perfections de Celui qui nous a appelés aux admirables splendeurs de sa lumière [2]. Son œuvre réalisée, Dieu

... l'a fait asseoir à sa droite dans les cieux, au-dessus de toute principauté, de toute autorité, de toute puissance, de toute domination et de tout ce qui peut se nommer, non seulement dans le siècle présent mais dans le siècle à venir. Il a tout mis sous ses pieds et il l'a donné pour chef suprême à son Église, qui est son corps, la plénitude de celui qui remplit tout en tous [3].

Au jugement dernier, il viendra avec le sceptre de la croix prendre possession devant le monde entier réuni, de

---

1. Certains théologiens ont étudié l'action exercée par la Sainte Vierge dans la transmission de la grâce. Le P. Hugon, *La Mère de la Grâce*, dit qu'elle exerce une causalité physique instrumentale. Le P. Merkelbach (« *Maria Mater gratiae* », dans *Revue ecclésiastique de Liège*, t. X, pp. 23-35) trouve une causalité effective et dispositive d'ordre intentionnel. Le P. Bainvel, *Marie, Mère de grâce*, admet une causalité efficiente morale.
2. 1 P 2, 9.
3. Ep 1, 20-22.

tout son royaume, constitué par ceux qui lui appartiennent. Sa royauté suprême éclatera en ce triomphe final. La joie des bienheureux dans le ciel la chantera dans l'enthousiasme.

A celui qui nous a aimés, qui nous a lavés de nos péchés par son sang, et qui nous a faits rois et prêtres de Dieu son Père, à lui la gloire et la puissance dans les siècles des siècles ! Amen [1].

Dans la lumière de la vision face à face, apparaîtra alors que tout est à nous, mais que nous sommes du Christ et que le Christ est à Dieu [2].

La même lumière découvrira le rôle de Marie et la place qui lui est due. De même que l'onction de la divinité qui constitue Jésus médiateur, lui assure l'adoration réservée à Dieu seul, et par son action rédemptrice, lui vaut la royauté sur toutes choses, ainsi la dignité de mère de Dieu et la grâce proportionnée qui accompagne cette dignité, assurent à Marie un culte à part, le culte d'hyperdulie, et son action universelle dans la réalisation des desseins de Dieu fonde sa royauté sur toutes choses que le peuple chrétien déjà proclame. Dans le ciel, auprès du Christ, Roi par l'effusion de son sang, la Vierge Marie est Reine par l'exercice de sa maternité de grâce.

Telles sont les vérités fondamentales de la théologie mariale. Bien que générales, elles éclairent le problème particulier que nous étudions. Puisque la maternité de grâce de Marie est universelle, l'âme dans la nuit de l'esprit ne doit pas s'y soustraire. En raison de ses besoins plus intenses et des difficultés plus grandes de cette période, elle a le devoir, au contraire, de recourir à cette Mère de la grâce et du bel amour, qui peut si efficacement et si maternellement la secourir. C'est évident. Nous n'insisterons pas sur cet argument général afin de mettre plus en relief le rôle particulier qui revient à la sainte Vierge en cette période plus tourmentée.

II. — *Rôle providentiel de la Vierge Marie dans la nuit.*

1. *Marie Mère de miséricorde aux heures sombres.*

Le rôle providentiel de la Vierge Marie dans la nuit n'est point une conclusion théologique ; c'est un fait d'expérience.

1. Ap 1, 5-6.
2. 1 Co 3, 23.

Sainteté pour l'Église

L'histoire religieuse du monde nous montre, en effet, que la Providence utilise et fait briller la toute-puissance maternelle de la Sainte Vierge d'une façon toute particulière en ces heures d'obscurité et de trouble où Dieu semble avoir disparu, et où tout recours à lui est devenu apparemment impossible. Il est des heures où Dieu offensé, tel un père légitimement soucieux de sauvegarder les droits de son autorité, ne présente plus aux hommes que les rigueurs ou le silence de sa justice. C'est alors qu'Il fait intervenir Marie pour apporter la parole de salut qui libère de ses justes décrets, ou du moins la consolation qui permet d'en porter le poids. La miséricorde divine se prolonge elle-même jusqu'en ses limites extrêmes, en utilisant le ministère de Marie.

Un auteur du Moyen Âge faisait observer à ce propos, que Dieu s'était réservé l'exercice de la justice et qu'il confiait à Marie l'exercice de la miséricorde. Sainte Thérèse de l'Enfant-Jésus, guérie par le sourire de la Vierge, en une heure où tous les moyens avaient échoué pour enrayer une maladie mystérieuse, chantait, éclairée par son expérience :

> Toi qui vins me sourire au matin de ma vie,
> Viens me sourire encor... Mère, voici le soir [1].

C'est dans la pénombre du soir ou dans l'obscurité de la nuit que brille du plus vif éclat la maternité de la Vierge. Il suffit de feuilleter l'histoire depuis les origines du monde pour s'en convaincre.

Fut-il jamais une tristesse plus grande que celle de nos premiers parents après leur faute, lorsqu'ils prirent conscience de leur nudité, de cette privation des dons surnaturels et préternaturels qui assuraient bonheur, paix et harmonie à leur vie et à leur âme et qu'ils se rendirent compte que cette privation serait le lourd héritage qu'ils transmettraient à leur descendance ? Chute de l'homme qui devenait la chute de toute l'humanité. Dieu prononce la sentence qui confirme le fait déjà perçu et en précise les conséquences pour eux et pour leurs enfants : lutte, travail, souffrance, décadence, mort. Il ne leur reste, semble-t-il, qu'à s'enfoncer en cette tristesse avec le souvenir amer de tout le bonheur perdu. Mais avant de prononcer leur condamnation, la voix de Dieu a résonné, terrible, dans la malédiction du serpent. Nos premiers parents ont entendu et retenu ces paroles :

Parce que tu as fait cela, tu es maudit... tu mangeras la poussière tous les jours de ta vie. Et je mettrai une inimitié entre toi et la

---

1. Poésie : « Pourquoi je t'aime ô Marie » (PN 54).

femme, entre ta postérité et sa postérité ; celle-ci te meurtrira à la tête et tu la meurtriras au talon [1].

La défaite n'est donc point définitive. La lutte ne fait que commencer et la victoire appartiendra à la femme et à sa postérité. C'est la Vierge et la revanche par elle sur le démon qui sont annoncées. Cette promesse brille dans le lointain comme une aurore, sur le désastre actuel. Elle éclairera la marche de toute la vie de nos premiers parents. C'est sur cette promesse que s'appuient leur foi et leur espérance.

La promesse divine sera précisée par Isaïe au temps du roi impie Achaz qui ne veut même pas demander un signe d'espérance, alors que toutes sortes de malheurs menacent les royaumes d'Israël et de Juda. En ces heures tristes de l'histoire du peuple dépositaire des promesses, Isaïe écrit :

Le Seigneur lui-même vous donnera un signe : voici que la Vierge a conçu, et elle enfante un fils, et elle lui donne le nom d'Emmanuel [2].

L'Immaculée Conception est annoncée ainsi que la qualité du fruit qu'elle doit donner au monde, l'Emmanuel, Dieu avec nous. Les rayons les plus purs de la Vierge brillent aux heures les plus sombres pour affirmer l'espérance et dire la sollicitude constante de la miséricorde divine qui reste fidèle à son peuple au sein de ses égarements.

En lisant l'Évangile, il est aisé de se rendre compte que Marie est auprès de Jésus lorsqu'il est dans l'obscurité et qu'elle disparaît aux heures de sa manifestation à Israël. À l'heure où la haine apparaît, la Vierge se manifeste elle aussi. Sur le Calvaire, alors que la haine triomphe et semble avoir tout détruit de la personne, de l'œuvre et de la réputation du Christ Jésus, Marie est debout au pied de la croix, affirmant par sa présence et par son attitude sa force, sa mission, et le triomphe de sa maternité. Rien n'est perdu puisque la fécondité de la Mère n'est point atteinte, mais qu'elle est, au contraire, proclamée et exaltée. C'est par elle que la miséricorde va se répandre et la vie se propager.

Il nous paraît qu'en ce tableau suggestif, il n'y a point seulement un aliment pour le sentiment et la piété, mais une affirmation du dessein providentiel qui fait briller la maternité de Marie comme un astre dans la nuit

---

1. Gn 3, 14-15. Le texte de la Vulgate précise que ce sera la femme qui lui écrasera la tête et non point la postérité de celle-ci.
2. Is 7, 14.

Sainteté pour l'Église

L'histoire de l'Église nous montre que le sens affiné des fidèles a discerné ce dessein providentiel. Aux heures de détresse, il va vers Marie comme vers la toute-puissance miséricordieuse et la suprême espérance qui ne déçoit jamais. Les grandes victoires de la foi contre les hérésies, ou de la chrétienté contre les invasions menaçantes, sont pour la plupart attribuées à Marie, secours des chrétiens.

Si nous entrons dans le domaine intérieur des âmes, nous retrouvons le même appel confiant à son intercession, et le même secours efficace de Marie aux heures les plus tragiques. Le port du scapulaire du Mont-Carmel et la promesse mariale qui y est attachée, mettent en lumière cette vérité si souvent expérimentée qu'elle est devenue une vérité commune, à savoir que la confiance sincère en Marie qui s'affirme par une pratique ou une prière, assure au pécheur la grâce de la persévérance finale. La raison semble s'insurger contre une telle assurance, alors que l'expérience des âmes en donne fréquemment la preuve émouvante.

Cette expérience et la moisson des faits qu'elle recueille permettent de constater que toute pratique sacramentelle étant supprimée dans une âme, l'édifice surnaturel des vertus théologales n'y laissant presque plus de traces visibles, la confiance en Marie peut subsister encore et, qu'en s'affirmant en certaines circonstances, elle laisse un espoir fondé que les liens surnaturels avec Dieu seront rétablis par elle.

Comment expliquer ce fait ? Peut-être en faisant remarquer que Marie est une pure créature avec qui nous pouvons avoir des relations sur un plan naturel, une créature idéale qui nous attire par sa beauté, qui nous conquiert par sa qualité de mère et par sa bonté, qui répond à toutes prières et qu'ainsi elle étend son rayonnement et l'influence de sa maternité au-delà du cercle des chrétiens qui lui sont unis par les liens surnaturels de la charité.

Mais au-dessus de tous ces motifs et utilisant toutes ces virtualités concédées à la Vierge, il y a le dessein de Dieu qui a fait Marie toute Mère et lui a confié l'exercice de sa miséricorde.

2. Intervention de Marie dans la nuit de l'esprit.

a) *Formes de ses interventions.* — Ce simple exposé suffit à nous montrer combien Marie doit être sollicitée par son cœur et par sa mission pour secourir les âmes qui sont dans la purification de la nuit de l'esprit. Ces âmes sont dans des souffrances les plus dures que l'on puisse concevoir ; son cœur maternel ne peut pas y rester insensible. D'autant que ces âmes portent en elles déjà un grand amour pour Dieu. Le souvenir de son anxieuse recherche de Jésus au retour du voyage de Jérusalem, doit l'obliger à se pencher vers ceux qui, actuellement, portent cette lourde épreuve de l'amour anxieux dans l'abattement de toutes leurs puissances.

Ces âmes sont dans l'obscurité de la nuit, et la lumière de la Vierge ne brille jamais plus douce que dans les ténèbres. Sa mission providentielle lui impose d'être l'astre qui éclaire la nuit de l'esprit. Marie remplit son rôle et intervient efficacement en ces périodes de la vie spirituelle. Elle visite Jean de la Croix dans sa prison de Tolède, la veille de l'Assomption, et lui promet sa délivrance prochaine [1].

Ces interventions extérieures et visibles qui affirment le fait, ne nous disent pas le mode habituel des interventions de Marie en cette période. C'est ce mode qu'il serait utile de préciser.

L'obscurité de la nuit dans laquelle se trouvent ces âmes est bienfaisante ; les souffrances et les angoisses dont elles souffrent sont inévitables et nécessaires pour la purification et le développement de l'amour. Marie ne doit donc pas dissiper les ténèbres ni supprimer la souffrance caractéristique de cette période.

De plus, ces âmes semblent habituellement coupées du monde surnaturel qui n'évoque pour elles que vide actuel dans le souvenir douloureux du passé et parfois inquiétude pour l'avenir. Elles ressemblent au pécheur séparé de Dieu et mangent le pain noir de la privation sentie de Dieu. Une différence subsiste essentielle même dans le champ psychologique : c'est que le pécheur occupé qu'il est de ses affaires et de ses plaisirs, s'inquiète peu de cette peine du dam qui, par contre, torture l'âme en la nuit parce qu'elle aime ardemment et que son amour ne trouve que ténèbres et vide. Le pécheur vit en son péché et en souffre à peine ; l'âme dans la nuit trouve la dure souffrance du péché en une lumière de contraste. Certes, il ne faut rien supprimer de ce jeu purifiant des contrastes, de l'obscurité dans laquelle il se produit, des effets bienfaisants qu'il engendre. La paix ne doit pas être donnée par une diminution de la lumière qui réduirait des antinomies, mais par une lumière encore plus haute qui les harmonisera en les respectant.

Marie excelle à intervenir sans troubler la réalisation du dessein de Dieu, sans diminuer la puissance bienfai-

1. *Saint Jean de la Croix*, par le P. Bruno de Jésus-Marie, p. 183.

sante de sa lumière ni l'efficacité de son action. Elle intervient cependant, mais ses manifestations sont d'une délicatesse si subtile et si tendre ! C'est une coïncidence apparemment fortuite, un apaisement subit, une lumière, une rencontre, un rien insignifiant en apparence, mais dans lequel l'âme reconnaît avec certitude l'action, le sourire, le parfum et donc la présence de sa Mère. Ombre silencieuse dans la nuit, Marie répand la douceur sans supprimer la souffrance, crée une douce pénombre, sans dissiper l'obscurité. Cette douceur et cette pénombre sont produites par la certitude de son action et par la perception obscure de sa présence. Savoir que la Mère est là et veille sur lui dans la nuit, met le cœur de l'enfant en fête, renouvelle ses forces, affermit son espérance, apporte lumière et paix sans que diminue à l'intérieur la violence des ardeurs crucifiantes.

Une véritable intimité s'établit ainsi entre Marie et l'âme, intimité que la vie spirituelle des saints met à jour lorsqu'ils veulent bien nous en faire la confidence. Les *Derniers Entretiens*, par exemple, nous découvre en quelles relations intimes et familières avec la sainte Vierge vivait sainte Thérèse de l'Enfant-Jésus pendant les derniers mois de sa vie, marqués cependant par de si rudes souffrances physiques et spirituelles. Elle lui demande de toutes petites choses :

J'ai demandé à la Sainte Vierge de n'être plus assoupie et absorbée comme je me trouvais tous ces jours, je sentais bien que je vous faisais de la peine [1].

Je demandais hier soir à la Sainte Vierge de ne plus tousser pour que Sœur Geneviève puisse dormir [2].

Mais avec quelle délicatesse :

Je voudrais pourtant bien avoir une belle mort pour vous faire plaisir. Je l'ai demandé à la Sainte Vierge. Je ne l'ai pas demandé au bon Dieu, parce que je veux le laisser faire comme il voudra. Demander à la Sainte Vierge ce n'est pas la même chose. Elle sait bien ce qu'elle a à faire de mes petits désirs, s'il faut qu'elle les dise ou ne les dise pas... enfin c'est à elle de voir pour ne pas forcer le Bon Dieu à m'exaucer, pour le laisser faire en tout sa volonté [3].

Décrivant la vie de la sainte Vierge, elle parle de ses privilèges, de sa vie ordinaire avec une simplicité et une pénétration qui sont les signes d'une intimité quasi continuelle avec elle [4].

---

1. *Dern. Ent.*, CJ 4.6.1.
2. *Ibid.*, 15.8.4.
3. *Ibid.*, 4.6.1.
4. *Ibid.*, 21.8.3*.

Elle avoue d'ailleurs :

Non, la Sainte Vierge ne sera jamais cachée pour moi, car je l'aime trop [1].

b) *Comment l'âme recourt à Marie dans la nuit.* — Thérèse de l'Enfant-Jésus fait cette dernière déclaration alors qu'elle est dans les plus grandes ténèbres et qu'elle demande qu'on prie pour les agonisants. Comment expliquer ce contraste si nettement affirmé [2] ? D'une façon plus précise, comment l'âme peut-elle en cette nuit percevoir et découvrir l'intervention de la Vierge Marie ?

On peut recourir, pour expliquer cette intimité, à cet élément sensible et humain qui entre dans nos relations avec la sainte Vierge et qui subsiste même lorsqu'ont disparu les vertus théologales. Marie est une créature idéale dont le souvenir reste vivant dans notre mémoire, et que nous pouvons continuer à aimer dans la désolation qui accompagne les plus tristes désastres intérieurs.

Mais en ces âmes aimantes d'autres forces plus puissantes et plus profondes entrent en action. La foi vive se développe en cette nuit parce qu'est augmenté considérablement l'amour qui l'éclaire. Cet amour qui est filial, porte en lui toutes les virtualités de l'amour filial complet. L'amour de l'enfant ne crie pas seulement père, il appelle aussi la mère. Peut-être dans la nuit et l'épreuve est-ce l'appel à la mère qui jaillit le premier de l'instinct filial. La nuit qui lui arrache ce cri d'appel et aiguise son désir ne l'empêche pas de découvrir l'objet de ce désir. L'amour qui éclaire la foi de sa lumière de connaturalité, la guide avec assurance en sa recherche dans la nuit et la conduit jusqu'à l'intimité reposante d'une saisie et d'un contact que l'obscurité avec ses ténèbres et ses angoisses contribue à faire plus ardent et plus profond. L'enfant, grâce aux richesses de son amour filial, a trouvé sa Mère et dans le clair-obscur de l'expérience mystique, ne l'abandonne plus et se repose en ses bras.

Grâce ineffable, secours puissant, qui se placent en dehors de toutes les manifestations extraordinaires et qui sont plus fermes, plus constants, sinon plus efficaces que toutes les perceptions sensibles extraordinaires. Et cependant, ces dernières ne sont pas exclues, car Marie

---

1. *Dern. Ent.*, CJ 8.7.11.
2. En donnant ces explications, nous ne prétendons pas affirmer que sainte Thérèse de l'Enfant-Jésus fût alors dans la nuit de l'esprit. Ses épreuves étaient alors certainement plus réparatrices et rédemptrices que purifiantes pour elle. Mais, quelle que soit la qualité de la nuit, le même problème se pose : comment expliquer les interventions de la Sainte Vierge qui ne dissipent pas la nuit ?

ne manque pas de les utiliser, la vie des saints le prouve, lorsqu'elle le juge nécessaire pour aider l'âme dans l'épreuve et lui donner les secours appropriés.

Aussi, saint Grignion de Montfort peut-il affirmer dans son *Traité de la vraie dévotion* à Marie :

> On peut à la vérité arriver à l'union avec Dieu par d'autres chemins ; mais ce sera par beaucoup de croix et de morts étranges et beaucoup plus de difficultés que nous ne vaincrons que très péniblement. Il faudra passer par des nuits obscures, par des combats, des agonies pénibles, par-dessus des montagnes escarpées, par-dessus des épines très piquantes, et par des déserts affreux. Mais par le chemin de Marie on chemine plus doucement et plus tranquillement. On y trouve à la vérité encore de rudes combats à livrer et de grandes difficultés à vaincre, mais cette bonne Mère et Maîtresse se rend si proche et si présente à ses fidèles serviteurs pour les éclairer dans leurs ténèbres et leurs doutes, pour les affermir dans leurs craintes et leurs difficultés, qu'en vérité ce chemin virginal pour trouver Jésus-Christ est un chemin de roses et de miel, comparé aux autres chemins [1].

Ces textes nous disent savoureusement toute l'importance du recours à Marie dans la nuit de l'esprit et la mission apaisante et lumineuse qu'il y remplit. Dans son traité moins connu et cependant plus complet de sa doctrine spirituelle, l'*Amour de la Sagesse éternelle*, saint Grignion de Montfort n'hésite pas à affirmer :

> Ce n'est que par Marie qu'on peut obtenir la Sagesse [2].

De telles affirmations doivent être expliquées par le contexte. A les prendre dans un sens absolu, on risquerait d'exclure des sommets de la vie spirituelle des saints et des plus grands, comme saint Paul, chez qui on ne découvre jamais un recours à Marie ou même une mention de sa mission dans le plan rédempteur et la distribution de la grâce. Il faut donc comprendre l'affirmation de Grignion de Montfort, dans le sens de médiation qui peut être ou implicite ou explicite. La médiation implicite suffisait certainement dans des époques où la théologie mariale était elle-même pauvre d'explicitations. Mais à l'heure actuelle où les écrits des saints et les travaux des théologiens nous fournissent sur la maternité de Marie des précisions lumineuses, bien qu'elles ne répondent pas encore à toute la curiosité exigeante de notre amour filial, le recours explicite à Marie semble moralement nécessaire pour prendre possession de la Sagesse ; par

---

1. Saint Grignion de Montfort, *Traité de la Vraie Dévotion*, ch. V, Art. V, § 1.
2. *L'Amour de la Sagesse éternelle*, ch. XVI, n° 209.

conséquent, l'affirmation de saint Grignion de Montfort prend son sens plein et toute sa force impérative.

c) *Les formes diverses de l'intimité avec Marie.* — Mais encore faut-il admettre des degrés et des modes divers en ce recours à Marie et en l'influence de Marie sur les âmes.

Si, en effet, la sainteté est une et si elle est réalisée par le même Esprit et fait participer aux mêmes richesses de vie et de lumière, il reste cependant qu'elle étale en chaque saint des dons différents et fait briller une vertu particulière de Celui qui nous a tous faits prêtres et rois avec lui. C'est ainsi que parmi les âmes, il en est, comme saint Jean parmi les apôtres, qui reçoivent la Vierge Marie en partage. Comme l'apôtre bien-aimé, ces âmes jouissent plus spécialement de sa présence et de son action. La vie avec Marie, par Marie, en Marie leur devient une douceur et un devoir. Ce don prend habituellement au début la forme d'une dévotion sensible et active qui absorbe toute leur vie spirituelle. Cette dévotion subit normalement une éclipse tandis que l'âme avance dans les voies de la perfection. Ce qu'il y a de sensible dans la dévotion, de distinct et de lumineux dans la conviction, semble sombrer dans l'obscurité de la nuit et sous le voile d'une insensibilité qui enveloppe toute l'âme. Marie n'a pas disparu, pas plus que son amour. Ce sont les facultés qui subissent les effets de la croissance spirituelle et de la nuit où elles sont entrées.

Marie reparaîtra plus tard dans une lumière intérieure, subtile et savoureuse, celle qui jaillit de la nuit. Découverte contemplative précieuse, réalisée par un regard qui s'est purifié et affiné dans l'obscur, et qui sait maintenant y découvrir les réalités spirituelles dissimulées aux sens et aux facultés naturelles. Une nouvelle vie s'ébauche, une intimité appuyée sur cette présence obscure et sur ces perceptions délicates se développe. Cette vie avec Marie et en Marie a désormais ses assises profondes dans un amour spirituel purifié ; elle s'épand à l'extérieur en manifestations continuelles et touchantes.

Les carmes Bostius [1] et Michel de Saint-Augustin [2],

---

1. Bostius, *De patronatu et patrocinio B. V. Mariae in dicatum sibi Carmelum apud Speculum Carmelitanum.* P. Danielis a Virgine.

Le P. Bostius, † 1499 à Gand, de la province des Flandres, esquissait la vie contemplative avec Marie et en Marie au xve siècle.

Cf. *Analecta*, O. C. D., 1931, pp. 241-243, article du P. Gabriel de Ste Marie-Madeleine.

2. P. Michel de Saint-Augustin, *Vie Marie-forme.* Cf. *Études Carmélitaines*, année 1931. Ce traité fut publié en 1671 deux ans avant la naissance de Grignion de Montfort.

celui-ci parlant de sa fille spirituelle Marie de Sainte-Thérèse, ont exposé et détaillé les développements et les richesses de cette découverte contemplative et de cette union avec Marie par l'amour et le regard contemplatif. Les traités de saint Grignion de Montfort [1] procèdent d'une expérience qui doit avoir la même profondeur, bien qu'elle s'explicite en un langage différent parce que destiné à l'ensemble du peuple chrétien.

A côté de ces âmes mariales au sens plein du mot, il en est d'autres, en plus grand nombre peut-être, dont la vie spirituelle n'est point centrée au même degré sur la Vierge Marie. Dieu leur a fait un autre don et les a placées dans une autre voie. Elles aussi aiment la Vierge et recourent à sa maternité. Leur dévotion est active en la première période. Dans la deuxième, elles découvrent elles aussi Marie dans la pénombre de la nuit ; sa présence s'affirme dans la lumière d'amour. Une intimité profonde et vivante s'établit. Les explicitations extérieures sont moins précises, ou plutôt moins fréquentes. Elles ne se produisent qu'en certaines circonstances, alors que cependant l'intimité intérieure est constante.

Tels ces menus faits dans les derniers mois de la vie de sainte Thérèse de l'Enfant-Jésus [2] relatés plus haut qui nous découvrent une intimité profonde et une pénétration admirable de la vie et de l'âme de Marie. De saint Jean de la Croix, le frère Martin de l'Assomption, son compagnon, rapporte :

> Peu d'années avant sa mort, racontant l'histoire de la mare où il fut retiré miraculeusement par la Sainte Vierge, le Père Jean de la Croix lui dit que les nombreuses faveurs que la Mère de Dieu lui avait faites étaient telles que rien que de voir son image le recréait et posait amour et clarté dans son âme [3].

Il leur parlait d'elle avec une si grande tendresse !... En voyage, et surtout lorsqu'il était fatigué ou triste, il rafraîchissait sa mémoire avec des souvenirs marials ou même chantait un cantique à la Vierge [4].

---

1. *L'Amour de la Sagesse éternelle*, ch. XVII, écrit probablement en 1703 ou 1704. Le *Traité de la Vraie Dévotion* est postérieur et ne fut découvert qu'en 1842.
2. Sur la vie mariale de sainte Thérèse de l'Enfant-Jésus, voir l'étude pénétrante du P. Louis de Sainte-Thérèse dans *Vie Mariale au Carmel* (Éditions du Carmel, Tarascon, 1943). Dans la même brochure on trouvera le développement des pensées exprimées ici sommairement : « Les Frères de Notre-Dame », par le P. Marie-Eugène de l'E.-J.
3. *Saint Jean de la Croix*, par le P. Bruno de Jésus-Marie, ch. XIII, pp. 183-184.
4. *Ibid.*

Et cependant, sainte Thérèse de l'Enfant-Jésus et saint Jean de la Croix parlent assez peu de la Sainte Vierge [1]. Leur attention se porte principalement sur le mystère de Dieu.

En quelles âmes, du premier groupe ou du second, l'amour de la Vierge et son action sont-ils plus puissants et plus efficaces ? Comment pourrait-on en juger ? C'est la qualité de l'amour qui fait sa perfection. N'y aurait-il pas imprudence à appuyer ce jugement de valeur de l'amour uniquement sur la multiplicité ou l'intensité sensible de ses manifestations, sur la clarté de la lumière qui l'alimente ou en est le fruit ! Les rayons les plus purs sont les moins visibles, nous dit saint Jean de la Croix. Nous savons que les réalités spirituelles les plus profondes ne sont pas toujours les plus extériorisées.

Qu'importe d'ailleurs de ne pouvoir apprécier. Respectons le mystère dont le dessein de Dieu entoure les âmes et son œuvre en elles. L'essentiel est que chacun soit convaincu qu'il doit aller à Marie pour trouver la Sagesse, et qu'il doit puiser en elle selon toute la mesure de sa grâce et le don qui lui en a été fait.

---

1. Il est vrai que les allusions faites indiquent l'union déjà réalisée. Saint Jean de la Croix ne parle de la Sainte Vierge que trois ou quatre fois dans ses traités, mais les allusions faites dans la *Montée du Carmel*, liv. III, ch. I, p. 310 et *Vive Flamme*, str. I, p. 983, montrent que lorsqu'il parle de l'âme parvenue à l'union parfaite il a devant les yeux la Vierge Marie en qui se réalisent toutes les opérations de la grâce transformante, à un degré éminent.

CHAPITRE SIXIÈME

Les effets de
la nuit de l'esprit

> *Selon la vérité qui est en lui (le Christ) vous dépouiller dans votre ancienne façon de vivre, du vieil homme corrompu par les convoitises trompeuses, vous renouveler au plus intime de votre esprit et vous revêtir de l'homme nouveau, créé à l'image de Dieu dans la justice et la sainteté véritables [1].*

Telles sont les exigences de la conversion parfaite que l'Apôtre précise aux Éphésiens en ces paroles. Il faut se dépouiller de soi et se rénover jusque dans les profondeurs de l'esprit pour se revêtir de l'homme nouveau créé sur le modèle du Christ. C'est l'œuvre réalisée par la nuit de l'esprit.

Cette nuit, cela a été dit abondamment, est la rencontre de deux contraires qui ne peuvent subsister dans le même sujet et qui luttent sur le champ de bataille de l'âme [2]. L'amour, investissant progressivement l'âme, mène le combat et le conduira jusqu'à la victoire grâce à la coopération de l'âme. Cette œuvre de l'amour est semblable, explique saint Jean de la Croix, à celle du feu qui attaque le bois.

La connaissance purificatrice et amoureuse, ou lumière divine dont nous parlons, purifie l'âme et la dispose à se l'unir parfaitement, comme le feu agit sur le bois pour le transformer en soi. Le feu matériel, appliqué au bois, commence tout d'abord par le dessécher ; il en expulse l'humidité et lui fait pleurer toute sa sève. Aussitôt il commence par le rendre peu à peu noir, obscur, vilain ; il lui fait répandre même une mauvaise odeur ; il le dessèche insensiblement ; il en tire et manifeste tous les éléments grossiers et

---

1. Ep 4, 21-24.
2. *Nuit Obsc.*, Liv. II, ch. v, p. 560.

cachés qui sont opposés à l'action du feu. Finalement, quand il commence à l'enflammer à l'extérieur et à l'échauffer, il le transforme en lui-même et le rend aussi brillant que le feu. En cet état, le bois n'a plus l'action ni les propriétés du bois ; il n'en conserve que la quantité et la pesanteur qui est plus grande que celle du feu ; car il a déjà en lui les propriétés et les forces actives du feu. Il est sec et il dessèche ; il est chaud, et il réchauffe ; il est lumineux, et il répand sa clarté ; il est beaucoup plus léger qu'avant ; et c'est le feu qui lui a communiqué ses propriétés et ses effets [1].

Ces effets montrent la puissance de « ce feu d'amour qui agit sur l'âme à la façon du feu matériel sur le bois [2] ».

D'après cet exposé, écrit le Saint lui-même, on peut se faire une légère idée de l'intensité et de la force de cet incendie d'amour dans l'esprit où Dieu concentre toutes les forces, toutes les puissances, toutes les tendances, tant spirituelles que sensitives de l'âme [3].

Cet amour est infus, il est plus passif qu'actif ; aussi engendre-t-il dans l'âme la forte passion de l'amour [4].

« Incendie d'amour » allumé par Dieu, « passion de l'amour » produite dans l'âme, nous connaissons les causes agissantes en cette nuit, et certes on ne saurait jamais trop les mettre en relief pour expliquer tout ce qui peut être compris en cet événement spirituel grandiose qu'est la nuit de l'esprit. Ce sont les effets que nous voulons connaître. La comparaison du bois desséché d'abord et embrasé ensuite les laisse deviner. Nous désirons des précisions. A quoi correspond dans le domaine spirituel cette transformation du bois humide en tison incandescent ? Saint Jean de la Croix va-t-il nous le dire ?

Oui certes, et probablement de la meilleure façon possible, mais qui nous déconcerte un peu. Ailleurs, ce logicien rigoureux, ce psychologue pénétrant dissèque, analyse, divise pour exposer et mettre de la clarté en tout. Ici, il se borne à user de symboles pour marquer le point d'arrivée, pour indiquer certaines propriétés de cette transformation, en fixer quelques aspects ou des moments. Il semble renoncer à l'analyse pour ne pas briser l'unité vivante de l'œuvre réalisée par l'amour.

Cette œuvre en effet est tellement une qu'on pourrait en fausser la vision d'ensemble en présentant comme distincts ses divers éléments. Nous ne sommes plus au temps où l'action de Dieu localisée en telle ou telle faculté

---

1. *Nuit Obsc.*, Liv. II, ch. x, pp. 588-589. Voir aussi *Montée du Carm.*, Liv. I, ch. xi, p. 76 ; *Vive Fl.*, Prol., p. 908, où il continue la comparaison pour montrer l'action de l'amour dans l'âme déjà parfaite, str. i, pp. 926-928.
2. *Nuit Obsc.*, Liv. II, ch. xi, p. 593.
3. *Ibid.*, pp. 594-595.
4. *Ibid.*, p. 593.

y produisait suivant les moments des effets différents. Maintenant le feu de l'amour s'enflamme dans l'esprit [1] où « sont concentrées toutes les forces, toutes les puissances et toutes les tendances [2] ». Le brasier de cet incendie est dans les profondeurs de l'âme. Son irradiation n'est plus localisée. Toute la bûche est dans le brasier et c'est des profondeurs d'elle-même que la flamme jaillit. Toute l'âme est donc saisie par le feu et transformée par une seule et unique action [3].

Toutefois, saint Jean de la Croix, en une de ses définitions de la nuit, énonce divers effets. Cette nuit, dit-il, est

une influence de Dieu dans l'âme qui la purifie de ses ignorances et de ses imperfections habituelles, aussi bien naturelles que spirituelles [4].

Aspects divers de la nuit plutôt qu'effets spécifiquement différents, ils ont entre eux des liens étroits de dépendance mutuelle. Nous essayerons de ne point briser, et même de mettre en relief les liens créés par la flamme vivante qui les produit, en étudiant successivement :

La purification morale qui est le fruit le plus connu de la nuit.

Le retournement psychologique qui adapte les facultés à l'emprise dominatrice de l'amour.

Les effets positifs enfin de l'amour dans l'union.

A. — *PURIFICATION MORALE*

I. — *Nécessité de la purification.*

Qui fréquente les écrits de saint Jean de la Croix connaît bien la rigueur de ses exigences qui sont celles de Dieu, concernant la pureté de l'âme. La *Montée du Carmel* les expose avec une telle force que le débutant en est effrayé :

---

1. *Nuit Obsc.*, Liv. II, ch. XI, p. 593.
2. *Ibid.*, p. 594.
3. Sur cette question de la structure de la *Nuit de l'esprit*, lire l'étude remarquable du R. P. Lucien de Saint-Joseph : " A la recherche d'une structure " (*Études Carmélitaines*, octobre 1938, pp. 254-281) qui servit de conclusion aux Journées de psychologie religieuse tenues à Avon en septembre 1938 sur la *Nuit de l'esprit*.
4. *Nuit Obsc.*, Liv. II, ch. V, p. 558.

C'est, écrit-il, une ignorance souveraine de la part de l'âme de se croire capable d'arriver à ce haut état de l'union divine si tout d'abord elle n'a pas détaché ses tendances de tous les biens naturels et surnaturels qui peuvent lui appartenir ; il y a en effet une distance infinie entre eux et le don qui est fait en cet état de pure transformation en Dieu. Voilà pourquoi le Christ, Notre-Seigneur, nous enseigne cette voie de renoncement, lorsqu'il nous dit dans saint Luc : « Celui qui ne renonce pas à tout ce qu'il possède ne peut être mon disciple [1]».

Maints témoignages de la sainte Écriture viennent prouver et ponctuer cette affirmation. Dieu ne donne la manne, aliment céleste, aux Hébreux, que lorsqu'ils ont épuisé la farine qu'ils avaient apportée d'Égypte [2]. Il s'arrête lorsqu'ils demandent une nourriture autre que cet aliment élevé et si simple et les châtie [3]. Il exige que Moïse gravisse seul la montagne où il doit lui parler [4]. Le Saint constate :

Le seul désir que Dieu admette et veuille, là où il est, est celui de garder sa loi en toute perfection et de porter la croix du Christ sur nos épaules. La sainte Écriture ne nous dit pas que Dieu ait ordonné de placer, dans l'arche où était la manne, autre chose que le livre de la Loi et la verge d'Aaron, image de la croix. Car l'âme, dont l'unique ambition sera de garder parfaitement la loi du Seigneur et de porter la croix de Jésus-Christ, sera l'arche véritable qui renfermera en soi la véritable manne, c'est-à-dire Dieu Lui-même [5].

II. — *Seule la nuit de l'esprit réalise la purification.*

Mais ce rappel d'une doctrine élémentaire n'est-il pas inutile pour les âmes des sixièmes Demeures qui ont déjà subi victorieusement la purification du sens ? Le saint Docteur nous répond :

La purification des sens n'est que la porte et le principe de la contemplation qui mène à celle de l'esprit... et son but est plutôt d'accommoder les sens à l'esprit, que d'unir l'esprit à Dieu. Mais les taches du vieil homme restent encore dans l'esprit, bien qu'il ne s'en aperçoive pas et ne les voie pas. Voilà pourquoi, si on ne les fait pas disparaître avec le savon et la forte lessive de la purification de cette nuit, l'esprit ne pourra parvenir à la pureté de l'union divine [6].

---

1. *Lc* 14, 33 ; *Montée du Carm.*, Liv. I, ch. v, pp. 43-44.
2. *Montée du Carm.*, ch. v, p. 44 ; *Ex* 16, 3 et s.
3. *Ibid.*, p. 45 ; *Nb* 11, 4 et 33.
4. *Ibid.*, p. 46 ; *Ex* 34, 3.
5. *Ibid.*, p. 48.
6. *Nuit Obsc.*, Liv. II, ch. II, p. 550.

Il n'est qu'une seule purification véritable et efficace, celle de l'esprit :

Entre les deux purifications il y a la même différence qu'entre déraciner un arbre et en couper une branche ou effacer une tache de fraîche date et celle qui est déjà ancienne [1].

... Voilà pourquoi la nuit des sens dont nous avons parlé peut et doit s'appeler plutôt une certaine réforme des passions ou un frein qui leur est imposé, qu'une purification proprement dite [2].

Même les désordres qui se manifestent dans les sens ne sont supprimés que par la purification de l'esprit :

La raison en est, explique le saint Docteur, que toutes les imperfections et tous les désordres de la partie sensitive ont leurs racines dans l'esprit ; et c'est de là que leur vient leur force ; c'est là que se forment les habitudes bonnes ou mauvaises ; voilà pourquoi tant que ces habitudes ne sont pas purifiées, les rébellions et les vices des sens ne le seront jamais complètement. Dans la nuit (de l'esprit) la partie sensitive et la partie spirituelle se purifient en même temps [3].

Nous sommes éclairés. Le travail de purification est à peine commencé. La nuit du sens a assuré le calme et la force pour supporter la nuit de l'esprit. Elle n'est qu'un prélude de la nuit de l'esprit qui seule est une véritable purification.

III. — *Objet de la purification.*

Qu'atteint cette purification ? Il convient d'abord de la distinguer de la purification réalisée par le sacrement de pénitence. Le sacrement, par infusion de grâce, a comme effet principal d'effacer la tache du péché, c'est-à-dire de rendre à l'âme par le pardon de sa faute l'amitié de Dieu qu'elle avait perdue. La purification de l'esprit ne peut agir que sur l'âme déjà justifiée, elle se porte aux sources mêmes du péché, sur toutes les tendances peccamineuses, qu'elles soient en nous une des formes héréditaires du péché originel, ou qu'elles soient la conséquence de péchés que nous avons commis.

Saint Jean de la Croix précise ainsi l'objet de la purification de l'esprit.

Il y a deux sortes d'imperfections chez ceux qui sont dans l'état de progrès. Les unes sont habituelles, les autres actuelles. Les habi-

---

1. *Nuit Obsc.*, Liv. II, ch. II, p. 550.
2. *Ibid.*, Liv. II, ch. III, p. 553.
3. *Ibid.*, pp. 553-554.

tuelles sont les attaches et habitudes imparfaites dont les racines sont encore restées dans l'esprit, où la purification des sens n'a pu parvenir...

Ceux qui sont dans l'état de progrès ont encore comme imperfections habituelles la pesanteur d'esprit, la rudesse naturelle que tout homme contracte par le péché...

Mais tous ne tombent pas de la même manière dans les imperfections actuelles. Quelques-uns comprennent ces biens spirituels d'une façon si étrange et si conforme aux sens qu'ils tombent dans des inconvénients et des dangers plus grands que ceux dont nous avons parlé au commencement...

Il y aurait beaucoup à dire sur ces imperfections ; mais, comme elles sont d'autant plus incurables qu'on les regarde comme plus spirituelles que les premières, je n'en veux rien dire [1].

Ce tableau san-johannique nous signale donc chez les progressants, à leur entrée dans la nuit de l'esprit, deux sortes d'imperfections habituelles : les tendances émondées par la purification du sens et dont le tronc et les racines subsistent dans l'esprit et des imperfections foncières ou organiques (pesanteur, rudesse d'esprit) qui ne font pas commettre des fautes proprement dites. Les unes et les autres sont attaquées par la purification de l'esprit, mais les deuxièmes ne seront atteintes directement que par le retournement psychologique.

Quant aux imperfections actuelles elles ne sont, semble-t-il, que des manifestations des imperfections habituelles qui, refoulées du domaine des sens par la première nuit, s'exercent encore dans le domaine des biens spirituels.

En somme, au seuil de la nuit de l'esprit, l'âme porte en elle, mortifiées en certaines manifestations extérieures mais s'épanouissant dans le domaine spirituel, et toujours vigoureuses dans les profondeurs, les imperfections spirituelles dont le Saint nous a fait un tableau si vivant au début de la nuit des sens et qui sont une transposition des sept péchés capitaux. Ce sont donc ces vices aux formes extérieures plus ou moins amenuisées qu'il s'agit d'atteindre et de détruire dans les racines profondes.

Précisons encore l'objet de cette purification.

Parmi ces tendances ou imperfections, saint Jean de la Croix en distingue de deux sortes : les tendances naturelles et les tendances volontaires :

J'appelle tendances de la nature et de premiers mouvements, écrit-il, toutes celles où la volonté, éclairée par la raison, n'a eu aucune part, ni avant ni après les actes. Il est impossible de les

---

1. *Nuit Obsc.*, Liv. II, ch. II, pp. 550-552.

faire disparaître et de les mortifier complètement en cette vie. Alors même qu'elles ne seraient pas mortifiées d'une façon absolue, elles ne constituent pas un obstacle à l'union divine [1].

De ces fautes, commises sous l'action des tendances qui ne sont pas complètement volontaires, ajoute le Saint, il est écrit que « le juste tombera sept fois le jour et se relèvera [2] ». Les tendances volontaires sont beaucoup plus dangereuses :

Qu'il s'agisse des plus graves qui portent aux péchés mortels ou des moins graves qui portent aux péchés véniels, ou de celles moindres encore qui portent aux imperfections, si petites qu'elles soient, il faut les faire disparaître complètement ; sans quoi l'âme est incapable d'arriver à l'union parfaite avec Dieu [3].

Le Saint insiste sans crainte de se répéter :

Quant à nos tendances volontaires, il suffit, je le répète, qu'il y en ait même vers des choses très minimes, pour empêcher l'union divine. Je parle de l'habitude qui n'a pas été mortifiée, et non de quelques actes concernant des objets différents qui ne procèdent pas d'une habitude déterminée et produisent moins d'inconvénients [4].

Il précise :

Ces imperfections habituelles sont, par exemple, la coutume de parler beaucoup, une petite attache dont on ne veut jamais se défaire, à un objet quelconque, une personne, un vêtement, un livre, une cellule, tel genre de nourriture, certains petits entretiens, certains petits désirs de chercher de la sensualité, de savoir, d'entendre, ou choses semblables [5].

Une seule de ces petites attaches volontaires empêche l'œuvre divine et cause les dommages énoncés au début de la *Montée du Carmel* :

Nos tendances causent à l'âme deux dommages principaux. Le premier la prive de l'Esprit de Dieu ; le second la fatigue, la tourmente, l'obscurcit, la souille, l'affaiblit... Ces deux maux sont causés par un seul acte de la tendance naturelle [6].

Tant qu'elle aura ces tendances, l'âme ne pourra, si petite que soit l'imperfection, réaliser de progrès... Aussi est-il vraiment déplorable de voir que pour une attache à un enfantillage que Dieu leur a laissé à vaincre par amour pour Lui et qui n'est qu'un simple fil, un léger duvet, ces âmes cessent d'avancer et n'arriveront jamais à ce bien incomparable de l'union avec Dieu [7].

---

1. *Montée du Carm.*, Liv. I, ch. XI, pp. 71-72.
2. *Ibid.*, p. 73 ; Pr 24, 16.
3. *Ibid.*, p. 72.
4. *Ibid.*, p. 73.
5. *Ibid.*
6. *Ibid.*, Liv. I, ch. VI, p. 49.
7. *Ibid.*, ch. XI, pp. 73-74.

Comment expliquer cette sévérité de Dieu qui arrête son action transformante devant de si petits riens ?

En voici la raison, répond saint Jean de la Croix. L'état de cette union divine consiste en ce que la volonté de l'âme est complètement en la volonté divine ; il n'y a plus rien en elle qui soit opposé à la volonté divine ; aussi elle ne se meut en tout et pour tout que d'après cette volonté divine. Voilà pourquoi nous disons que, dans cet état, les deux volontés, celle de l'âme et celle de Dieu, n'en font plus qu'une, et que cette volonté de Dieu est bien celle de l'âme. Or si l'âme s'attache à quelque imperfection que Dieu ne veut pas, elle n'est pas encore arrivée à avoir une seule volonté avec celle de Dieu. Elle voudrait en effet, une chose que Dieu ne voudrait pas. Il est donc clair que, pour s'unir à Dieu par l'amour et la volonté, l'âme doit maîtriser toutes ses tendances volontaires, si petites qu'elles soient [1].

Et le Saint revêt cette vérité forte d'une image gracieuse qui la fixera pour toujours dans notre esprit :

Qu'importe que l'oiseau soit retenu par un fil léger ou une corde ? Le fil qui le retient a beau être léger, l'oiseau y reste attaché comme à la corde, et tant qu'il ne l'aura pas rompu, il ne pourra voler. Sans doute ce fil léger est plus facile à rompre ; mais si facile à rompre que soit ce fil, l'oiseau ne peut, tant qu'il ne l'a pas rompu, prendre son essor [2].

Mais aussitôt un autre problème se pose : Comment se fait-il qu'une âme qui a déjà combattu si généreusement hésite devant un si petit obstacle « ce simple fil, ce léger duvet » qui l'empêche d'avancer ? Disposition providentielle ? C'est possible. « Dieu, constate saint Jean de la Croix, les a déjà aidées à briser d'autres liens beaucoup plus forts des affections qu'elles portaient au péché et aux vanités [3] ». Il les laisse à elles-mêmes vaincre cet obstacle et elles semblent impuissantes. Mystère de la grâce dont Dieu a fixé la mesure et le moment.

A cette faiblesse on peut trouver une explication psychologique. L'obstacle semble peu de chose en surface, mais il a probablement des infrastructures puissantes. Les écueils les plus dangereux ne sont-ils pas ceux qui émergent à peine de la surface des eaux ? La volonté qui présente un front si ferme et si uni de résistance au péché en général présente sur ce point une légère fissure qui apparaît à peine mais qui se prolonge en profondeur jusqu'en ses fondements. C'est bien la petite fente du vase par laquelle toute la liqueur s'échappera [4].

---

1. *Montée du Carm.*, Liv. I, ch. xi, p. 72.
2. *Ibid.*, p. 74.
3. *Ibid.*
4. *Ibid.*, p. 75.

Ce fil si ténu et si résistant ne serait-il pas l'indice extérieur d'une attache dont la nuit des sens a émondé toute la frondaison, mais qui a gardé ses racines profondes et vivantes dans l'âme ? La faiblesse de la volonté aurait ainsi une explication raisonnable. Cette volonté a donc besoin d'être rectifiée sur ce point et fortifiée. Un travail de fond est nécessaire, car, dit saint Jean de la Croix :

> L'âme n'a qu'une volonté. Si elle l'engage ou l'applique à quelque chose de créé elle perd sa liberté, sa force, son détachement et sa pureté, toutes choses qui sont requises pour arriver à la transformation en Dieu [1].

Nous avons découvert la région où doit se faire la purification morale. C'est évidemment dans les profondeurs de la volonté ; c'est là que se trouve le mal qui la blesse et qui l'affaiblit. Certes cette volonté a déjà été assouplie et conquise par la grâce d'union de volonté des cinquièmes Demeures. Un travail considérable fut réalisé alors. Depuis qu'elle a reçu cette grâce, la volonté éprouve comme un besoin profond d'adhérer à tous les vouloirs divins. Mais on le voit, cette adhésion n'est pas si parfaite qu'elle ne laisse ces failles peu apparentes mais profondes, ces résistances ou manques de souplesse de fond qui exigent une purification adaptée.

IV. — *Comment s'opère la purification morale ?*

Cette purification morale va de pair avec le retournement psychologique. Elle ne devient parfaite qu'avec lui et par lui. Certains de ses éléments sont toutefois assez distincts des effets du retournement psychologique pour que nous les exposions à part et qu'apparaisse ainsi toute l'œuvre réalisée par la nuit de l'esprit.

> Cette nuit obscure, nous dit le Saint, est une influence de Dieu dans l'âme qui la purifie de ses ignorances et de ses imperfections habituelles... Les contemplatifs l'appellent contemplation infuse, ou théologie mystique... En tant qu'elle est Sagesse de Dieu pleine d'amour, Dieu en produit les effets principaux dans l'âme ; car il la dispose à l'union d'amour avec lui en la purifiant et en l'éclairant [2].

Ce texte nous apporte les affirmations essentielles concernant l'œuvre de la nuit de l'esprit. Recueillons-les.

---

1. *Montée du Carm.*, Liv. I, ch. XI, p. 76.
2. *Nuit Obsc.*, Liv. II, ch. V, p. 558.

L'influence de Dieu qui constitue la nuit de l'esprit produit la contemplation infuse dans l'âme. Cette contemplation qui est Sagesse secrète, jaillissant de l'amour, produit lumière et amour. Saint Jean de la Croix souligne qu'elle purifie l'âme en l'éclairant.

1. *Action purifiante de la lumière.*

La lumière donnée par la contemplation infuse jaillit de la connaturalité créée par l'amour. Bien qu'indistincte et obscure, elle éclaire sur Dieu et sur l'âme. Elle fait expérimenter à la fois les richesses de la grâce qui sont celles de Dieu, pureté, puissance, douceur, et la pauvreté du vase qui les reçoit.

Nous portons ce trésor dans des vases de terre afin qu'il paraisse que cette souveraine puissance vient de Dieu et non pas de nous [1].

Sous une autre forme sainte Thérèse fait une remarque semblable :

Si une chose blanche paraît beaucoup plus blanche quand elle est à côté d'une noire, et si une noire au contraire paraît beaucoup plus noire à côté d'une blanche, il en est de même des perfections divines : elles paraissent beaucoup plus éclatantes quand elles sont mises en regard de notre bassesse [2].

Le contraste est ici accusateur pour l'âme. Comme la lumière jaillit des profondeurs où s'expérimente la charité en ces sixièmes Demeures, elle découvre sur son passage toutes les tendances et leurs racines, ces infrastructures de l'âme ensevelies habituellement sous un voile d'obscurité qui les dissimule aux examens de conscience les plus détaillés et que ne percent qu'en certains points, et encore lentement, les inductions divinatoires de la psychanalyse. Qu'elle procède des illuminations soudaines et aveuglantes des faveurs extraordinaires, ou de l'expérience secrète de la contemplation infuse, la lumière mystique découvre en pleine clarté ces profondeurs des forces du péché en nous. Sainte Thérèse écrit :

Son indignité apparaît évidente comme dans un appartement où le soleil donne en plein, il n'est aucune toile d'araignée qui ne puisse demeurer cachée. Elle découvre la profondeur de sa misère. Elle est tellement éloignée de la vaine gloire qu'il lui semble impossible d'en avoir. C'est de ses propres yeux qu'elle a vu son peu de pouvoir, ou plutôt son incapacité absolue... Elle voit que par elle-même elle mérite l'enfer et qu'on la châtie avec la gloire [3].

---

1. 2 Co 4, 7.
2. Iᵉ Dem., ch. II, p. 827.
3. *Vie*, ch. XIX, p. 182.

L'âme voit non seulement les toiles d'araignées ou les grandes fautes, mais encore les moindres grains de poussière, si petits qu'ils soient, parce que la clarté du Soleil divin est très vive. Aussi, quels que soient ses efforts pour tendre à la perfection, si le Soleil divin l'investit vraiment, elle se voit toute trouble. Elle est semblable à l'eau contenue dans un vase qui à l'ombre paraît très limpide, mais qui, placée au soleil, se montre toute remplie d'atomes [1].

Semblable à la charrue qui déchire les entrailles de la terre, arrache et soulève les mauvaises herbes avec leurs racines, et les étend brisées et desséchées à la surface du sol, cette lumière découvre les profondeurs de l'âme et, mettant à nu les tendances, déjà les détruit. La psychanalyse ne prétend-elle pas faire disparaître les tendances pathologiques en les arrachant à l'obscurité du subconscient qui les protège ? Cette lumière, par les clartés qu'elle projette sur les vices enracinés dans l'âme et sur la poussière de leurs manifestations dans les actes de la vie ordinaire, est donc déjà purificatrice.

C'est elle qui produit dans l'âme cette humilité fervente qui crée la conviction et fait réaliser l'attitude qui lui correspond. Procédant en effet de l'expérience et de l'amour, non seulement elle atteint l'intelligence mais elle pénètre l'être tout entier qu'elle assouplit et modèle sur ses exigences. Douce, forte et efficace, pour réaliser ce qu'elle exprime, elle ploie l'âme dans une attitude de vérité devant Dieu et la soustrait à l'emprise orgueilleuse du moi [2]. C'est à son imprégnation d'amour que la lumière mystique doit une partie de sa puissance purificatrice, et cela nous laisse entrevoir pour l'amour lui-même une efficacité plus grande encore.

2. *Action purifiante de l'amour.*

C'est à l'amour que saint Jean de la Croix attribue excellemment l'action purifiante.

Si l'âme se purifie lorsqu'elle est éclairée du feu de cette Sagesse divine pleine d'amour, c'est que Dieu ne donne jamais la sagesse mystique sans donner l'amour, puisque c'est l'amour même qui l'infuse [3].

De l'amour, il est écrit en effet « qu'il couvre la multitude des péchés [4] ». A la pécheresse qui oignait ses pieds dans la maison de Simon le Pharisien, Jésus annonce :

---

1. *Vie*, ch. xx, p. 209.
2. Cf. Troisième Partie, ch. iv, « L'humilité », ce qui a été dit de l'humilité fervente, pp. 346-349.
3. *Nuit Obsc.*, Liv. II, ch. xii, p. 598.
4. 1 P 4, 8.

« Tes péchés te sont remis ». A ceux qui se scandalisent de cette déclaration, il explique : « Ses nombreux péchés lui sont pardonnés parce qu'elle a beaucoup aimé [1] ». Rien ne saurait résister à la force envahissante et unissante de l'amour. Son règne pacifique dans l'âme s'établit par la soumission de tous ses ennemis. Non seulement il efface le péché, mais il attaque et soumet tous les contraires peccamineux qui s'opposent à son expansion, et les péchés capitaux et les tendances pathologiques.

Cette action purificatrice qui est en son pouvoir, l'amour ne l'exerce d'une façon souveraine par la destruction complète des tendances, que dans des cas exceptionnels et aux heures que Dieu a choisies. Habituellement l'amour se borne à établir sa domination parfaite sur la volonté, à affaiblir les tendances.

Pas plus que les défauts physiques, la tendance naturelle comme telle, n'est un obstacle à l'union divine. Seule la tendance volontaire, ou mieux le fléchissement de la volonté sous l'action d'une tendance, empêche cette union parfaite. L'analyse faite précédemment à propos du fil qui ne permet pas à l'oiseau de s'envoler, nous a montré que ce fléchissement est dû à la blessure faite à la volonté sur un point particulier par une tendance. La nuit de l'esprit met à nu la blessure subtile mais profonde de la volonté et la guérit par une infusion abondante d'amour. Dans cet amour, la volonté trouve une force nouvelle et une rectitude qui l'affermissent contre l'action de la tendance et la mettent à l'abri de son influence néfaste.

Saint Jean de la Croix constate en effet

... la force que donne à l'âme cette nuée obscure, angoissante et ténébreuse, car enfin, quoique ténébreuse, c'est de l'eau, voilà pourquoi elle rafraîchit et fortifie l'âme dans ce qui lui convient le mieux... L'âme découvre immédiatement en elle-même une détermination vraie et efficace de ne rien faire qu'elle sache offense de Dieu, comme de rien en omettre de ce qu'il lui semble contribuer à sa gloire. Sous l'action de cet amour obscur, elle est embrasée de zèle et de sollicitude pour savoir ce qu'elle fera ou omettra dans le but de lui plaire [2].

Cette fermeté d'adhésion à Dieu et ce désir ardent de lui plaire en tout qui sont les effets essentiels de l'amour, suffisent à couper le fil de l'attache qui retenait la volonté prisonnière.

---

1. Lc 7, 47-50.
2. *Nuit Obsc.*, Liv. II, ch. XVI, p. 623.

Sainteté pour l'Église

Pour autant, cette libération de la volonté ne comporte pas toujours la disparition de la tendance peccamineuse. Les émouvantes confidences de l'Apôtre nous en apportent la preuve. La transformation merveilleuse réalisée au jour de sa conversion, les effusions extraordinaires de grâce qui avaient suivi, n'avaient pas éteint tout le foyer du mal en lui.

Je ne fais pas le bien que je veux, écrivait-il aux Romains, *tandis que je fais le mal que je ne veux pas. Or, si c'est ce que je ne veux pas que je fais, ce n'est plus moi qui le fais, mais le péché qui habite en moi* [1].

Il complétait sa confidence en écrivant aux Corinthiens :

De crainte que l'excellence de ces révélations ne vînt à m'enfler d'orgueil, il m'a été mis une écharde dans ma chair, un ange de Satan pour me souffleter (afin que je ne m'enorgueillisse pas)... A ce sujet, trois fois j'ai prié le Seigneur de l'écarter de moi ; il m'a dit : « Ma grâce te suffit car c'est dans la faiblesse que ma puissance se montre tout entière »... C'est pourquoi je me plais dans les faiblesses, dans les opprobres, dans les nécessités, dans les persécutions, dans les détresses pour le Christ ; car lorsque je suis faible, c'est alors que je suis fort [2].

Textes lumineux qui nous montrent jusqu'à quel point conduit la purification de l'esprit et quels en sont les fruits les meilleurs. Dieu transforme, détruit certaines tendances, toujours fortifie et soutient, mais il nous laisse notre nature d'homme et notre qualité de pécheur. L'expérience plus douloureuse, sous la lumière divine qui domine désormais, des sources du péché qui restent dans l'âme, est nécessaire pour sauvegarder l'humilité et pour maintenir toujours jaillissantes les sources de la miséricorde.

Ne rêvons donc pas pour ces sommets d'une humanité libérée et devenue angélique, pas même de cette intégrité de l'homme sorti des mains du Créateur et en qui les dons préternaturels assuraient un équilibre parfait [3].

---

1. Rm 7, 19-20.
2. 2 Co 12, 7-10.
3. Saint Jean de la Croix écrit à ce sujet : « Les deux parties de l'âme, spirituelle et sensitive, afin de parvenir à la divine union d'amour, doivent être tout d'abord réformées, ordonnées, pacifiées à la façon de l'état d'innocence qui était en Adam » (*Nuit Obsc.*, Liv. II, ch. XXIV, p. 664).
Le Saint parle d'ordonner, de pacifier les tendances, non de les supprimer. Encore faut-il comprendre cette pacification dans un sens relatif tant que l'âme vit ici-bas, c'est-à-dire en ce sens que cette pacification laisse place à la vue douloureuse de la tendance, parfois à des remous de ces tendances, et même à des épreuves constantes qui ont un fruit rédempteur. Le Saint nous a dit lui-même que le juste pèche sept fois

Certes, cette âme a trouvé une transparence et une capacité spirituelle qui peuvent lui permettre de recevoir une charité supérieure à celle de certains anges, une fermeté d'adhésion à Dieu qui ne tolère pas une infidélité volontaire même dans les premiers mouvements ; mais jusqu'à ce que la mort l'en sépare, elle reste attachée à un corps qui porte les restes du péché et lui en fait sentir le poids. Pourquoi s'en désolerait-elle alors que l'Apôtre s'en glorifiait ? De même, en effet, que les cicatrices du Christ ressuscité sont glorieuses par les flots de vie qui en jaillissent, les blessures du péché peuvent le devenir par les flots de la miséricorde qu'elles attirent.

B. — *RETOURNEMENT PSYCHOLOGIQUE*

I. — *Ce qu'il est.*

Il appartient au retournement psychologique d'assurer la parfaite libération de la volonté à l'égard des tendances. Ce retournement psychologique, un fait surprenant, presque merveilleux, dans la vie psychologique de l'âme, a des effets qui s'étendent au-delà de la purification morale. Aussi mérite-t-il d'être étudié avec attention.

Normalement, les facultés de l'âme reçoivent leur aliment de l'extérieur par les sens qui sont, suivant le mot de saint Jean de la Croix, « les fenêtres » de l'âme sur le monde extérieur. Des perceptions des sens l'intelligence extrait, par abstraction, des idées sur lesquelles elle travaille ensuite pour s'en nourrir et éclairer la volonté. En étudiant la genèse de l'acte de foi nous avons vu comment la foi se nourrit de vérités dogmatiques dont les formules ont été recueillies par l'ouïe ; « *fides ex auditu*, la foi vient de l'ouïe » dit l'Apôtre, « comment pourraient-ils croire à celui qu'ils n'ont pas entendu ? » ajoute-t-il [1]. Le mouvement vital d'absorption va donc de l'extérieur vers l'intérieur.

---

par jour et cela à cause de l'ignorance et des tendances naturelles qui lui restent (*Montée du Carm.*, Liv. I, ch. XI, p. 73).

La pacification réside donc essentiellement en une rectification et une fermeté parfaite de la volonté, tant à l'égard des mouvements qui procèdent de la partie sensitive, qu'à l'égard de ceux de la partie spirituelle.

1. Rm 10, 17.14. Cf. Troisième Partie, ch. X, « La foi et la contemplation surnaturelle », p. 460.

Mais lorsque Dieu intervient lui-même directement dans la vie spirituelle de l'âme par ses lumières et ses motions, un mouvement s'établit en sens contraire. La source se trouve dans le centre de l'âme ; l'eau jaillit des profondeurs du bassin lui-même « de la source même qui est Dieu [1] » et se répand jusqu'à l'extérieur. Ce phénomène surprend les facultés, les apaise à la fois et les agite. Un accommodement se fait dans la nuit des sens qui habitue les facultés à recevoir dans la paix cet aliment qui leur arrive de l'intérieur. Accommodement provisoire. Il ne suffit plus lorsque se produisent les infusions profondes de grâce qui créent la nuit de l'esprit. La Sagesse secrète et ardente qui investit l'âme ferme les facultés à tout ce qui leur vient de l'extérieur par les sens.

Plus cette lumière divine qui investit l'âme est simple et pure, plus elle la plonge dans les ténèbres, la dépouille de ses affections particulières et la prive de ses connaissances naturelles et surnaturelles [2].

D'autre part, les facultés ne trouvent plus elles-mêmes d'aliment adapté à leur activité dans ce que leur apporte cette Sagesse.

Comme cette Sagesse intérieure est si simple, si générale et si spirituelle, elle n'est pas entrée dans l'entendement enveloppée ou revêtue d'une forme ou image quelconque accessible au sens ; aussi les sens et l'imagination qui ne lui ont point servi d'intermédiaire pour entrer... sont incapables d'en rendre compte et de se l'imaginer pour en parler quelque peu [3].

Il en résulte ces souffrances de la nuit de l'esprit et spécialement cette angoisse du vide et cette oppression caractéristique de la « personne qui est suspendue et retenue en l'air et ne peut respirer [4] ». La corde qui retient et oppresse, c'est la Sagesse secrète aux facultés ; le vide est constitué par l'impuissance des facultés à saisir ou à agir dans n'importe quel domaine.

Ce drame douloureux a été décrit. Il est donc inutile d'insister sinon pour souligner ce qui a trait au retournement psychologique et que saint Jean de la Croix résume en ces termes :

L'obscurité dont l'âme parle ici concerne... les convoitises et les puissances sensitives intérieures et spirituelles ; toutes, en effet, une fois dans cette nuit, perdent leur lumière naturelle ; car elles

1. IVe Dem., ch. II, p. 874.
2. *Nuit Obsc.*, Liv. II, ch. VIII, p. 577.
3. *Ibid.*, ch. XVII, p. 626.
4. *Ibid.*, Liv. II, ch. VI, p. 566.

doivent en être dégagées afin d'être aptes à recevoir la lumière surnaturelle. Les convoitises sensitives et spirituelles sont alors endormies et amorties, aussi leur est-il impossible de goûter quoi que
ce soit de divin ou d'humain. Les affections de l'âme opprimées
et étouffées ne peuvent se mouvoir vers elle ou trouver un appui
en rien, l'imagination est liée et incapable d'un raisonnement conve-
nable ; la mémoire est fermée, l'entendement est dans les ténèbres
et ne comprend rien ; aussi la volonté est-elle dans les aridités et
dans la contrainte ; toutes ses puissances sont dans le dénuement
et inutiles ; mais surtout une nuée épaisse et pesante enveloppe
l'âme, la tient dans les angoisses et comme éloignée de Dieu. C'est,
dit-elle, en marchant de cette sorte en cachette qu'elle avance avec
sûreté [1].

Où va-t-elle ainsi dans cette marche à tâtons dans
l'obscurité [2] ?

Cette nouveauté la fait sortir d'elle-même, l'éblouit et trouble sa
première manière de procéder... Elle s'imagine qu'elle est perdue...
en réalité, elle se perd par rapport à ses connaissances et à ses
goûts... [3].

L'âme est pour ainsi dire placée là comme en traitement pour y
recouvrer la santé qui est Dieu lui-même...

Cette nuit obscure de la contemplation envahit l'âme, l'investit
de telle sorte, elle la place si près de Dieu que Dieu est son soutien
et qu'elle est affranchie de tout ce qui n'est pas Dieu [4].

Ces affirmations nous annoncent le triomphe de l'action
de Dieu dans l'âme par élimination de tout ce qui lui arrivait par les sens. A propos de la mémoire, le Saint explique
ce qui se produit dans l'âme en cet état supérieur :

Quand il y a l'habitude de l'union, ce qui est déjà un état surnaturel, la mémoire et les autres puissances perdent complètement
leurs opérations naturelles ; elles sont élevées de leur être naturel à celui de Dieu qui est surnaturel. La mémoire étant donc ainsi
transformée en Dieu, ne peut plus recevoir de connaissances naturelles. Dans cet état, toutes les opérations de la mémoire et des
autres puissances sont divines. Dieu, en effet, les possède comme
un maître absolu, par suite de leur transformation en Lui ; c'est
Lui qui les meut et leur commande divinement, selon son Esprit
et sa volonté, et cela s'accomplit de telle sorte que les opérations
de Dieu et de ces puissances de l'âme ne sont pas distinctes, et
que celles de l'âme sont celles de Dieu. Ce sont donc des opérations divines, en tant que « celui qui s'unit à Dieu ne fait qu'un
Esprit avec lui [5] ». De là il résulte que les opérations de l'âme qui
est dans l'union proviennent du Saint-Esprit et par conséquent sont
divines [6].

---

1. *Nuit Obsc.*, Liv. II, ch. XVI, p. 615.
2. *Ibid.*, p. 619.
3. *Ibid.*
4. *Ibid.*, p. 620.
5. 1 Co 6, 17.
6. *Montée du Carm.*, Liv. III, ch. I, p. 309.

L'âme ne recevant plus que de Dieu lumière et motion, des deux courants contraires venant l'un de l'extérieur, l'autre de l'intérieur, qui existaient au début de la vie mystique, ce dernier seul subsiste.

Comparé à la vie psychologique normale de l'homme, cet état nouveau fait apparaître un véritable retournement de l'âme. Celle-ci n'est plus orientée vers les sens, ses fenêtres sur le monde extérieur pour y trouver son aliment. Elle est uniquement attentive à Dieu, source qui jaillit spontanément dans les profondeurs et comme au-delà d'elle-même.

Indépendante des sens, l'âme se trouve ainsi libérée de tout ce qui en eux viciait ses opérations spirituelles. Tendances et psychoses ne sauraient atteindre directement l'âme elle-même ni les facultés spirituelles. Elles ne peuvent créer de troubles organiques que dans les sens où elles ont leur siège. Tant que l'âme utilise les sens comme organes récepteurs et instruments d'action, son activité spirituelle se trouve grevée de tout ce qui les encombre. La libération à leur égard qu'assure le retournement psychologique, est une libération de tous les troubles qui les affectent et de tous les désordres fonctionnels de l'activité spirituelle qui en est la conséquence. Elle complète heureusement la purification morale et en soumettant l'âme à Dieu seul, lui donne « la santé parfaite qui est Dieu lui-même [1] ».

Le retournement assure à l'activité spirituelle de l'âme un autre bienfait plus important encore : la libération à l'égard de toutes les opérations naturelles des facultés.

Les facultés naturelles ne peuvent offrir aux vertus théologales que des modes imparfaits d'agir, des manières basses et vulgaires, dit saint Jean de la Croix [2]. Ces facultés, ajoute-t-il,

... sont des gens de la maison qui la troublent toujours, la détournent de ses biens et sont opposés à la liberté qu'elle prend de se passer d'eux. Ce sont là des domestiques ennemis de l'homme dont notre Sauveur parle dans le saint Évangile : *Et inimici hominis domestici ejus* [3].

En orientant l'âme exclusivement du côté de Dieu, le retournement psychologique soustrait l'activité spirituelle à l'influence de ses ennemis qui sont les facultés naturelles. Les vertus théologales n'ont plus recours à

---

1. *Nuit Obsc.*, Liv. II, ch. XVI, p. 620.
2. *Ibid.*, ch. III, p. 554.
3. Mt 10, 36 ; *Nuit Obsc.*, Liv. II, ch. XIV, p. 611.

elles mais reçoivent tout ce qui leur est nécessaire pour leur activité de Dieu lui-même. La lumière et la motion que Dieu leur assure, leur fait trouver leur mode d'exercice parfait, exclusivement théologal. Sous cette action désormais unique de Dieu, la renaissance spirituelle se réalise parfaite.

Commentant le texte de saint Jean : *qui non ex sanguinibus, neque ex voluntate carnis, neque ex voluntate viri, sed ex Deo nati sunt* [1], saint Jean de la Croix explique :

> ... Par là (*ex voluntate viri*) on entend toutes les manières humaines de juger et de comprendre d'après la raison seule ; à aucun de ces derniers, il n'a donné le pouvoir de devenir enfants de Dieu parfaits mais à ceux qui sont nés de Dieu, c'est-à-dire à ceux qui ont pris une nouvelle naissance dans la grâce, après être morts tout d'abord à tout ce qui constitue le vieil homme, s'élevant au-dessus d'eux-mêmes jusqu'au surnaturel, en recevant de Dieu cette régénération et filiation qui surpasse tout ce que l'on peut concevoir. Aussi saint Jean dit ailleurs : *Nisi quis renatus fuerit ex aqua et Spiritu Sancto, non potest introire in regnum Dei* [2]. Cela veut dire : Celui qui ne reçoit pas de l'Esprit Saint une nouvelle naissance, ne pourra pas voir le royaume de Dieu, qui est l'état de perfection [3].

Purification morale complète, libération de tous les ennemis, renaissance spirituelle, orientation exclusive vers Dieu, tous ces bienfaits du retournement psychologique étalent leurs fruits dans les relations nouvelles de l'âme avec Dieu, c'est-à-dire dans le mode nouveau d'agir des vertus théologales. Avec saint Jean de la Croix admirons-les de plus près.

II. — *Effets dans l'activité des vertus théologales.*

En son langage symbolique, saint Jean de la Croix compare les trois vertus théologales à une livrée constituée de trois vêtements de couleurs différentes dont l'âme se revêt pour gagner les grâces du Christ, son Époux :

> Une fois donc que l'âme a été blessée de l'amour du Christ, son Époux, elle désire lui plaire et gagner ses bonnes grâces. Aussi elle sort déguisée sous ce vêtement qui lui représente le plus au vif les affections de son esprit et la protège plus sûrement contre ses adversaires et ennemis qui sont le démon, le monde et la chair. La livrée qu'elle prend a trois couleurs principales : le blanc, le vert et le rouge. Ces couleurs signifient les trois vertus théologales de foi, d'espérance et de charité [4].

---

1. Jn 1, 13.
2. Jn 3, 5.
3. *Montée du Carm.*, Liv. II, ch. IV, pp. 110-111.
4. *Nuit Obsc.*, Liv. II, ch. XXI, p. 646.

Sainteté pour l'Église

Plus loin, le Saint enrichit cette vue d'ensemble.

Tel est donc, écrit-il, le déguisement de l'âme lorsque, à la faveur de la nuit de la foi, elle monte l'escalier secret. Telles en sont aussi les trois couleurs qui sont une admirable disposition pour l'union de l'âme à Dieu par ses trois puissances : l'entendement, la mémoire et la volonté [1].

C'est tout un panorama spirituel que saint Jean de la Croix nous découvre en ce symbolisme des trois couleurs. En un parallélisme saisissant il indique les rapports des vertus théologales avec les facultés de l'âme et les ennemis à vaincre. Il fixe ainsi à grands traits le développement de l'ascèse mystique exigée par les vertus théologales pour l'ascension des sommets de l'union. C'est une synthèse des points essentiels de sa doctrine en un raccourci précis et lumineux.

La Foi greffée sur l'entendement met à l'abri du démon.

L'Espérance greffée sur la mémoire met à l'abri du monde.

La Charité greffée sur la volonté met à l'abri de la chair.

Nous pouvons encore préciser :

FOI	ENTENDEMENT	OBÉISSANCE	RUSES DU DÉMON
ESPÉRANCE	MÉMOIRE	PAUVRETÉ	BIENS DU MONDE
CHARITÉ	VOLONTÉ	CHASTETÉ	MOUVEMENTS DU CŒUR ET DE LA CHAIR

Il est fort utile d'avoir saisi en un tableau synthétique les relations vivantes qui existent entre ces diverses réalités pour mener avec une logique efficace, parce que fondée en raison, les combats de la vie spirituelle.

Ici, le Saint se borne à un rappel d'une doctrine plus largement exposée ailleurs. Les mots y sont pleins. Ils nous montrent combien le langage symbolique, sous l'apparente imprécision de ses figures et de ses termes, peut être riche et nourrissant de lumière et de saveur.

---

1. *Nuit Obsc.*, Liv. II, ch. XXI, p. 651.

La foi, écrit le Saint, est une tunique intérieure d'une blancheur tellement éclatante qu'elle éblouit la vue de tout entendement ; quand l'âme s'avance revêtue de la foi, le démon ne peut ni la voir ni lui nuire ;... aussi saint Pierre qui n'a pas trouvé de meilleur bouclier pour le repousser, nous dit : « *cui resistite fortes in fide* ; résistez-lui en demeurant fermes dans la foi [1] »... Sans la foi, dit l'Apôtre, il est impossible de plaire à Dieu [2]. Mais avec elle, quand elle est vive, il est impossible de ne pas lui plaire. Il nous dit lui-même par la voix d'un prophète : « *Sponsabo te mihi in fide* ; je t'épouserai dans la foi [3] ».

C'est sous ce vêtement de blancheur que l'âme a traversé l'obscurité purifiante de la nuit obscure, qui ne laissait rien passer qui pût le ternir ni d'en haut ni d'en bas, et qu'elle est parvenue à sa perfection actuelle qui lui permet de ne s'appuyer que sur la parole même de Dieu. Elle peut dire maintenant en toute vérité cette parole de David : « *Propter verba labiorum tuorum ego custodivi vias tuas*, c'est à cause de la parole de vos lèvres que j'ai suivi des chemins pénibles [4] ».

Les développements sur l'espérance sont aussi d'une sobriété pleine qui donne toute la doctrine sur cette vertu :

L'âme revêt un second vêtement qui est de couleur verte. Celui-ci est le symbole de la vertu d'espérance... Cette ferme espérance en Dieu confère à l'âme tant de force et tant de vigueur, et lui donne un tel essor vers les choses de la vie éternelle, que tout l'univers lui paraît comme il l'est en réalité, vide, désert, mort et sans valeur en comparaison de ce qu'elle espère là-haut... Voilà pourquoi l'âme déguisée sous le vêtement de sa verte livrée est en sûreté complète contre le monde son second ennemi. Saint Paul, en effet, appelle l'espérance « le casque du salut » [5] ; c'est là une armure qui protège toute la tête et la recouvre de telle sorte qu'elle ne laisse à découvert que la visière nécessaire à la vue [6].

Le portrait du combattant spirituel est pittoresque et suggestif... C'est un chevalier du Moyen Âge bardé de toute l'armure défensive paulinienne, le bouclier de la foi et le casque de l'espérance qui recouvre tous les sens de la tête.

Il lui reste seulement une visière par où son regard peut se diriger en haut et non ailleurs. Tel est le rôle ordinaire de l'espérance dans l'âme qui n'élève les yeux que pour regarder du côté

---

1. 1 P 5, 9.
2. He 11, 6.
3. Os 2, 20 ; *Nuit Obsc.*, Liv. II, ch. XXI, p. 647.
4. Ps 16, 4 ; *Nuit Obsc.*, Liv. II, ch. XXI, p. 648.
5. 1 Th 5, 8.
6. *Nuit Obsc.*, Liv. II, ch. XXI, pp. 648-649.

de Dieu. C'est ce qu'éprouvait David quand il nous dit : « *Oculi mei semper ad Dominum* [1]».

N'oublions pas que si

la foi met l'entendement dans les ténèbres, le prive de toute son intelligence naturelle... l'espérance fait le vide dans la mémoire et la sépare de la possession de tout objet créé [2].

Mais le vêtement le plus précieux c'est incontestablement le troisième :

... une toge rouge de toute beauté qui est le symbole de la charité, troisième vertu théologale. Non seulement cette couleur met en relief les deux autres, mais elle élève tellement l'âme qu'elle la place tout près de Dieu [3].

Le Saint élève le ton pour faire l'éloge de cette vertu de charité qui assure à toutes les autres, la force, la beauté et la vie :

Sans la charité aucune vertu n'est belle devant Dieu. Elle est cette pourpre dont parlent les Cantiques et dont l'âme se sert pour arriver à cette couche d'or où Dieu repose [4]. C'est donc de cette livrée toute de pourpre que l'âme était revêtue lorsque, à la faveur d'une nuit obscure, elle est sortie d'elle-même et de toutes les créatures, tout embrasée d'un amour inquiet... pour arriver à l'union parfaite d'amour de Dieu... [5]

Cette vertu purifie la volonté et protège l'âme contre son troisième ennemi qui est la chair.

Parce que là où il y a le véritable amour de Dieu, il n'y a pas l'amour de soi ou de l'intérêt personnel [6].

Libérées de tous les ennemis, dégagées à la fois du fond peccamineux qui viciait leur activité et des opérations des facultés qui les maintenaient par leur tutelle dans un mode inférieur et imparfait d'agir, ouvertes à la seule influence de Dieu, les vertus théologales ont trouvé avec leur mode parfait d'agir, leur pleine efficience en Dieu, leur objet et leur motif. La purification morale et le retournement psychologique, heureux fruits de la nuit de l'esprit, les ont conduites à cette perfection. Instruments perfectionnés, activité parfaite, le but doit être atteint. Aussi saint Jean de la Croix peut conclure :

---

1. Ps 24, 15 ; *Nuit Obsc.*, Liv. II, ch. XXI, p. 649.
2. *Nuit Obsc.*, Liv. II, ch. XXI, p. 651.
3. *Ibid.*, p. 650.
4. Ct 3, 10.
5. *Nuit Obsc.*, ch. XXI, pp. 650-651.
6. *Ibid.*, p. 650.

C'est une grande fortune pour elle que d'avoir réussi à se revêtir de cette livrée et d'avoir persévéré à la porter jusqu'au jour où elle est enfin parvenue au but aussi désiré que l'était l'union d'amour ; voilà pourquoi elle se hâte de dire ce vers :

> Oh ! l'heureux sort ![1]

C'est bien à cette union d'amour parfaite avec Dieu que la nuit prépare l'âme d'une façon immédiate.

C. — *TRIOMPHE DE LA SAGESSE D'AMOUR*

Libérée de tous les obstacles qui arrêtaient sa marche et gênaient son action, la Sagesse d'amour triomphe dans l'âme et y réalise ses désirs. Nous n'aurons plus désormais à étudier que les phases successives de ce triomphe qui ira s'affirmant jusqu'à la vision face à face. Dès maintenant, à la suite de saint Jean de la Croix, signalons quelques traits généraux du règne de la Sagesse. Cela nous obligera à des redites. Mais n'est-il pas nécessaire de redire maintes fois ces choses de l'amour divin dont la richesse et la profondeur ne se livrent qu'au regard persévérant à les contempler ?

I. — *Lumière et amour.*

Ce triomphe de la Sagesse d'amour s'affirme par des manifestations diverses et successives de lumière et d'amour, car

cette nuit obscure de la contemplation se compose de lumière divine et d'amour, comme le feu qui éclaire et réchauffe[2].

Les réflexions faites à propos des manifestations de lumière et d'amour propres à la nuit des sens et qui faisaient très large la part du tempérament dans la diversité de ces manifestations, gardent encore leur valeur en ces régions supérieures[3]. Il faut cependant en réduire la portée. L'action de Dieu, devenue beaucoup plus profonde, est moins indéterminée et laisse moins de liberté aux facultés pour affirmer la qualité de leurs créations. Ces facultés n'enveloppent point le don divin

1. *Nuit Obsc.*, ch. XXI, p. 652.
2. *Ibid.*, Liv. II, ch. XII, p. 601.
3. Cf. Quatrième Partie, ch. II « Dieu lumière et Dieu Amour », p. 506.

comme précédemment pour le savourer ; elles sont dominées et enivrées par les effets de la touche divine qui a été faite à l'âme dans les profondeurs.

Saint Jean de la Croix attribue la diversité de ces manifestations à la manière passive dont l'âme les reçoit.

Il résulte de cet exposé, écrit-il, que la volonté, en recevant de Dieu ces biens spirituels d'une manière passive, peut très bien aimer sans que l'entendement le comprenne, de même que l'entendement peut comprendre sans que la volonté aime [1].

C'est dire que la diversité des manifestations est commandée en premier lieu par une disposition divine :

Il en est de même pour le feu. Il peut donner sa chaleur sans sa lumière, comme aussi sa lumière sans sa chaleur. C'est là l'œuvre du Seigneur. Il infuse ses faveurs comme il lui plaît [2].

Ce principe s'applique en toute sa rigueur lorsque l'âme est complètement soumise, purifiée et assouplie par la Sagesse d'amour. Les commentaires du Saint dans le *Cantique Spirituel* et dans la *Vive Flamme* le redisent et le prouvent [3].

Mais en attendant que soit terminée la purification, la diversité de ces manifestations pourra s'expliquer au moins partiellement par le degré de purification déjà réalisée. L'âme reçoit alors

la contemplation amoureuse à sa manière imparfaite et d'une façon très limitée et pénible... [4]

Au début de cette purification spirituelle ce feu divin semble tout entier occupé plutôt à préparer et à dessécher la matière de l'âme qu'à l'enflammer [5].

L'âme ne sent pas la flamme de l'amour mais elle reçoit cependant le précieux cadeau d'un amour estimatif très élevé.

---

1. *Nuit Obsc.*, Liv. II, ch. XII, p. 601.
2. *Ibid.*
3. Cf. *Cant. Spir.*, str. XVII, p. 788 ; *Vive Fl.*, str. III, p. 1009.
   En ces régions la Sagesse d'amour, maîtresse absolue, commande totalement et tout doit lui être attribué directement. Cependant, nous savons que cette Sagesse gouverne les êtres avec une souveraine délicatesse et en respectant la nature et le tempérament qu'elle-même leur a donné et préparé pour la réalisation de ses desseins. Elle dispose tout avec force et suavité depuis le commencement jusqu'à la fin. Elle édifie avec persévérance suivant son dessein qui est le même depuis jusqu'à la fin. L'action qui procède d'elle s'harmonisera donc avec le tempérament qu'elle a préparé elle-même pour le but qu'elle s'est fixé. Ces pensées se dégageront plus lumineuses de ce que nous verrons dans l'âme transformée et appliquée au dessein de Dieu.
4. *Nuit Obsc.*, Liv. II, ch. XII, p. 599.
5. *Ibid.*, p. 600.

Dans les débuts de la nuit de l'esprit on ne sent pas encore cet embrasement d'amour, parce que ce feu d'amour n'a pas encore agi ; Dieu néanmoins donne immédiatement à sa place un amour d'estime de lui si élevé que, nous le répétons, tout ce que l'âme souffre et endure de plus pénible dans les épreuves de cette nuit obscure, c'est la pensée angoissante qu'elle a perdu Dieu et qu'elle est rejetée par lui [1].

Cet amour d'estime est une lumière qui procède du don d'intelligence et de science. Mais voici que commencent à paraître les flammes de l'amour.

... mais avec le temps, lorsque ce feu a fini par la réchauffer peu à peu, elle (l'âme) sent très souvent ces ardeurs et cette chaleur de l'amour... Il arrive parfois que cette théologie mystique et amoureuse, tout en enflammant la volonté, blesse aussi par ses lumières la puissance de l'entendement en lui donnant quelque connaissance ou lumière de Dieu si pleine de saveur et si céleste que la volonté à son tour aidée par elle s'embrase d'une ferveur merveilleuse. Sans qu'elle fasse rien elle-même, le feu de l'amour divin lance alors de vives flammes, si bien qu'il semble à l'âme, grâce à la vive intelligence qui lui en est donnée, qu'elle est devenue un brasier ardent [2].

Cet incendie d'amour dans l'union de ces deux puissances, entendement et volonté, ... source de richesses et de suavité pour l'âme [3]

et qui provient d'une « certaine touche de la divinité », est un prélude des fêtes que la Sagesse célèbrera dans les facultés pour affirmer ses triomphes profonds dans la substance de l'âme.

Sainte Thérèse fit les mêmes expériences en cette période de la vie spirituelle. Elle a connu dans une impuissance à peu près complète des facultés, l'efficacité merveilleuse de cet amour d'estime qui n'est nullement senti. Elle écrit :

D'autres fois mon âme est dans une sorte de stupidité. J'exprime ce qui est. Je ne fais, ce me semble, ni bien ni mal ; je me contente de suivre les autres, comme on dit, sans éprouver ni peine ni consolation ; la vie ou la mort, la joie ou la douleur, tout m'est indifférent, on dirait que je ne sens rien. L'âme est alors, selon moi, comme le petit ânon qui s'en va paissant, se soutient avec l'aliment qu'on lui donne et mange sans presque s'en apercevoir... Comme elle ne sent ni les effets ni les mouvements intérieurs, elle n'a pas l'intelligence de son état. Il me semble maintenant que l'âme est alors comme un navire qui fend les eaux par un vent très modéré et fait beaucoup de chemin sans qu'on s'en aperçoive [4].

---

1. *Nuit Obsc.*, Liv. II, ch. XIII, p. 604.
2. *Ibid.*, ch. XII, p. 600.
3. *Ibid.*, p. 601.
4. *Vie*, ch. XXX, p. 323-324.

Sainteté pour l'Église

Sainte Thérèse est unique par la finesse pénétrante de ses analyses, par la grâce exquise et la précision des images dont elle revêt ses observations. Voici qu'elle aussi découvre en elle les manifestations ardentes de l'amour infus :

> Elle (l'âme) ressemble à ces petites sources d'eau vive que j'ai vues couler et qui ne cessent jamais par leur bouillonnement de rejeter le sable en haut. Cette comparaison, à mon avis, peint au naturel l'état de cette âme. L'amour dont elle est embrasée est sans cesse en mouvement et lui suggère toujours de nouvelles entreprises. Il ne peut plus être contenu en elle, comme la source qui ne pouvant demeurer sous terre, se répand au dehors. Tel est l'état habituel de cette âme. Elle ne peut ni rester au repos, ni contenir ses transports, tant est grande l'impétuosité de l'amour... Oh ! que de fois je me suis rappelé cette eau vive dont Notre-Seigneur parle à la Samaritaine ! que j'aime ce passage de l'Évangile !...
>
> Cet amour peut encore, à mon avis, se comparer à un grand feu qui demande toujours un aliment nouveau pour continuer son activité [1].

Le petit ânon qui s'en va paissant, la source qui bouillonne et rejette le sable en jaillissant, l'incendie qui embrase, nous montrent les effets extérieurs du triomphe de la Sagesse d'amour, en cette période où ce triomphe n'est pas pleinement assuré. Au-delà de ces manifestations qui affleurent dans les sens, il en est de plus profondes, de plus constantes aussi et de plus caractéristiques, de cette domination enfin établie de Dieu dans l'âme. Nous les étudierons en détail dans la suite, signalons-les brièvement dès maintenant.

II. — *Triomphe de l'amour.*

La Sagesse qui triomphe est Sagesse d'amour. Son œuvre essentielle consiste à donner de l'amour. C'est ce que souligne l'apôtre saint Paul lorsqu'il dit : « La charité est diffusée en vous par l'Esprit Saint qui vous est donné [2] ». La charité est la grande richesse surnaturelle, la seule à laquelle on puisse s'attacher car tout le reste passe, même la foi et l'espérance, seule la charité reste [3]. L'Apôtre chante l'excellence de la charité et sa prééminence. Saint Jean de la Croix écrit :

> Plus une âme est pure, plus elle est appliquée à vivre de la foi avec perfection, plus aussi elle reçoit la charité infuse de Dieu ; or,

---

1. *Vie*, ch. XXX, p. 324-325.
2. Rm 5, 5.
3. 1 Co 13, 8.

plus elle possède la charité, plus l'Esprit Saint l'éclaire et lui communique ses dons : de telle sorte que la charité est la cause de ses dons et le moyen par lequel il les communique [1].

La charité est le seul don parfait ici-bas. Tous les autres en dérivent et n'ont de valeur que par elle. Cela apparaît en pleine lumière sur les sommets que nous abordons. C'est la charité qui y règne et qui y opère l'œuvre essentielle. Les autres dons sont ses fruits ou du moins lui sont inférieurs. La lumière même procède d'elle et ne saurait jamais ici-bas atteindre la perfection de la charité qui la fait jaillir. C'est dire que la Sagesse ne triomphe ici-bas pleinement que dans l'amour. Signalons quelques traits de ce triomphe de la charité.

1. — Le triomphe de la Sagesse n'est parfait que parce qu'elle a infusé dans l'âme une charité de haute qualité. Maintes fois déjà nous avons répété les affirmations de nos maîtres, à savoir que la perfection de l'amour est faite non de son intensité ou de ses manifestations extérieures, mais de sa qualité. Cette qualité est exprimée symboliquement par la profondeur où elle réside, la profondeur disant le dégagement de l'humain, l'exclusivité de l'action de Dieu et la plus haute capacité spirituelle de l'âme à recevoir les dons de Dieu les plus élevés.

Dans les régions où nous sommes, l'âme est complètement purifiée et dégagée. Elle a trouvé un désert intérieur, une solitude où elle n'est plus qu'à Dieu seul.

L'âme a coutume parfois de trouver, sans savoir comment, la partie supérieure d'elle-même tellement séparée et éloignée de la partie inférieure et sensitive, qu'elle reconnaît en elle deux parties très distinctes entre elles. Il lui semble que l'une n'a rien à voir avec l'autre, tant elles sont éloignées et séparées l'une de l'autre. En vérité, il en est ainsi d'une certaine manière ; car l'opération qui s'accomplit, étant toute spirituelle, n'a aucun rapport avec la partie sensitive [2].

Cette séparation si marquée nous dit la pureté parfaite avec laquelle est reçue l'action de Dieu. Cette séparation réalisée par le retournement est expérimentée par l'âme.

Il semble alors à l'âme qu'on la place dans une profonde et vaste solitude où ne peut avoir accès aucune créature humaine ; c'est comme un immense désert qui de toutes parts est sans limite ; et ce désert est d'autant plus rempli de charmes, d'attraits et de délices, qu'il est plus profond, plus vaste et plus solitaire ; l'âme

---

1. *Montée du Carm.*, ch. XXVII, p. 282.
2. *Nuit Obsc.*, Liv. II, ch. XXIII, p. 663.

s'y trouve d'autant plus dans le secret qu'elle se voit plus élevée au-dessus de toutes les créatures d'ici-bas [1].

Cette vaste solitude, ce sont les profondeurs spirituelles de l'âme dans laquelle Dieu infuse passivement l'amour, au-delà même des facultés.

L'amour passif, écrit encore saint Jean de la Croix, ne blesse pas directement la volonté, parce que la volonté est libre ; cet embrasement d'amour est plutôt une passion d'amour qu'un acte libre de la volonté ; il blesse l'âme dans sa substance, et par suite c'est passivement qu'il excite ses affections ; voilà pourquoi on doit s'appeler amour passif plutôt qu'acte libre de la volonté ; car l'acte de la volonté ne porte ce nom qu'autant qu'il est libre [2].

Ces infusions d'amour réalisées par cette Sagesse d'amour « qui découle de Dieu » et qui habituellement « passe des premières hiérarchies angéliques pour arriver jusqu'aux dernières, et de celles-ci enfin aux hommes [3] » deviennent de plus en plus ardentes jusqu'à ce qu'elles soient produites par une touche même de Dieu. Cette touche,

une certaine touche de la divinité et déjà un commencement de la parfaite union où elle tend... produit l'incendie d'amour dans l'union des deux puissances, entendement et volonté [4].

La transformation d'amour étant réalisée, nous trouverons ces touches délicates du Verbe qui pénètrent « d'une manière subtile la substance de l'âme en la touchant tout entière [5] ».

Il nous suffit pour l'instant d'avoir soulevé le voile qui nous cache ces régions mystérieuses et les opérations que Dieu y réalise, pour apprécier la qualité de l'amour qui y est infusé et la pureté dans laquelle il y est reçu.

2. — L'effet propre et essentiel de la charité c'est d'unir et de transformer. Elle est plus qu'un lien. Elle assure une compénétration mutuelle aux deux êtres qu'elle unit et les conduit ainsi à une ressemblance et à une certaine identification. La charité surnaturelle qui est diffusée par Dieu dans nos âmes est participation de la vie divine et nous fait enfants de Dieu. Elle est le don de Dieu réalisant en nous son adoption.

---

1. *Nuit Obsc.*, Liv. II, ch. XVII, p. 629.
2. *Ibid.*, ch. XIII, p. 603.
3. *Ibid.*, ch. XII, p. 599.
4. *Ibid.*, p. 601.
5. *Vive Fl.*, str. II, p. 955.

Désormais la charité ayant purifié, séparé, conquis, elle ne trouve plus d'obstacles en l'âme. La puissance unissante et transformante peut se déployer avec toute l'efficacité que lui donne le vouloir divin. Elle unit donc « les deux volontés, celle de l'âme et celle de Dieu » de telle sorte qu'elles soient d'accord entre elles et que l'une n'ait rien qui répugne à l'autre [1].

Mais puisque son action s'est localisée dans la substance de l'âme elle y réalise ce que saint Jean de la Croix appelle une « union substantielle [2] ». Cette union est une transformation de l'âme par la charité qui la fait « participer à la nature de Dieu par son union avec Dieu, bien que cette union ne soit pas essentielle [3] ». C'est une union de ressemblance réalisée par l'amour, d'où son nom, union de ressemblance d'amour.

Ces termes nous disent que l'amour en ces régions nous fait réaliser parfaitement notre vocation surnaturelle. Sa puissance unissante et transformante nous fait renaître parfaitement et nous donne la pleine filiation divine, nous transformant de clarté en clarté jusqu'à la ressemblance du Verbe, nous place en Lui au sein de la Trinité sainte et nous fait participer à toutes ses opérations. C'est cette puissance transformante qui assure à la charité la primauté sur tout le reste et la rend souverainement désirable. Les autres dons de Dieu ne sont, par rapport à la charité et à sa puissance transformante, que des moyens ou des fruits. Ces moyens, seraient-ils efficaces, ces fruits, seraient-ils délicieux ou brillants comme les splendeurs de l'union, doivent rester dans une attitude de dépendance à l'égard de la charité.

Aspirez aux dons supérieurs, dit l'Apôtre, mais je vais vous montrer une voie excellente entre toutes... Recherchez la charité [4].

Il importe souverainement de s'exercer à l'amour, insiste saint Jean de la Croix, cela parce que « c'est par l'amour que s'opère la transformation de l'âme en Dieu [5] ».

3. — Cette transformation étant réalisée, c'est-à-dire les facultés étant purifiées et soumises parfaitement à l'emprise de l'amour, pleine liberté est assurée désormais au dynamisme de l'amour. Car l'amour est essentiellement dynamique. *Bonum diffusivum sui*. Il est le bien diffusif

1. *Montée du Carm.*, ch. IV, p. 109.
2. *Ibid.*
3. *Ibid.*
4. 1 Co 12, 31 et 14, 1.
5. *Montée du Carm.*, Liv. I, ch. II, p. 32.

de soi. Il est toujours en mouvement pour se donner. Il est participation à la vie de Dieu. S'arrêter serait se détruire lui-même et mourir. Sa vie est dans le mouvement qu'implique le don constant de lui-même.

Quel est ce mouvement ? C'est celui du Fils de Dieu, du Christ-Jésus. Avec Lui au sein de la Trinité sainte, il se porte vers le Père pour se renouveler continuellement sous l'action de sa paternité. De là, il redescend vers tout ce qu'il a conquis et dominé, substance de l'âme, facultés et puissances sensibles, pour déverser sur elles les nouveaux trésors puisés en Dieu. L'âme et ses facultés ne possèdent désormais que ce qui leur arrive par les flots de cet amour qui redescend chargé des dons parfaits de Dieu.

Cet amour filial avec celui de Jésus redescend vers le monde et les âmes. L'Amour du Verbe, qui est l'Esprit d'amour construit l'Église, corps mystique du Christ. La transformation d'amour livre l'âme avec toutes ses énergies à la motion de cet Esprit et par conséquent à la réalisation de l'œuvre qu'il a entreprise. De fait, l'Esprit d'amour prend comme collaboratrices les âmes qu'Il a conquises.

Que fera cette âme ? Ce que l'Esprit d'amour lui impose : prière, immolation, activité. Tout à la fois, ceci ou cela, suivant la volonté de Celui qui est devenu son Maître, et suivant le mouvement que l'Esprit lui imprime. Elle ne préfère rien, elle ne veut rien, sinon être docile à l'Aimé et remplir toute la tâche que l'Esprit d'amour veut faire par elle.

Cette tâche sera-t-elle spirituelle ou matérielle, active ou contemplative, la portera-t-elle vers les profondeurs d'elle-même pour y goûter Dieu ou aux extrémités de la terre pour s'y dépenser ? Ces mouvements différents ne sont plus pour elle que des formes extérieures auxquelles elle est devenue indifférente, car elle n'est occupée qu'à aimer. Cet amour n'est point repos, mais don de soi à l'Aimé pour prendre ses sentiments, ses pensées, ses désirs, pour copier toutes ses attitudes et tous ses gestes, pour se laisser emporter par lui en tous ses mouvements, et tous ses vouloirs. Où pourrait-elle le trouver ailleurs que là où il la veut et l'emporte ? Se réserver pour goûter son amour et le voir de plus près dans une intimité reposante serait effectivement perdre son contact et le perdre Lui-même en reprenant son indépendance. Pour satisfaire son désir d'une union toujours plus étroite, il faut que l'amour suive son Bien-Aimé partout où il le conduit. C'est cela seulement qui s'appelle aimer et qui indique le triomphe parfait de l'amour.

4. — La perfection de ce triomphe est marquée par un signe de paix et de suavité. Le dynamisme de l'amour s'exprimait en violence devant l'obstacle qui résistait encore et en impétuosité lorsque l'obstacle avait cédé. Maintenant tout obstacle est tombé à l'intérieur. Ceux de l'extérieur sont vaincus par la patience silencieuse qui déborde d'amour. Cet amour est devenu un vin vieux qui a déposé la lie qui le faisait bouillonner et fermenter, et qui porte force, suavité, onction en sa substance[1].

Tel est à grands traits le triomphe que la nuit de l'esprit assure à l'amour. Nous n'aurons plus qu'à préciser chacun d'eux dans les diverses étapes que nous allons parcourir.

III. — *Épanouissement de la lumière.*

La lumière est un des fruits les plus précieux de la transformation d'amour.

Cette transformation, écrit saint Jean de la Croix, n'est autre chose que l'illumination de l'entendement par la lumière surnaturelle, de telle sorte qu'il est uni au divin et devient divin. De son côté, la volonté étant embrasée d'amour par cette illumination devient divine ; elle n'aime que d'une manière divine[2].

En effet, la lumière qui transforme l'entendement et l'amour qui embrase la volonté, jaillissent parallèlement d'une source plus profonde qui est la transformation d'amour réalisée dans la substance de l'âme. La lumière procède en ces régions de la connaturalité qui est créée par l'amour. La lumière est donc fruit de l'amour. La lumière ne reprendra le pas sur l'amour que dans la vision face à face, lorsque le *lumen gloriae* nous permettra de voir Dieu tel qu'Il est et, par conséquent, de participer aux opérations de la vie intime de Dieu dans l'ordre logique où elles se déroulent.

Cette lumière qui procède de l'amour est de haute qualité. Elle a les caractères et les privilèges de sa divine origine.

1. Sa première caractéristique est d'être secrète, de jaillir de l'obscurité et d'en être enveloppée.

La foi qui nous conduit à Dieu ne nous le révèle que dans l'obscurité. C'est un de ses caractères essentiels qui ne saurait disparaître ici-bas. Cette obscurité qui vient de

---

1. *Cant. Spir.*, str. XVI, pp. 781-784.
2. *Nuit Obsc.*, Liv. II, ch. XIII, p. 609.

l'imperfection de l'instrument qui est à notre disposition, nous l'objectivons sur Dieu même et nous disons avec le psalmiste :

> L'obscurité était sous ses pieds ; il s'est élevé au-dessus des chérubins et il a volé sur les ailes des vents. Il a pris les ténèbres pour sa retraite, autour de lui il a placé comme une tente, l'eau ténébreuse des nuées du ciel [1].

Saint Jean de la Croix commente ce texte :

> Or, cette obscurité qu'il a placée sous ses pieds, ces ténèbres qu'il a choisies pour retraite, cette nuée ténébreuse qui l'entoure comme une tente, tout cela marque l'obscurité de la foi où il se trouve renfermé [2].

Les manifestations les plus hautes de Dieu ne le font pas sortir de cette ténèbre.

> Quand Salomon eut achevé de bâtir le temple, écrit saint Jean de la Croix, Dieu y descendit dans une nuée et remplit le saint lieu d'une telle obscurité que les enfants d'Israël ne pouvaient rien voir. Salomon dit alors : « Le Seigneur a promis de demeurer dans la nuée [3] ».
> C'est également au milieu d'une nuée que Dieu apparut à Moïse sur la montagne. Toutes les fois que Dieu a fait des apparitions solennelles, Il s'est montré dans la nuée, comme on le voit encore au livre de Job, qui nous raconte que Dieu lui parle au sein d'une nuée obscure [4]. Ces ténèbres signifient toute l'obscurité de la foi sous laquelle s'enveloppe la divinité pour se communiquer à l'âme [5].

La lumière que la foi vive faisait jaillir de cette obscurité n'était que ténèbres pour l'âme avant que celle-ci ne fût purifiée. Elle est devenue maintenant progressivement une clarté d'aurore, une clarté qui baigne dans une obscurité qu'elle ne dissipe pas.

Il en est de même des lumières les plus hautes que l'âme peut recevoir, par exemple :

> Cette substance déjà toute comprise, dégagée de tout accident et de toute image qui pénètre dans l'intellect, que les philosophes appellent passif ou possible, car il reçoit passivement, sans rien faire de sa part, bien que dégagée de tout accident n'en est pas plus éclairée mais plutôt obscure car c'est une contemplation et la contemplation ici-bas, dit saint Denys, est un rayon de ténèbres [6].

---

1. Ps 17, 10-12.
2. *Montée du Carm.*, Liv. II, ch. VIII, p. 133.
3. 1 R 8, 12.
4. Jb 38, 1 ; 40, 1.
5. *Montée du Carm.*, Liv. II, ch. VIII, p. 133.
6. *Cant. Spir.*, str. XIII, pp. 760-762.

Les visions extraordinaires elles-mêmes, traînée de flamme dans la nuit, franges lumineuses qui s'éclairent soudain sur le vêtement d'obscurité dont s'enveloppe l'infini, font briller quelques-unes des merveilles qu'il recèle, mais découvrent surtout les profondeurs de son mystère. Il y a donc en elles aussi plus d'obscurité que de lumière ; elles ne seraient pas divines si elles n'étaient ainsi, car, dit encore saint Jean de la Croix,

... nous devons savoir que notre entendement, tant qu'il est dans la prison du corps, n'a ni disposition ni capacité pour recevoir la claire connaissance de Dieu, car cette connaissance n'est pas de la condition présente ; il faut mourir ou en être privé. Aussi quand Moïse demanda à Dieu cette claire connaissance, il lui fut répondu en ces termes qu'il ne pouvait l'avoir : « Aucun homme ne me verra et vivra [1] ». Voilà pourquoi saint Jean dit : « Personne n'a jamais vu Dieu [2] ».

Comme les soldats de Gédéon, l'âme porte une torche enflammée en sa main, mais cachée dans un vase. La lumière n'apparaîtra que lorsque le vase sera brisé [3].

2. Ce rayon de ténèbres ou connaissance de Dieu par négation, n'est pas le fruit d'un travail intellectuel, mais « communiqué et infusé par la voie de l'amour [4] ». Comme cette Sagesse ne vient pas de l'extérieur par les sens mais qu'elle jaillit de l'expérience intérieure de l'amour, elle est un mode nouveau de connaissance.

L'âme est comme celui qui voit une chose pour la première fois et qui n'a jamais vu rien de semblable ; il la comprend, il en jouit et cependant il ne peut lui donner un nom [5].

L'âme est, en effet, surprise et heureuse de trouver en elle cette connaissance simple, générale, spirituelle, pleine d'amour, tranquille, solitaire, pacifique, suave, enivrante [6], qui monte des profondeurs de l'âme et de toutes les puissances que l'amour a transformées et pénétrées.

Parce qu'elle est le fruit de la connaturalité divine réalisée par l'amour dans l'âme jusqu'à sa substance, cette connaissance est à proprement parler « le langage de Dieu à l'âme, ou de pur esprit à esprit pur [7] », et elle possède toutes les richesses de la connaissance qui résulte d'un contact.

---

1. Ex 33, 20.
2. Jn 1, 18 ; *Montée du Carm.*, Liv. II, ch. VII, p. 128.
3. *Montée du Carm.*, Liv. II, ch. VIII, p. 134.
4. *Nuit Obsc.*, Liv. II, ch. XVII, p. 625.
5. *Ibid.*, p. 627.
6. *Ibid.*, ch. XVII, p. 626 ; *Vive Fl.*, str. III, p. 1003.
7. *Ibid.*, p. 628.

Sa grande richesse est dans son obscurité. La vertu propre de ce rayon de ténèbres et son excellence consistent à faire découvrir dans l'expérience savoureuse du mystère, la transcendance de l'Être que ses ténèbres enveloppent en leur profondeur. Aussi l'âme ne désire-t-elle que s'enfoncer davantage dans cette obscurité savoureuse,

... dans cette nuée ténébreuse qui est autour de Dieu. Car si elle est pour Dieu lui-même un tabernacle et une demeure, elle le sera également pour l'âme ; elle sera son rempart et sa sécurité d'une manière parfaite [1].

Elle aspire à se cacher toujours plus profondément dans le secret de la face de Dieu et entrer dans son tabernacle [2].

La simplicité de cette connaissance fait que souvent l'âme n'en pourra rien dire sinon la paix et la joie qu'elle lui procure. Elle pourra l'expliciter abondamment lorsque des faveurs particulières et des saveurs lui donneront des formes sensibles qui ne se dérobent plus à une formulation au moins symbolique [3].

3. Saint Jean de la Croix signale que l'âme découvre en elle une présence amie dans la nuit de l'esprit :

Néanmoins, écrit-il, au milieu de ces peines qui proviennent des ténèbres et de l'amour, l'âme sent en elle une certaine présence amie et une certaine force qui l'accompagnent partout et la soutiennent [4].

Cette présence amie est aussi une nouveauté et caractéristique de cette période. L'âme expérimentait précédemment le jaillissement de l'eau vive dans ses facultés, dans la volonté spécialement ; la source était profonde et restait lointaine. Il y a eu des approfondissements. L'action de Dieu se situe maintenant dans l'esprit. Il y a des contacts de substance, un langage de pur esprit à esprit pur, de Dieu lui-même à l'âme.

Ces contacts donnent une expérience de la source même de l'Être d'où elle jaillit. Il ne s'agit point d'une vision, ni imaginaire ni intellectuelle ; c'est une perception de l'esprit purifié. Cette perception que les dogmes de la foi aident à préciser, deviendra de plus en plus nette et substantielle en chacune des étapes d'ascension, jusqu'à

---

1. *Nuit Obsc.*, Liv. II, ch. XVI, p. 622.
2. « Vous les cacherez dans le secret de votre face pour les mettre à l'abri des persécutions des hommes ; vous les protégerez dans votre tabernacle contre le déchaînement des langues ». Ps 30, 21.
3. *Nuit Obsc.*, Liv. II, ch. XVII, p. 628.
4. *Ibid.*, ch. XI, p. 597.

devenir à peu près constante et constituer un signe de la transformation complète.

A cette perception de la présence divine il faut, semble-t-il, rattacher cette perception de la présence du démon parle saint Jean de la Croix à la fin de la *Nuit de l'esprit* [1]. Ce n'est pas que le démon puisse toucher la substance de l'âme ; ces touches sont réservées à Dieu seul et « ni le bon Ange, ni le démon ne peuvent arriver à comprendre ce qui se passe [2] ». Le démon ne peut même pas imiter les communications spirituelles qui n'ont, en tant que telles, ni forme ni figure. Mais

... pour attaquer l'âme d'après le mode employé par le bon Ange pour la visiter, il lui représente un esprit plein de terreur ; il veut ainsi détruire un esprit par un autre esprit [3].

Le démon profite donc de l'affinement du sens spirituel de l'âme et de son expérience pour lui faire percevoir sa présence et cela suffit pour créer en elle « des terreurs et des troubles spirituels, parfois très pénibles [4]».

4. Il faut signaler encore comme fruit de la nuit de l'esprit, l'aptitude de l'âme à recevoir en toute pureté et sans que les sens interviennent pour le vicier, les hautes connaissances spirituelles sur des vérités particulières que Dieu infuse passivement dans l'âme et qui sont des connaissances de Dieu lui-même [5].

Cette purification assure aussi une pénétration merveilleuse et habituelle des profondeurs de Dieu et même de ce qui est caché dans les hommes.

Nous devons savoir, écrit saint Jean de la Croix, que ceux dont l'esprit est complètement purifié peuvent, les uns plus que les autres, avoir la plus grande facilité et comme naturellement connaître ce qu'il y a dans le cœur ou dans les pensées intimes, les inclinations et les qualités des autres. Ils le connaissent par des indices extérieurs, même très minimes, comme les paroles, les mouvements et autres signes. De même que le démon a ce pouvoir parce qu'il est esprit, de même aussi l'homme spirituel le possède selon cette parole de l'Apôtre : « *Spiritualis autem judicat omnia* ; l'homme spirituel juge de tout [6] ». Il dit encore : « *Spiritus omnia scrutatur, etiam profunda Dei* ; l'esprit pénètre tout, même les

---

1. *Nuit Obsc.*, Liv. II, ch. XXII, pp. 660-662.
2. *Ibid.*, p. 661.
3. *Ibid.*, pp. 659-660.
4. *Ibid.*, p. 660.
5. Cf. Cinquième Partie, ch. II « Faveurs extraordinaires », Connaissances de substances spirituelles, p. 717 et s.
6. 1 Co 2, 15.

profondeurs de Dieu [1] ». Sans doute les personnes spirituelles ne peuvent pas naturellement connaître les pensées, ni le fond des cœurs, mais aidées de la lumière surnaturelle, elles peuvent le découvrir dans les indices extérieurs [2].

La nuit de l'esprit dégage et libère admirablement, on le voit, toutes les virtualités de l'esprit, aussi bien pour recevoir la lumière de Dieu, que pour pénétrer sous sa clarté toutes les réalités inférieures. L'âme reste une âme humaine mais hautement spiritualisée.

IV. — *Étapes de ce triomphe de l'Amour.*

Pour apprécier ce triomphe de l'amour que la nuit de l'esprit assure, il ne faut pas oublier la parole de sainte Thérèse que nous avons commentée en parlant de la croissance spirituelle [3].

Je l'ai dit, et je voudrais qu'on ne l'oublie jamais, écrit la Sainte, si l'âme grandit, comme nous l'affirmons, et c'est la vérité, elle ne croît pas cependant à la manière des corps. Le petit enfant qui s'est développé et est arrivé à la taille de l'homme mûr, ne recommence pas à décroître et à reprendre son petit corps. Pour l'âme, le Seigneur veut qu'il en soit ainsi. C'est ce que j'ai constaté pour moi, car je ne le sais pas autrement [4].

Il n'y a pas d'âme, eût-elle la taille d'un géant dans cette voie spirituelle, qui ne doive revenir très souvent à l'état de l'enfant, et sucer comme lui à la mamelle. Qu'on n'oublie jamais ce point. Peut-être je le répéterai encore bien des fois, tellement il est important [5].

Les réalisations de la croissance spirituelle n'ont pas la fixité des réalisations de la croissance physique. Celles-ci étalent au regard une réalité matérielle qui ne change pas. Les premières parce que spirituelles sont plus difficilement discernables et quand on les a découvertes, elles semblent mouvantes. La croissance spirituelle apparaît moins en des signes précis et immuables que dans un rythme vivant qui a d'ailleurs des caractéristiques assez nettes.

C'est ce qu'a exprimé saint Jean de la Croix dans les derniers chapitres de la *Nuit*, en comparant la Sagesse d'amour à un escalier secret.

Quand je sortis déguisée par l'escalier secret [6].

---

1. 1 Co 2, 10.
2. *Montée du Carm.*, Liv. II, ch. XXIV, p. 268.
3. Cf. Première partie, *Perspectives*, ch. IX, p. 127.
4. *Vie*, ch. XV, pp. 153-154.
5. *Ibid.*, ch. XIII, p. 131.
6. *Nuit Obsc.*, Liv. II, ch. XVIII, pp. 631 et suivantes.

Ce symbolisme exprime un double mouvement de l'âme, un mouvement de montée et de descente en ses dispositions et un mouvement d'ascension continuel vers les sommets de l'union. Le premier semble se faire dans les dispositions actuelles de la charité, le deuxième, plus profond, correspond à la croissance même de la charité.

1. Nous appelons escalier cette contemplation secrète, parce que, de même que les degrés de l'escalier servent à la fois à monter et à descendre, de même cette contemplation secrète emploie les mêmes communications ou lumières pour élever l'âme à Dieu et l'humilier en elle-même [1].

Cette montée et descente ne traduit pas seulement des impressions intérieures, mais des faits qui ont une certaine réalité extérieure. La tempête succède à la prospérité ; le calme ne semble donné que pour préparer aux tribulations qui sont suivies elles-mêmes de l'abondance de la paix.

En son langage concret, sainte Thérèse constate :

Il est des temps où ceux qui ont déjà leur volonté si parfaitement unie à celle de Dieu, qu'ils endureraient toutes sortes de tourments et souffriraient mille morts plutôt que de commettre une seule imperfection, sont parfois tellement assaillis par les tentations et les persécutions, qu'ils ont besoin, pour éviter l'offense de Dieu et ne point tomber dans le péché, de recourir aux premières armes de l'oraison. Ils doivent de nouveau considérer que tout finit ici-bas, qu'il y a un ciel, un enfer, et se servir d'autres considérations de ce genre [2].

Il n'est pas de repos définitif pour l'âme ici-bas, constate saint Jean de la Croix. L'âme

... ne fait que monter et descendre. La cause de cette alternative vient de ce que l'état de perfection consistant dans le parfait amour de Dieu et le mépris de soi, qui ne peut pas exister sans qu'il y ait ces deux conditions, Dieu doit nécessairement commencer par exercer l'âme dans l'un et l'autre [3].

Ce mouvement s'accuse surtout dans la nuit de l'esprit. Il subsiste moins douloureux, mais sensible cependant, jusqu'à ce que l'âme trouve le repos parfait dans l'union parfaite, au sommet de l'échelle mystique. Où se trouve ce sommet, saint Jean de la Croix va nous le dire.

---

1. *Nuit Obsc.*, Liv. II, ch. xviii, p. 632.
2. *Vie*, ch. xv, p. 154.
3. *Nuit Obsc.*, Liv. II, ch. xviii, p. 633.

2. Cet escalier indique aussi, en effet, l'ascension de l'âme vers l'union. Ce mouvement est évidemment le plus important. Le premier ne porte que sur des dispositions de l'amour, le deuxième atteint la substance.

Parlons maintenant, écrit le Saint, d'une manière un peu plus substantielle et dans un sens plus précis de cette échelle mystique de la contemplation secrète. La cause principale pour laquelle la contemplation s'appelle une échelle mystique, c'est qu'elle est une science d'amour ou une connaissance infuse et amoureuse de Dieu, et que, en même temps qu'elle éclaire l'âme, elle l'embrase d'amour pour l'élever de degré en degré jusqu'à Dieu son Créateur ; car c'est l'amour seul qui unit l'âme à Dieu et l'attache à lui [1].

Puisque c'est l'amour qui réalise l'union et qui, par conséquent, en est le critère, l'échelle d'ascension vers l'union sera donc une échelle d'amour. Elle comportera dix degrés. « Nous distinguerons ces degrés par leurs effets à la suite de saint Bernard et de saint Thomas », nous avertit le Saint [2]. Il précise ces effets dans le chapitre suivant :

Le premier degré d'amour procure à l'âme une langueur qui lui est salutaire... Au second degré, l'âme ne cesse plus de chercher Dieu... Le troisième degré est celui qui fait agir l'âme et met en elle ce feu pour l'empêcher de tomber... Le quatrième est celui où elle éprouve pour le Bien-Aimé une souffrance qui ne la fatigue jamais... Le cinquième porte l'âme à désirer et rechercher Dieu avec une sainte impatience... Le sixième fait que l'âme court d'un pas léger vers Dieu et l'atteint souvent de ses touches... Le septième anime l'âme d'une sainte audace... Le huitième attache l'âme et l'unit d'une manière indissoluble au Bien-Aimé... Le neuvième fait que l'âme est embrasée pour Dieu d'un amour suave... Le dixième et dernier degré fait que l'âme s'assimile totalement à Dieu, par suite de la claire vision de Dieu dont elle jouit aussitôt d'une manière immédiate [3].

Cette échelle mystique ou échelle d'amour, indique les divers degrés d'amour ou progrès d'amour en qualité, par lesquels l'âme parvient jusqu'à la plénitude de sa grâce. Le rôle essentiel de l'amour dans l'ascension de l'âme est donc nettement marqué. Cette échelle conduit des premières infusions de l'amour passif jusqu'à la vision face à face dans le ciel. Jusqu'à ce que ce terme soit atteint il n'y a pas d'arrêt, ni de repos pour l'âme. Il est toujours en mouvement de conquête, d'expansion et d'ascension. Etant donné qu'il est « impossible, dit saint Jean

---

1. *Nuit Obsc.*, Liv. II, ch. XVIII, p. 634.
2. *Ibid.*
3. *Ibid.*, ch. XIX et XX, pp. 635-644.

de la Croix, de les connaître en eux-mêmes par nos moyens naturels [1]», ces progrès ou degrés de l'amour sont déterminés par leurs effets.

Certes ces effets sont classés dans leur ordre d'excellence. Le regard pénétrant de saint Jean de la Croix saisit la relation entre ces effets extérieurs et la réalité intérieure à savoir l'amour que ces effets manifestent. C'est donc un ordre logique de progression réelle qui nous est ainsi présenté.

Et cependant nous ne prendrons pas les degrés indiqués par cette échelle d'amour comme base de notre étude pour ces dernières étapes. Probablement parce que nous connaissons très mal ces régions familières à saint Jean de la Croix, ces progrès de l'amour nous semblent trop détaillés et trop finement nuancés pour être exposés en un enseignement qui ne veut pas sacrifier la clarté à des précisions qui nous resteraient mystérieuses.

D'autant que cet ordre logique apparaît habituellement assez peu clairement dans la progression des âmes vers les sommets. D'autres traits sont plus visibles ; ce sont ceux que la miséricorde divine semble mettre en relief parce qu'ils correspondent à sa volonté particulière sur chacune d'elles et à la mission qu'elle leur confie. C'est ainsi que chez sainte Thérèse de l'Enfant-Jésus, venue au Carmel pour prier pour les pécheurs et les prêtres, la dernière étape de l'amour transformant avant la vision du ciel sera certes un amour embrasé, mais la suavité que signale saint Jean de la Croix sera cachée sous la souffrance rédemptrice du péché que porte la Sainte et qui lui fait réaliser la mort de Jésus en croix qu'elle a désirée. L'ordre relatif établi par la miséricorde divine pour la réalisation d'une mission particulière, a remplacé l'ordre logique fondé sur la hiérarchie des effets.

Nous renonçons donc à étudier successivement chacun de ces degrés de l'échelle d'amour. Il nous semble préférable de reprendre les divers aspects déjà signalés du triomphe de l'amour en cette dernière période : épanouissement de la lumière contemplative, transformation réalisée par l'amour, efficience extérieure de cet amour dans l'Église. De chacun de ces aspects ou plutôt de chacune de ces richesses essentielles de l'amour, nous essaierons de fixer la progression jusqu'à sa perfection finale.

---

1. *Nuit Obsc.*, Liv II, ch. XVIII, p. 634.

CHAPITRE SEPTIÈME

Fiançailles
et mariage spirituels

> *Celui qui m'aime sera aimé de mon Père, et moi aussi je l'aimerai, et je me manifesterai à lui... Si quelqu'un m'aime, il observera mes préceptes, mon Père l'aimera, nous viendrons à lui, et nous ferons en lui notre demeure* [1].

En abordant ces sommets de la vie spirituelle, sainte Thérèse ne se lasse pas d'appeler le secours de Dieu. Au seuil des sixièmes Demeures, elle avait écrit :

> Qu'il lui plaise que je réussisse à vous exposer quelques-unes de ces questions si difficiles ! Car si Sa Majesté ne vient pas avec l'Esprit Saint pour diriger ma plume, je sais bien que ce travail est au-dessus de mes forces [2].

Devant les septièmes Demeures, sa prière se fait plus instante :

> Plaise à Sa Majesté de daigner diriger ma plume, et de me faire comprendre comment je dois vous exposer quelques-unes des merveilles qu'il y aurait à raconter et qu'elle révèle à l'âme dans cette Demeure ! Je l'en ai ardemment suppliée [3].

Sainte Thérèse, sur ces sommets, se croyait incapable de traduire son expérience. N'y a-t-il pas témérité à tenter un commentaire de cette expérience qui lui fut personnelle ?

Et cependant les maîtres du Carmel font briller sur ces sommets une lumière si simple et si limpide que même

---

1. Jn 14, 21 et 23.
2. Vᵉ Dem., ch. IV, p. 926.
3. VIIᵉ Dem., ch. I, p. 1027.

938

démuni de l'expérience qui, seule, peut permettre de comprendre les détails de leurs descriptions, on trouve grand profit à les aborder en leur compagnie. C'est une cure d'air pur et de lumière limpide que cette ascension nous procure. Avec une joyeuse surprise nous découvrons en leur enseignement vécu la réalisation parfaite des plus hautes et des plus simples affirmations évangéliques sur le royaume de Dieu.

C'est à ce dernier aspect que nous nous attachons particulièrement. C'est l'espoir d'un tel profit qui nous donne l'audace de suivre ces maîtres sublimes de sainteté jusqu'en ces sommets.

Les premières vérités évangéliques mises en relief par les descriptions thérésiennes et san-johanniques ont trait à la double promesse faite par Notre-Seigneur à ses apôtres après la Cène et sont mises en exergue en tête de ce chapitre :

Celui qui m'aime sera aimé de mon Père, et moi aussi je l'aimerai et je me manifesterai à lui [1].

A l'amour parfait, Jésus promet la manifestation de Lui-même. Promesse précieuse dont nous trouverons une première réalisation dans les fiançailles spirituelles.

Si quelqu'un m'aime, il observera mes préceptes, mon Père l'aimera, nous viendrons à lui et nous ferons en lui notre demeure [2].

A la fidélité parfaite de l'amour, Dieu répondra par un amour parfait qui lui fera prendre possession définitive et complète de l'âme qui deviendra ainsi sa véritable demeure. Cette promesse trouvera sa réalisation parfaite dans le mariage spirituel.

Fiançailles et mariage spirituels, avons-nous dit. Tel est le symbolisme dont usent sainte Thérèse et saint Jean de la Croix pour marquer et décrire les deux étapes qu'ils distinguent sur ces sommets.

Vous avez entendu dire souvent, écrit la sainte Mère, que Dieu épouse les âmes d'une manière spirituelle. Bénie soit sa miséricorde qui l'incline à s'humilier de la sorte ! Cette comparaison est grossière sans doute ; mais je n'en trouve pas d'autre qui puisse mieux vous faire comprendre ce que je veux dire que le sacrement de mariage. L'alliance dont je parle en est, en effet bien différente et bien éloignée : elle ne présente jamais rien qui ne soit spirituel, les joies et les goûts que le Seigneur y accorde sont à mille lieues des

---

1. Jn 14, 21.
2. *Ibid.*, 23

satisfactions de ceux qui sont unis ici-bas. Tout est amour réciproque, et les opérations de cet amour sont très pures, très délicates
et très suaves ; on ne saurait même les exprimer, mais Notre-
Seigneur sait très bien le faire sentir [1].

Le symbolisme peut paraître audacieux. Il est toutefois
parfaitement justifié par l'apôtre saint Paul qui affirme que
l'union de l'homme et de la femme dans le mariage est le
signe de l'union du Christ et de son Église et trouve en
celle-ci sa grâce et sa grandeur [2].

Fiançailles et mariage spirituels, ces deux étapes vont
nous montrer les manifestations divines en leurs développements et la lumière contemplative en son plein épanouissement dans l'union transformante.

A. — *FIANÇAILLES SPIRITUELLES*

C'est un enseignement abondant sur les fiançailles spirituelles que nous offrent sainte Thérèse dans le livre de
sa *Vie* et aux sixièmes Demeures [3], et saint Jean de la Croix,
spécialement dans le commentaire des strophes XII à XXVI
du *Cantique Spirituel* [4]. Leur enseignement s'y présente
non seulement convergent, mais avec des similitudes frappantes qui vont jusqu'à des expressions identiques dans
les descriptions. En son commentaire de la strophe XII où
l'âme accède aux fiançailles spirituelles saint Jean de la
Croix écrit :

Ce serait ici le lieu de parler des différentes sortes de ravissements et d'extases, et autres élévations ou vols d'esprit qui se produisent d'ordinaire chez les personnes spirituelles. Mais comme
mon but n'est que d'exposer brièvement ces strophes, ainsi que je
l'ai promis dans le prologue, j'en laisse le soin à celui qui en parlera mieux que moi. D'autre part, la bienheureuse Thérèse de Jésus,
notre Mère, a déjà traité de ces questions spirituelles en des pages
admirables, et j'espère de la bonté de Dieu qu'elles ne tarderont
pas à être imprimées [5].

L'allusion est explicite aux descriptions de sainte
Thérèse dans le livre de sa *Vie* et probablement dans le
livre des *Demeures* que le Saint devait connaître. Évo-

---

1. Ve Dem., ch. IV, p. 921.
2. « A cause de cela, l'homme quitte ses père et mère pour s'attacher
à sa femme, et des deux ne faire qu'une même personne. Grand est ce
mystère, je veux dire en vue du Christ et de son Église ». Ep 5, 31-32.
3. *Vie*, ch. XX-XXI, pp. 193-218 ; VIe Dem., ch. IV-VI, pp. 956-982.
4. *Cant. Spir.*, str. XII-XXVI, pp. 742-835.
5. *Ibid.*, str. XII, p. 745.

cation aussi des entretiens qu'eurent les deux Saints et des ravissements qui les interrompaient, au parloir du monastère de l'Incarnation de 1571 à 1574, tandis que sainte Thérèse en était la prieure et saint Jean de la Croix l'aumônier confesseur. C'est alors que sainte Thérèse est élevée au mariage spirituel après une période pendant laquelle elle a eu de nombreux ravissements. Saint Jean de la Croix n'est probablement encore qu'aux fiançailles spirituelles et connaît alors ces faveurs particulières. L'expérience thérésienne est à cette époque plus complète. Il semble normal que le docteur mystique ait été alors instruit par elle en certains points, et que plus tard, en ses écrits, il s'y réfère comme un disciple. Toutefois, en son commentaire des strophes du *Cantique* et dans la *Vive Flamme,* saint Jean de la Croix ajoutera aux descriptions thérésiennes des précisions très heureuses qui permettront de dégager les caractères essentiels de cette période.

I — *En quoi consistent les fiançailles spirituelles ?*

Sainte Thérèse nous répond :

Vous allez voir ce que Dieu fait pour conclure ces fiançailles. A mon avis, ce doit être quand il donne à l'âme des ravissements qui la dégagent de ses sens. Car si elle n'était pas dégagée de ses sens lorsqu'elle se voit si rapprochée d'une telle Majesté, il lui serait peut-être impossible de demeurer unie à son corps [1].

Dans le livre de sa *Vie*, la Sainte précise :

... Le Seigneur prend l'âme, et, disons-le maintenant, il l'élève complètement de terre, comme les nuées ou le soleil attirent les vapeurs, ainsi que je l'ai entendu dire. La nuée divine s'élève vers le ciel, emporte l'âme à sa suite et commence à lui découvrir les splendeurs du royaume qui lui est préparé. Je ne sais si la comparaison est exacte. En tout cas, les choses se passent vraiment ainsi. Dans ces ravissements, il semble que l'âme n'anime plus le corps ; on perçoit d'une manière très sensible que la chaleur naturelle diminue et que le corps se refroidit peu à peu ; on en éprouve une suavité et une joie extrême. Ici, il n'y a aucun moyen de résister. Dans l'union, comme nous nous trouvons sur notre terrain, nous le pouvons, bien qu'avec peine et difficulté ; mais on peut presque toujours y résister. Ici, c'est impossible, au moins ordinairement... On comprend, on voit, ai-je dit, qu'on est emporté, mais on ne sait à quel endroit [2].

---

1. VI⁰ Dem., ch. IV, pp. 956-957.
2. *Vie*, ch. XX, p. 194.

Que l'âme soit alors unie au corps ou non, je ne saurais le dire. Du moins, je ne pourrais jurer qu'elle est dans son corps, ou que le corps en est séparé [1].

C'est en des termes presque identiques que saint Jean de la Croix décrit cette action de Dieu qui soulève l'âme pour contracter avec elle les divines fiançailles :

Comme l'âme a manifesté dans la strophe précédente, écrit le Saint au commentaire de la strophe XII, avec une si vive anxiété, le désir de voir ces yeux divins, le Bien-aimé lui découvre quelques rayons de sa grandeur et de sa divinité, comme elle le désirait. Cette communication est si élevée et si puissante que l'âme sort d'elle-même par le ravissement et l'extase... L'âme a l'impression qu'elle se détache de son corps et s'en sépare. La cause vient de ce que de telles faveurs ne peuvent pas être supportées par notre être physique ; l'esprit est élevé pour s'unir à l'esprit divin qui vient à lui ; aussi l'âme doit par force abandonner son corps de quelque manière... Pour mieux comprendre la nature de ce vol, il faut noter, comme nous l'avons dit, que, dans cette visite de l'Esprit divin, l'esprit humain est enlevé avec une grande force, il abandonne le corps, cesse de sentir et d'agir en lui, parce qu'il n'agit plus qu'en Dieu. Aussi saint Paul a dit au sujet du ravissement où il fut élevé qu'il ne savait pas si son âme était ou non dans son corps [2].

Préoccupés de mettre en garde contre les contrefaçons, sainte Thérèse et saint Jean de la Croix signalent que ces ravissements ne sont en rien « assimilables aux défaillances et faiblesses naturelles qui cessent sous l'impression de la souffrance physique [3] », faiblesses qui peuvent se produire chez les personnes de complexion délicate. Car, « quand le ravissement est véritable, croyez bien que Dieu attire l'âme tout entière à lui-même [4] ».

Il semble plus important encore à sainte Thérèse de marquer les différences qui existent entre les ravissements des fiançailles et la grâce mystique d'union des cinquièmes Demeures. A chaque étape elle précise ainsi avec soin ce qui la distingue de la précédente et le progrès réalisé.

Certes, l'union mystique a déjà procuré un contact avec Dieu. Elle fut une entrevue ; toutefois, parlant de cette union, la Sainte dit :

---

1. VIᵉ Dem., ch. V, p. 971.
C'est à cette occasion que la Sainte pose le problème de la distinction de l'âme et de l'esprit. Cf. Première Partie, ch. III « Connaissance de soi », p. 41.
2. *Cant. Spir.*, str. XII, pp. 742-745.
3. *Ibid.*, p. 745.
4. VIᵉ Dem., ch. IV, pp. 961-962.

Il me semble que l'union n'arrive pas encore jusqu'aux fiançailles spirituelles. Lorsque deux personnes doivent se marier, elles examinent si elles se conviennent, si elles se désirent ; elles en viennent à une entrevue pour qu'elles soient plus satisfaites l'une de l'autre. Or il en est de même ici. Nous supposons que le projet est déjà fait ; l'âme sait très bien quel honneur lui est réservé ; elle est résolue à accomplir la volonté de son Époux en tout et de toutes les manières qu'elle croira être agréables à Sa Majesté. De son côté, l'Époux divin, qui voit parfaitement la sincérité de ses dispositions, est content d'elle : voilà pourquoi dans sa miséricorde il veut le lui faire comprendre davantage, en venir, comme on dit, à une entrevue avec elle et se l'unir. Nous pouvons dire qu'il en est vraiment ainsi et que l'entrevue est de très courte durée [1].

Cette première entrevue entre deux personnes qui désirent s'unir leur permet de se connaître mais ne comporte aucun engagement réciproque. Les fiançailles se font en une entrevue qui a un autre caractère que sainte Thérèse va préciser.

Dans l'union mystique il y a eu perte de conscience, suspension complète des sens extérieurs et intérieurs, d'où une certaine chute de l'âme dans l'obscurité, une plongée dans le centre d'elle-même avec perte de conscience. A la reprise de conscience, l'âme a la certitude d'avoir été en Dieu au centre d'elle-même. Elle découvre les richesses qu'elle a trouvées en ce contact, mais de ce contact, elle ne saurait rien dire. Dans l'entrevue des fiançailles ou ravissement, l'âme, dit sainte Thérèse n'est

pas privée de l'usage des sens intérieurs ; car cela ne ressemble pas à un évanouissement ni à une sorte de syncope où l'âme reste sans connaissance, ni intérieure, ni extérieure [2].

L'âme se sent soulevée, emportée, nous a dit la Sainte, par une force irrésistible. Non seulement il n'y a pas perte de conscience dans l'obscurité, mais précise sainte Thérèse :

Ce que je comprends de cette faveur, c'est que l'âme n'a jamais été aussi éveillée du côté des choses de Dieu, et qu'elle n'a jamais eu autant de lumière ni autant de connaissance par rapport à Sa Majesté. Cela semblera impossible, car si les puissances et les sens sont tellement suspendus que nous pouvons dire qu'ils sont comme morts, comment l'âme peut-elle se rendre compte qu'elle comprend un tel secret ? J'avoue que je l'ignore, et peut-être qu'aucune créature ne saurait le dire [3].

Le ravissement, dit encore la Sainte, l'emporte de beaucoup sur l'union. Il produit des effets plus grands, ainsi que plusieurs autres opérations particulières. Sans doute, l'union semble être tout à la fois le point initial, intermédiaire et final du ravissement, et elle

---

1. Vᵉ Dem., ch. IV, p. 921.
2. VIᵉ Dem., ch. IV, p. 958.
3. *Ibid.*

l'est en effet pour l'intérieur. Mais les autres effets du ravissement sont d'un ordre beaucoup plus élevé et se manifestent à l'intérieur et à l'extérieur [1].

Dans le ravissement des fiançailles il n'y a pas seulement contact enrichissant, mais une véritable pénétration en Dieu. De plus, l'obscurité de l'union mystique est remplacée par une lumière éblouissante. L'âme pénètre en Dieu les yeux ouverts. Elle prend ainsi conscience de son union et découvre de profonds secrets divins. Une comparaison permet à sainte Thérèse de rendre plus vivant son enseignement et de le préciser.

Vous entrez, je suppose, dans l'appartement d'un roi ou d'un grand seigneur que l'on appelle, je crois, le salon. Là se trouvent toutes sortes de cristaux, de vases précieux et d'objets rares, disposés de telle sorte que vous les voyez pour ainsi dire tous en entrant. On me conduisit un jour dans un salon de ce genre au palais de la duchesse d'Albe... Je fus toute stupéfaite en entrant dans cette salle, et je me demandais à quoi pouvait servir tout cet amas d'objets. Je vis que la variété de tant de créatures pouvait m'aider à louer Dieu, et maintenant je considère avec étonnement comment tout cela me sert pour mon sujet. Je restai là quelque temps. Mais il y avait tant de choses à voir qu'à peine sortie j'avais tout oublié ; je ne me rappelai plus un seul de tous ces objets divers...

Ainsi en est-il dans le ravissement dont je parle. L'âme est tellement unie à Dieu qu'elle ne fait qu'une même chose avec lui ; elle est placée dans l'appartement de ce ciel empyrée que nous devons avoir au plus intime de nous-mêmes. Il est clair, en effet, que si Dieu est dans l'âme, il doit occuper quelques-unes de ces demeures... La joie de posséder Dieu produit en elle un tel ravissement qu'un si grand bonheur lui suffit. Parfois cependant il plaît à Dieu de la tirer de cette ivresse, et de lui montrer aussitôt ce qu'il y a dans cette demeure. Lorsqu'elle est revenue à elle-même, elle se rappelle les merveilles qu'elle a contemplées. Mais elle ne peut encore les exprimer et sa nature ne saurait par elle-même voir au-delà de ce que Dieu a voulu lui montrer surnaturellement [2].

La force qui soulève l'âme vers ces régions supérieures et les débordements divins dont l'âme y est favorisée, sont bien différents de la quiétude produite par le filet d'eau ou l'étincelle divine des quatrième Demeures :

Il me semble que ce bassin, dont j'ai parlé, je ne me rappelle pas bien si c'est dans la quatrième Demeure, se remplissait avec suavité et douceur, je veux dire sans aucune agitation. Mais ce grand Dieu, qui contient les sources des eaux et ne permet pas à la mer de franchir ses limites, donne ici un libre cours aux sources qui alimentent le bassin ; une vague si puissante s'élève alors et

---

1. *Vie*, ch. XX, p. 193.
2. VIᵉ Dem., ch. IV, pp. 960-961.

arrive avec tant d'impétuosité qu'elle emporte sur ses hauteurs la petite nacelle de l'âme [1].

La lumière qui accompagne cette force qui soulève, porte le même caractère divin de transcendance :

Il lui semble (à l'âme dans le ravissement), écrit encore la Sainte, que tout son être s'est trouvé dans une région complètement différente de celle où nous vivons, que là on lui a montré, sans parler d'autres choses, une lumière tellement supérieure à celle d'ici-bas qu'elle n'aurait pu, malgré les efforts d'une vie entière, se l'imaginer [2].

Ces « autres choses » sont des visions imaginaires où

on voit avec les yeux de l'âme beaucoup mieux que l'on ne voit sur la terre avec les yeux du corps. Parfois même cela arrive sans que l'on n'entende aucune parole ; voit-on par exemple quelques saints, on les connaît comme si l'on avait eu beaucoup de rapports avec eux.

D'autres fois, outre les choses que l'on voit des yeux de l'âme, on en voit d'autres par une vision intellectuelle, et en particulier une foule d'anges en compagnie de leur Maître [3].

Cette « lumière tellement supérieure » et qui est propre à la région où l'âme est parvenue est en effet souvent accompagnée de faveurs extraordinaires. La première fois que sainte Thérèse fut élevée au ravissement, ce fut pour entendre Notre-Seigneur lui dire : « Je ne veux plus que tu converses désormais avec les hommes, mais seulement avec les anges [4]». Parole substantielle qui la délivre de toutes attaches à ses relations. En d'autres circonstances, pendant le ravissement, elle est favorisée de visions intellectuelles ou imaginaires. Ces faveurs sont la frange lumineuse mieux perçue et inscrite dans les sens, d'une manifestation de Dieu qui les dépasse.

C'est en effet à la suite des fiançailles que sainte Thérèse place l'exposé des grâces extraordinaires [5], car c'est en cette période qu'elles sont habituellement le plus nombreuses et produisent leurs plus grands effets. Elles ne nous semblent pas toutefois un élément essentiel des fiançailles. Les âmes les reçoivent parfois en d'autres circonstances et en dehors de l'union profonde qui caractérise cette entrevue.

---

1. VIᵉ Dem., ch. v, p. 968.
2. *Ibid.*, ch. v, pp. 970-971.
3. *Ibid.*, p. 971.
4. *Vie*, ch. xxiv, p. 250.
5. Cf. *Vie*, ch. xxv-xxix, pp. 252-310 ; VIᵉ Dem., ch. viii-x, pp. 994-1017.

Les fiançailles spirituelles sont caractérisées essentiellement par la qualité supérieure de l'union et de la lumière dans lesquelles elles sont conclues. Cette union et cette lumière sont telles que d'après sainte Thérèse, il n'y a pas de différence essentielle entre la Demeure en laquelle introduit ce ravissement et la Demeure où se réalise l'union parfaite du mariage spirituel.

> Le Créateur seul le sait, ainsi que beaucoup d'autres choses qui se passent en cet état, je dis en ces deux Demeures, car celle-ci et la dernière pourraient très bien être unies ; de l'une à l'autre, en effet, il n'y a point de porte fermée ; mais comme dans la dernière il y a des choses qui n'ont point été manifestées aux âmes qui n'y sont pas encore parvenues, j'ai cru bon de les séparer [1].

La remarque est à souligner : les fiançailles spirituelles ressemblent davantage au mariage spirituel qu'à l'union mystique des cinquièmes Demeures. Elles introduisent l'âme en un état supérieur et l'ornent de joyaux précieux qui la préparent d'une façon immédiate à l'union parfaite.

II. — *Joyaux des fiançailles spirituelles.*

Saint Jean de la Croix décrit en quinze strophes du *Cantique Spirituel* « les richesses et joyaux incomparables » que l'âme reçoit dans « l'union pleine d'amour des fiançailles spirituelles [2] ». Sainte Thérèse consacre plusieurs chapitres du livre de sa *Vie* et du *Château Intérieur* aux « joyaux que l'Époux commence à donner à son épouse [3] ». Admirons un instant ces trésors.

1. *Découverte de Dieu dans l'union.*

Le plus précieux joyau des fiançailles est certainement le Verbe-Époux lui-même qui se donne et se manifeste en des visites de plus en plus fréquentes.

> Ce vol spirituel dont nous venons de parler, écrit saint Jean de la Croix, marque un état élevé, une union d'amour où Dieu d'ordinaire établit l'âme qui s'est depuis longtemps adonnée à la pratique des exercices spirituels ; on l'appelle l'état des fiançailles spirituelles avec le Verbe, Fils de Dieu. La première fois qu'il lui accorde cette grâce, il lui fait part de grandes lumières sur son Être ; il l'orne de magnificence et de majesté ; il l'embellit de dons et de vertus, il lui donne comme vêtement suprême la connaissance de Lui-même et de son honneur ; en un mot il la pare comme une épouse au jour de ses fiançailles [4].

---

1. VIᵉ Dem., ch. IV, p. 958.
2. *Cant. Spir.*, str. XXVII, p. 837.
3. VIᵉ Dem., ch. V, p. 973.
4. *Cant. Spir.*, str. XIII, p. 750.

Fiançailles et mariage spirituels

Cette connaissance intime de l'Époux est en effet la plus belle parure de l'âme, son trésor le plus précieux. Elle est pour elle source de tous les biens et elle n'en veut point d'autres.

L'Epouse y déclare que son Aimé est toutes ces choses en lui-même et pour elle ; ce que Dieu a coutume de communiquer dans ce genre de transports fait connaître à l'âme la vérité de cette parole de saint François : « Mon Dieu et mon Tout ! » Dieu étant tout pour l'âme et tout bien pour elle [1].

Tout vient à l'âme de son union avec le Bien-Aimé. Saint Jean de la Croix insiste tellement sur cette vérité qu'on pourrait croire que l'âme est déjà au mariage spirituel. « Notre lit est tout fleuri », chante l'épouse à la quinzième strophe ; saint Jean de la Croix commente :

Ce lit fleuri c'est le sein et l'amour du Bien-Aimé. C'est là que l'âme, devenue son épouse, lui est déjà unie ; il est déjà fleuri pour elle, à cause de l'union ou jonction qui existe déjà entre eux deux et qui lui communique les vertus, les grâces et les dons du Bien-Aimé [2].

Non, ce n'est pas encore le mariage spirituel. Mais nous savons déjà que fiançailles et mariage spirituels ont des rapports étroits et qu'entre ces deux demeures « il n'y a point de porte fermée [3] ». A l'encontre des fiançailles naturelles qui ne sont qu'entrevues extérieures, les fiançailles spirituelles sont des visites dans lesquelles manifestation et union vont de pair. Elles sont une union dans la lumière.

L'âme est tellement bien unie à Dieu qu'elle ne fait qu'une même chose avec lui [4].

La manifestation est l'effet de l'union. Saint Jean de la Croix va nous expliquer avec sa pénétration coutumière ce que sont dans le fond de l'âme ces visites et comment le contact de Dieu y produit la lumière.

Dans le commentaire des strophes treizième et quatorzième du *Cantique*, parmi les hautes faveurs que les âmes reçoivent en cet état, les unes plus, les autres moins, celles-ci d'une manière, celles-là d'une autre [5], le Saint signale

le murmure des zéphyrs pleins d'amour.

Par zéphyrs pleins d'amour, on entend, explique le Saint, les vertus et les grâces du Bien-Aimé ; elles revêtent l'âme, par suite

1. *Cant. Spir.*, str. XIII, p. 753.
2. *Cant. Spir.*, str. XV, p. 771.
3. VIᵉ Dem., ch IV, p. 958.
4. *Ibid.*, p. 961.
5. *Cant. Spir.*, str. XIII, p. 751.

de sa bienheureuse union avec l'Époux, lui communiquent le plus profond amour et atteignent sa substance. Le murmure des zéphyrs signifie une très haute et très suave connaissance de Dieu et de ses vertus, qui rejaillit sur l'entendement par suite de la touche que ces vertus de Dieu font à la substance de l'âme [1].

Le Saint continue à expliquer afin que cet enseignement nous soit très clair.

On sent deux choses dans le zéphyr, la touche et le bruit ou le son ; de même dans cette communication de l'Époux on sent aussi deux choses, une impression de plaisir et l'intelligence de ces délices... La touche des vertus du Bien-Aimé se sent et se goûte par le toucher de l'âme, c'est-à-dire la substance même de l'âme. Quant à la connaissance de ces vertus de Dieu, elle est perçue par l'ouïe de l'âme, c'est-à-dire par son entendement [2].

Saint Jean de la Croix nous a donné ainsi la clef du problème des fiançailles. Ces fiançailles sont une touche de Dieu à la substance de l'âme. Cette touche est aussi unissante que le mariage spirituel, mais n'est qu'une touche. En enrichissant la substance de l'âme, de toutes sortes de biens et spécialement de l'amour, elle y produit une satisfaction profonde et la remplit de délices [3]. De ces biens ou zéphyrs produits par la touche dans la substance se dégage un murmure qui est une connaissance très haute qui « s'écoule dans l'entendement ».

Cette connaissance très subtile et très délicate entre en effet dans le plus intime de la substance de l'âme avec une saveur admirable et la comble de délices supérieures à tous les autres contentements [4].

Cette joie qui vient de la connaissance est plus élevée que celle qui vient du toucher, car explique le Saint

le sens de l'ouïe est plus spirituel, ou pour mieux dire se rapproche davantage de ce qui est spirituel [5].

Aussi saint Jean de la Croix s'attache-t-il à ce murmure de la connaissance pour l'analyser.

Ce murmure est une substance déjà toute comprise, dégagée de tout accident et de toute image ; elle pénètre dans l'intellect que les philosophes appellent passif ou possible, car il reçoit passivement sans rien faire de sa part.
... Il est aussi une vue de vérités nouvelles qui lui est donnée sur la Divinité, ou une révélation de ses secrets les plus intimes. D'ordi-

---

1. *Cant. Spir.*, str. XIII, pp. 758-759.
2. *Ibid.*, p. 759.
3. *Ibid.*, p. 750.
4. *Ibid.*, p. 760.
5. *Ibid.*, p. 759.

naire en effet, toutes les fois que la sainte Écriture raconte que quelque communication de Dieu a été faite à l'âme par l'intermédiaire de l'ouïe, il s'agit d'une manifestation de ces vérités toutes pures à l'entendement ou de la révélation des secrets de Dieu [1].

Notre docteur mystique prend soin de distinguer cette connaissance substantielle de la connaissance claire et parfaite du ciel. La connaissance en effet qu'apporte le murmure,

... bien que dégagée de tous ses accidents, elle n'en est pas plus claire, mais plutôt obscure, car c'est une contemplation et la contemplation ici-bas, dit saint Denys, est un rayon de ténèbres [2].

Cette connaissance si haute qui jaillit de la touche substantielle, complétée par celles qu'apportent les faveurs extraordinaires en cette période, constitue la magnifique et éblouissante parure de lumière que l'âme reçoit de son Époux en ses fiançailles et qui la prépare à l'union parfaite du mariage spirituel.

Saint Jean de la Croix semble ne pas pouvoir se résigner à abandonner ce sujet si cher à son âme de contemplatif. N'est-ce-pas ce murmure qui lui a apporté en la nuit de sa contemplation les plus grandes joies et les plus précieuses richesses ? Aussi il insiste et pour résumer tout son enseignement, il commente un texte du livre de Job qui, dit-il,

... confirme en grande partie ce que nous avons dit de ce ravissement et de ces fiançailles spirituelles. Je veux le citer, bien que cela nous arrête un peu plus... [3]

Arrêtons-nous avec le Saint, bien que comme lui nous craignions de trop nous attarder. C'est une des plus belles applications scripturaires faites par saint Jean de la Croix à son enseignement.

C'est Eliphaz de Théman qui s'adresse à Job en ces termes : « En vérité, une parole cachée m'a été dite, et c'est comme à la dérobée que mon oreille a saisi la substance de son murmure. Dans l'horreur d'une vision nocturne, et lorsque les hommes sont dans le sommeil, la frayeur me saisit, je tremblai et tous mes os furent secoués. Comme l'esprit passait devant moi, tous les poils de ma chair se hérissèrent ; quelqu'un dont je ne connaissais pas le visage se présenta, c'était comme une image devant mes yeux, et j'entendis une voix semblable à un léger zéphyr [4] ».

Ce texte renferme presque tout ce que nous avons dit du ravissement depuis ce vers de la douzième strophe qui dit : Détournez-les,

---

1. *Cant. Spir.*, str. XIII, pp. 760-761.
2. *Ibid.*, p. 762.
3. *Ibid.*
4. Jb 4, 12-16.

vos yeux, mon Bien-Aimé. Quand, en effet, Eliphaz de Théman raconte qu'on lui a adressé une parole cachée, cela évoque cette autre parole cachée dont l'âme n'a pu supporter la puissance et qui l'obligea à s'écrier : Détournez vos yeux, mon Bien-Aimé. Quand il ajoute que son oreille a perçu comme à la dérobée la veine de son murmure, il signifie la connaissance pure et substantielle dont nous avons parlé, qui est reçue dans l'entendement. Les veines signifient une substance intérieure, tandis que le murmure indique la communication et la touche des vertus divines d'où procède pour l'entendement cette connaissance toute acquise dont nous avons parlé. Le murmure indique que cette connaissance est donnée avec la plus grande suavité...

Il ajoute encore que tous ses os se sont épouvantés et agités, ce qui veut dire qu'ils furent secoués et déboîtés ; par là il fait comprendre la pénible dislocation des os dont on souffre alors comme nous l'avons dit...

Il dit encore : « Quelqu'un se présenta dont le visage m'était inconnu ; son image était devant mes yeux ». Or celui-là qui se présenta, c'était Dieu lui-même qui se communiquait de la manière dont nous avons parlé. Il dit qu'il ne connaissait pas son visage, pour nous faire comprendre que dans cette communication ou vision, bien que très élevée, on ne connaît pas, on ne voit pas le visage ni l'essence de Dieu [1].

Ce commentaire scripturaire situe en sa couleur locale le ravissement des fiançailles avec ses perceptions extérieures et intérieures, avec les terreurs sensibles et les délices spirituelles inexprimables que provoque la découverte de Dieu chez l'âme qui n'est encore prête pour le recevoir.

Cette entrevue n'est pas simplement une heureuse rencontre avec Dieu dont l'âme aurait rapporté comme cadeau une parure de lumière. Les fiançailles introduisent l'âme dans un état nouveau qui est déjà l'état unitif. Elle a reçu une promesse d'union parfaite. Cette promesse, elle aussi, est un joyau des fiançailles, le plus précieux à certaines heures.

2. *Échange de promesses et fidélité mutuelle.*

Les fiançailles sont essentiellement un échange de promesses mutuelles de mariage.

Dans les fiançailles spirituelles il n'y a point de contrat. Les promesses pourront même ne pas être explicitées verbalement. Elles sont cependant certaines et très fermes.

---

1. *Cant. Spir.*, str. XIII, pp. 762-765. — Voir dans *Ephemerides Carmeliticae* (mai 1947, pp. 5-53) publiés par la Faculté de théologie des Carmes déchaussés, Rome, une étude fouillée et précise du R.P. Gabriel de Sainte-Marie-Madeleine, sur la contemplation unitive produite par ces touches substantielles.

Elles s'appuient sur une réalité qui est une certaine union d'amour déjà réalisée et qui assure leur fidélité mutuelle d'une façon indéfectible.

Par cette entrevue des fiançailles Dieu a révélé le choix qu'il a fait de cette âme pour qu'elle devienne son épouse. Ce choix est définitif. Il le montre par ses dons qui garantiront la fidélité de l'âme elle-même. Des promesses d'union sont échangées et c'est Dieu qui donne l'amour qui la réalise et qui maintenant y prépare. Joyau divin des fiançailles que cet amour que Dieu répand sur celle qu'il a choisie.

Dieu affirme désormais son choix définitif par des visites qui se renouvellent et par une emprise qui progressivement deviendra plus puissante, mais qui déjà fait l'âme toute sienne. Dieu, dit sainte Thérèse, « regarde l'âme comme sa propriété et désormais son épouse ».

Lorsqu'il vient à elle,

... Il ne permet pas qu'elle soit troublée par personne, ni par ses puissances, ni par ses sens ; mais il fait aussitôt fermer toutes les portes de ces Demeures ; il n'y a que celle où il réside qu'il laisse ouverte pour nous y donner entrée [1].

Si l'union parfaite est passagère, le droit de propriété divine est désormais acquis. Dieu n'abandonnera plus l'âme qu'il a ainsi choisie. Sainte Thérèse nous l'affirme :

Notre-Seigneur veut, ce me semble, faire comprendre à tous que désormais cette âme est sienne, et que personne ne peut y toucher. Que l'on attaque son corps, sa réputation, ses biens, soit : il le permet, parce que de tout cela il tirera sa gloire ; quant à son âme, il ne souffrira pas qu'on y touche ; et si elle-même ne commet pas la faute énorme de se séparer de son Époux, il la protègera contre tous les assauts du monde et même contre tous ceux de l'enfer [2].

De fait, sainte Thérèse qui, aux cinquièmes Demeures, après la grâce d'union mystique, a demandé instamment à l'âme de se tenir sur ses gardes en s'éloignant des occasions dangereuses, lui a annoncé qu'après les fiançailles spirituelles elle sera à peu près invulnérable.

Âmes chrétiennes que le Seigneur a élevées à cet état (cinquièmes Demeures), je vous en conjure par amour pour lui, ne vous négligez point ; éloignez-vous des occasions dangereuses, car même en cet état l'âme n'est pas tellement forte qu'elle puisse s'exposer aux dangers, comme elle le pourra après les fiançailles dont nous parlerons dans la Demeure suivante. Elle n'a eu qu'une seule

---

1. VI° Dem., ch. IV, p. 962.
2. *Ibid.*, p. 965.

entrevue avec l'Époux ; aussi le démon ne négligera aucun effort pour la combattre et la détourner de ces fiançailles. Lorsque dans la suite il la voit complètement soumise à l'Époux, il n'a plus autant d'audace vis-à-vis d'elle, car il la redoute ; d'ailleurs, l'expérience lui montre que, si parfois il ose alors l'attaquer, il n'en retire que plus de confusion, et l'âme plus de profit [1].

Cette fermeté qui la rend désormais quasi invulnérable et terrible au démon, l'âme la trouve dans les dons singuliers dont Dieu l'a favorisée en ces fiançailles :

... d'abord la connaissance de la grandeur de Dieu, car plus elle se découvre à nous, plus nous en voyons la profondeur ; en second lieu, la connaissance de nous-mêmes et une humilité qui provient de ce que nous voyons comment une créature aussi vile en comparaison du Créateur de tant de merveilles a osé l'offenser et ose encore le regarder ; en troisième lieu, le mépris de toutes les choses de la terre, excepté celles dont elle peut se servir pour la gloire d'un Dieu si grand [2].

L'âme a expérimenté dans le ravissement le souverain pouvoir de Dieu et elle y a trouvé une crainte enveloppée de l'amour le plus ardent [3], un détachement merveilleux [4],

un empire sur toutes les créatures et une liberté telle qu'elle ne se reconnaît plus elle-même. Elle voit bien que cette faveur ne vient pas d'elle ; elle ne sait comment on lui en a fait don... Personne ne peut le croire à moins de l'avoir éprouvé [5].

Quel empire que celui d'une âme que Dieu élève à cet état, où elle considère le monde tout entier sans y être enchaînée ! [6]...

L'âme voit, en outre, non seulement les toiles d'araignées ou les grandes fautes, mais encore les moindres grains de poussière, si petits qu'ils soient, parce que la clarté du Soleil divin est très vive [7].

Ces dons de Dieu ne sont pas que lumière ou attitude d'âme, ils sont aussi force efficace d'action :

Lorsqu'une âme est arrivée à cet état, elle ne forme pas seulement des désirs de servir Dieu, mais elle reçoit encore de Sa Majesté la force de les réaliser. Toutes les occasions qui se présentent de la glorifier, elle les embrasse aussitôt ; et encore elle ne croit rien faire, car elle voit clairement, comme je l'ai déjà dit, que tout est néant, excepté servir Dieu [8].

1. Vᵉ Dem., ch. IV, p. 922.
2. VIᵉ Dem., ch. V, p. 973.
3. *Vie*, ch. XX, p. 196.
4. *Ibid.*, p. 197.
5. *Ibid.*, p. 207.
6. *Ibid.*, p. 208.
7. *Ibid.*, p. 209.
8. *Ibid.*, ch. XXI, p. 213.

Fiançailles et mariage spirituels

La fidélité de l'âme est conquise. Son don d'elle-même est parfait.

Elle ne veut plus avoir de volonté propre ; elle voudrait même ne plus avoir de libre arbitre. Telle est la grâce qu'elle demande à Dieu. Elle lui remet les clés de sa volonté.

Voilà donc maintenant le jardinier devenu gouverneur. Cette âme n'a d'autre ambition que celle d'accomplir la volonté de Dieu [1].

Cette emprise de Dieu sur l'âme et la réponse d'amour et de fidélité de celle-ci est décrite par saint Jean de la Croix dans plusieurs strophes débordantes de vie divine et de poésie humaine :

> Dans le cellier intérieur
> De mon Bien-Aimé j'ai bu
> . . . .
>
> Là il me donna son cœur
> . . . .
>
> Et moi je lui donnai en réalité
> Tout ce qui est à moi, sans rien me réserver [2].

Le Saint commente :

Grâce à ce délicieux breuvage du ciel, l'âme, nous l'avons dit, s'est enivrée de la divinité d'une manière très libre, elle s'est donnée à Dieu tout entière avec la plus grande suavité. Son désir a été de lui appartenir complètement, et de ne jamais souffrir en elle quelque chose qui lui déplaise... Et en le transformant en Lui-même il l'a faite sienne complètement et il l'a purifiée de tout ce qui déplaisait à son regard. Voilà pourquoi ce n'est plus seulement par ses désirs, mais encore par ses œuvres, que l'âme se donne en fait tout entière à Dieu, sans réserve aucune, comme Dieu s'est donnée librement à elle. De la sorte ces deux volontés, celle de Dieu et celle de l'âme, se sont payées mutuellement de retour... ; elles sont satisfaites l'une de l'autre ; aussi elles ne manqueront pas à la fidélité et au serment des divines fiançailles [3].

Les fiançailles comportent donc des serments et déjà une union d'amour. Ainsi prise l'âme se donne complètement et n'a plus d'autre occupation que cet amour qui l'enveloppe et auquel elle se livre.

---

1. *Vie*, ch. xx, p. 206.
2. *Cant. Spir.*, str. XVII-XVIII, pp. 785-795.
3. *Cant. Spir.*, str. XVIII, p. 796.
En cette citation empruntée à la traduction du P. Grégoire comme en quelques autres qui ont trait aux fiançailles spirituelles, nous avons remplacé le mot « mariage » par « fiançailles », nous référant à la traduction du P. Cyprien et parce qu'il est bien clair que jusqu'à la strophe XXVII il s'agit de l'union des fiançailles.

Aussi, dans la strophe suivante, elle chante :

> Mon âme s'est employée
> Ainsi que toutes mes richesses à son service ;
> . . . .
> Ma seule occupation est d'aimer. [1]

Avec insistance elle répète ce qu'elle avait dit plus haut, qu'elle ne garde plus le troupeau qu'elle suivait précédemment [2]. Il s'agit de ses appétits et de ses tendances qui s'imposaient à elle encore en certaines circonstances et dont l'envahissement d'amour et sa fidélité l'ont libérée.

C'est ainsi que l'amour l'a introduite dans la grande solitude où lui seul règne. On ne la trouvera donc plus, à partir de ce jour, sur la place publique où les passions s'agitent et se nourrissent :

Ce terrain commun, dit le Saint, où le peuple a coutume de se réunir pour se reposer et se récréer, et où les bergers font paître les troupeaux [3].

Cette place publique n'est pas nécessairement celle du monde où s'étalent les vices, mais celle qu'elle fréquentait précédemment, c'est-à-dire celle du milieu où elle vit, serait-il un milieu religieux et fervent, et dans lequel les passions se manifestent et ont des droits acquis.

L'âme est perdue pour tous et n'est plus qu'à Dieu.

> Vous direz que je me suis perdue,
> Que marchant comblée d'amour,
> Je me suis constituée perdue, et j'ai été gagnée [4]

Cette mort au monde et à son milieu, cette unique occupation d'aimer qui est désormais la sienne, comportent-elles une fuite au désert ? Oh certes, elle désire cette solitude complète dans laquelle elle retrouve intenses et nourrissants le repos et le tourment de l'amour. Et il faudra bien que ce repos lui soit assuré au moins par périodes. Mais pour suivre les mouvements de cet amour, suivons le développement de la pensée du Saint. L'un et l'autre, étroitement unis, se trouvent dans le rythme des strophes qui coulent souples, limpides, harmonieuses, mais combien fortes en leur plénitude savoureuse.

---

1. *Cant. Spir.*, str. XIX, p. 798.
2. *Ibid.*, str. XVII, p. 790 et str. XIX, p. 798.
3. *Ibid.*, str. XX, p. 804.
4. *Ibid.*, p. 803.

Fiançailles et mariage spirituels

De fleurs et d'émeraudes
Cueillies dans les fraîches matinées,
Nous ferons des guirlandes
Fleuries dans votre amour
Et tressées par un seul de mes cheveux [1].

Le Saint explique que les « fleurs sont les vertus de l'âme, et les émeraudes les dons qu'elle a reçus de Dieu [2] ». Conjointement Dieu et l'âme, avec les dons de Dieu et avec les vertus de l'âme, tressent des guirlandes qui seront ainsi l'œuvre de leur activité commune, le fruit de leur amour commun qui ne saurait rester inactif. Ces guirlandes, ce sont les bonnes œuvres « toutes les âmes saintes que le Christ doit engendrer dans l'Église »… « les auréoles formées par le Christ et son Église », auréoles des vierges, auréoles des docteurs, auréoles des martyrs [3]. Ces guirlandes sont toutes les œuvres intérieures et extérieures que produisent dans le monde le Christ et son Église, l'Esprit d'amour et les âmes qu'il a conquises.

L'amour des fiançailles est déjà fécond car il comporte emprise et union. C'est pendant cette période que sainte Thérèse établit sa réforme et fonde plusieurs monastères.

Nous reviendrons sur cette fécondité de l'âme sous l'emprise de Dieu par les dons du Saint-Esprit. Pour l'instant, nous la signalons simplement pour noter que dans les œuvres qu'elle produit, Dieu ne voit que la fidélité et l'amour dont elles portent témoignage.

Ce seul cheveu
Que vous avez vu voler sur mon cou [4].

Ce cheveu unique, ténu et souple, fort et en mouvement sous le souffle de l'Esprit, c'est l'amour « lien de la perfection [5] » qui enlace et retient les fleurs des guirlandes [6]. L'Époux le voit voler sur le cou qui symbolise la force et il en devient prisonnier.

Et il vous a retenu prisonnier.

Ô merveille digne d'exciter notre admiration et notre joie ! commente saint Jean de la Croix. Un Dieu retenu prisonnier par un cheveu ! [7]

---

1. *Cant. Spir.*, str. XXI, p. 807.
2. *Ibid.*, pp. 807-808.
3. *Ibid.*, p. 811.
4. *Ibid.*, str. XXII, p. 813.
5. Col 3, 14.
6. *Cant. Spir.*, str. XXI, p. 812.
7. *Ibid.*, str. XXII, p. 815.

Sainteté pour l'Église

Cela d'ailleurs n'a pu se produire que parce que le Bien-Aimé, aigle royal au vol sublime est descendu vers l'oiseau au vol bas pour se faire prendre [1].

A la fidélité d'amour donnée par les œuvres s'ajoute la fidélité prouvée par le regard.

Et un seul de mes yeux vous a blessé [2].

Cet œil, c'est le regard de la foi qui désormais purifié et simple, reste obstinément fixé vers le Bien-Aimé.

Or l'amour que le Bien-Aimé porte à l'Épouse est très fort quand il voit en elle cette fidélité unique, et il est épris d'elle en voyant un seul cheveu de son amour, mais c'est par le seul œil de sa foi qu'il en devient le captif... Voilà pourquoi il l'introduit plus profondément dans les abîmes de sa charité [3].

Dieu a été attiré par le parfum de l'amour qui montait des œuvres, il est conquis par le regard silencieux et ardent. Cette double fidélité de l'amour par les œuvres et par le regard assure la victoire de l'âme sur Dieu. Elle obtient la réalisation parfaite des promesses divines : sa descente dans l'âme et sa manifestation.

Si quelqu'un m'aime, il observe mes préceptes, mon Père l'aimera, nous viendrons à lui et nous ferons en lui notre demeure... Celui qui m'aime sera aimé de mon Père, et moi je l'aimerai et je me manifesterai à lui [4].

Toutefois, pour devenir la demeure parfaite de Dieu, l'âme, après avoir été purifiée et ornée, doit être dilatée et agrandie à la mesure du don qu'elle va recevoir. Angoisses et grands désirs vont réaliser cette préparation dernière. C'est le dernier joyau des fiançailles.

3. *Désirs ardents et angoisses.*

Après la grâce d'union mystique des cinquièmes Demeures, l'âme était désorientée par la nouveauté des régions où elle était introduite. Sainte Thérèse insiste longuement sur cette inquiétude du pauvre papillon :

Que ne pouvez-vous voir l'inquiétude de notre mystique papillon, bien qu'il n'ait jamais encore goûté autant de paix et de calme !... Il ne faut pas s'étonner si ce petit papillon cherche de nouveau où il pourra se poser, car il se trouve tout dépaysé au milieu des choses de ce monde. Mais où ira-t-il ce pauvre petit

---

1. *Cant. Spir.*, str. XXII, p. 815.
2. *Ibid.*
3. *Ibid.*, p. 816.
4. Jn 14, 23 et 21.

papillon ? Retourner au lieu d'où il est sorti, il ne le peut. Car, je le répète, l'âme ne saurait arriver par elle-même à cette faveur... [1]

Quel repos y a-t-il donc pour le pauvre petit papillon au milieu de toutes les difficultés dont nous avons parlé et d'autres encore ? [2]

L'obscurité complète dans laquelle l'union a été réalisée en cette grâce mystique explique aussi cette agitation et cette inquiétude. La découverte de l'Époux dans la lumière des fiançailles dissipe cette obscurité et apporte à l'âme une paix bienfaisante.

Saint Jean de la Croix explique comment se fait cet apaisement :

Comme cette petite colombe de l'âme volait dans les airs de l'amour, au-dessus des eaux du déluge des fatigues et des angoisses d'amour qu'elle a manifestées jusqu'ici, elle ne trouvait pas où poser le pied, quand, au dernier vol dont nous avons parlé (ravissement des fiançailles), le compatissant père Noé a étendu la main de sa miséricorde, l'a recueillie et placée dans l'arche de sa charité et de son amour [3].

Dans cette arche bénie, la colombe trouve enfin le repos :

En ce jour heureux cessent enfin les angoisses véhémentes et les plaintes d'amour qu'elle faisait entendre précédemment ; elle est enrichie de tous les biens dont je viens de parler. Elle inaugure un état de paix, de délices et d'amour plein de suavité... ; une fois élevée à cet état, toutes ses peines ont pris fin [4].

Qu'est-ce que cette arche où la colombe a été introduite par la main de la miséricorde divine ? « C'est le sein de Dieu » Lui-même. Les demeures y sont nombreuses et les aliments fort variés [5].

Dans cette divine union l'âme voit et goûte une abondance de richesses inestimables ; elle y trouve le repos et le contentement qu'elle désirait ; elle entend des secrets et y reçoit des lumières extraordinaires sur Dieu, et c'est l'un des mets qu'elle savoure le plus... Elle trouve là le véritable repos et la lumière divine. Elle jouit d'une manière profonde de la sagesse de Dieu... Mais surtout elle comprend et jouit d'une inestimable réfection d'amour qui la confirme dans l'amour [6].

---

1. Ve Dem., ch. II, pp. 905-906.
2. VIe Dem., ch. IV, p. 956.
3. *Cant. Spir.*, str. XIII, pp. 751-752.
4. *Ibid.*, p. 751. Ces affirmations absolues de l'âme parvenue en une nouvelle étape spirituelle correspondent à la plénitude débordante des dons qu'elle expérimente et qui dépasse tout ce qu'elle avait osé espérer. Ces affirmations n'ont qu'une valeur relative tant qu'elle n'est pas parvenue au sommet, par rapport à ce qu'elle désirera prochainement et qu'elle recevra plus tard.
5. *Cant. Spir.*, str. XIII, p. 752.
6. *Ibid.*

Cette paix si profonde n'est cependant que provisoire. Heureusement d'ailleurs, car la paix de rassasiement pourrait bien éteindre ses désirs, arrêter ses aspirations et supprimer son dynamisme d'ascension. Or elle n'est pas encore au sommet. Dieu Lui-même rallume la flamme des grands désirs et crée l'angoisse. C'est un des fruits des visites qui se renouvellent.

De si hautes faveurs produisent dans l'âme un tel désir de jouir complètement de celui qui les lui accorde, qu'elle vit dans un tourment indicible et savoureux tout à la fois. Elle appelle la mort de tous ses vœux... Tout ce qu'elle voit ici-bas la fatigue. Dès qu'elle se trouve dans la solitude, elle éprouve quelque soulagement, mais aussitôt la peine de l'exil vient l'assaillir de nouveau, et quand elle n'a pas cette peine, elle ne goûte pas de repos. Enfin, ce pauvre petit papillon ne saurait trouver une demeure stable [1].

Peine étrange, mais qui, au témoignage de sainte Thérèse et de saint Jean de la Croix, marque un heureux développement de la grâce des fiançailles et annonce l'union parfaite comme assez prochaine.

L'amour accru, en effet, a des désirs plus grands de voir et de posséder Dieu. Il est tendu vers Dieu avec toutes ses énergies ardentes. Il ne veut plus que Dieu seul et ne supporte plus les obstacles qui l'empêchent d'atteindre parfaitement le Bien-Aimé.

Or, quelle que soit la pureté de l'âme,

des renardeaux, c'est-à-dire les troubles, les tentations, les inquiétudes, les tendances au mal s'il y en a encore, les imaginations ou autres mouvements naturels et spirituels [2],

s'interposent parfois comme un brouillard, créant une certaine agitation intérieure qui

empêche l'âme de posséder la fleur de la paix, de la quiétude et de la suavité, au moment où l'âme jouit plus à son goût de ses vertus en compagnie du Bien-Aimé [3].

Petites taches mais que la pureté de la lumière divine met en relief et noircit douloureusement.

D'ailleurs les visites divines, pour fréquentes qu'elles soient, restent intermittentes et laissent place à de longues et pénibles absences. Il semble alors à l'âme que « l'aquilon sans vie... vent froid et sec qui flétrit les fleurs », souffle sur elle, « enlevant la suavité et le contentement de l'esprit [4] ».

---

1. VI⁰ Dem., ch. VI, p. 974.
2. *Cant. Spir.*, str. XXV, p. 824.
3. *Ibid.*
4. *Ibid.*, str. XXVI, p. 829.

Fiançailles et mariage spirituels

Aussi l'âme demande en deux strophes aux anges de Dieu de faire la chasse à ces renardeaux qui ruinent la vigne en fleur [1], et au Bien-Aimé lui-même de faire souffler à travers son jardin les vents du sud qui réveillent les amours [2].

Brouillards légers et sécheresse passagère aiguisent la faim et font sentir le vide des profondeurs de l'âme. Le tourment devient habituel.

Saint Jean de la Croix explique la nature et la cause de ce tourment. Les facultés de l'âme, détachées et purifiées, sont vides désormais. Admirablement la Sagesse divine, et par la purification, et par les visites, a creusé en elles des capacités profondes semblables à des cavernes, qui crient maintenant leur vide et leur faim, car elles sont faites pour la plénitude.

Quand, en effet, les puissances sont complètement détachées et purifiées, la soif, la faim et le désir de leur sens spirituel est intolérable ; comme les estomacs de ces cavernes sont profonds, ils souffrent profondément, dès lors qu'ils sont privés d'un aliment aussi profond que Dieu lui-même. Cette souffrance excessive se manifeste ordinairement vers la fin de l'époque où l'âme achève d'être éclairée et purifiée, et avant son arrivée à l'union divine, où enfin son appétit spirituel trouve une satisfaction complète. Cet appétit spirituel étant purifié et détaché de toute créature ou affection à la créature, et ayant perdu son penchant naturel, n'aspire plus qu'au divin... et comme ce divin ne lui est pas encore communiqué par l'union avec Dieu, ce vide où il est et cette soif de Dieu lui causent des souffrances plus cruelles que la mort, surtout quand il entrevoit quelque chose des rayons divins, et que Dieu lui-même ne lui est pas encore communiqué [3].

Admirable Sagesse divine qui prépare, creuse, purifie le vase, crée en lui des désirs ardents avant de le remplir de ce dont elle veut, depuis longtemps, lui donner la plénitude.

A cette heure, Dieu ne semble vouloir visiter l'âme que pour accroître et porter à un plus haut degré d'intensité ce tourment habituel.

Souvent, écrit sainte Thérèse, l'âme se trouve tout à coup envahie par un désir véhément : elle ne sait comment il se produit, mais en un instant elle en est toute pénétrée, et elle arrive alors à un tel excès de douleur, qu'elle s'élève bien au-dessus d'elle-même et de toutes les créatures [4].

---

1. *Cant. Spir.*, str. xxv, p. 824.
2. *Ibid.*, str. xxvi, p. 829.
3. *Vive Fl.*, str. iii, p. 987.
4. *Vie*, ch. xx, p. 198.

Sainteté pour l'Église

Mais ce martyre est si suave, l'âme l'estime à un si haut prix, qu'elle le préfère à toutes les joies dont elle avait coutume d'être favorisée [1].

Sainte Thérèse note que les faveurs de ce genre lui ont été accordées après toutes celles qu'elle raconte dans le livre de sa *Vie* [2]. Ce sont des grâces qui marquent la fin de la période des fiançailles.

De fait, la description de cette souffrance et des faveurs qui la portent à son point aigu, remplit le dernier chapitre consacré aux sixièmes Demeures [3].

Quoique l'âme, écrit la Sainte, reçoive ses faveurs depuis de longues années, elle gémit toujours et elle pleure, parce que chaque faveur nouvelle augmente sa douleur... Son amour grandit également au fur et à mesure qu'elle découvre mieux combien mérite d'être aimé ce souverain Maître et Seigneur. Voilà pourquoi, après s'être élevé durant plusieurs années, ce désir arrive à la peine excessive dont je vais parler [4].

Mais « ces angoisses, ces larmes, ces soupirs, ces grands élans » ne sont rien auprès de ce « coup... comme une flèche de feu » [5] qui arrive parfois à l'âme et produit de telles souffrances spirituelles que

bien que la personne dont je parle soit patiente et habituée à endurer de vives douleurs, elle ne peut alors comprimer ses cris [6].

La Sainte raconte alors l'extase qu'elle eut à Salamanque en 1571, le mardi de Pâques, pendant la récréation, tandis qu'Isabelle de Jésus novice chantait le cantique : « Que mes yeux vous voient ».

Cette peine néanmoins ne dure pas longtemps dans cet excès ; à mon avis, elle dure trois ou quatre heures au plus ; si elle durait longtemps, la faiblesse de sa nature ne pourrait la supporter sans un miracle. Il est arrivé à cette personne dont j'ai parlé de l'avoir ressentie un quart d'heure seulement, et elle en demeura toute brisée. Il est vrai que cette fois elle en perdit complètement l'usage des sens, tant le coup l'avait frappée avec rigueur. Elle était en conversation le dernier jour des fêtes de Pâques, et avait passé tous ces jours de la Résurrection dans une telle aridité qu'elle ne comprenait pour ainsi dire point qu'il s'agissait de pareille solennité ; or il lui suffit d'entendre une seule parole sur la longueur de la vie pour tomber en extase. Inutile de songer à résister à cette extase ; c'est tout aussi impossible que de précipiter quelqu'un dans le feu et de vouloir que la flamme ne le brûle pas. Ce n'est pas,

---

1. *Vie*, ch. XX, p. 202.
2. *Ibid.*, p. 197-202.
3. VIᵉ Dem., ch. XI, p. 1018-1025.
4. *Ibid.*, p. 1018.
5. *Ibid.*, p. 1019.
6. *Ibid.*, p. 1020.

non plus, une souffrance que l'on puisse dissimuler ; les personnes présentes comprennent même le danger imminent où l'on est de perdre la vie, bien qu'elles ne puissent être témoins des souffrances intérieures de cette âme [1].

Le lendemain de cette extase, sainte Thérèse chante :

> Je vis mais sans vivre en moi
> Et mon espérance est de telle sorte
> Que je me meurs de ne point mourir.
> ....
> Je veux en mourant te conquérir
> Puisque Dieu est le seul que j'aime
> Je me meurs de ne point mourir [2].

L'année suivante, au jour octave de la fête de saint Martin, sainte Thérèse recevait la grâce du mariage spirituel [3].

Avant d'étudier cette grâce, essayons de fixer le moment et la durée des fiançailles spirituelles.

III. — *Moment et durée des fiançailles spirituelles.*

1. *Moment.* — Les fiançailles spirituelles constituent le fait central des sixièmes Demeures, le jalon qui les éclaire et les caractérise dans la progression vers l'union parfaite. Sainte Thérèse les décrit aux chapitres IV, V et VI de ces Demeures, après avoir parlé précédemment des souffrances purificatrices et des réveils et paroles de Dieu dans l'âme. Dans les chapitres suivants, après avoir insisté au chapitre VII sur le recours à l'humanité du Christ, elle décrit les faveurs extraordinaires, visions et révélations dans les chapitres VIII, IX et X. Enfin, au chapitre XI, elle nous montre les angoisses ardentes de l'amour impatient avant le mariage spirituel.

Cette ordonnance fournit sur le moment où se font les fiançailles, des indications précieuses qui éclaireront les affirmations de saint Jean de la Croix.

Le docteur mystique donne des points de repère qui, pour être précis, laissent cependant des difficultés d'interprétation.

Au début du commentaire de la strophe XXVII du *Cantique Spirituel*, strophe qui marque l'entrée du mariage

---

1. VIe Dem., ch. XI, p. 1023. Voir aussi *Relations*, IV, p. 500.
2. Poésies, I, pp. 1551-1553.
3. *Relations*, XXVIII, p. 552.

Sainteté pour l'Église

spirituel, le Saint jette un regard en arrière pour signaler les étapes parcourues et les marquer.

Pour expliquer, écrit-il, l'enchaînement de ces strophes d'une manière plus claire et faire comprendre l'ordre que l'âme suit ordinairement pour parvenir à cet état de mariage spirituel... il faut remarquer tout d'abord qu'elle s'est exercée dans les épreuves et les amertumes de la mortification, comme aussi dans la méditation, ainsi qu'elle l'a fait depuis la première strophe jusqu'à celle où il est dit : *c'est en répandant mille grâces* [1]. Après cela elle est passée par les épreuves et les angoisses de l'amour, qu'elle nous a racontées peu à peu dans les strophes suivantes jusqu'à celle où il est dit : *Détournez-les, mon Bien-Aimé* [2]. Ensuite elle a raconté que le Bien-Aimé lui a communiqué de profondes vérités et fait de fréquentes visites, à l'aide desquelles elle se perfectionnait toujours plus et l'aimait d'un amour toujours plus ardent. Aussi elle s'est élevée au-dessus de tout le créé et d'elle-même : c'est alors qu'elle s'est donnée à lui par une union pleine d'amour dans les fiançailles spirituelles où, en tant que fiancée, elle a reçu de son divin Époux des richesses et des joyaux incomparables, comme elle l'a chanté depuis la strophe où se sont célébrées ces divines fiançailles et qui commence par ces mots : *Détournez-les, mon Bien-Aimé* [3].

Recueillons les indications données par ce schéma. Dans les trois périodes qui précèdent le mariage spirituel, la première est celle des premières mortifications préparatoires, dans la deuxième nous reconnaissons les purifications passives de l'esprit. Celles-ci débouchent sur une période de visites divines purifiantes et enrichissantes parmi lesquelles s'inscrivent les fiançailles spirituelles.

La *Vive Flamme* nous fournit d'autres indications :

Tel est le haut état des fiançailles spirituelles de l'âme avec le Verbe divin, écrit le Saint. Le Fiancé lui accorde de précieuses faveurs, il la visite fréquemment avec le plus grand amour ; et il la comble alors de grâces et de délices. Mais tout cela n'a rien à voir avec les biens qu'apporte le mariage spirituel ; car toutes ces faveurs ne sont qu'une préparation à l'union du mariage mystique. Sans doute, toutes ces merveilles se passent dans l'âme quand elle est déjà très purifiée de toute affection aux créatures, car, sans cela, nous le répétons, les fiançailles ne se célèbrent pas ; néanmoins, il faut à l'âme d'autres dispositions positives ; Dieu vient la visiter et la comble de ses dons pour la purifier de plus en plus, l'embellir et la spiritualiser, afin qu'elle soit convenablement préparée à une si haute union. Il y mettra un temps plus ou moins long ; car il tient compte des dispositions où elle se trouve [4].

---

1. *Cant. Spir.*, str. V, p. 713.
2. *Ibid.*, str. XII, p. 742.
3. *Ibid.*, str. XXVII, p. 837.
4. *Vive Fl.*, str. III, pp. 990-991.

Fiançailles et mariage spirituels

Ces textes nous montrent que saint Jean de la Croix distingue deux phases dans la préparation du mariage spirituel, une phase de préparation négative représentée par la purification passive et une phase de préparation positive réalisée par les visites divines. Les fiançailles spirituelles qui inaugurent la deuxième phase en sa période la plus intense se situent donc à la limite des deux.

Ce serait une erreur toutefois d'établir des cloisons étanches entre les deux phases. Nous savons déjà en effet que les purifications de l'esprit dont il s'agit ici sont produites par une flamme divine, c'est-à-dire par une action divine très intense qui s'exerce dans les profondeurs. Les visites divines ne sauraient donc être réservées à la deuxième période. De plus, et ceci nous paraît important à souligner, les visites des fiançailles produisent au début du moins, des terreurs, un brisement physique et des ravissements. Saint Jean de la Croix donne ces réactions sensibles sous l'action de Dieu comme le signe de faiblesse et de purification imparfaite.

Ce sont les sentiments (défaillances) qu'éprouvent dans ces visites divines ceux qui ne sont pas encore arrivés à l'état de perfection, et qui se trouvent dans l'état des progressants. Ceux qui sont parvenus en effet à l'état de perfection reçoivent les communications divines dans la paix et dans la suavité de l'amour : ils n'ont plus de ces ravissements dont le but d'ailleurs était de préparer l'âme à l'union parfaite avec Dieu [1].

Dans la *Nuit de l'esprit*, le Saint affirme encore très nettement :

... Ces communications dont nous parlons ne peuvent être ni très fortes, ni très intenses, ni très spirituelles, ni telles qu'il le faudrait pour l'union divine, car elles participent à la faiblesse et à la corruption de la sensualité. Voilà ce qui explique les ravissements, les extases, les dislocations des os qui se produisent toujours quand les communications ne sont pas purement spirituelles, c'est-à-dire pour l'esprit seul ; et c'est le cas pour les parfaits. Ils sont déjà purifiés dans la seconde nuit, celle de l'esprit ; on ne voit plus chez eux ces ravissements, ces agitations du corps ; ils jouissent de la liberté d'esprit, sans que leurs sens en soient offusqués ou tourmentés [2].

Les ravissements des fiançailles s'inscrivent donc dans la nuit de l'esprit et sont le signe que la purification n'est pas terminée.

Mais ils la terminent, et très heureusement, nous fait entendre ailleurs saint Jean de la Croix. Il écrit dans la *Montée du Carmel* :

1. *Cant. Spir.*, str. XII, p. 745.
2. *Nuit Obsc.*, Liv. II, ch. I, p. 549.

Sainteté pour l'Église

Il y a en effet certaines connaissances, certaines touches surnaturelles que Dieu produit dans la substance de l'âme, et celles-là l'enrichissent de telle sorte, que non seulement une seule d'entre elles suffit pour la délivrer complètement de toutes les imperfections dont elle n'avait jamais pu se corriger dans tout le cours de sa vie, mais pour la combler de biens et de vertus célestes [1].

Il n'est pas douteux que ces touches substantielles ne soient celles des fiançailles spirituelles.

Les visites des fiançailles complètent donc la purification de l'âme en l'enrichissant et la préparant positivement pour le mariage spirituel. L'infusion extraordinaire d'amour qu'elles répandent dans les profondeurs de l'âme y détruit ou rend impuissantes les tendances mauvaises qui s'y trouvent encore ; l'entrevue dans la lumière qu'elles procurent avec Dieu, parfait le retournement psychologique de l'âme qui n'est plus orientée et tendue désormais que vers le Bien-Aimé [2].

C'est donc bien entre la phase négative et la phase positive de la préparation à l'union parfaite que se situent les fiançailles spirituelles.

Mais ces textes san-johanniques, par les indications qu'ils nous fournissent et par les ombres qu'à dessein ils ménagent, nous invitent à nous garder de toute précision mathématique si nous voulons rester dans la vérité.

Les fiançailles spirituelles ne sont point une crête que l'on franchit pour arriver soudain sur un autre versant, une barrière que l'on passe pour aborder un autre pays. Les visites divines ont à la fois des effets négatifs et positifs, portent en leurs effets des traces visibles d'une nuit qui n'est pas terminée et sont des faveurs préparant l'union parfaite. Elles complètent la purification qui ne sera complètement réalisée que dans cette union. Toutefois, elles assurent à l'action positive de Dieu une prédominance qui ira désormais s'accentuant jusqu'au mariage spirituel.

Écoutons encore saint Jean de la Croix nous décrire en un langage que tout commentaire déflorerait, cette action positive de Dieu pendant la période des fiançailles :

Cette préparation nous est figurée par celle des jeunes filles qui étaient choisies pour le palais du roi Assuérus [3]. Une fois qu'on les avait sorties de leur pays et de la maison de leurs parents, elles devaient encore passer une année renfermées dans son palais avant

---

1. *Montée du Carm.*, Liv. II, ch. XXIV, p. 263.
2. Cf. *supra*, ch. VI, « Les effets de la nuit de l'esprit », pp. 900 et s.
3. Est 2, 12-14.

de lui être présentées comme épouses. Les six premiers mois, elles s'y préparaient par certaines onctions de myrrhe et d'autres parfums ; et le reste de l'année, elles employaient des parfums plus précieux encore ; c'est alors seulement qu'elles étaient admises auprès du roi.

Ainsi donc, c'est durant la période des fiançailles qu'a lieu la préparation au mariage spirituel. Et lorsque les onctions de l'Esprit Saint sont très relevées pour préparer l'âme à l'union divine, alors arrivent d'ordinaire ces anxiétés si intenses et si délicates des cavernes de l'âme. Or plus ces parfums sont une disposition prochaine à l'union, plus aussi ils rapprochent l'âme de Dieu ; voilà pourquoi ils lui font goûter Dieu davantage et lui en donnent une saveur plus exquise ; leur désir de Dieu est plus noble et plus profond, et ce désir est la vraie disposition pour s'unir à lui [1].

2. Durée de la période des fiançailles. — Pendant combien de temps va se poursuivre cette préparation positive ? Saint Jean de la Croix, dans le texte que l'on vient de lire, parle d'un an de préparation pour les jeunes filles du palais d'Assuérus. Cette indication correspond à peu près à ce que nous suggère le symbolisme des fiançailles. Les fiançailles sont un échange de promesses qui précède de peu le mariage et l'annonce habituellement comme prochain. Si nous nous laissons donc prendre et emporter par le symbolisme, ce qui est particulièrement aisé et devient presque inconscient pour l'appréciation de ces régions inconnues, nous gardons l'impression que la période des fiançailles doit durer quelques mois, un ou deux ans au plus. Examinons de plus près le problème.

Sainte Thérèse, au début du chapitre onzième des sixièmes Demeures où elle décrit les grands désirs qui précèdent le mariage spirituel, nous fournit une indication précieuse :

Son amour (de cette âme) écrit-elle, grandit également au fur et à mesure qu'elle découvre mieux combien mérite d'être aimé ce souverain Maître et Seigneur. Voilà pourquoi, après s'être élevé durant plusieurs années, ce désir arrive à la peine excessive dont je vais parler.

J'ai dit plusieurs années, pour me conformer à ce qui s'est passé dans la personne dont il a été question dans cet écrit. Je sais très bien en effet, que nous n'avons pas à fixer de limites à Dieu. Dans un instant, il peut élever une âme à l'état le plus élevé de la faveur dont nous traitons [2].

En réservant les droits de la Miséricorde divine qui affirme, en ces régions surtout, son indépendance, sainte

---

1. *Vive Fl.*, str. III, p. 991.
2. VIᵉ Dem., ch. XI, pp. 1018-1019.

Thérèse nous ramène aux données de son expérience. Plusieurs années se sont écoulées au cours desquelles les désirs se sont développés sous l'action de visites divines avant qu'elle connaisse les angoisses d'amour qui constituent la préparation immédiate au mariage spirituel. Un regard sur le livre de sa *Vie* va permettre de préciser ces indications.

La Sainte raconte au chapitre vingt-quatrième de sa *Vie* qu'elle eut son premier ravissement au cours d'une neuvaine de *Veni Creator* que lui avait ordonnée un religieux de la Compagnie de Jésus pour obtenir le détachement de certaines amitiés. En ce ravissement, elle entend ces paroles : « Je ne veux plus que tu converses avec les hommes, mais seulement avec les anges », et elle reçoit une grâce efficace qui la détache définitivement [1].

Quand elle reçut cette grâce, sainte Thérèse se trouvait au monastère de l'Incarnation et faisait un séjour chez son amie doña Yomar de Ulloa. Il n'était pas question encore, semble-t-il, de la fondation du monastère réformé de Saint-Joseph d'Avila. On peut situer cette grâce entre 1558 et 1560. C'est donc à cette période que commence la période des fiançailles qui se terminent en novembre 1572 par la faveur du mariage spirituel. Cette période dure pour le moins douze ans, et on ne saurait dire qu'elle a été prolongée par les infidélités de la Sainte, car c'est la période qui comprend les travaux de la fondation de Saint-Joseph d'Avila, les premières années particulièrement ferventes du séjour en ce monastère, et enfin les premières fondations des monastères de Carmélites en Castille et l'extension de la Réforme aux religieux. Le simple rappel de ces travaux montre à qui connaît la vie de la Sainte combien les fiançailles spirituelles apportent à l'âme des faveurs extraordinaires, mais aussi des travaux et une fécondité qui étalent l'union déjà réalisée.

Ces indications que nous fournit la vie de sainte Thérèse ne sont qu'un exemple. Exemple auquel la mission spéciale de maîtresse spirituelle de la Sainte confère une valeur particulière et qui paraît s'harmoniser avec le rôle de préparation positive au mariage spirituel qui est attribué à cette période des fiançailles. Nous ne pouvons donc pas le négliger et nous devons lui reconnaître une portée d'ordre général.

Les fiançailles spirituelles ne sont donc point une entrevue destinée à fixer les conditions d'une union

---

1. *Vie*, ch. XXIV, pp. 249-250.

définitive très prochaine. Elles inaugurent une période de préparation positive que les exigences du mariage spirituel feront habituellement assez longue. D'ailleurs, cette période n'est pas seulement d'attente, elle est déjà marquée par des faveurs et par une fécondité surnaturelles qui la font radieuse sous la lumière des sommets.

B. — *MARIAGE SPIRITUEL*

Il faut savoir avant tout, écrit saint Jean de la Croix, que si l'âme cherche Dieu, son Bien-Aimé qui est Dieu, la cherche elle-même avec infiniment plus d'amour [1].

Ces deux amours qui se cherchent avec une telle pureté et de telles ardeurs aboutissent au don parfait et mutuel dans le mariage spirituel. Un nouvel état est créé, dont saint Jean de la Croix nous dit, le comparant au précédent :

Ces deux états diffèrent l'un de l'autre comme les fiançailles et le mariage. Dans les fiançailles, il n'y a qu'un consentement mutuel des parties et un accord entre leurs volontés ; et le fiancé donne gracieusement à son épouse des joyaux et des parures ; dans le mariage, il y a en outre la communication des personnes et l'union entre elles ; sans doute le fiancé fait quelques visites à sa fiancée et lui porte des présents, comme nous venons de le dire ; mais il n'y a pas encore entre eux cette union qui est le but du mariage. Or, il en est absolument de même entre Dieu et l'âme [2].

L'âme est parvenue à son but, au centre d'elle-même qui est cette septième Demeure, la Demeure où Dieu lui-même habite. En cette profondeur elle va habiter désormais dans l'union parfaite avec Dieu. Cette profondeur est en même temps le sommet de la montagne mystique dessinée par saint Jean de la Croix à son intention, où est servi le banquet perpétuel de la Sagesse. Tous les dons divins de la grâce s'y épanouissent avec toutes les virtualités qu'elle dissimulait en son mystère. La contemplation parfaite s'y unit à la sainteté.

Nous sommes ici dans un monde nouveau de merveilles. Sainte Thérèse, saint Jean de la Croix nous l'ont décrit. Habitant dans ce monde nouveau, ils n'avaient qu'à laisser courir leur plume pour dire ce qu'ils avaient sous les yeux. Saint Jean de la Croix écrit en quinze jours la *Vive Flamme d'Amour*. Ces splendeurs nous étonnent plus encore qu'elles nous éblouissent... Nous avons

---

1. *Vive Fl.*, str. III, p. 992.
2. *Ibid.*, p. 990.

quelque peine à y habituer notre regard. Et cependant c'est ici qu'habite la Sagesse et qu'elle se manifeste elle-même telle qu'elle est, lumière, force, fécondité. Nous n'avons pas le droit de nous éloigner parce que nous manquons de l'expérience savoureuse qui permettrait la communion intime à son enseignement.

Pour aider ceux qui sont moins habitués à se pencher sur les textes thérésiens et san-johanniques, nous allons essayer de placer quelques points de repère, quelques flèches indicatrices dans la forêt luxuriante de leurs descriptions, pour que chacun puisse non seulement les admirer, ce qui serait un insuffisant hommage, mais découvrir les vérités dogmatiques profondes et pratiques qui les fondent et que nous devons retenir nous-mêmes pour éclairer notre marche vers la perfection chrétienne.

Pour rester fidèle au plan adopté, nous n'allons étudier pour l'instant que la manifestation de Dieu dans le mariage spirituel. Les deux chapitres suivants aborderont le problème de fond, à savoir ce qui constitue essentiellement cet état et quel est le but pratique que Dieu poursuit en fixant les âmes dans les liens de son amour.

I. — *La grâce du mariage spirituel.*

1. *La vision imaginaire inaugurale.* — C'est dans une relation spirituelle que sainte Thérèse fait le récit le plus complet de cette faveur :

La seconde année de mon priorat à l'Incarnation, le jour de l'octave de saint Martin, j'étais sur le point de communier, quand le Père Jean de la Croix, qui me donnait la sainte hostie, la partagea en deux pour en donner la moitié à une autre sœur. Je pensai que ce Père agissait ainsi, non parce qu'il n'y avait pas assez d'hosties, mais parce qu'il voulait me mortifier, car je lui avais dit que j'aimais beaucoup recevoir de grandes hosties. Je savais bien que cela importait peu et que Notre-Seigneur est tout entier dans la plus petite parcelle. Sa Majesté me dit alors, pour me faire comprendre qu'en effet cela importait peu : « Ne crains pas, ma fille, que personne puisse jamais te séparer de moi ». Le Seigneur m'apparut alors dans une vision imaginative, comme d'autres fois, au plus intime de l'âme, et me donnant sa main droite, il me dit : « Vois ce clou ; c'est un signe qu'à partir de ce moment tu seras mon Épouse ; jusqu'à présent, tu ne l'avais pas mérité ; à l'avenir, non seulement tu me verras en moi ton Créateur, ton Roi et ton Dieu, mais tu auras soin de mon honneur, comme ma véritable Épouse : mon honneur est le tien, et ton honneur est le mien ». Cette grâce fut si puissante que j'étais comme ravie hors de moi, et dans ce transport, je dis au Seigneur : « Ou transformez ma bassesse, ou ne m'accordez pas une telle faveur ». Il me semblait, en vérité, qu'elle était excessive pour ma faible nature. Je demeurai ainsi tout le jour profondément ravie. Depuis lors, j'ai éprouvé les effets merveilleux de cette grâce ; d'un autre côté, je suis plus confuse et plus affligée que jamais, quand je vois combien je suis loin d'y répondre [1].

Écrivant le *Château Intérieur* cinq ans après avoir reçu cette faveur, sainte Thérèse en a découvert l'importance et l'indique nettement comme celle qui lui a assuré le mariage spirituel.

La première fois, écrit-elle, que Notre-Seigneur accorde cette faveur à l'âme, il veut lui montrer par une vision imaginaire sa très sainte Humanité, pour qu'elle en ait une pleine connaissance et n'ignore point la faveur si souveraine dont elle est l'objet. Il se manifestera peut-être à d'autres personnes sous une autre forme [2].

Elle tient à souligner que cette faveur a quelque chose de tout à fait particulier.

Il vous semblera que cette faveur n'avait rien d'extraordinaire, dès lors que Notre-Seigneur s'était déjà manifesté d'autres fois à cette personne de la même manière. Néanmoins cette vision était tellement différente des précédentes, que cette personne en fut toute hors d'elle-même et remplie d'effroi, d'abord à cause de la force spéciale de cette vision, ensuite à cause des paroles que Notre-Seigneur lui fit entendre, et enfin parce que, à part la vision précédente, elle n'avait pas vu d'autres visions se manifester dans l'intérieur de son âme [3].

La Sainte se hâte d'ailleurs de nous avertir que les différences ne portent point seulement sur la vision initiale, mais qu'elles atteignent toutes les manifestations propres au mariage spirituel :

Vous saurez en effet, ajoute-t-elle, qu'il y a une différence très marquée entre toutes les faveurs passées et celles de cette Demeure. Ainsi entre les fiançailles spirituelles et le mariage spirituel il y a autant de différence qu'entre ceux qui sont fiancés et ceux qui sont liés à jamais par le mariage [4].

Il paraît bien certain que la vision imaginaire avec le clou symbolique qui est donné et les paroles qui en précisent le sens, ne sont point des éléments essentiels et nécessaires du mariage spirituel. Dans les ascensions thérésiennes, nous trouvons ainsi à chaque Demeure une faveur extraordinaire semblable à un signe lumineux qui en marque l'entrée et dont la clarté spéciale jalonne la progression. Cette maîtresse spirituelle à la mission

---

1. *Relations*, XXVIII, 18 novembre 1572, Avila, pp. 551-552.
2. VIIᵉ Dem., ch. II, p. 1034.
3. *Ibid.*, p. 1035.
4. *Ibid.*

universelle, avait besoin pour décrire et diriger, de savoir discerner avec certitude l'entrée de chaque période et ses caractéristiques. De fait elle note que cette vision lui fut accordée pour qu'elle eût une pleine connaissance de l'état auquel elle était désormais parvenue. Peut-être la Sagesse divine disposera-t-elle au contraire toutes choses en d'autres âmes pour qu'elles ignorent les degrés où elles sont parvenues. Ici obscurité complète, là explicitations lumineuses, tout est grâce pour la réalisation du dessein de Dieu sur chaque âme. Aussi désirer un tel cérémonial à l'entrée des septièmes Demeures nous paraît dangereux et enfantin. Chercher dans la vie des saints de tels signes et interpréter ici ou là telle ou telle parole ou manifestation divine comme la preuve d'une union parfaite réalisée, peut être la source d'erreurs regrettables.

Les signes authentiques du mariage spirituel sont ailleurs. Cette union est faite d'autre chose que de ces symboles, ou plutôt le symbole n'a de valeur que par la réalité qu'il évoque et illustre extérieurement.

2. *Union des fiançailles et union du mariage spirituel*. — Sainte Thérèse la précise admirablement et par touches successives. Suivons-la :

> Lorsque Notre-Seigneur daigne enfin avoir pitié de ce que l'âme qu'il s'est déjà choisie pour Épouse a souffert et souffre à cause de son désir de s'unir à Lui, il l'introduit, avant de contracter avec elle le mariage spirituel, dans sa Demeure qui est la septième dont nous parlons. Car s'il a sa demeure au ciel, il doit avoir aussi dans l'âme une autre demeure où lui seul habite, et disons-le, un autre ciel [1].

Entrer dans la Demeure de Dieu signifie pour sainte Thérèse s'unir à Lui. Les Demeures symbolisent en effet un degré d'union.

Or cette union parfaite avec Dieu, l'âme l'a connue déjà dans les fiançailles. Sainte Thérèse va nous expliquer ce qui différencie ces deux façons d'entrer dans la Demeure de Dieu, par les fiançailles et par le mariage spirituel.

> Lorsque Sa Majesté daigne lui accorder (à l'âme) la faveur du divin mariage dont il est question, elle commence par l'introduire dans sa Demeure. Sa Majesté veut lui accorder une faveur qui ne soit point comme les ravissements par lesquels je crois bien pourtant qu'Elle se l'unit alors, ni comme l'oraison d'union dont nous avons parlé et dans laquelle l'âme, ce semble, n'est pas appelée si fortement à entrer dans son centre qu'elle l'est dans cette Demeure. Car la partie supérieure d'elle-même était seule attirée [2].

---

1. VIIᵉ Dem., ch. I, p. 1027-1028.
2. *Ibid.*, p. 1029.

Fiançailles et mariage spirituels

Nous nous rappelons en effet que dans le ravissement des fiançailles, il y avait une certaine séparation de l'âme et de l'esprit, celui-ci se soulevant au-dessus de celle-là, comme la flamme qui monte du brasier, et étant emporté en Dieu.

Dans le mariage spirituel, l'union est complète. Ce n'est plus seulement l'esprit mais toute l'âme qui entre en son centre où est Dieu. Aussi dans cette union il n'y a pas d'enlèvement senti, ni d'écartèlement entre les parties de l'âme. Tout se fait dans la paix et dans l'unité intérieure.

Il vous semblera, d'après cela, qu'elle (l'âme) est tout en dehors d'elle-même et tellement absorbée, qu'elle ne peut plus s'occuper de rien. C'est une erreur ; elle est beaucoup plus apte qu'auparavant pour tout ce qui concerne le service de Dieu [1].

Autre différence et plus importante encore : l'union du mariage spirituel est non seulement complète, mais définitive.

Les fiançailles spirituelles sont toutes différentes. Une fois qu'elles ont été célébrées, il y a souvent séparation. L'union aussi est différente, car bien que l'union soit la jonction de deux choses en une seule, ces deux choses peuvent se séparer et subsister chacune de son côté ; on voit ordinairement, en effet, que cette faveur de l'union que Notre-Seigneur accorde passe promptement, et que l'âme reste ensuite privée de cette compagnie ; du moins, dis-je, elle ne la sent pas. Dans cette autre faveur, ou mariage spirituel, il n'en est pas de même. L'âme demeure toujours avec Dieu dans ce centre dont nous avons parlé [2].

Union complète et définitive, tels sont les caractères essentiels du mariage spirituel que soulignent sainte Thérèse et saint Jean de la Croix et qu'illustre le symbolisme des fiançailles et du mariage.

Ces deux états, écrit saint Jean de la Croix, diffèrent l'un de l'autre comme les fiançailles et le mariage. Dans les fiançailles, il n'y a qu'un consentement mutuel des parties et un accord entre leurs volontés... ; dans le mariage, il y a en outre la communication des personnes et l'union entre elles ; sans doute le fiancé fait quelques visites à sa fiancée et lui porte des présents, comme nous venons de le dire ; mais il n'y a pas encore entre eux cette union qui est le but du mariage [3].

Cette union semble river les deux êtres l'un à l'autre car elle est une union par transformation dans laquelle

... les deux parties se donnent mutuellement d'une manière complète, par les liens d'un amour aussi parfait qu'il peut l'être

---

1. VIIe Dem., ch. I, p. 1031.
2. *Ibid.*, ch. II, p. 1036.
3. *Vive Fl.*, str. III, p. 990.

en cette vie... De même qu'en vertu du mariage sur la terre les deux époux ne font qu'une seule chair, comme nous le dit la Sainte Écriture, de même, lorsque ce mariage spirituel est consommé entre Dieu et l'âme, il y a deux natures dans un même esprit et amour de Dieu [1].

Ces affirmations puissantes de saint Jean de la Croix nous mettent devant des vérités que nous aurons à approfondir pour expliciter quelques-unes des richesses substantielles qu'elles recèlent. Il fallait déjà les signaler pour expliquer la lumière et la paix qui accompagnent le mariage spirituel.

3. *Vision intellectuelle de la Trinité sainte*. — La vision imaginaire de la sainte Humanité du Christ a été passagère. Elle a été pour sainte Thérèse le phare qui lui a signalé l'entrée du port où le souffle de Dieu la portait. Le mariage spirituel assure une manifestation de Dieu plus profonde et plus stable et qui est le fruit de l'union qu'il procure.

Recueillons encore les confidences de la Sainte qui va nous instruire en un langage précis. Continuant à comparer la grâce du mariage spirituel avec les grâces d'union reçues précédemment, elle dit :

... quand Dieu l'unissait à Lui, elle ne comprenait plus rien, vu que toutes ses puissances étaient suspendues... Il la rendait alors aveugle et muette comme saint Paul lors de sa conversion. Il lui enlevait la faculté de connaître comment et de quelle manière était la faveur dont elle jouissait, car la joie profonde que l'âme éprouvait alors était de se voir près de Dieu... Ici, il en est autrement. Notre Dieu de bonté veut que les écailles des yeux de l'âme tombent enfin pour qu'elle voie et comprenne par un mode extraordinaire quelque chose de la faveur qu'il lui accorde. Dès qu'elle est introduite dans cette Demeure, les trois Personnes de la très sainte Trinité se montrent à elle par une vision intellectuelle, ou une certaine représentation de la vérité, à la lumière d'une flamme qui éclaire d'abord son esprit, comme une nuée d'une incomparable splendeur. Elle voit que ces trois Personnes sont distinctes ; puis, par une connaissance admirable qui lui est donnée, elle comprend avec la plus complète certitude que ces trois Personnes sont une seule substance, un seul pouvoir, une seule sagesse et un seul Dieu. Ce que nous connaissons par la foi, l'âme le comprend, on peut le dire, par la vue : néanmoins, elle ne voit rien, ni des yeux du corps, ni des yeux de l'âme, car ce n'est pas une vision imaginaire. Les trois Personnes se communiquent alors à elle, lui parlent, et lui donnent l'intelligence de ces paroles par lesquelles Notre-Seigneur dit dans le saint Évangile qu'il viendra lui-même avec le Père et le Saint-Esprit habiter dans l'âme qui l'aime et qui garde ses commandements [2].

---

1. *Cant. Spir.*, str. XXVII, p. 838.
2. VIIᵉ Dem., ch. I, pp. 1029-1030.

Fiançailles et mariage spirituels

Avec des mots inadaptés, sainte Thérèse s'est efforcée de décrire cette vision de la Demeure de Dieu et la lumière qui l'éclaire. Pour en découvrir toute la richesse et la précision, il est nécessaire, nous semble-t-il, de recourir à la théologie mystique.

Le mot vision, chez sainte Thérèse, nous l'avons déjà vu, ne signifie pas nécessairement une perception des sens.

Remarquons que cette vision intellectuelle n'est pas du même ordre que la vision imaginaire de l'humanité du Christ qui a marqué l'entrée dans le mariage spirituel. La vision imaginaire est une faveur extraordinaire, dans le sens indiqué précédemment [1], car elle est produite directement par Dieu dans les facultés et donne une lumière distincte. La vision intellectuelle ou connaissance de la Trinité sainte est d'un autre ordre. Elle procède de l'union parfaite et est un fruit de la connaturalité que cette union établit entre Dieu et l'âme.

Cette union tout à fait passagère et moins profonde s'est faite dans l'obscurité la plus complète, dans la grâce mystique d'union des cinquièmes Demeures. Elle n'a laissé que la certitude du contact. Dans le ravissement des fiançailles, l'union réalisée dans une simple entrevue, a produit un enivrement et un éblouissement. L'âme a expérimenté l'union et a découvert en ce contact de grands secrets divins. Mais comme saint Paul sur le chemin de Damas, aveugle et muette, n'a pu expliquer comment, ni détailler ce qu'elle avait découvert. Le ravissement des fiançailles l'a soulevée un instant dans un état supérieur à ceux qu'elle vit habituellement. Cette entrevue a été une plongée soudaine et passagère dans les profondeurs de l'union parfaite. Aussi elle a été violente et suave, aveuglante et lumineuse.

Dans le mariage spirituel, l'union parfaite n'est plus un heureux incident de route, elle est désormais chose réalisée, un fait qui s'impose avec toutes ses conséquences. La touche substantielle passagère est remplacée par la pénétration substantielle de l'union habituelle. L'âme est plongée en Dieu comme l'éponge dans l'océan et elle reste dans l'amour transformant qui l'a saisie et qui continue son œuvre.

Cette perfection et cette stabilité de l'union donnent à la connaissance de connaturalité qui lui est propre, perfection et continuité. La lumière d'expérience qui en jaillit, parfaite suivant son mode, n'est que lumière

---

1. Cf. *supra*, ch. II « Faveurs extraordinaires », pp. 715 et s.

d'aurore, mais d'une aurore qui n'a plus d'éclipse et ne cédera que devant la lumière du plein midi de la vision face à face.

L'âme connaît déjà cette lumière. Elle l'a trouvée dans le murmure des zéphyrs [1] ou même en certaines visions de la sainte Trinité dont elle a été favorisée [2]. Mais elle y était mélangée à des faveurs extraordinaires qui en la complétant montraient qu'elle n'avait pas atteint sa perfection. Surtout elle était passagère et s'éteignait avec la touche substantielle dont elle procédait.

La compénétration de l'union réalisée produit maintenant une lumière plus pure, plus haute et qui ne s'éteindra jamais complètement. Nous comprenons que sainte Thérèse déclare nouveau ce mode de connaître en raison de sa perfection actuelle.

Cette clarté d'aurore suffit à éclairer la Demeure de Dieu dans l'âme. C'est de cette lumière qui s'épand des septièmes Demeures dont parle sainte Thérèse lorsqu'elle écrit :

Il nous importe, en effet, beaucoup, mes Sœurs, de comprendre que l'âme n'est pas quelque chose d'obscur : comme nous ne la voyons pas, nous devons nous imaginer ordinairement qu'il n'y a pas une lumière intérieure distincte de celle qui frappe nos regards, et qu'au dedans de notre grand règne quelque obscurité [3].

Certes, cette lumière n'est pas ce flambeau de l'Agneau qui est toute la lumière des parvis célestes [4], bien qu'elle procède elle aussi de Dieu. Toutefois jaillissant de la connaturalité parfaite de l'âme avec Dieu, elle suffit pour découvrir à l'âme la Demeure où elle se trouve, les réalités surnaturelles avec lesquelles elle est en contact d'amour, les Personnes divines qui, par une opération commune, la divinisent. L'âme découvre ces Personnes divines, écrit sainte Thérèse, « à la lumière d'une flamme qui éclaire d'abord son esprit, comme une nuée d'une incomparable splendeur [5] ». Comment pourrait-on dire d'une

---

1. Cf. *supra*, pp. 947 et s.
2. Cf. *supra*, ch. II « Faveurs extraordinaires », p. 720.
3. VIIᵉ Dem., ch. I, p. 1028.
4. « La cité (céleste) n'a besoin ni de la lune ni du soleil pour l'éclairer car la gloire de Dieu l'illumine et l'Agneau est son flambeau ». Ap 21, 23.
5. VIIᵉ Dem., ch. I, p. 1030.
Dans le livre des *Pensées sur l'Amour de Dieu*, la Sainte dit encore très heureusement : « ... quant à cette ombre de la Divinité, comme c'est bien à juste titre qu'elle est appelée ombre ! Car nous ne pouvons pas voir clairement la Divinité ici-bas mais seulement sous la nuée ; c'est dans cette ombre que vit l'âme et le Soleil resplendissant. Il nous fait connaître par le moyen de l'amour, que Sa Majesté est unie à nous d'une manière si intime qu'on ne saurait l'exprimer ». Ch. V, p. 1436.

façon plus précise la transcendance, la clarté et le mystère de cette lumière qui jaillit de l'amour et dans laquelle l'âme trouve la vision intellectuelle de la Trinité sainte ?

La clarté de cette vision peut varier et varie en effet. Mais l'expérience de la présence des trois Personnes divines reste et l'âme n'a qu'à jeter un regard au-dedans d'elle pour retrouver cette présence vivante et lumineuse.

Cette présence habituelle des trois divines Personnes, écrit sainte Thérèse, n'est pas toujours aussi parfaite, ni, disons-le, aussi claire que la première fois, et les quelques autres circonstances où Dieu daigne accorder à l'âme cette faveur... Mais bien qu'elle n'ait pas habituellement cette vue aussi claire des trois Personnes divines, elle n'a qu'à y réfléchir, pour se retrouver avec elles. Je vous dirai qu'il en est d'elle comme d'une personne qui, étant en compagnie de plusieurs autres dans un appartement très éclairé, cesse de les voir parce que l'on a fermé les fenêtres et que l'on se trouve dans l'obscurité [1].

La clarté s'actualise avec des intensités différentes. Elle a des moments forts et des moments faibles qui ne dépendent pas de la volonté de l'âme, assure sainte Thérèse [2]. Mais sous des intensités variables, l'expérience lumineuse de fond reste, qui lui montre qu'elle est parvenue dans la Demeure de Dieu, ou plutôt que les trois Personnes divines sont présentes dans le centre d'elle-même, qu'elles en ont pris possession et qu'elles en ont fait leur Demeure. Cette lumière d'amour d'où procède la vision intellectuelle de la Trinité sainte découvre, comme le note sainte Thérèse, la réalisation de la promesse de Jésus dans l'Évangile :

Si quelqu'un m'aime, il observera mes commandements, mon Père l'aimera, nous viendrons à lui et nous ferons en lui notre Demeure [3].

Que cette connaissance ou vision puisse découvrir la distinction et l'unité des Personnes, les opérations communes aux trois et ce qui les constitue chacune d'elles, cela nous montre la haute qualité de la lumière qui jaillit de l'union transformante.

Toutefois, un problème se pose à ce sujet, que nous ne devons pas éviter, et il peut se formuler ainsi : une connaissance d'amour, quelle que soit l'union dont elle procède et la pénétration qu'elle en reçoit pour déceler avec certitude la nature et les secrets les plus intimes de l'âme,

---

1. VII⁰ Dem., ch. 1, p. 1031.
2. *Ibid.*, p. 1031-1032.
3. Jn 14, 23.

reste une connaissance instinctive par sympathie et contact, une connaissance profonde mais rebelle de soi aux formules. L'amour exprime sa science par des gestes et des attitudes ; ses mots sont lourds de sens mais simples, lorsqu'on l'oblige à sortir du silence où il trouve sa plus parfaite expression. D'où lui viennent les formules précises qu'il trouve chez sainte Thérèse lorsque celle-ci décrit la vision intellectuelle ?

Pour expliquer cette profondeur de connaissance et cette précision de la formule, toute la clarté de la vision qui en découle, il faut rappeler ce qu'est la foi.

La foi nous présente la vérité divine en des formules dogmatiques, l'or de la substance divine en une enveloppe conceptuelle aux dehors argentés. L'âme s'est d'abord nourrie de ces formules dogmatiques qui lui présentaient la vérité en termes humains analogiques. Lorsque la foi vive l'a introduite dans l'or de la substance, elle en a été d'abord éblouie, surtout dans le contact profond et obscur des cinquièmes Demeures. Lumière claire de la formule telle qu'elle avait été saisie et lumière procédant de la substance ont paru s'opposer. Ce fut une partie du drame de la nuit de l'esprit. Les sixièmes Demeures ont apporté quelques clartés conciliatrices : les secrets divins perçus dans les entrevues des fiançailles transcendent les formules mais en montrent la vérité. La lumière d'expérience d'amour qui jaillit du mariage spirituel découvre l'harmonie parfaite. Il n'y a plus de contradiction apparente, plus de heurts, plus de fossé obscur entre la lumière qui vient de l'expérience de la substance et celle de la surface argentée. Celle-ci n'est plus un obstacle ; elle est devenue un secours. La première triomphe, mais elle est si profonde, si lumineuse, si parfaite, qu'elle vient confirmer la précision de la formule. Mieux encore, la connaissance qui procède de la connaturalité d'amour a besoin de la formule dogmatique pour s'expliciter, et ne consent à s'expliciter qu'en cette formule car il n'en est pas d'autre qui traduise mieux ce qu'elle a trouvé par le contact substantiel et qu'elle expérimente continuellement par l'union d'amour. Dieu et l'Église ont bien parlé, dirait volontiers l'âme. Disant cela, elle montre que son expérience d'amour est vraie car elle rejoint et réalise la vérité en la formulation précise que propose le magistère infaillible de l'Église [1].

---

1. En conséquence on peut penser, croyons-nous, qu'une expérience authentique d'union parfaite, chez un homme qui ne connaîtrait pas le mystère de la sainte Trinité ferait expérimenter véritablement l'unité et la distinction des Personnes ; mais il ne saurait pas la traduire ou la traduirait imparfaitement.

La clarté de la vision intellectuelle de la Trinité est faite de la rencontre des deux lumières de la formule et de l'expérience dans une fusion harmonieuse où elles triomphent toutes deux en s'unissant et en se servant mutuellement. Les affirmations de sainte Thérèse que nous avons déjà lues, prennent tout leur sens, presque un sens nouveau :

L'âme voit que ces trois Personnes sont distinctes ; puis, par une connaissance admirable qui lui est donnée, elle comprend avec la plus complète certitude que ces trois Personnes sont une seule substance, un seul pouvoir, une seule sagesse et un seul Dieu. Ce que nous connaissons par la foi, l'âme le comprend on peut le dire, par la vue ; néanmoins, elle ne voit rien, ni des yeux du corps, ni des yeux de l'âme, car ce n'est pas une vision imaginaire [1].

L'âme comprend et voit en quelque sorte, le plus grand mystère gardant cependant son obscurité. Triomphe de la foi vive qui est le fruit de l'union. Comme elle est puissante et pure la lumière de cette clarté d'aurore qui fait ainsi briller jusqu'en leurs profondeurs les sources limpides qui jaillissent de la parole de Dieu !

Sainte Thérèse semble donner comme signe caractéristique du mariage spirituel la vision intellectuelle de la sainte Trinité, telle qu'elle nous l'expose. Faut-il prendre à la lettre cette affirmation ? En fait, saint Jean de la Croix ne la donne pas sous cette même forme. Sainte Thérèse de l'Enfant-Jésus n'en parle pas explicitement.

Il nous paraît qu'on peut trouver en ce qui vient d'être dit une explication de ces divergences apparentes, explication qui est une heureuse précision.

La connaissance essentielle au mariage spirituel est la connaissance de connaturalité qui procède de l'union transformante. Sainte Thérèse nous a dit elle-même que sa clarté subissait des hauts et des bas, mais qu'elle subsistait en tout temps dans les profondeurs. C'est cette connaissance profonde par expérience, de la Trinité sainte, de l'unité et de la distinction des Personnes, véritable clarté d'aurore, que nous devons retrouver chez tous les saints parvenus à ce degré.

Mais puisque l'explicitation n'appartient pas en propre à la connaissance elle-même, mais se fait par la formule dogmatique, on peut concevoir qu'elle se fasse ici ou là, en telle ou telle âme, sous une forme extérieure qui, en restant conforme à la vérité, soit un peu différente. C'est ainsi que lorsque sainte Thérèse de l'Enfant-Jésus laisse aller sa plume pour traduire son expérience intérieure

---

1. VIIe Dem., ch. I, p. 1030.

après la blessure d'amour qui l'éleva à l'union transformante, elle fait des allusions explicites à la Trinité sainte et à chacune des Personnes divines dans leurs relations avec son âme, qui montrent une perception de la distinction et de l'unité des Personnes divines. Toutefois, elle exprimera son expérience constante de l'union transformante, non par une vision intellectuelle de la Trinité sainte, mais par cet aveu :

> Ah ! depuis cet heureux jour (9 juin 1895), il me semble que l'Amour me pénètre et m'environne, il me semble qu'à chaque instant cet Amour me renouvelle, purifie mon âme et n'y laisse aucune trace de péché [1].

Que conclure de cet aveu sinon que l'expérience de l'Amour miséricordieux, en raison de sa mission particulière, était plus sensible et par conséquent plus aisée à expliciter et qu'elle voilait en une certaine mesure l'expérience de la Trinité sainte qui était cependant réelle, ainsi que le prouvent les effusions de la *Lettre à sœur Marie du Sacré-Cœur*.

Nous ferons des remarques semblables au sujet de l'expérience des sommets de saint Jean de la Croix et de son explicitation.

Concluons en affirmant que le mariage spirituel assure une expérience de Dieu et de la Trinité sainte, de la nature et de la distinction des Personnes, mais que cette connaissance très haute et claire, peut s'expliciter sous des formes différentes qui ne sont pas toujours une vision intellectuelle de la Trinité sainte, au sens thérésien du mot.

4. *La paix du mariage spirituel*. — La paix est aussi un des fruits caractéristiques et essentiels du mariage spirituel.

> L'âme, écrit sainte Thérèse, ne se meut point de ce centre où elle est ; elle ne perd point la paix ; car Celui-là même qui la donnait aux apôtres lorsqu'ils étaient réunis [2] peut également la lui donner.
>
> Il m'est venu à la pensée que le salut adressé par le Sauveur aux apôtres dut être beaucoup plus efficace qu'il ne semble l'indiquer. J'en dis tout autant de cette parole qu'il adressa à la glorieuse Madeleine : « Allez en paix [3] ». Comme, en effet, pour le Sauveur, parler c'est agir en nous, ces paroles durent opérer avec la plus grande efficacité dans ces âmes déjà bien disposées, en bannir tout ce qu'il y avait de corporel, et n'y laisser que le pur esprit, pour qu'il pût s'attacher par cette union céleste dont nous parlons, à l'Esprit incréé [4].

---

1. *Man. Autob.*, A fol. 84 r°.
2. Jn 20, 19.
3. Lc 7, 50.
4. VIIᵉ Dem., ch. ii, pp. 1038-1039.

Fiançailles et mariage spirituels

La grandeur et la stabilité de l'âme dans cet état, écrit saint Jean de la Croix, sont merveilleuses [1].

Cette paix est faite de la possession de Dieu en cette lumière d'aurore qui satisfait les facultés. Nous sommes faits pour Dieu qui est notre fin. Il est normal que l'âme qui l'a atteint avec certitude trouve cette paix qui est la tranquillité de l'ordre réalisé.

Le petit papillon a trouvé son repos et le Christ vit en lui... Ces âmes en effet, ne désirent plus ni joies ni goûts comme autrefois, dès lors qu'elles ont en elles le Seigneur lui-même : c'est sa Majesté qui vit maintenant en elles [2].

Cette possession de Dieu est paisible parce que stable et à l'abri désormais des attaques et des dangers qui la troublaient jusqu'à présent. Elle est protégée par

...le rempart de la paix, des vertus et des perfections, apanage de l'âme, qui lui sert d'abri... le mur de défense du jardin de son Bien-Aimé... [3]

Dans la dernière strophe du *Cantique Spirituel*, saint Jean de la Croix chante la paix de cette sécurité et de l'harmonie intérieure qu'elle crée :

> Personne ne regardait,
> Aminadab, non plus, n'a pas paru.
> Le siège était levé,
> Et la cavalerie
> Descendait à la vue des eaux [4].

L'âme fait ainsi savoir que les créatures n'arrivent plus en ce centre profond où elle est établie avec Dieu, qu'Aminadab le démon, ne peut plus l'y atteindre, que les passions qui l'assiégeaient ne peuvent plus troubler sa paix intérieure et que les sens maintenant purifiés et adaptés, descendent comme les coursiers vers les eaux divines pour s'y désaltérer.

Sainte Thérèse décrit cette paix de détachement, de solitude et d'harmonie intérieure en précisant jusqu'où elle s'étend. Plus de sécheresses et de troubles, plus de faiblesses sous l'action de Dieu.

La différence qu'il y a ici entre cette Demeure et les autres, c'est, je le répète, que l'âme n'y éprouve presque jamais de sécheresse, ni de ces troubles intérieurs où elle se trouvait parfois dans les autres Demeures. Elle est pour ainsi dire toujours dans la

---

1. *Cant. Spir.*, str. XXIX, p. 851.
2. VIIᵉ Dem., ch. III, pp. 1042-1044.
3. *Cant. Spir.*, str. XXX, p. 854.
4. *Ibid.*, str. XXXIX, p. 899.

quiétude. Elle n'a aucune crainte que le démon puisse contrefaire une faveur si élevée...

Pour moi, je suis étonnée de voir que l'âme, une fois parvenue à cet état, n'a plus de ravissements, si ce n'est que de temps en temps, et encore ces ravissements ne sont pas accompagnés d'extase ou de vol d'esprit [1].

C'est dire que les ravissements ne sont plus accompagnés des faiblesses et des souffrances physiques. L'âme en cet état est à la fois détachée de tout, satisfaite de l'union d'amour dont elle jouit. Serait-ce donc une béatitude sans ombres, un silence et une paix sans bruit et sans trouble ?

Saint Jean de la Croix, dans la strophe vingt-neuvième, s'adresse aux « oiseaux légers » qui sont les divagations de l'imagination, aux « lions, cerfs, daims bondissants » qui représentent les ardeurs ou les faiblesses du concupiscible, aux « monts, vallées, rivages » qui désignent les actes vicieux et désordonnés des trois puissances de l'âme, aux « eaux, vents, ardeurs, craintes qui veillent la nuit », et qui sont les quatre passions de l'âme [2]. Il leur demande, ainsi qu'aux « nymphes de Judée » qui représentent les mouvements de la partie sensitive, de se calmer et de cesser leurs opérations et leurs agitations pour ne pas troubler le recueillement intérieur de l'âme et l'empêcher de jouir du grand bien qu'elle possède [3].

C'est donc que ces puissances ne sont pas détruites, que ces facultés de l'âme gardent encore une activité qui n'est pas complètement soumise. On ne saurait le nier. Saint Jean de la Croix affirme :

La partie inférieure ou la sensualité pourrait empêcher cette faveur, et de fait elle l'empêche ; elle trouble la possession d'un si grand bien [4].

Habituellement toutefois, elles n'y parviennent pas. Leur agitation reste d'ailleurs extérieure aux régions profondes de l'union dans lesquelles l'âme est établie. L'ennemi ne saurait pénétrer dans la Demeure de l'âme et ne peut pas troubler l'union ; tout au plus peut-il empêcher la jouissance de cette union.

Ces précisions psychologiques nous semblent utiles. Ne fait-on pas parfois du mariage spirituel, en commentant certains symboles san-johanniques, un asile de paix absolue

---

1. VIIe Dem., ch. III, pp. 1046-1047.
2. *Cant. Spir.*, str. XXIX-XXXI, pp. 845-859.
3. *Ibid.*, str. XXXI, p. 856.
4. *Ibid.*

et inaltérable qui s'étend depuis les profondeurs de l'être jusqu'en ses confins les plus extérieurs, un séjour paradisiaque qui n'a plus rien d'humain ni de terrestre ? La vérité est tout autre et il est nécessaire de la donner pour dissiper les illusions et affirmer que la grâce ne détruit pas la nature.

Au saint, Dieu imposera des travaux et des souffrances. Il peut permettre chez lui même le trouble [1]. Le saint peut en porter encore la cause en lui, au moins pendant un certain temps.

Demandons encore à sainte Thérèse quelques précisions sur cette paix du mariage spirituel pour que nous ayons une idée plus nette.

Le Seigneur vient de placer l'âme dans sa Demeure à lui, qui est le centre de l'âme. Or, de même que le ciel empyrée où Notre-Seigneur habite ne se meut pas, dit-on, comme les autres, de même l'âme, à peine entrée dans ce centre, n'éprouve plus, ce semble, les agitations qu'elle ressent d'ordinaire dans les puissances et l'imagination ; du moins elle n'en reçoit plus aucun préjudice, et sa paix n'en est pas altérée [2].

Ces affirmations trouvent une heureuse illustration dans la description que la Sainte fait de son état lorsqu'elle écrivait les quatrièmes Demeures du *Château Intérieur*. Elle était au mariage spirituel depuis plusieurs années et cependant, dit-elle :

Tandis que j'écris ces lignes, je réfléchis à ce qui se passe dans ma tête, c'est-à-dire à ce grand bruit dont j'ai parlé au début et qui me rendait presque impossible le travail que l'on m'a commandé. Il me semble entendre le bruit d'une foule de fleuves qui se précipitent, d'oiseaux qui chantent et de sifflements : je le perçois non dans les oreilles, mais dans la partie supérieure de la tête où, dit-on, réside la partie supérieure de l'âme [3].

En éprouvant cela, la Sainte reste unie à Dieu et peut continuer à écrire. Pour conclure, écoutons-la nous dire en son langage imagé et précis en quoi consiste cette paix et quelles en sont les limites :

Quant à ce centre ou à cet esprit de notre âme, c'est une chose tellement difficile à dire et même à croire, que, faute de savoir vous l'expliquer, mes Sœurs, je crains de vous donner la tentation de ne pas ajouter foi à mes paroles. Il n'est pas aisé de comprendre, en effet, comment l'âme, tout en se trouvant au milieu des croix et des chagrins, puisse conserver la paix. Je veux donc vous donner une comparaison ou deux. Plaise à Dieu qu'elles me servent à

---

1. *Cant. Spir.*, str. XXIX, p. 851.
2. VIIe Dem., ch. II, pp. 1039-1040.
3. IVe Dem., ch. I, pp. 869-870.

m'expliquer quelque peu ! mais, si je n'y réussis pas, je sais du moins que ce que je dis est la vérité.

Représentez-vous un roi dans son palais. Malgré les guerres nombreuses et les multiples chagrins qu'il a dans son royaume, il ne laisse pas d'être dans son palais. Ainsi en est-il de l'âme ; bien que dans les autres Demeures il y ait beaucoup de confusion, de bêtes venimeuses et de bruit, personne n'ose entrer dans cette septième Demeure pour en faire sortir l'âme. Si le bruit qu'elle entend lui cause quelque peine, il ne saurait toutefois la troubler elle-même ou lui enlever la paix ; car les passions sont désormais vaincues ; elles craignent de pénétrer dans cette Demeure, parce qu'elles en sortiraient plus confuses. Représentez-vous également que le corps tout entier souffre, tandis que la tête reste saine ; or, ce n'est pas, en effet, parce que le corps souffre que la tête doive souffrir. Je ris moi-même de ces comparaisons, car elles ne me satisfont point ; que faire ? je n'en trouve pas d'autres. Vous en penserez ce que vous voudrez ; en tout cas, ce que j'ai dit est la vérité [1].

II. — *Développements de la grâce du mariage spirituel.*

Saint Jean de la Croix nous avertit que le mariage spirituel est « l'état le plus sublime auquel une âme puisse arriver ici-bas [2] ». Quand elle y est parvenue, « il est donc juste qu'elle se repose et jouisse du fruit de son travail [3] ». Mais le mariage spirituel est-il un terme, un sommet qu'on ne puisse pas dépasser et où l'âme se fixe immobile dans le repos de sa paix et dans la clarté de sa lumière ?

Sainte Thérèse a dit au début que

...cette insigne faveur (mariage spirituel) ne doit pas avoir sa perfection complète tant que nous vivons sur la terre [4].

Saint Jean de la Croix arrête parfois, lui aussi, la description des richesses ineffables qui débordent de la plénitude de son âme pour nous dire que tout cela n'est pas la vie éternelle, mais n'est que pénombre et imperfection en comparaison du but désiré qui est la vision face à face.

Dans le mariage spirituel, l'âme continue donc sa marche vers Dieu. Son amour ne le possède encore que dans la pénombre. La foi vive qui l'éclaire devient chaque jour plus désireuse de lumière. L'espérance qu'il a purifiée se fait plus ardente bien que paisible. Il reste lui-même

---

1. VII⁰ Dem., ch. II, p. 1041.
2. *Cant. Spir.*, str. XXVII, p. 838.
3. *Ibid.*, p. 841.
4. VII⁰ Dem., ch. II, p. 1034.

le bien diffusif de soi dont rien désormais ne saurait briser l'élan. Il est plus dynamique que jamais. De fait, la foi vive lui fournit des certitudes pour s'éclairer dans la pénombre. L'espérance met à son service ses ailes agiles pour franchir d'un vol sûr et rapide les distances qui le séparent de son objet infini. L'amour éclate et fuse de toutes parts pour réaliser le don toujours plus complet de lui-même.

Dans le prologue de la *Vive Flamme d'Amour*, saint Jean de la Croix décrit cette stabilité de l'état et ce mouvement incessant de l'amour transformant.

Sans doute, dans les strophes que nous avons précédemment expliquées (celles du *Cantique Spirituel*), nous avons parlé du plus haut degré de perfection auquel on puisse arriver en cette vie, c'est-à-dire de la tranformation en Dieu, néanmoins les strophes présentes parlent d'un amour plus noble et plus perfectionné dans ce même état de transformation. Il est vrai, dans celles-ci, comme dans celles-là, il s'agit d'un même état de transformation qui, en tant que tel, ne peut être dépassé, mais, comme je l'ai dit, cet état peut, avec le temps et avec la pratique des vertus, se perfectionner et s'enraciner beaucoup plus dans l'amour. Voyez ce qui arrive quand le feu a pénétré le bois: il le transforme en lui-même et se l'unit; puis, si ce feu devient plus intense et qu'il continue, il rend ce bois plus incandescent et plus enflammé, jusqu'à ce qu'enfin ce bois, devenu feu à son tour, lance des étincelles et des flammes. Telle est l'image de ce qui se passe ici [1].

Dès le début du commentaire de la première strophe, le Saint poursuit l'exposé de sa pensée.

L'âme se voit tout embrasée d'amour par cette union divine où elle est parvenue. Son palais est tout baigné de gloire et d'amour. L'intime même de sa substance ne répand rien moins que des fleuves de gloire: elle surabonde de délices, et de son sein jaillissent ces fleuves d'eau vive que le Fils de Dieu déclare réservés à de pareilles âmes [2].

Ces éclatements de la flamme ne lancent point leurs étincelles au hasard des circonstances, ces fleuves d'eaux vives ne s'épanchent point au gré des accidents de terrain. La force de l'amour divin n'est point aveugle. Elle est au service de la Sagesse, obéit à ses lois et est guidé directement par elle. Cet amour est la Sagesse. Il remonte vers Dieu et va à la réalisation de ses desseins ici-bas.

Nous ne faisons qu'énoncer ces vérités que nous retrouverons prochainement. Nous n'avons pour l'instant qu'à considérer les développements de la grâce du mariage

---

1. *Vive Fl.*, Prol., pp. 908-909.
2. *Ibid.*, str. I, p. 913.

spirituel dans le sens de la découverte de Dieu et des réalités surnaturelles.

Sous la lumière d'aurore qui l'éclaire, l'âme devient une exploratrice audacieuse des profondeurs de la vie divine. Dans le *Cantique Spirituel*, saint Jean de la Croix signale déjà cette curiosité pénétrante de l'amour et quelques-uns de ses fruits.

> Allons nous voir dans votre beauté
> Sur la montagne et sur la colline
> D'où coule l'eau limpide,
> Pénétrons plus avant dans la profondeur. [1]

demande l'Épouse à son Bien-Aimé.. Mais c'est dans la *Vive Flamme* que saint Jean de la Croix a laissé déborder, telle la lave qui coule ardente et paisible sur les flancs de la montagne au sein incandescent, les richesses qui montaient des profondeurs embrasées de son âme. Malgré sa répugnance et la difficulté à « dire quelque chose de la substance de ce qui est spirituel [2] », sur les instances qui lui sont faites, il consent à commenter quatre strophes qui lui serviront d'appui pour montrer quelques effets de lumière produits par les éclatements de la flamme dans la pénombre du mystère divin.

Ces strophes montrent moins la progression de l'âme en ces régions supérieures que divers aspects que l'on découvre de ces sommets. Ces aspects sont des vérités dogmatiques ayant trait à la vie divine en nous, des vérités pratiques concernant la vie spirituelle; les unes et les autres éclairées par la lumière ardente du brasier de l'union transformante. Aussi la *Vive Flamme* qui est le traité le plus élevé de saint Jean de la Croix, est en même temps le plus simple et le plus pratique, celui où sa doctrine et son âme sont le plus près de nous.

La lumière de l'amour découvre le brasier d'où elle procède, la flamme ardente et suave, vive et délicate, cette flamme qui est l'Esprit Saint et qui chante sans cesse le triomphe de l'amour dans la substance de l'âme. Elle embrase toute la Demeure où Dieu habite avec l'âme ; c'est dans ce brasier qu'ils sont unis. Cela se passe dans les profondeurs, dans ce centre de l'âme que la flamme élargit et approfondit sans cesse, car profondeur est synonyme de qualité de l'amour. Alors qu'elle a dû lutter péniblement autrefois et n'a triomphé qu'après des luttes bien douloureuses, elle consume maintenant suavement. Elle use et spiritualise tout ce qui s'oppose

---

1. *Cant. Spir.*, str. XXXV, p. 873.
2. *Vive Fl.*, Prol., p. 907.

à son triomphe définitif, toutes les barrières ou voiles qui empêchent la saisie parfaite de l'objet divin dans la lumière. Déchirer la dernière toile qui fera la séparation de l'âme et du corps ne dépend pas d'elle. Certes, les forces ne lui manquent pas, mais elle doit attendre l'heure et l'ordre divins. Un signe de Dieu et toutes les forces de l'amour auront tôt fait d'emporter triomphalement l'âme dans le sein de Dieu pour la « douce rencontre » dans la vision face à face. Tel est le commentaire de la première strophe.

Dans la deuxième strophe, l'âme regarde les Personnes divines. Elles sont dans l'âme, distinctes dans l'unité de nature. Ce sont elles qui font cet embrasement d'amour mais leur distinction est perçue jusque dans leur opération unique. Le brasier est le fruit d'une brûlure attribuée à l'Esprit Saint; la brûlure procède elle-même d'une touche délicate du Verbe.

O Verbe Fils de Dieu, s'écrie le Saint, qui, vu la délicatesse de votre Être divin, pénétrez d'une manière subtile la substance de mon âme en la touchant tout entière avec attention, vous l'avez absorbée tout entière en vous... [1].

La touche procède elle-même de la main qui « symbolise le Père éternel qui est plein de miséricorde et tout-puissant [2] ».

En ce brasier qu'est l'âme, il y a place encore pour des plaies brûlantes et délicieuses qui procèdent de Dieu même parfois et atteignent la substance sans intermédiaire de forme. Ce sont celles qui ont fait le brasier tel qu'il est avec son intensité et la qualité de son feu. Il est d'autres blessures aussi qui sont sublimes et que le Saint signale à cause de leurs effets charismatiques extraordinaires. C'est la blessure de fécondité faite par le dard du séraphin que reçoivent ceux qui doivent transmettre un esprit et une vertu à toute une génération de fils. La blessure des stigmates, extériorisation sensible d'une blessure intérieure faite aussi par le séraphin, qui unit tout spécialement à la passion du Christ. Toutes ces plaies ont une saveur de vie éternelle et par la joie qu'elles donnent et par la souffrance qu'elles causent.

Les trois Personnes sont distinctes, mais leur opération de sanctification est unique. C'est cette opération que saint Jean de la Croix explore dans le commentaire de

---

1. *Vive Fl.*, str. II, p. 955.
2. *Ibid.*, p. 954.

la troisième strophe. La grâce est participation de la vie de Dieu. Les richesses qu'elle étale sont aussi diverses que les attributs divins dont elles émanent. Ces attributs, divers dans l'unité de Dieu, brillent comme des lampes de feu qui envoient leurs splendeurs ou obombrations dans l'âme. Celles-ci qui sont les reflets, les saveurs, les propriétés diverses de la grâce dans les âmes, portent, chacune d'elles, toutes les richesses substantielles de la grâce, de même que les attributs divins dont elles émanent sont chacun d'eux l'essence même de Dieu. En d'autres termes, l'action de Dieu dans l'âme est unique en sa substance, elle est diverse en ses tonalités et ses effets comme les attributs divins dans l'unique essence de Dieu.

Le Saint profite de ce regard sur l'action transformante de Dieu dans l'âme pour signaler les ennemis qui lui dressent des embûches ou des obstacles. Ces ennemis sont, qui l'aurait cru ! en premier lieu les directeurs; viennent ensuite le démon et l'âme elle-même.

Au centre de toutes ces merveilles, il est une expérience à la fois plus haute et plus intime, plus constante et plus près de ce que nous connaissons, c'est l'expérience et la manifestation du Verbe Époux. Voici comment se réalise profondément et magnifiquement dans le centre de l'âme la promesse de Jésus:

> Celui qui m'aime sera aimé de mon Père, et moi je l'aimerai et je me manifesterai à lui [1].

Cette manifestation du Verbe Époux remplit la quatrième strophe.

Dans le centre et le fond de l'âme, dans sa pure et intime substance, le Verbe Époux habite dans le secret et le silence; il y est comme en sa demeure et sur son lit de repos [2]. Il y règne en maître et il tient l'âme étroitement embrassée et unie. Il fait sienne l'âme et l'âme peut dire sien son Époux. N'est-ce pas au Verbe Fils de Dieu que l'identifie directement l'amour qui lui est donné par l'opération unique de la Trinité ? Elle est fille par la grâce comme le Verbe est fils par nature. C'est par son union au Verbe qu'elle entre dans le cycle de la vie trinitaire et participe à ses opérations. Elle aspire l'Esprit Saint par la grâce comme le Verbe le fait par nature [3].

---

1. Jn 14, 21.
2. *Vive Fl.*, str. IV, p. 1036.
3. *Cant. Spir.*, str. XXXVIII, pp. 891-892.

Fiançailles et mariage spirituels

Ce Verbe Époux, source de tous ses biens, l'âme l'expérimente en elle. Il repose dans la pénombre, endormi, semble-t-il. Son souffle vivant signale cependant sa présence et son action. Quels grands désirs l'âme a de la connaître[1]! Lorsqu'elle demandait à entrer dans les profondeurs[1], c'était bien une pénétration plus profonde et une connaissance plus intime du Christ et de ses mystères qu'elle voulait.

Le Verbe Époux est à elle, elle est à lui. Cette possession et cette compénétration mutuelle la font entrer effectivement dans ces hautes cavernes que sont les mystères du Christ, dans cette mine inépuisable aux innombrables filons qui recèlent des richesses toujours nouvelles[2]. Ces mystères qu'elle a connus par la foi, qu'elle a étudiés dans la théologie, qu'elle a pénétrés par le regard simple de son oraison, s'éclairent par les profondeurs. La lumière qui les éclaire et le regard qui les saisit ne sont plus à l'extérieur. L'expérience de l'amour a pénétré dans leur profondeur et ils sont éclairés par un embrasement intérieur.

La perception se fait ordinairement en un sentiment subtil de la présence du Verbe dans la pénombre. L'Époux semble dormir dans le sein de l'âme[3]. Mais voici que le Verbe Époux s'éveille. Il a paru se mouvoir sur la couche où il reposait.

Ce réveil que le Verbe produit dans la substance de l'âme est un mouvement d'une telle grandeur, d'une telle majesté et d'une telle gloire, et d'une suavité si intime, qu'il semble à l'âme que tous les baumes, toutes les essences aromatiques et toutes les fleurs du monde se mêlent et s'agitent pour répandre leurs parfums..., que tous les royaumes et tous les empires du monde, que toutes les puissances et toutes les vertus du ciel se meuvent[4].

Le Verbe, l'Époux de l'âme, par ce simple geste a révélé ses secrets, a fait briller ses trésors, a répandu ses richesses. Il a découvert sa puissance. C'est en Lui que toutes choses vivent, subsistent et se meuvent. Ce grand Seigneur, en se mouvant, semble entraîner en son mouvement toute la création dont il est le centre. Tel est l'Époux que l'âme porte en elle et qui la tient dans l'emprise suave et définitive de son amour.

Le Docteur mystique précise qu'en ces réveils, c'est l'âme qui s'éveille un instant à la réalité qu'elle perçoit, que c'est elle qui se meut et non le Verbe qui est immuable.

---

1. *Cant. Spir.*, str. XXXV, pp. 876 et s.
2. *Ibid.*, str. XXXVI, pp. 879 et s.
3. *Vive Fl.*, str. IV, p. 1045.
4. *Ibid.*, p. 1037.

Sainteté pour l'Église

L'âme cependant participe un peu à l'immutabilité divine car « elle n'éprouve ni défaillance ni crainte dans ce réveil si puissant et si glorieux [1] ».

Le Saint continue. Il veut essayer d'expliciter quelque chose de l'aspiration qui accompagne le réveil, de cette aspiration de l'Esprit Saint en Dieu que fait l'âme et de l'aspiration que l'Esprit Saint fait de l'âme.

Cette aspiration est une touche extrêmement délicate, un sentiment d'amour causé dans l'âme par l'Esprit Saint. Cet Esprit, par son aspiration divine élève l'âme très haut; il l'informe pour qu'elle produise en Dieu la même aspiration d'amour que le Père produit dans le Fils, et le Fils dans le Père [2].

Dans le *Cantique Spirituel*, le Saint a pu donner cette explication. Dans la *Vive Flamme*, le réveil est devenu si puissant, l'aspiration qui l'accompagne si délicate et si sublime que le Saint pose la plume et s'enfonce dans le silence de la louange :

...en ces profondeurs de Dieu à qui soient rendus honneur et gloire dans les siècles des siècles! Ainsi soit-il ! [3]

La face de Dieu n'est pas découverte, mais le voile est devenu transparent, déclare saint Jean de la Croix [4].

Nous sommes aux confins de la vision éternelle. Il fallait aller jusque-là pour suivre les découvertes lumineuses du mariage spirituel.

---

1. *Vive Fl.*, str. IV, p. 1042.
2. *Cant. Spir.*, str. XXXVIII, p. 891.
3. *Vive Fl.*, str. IV, p. 1047.
4. *Ibid.*, p. 1040.

CHAPITRE HUITIÈME

L'union transformante

> *Je suis la vigne, vous êtes les branches* [1].
> *Deux cierges de cire qui sont si bien unis*
> *que la lumière n'en est plus qu'une* [2].

N'est-ce pas redescendre, que de laisser les sublimes expériences mystiques du mariage spirituel pour parler de l'union transformante ? Est-il même utile de faire une étude spéciale de l'union transformante alors que sainte Thérèse et saint Jean de la Croix, dans leurs descriptions, semblent l'assimiler au mariage spirituel ? Nous allons répondre à ces questions préliminaires avant de préciser ce qu'est l'union transformante et quelles en sont les propriétés.

A. — *MARIAGE SPIRITUEL ET UNION TRANSFORMANTE*

Mariage spirituel et union transformante ne désignent pas deux états spirituels différents, mais deux aspects d'une même réalité intérieure, à savoir le sommet de la vie spirituelle.

Mariage spirituel évoque cet état spirituel avec tout le cortège de manifestations, faveurs extraordinaires et lumières contemplatives qui indiquent qu'une âme y est parvenue. Union transformante désigne la réalité qui constitue cet état spirituel, à savoir le degré de charité qui réalise cette union parfaite avec Dieu par transformation et ressemblance d'amour. Mariage spirituel met en relief ce qu'on pourrait appeler l'aspect phénoménal

---

1. Jn 15, 5.
2. VIIᵉ Dem., ch. II, p 1036.

de l'union, à condition de ne pas réduire le phénoménal au superficiel et d'y comprendre les manifestations les plus profondes et les plus authentiques de cet état intérieur. L'union transformante est cet état spirituel lui-même en ce qui le constitue ontologiquement, c'est-à-dire la charité en sa plénitude transformante et unissante.

Qu'il soit utile de distinguer nettement mariage spirituel et union transformante, les manifestations et la réalité dont elles sont les signes, il suffit de jeter un regard sur la littérature spirituelle et surtout sur les biographies pour s'en rendre compte. Les confusions entre le phénomène mystique et la réalité y sont fréquentes, avec un avantage donné au phénomène qui est recherché et mis en relief comme l'élément principal. C'est qu'en effet le phénomène mystique qui marque les sommets exerce généralement une attirance puissante sur la masse des fidèles avides de signes et de merveilleux.

Même chez les spirituels, il n'est pas rare de trouver un désir plus vif de l'expérience mystique que de la charité surnaturelle qui en est la source. Désir inavoué, souvent inconscient, mais qui dévoile cependant l'échelle des valeurs spirituelles sur laquelle on établit ses jugements et on construit sa vie spirituelle.

Certains même font du mariage spirituel un état supérieur à l'union transformante, ou du moins dans l'union transformante.

Les jugements portés sur sainte Thérèse de l'Enfant-Jésus et sur sa spiritualité ont mis à jour ces imprécisions de notions et permis de soupçonner l'influence nocive qu'elles pouvaient exercer sur la vie spirituelle des âmes. On hésitait, en effet, à reconnaître en sainte Thérèse de l'Enfant-Jésus les plus hauts états de la vie spirituelle parce qu'ils n'étaient pas accompagnés et prouvés par les phénomènes mystiques que l'on croyait inséparables de ces états. Et cependant, avec cette simplicité lumineuse faite de détachement et de pureté, la petite Sainte de Lisieux avait eu soin de nous prévenir qu'en matière de perfection, le paraître a peu d'importance auprès de l'être. A propos de la mort d'amour, elle disait en effet, quelques semaines avant sa mort, en juillet 1897 :

Ce n'est pas la peine que ça paraisse pourvu que ce soit... Notre-Seigneur est bien mort Victime d'Amour, et voyez quelle a été son agonie [1].

---

1. *Dern. Ent.*, CJ 14.7.4 et 4.6.1 ; cf. aussi CJ 4.7.2.

La confusion entre l'être et le paraître, l'importance plus grande donnée au paraître qui brille et s'étale, sur l'être qui est caché et obscur, créent des erreurs pratiques sur la nature de la perfection et sur le but à atteindre, et peuvent provoquer des erreurs d'aiguillage dès le début de la vie spirituelle. Les âmes sont ainsi retardées dans les voies de la perfection ou même arrêtées définitivement. Le chemin de l'esprit imparfait, dans le graphique de saint Jean de la Croix, qui aboutit à une impasse, est bien celui en effet, dans lequel l'âme recherche comme un but les biens du ciel, gloire, joie, consolation, sécurité, lumière, bref tous les biens qui accompagnent l'union, mais ne sont pas l'union, et empêchent de l'atteindre lorsqu'on les désire pour eux-mêmes.

Essayons de situer l'union transformante au milieu des manifestations du mariage spirituel qui lui font cortège, en précisant les rapports qui les unissent et leur valeur respective.

I. — *Les manifestations, fruit de l'amour.*

Ces manifestations, qui sont le fruit de l'union transformante, prennent des formes et des expressions diverses.

Parmi ces manifestations, distinguons d'abord les faveurs extraordinaires des lumières contemplatives proprement dites. Les premières procurent l'avancement de l'âme, mais ont habituellement un caractère nettement charismatique, c'est-à-dire sont données pour le bien de l'Église [1]. Elles préparent l'âme à l'accomplissement d'une mission spéciale et lui donnent les moyens de l'exécuter. Dieu les donne quand il veut et comme il veut, par une action directe. Elles ne sont donc point le fruit spécifique de l'union de l'âme avec Dieu. Aussi, quelles que soient la puissance et la lumière qui les accompagnent, ces faveurs extraordinaires ne sauraient jamais être considérées à elles seules comme une preuve suffisante de la sainteté [2]. Elles peuvent toutefois apporter une confir-

---

1. Le caractère charismatique des faveurs extraordinaires que reçut sainte Thérèse apparaît clairement. Cette réformatrice avait besoin d'assurances divines toutes particulières ; cette maîtresse de vie spirituelle devait pouvoir situer d'une façon précise les étapes de la vie spirituelle et les caractéristiques de chacune d'elles. Les faveurs extraordinaires lui ont fourni les jalons lumineux qui lui étaient nécessaires.
2. *Montée du Carm.*, Liv. II, ch. XVII, pp. 198 et s.

mation à des preuves plus certaines et y ajouter une heureuse explicitation [1].

En traitant des rapports de l'union transformante avec le mariage spirituel, nous n'entendons pas parler de ces faveurs qui ne sont pas des manifestations spécifiques de l'union transformante, mais seulement des lumières contemplatives qui procèdent de la connaturalité d'amour. Ces dernières dont saint Jean de la Croix a étalé les richesses dans les commentaires du *Cantique Spirituel* et de la *Vive Flamme*, et dont sainte Thérèse a montré la qualité dans la description de la vision intellectuelle de la Trinité sainte, nous sont présentés par eux comme les fruits de l'union.

Rappelons que le murmure du zéphyr, cette connaissance si haute, cette « substance toute comprise » déposée dans l'âme, cette « vue de vérités nouvelles », est le produit de la touche substantielle. Certes, le toucher ne produit pas une jouissance aussi grande que la connaissance qui va à l'entendement, car l'ouïe est un sens plus délicat que le toucher, mais il n'est pas douteux que tout n'ait comme origine le contact unissant de Dieu avec la substance de l'âme [2].

Cette connaissance essentielle de la divinité s'opère par un contact de l'âme avec la divinité, écrit le Saint, chose qui est au-dessus de tout sens et de tout accident, dès lors qu'il s'agit d'un contact de substance pure avec une autre substance pure, c'est-à-dire de l'âme avec la divinité [3].

Ces connaissances sont si étroitement dépendantes de l'union qui les produit que saint Jean de la Croix les assimile à l'union même.

Ces hautes connaissances pleines d'amour ne peuvent être accordées qu'à l'âme parvenue à l'union avec Dieu : car elles sont cette union même ; cette union consiste à les posséder par une certaine touche qui se fait de l'âme à la divinité [4].

Dans la *Vive Flamme*, le Saint présente les hautes expériences de Dieu dont l'âme est favorisée, comme des pétillements de la flamme d'amour, des éclatements d'étincelles et des effets de lumière du foyer incandescent

---

1. C'est ainsi qu'il serait imprudent de croire qu'une âme est parvenue à l'union transformante parce que Notre-Seigneur l'a appelée son épouse. Une telle parole intérieure, même authentique, peut être interprétée en divers sens. Toutefois, elle pourrait donner l'assurance que cette âme est parvenue à l'union transformante si elle en présente des signes objectifs.
2. *Cant. Spir.*, str. XIII et XIV, pp. 758-762.
3. *Ibid.*, str. XXXII, p. 862.
4. *Montée du Carm.*, Liv. II, ch. XXIV, p. 262.

qu'est devenue l'âme sous l'action de l'amour croissant. Ces descriptions sont une hymne à la flamme ardente de l'amour. Aussi

... l'âme exalte son Époux et lui rend grâce des hautes faveurs qu'elle reçoit de son union avec lui. C'est par là, comme elle le reconnaît, que lui sont venues de nombreuses connaissances sur son Être, qui sont toutes pleines d'amour [1].

Ces connaissances remplies d'amour qui accompagnent le mariage spirituel procèdent, en effet, de l'expérience de connaturalité. Or, il ne peut y avoir d'expérience de connaturalité que dans l'union et la transformation réalisées par l'amour. Ces connaissances ne sont si hautes que parce que l'union et la transformation sont parfaites. Telle est la vérité qui fonde les affirmations de saint Jean de la Croix et nous donne la certitude que c'est de l'union transformante que jaillissent ces richesses de lumière.

Bien que procédant de la même expérience d'amour, ces connaissances prennent chez les saints des formes et des expressions différentes. Saint Jean de la Croix l'affirme en abordant la description des effets de la touche substantielle des fiançailles :

Il ne faut pas s'imaginer, écrit-il, que toutes les âmes élevées à cet état jouissent de toutes les faveurs exprimées dans ces strophes, ou de la même manière, ou participent dans la même mesure aux lumières et aux sentiments d'amour qui y sont communiqués. Les unes reçoivent plus, les autres moins ; celles-ci reçoivent d'une manière, celles-là d'une autre ; mais les unes et les autres peuvent se trouver dans cet état de fiançailles spirituelles [2].

Précédemment déjà, nous avons noté comment dans le mariage spirituel, l'expérience de Dieu et des trois Personnes divines, bien qu'identique en son élément essentiel, prend des formes et des expressions différentes chez les saints. Les dons de Dieu sont divers jusque sur les sommets. Le trésor infini où puise le contact de l'union parfaite, livre constamment aux âmes des richesses nouvelles et les adapte à leur tempérament et à leur grâce. Ceux-ci d'ailleurs interviennent à leur tour dans l'expression de ce que l'âme a reçu dans l'expérience de cette union parfaite.

Saint Jean de la Croix, mettant au service de son intelligence puissante et de son sens spirituel affiné, ses dons d'artiste et sa plume de théologien, explicite en un langage qui reste précis sous la brillante parure des

1. *Vive Fl.*, str. III, p. 973.
2. *Cant. Spir.*, str. XIII, p. 751.

symboles, les richesses ruisselantes de lumière qu'il a découvertes pour les générations confiées par l'Esprit à sa grâce de père. Sainte Thérèse de l'Enfant-Jésus semble au contraire vouloir ignorer ces richesses contemplatives et les laisser enfouies dans l'oubli. C'est le hasard d'une conversation, à la fin de sa vie, qui nous apprend qu'elle a eu des vols d'esprit [1]. Les instances de sa sœur, Marie du Sacré-Cœur, nous ont permis de connaître les profondeurs de son expérience. Mais elle appellera tout cela

... richesses spirituelles qui rendent injuste lorsqu'on s'y repose avec complaisance et que l'on croit qu'ils (les désirs) sont quelque chose de grand [2].

A notre siècle orgueilleux et avide de tous les biens, même des biens spirituels, la petite Sainte devait prêcher l'humilité et la pauvreté spirituelle.

Le saint curé d'Ars ensevelit son expérience mystique dans la pénombre de son confessionnal. Elle ne s'y montrera que dans ses larmes devant le péché et en sa miséricorde toute divine devant les pécheurs, et encore dans la lumière de son regard et dans la plénitude savoureuse de son langage. On pourra deviner ainsi combien est ardent l'amour qui brûle dans le brasier profond de son âme.

Ces exemples montrent combien sont variés les flamboiements de la flamme d'amour qui monte, chantante et triomphante, des brasiers consumants de l'union transformante. Ces reflets admirables de cette flamme ne sont-ils pas trop changeants pour fixer nos désirs ? Certainement seul est désirable le brasier d'amour qui les produit. Quand il aura embrasé notre âme, Dieu en fera monter la flamme qui convient à ses desseins.

II. — *La lumière contemplative.*

Les lumières contemplatives sont souverainement utiles. Elles sont un moyen ordonné au développement de l'amour.

---

1. *Dern. Ent.*, CJ 11.7.2.
2. Lettre à sœur Marie du Sacré-Cœur, 17 sept. 1896. Sainte Thérèse disait cela spécialement de ses désirs du martyre que sa sœur avait soulignés, mais elle l'entendait de toutes les richesses d'expérience qu'elle avait étalées dans sa lettre qui constitue la deuxième partie de ses *Manuscrits Autobiographiques*.

L'union transformante

Mépriser les richesses de lumière qui montent du foyer de l'union transformante serait une faute. Elles sont richesses divines, et des plus pures, et des plus utiles que Dieu dispense. Elles découvrent au regard, autant qu'ils peuvent être perçus ici-bas, les secrets de l'être même de Dieu. Leur excellence leur vient de ce qu'elles jaillissent d'un contact avec les réalités surnaturelles. Elles ne sont pas le fruit d'un jeu passager de l'esprit ou d'un éclair de l'intelligence. L'amour qui les produit continue à étreindre les réalités qu'elles éclairent. La lumière et la vie, la pensée et l'être se rejoignent en ce contact unissant que l'amour établit entre deux esprits et deux substances, celle de Dieu et celle de l'âme.

Peut-il y avoir ici-bas de réalisme plus objectif et plus immédiat que cette perception par contact et union, de l'être dans sa plénitude ? Aussi nous comprenons que la métaphysique moderne qui a délaissé la dialectique constructive de la raison pour rechercher une vision simple des réalités et une perception directe des valeurs, professe une haute estime pour cette connaissance mystique qui est le fruit de l'union et qu'elle y cherche un appui pour elle-même parce qu'elle lui présente cette profondeur du réalisme qui est toute la vie de l'esprit [1].

Cet apport précieux pour la philosophie moderne n'est qu'un des bienfaits de ces hautes connaissances d'amour. La haute estime que saint Jean de la Croix professe pour ces dernières est fondée sur le profit que l'âme elle-même en retire :

Pour une seule d'entre elles, l'âme se trouverait bien payée de tous les travaux de la vie, si nombreux qu'ils fussent [2].

Les lumières qu'elles donnent sur Dieu, la vision du monde qu'elles assurent, l'élèvent au-dessus des contingences de ce monde et des modes naturels de connaître. Cette

science du matin ou connaissance de Dieu dans son Verbe... et la science du soir ou sagesse de Dieu dans ses créatures, dans ses œuvres et son admirable providence [3]...

font les âmes royales dont le regard d'aigle pénètre les profondeurs de Dieu et des hommes.

---

1. Cf. « La doctrine de saint Jean de la Croix et la pensée contemporaine », par A. Forest, Professeur à la Faculté des Lettres de Montpellier, dans *Saint Jean de la Croix et la pensée contemporaine* (Editions du Carmel) où ces pensées sont très heureusement développées [cf. *Chant nocturne, Saint Jean de la Croix, mystique et philosophie, op. cit.*, pp. 183-194].
2. *Montée du Carm.*, Liv. II, ch. xxiv, p. 263.
3. *Cant. Spir.*, str. xxxv, p. 875.

Sainteté pour l'Église

Ces lumières sont un des plus précieux trésors de l'Église et un de ses moyens les plus efficaces d'évangélisation et d'enseignement. Des ouvrages écrits sous leur influence, déborde une plénitude savoureuse et lumineuse d'amour qui éclaire et entraîne. Elles sont le flot d'eaux vives qui, selon la promesse de Jésus, jaillissent du sein de celui qui croit [1]. Elles révèlent le Dieu vivant et sa présence agissante ici-bas en éclairant et réjouissant tous ceux qui sont dans la maison. Il suffit de parcourir les traités de sainte Thérèse d'Avila, de saint Jean de la Croix et de sainte Thérèse de l'Enfant-Jésus, pour prendre conscience de la puissance surnaturelle et de la richesse de lumière et de recueillement qui émanent des écrits « composés sous l'influence de l'amour et d'une lumière mystique abondante [2] ».

Toutes ces lumières qui jaillissent de l'amour sont science d'amour et doivent tourner à l'amour.

La transformation que l'âme a subie l'a comme enflammée et changée en amour ; elle y a détruit tout ce qui n'était pas amour et l'a laissée sans autre science que celle d'aimer [3].

C'est l'effet de la grâce des fiançailles. En révélant ce qu'est l'Époux, la lumière qui procède de la touche apaise et crée de nouveaux désirs qui vont jusqu'à l'angoisse. Cela a été dit. Dans la possession mutuelle du mariage spirituel, les connaissances deviennent plus claires et entretiennent le désir d'entrer plus avant dans les profondeurs de la Sagesse, au prix de nouvelles souffrances. Saint Jean de la Croix nous en dit le motif :

Le but pour lequel l'âme désirait entrer dans ces cavernes, c'était, autant que le comporte notre état de vie sur la terre, l'espoir d'arriver au constant objet de ses vœux : à la consommation de cet amour absolu et parfait qui se donne lors d'une si haute faveur (car la fin de tout est l'amour) [4].

La fin de tout ici-bas est l'amour ; il faut le répéter avec saint Jean de la Croix. Seule la vision face à face est plus désirable, mais elle n'est pas de la terre. Toute lumière ici-bas doit donc se tourner à aimer et embraser le foyer de l'amour.

Il serait vain de s'attacher à ces hautes connaissances et de vouloir les utiliser pour elles-mêmes. Ce serait tenter de saisir avec la main la flamme qui monte du

---

1. Jn 7, 38.
2. *Cant. Spir.*, Prol., p. 674.
3. *Ibid.*, str. XVII, p. 792.
4. *Ibid.*, str. XXXVII, p. 885.

foyer ou la lumière qui s'en dégage pour l'emporter chez soi et en faire sa propriété. Les saints ont senti le tressaillement, le rafraîchissement qu'apporte la lumière qui jaillit de l'amour, les désirs qu'elle entretient et qu'elle crée ; ils n'ont jamais pensé qu'on pût l'utiliser autrement que pour aimer davantage. Séparée du foyer dont elle émane, détournée du but vers lequel elle tend d'elle-même, cette valeur noétique de l'amour est retirée de son cadre normal. Elle semble profanée, et perd la force vivante qui est en elle.

J'ai tout dit... tout est accompli !... C'est l'amour seul qui compte [1] !

répondait sainte Thérèse de l'Enfant-Jésus à sa sœur, sœur Geneviève, qui lui demandait un mot d'adieu la veille de sa mort. L'amour a seul une valeur absolue ici-bas. La dernière remarque que nous devons faire va nous le montrer encore.

III. — *La vision face à face.*

La vision face à face jaillit de l'amour transformant et prend sa mesure.

Les lumières contemplatives parviennent jusque devant le voile transparent qui recouvre la majesté éblouissante de Dieu. On pourrait croire que, lorsque la mort ou plutôt la force de l'amour aura déchiré le voile, cette expérience lumineuse qui jaillit de l'union débouchera par cette déchirure jusque sur son objet divin pour le connaître dans la clarté parfaite. Il n'en est rien. Cette lumière de connaturalité qui procède d'une union déjà parfaite ici-bas ne saurait recevoir de l'étreinte du ciel une perfection nouvelle qui la change essentiellement. Elle est lumière d'expérience qui procède d'un contact et elle ne changera pas au-delà de la mort. Vivifiée par l'amour qui met en toutes choses un levain d'immortalité, elle ne disparaît pas mais elle reste en sa place sur un plan secondaire.

La vision directe de Dieu appartient à un sens nouveau qui est donné à l'âme, le *lumen gloriae* qui jaillit de l'amour et dont la puissance est celle du degré de l'amour qui l'engendre.

---

1. *Conseils et Souvenirs*, p. 171 et *Procès apostolique*, p. 315 ; voir aussi *Dern. Ent.*, volume d'annexes, p. 482.

Sainteté pour l'Église

Les lumières contemplatives qui perfectionnent et soutiennent si heureusement ce commencement de vie éternelle qu'est la vie surnaturelle ici-bas, n'assurent donc pas son parfait épanouissement dans le ciel. Après avoir perfectionné la foi en son exercice pour assurer sa progression dans l'obscurité, elles se situent dans le ciel sur un plan notablement inférieur à la vision face à face pour lui assurer un complément accidentel.

L'amour et l'union qu'il réalise entre Dieu et l'âme, transcendent donc tous les biens spirituels d'ici-bas, si élevés qu'ils soient.

Je ne me repens pas de m'être livrée à l'Amour [1],

disait Sainte Thérèse de l'Enfant-Jésus au milieu des souffrances de son agonie, quelques instants avant de mourir. Elle avait raison car

au soir de cette vie nous serons jugés sur l'amour [2]

et c'est l'amour seul qui recevra en récompense la vision et la possession de Dieu.

... Quand j'aurais le don de prophétie, quand je connaîtrais tous les mystères et que je posséderais toute science, écrivait l'Apôtre aux Corinthiens ; quand j'aurais même toute la foi pour transporter les montagnes, si je n'ai pas la charité, je ne suis rien [3].

Parmi les merveilles éblouissantes de ces sommets, il importait de rappeler cette vérité affirmée par l'Apôtre afin de mettre toutes choses en la place que leur valeur leur assigne et de préciser ainsi le seul but digne de tous nos désirs.

B. — *UNION TRANSFORMANTE*

Dans la *Montée du Carmel*, saint Jean de la Croix souligne combien il importe de savoir en quoi consiste l'union transformante :

Pour procéder avec plus de clarté, écrit-il, il me semble nécessaire d'expliquer dans le chapitre suivant ce que nous entendons par cette union de l'âme avec Dieu dont nous nous entretenons.

---

1. *Dern. Ent.*, CJ 30.9.
2. Saint Jean de la Croix, *Avis et Max.* 56, p. 1186.
3. 1 Co 13, 2.

998

Ce point, une fois bien compris, donnera une lumière très vive sur les questions dont nous aurons à parler désormais [1].

Cette définition doit nous apporter la véritable notion de la sainteté.

Le Saint donne sur cette union de l'âme avec Dieu les précisions qu'il a annoncées :

Et d'abord, écrit-il, pour comprendre quelle est cette union dont nous parlons, il faut savoir que Dieu se trouve dans chaque âme, serait-elle celle du plus grand pécheur du monde, qu'il y demeure et qu'il l'assiste substantiellement. Cette sorte d'union existe toujours entre Dieu et toutes les créatures puisqu'il leur conserve l'être qu'elles possèdent ; s'il ne leur était pas présent de cette manière-là, elles tomberaient dans le néant et cesseraient d'exister [2].

Cette union est purement naturelle. C'est celle que réalise la présence divine d'immensité active. L'union transformante dont nous parlons est une union surnaturelle. Elle est réalisée par la grâce, participation à la vie divine. Ne la possèdent, par conséquent, que les âmes en état de grâce. Elle consiste en une union parfaite des volontés qui fait que

... les deux volontés, celle de l'âme et celle de Dieu, sont d'accord entre elles et que l'une n'a rien qui répugne à l'autre. Quand donc l'âme rejette complètement ce qui, en elle, répugne ou n'est pas conforme à la volonté de Dieu, elle est transformée en Dieu par amour... Une âme est d'autant plus unie à Dieu qu'elle est plus élevée en amour ou qu'elle conforme mieux sa volonté avec celle de Dieu. Celle dont la volonté est totalement conforme et semblable à celle de Dieu est aussi celle qui est totalement unie à Dieu et transformée surnaturellement en Lui [3].

La conformité parfaite à la volonté de Dieu, tel est donc l'effet essentiel et le critérium pratique de l'union parfaite. Cette union parfaite ne peut exister sans une pureté parfaite ; saint Jean de la Croix le souligne dans ce traité d'ascèse mystique qu'est la *Montée du Carmel* :

Comme il ne peut y avoir de transformation parfaite s'il n'y a pas une pureté parfaite, l'illumination et l'union de l'âme avec Dieu seront plus ou moins grandes et en rapport avec sa pureté. Or, cette union, je le répète, ne sera pas absolument parfaite tant que l'âme ne sera pas complètement purifiée et limpide [4].

C'est cette pureté qui est dans l'âme la capacité de recevoir Dieu et de s'unir à Lui. Elle est à l'union avec

---

1. *Montée du Carm.*, Liv. II, ch. III, p. 107.
2. *Ibid.*, ch. IV, pp. 108-109.
3. *Ibid.*, pp. 109-110.
4. *Ibid.*, p. 112.

Dieu ce que la finesse de la vue est au tableau qu'elle examine. De même que le regard pénètre les détails et les beautés de ce tableau à la mesure de l'excellence de son regard, ainsi l'âme peut pénétrer et recevoir Dieu à la mesure de sa pureté [1].

Mais, ajoute le Saint, cette aptitude à l'union est différente suivant les âmes et déterminée, semble-t-il, par un dessein de Dieu :

... Une âme arrive à l'union d'après le degré plus ou moins grand de ses aptitudes, et ce degré n'est pas le même pour toutes. Il dépend de la grâce que Dieu accorde à chacune ; et il est semblable à celui des saints qui voient Dieu dans le ciel. Les uns le voient d'une manière plus parfaite que les autres ; mais tous le voient ; tous sont contents et heureux, parce que leur capacité dépend des mérites plus ou moins grands qu'ils ont acquis durant leur vie mortelle. Aussi, de même que nous rencontrons sur la terre certaines âmes qui jouissent d'une égale paix et tranquillité dans leur état de perfection et que chacune d'elles est satisfaite, cependant l'une d'elles peut être beaucoup plus élevée que les autres dans son union avec Dieu ; mais toutes sont également satisfaites, parce que la capacité de chacune d'elles est remplie [2].

L'important pour chaque âme est donc de réaliser cette capacité que Dieu lui a donnée en parvenant à la pureté qu'elle exige :

Quant à l'âme qui n'arrive pas à une pureté conforme à la capacité que Dieu lui a donnée, elle ne parviendra jamais à la satisfaction véritable ; elle n'a pas encore opéré dans ses puissances le dépouillement et le vide qui sont exigés par la pure union avec Dieu [3].

Chaque âme est donc appelée à un certain degré d'union. Ce degré d'union lorsqu'il a été réalisé, peut-il être assimilé à l'union transformante ? Pourrait-on dire par conséquent d'un enfant mort après le baptême qu'il est parvenu à l'union transformante ? Problème difficile à résoudre.

D'autant que ce critérium de paix qui marque la réalisation de la capacité donnée par Dieu, est difficilement contrôlable, et que même vérifié il peut encore induire en erreur. A chaque étape, en effet, l'âme reçoit une certaine paix comme signe de sa victoire. Les paix se succèdent ainsi, cédant chaque fois, et très heureusement, à des lumières qui présentent de nouvelles exigences divines. La tranquille possession d'un bien spirituel,

---

1. *Montée du Carm.*, ch. IV, pp. 112-113.
2. *Ibid.*, p. 113.
3. *Ibid.*

serait-ce d'une expérience mystique assez haute, peut donc également procéder d'une fidélité constante qui a réalisé toute sa capacité, comme aussi d'une fidélité qui, sans déchoir, a perdu une partie de sa ferveur et de son dynamisme et a cessé ainsi d'attirer les lumières divines qui lui eussent découvert de nouvelles exigences et préparé d'autres ascensions. Mystère des âmes plus troublant que le mystère de Dieu, et qu'il serait vain de vouloir pénétrer complètement ici-bas.

Quoi qu'il en soit, il nous paraît qu'on ne peut pas assimiler cette union divine relative qui apaise les désirs de bien des spirituels et correspond peut-être aux exigences de Dieu sur eux, à l'union transformante décrite par sainte Thérèse et saint Jean de la Croix. Cette union transformante nous est présentée par eux avec des critères positifs qui l'isolent de l'union divine réalisée par la plupart des spirituels et la situent sur un sommet, tout en la présentant comme un objet légitime à notre espérance surnaturelle.

Ces critères positifs, bien que mystérieux en eux-mêmes, sont précis et certains. Nous les grouperons sous ces trois chefs : plénitude transformante de la grâce, présence souverainement dominatrice de l'Esprit Saint, identification au Christ Jésus.

I. — *Plénitude transformante de la grâce.*

L'appellation d'union transformante évoque en premier lieu cette régénération spirituelle et cette transformation complète de l'âme par l'amour. L'âme « est devenue divine et Dieu par participation [1] ». Son union avec Dieu est telle qu'ils sont devenus « deux natures dans un même esprit et amour de Dieu [2] ». La plénitude de ces mots ne livre ses secrets qu'à la lumière des définitions de la grâce sanctifiante et de ses propriétés.

La grâce sanctifiante donnée par la baptême est une participation réelle à la vie divine. Elle entre dans notre âme, établit son siège dans la substance comme qualité entitative, et prend possession des facultés par les vertus infuses. Elle ne reste pas à la surface comme un vernis ou à l'extérieur comme un greffon qui prolonge la tige. Elle est véritablement infuse et pénètre dans les profondeurs comme un corps simple, comme une huile

---

1. *Cant. Spir.*, str. XXVII, p. 838.
2. *Ibid.*

répandue et un levain dont on ne saurait arrêter l'action et la pénétration envahissantes. L'âme et les facultés sont donc à la fois enveloppées et pénétrées par cette vie divine. En fait, la vie spirituelle n'est pas autre chose que cette progression conquérante de la vie divine par envahissement progressif. La grâce est vraiment ce levain qu'une femme met dans trois mesures de farine.

Saint Jean de la Croix souligne que cette force envahissante s'exerce surtout dans le sens de la pénétration en profondeur :

L'amour, écrit-il, est une inclination de l'âme, une force ou une faculté qu'elle possède pour aller à Dieu, c'est par l'amour qu'elle s'unit à Lui ; voilà pourquoi plus elle possède de degrés d'amour plus elle pénètre dans les profondeurs de Dieu et se concentre en Lui... Ainsi, pour que l'âme soit dans son centre qui est Dieu, il suffit, d'après ce que nous avons dit, qu'elle ait un degré d'amour ; car un seul suffit pour qu'elle Lui soit unie par la grâce ; si elle en possède deux, elle s'unira à Lui et s'enfoncera davantage en Lui en pénétrant dans un autre centre plus intérieur... Quand enfin elle arrivera au dernier degré, elle sera blessée jusqu'au plus intime d'elle-même par l'amour de Dieu. C'est alors qu'elle sera transformée et illuminée aussi complètement qu'elle en est capable dans son être, dans ses puissances et dans sa vertu, de telle sorte qu'elle sera semblable à Dieu. C'est là ce qui se produit pour le cristal pur et sans tache quand il est investi de la lumière ; plus il reçoit de lumière, et plus il la concentre en lui-même ; il arrive même à recevoir une telle abondance de lumière qu'il semble transformé tout entier en lumière ; on ne le distingue plus d'elle ; tout ce qu'il a pu en recevoir est étincelant, il lui est devenu semblable [1].

Utilisant la même comparaison dans la *Montée du Carmel*, le Saint a complété la description :

Sans doute la vitre, tout en ressemblant au rayon, conserve toujours sa propre nature, bien distincte du rayon ; cependant nous pouvons dire qu'elle est rayon ou lumière par participation [2].

Ces comparaisons montrent comment la grâce, participation de la vie divine, en pénétrant dans les profondeurs de l'âme, y réalise progressivement son œuvre de conquête et de transformation en dominant les puissances naturelles sans les détruire et en leur imposant ses propriétés. L'âme devient ainsi Dieu par participation.

Elle ne transforme que pour unir davantage à Dieu. Union et transformation vont de pair. Telle est en effet la propriété essentielle de l'amour, et cette grâce est charité comme Dieu est amour.

1. *Vive Fl.*, str.I, pp. 921-922.
2. *Montée du Carm.*, Liv. II, ch. IV, p. 111.

L'amour établit une communication étroite entre les êtres aimés. Il les livre l'un à l'autre et réalise entre eux une compénétration. Les deux êtres vivent par l'amour l'un dans l'autre. La matière et la chair imposent des limites et des réserves à cette communication et compénétration réciproques. L'amour surnaturel n'en trouve pas dans les êtres simples et spirituels comme Dieu et l'âme parfaitement purifiée. Elle est en Dieu et Dieu est en elle.

La comparaison chère à saint Jean de la Croix, du bois jeté au feu et devenu feu à son tour dans le sein du brasier, nous découvre cet aspect de l'union transformante :

> Voyez ce qui arrive quand le feu a pénétré le bois : il le transforme en lui-même et se l'unit... [1].

La grâce ou amour qui envahit l'âme et la transforme n'est que participation créée de la nature divine. Elle appartient en propre à l'âme et reste bien distincte de Dieu. Toutefois, elle n'est donnée que pour unir au principe dont elle procède. Elle jette l'âme dans le brasier infini qu'est Dieu lui-même et l'y maintient par une union constante comme dans son élément vital.

Ce que Dieu communique à l'âme en cette étroite union (qu'est l'union transformante), est totalement ineffable ; on n'en peut rien dire, comme on ne peut dire de Dieu quelque chose qui corresponde à la réalité. C'est Dieu qui se communique à l'âme dans une gloire admirable et la transforme en Lui. Dieu et l'âme ne font plus qu'un comme le cristal et le rayon de soleil qui le pénètre, comme le charbon et le feu, comme la lumière des étoiles et celle du soleil [2].

L'union transformante est faite de cette compénétration mutuelle complète et de l'amour parfait qui la réalise. Dans les fiançailles, dit sainte Thérèse, « la partie supérieure d'elle-même était seule attirée », tandis que maintenant l'âme est entrée complètement dans son centre qui est la Demeure de Dieu [3].

Cette Demeure de Dieu devient celle de l'âme. Elle y habitera désormais. L'union transformante est en effet stable et définitive : sa stabilité est assurée par la confirmation en grâce qui fait partie de l'union transformante [4] et le don mutuel que se sont fait Dieu et l'âme.

---

1. *Vive Fl.*, Prologue, p. 908.
2. *Cant. Spir.*, str. XVII, p. 786.
3. VIIe Dem., ch. I, p. 1029.
4. *Cant. Spir.*, str. XXVII, p. 838.

Sainteté pour l'Église

Ce caractère essentiel de la stabilité de l'union est illustré spécialement par le symbolisme du mariage, union indissoluble dans le don mutuel des personnes.

Dans les fiançailles, il n'y a qu'un consentement mutuel des parties et un accord entre leurs volontés... dans le mariage, il y a en outre la communication des personnes et l'union entre elles [1].

Les fiançailles spirituelles, écrit à son tour sainte Thérèse, sont toutes différentes. Une fois qu'elles ont été célébrées, il y a souvent séparation. L'union aussi est différente, car bien que l'union soit la jonction de deux choses en une seule, ces deux choses peuvent se séparer et subsister chacune de son côté ; on voit ordinairement en effet que cette faveur de l'union que Notre-Seigneur accorde, passe promptement... Dans cette autre faveur ou mariage spirituel, il n'en est pas de même. L'âme demeure toujours avec Dieu dans ce centre dont nous avons parlé [2].

Cette union est stable comme la transformation sur laquelle elle repose. L'union n'est plus réalisée par une touche passagère, mais s'appuie sur un contact permanent.

C'est en effet, écrit saint Jean de la Croix, une transformation totale de l'âme en son Bien-Aimé. Dans cette transformation, les deux parties se donnent mutuellement d'une manière complète, par les liens d'un amour aussi parfait qu'il peut l'être en cette vie [3].

Le Saint continue en expliquant comment cette transformation est réalisée par une certaine absorption de l'âme en Dieu qui laisse les deux natures distinctes.

Lorsque le mariage spirituel est consommé entre Dieu et l'âme, il y a deux natures dans un même esprit et amour de Dieu. Ainsi par exemple, lorsque la lumière d'une étoile et celle d'une lampe viennent à s'unir et à se confondre avec celle du soleil, elles s'éclipsent l'une et l'autre, et le soleil renferme en soi toutes les autres. C'est de cet état que parle l'Époux dans le présent vers : *l'Épouse est donc entrée* [4].

Pour faire comprendre ce qu'est cette union transformante et en exprimer les divers caractères que nous venons d'analyser, transformation, union par communication des deux natures, stabilité dans une certaine absorption en Dieu, sainte Thérèse multiplie à l'envi les comparaisons et les symboles :

L'union dont il s'agit peut être comparée à celle de deux cierges de cire qui sont si bien unis que leur lumière n'en est plus qu'une ; ou bien à la mèche, à la lumière et à la cire qui ne sont qu'un seul cierge. Néanmoins, on pourrait très bien ensuite séparer un cierge de l'autre, et ainsi il y aurait deux cierges ; on pourrait également

---

1. *Vive Fl.*, str. III, p. 990.
2. VIIe Dem., ch. II, p. 1036.
3. *Cant. Spir.*, str. XXVII, p. 838.
4. *Ibid.*

1004

séparer la mèche de la cire. Le mariage spirituel est encore semblable à l'eau qui, tombant du ciel, se mêle si bien à celle d'un ruisseau ou d'une source qu'on ne peut plus les diviser ni mettre à part celle du ruisseau et celle qui est tombée du ciel. Il ressemble en outre à un tout petit filet d'eau qui se perd dans la mer, sans qu'il soit plus possible de l'en séparer ; ou à une grande lumière qui pénètre dans un appartement par deux fenêtres et qui, quoique séparée à son entrée, se réunit pour ne faire plus qu'une lumière. Quand saint Paul a dit : « Celui qui s'approche de Dieu et s'attache à lui devient un même esprit avec lui [1] », il a peut-être voulu faire allusion à cet incomparable mariage qui suppose que sa Majesté s'est déjà attachée à l'âme par l'union [2].

Chacune des ces comparaisons éclaire un des aspects de l'union transformante. Il faut les réunir en faisceau pour projeter sur cette réalité spirituelle profonde une clarté suffisante.

Car il s'agit bien en effet d'une réalité et non pas seulement d'une vision symbolique ou d'une expérience mystique. Pour en acquérir une conviction ferme, il faut la dégager de ce brouillard dans lequel nous plaçons respectueusement tout ce qui est au-delà de la commune mesure et des possibilités du chrétien moyen, et qui, en les enveloppant de mystère, leur enlève une existence réelle et concrète. L'union transformante est un fait qui nous présente chez les saints la réalisation vivante de toutes les virtualités de la vie divine dans nos âmes. Elle n'est que cela ; mais elle est tout cela.

Bien que stable et permanente, l'union transformante se présente cependant en des états différents et susceptibles de progrès.

Dans la *Montée du Carmel*, saint Jean de la Croix avait dit son dessein

pour le moment de ne parler que de l'union totale et permanente, selon la substance de l'âme et ses puissances et quant à l'habitude obscure de l'union, parce que quant à l'acte nous le dirons ensuite avec l'aide de Dieu [3].

Il précisera plus tard que cette union permanente et habituelle est bien celle de l'union transformante ou mariage spirituel :

L'âme reste toujours dans cet état sublime de mariage spirituel. Elle y reste selon sa substance, bien que ses puissances ne soient pas toujours dans l'union actuelle avec Dieu ; les puissances

---

1. 1 Co 6, 17.
2. VIIe Dem., ch. II, p. 1036-1037.
3. *Montée du Carm.*, Liv. II, ch. IV, p. 108.

pourtant s'unissent très fréquemment à l'âme dans cette union substantielle et vont s'abreuver elles aussi, à ce divin cellier [1].

L'union habituelle est celle qui crée la transformation dans la substance de l'âme et dans les racines des facultés. L'actualisation est l'influence présente de cette union et de Dieu lui-même sur l'activité des facultés, influence qui est accompagnée habituellement d'une prise de conscience plus vive de la réalité de cette union et de ses effets.

Sainte Thérèse parlant de la vision intellectuelle de la Trinité sainte nous a expliqué précédemment comment elle est constante dans l'obscur comme un fait vivant et profond, et comment elle s'actualise parfois dans la clarté et dans la joie [2]. Saint Jean de la Croix, dans le commentaire de la quatrième strophe de la *Vive Flamme*, décrit admirablement cette présence habituelle du Verbe comme endormi dans le sein de l'âme et qui se meut parfois en des réveils admirables [3]. Ces descriptions nous disent ce qu'est l'union transformante habituelle et ses actualisations dans les puissances qui en jouissent.

La stabilité de l'amour n'est donc point uniformité, pas même immobilité. L'Esprit Saint est un souffle qui « met en mouvement les vibrations glorieuses de sa flamme [4] » et augmente aussi les ardeurs du foyer qui consume l'âme. Parvenu à l'union transformante, le feu a pénétré le bois qu'est l'âme, dit saint Jean de la Croix.

Et puis si ce feu devient plus intense et qu'il continue, il rend ce bois plus incandescent et plus enflammé jusqu'à ce qu'enfin ce bois, devenu feu à son tour, lance des étincelles et des flammes. Telle est l'image de ce qui se passe ici [5].

L'union transformante réalisée n'arrête donc pas les progrès de l'âme. Le feu de l'amour augmente en intensité. Le Saint explicite plus loin ce progrès :

Ce que nous racontons, écrit-il, des opérations du Saint-Esprit en elle surpasse de beaucoup la communication et transformation d'amour dont il est question (mariage spirituel) ; ce dernier amour est comme un charbon ardent, l'autre, ainsi que nous l'avons dit, est comme un charbon tellement embrasé que non seulement il est tout en feu, mais qu'il lance de vives flammes. Et ainsi ces deux sortes d'union, l'union simple et l'union tout embrasée d'amour

---

1. *Cant. Spir.*, str. XVII, p. 789.
2. VIIe Dem., ch. I, p. 1031.
3. *Vive Fl.*, str. IV, pp. 1037-1045.
4. *Ibid.*, str. I, p. 925.
5. *Ibid.*, Prologue, pp. 908-909.

sont d'une certaine manière semblables au feu divin qui, dit Isaïe, brûlait dans Sion, et à la fournaise divine qui brûlait dans Jérusalem [1]. Le premier signifiait l'Église militante, où le feu de la charité n'atteint pas son degré suprême, et le second signifiait la vision de paix, c'est-à-dire l'Église triomphante où ce feu est comme une fournaise tout embrasée d'un amour parfait.

Sans doute, l'âme n'est pas parvenue à cette perfection qu'il y a au ciel, mais, relativement à l'union ordinaire, que l'on compare au charbon qui brûle, elle est semblable à une fournaise embrasée [2].

L'union transformante est donc devenue une union ordinaire par rapport à ces nouveaux effets de la transformation d'amour qui annoncent la vie éternelle.

Ces effets n'indiquent pas un changement dans la nature de l'union. L'union transformante ne change pas, mais l'amour qui la réalise se perfectionne et s'embrase. Dès que l'âme est parvenue à l'union transformante, toutes ses tendances et propriétés naturelles sont absorbées par l'amour. Elle est remplie d'amour selon toute sa mesure. Mais cette mesure ou capacité de l'âme peut se dilater sans cesse et l'amour peut toujours progresser en qualité et en intensité. En ce brasier de l'âme purifiée et transformée, l'amour continue ses jeux divins de plus en plus subtils et embrasés jusqu'à ce qu'il lui soit permis d'emporter l'âme son épouse et sa conquête dans la vie éternelle.

II. — *Présence de l'Esprit Saint.*

Au jour de l'Annonciation, l'archange Gabriel salue en la Vierge Marie la plénitude de grâce et la présence du Seigneur en elle : « Je vous salue, pleine de grâce, le Seigneur est avec vous [3] ». Participation à la vie divine et présence de Dieu sont les deux éléments constitutifs de la grâce sanctifiante reçue au baptême, développés en leur plénitude dans l'union transformante.

La charité qui transforme et déifie assure aussi l'union avec Dieu, le principe dont elle procède. Le bois est embrasé et maintenu dans le brasier. L'âme transformée possède donc une présence divine distincte de la participation à la vie divine qui est devenue sienne.

La charité est diffusée dans nos cœurs par l'Esprit Saint qui nous est donné, dit l'Apôtre [4].

---

1. Is 31, 9.
2. *Vive Fl.*, str. I, p. 924.
3. Lc 1, 28.
4. Rm 5, 5.

Sainteté pour l'Église

Tout cela a déjà été dit. Mais parce que dans l'union transformante, cette présence divine, par son activité et la domination qu'elle exerce sur l'âme, devient comme le fait central autour duquel gravite toute la vie de l'âme, nous avons le devoir de la considérer spécialement.

1. Présence active de l'Esprit Saint.

Est-il nécessaire de rappeler qu'une présence divine est constituée par une relation de Dieu avec sa créature ? Dieu, en effet, est partout par son infinité qui ne connaît pas de limites ni de degrés. Son infinité ne connaît donc point de limitation, de plus ou de moins, ici ou là. Nous disons toutefois que Dieu est ici ou là, de telle façon ou de telle autre, parce qu'il y agit suivant des modes différents. Cette présence de Dieu ou activité ne modifie pas Dieu qui est immuable : elle n'affecte que la créature. Elle est donc une relation de Dieu avec sa créature.

Toute l'activité de Dieu appartient à la nature divine. Elle est donc commune aux trois Personnes. Toutefois, dans le langage scripturaire et théologique, telle ou telle forme d'activité divine est attribuée par appropriation à une Personne divine en particulier, en raison du rapport qui existe entre cette activité et la relation divine qui est personnifiée en elle. C'est ainsi que l'œuvre divine de sanctification de l'Église et des âmes est attribuée à l'Esprit Saint parce que c'est par excellence une œuvre d'amour et que l'Esprit Saint est la spiration d'amour du Père et du Fils.

C'est ainsi que Notre-Seigneur promet à ses apôtres de leur envoyer l'Esprit Saint pour établir son royaume. Au jour de la Pentecôte, il descend en effet, prend possession visiblement des apôtres, et par eux, commence son action dans le monde des âmes pour construire l'Église. Ses manifestations sont fréquentes et visibles dans la primitive Église. L'Esprit Saint est une personne vivant au milieu des siens. Les apôtres le donnent par l'imposition des mains, et Simon veut acheter ce pouvoir merveilleux [1]. Les diacres en sont remplis, et l'Esprit emporte le diacre Philippe après sa conversation avec l'eunuque de la reine Candace [2]. Saint Pierre reproche à Ananie et Saphire d'avoir menti à l'Esprit Saint et ils meurent sur-le-champ [3]. Pour appuyer les décisions

---

1. Ac 8, 19.
2. Ibid., 39.
3. Ibid., 5, 3 et s.

du concile de Jérusalem, les apôtres déclarent : « Il a paru bon à l'Esprit Saint et à nous... [1] ».

L'enseignement de saint Paul est rempli d'allusions et d'affirmations concernant cette présence agissante de l'Esprit Saint. Sa déclaration sur le don de la charité fait par l'Esprit et sur le don de l'Esprit Saint lui-même qui nous appartient est fondamentale. Il appuiera sur cette vérité sa théologie et son enseignement moral. Aux Corinthiens qui vivent au milieu de la corruption païenne, il se plaît à rappeler quel respect ils se doivent à eux-mêmes et à leur corps :

Ne savez-vous pas que vous êtes le temple de Dieu et que l'Esprit de Dieu habite en vous [2] ?

Ne savez-vous pas que votre corps est le temple du Saint-Esprit qui est en vous, que vous avez reçu de Dieu, et que vous n'êtes plus à vous-mêmes [3] ?

Ne vous attachez pas à un même joug avec les infidèles... Quel rapport y a-t-il entre le temple de Dieu et des idoles ? Car nous sommes, nous, le temple du Dieu vivant... [4]

Ces exhortations nous montrent combien cette doctrine était familière et vivante parmi les premières chrétientés puisqu'elle pouvait servir d'argument et de fondement pour les préceptes de la vie morale ordinaire. Au regard de l'Apôtre et des premiers convertis, la présence et l'action de l'Esprit Saint dans l'âme est la distinction spécifique du chrétien ; elle est la véritable barrière que Dieu a placée entre le christianisme et le paganisme.

Notre foi s'est attiédie et ne sait plus retrouver dans le même clarté cette divine présence qui reste cependant active et vivante. L'Esprit Saint continue à répandre la charité dans les âmes et se donne lui-même à tout chrétien au baptême.

Dans la clarté d'aurore de l'expérience de l'union transformante, le Saint retrouve ces réalités profondes de la vie surnaturelle et spécialement la présence vivante de l'Esprit Saint. Saint Jean de la Croix et sainte Thérèse ont pénétré jusqu'en ces sources toujours jaillissantes de la doctrine et de la vie chrétienne et nous en ont rapporté des descriptions savoureuses. Les premières pages de la *Vive Flamme* sont tout à fait remarquables à ce point de vue et nous offrent un secours précieux pour nous aider à réaliser nous-mêmes cette présence divine.

1. Ac 15, 28.
2. 1 Co 3, 16.
3. *Ibid.*, 6, 19.
4. 2 Co 6, 14.16.

Sainteté pour l'Église

2. *Présence objective de l'Esprit Saint et vie d'amour.*

Cette présence de l'Esprit Saint en nous n'est pas seulement active. Elle est objective, avons-nous dit [1], c'est-à-dire qu'elle est saisie par nous. La grâce nous en donne le moyen car elle est participation à la vie divine et aptitude à partager ses opérations de connaissance et d'amour. Dieu se donne et nous le connaissons et l'aimons comme il se connaît et comme il s'aime.

Les étapes de cette découverte progressive par le développement de la charité, nous sont connues. Dans les trois premières Demeures, l'âme ne peut disposer que de la grâce ordinaire et des efforts de ses facultés. Aux quatrièmes Demeures, la présence divine dans les profondeurs se révèle par les flots savoureux qui enchaînent les facultés, spécialement la volonté. Le contact réel, mais obscur et passager des cinquièmes Demeures, enchaîne définitivement la volonté, mais laisse l'âme inquiète en ses ardeurs d'amour. Dans les sixièmes Demeures, la présence divine se laisse entrevoir un instant dans une lumière extasiante, tellement elle est claire et éblouissante. Il y a eu échange de promesse d'union définitive. Pour conquérir définitivement son Époux, et sous l'influence de l'amour qu'il lui a laissé, l'âme décide de tout quitter, de tout oublier, de n'avoir plus qu'une occupation, celle d'aimer. Dieu est devenu le tout de l'âme ; la recherche de la divine présence, sa seule aspiration et sa vie. Les découvertes faites à chaque visite nouvelle augmentent les désirs ; les ardeurs deviennent presque mortelles, tellement elles sont ardentes.

Toute cette œuvre, ces découvertes et ces accroissements de désir, c'est l'Esprit Saint qui en est l'auteur ; jeux et ruses de son amour pour préparer la venue de l'Époux en embellissant la demeure de vertus et de désirs.

C'est l'Époux lui-même qui a envoyé au-devant de lui l'Esprit Saint. N'est-ce pas la doctrine évangélique ? Écoutons saint Jean de la Croix :

C'est dans ce but que l'Époux lui envoie tout d'abord son Esprit, comme il le fit pour les apôtres. Et l'Esprit Saint, son intendant, lui prépare une demeure dans l'âme, son Épouse. Il la comble de délices ; il dispose à son gré son jardin, il y fait épanouir les fleurs et resplendir ses dons ; il la revêt de la parure de ses grâces et la comble de ses trésors [2].

---

1. Cf. Première Partie, ch. II, pp. 29 et s.
2. *Cant. Spir.*, str. XXVI, p. 832.

L'Esprit Saint, intendant de l'Époux, quelle trouvaille savoureuse ! Grâce à ses soins avisés et à « cet amour loyal ordinaire entre les fiancés [1] » que l'âme donne à son Époux, celui-ci l'introduit dans la Demeure de l'union parfaite.

L'intendant s'y trouve avec l'âme. Ses bons services ne sont point terminés. Ils ne furent jamais plus diligents que maintenant en cette union transformante.

N'est-ce pas en lui que se réalise cette union si haute ? N'est-il pas le brasier qui consume sans douleur ? La flamme d'amour dont saint Jean de la Croix, dans la *Vive Flamme*, décrit les jeux et les victoires, c'est l'Esprit Saint :

> Cette flamme d'amour, écrit-il, est l'Esprit de son Époux, c'est-à-dire l'Esprit Saint. Elle le sent en elle-même comme un feu qui, non seulement la consume et la transforme en un suave amour, mais qui, de plus, brûle en elle, et lance des flammes ; cette flamme, chaque fois qu'elle jaillit, baigne de gloire l'âme elle-même et lui confère un rafraîchissement de vie éternelle. Telle est l'opération du Saint-Esprit dans l'âme transformée en amour [2].

C'est l'Esprit Saint qui l'investit de ses flammes et qui produit les blessures et les brûlures d'amour. C'est Lui qui lui fait réaliser parfaitement les opérations divines dont elle porte la puissance en sa plénitude de grâce.

Cet Esprit Saint, par son aspiration divine, élève l'âme très haut ; il l'informe pour qu'elle produise en Dieu la même aspiration d'amour que le Père produit dans le Fils, et le Fils dans le Père, et qui est ce même Esprit Saint qu'ils aspirent en elle dans cette transformation [3].

C'est l'Esprit d'amour, flamme divine, qui déchirera la dernière toile pour permettre la divine rencontre dans le face à face. En attendant la mort d'amour, il lui assure une vie parfaite d'amour.

Voici comment saint Jean de la Croix décrit magnifiquement par la comparaison de l'air et de la flamme, cette vie d'amour de l'âme et de l'Esprit Saint :

> L'âme est transformée en splendeur ; elle est devenue splendeur. Il en est d'elle comme de l'air qui est au-dedans de la flamme où il est embrasé et transformé en flamme. La flamme, en effet, n'est que de l'air embrasé. Les mouvements et les splendeurs de cette flamme ne viennent pas uniquement de l'air ni uniquement du feu, mais de l'un et de l'autre tout à la fois ; le feu embrase l'air et le

---

1. *Cant. Spir.*, str. XXVII, p. 839.
2. *Vive Fl.*, str. I, p. 914.
3. *Cant. Spir.*, str. XXXVIII, p. 891.

retient enflammé Cette comparaison nous fait comprendre que l'âme avec ses puissances resplendit au-dedans des splendeurs de Dieu. Les mouvements de cette flamme divine, c'est-à-dire les vibrations, les jets de flammes dont nous avons parlé plus haut, l'âme transformée par les flammes de l'Esprit Saint, n'est pas seule à les produire ; ni l'Esprit Saint non plus ; ils sont l'œuvre simultanée de l'un et de l'autre, de telle sorte que l'Esprit Saint agit sur l'âme comme le feu sur l'air enflammé... Ces mouvements et ces jets de flammes sont des manifestations et des fêtes d'allégresse que l'Esprit Saint célèbre dans l'âme [1].

En ces fêtes de joie et de lumière que célèbre cette flamme commune, comment l'âme ne chanterait-elle pas celui qui est l'intendant de tous ces biens, ce doux hôte qui habite en elle et en qui elle vit, ce père des pauvres, ce pourvoyeur empressé et paisible, ce Dieu ami qui collabore et si suavement absorbe pour dominer, lumière de son cœur et rafraîchissement de tout son être, qui brille dans l'obscurité et enseigne dans la douceur de l'onction, blessure qui guérit et apaise en embrasant, flamme ardente et subtile qui enveloppe et pénètre, brasier consumant qui est partout et qui cependant se dérobe à toute étreinte car, s'il est Amour, il est aussi Esprit. Esprit d'amour qui se donne, flamme amie qui consume, comme il est cher à l'âme ! et sa joie est de le sentir en soi, de se sentir en lui et si profondément, si intimement, que désormais rien ne pourra les séparer.

Qui nous séparera de l'amour du Christ ? s'écrie l'Apôtre. Tribulation, angoisse, persécution, faim, nudité, péril, glaive ?... Mais, en tout cela, nous sommes plus que vainqueurs grâce à celui qui nous a aimés ; car je suis convaincu que ni mort ni vie, ni anges ni principautés, ni présent ni futur, ni hauteur ni profondeur, ni rien de créé ne pourra nous séparer de l'amour que Dieu a pour nous dans le Christ Jésus Notre-Seigneur [2].

Cet Esprit d'amour a tout donné à l'âme en cette union et s'est donné avec tous ses trésors. Il appartient à l'âme comme l'âme lui appartient. « L'union et la transformation de l'âme dans le Saint-Esprit est véritable », assure saint Jean de la Croix [3]. Ils s'aiment désormais en renouvelant sans cesse la communication de leurs personnes ; mieux encore, en se donnant mutuellement tout ce qu'ils ont reçu l'un de l'autre. Saint Jean de la Croix dit à ce sujet :

Comme Dieu se donne à elle en toute liberté et de tout son cœur, elle, de son côté, qui est d'autant plus libre et généreuse qu'elle est plus unie à Dieu, donne Dieu à Dieu même et par Dieu.

---

1. *Vive Fl.*, str. III, pp. 981-982.
2. Rm 8, 35-39.
3. *Cant. Spir.*, str. XXXVIII, p. 891.

Ce don que l'âme fait à Dieu est réel et absolu. Elle voit alors que Dieu est véritablement à elle, qu'elle le possède par héritage, qu'elle en est propriétaire de droit, comme un enfant adoptif de Dieu, à cause de la grâce que Dieu lui a accordée de se donner lui-même à elle. Par le fait même qu'il est devenu sa propriété, elle peut le donner et le communiquer à qui elle voudra. C'est ainsi qu'elle le donne à son Bien-Aimé, à ce Dieu lui-même qui s'est donné à elle. De la sorte elle paye à Dieu tout ce qu'elle Lui doit, et de tout cœur, elle Lui rend tout ce qu'elle en a reçu [1].

C'est ainsi que l'âme réalise cette égalité d'amour entre Dieu et l'âme, dont saint Jean de la Croix avait déjà parlé dans le *Cantique Spirituel* :

Je ne veux pas dire, écrit-il, que l'âme aime Dieu autant qu'il s'aime, cela est impossible, mais autant qu'elle en est aimée [2].

Pour aimer Dieu autant qu'elle en est aimée, il est nécessaire mais il suffit qu'elle aime aussi parfaitement et avec la même générosité. De fait, l'âme aime Dieu maintenant avec l'amour que l'Esprit Saint a mis à sa disposition et elle lui donne purement et complètement tout ce qu'elle en a reçu, y compris le don de Dieu lui-même. La transformation d'amour et l'union parfaite à l'Esprit Saint rendent possible cet échange et cette égalité d'amour.

3. *Présence dominatrice de l'Esprit Saint et son règne parfait dans l'âme.*

L'égalité d'amour, fruit du don mutuel dans l'union transformante, laisse à la transcendance tous ses droits. L'amour dans l'âme, ne saurait être parfait sans être couronné par la crainte filiale [3].

En cette union transformante, l'âme est le filet d'eau, une goutte d'eau qui tombe dans l'océan. La goutte d'eau devient océan en restant elle-même. Elle prend cependant les propriétés de l'océan et, ensevelie en ses flots, elle subira désormais les mouvements de sa masse mouvante. Ainsi en est-il de l'âme.

L'union transformante est une victoire de Dieu qui couronne les longs assauts de son amour. Dieu va régner dans la paix de l'ordre établi. La transformation réalisée et son emprise définitive assurent la stabilité de la conquête.

---

1. *Vive Fl.*, str. III, p. 1031.
2. *Cant. Spir.*, str. XXXVII, p. 887-888.
3. *Ibid.*, str. XVII, p. 786.

Sainteté pour l'Église

En ce centre de l'âme qui est la Demeure de Dieu, la paix est parfaite. L'union habituelle y est permanente et y fait sentir tous ses effets. Dans quelle mesure ce souverain domaine de Dieu par l'amour s'étend-il sur les puissances dont les antennes opératives se prolongent très loin à l'extérieur dans les régions du bruit et du trouble ?

Saint Jean de la Croix nous répond :

> Tous les mouvements, toutes les opérations et inclinations que l'âme tenait précédemment du principe et de la force de sa vie naturelle sont, par le fait de cette union avec Dieu, changés en actes divins ; après être morts à ce qu'il y avait de naturel en eux, ils sont vivants en Dieu. L'âme, en tant que vraie fille de Dieu, est guidée maintenant par l'Esprit Saint, comme l'enseigne saint Paul en ces termes : *Ceux qui sont dirigés par l'Esprit de Dieu sont enfants de Dieu* [1].

Dans la *Montée du Carmel*, le Saint avait donné le même enseignement :

> Dans cet état (union transformante), toutes les opérations de la mémoire et des autres puissances sont divines. Dieu, en effet, les possède comme un maître absolu, par suite de leur transformation en Lui ; c'est Lui qui les meut et leur commande divinement, selon son esprit et sa volonté, et cela s'accomplit de telle sorte que les opérations de Dieu et de ces puissances de l'âme ne sont pas distinctes, et que celles de l'âme sont celles de Dieu. Ce sont donc des opération divines, en tant que « celui qui s'unit à Dieu ne fait qu'un Esprit avec lui [2] ». De là il résulte que les opérations de l'âme qui est dans l'union proviennent du Saint-Esprit et par conséquent sont divines [3].

Saint Jean de la Croix nous présente donc l'âme transformée non pas seulement en sa substance par la grâce, mais en ses puissances par les vertus infuses. Ces vertus sont parvenues elles-mêmes au régime parfait par l'action constante de la lumière et de la motion du Saint-Esprit.

Ce n'est donc pas un vœu impossible à réaliser qu'émettait sainte Thérèse de l'Enfant-Jésus lorsqu'à la suite d'une conversation sur le magnétisme, elle disait le lendemain :

> Que votre conversation d'hier m'a fait de bien ! Oh ! que je voudrais me faire magnétiser par Jésus ! Avec quelle douceur je lui ai remis ma volonté ! Oui, je veux qu'il s'empare de mes facultés, de telle sorte que je ne fasse plus des actions humaines et personnelles,

---

1. *Vive Fl.*, str. III, p. 969 ; Rm 8, 14.
2. 1 Co 6, 17.
3. *Montée du Carm.*, Liv. III, ch. I, p. 309.

mais des actions toutes divines inspirées et dirigées par l'Esprit d'amour [1].

Cette emprise de l'Esprit Saint sur les facultés et sur leur activité aura dans le domaine de la fécondité extérieure et de l'apostolat des conséquences considérables que nous verrons dans le prochain chapitre. Par cette emprise, l'Esprit va étendre son règne.

Mais sans contredire ces affirmations de saint Jean de la Croix qui énoncent un principe et une vérité fondamentale, ne convient-il pas de les préciser dans le domaine des réalisations pratiques ? La comparaison thérésienne du roi dans son palais, que les chagrins et les guerres nombreuses ne troublent plus et ne font plus sortir de sa demeure, nous y invite [2]. Nous n'avons pas oublié qu'en écrivant le *Château Intérieur*, de son propre aveu, elle entend un bruit assourdissant dans la partie supérieure de la tête et que, pendant les épreuves qu'elle eut à subir après le mariage spirituel, elle fut parfois douloureusement accablée.

Certainement, l'union hypostatique assurait au Christ Jésus un contrôle et une maîtrise parfaite de toute l'activité de ses facultés et puissances. La plénitude de grâce de la maternité divine devait assurer à la Vierge Marie le même privilège. Mais chez l'âme rachetée, même parvenue à l'union transformante, trouve-t-on la même maîtrise de l'Esprit d'amour sur tous les gestes et tous les mouvements des puissances ? Une telle domination ne serait-elle pas réservée à l'état de gloire dans lequel l'âme et toutes ses puissances seront accrochées et saisies définitivement par la vision face à face ?

Il faut se rappeler la distinction faite entre union habituelle permanente et union actualisée. Les puissances, telles des branches fixées sur le tronc, participent constamment par leurs racines à l'union habituelle permanente et sont ainsi sous l'emprise réelle et profonde de l'Esprit Saint. Mais lorsque cette union n'est pas actualisée, ces facultés et puissances restent ce qu'elles sont par nature, mobiles, volages, obéissant à certaines influences extérieures. La tige est fixée en Dieu, mais l'extrémité de ses antennes, petites branches extrêmes et feuilles sont encore agitées et bruissent sous le souffle des vents extérieurs. Il n'est pas de mouvement volontaire, même premier, qui échappe à la domination et au contrôle de l'Esprit, maître souverain dans l'âme ; des réflexes

---

1. *Procès apostolique*, p. 474.
2. VIIᵉ Dem., ch. II, p. 1041.

cependant subsistent, des influences extérieures se font sentir qui, sans troubler les profondeurs ni blesser l'union avec Dieu, marquent leur influence par des rides sur la surface des eaux apaisées.

Ce triomphe de l'amour et cette domination de l'Esprit dans les âmes s'affirment moins par une régulation de tous les gestes et attitudes extérieures que par une unité réalisée dans les profondeurs, par la réalisation de l'œuvre voulue par Dieu, par une aspiration ardente et paisible de l'Esprit dans tout l'être, et un amour toujours plus grand et plus fort contre tout ce qui s'oppose à ses désirs d'union plus intense et de triomphe extérieur plus complet.

Signalons encore un dernier trait : la liberté souveraine de l'âme sous cette emprise de l'Esprit Saint. Sainte Thérèse nous dit, et elle parle avec son expérience intime, qu'en cette union, Dieu et l'âme commandent à tour de rôle.

Dieu commence à montrer à l'âme tant d'amitié que non seulement il lui rend sa volonté, mais il lui donne en même temps la sienne propre. Dès lors qu'il la traite ainsi, il prend plaisir à voir ces deux volontés commander pour ainsi dire à tour de rôle [1].

Certes, l'Esprit Saint est un maître et l'amour de l'âme reste pénétré de crainte filiale. Mais c'est une union d'amour que l'Esprit Saint a réalisée avec l'âme, c'est sur l'amour que s'établit son emprise. L'amour a ses droits et ses exigences. L'Esprit d'amour est pris à son jeu. C'est un enfant de Dieu qu'il a fait et il doit reconnaître ses droits de fils. « Ceux-là sont les enfants de Dieu qui sont mus par l'Esprit de Dieu [2] ». C'est cette œuvre, la plus haute, que nous devons considérer maintenant.

III. — *L'identification au Christ Jésus.*

L'union transformante aboutit à l'identification au Christ Jésus qui est son expression et son œuvre la plus parfaite. « Je suis la vigne, vous êtes les branches [3] ». Ce n'est que cela, mais c'est cela en plénitude et perfection.

Pourquoi ne pas avouer notre surprise ? Nous avions laissé le Christ Jésus dans les Demeures de la première

---

1. *Chem. Perf.*, ch. XXXIV, p. 752.
2. Rm 8, 14.
3. Jn 15, 5.

phase. Les traits de son visage avaient perdu leurs contours lumineux et séduisants sous l'envahissement de la lumière de la Sagesse. L'humanité avait disparu dans l'éblouissement des contacts substantiels avec la divinité. Seules, les faveurs extraordinaires, visions ou paroles intérieures pouvaient rappeler sa présence. L'impuissance à le saisir était telle qu'il avait fallu les graves avertissements de sainte Thérèse pour que l'âme ne l'abandonne pas. En cette nuit, l'âme ne voulait que purification et spiritualisation et n'avait soif que de la flamme d'amour qui brûlait dans l'obscurité. Tout lui semblait obstacle à la manifestation et à la perception de cette présence ardente. Et voici que cette flamme amie lui révèle et lui fait réaliser le Christ Jésus. L'âme ne pensait qu'à la divinisation d'elle-même et le but qui lui apparaît est une incarnation de la vie divine en elle. Elle avait oublié ou ne savait pas avec une conviction assez profonde que le Christ Jésus n'est pas seulement lumière et moyen, mais qu'il est véritablement terme de la perfection, chef-d'œuvre de Dieu dans le monde, que nous devons pas seulement l'utiliser, mais qu'il faut le réaliser.

Ce Christ Jésus, ce chef-d'œuvre de Dieu, est l'œuvre de l'Esprit Saint. A la Vierge Marie qui demande comment se réalisera le mystère qu'il lui annonce, l'archange Gabriel répond : « L'Esprit Saint descendra en vous et la vertu du Très-Haut vous couvrira de son ombre [1] ». L'incarnation du Verbe dans le sein de Marie se fait sous l'ombre fécondante du Père et par l'opération du Saint-Esprit. Toute incarnation de la vie divine ici-bas se fera dans les mêmes conditions et suivant les mêmes lois. « Tout don parfait vient d'en haut, procédant du Père de lumière [2] » et c'est l'Esprit qui en sera le distributeur et l'agent ici-bas.

L'Esprit Saint descend sur les apôtres au jour de la Pentecôte et il prend possession de l'âme comme d'un temple au jour du baptême pour réaliser cette œuvre de l'incarnation de la vie divine. Nous savons le plan qui lui est fixé, ce dessein éternel de Dieu qui fait l'unité de l'action de l'Esprit Saint dans l'Église et dans les âmes.

C'est dans le Christ que Dieu nous a choisis dès avant la création du monde... qu'il nous a prédestinés à être ses enfants adoptifs par Jésus-Christ, suivant le bon plaisir de sa volonté, pour faire éclater la gloire de la grâce qu'il nous a départie par son Fils bien-aimé [3].

---

1. Lc 1, 35.
2. Jc 1, 17.
3. Ep 1, 4-6.

Sainteté pour l'Église

L'action de l'Esprit Saint est tout orientée vers cette réalisation effective de l'adoption divine en nous et vers cette expansion du Christ Jésus en nos âmes par la diffusion de sa grâce. L'Esprit, en chaque âme et dans l'Église, construit la plénitude du Christ, le Christ total qui est l'Église.

De fait, la grâce qu'il répand dans les âmes est une grâce filiale qui nous apparente étroitement au Verbe en nous faisant fils d'adoption comme lui-même est fils par nature.

Vous avez reçu, dit l'Apôtre, l'esprit des fils d'adoption qui nous fait crier : Abba, Père. Ce même Esprit se joint au nôtre pour attester que nous sommes les fils de Dieu. Mais si nous sommes fils, nous sommes aussi héritiers, oui, héritiers de Dieu et cohéritiers du Christ [1].

Cette grâce qui proclame ainsi son nom, nous donne la ressemblance du Verbe quand nous la faisons nôtre par cette contemplation dans laquelle intervient encore l'Esprit Saint.

Nous tous, dit encore l'Apôtre, nous contemplons la gloire de Dieu comme dans un miroir, mais à visage découvert, transformés que nous sommes, comme par l'Esprit du Seigneur, en cette même image de plus en plus resplendissante [2].

Mais la source par excellence de la vie divine ici-bas, c'est l'Eucharistie. Canal principal de la grâce, d'où tous les autres dérivent, c'est surtout par lui que l'Esprit Saint sanctifie les âmes et construit l'Église. Or, ce sacrement, condition nécessaire de la vie surnaturelle, donne le Christ et sa vie, non pas seulement la grâce du Verbe, mais la chair et le sang de son Humanité.

« C'est moi qui suis le pain de vie », répète Jésus avec insistance. Et il précise :

En vérité, en vérité, je vous le dis, si vous ne mangez la chair du Fils de l'Homme et si vous ne buvez son sang, vous n'aurez pas la vie en vous. Celui qui mange ma chair et boit mon sang aura la vie éternelle... Celui qui mange ma chair et boit mon sang demeure en moi et moi en lui [3].

L'Eucharistie donne la vie de Dieu en donnant le Christ. Il donne la vie aux âmes en les unissant au Christ Jésus. Il est le sacrement sanctifiant par excellence parce qu'il est le sacrement de l'union de l'âme avec le

---

1. Rm 8, 15-17.
2. 2 Co 3, 18.
3. Jn 6, 48.54-57.

Christ Jésus. Il est en même temps le sacrement qui fait l'unité de l'Église en diffusant sa vie dans tous ses membres.

La sainteté et le plan de Dieu sont résumés en quelques mots dans la prière sacerdotale de Jésus :

Que tous soient un comme nous sommes un ; moi en eux et vous en moi, qu'ils soient consommés dans l'unité [1].

Je suis la vigne, vous êtes les branches. Celui qui demeure en moi et moi en lui porte beaucoup de fruit, car sans moi vous ne pouvez rien faire. Si quelqu'un ne demeure pas en moi, il sera jeté dehors comme un sarment et il séchera ; les sarments desséchés, on les ramasse, on les jette au feu et ils brûlent [2].

Ces affirmations sont fermes et précises. La vie divine en nous est la vie du Christ ; elle procède de Lui et nous unit à Lui pour constituer avec Lui une réalité nouvelle, la vigne entière, le Christ total fait du Christ et de ses membres. Cette vérité essentielle doit se réaliser et se manifester dans l'union transformante.

Certes, nous ne pouvons pas demander à la grâce divine de révéler toutes ses virtualités pendant la période de croissance. La semence qui meurt, la tige délicate qui monte, ne disent pas exactement ce qu'elles portent en elles. Toute germination et toute croissance se font dans le chaos, ou du moins dans le mystère. Le plein épanouissement seul étale les propriétés de la vie et la qualité du fruit. Après les périodes obscures qui nous ont dissimulé quelques-unes de ses propriétés, la grâce, dans l'union transformante, doit découvrir ses richesses essentielles, et nous montrer qu'elle réalise une transformation par ressemblance d'amour au Christ Jésus.

L'épanouissement extérieur du Christ Jésus dans les âmes prendra des formes diverses, car cette grâce du Christ est, en effet, multiforme et brille en des reflets différents, mais la transformation dans le Christ doit être réelle et profonde et doit s'affirmer par la ressemblance que crée l'amour dans la volonté, les pensées, les sentiments et dans l'activité extérieure.

Dans l'âme et la vie des contemplatifs que nous étudions, cette ressemblance d'amour avec le Christ a été réalisée et nous n'avons pas, pour l'instant, à le montrer. Mais nous devons noter que dans la lumière de l'union transformante, ils ont découvert cette réalisation de leur grâce.

---

1. Jn 17, 22-23.
2. *Ibid.*, 15, 5-6.

Sainteté pour l'Église

Dans les épîtres de saint Paul abondent les témoignages de cette découverte et de cette réalisation du Christ en lui :

Je suis fermement assuré et confiant de n'être jamais confondu et absolument certain qu'aujourd'hui comme toujours, le Christ sera glorifié en mon corps, à la vie, à la mort. Car le Christ est ma vie et la mort m'est un gain[1].

Il ne veut pas savoir autre chose que le Christ :

Je ne me suis pas cru obligé de savoir autre chose parmi vous que Jésus-Christ et Jésus crucifié[2].

Il s'agit non d'une science spéculative, mais de cette science pratique qui est vie et réalisation. Aussi, il l'a préférée à tout le reste :

Ce qui, à mes yeux, était un gain, le Christ me l'a fait regarder comme une perte. Oui, je regarde tout cela comme une perte au prix de la science si haute de Jésus-Christ mon Seigneur. A cause de Lui j'ai tout perdu, mais je regarde le tout comme des immondices pour gagner le Christ et me trouver en Lui[3].

Aussi, que peut-il désirer pour ses fidèles, spécialement pour ses chers Éphésiens, sinon cette réalisation du Christ en eux, et la science du Christ par la charité.

Que le Christ habite dans vos cœurs par la foi ; et que, plongeant vos racines et vos fondements dans la charité, vous puissiez comprendre avec tous les saints la largeur et la longueur, la hauteur et la profondeur ; que vous puissiez, dis-je, connaître la charité du Christ qui passe toute conception, et qu'ainsi vous soyez remplis de toute la plénitude de Dieu[4].

Cette pénétration profonde dans la charité du Christ et cette transformation en Lui avec les lumières de la foi vive qui l'accompagnent, quelle heureuse définition de l'union transformante, plénitude de Dieu dans l'âme !

C'est ce que nous découvrons, de fait, chez sainte Thérèse. Après avoir décrit la merveilleuse union avec Dieu que le mariage spirituel réalise, la Sainte ajoute sans transition, rappelant la parole de saint Paul :

Le Christ est ma vie et la mort m'est un gain. Voilà, à mon avis, ce que l'âme peut dire dans le mariage spirituel. C'est ici, en effet, que le petit papillon dont nous avons parlé meurt avec une indicible joie, parce que le Christ est devenu désormais sa vie[5].

---

1. Ph 1, 20-21.
2. 1 Co 2, 2.
3. Ph 3, 7-9.
4. Ep 3, 17-19.
5. VIIe Dem., ch. II, p. 1037.

Ainsi qu'il lui arrive assez fréquemment, la Sainte n'a pas suivi la logique de la pensée, mais a été entraînée par la perception d'une réalité qu'elle signale, interrompant ainsi le développement de la pensée. Un peu plus loin, elle insiste avec enthousiasme sur la découverte qu'elle vient de faire :

Sa Majesté a dit encore : Je suis en eux. O grand Dieu ! comme ces paroles sont vraies ! et comme elle les comprend bien l'âme qui, élevée à l'oraison dont nous parlons, les voit s'accomplir en elle ![1].

D'ailleurs, c'est bien avec le Christ Jésus que le mariage spirituel a été conclu. Une faveur extraordinaire, vision imaginaire de la Sainte Humanité, est venue, ainsi qu'il arrive habituellement aux divers étapes thérésiennes, expliciter le sens de la grâce intérieure qui lui est accordée[2]. L'union transformante est donc une union et communication de personnes, réalisée avec le Christ Jésus.

Saint Jean de la Croix, cet explorateur du divin, ne pouvait manquer de découvrir le Christ dans les richesses de sa grâce. Il signale maintes fois la filiation divine dans la grâce qui nous arrive par l'Esprit de Dieu. Spécialement sur les sommets de l'union transformante, il insiste sur la découverte du Christ Jésus et de ses mystères. Il faudrait relire tout le commentaire de la strophe trente-sixième.

Et ensuite nous irons
Jusqu'aux hautes cavernes de la pierre.

Un des principaux motifs qui portent l'âme à désirer d'entrer dans cette profondeur de la sagesse de Dieu et de connaître pourquoi dans ses insondables jugements il permet la souffrance, c'est, comme nous l'avons dit, qu'elle peut arriver par là à unir son entendement à celui de Dieu et à pénétrer dans la connaissance des profonds mystères de l'incarnation du Verbe, sagesse la plus haute et la plus remplie de suavité pour elle[3].

Cette connaissance est une connaissance expérimentale qui procède de la connaturalité de la grâce avec le Christ en même temps que de la souffrance. Dans cette connaissance, fruit le plus suave de l'union transformante réalisée, l'âme se plonge :

... elle ira avec l'Époux connaître les hauts mystères de l'Homme-Dieu qui sont les plus remplis de sagesse et cachés en

---

1. VIIᵉ Dem., ch. II, p. 1039.
2. *Ibid.*, pp. 1034-1035.
3. *Cant. Spir.*, str. XXXVI, p. 879.

Dieu, et ils entreront tous deux, l'âme s'y plongeant et s'y englou-
tissant... [1].

Car ils sont inépuisables les trésors de ces mystères :

... malgré toutes les merveilles que les saints docteurs ont
découvertes ou que les saintes âmes ont pu contempler ici-bas,
la plus grande partie en reste encore à dire et même à concevoir [2].

C'est « une mine abondante, remplie d'une infinité de filons »
que cette « connaissance des mystères du Christ, la plus haute
sagesse à laquelle on puisse parvenir ici-bas [3] ».

Cette connaissance des mystères, réalisée dans les richesses
de la grâce donnée par le Christ, est enrichie encore par
la perception de la présence du Verbe dans le sein de l'âme.
Cette perception du Verbe Époux, ses réveils magnifiques
sous l'aspiration de l'Esprit d'amour, ce sont les dernières
confidences que nous avons recueillies de saint Jean de la
Croix, confidences qui se sont éteintes dans le silence de
l'impuissance.

Nous sommes vraiment sur le sommet. Nous avons cueilli
le fruit suprême de l'union transformante, le plus beau et
aussi le plus simple : la ressemblance d'amour et l'union
avec le Christ Jésus pour la réalisation du Christ total. La
perfection chrétienne et la perfection contemplative sont
en cette union et cette réalisation du Christ Jésus Notre-
Seigneur.

Pour conclure, affirmons que l'union transformante
est une transformation par ressemblance d'amour avec le
Christ Jésus, l'Homme-Dieu. Le saint est le rameau
vivifié en plénitude par la sève de la vigne qu'est le
Christ.

Contre les tendances naturalistes en spiritualité, qui, pour
mieux étreindre le Christ Jésus comme un frère, et en faire
le compagnon de leur labeur, le construisent à leur mesure,
faisant de lui un type parfait d'humanité, un surhomme dont
un reflet d'en haut éclaire le visage, mais en qui la
divinité est non seulement cachée mais absente, affirmons
que Jésus est Dieu et que la transformation en Lui est une
divinisation qui exige les violences du détachement et du
dépouillement san-johannique.

Contre l'angélisme qui cherche la perfection dans une
pureté désincarnée et contre le néo-platonisme qui la

1. *Cant. Spir.*, str. XXXVI, p. 879.
2. *Ibid.*, p. 880.
3. *Ibid.*, pp. 880-881.

place dans la très haute intellectualité de la perception mystique, contre l'un et l'autre qui ne parlent de divinisation que par dépassement de tout l'humain et sublimation des puissances intellectuelles, nous devons affirmer que la perfection est dans la ressemblance d'amour avec Jésus, Dieu et homme, et que cette ressemblance est réalisée en nous par une incarnation de la vie divine qui transforme mais ne détruit pas la nature humaine.

Divinisation de la nature humaine pour que nous soyons des enfants de Dieu, incarnation de la vie divine pour que nous soyons des chrétiens, tel est le double réalisme que nous devons exiger de l'union transformante pour la reconnaître vraie et authentiquement chrétienne.

CHAPITRE NEUVIÈME

Le saint
dans le Christ total

*C'est moi qui vous ai choisis et je vous ai établis
pour que vous alliez et que vous portiez du fruit, et
un fruit qui demeure [1].*

Cette déclaration de Jésus dans le sermon après la Cène
vient à la suite de ses affirmations sur les liens étroits qui
l'unissent désormais à ses apôtres.

Je suis la vigne, vous êtes les branches. Celui qui demeure en
moi et moi en lui porte beaucoup de fruit, car sans moi vous ne
pouvez rien faire [2].

Le rameau vit de la sève qui monte de la vigne. Sa
fonction est de transformer la sève en fruits. C'est sa
raison d'être. Si donc le rameau ne porte pas de fruits,
il est normal qu'il soit coupé et jeté au feu. Tel est l'ordre
des choses.

Jésus le souligne pour indiquer que la fécondité est la
raison du choix de ses apôtres et de son action sur eux.
Ils doivent aller dans le monde et porter du fruit pour la
gloire du Père. Ce monde où il les envoie est mauvais,
dangereux, persécuteur. Aussi il prie pour eux, mais non
point

pour qu'ils soient enlevés du monde, mais que vivant dans le monde,
ils soient préservés du mauvais qui y règne [3].

---

1. Jn 15, 16.
2. *Ibid.*, 15, 5.
3. *Ibid.*, 17, 15.

Après sa résurrection, Jésus déclare encore :

Comme mon Père m'a envoyé, moi aussi je vous envoie [1].

Point de doute par conséquent ; l'œuvre de sanctification réalisée par Jésus en ses apôtres, les liens mystérieux de la grâce qu'il a créés entre eux et lui, au même titre que les pouvoirs étonnants qu'il leur a donnés, sont ordonnés à leur mission dans le monde. La plénitude de la grâce et la plénitude des pouvoirs conférés sont destinés à assurer à Jésus des apôtres continuateurs de sa mission. Ils ont été choisis par Jésus, ils seront transformés par son Esprit pour devenir d'autres Christs ici-bas et pour porter des fruits dans le monde.

Sainte Thérèse a parfaitement saisi cette vérité :

Il sera bon maintenant, mes Sœurs, écrit-elle, de vous dire le but pour lequel Notre-Seigneur accorde tant de faveurs en ce monde. Quoique les effets qu'elles produisent vous l'aient déjà fait comprendre, si vous y avez réfléchi, je veux vous le marquer ici. Aucune d'entre vous ne doit s'imaginer qu'il veut seulement combler l'âme de délices ; ce serait une erreur profonde. Sa Majesté ne saurait nous faire une plus haute faveur que celle de nous donner une vie qui soit semblable à celle que son Fils bien-aimé a menée sur la terre. Aussi je regarde comme certain que ses faveurs ont pour but de fortifier notre faiblesse, comme je l'ai dit plusieurs fois dans cet écrit, afin de pouvoir endurer à son exemple beaucoup de souffrances [2].

La Sainte insiste et précise sa pensée :

Toute sa pensée (de l'âme parvenue à l'union transformante) est de chercher comment elle lui (à Dieu) plaira de plus en plus, en quoi et par quel moyen elle lui témoignera son amour. Tel est le but de l'oraison, mes filles ; voilà à quoi sert le mariage spirituel qui doit toujours produire des œuvres, et encore des œuvres [3].

Elle veut qu'on la comprenne bien. Il ne s'agit pas des commençants, mais bien de ceux qui sont parvenus à l'union transformante :

Il vous semblera que je m'adresse aux commençants, et que l'âme, après avoir franchi les débuts de la vie spirituelle, peut se reposer. Je vous l'ai déjà dit, si les âmes élevées dont nous parlons possèdent le repos dans leur intérieur, c'est pour en avoir beaucoup moins et même n'en point désirer à l'extérieur... En outre, la compagnie où elle se trouve lui donne des forces beaucoup plus

---

1. Jn 20, 21.
2. VII° Dem., ch. IV, pp. 1051-1052.
3. *Ibid.*, p. 1053.

grandes que jamais. Si David dit qu'en ce monde on devient saint avec les Saints, il n'y a pas de doute que cette âme qui est devenue une seule chose avec le Dieu fort, par l'union si souveraine d'esprit à esprit, ne participe à sa force [1].

Ces textes résument l'enseignement de sainte Thérèse dans le dernier chapitre des septièmes Demeures. Ils sont un commentaire des dernières paroles de Notre-Seigneur que nous avons citées : « Je vous ai établis pour que vous alliez et que vous portiez du fruit ». La finalité de l'œuvre de sanctification réalisée par Dieu, y compris la contemplation et l'union transformante, y est nettement affirmée. Cela nous paraît simple et normal. A quoi bon s'y attarder !

Voici cependant qu'en confrontant ces textes thérésiens avec les dernières pages du *Cantique Spirituel* et de la *Vive Flamme*, nous avons la surprise de trouver dans l'âme de saint Jean de la Croix d'autres aspirations, un autre mouvement. Sur les mêmes sommets, les deux saints semblent ne pas vivre dans la même atmosphère. Thérèse ne veut que vivre la vie du Christ ici-bas et se donner comme lui aux œuvres qui doivent procurer la gloire de son Père et le salut des âmes. Jean de la Croix aspire aux profondeurs de Dieu, à la paix et à la lumière qu'on y trouve, à la vision face à face de la vie éternelle. A peine est-il besoin de citer des textes pour retrouver ce mouvement de l'âme san-johannique qui nous soulevait en sa force paisible et ardente, dans les chapitres précédents :

> Jouissons l'un de l'autre, ô mon Bien-Aimé,
> Et allons nous voir dans votre beauté
> Sur la montagne et sur la colline
> D'où coule l'eau limpide,
> Pénétrons plus avant dans la profondeur [2].

Le *Cantique* s'achève dans la joie d'une paix enfin trouvée :

> ... toutes ces puissances descendent et quittent leurs opérations naturelles pour entrer dans le recueillement intérieur.
> Plaise au Seigneur Jésus, notre très doux Époux, d'y faire entrer tous ceux qui invoquent son saint Nom ! A lui honneur et gloire, ainsi qu'au Père et au Saint-Esprit, dans les siècles des siècles ! Ainsi soit-il ! [3]

---

1. VIIe Dem., ch. IV, p. 1055.
2. *Cant. Spir.*, str. XXXV, p. 873.
3. *Ibid.*, str. XXXIX, p. 902.

1026

Cette hymne à la paix divine de l'union qui termine le *Cantique Spirituel* est reprise avec des accents plus sublimes dans la *Vive Flamme* jusqu'à ce qu'elle s'éteigne dans le silence de l'ineffable :

Oh ! qu'elle est donc heureuse, écrit le Saint à la dernière page, cette âme qui sent toujours que Dieu est là, se reposant en elle, et incliné sur son sein ! Oh ! comme il lui est avantageux d'avoir renoncé à tout, de fuir les affaires et de vivre dans une immense tranquillité, dans la crainte que le plus petit atome, ou la moindre agitation ne vienne inquiéter et troubler le sein du Bien-Aimé [1].

Ces deux contemplatifs sont parvenus tous deux à l'union transformante par la même voie. Maintes fois en cours de route, spécialement en ces régions tourmentées des sixièmes Demeures, ils ont confronté leurs expériences et affirmé l'union de leur pensée. Au sommet, leurs aspirations semblent divergentes.

Chacun d'eux d'ailleurs fait école. Parmi leurs disciples, il en est pour qui l'union transformante est un havre de paix dans lequel l'âme ayant enfin trouvé Dieu, ne saurait mieux faire que de l'aimer dans la solitude en jouissant de son intimité, l'amour qu'elle donne ainsi étant préférable à tout le reste, spécialement à toutes les œuvres. D'autres considèrent la tranquille possession de Dieu dans l'union transformante comme un moyen de servir Dieu plus librement et plus efficacement. Ces derniers adoptent la définition donnée par sainte Thérèse du véritable spirituel :

Savez-vous quand on est vraiment spirituel ? C'est quand on se fait l'esclave de Dieu et que, à ce titre, non seulement on porte son empreinte qui est celle de la Croix, mais qu'on lui remet sa liberté, afin qu'il puisse nous vendre comme les esclaves de l'univers tout entier, ainsi qu'il l'a été lui-même [2].

Comment résoudre le problème que pose la divergence de ces deux tendances sur les sommets de l'union transformante ? Se contenter d'affirmer que celle qui veut s'enfoncer en Dieu est contemplative et que la deuxième qui aspire à travailler pour l'Église est active, serait faire injure à sainte Thérèse et présenter comme solution un simple étiquetage verbal. Le problème est plus profond ; c'est celui de la finalité de l'union transformante ici-bas et de l'amour qui la réalise. Abordons-le et essayons de le résoudre.

---

1. *Vive Fl.*, str. IV, p. 1046.
2. VIIᵉ Dem., ch. IV, p. 1054.

Sainteté pour l'Église

A. — *LE DOUBLE MOUVEMENT DE L'AMOUR*

I. — *Mouvement filial vers Dieu.*

La charité qui est diffusée en nous par l'Esprit Saint, nous fait enfants de Dieu et nous apparente au Verbe au sein de la Trinité sainte. En ce caractère filial, elle trouve son mouvement essentiel. L'esprit qui nous est donné crie : Abba, Père ! Il nous fait co-héritiers du Christ et il soupire après sa part d'héritage qui est Dieu lui-même. Nous venons de Dieu et nous retournons vers Lui. C'est la loi de toute la création qui s'affirme surtout dans l'homme qui en est le chef.

Saint Paul, le héraut du grand mystère, a saisi la profondeur de cette aspiration de tous les êtres, qui trouve dans la filiation divine du chrétien sa forme la plus haute et son expression la plus parfaite. Il nous en traduit la puissance douloureuse et l'ampleur :

La création attend anxieusement cette révélation du fils de Dieu... car nous le savons : en commun la création tout entière gémit et connaît les douleurs de l'enfantement jusqu'à ce jour ; et non seulement elle, mais nous-mêmes qui avons saisi les prémices de l'esprit nous gémissons nous aussi intérieurement dans l'attente de l'adoption, de la rédemption de notre corps. Car c'est en espérance que nous avons été sauvés... [1]

En attendant qu'il lui assure dans le sein du Père tout ce qu'elle espère, l'Esprit Saint entretient et guide cette aspiration dans la nuit d'ici-bas.

Pareillement, l'Esprit aussi vient en aide à notre faiblesse, car nous ne savons pas ce que dans nos prières il nous faut demander ; mais l'Esprit Saint lui-même intercède pour nous par des gémissements ineffables, et celui qui scrute les cœurs connaît les aspirations de l'Esprit, car c'est selon Dieu qu'il intercède pour les saints [2].

Et la charité surnaturelle qui est nôtre, et l'Esprit Saint qui nous est donné avec elle s'unissent pour nous soulever en cette aspiration vers Dieu notre Père.

C'est cette exigence première de l'amour filial que Jésus exprime en premier lieu dans sa prière sacerdotale :

---

1. Rm 8, 19-24.
2. *Ibid.*, 26-27.

Père l'heure est venue : glorifiez votre Fils afin que votre Fils vous glorifie... Moi je vous ai glorifié sur la terre en accomplissant l'œuvre que vous m'avez donnée à faire, et maintenant, glorifiez-moi, vous, Père, auprès de vous-même de la gloire que j'avais auprès de vous avant la création du monde [1].

Retourner à son principe, tel est le désir de l'amour filial. Son salaire est de le saisir plus profondément, de se perdre en lui. Sa récompense c'est d'aimer davantage et de réaliser une union plus étroite.

Ce salaire et cette récompense, écrit saint Jean de la Croix, ne sont que l'amour même ; ... l'âme qui aime n'attend pas la fin de son travail, mais la fin de son œuvre, parce que son œuvre c'est d'aimer ; elle en attend donc la fin et le couronnement qui consiste dans la perfection et l'accomplissement de l'amour de Dieu [2].

Pour l'amour de l'enfant de Dieu qui possède ici-bas dans l'obscurité de la foi, cet accomplissement parfait est de posséder dans la vision face à face car « la vie éternelle, c'est de vous connaître, vous le seul vrai Dieu et votre envoyé Jésus-Christ [3] ».

II. — *Mouvement vers les âmes.*

Pour lui être essentielle, cette aspiration à posséder Dieu dans la connaissance parfaite de la vision face à face n'est pas la seule qui jaillisse des profondeurs de notre charité surnaturelle.

Tandis qu'en effet les philosophies plotiniennes et platoniciennes de dépassement se déclarent pleinement satisfaites lorsqu'elles ont saisi de quelque façon l'idée ou l'esprit que leur amour a divinisés ; tandis que les mystiques naturelles trouvent le terme de leurs aspirations dans la plongée et la perte d'elles-mêmes au sein du grand tout panthéistique, la charité chrétienne aspire en Dieu à autre chose encore qu'à la possession de Dieu lui-même. Lorsqu'elle a réalisé l'union parfaite à Dieu, notre charité surnaturelle trouve en lui des Personnes et se trouve unie à chacune d'elles. L'amour qui ne tend qu'à l'être peut se reposer en sa possession. L'amour uni à des personnes vivantes, est enchaîné à leur pensée, à leur vie, à leur mouvement. Rivé à ces personnes, il ne peut plus les quitter. Tout ce qui est leur, est sien. Il s'oblige lui-même à les suivre, à partager leurs désirs, leurs préoccupations,

---

1. Jn 17, 1-5.
2. *Cant. Spir.*, str. IX, pp. 731-732.
3. Jn 17, 3.

à travailler avec elles. Son repos est dans l'union à leur mouvement et à leur activité. Tel est le bienheureux sort de notre charité surnaturelle qui nous fait entrer dans le rythme de la vie trinitaire et nous unit à chacune des trois Personnes divines.

Cette charité divine est diffusée en nous par l'Esprit Saint, et lui-même vient prendre possession de notre âme avec elle et par elle. A mesure que la charité nous conquiert par transformation d'amour, elle nous livre à l'Esprit d'amour. Lorsque la transformation complète est réalisée, tous nos mouvements, toutes nos aspirations sont réglés et ordonnés par lui. Devenu le souverain maître et seigneur de l'âme par son emprise qui s'étend des profondeurs où il se tient jusqu'aux régions les plus extérieures des facultés auxquelles il fait poser des actes divins, l'Esprit Saint nous lie à tous les mouvements, à toutes les aspirations de l'Amour substantiel qu'il est Lui-même dans le sein de Dieu et nous associe à ses réalisations.

Nous savons que cet Esprit d'amour est l'intendant chargé d'exécuter le dessein éternel de Dieu. Il en a posé les assises en réalisant le mystère de l'Incarnation dans le sein de Marie. Depuis lors, il continue son œuvre en répandant dans nos âmes une charité qui est filiale et qui nous identifie au Verbe incarné, le Christ Jésus. Cette grâce nous place dans le Christ pour que nous fassions avec Lui le Christ total.

Telles sont les destinées de notre grâce : elle nous fait Christ et nous soumet parfaitement aux lumières et aux motions de cet Esprit d'amour qui guida le Christ lui-même. Nous sommes donc rivés au Christ et nous devons suivre tous les mouvements de l'Esprit d'amour en Lui et en son corps mystique qui est l'Église.

Nous connaissons les mouvements que l'Amour a imposés au Verbe incarné.

Dieu a tellement aimé le monde qu'il a donné son Fils unique [1].

Le Verbe, en effet, est descendu parmi nous. Il s'est incarné. Il s'est anéanti dans les profondeurs de l'humanité pécheresse en prenant la forme d'un esclave [2] et en se faisant « péché pour nous [3] ». Le Christ Jésus est donc venu ici-bas non pour juger, mais pour sauver, en apportant sa lumière et le feu de son amour. Il a vécu parmi

---

1. Jn 3, 16.
2. Ph 2, 7.
3. 2 Co 5, 21.

nous. « Comme il avait aimé les siens qui sont dans le monde, constate l'évangéliste saint Jean, il les aima jusqu'à la fin [1] ». Cette fin c'est la passion, le calvaire et l'Eucharistie. Mystères orientés vers l'édification de l'Église, le Christ total dans lequel le Verbe incarné veut nous emporter dans l'unité de la Trinité sainte pour y partager ses opérations.

Tels sont le mouvement et les gestes du Verbe sous l'action de l'amour. C'est la parabole de l'aigle descendant vers ses petits retenus au sol par leurs ailes menues et lourdes.

> Pareil à l'aigle qui excite sa couvée
> Et voltige au-dessus de ses petits
> Yahweh a déployé ses ailes, il a pris Israël
> Il le porte sur ses plumes [2].

Saint Jean de la Croix a repris et développé cette image gracieuse et puissante de Moïse, en cantique d'action de grâces.

Cet oiseau divin prend ses ébats dans les hauteurs. Mais comme il s'est abaissé pour nous regarder, provoquer notre vol, et le faire plus élevé en rendant notre amour plus fort, il s'est pris lui-même au vol de notre amour... et il est demeuré prisonnier...

Ainsi pouvons-nous croire que l'oiseau au vol bas puisse faire prisonnier l'Aigle royal au vol sublime qui descend vers lui pour se faire prendre [3].

C'est dire que l'Aigle royal continue à descendre et que son amour se penche toujours sur nous, se laisse prendre par nous pour nous emporter plus aisément prisonniers dans les liens de son amour jusque dans les hauteurs [4]. Aussi sainte Thérèse de l'Enfant-Jésus lui demande-t-elle de renouveler ce geste pour elle. Toute son espérance repose en ce mouvement habituel du Verbe incarné.

Ma folie consiste à supplier les Aigles mes frères de m'obtenir la faveur de voler vers le Soleil de l'Amour avec les propres ailes de l'Aigle Divin...

... Un jour, j'en ai l'espoir, Aigle Adoré, tu viendras chercher ton petit oiseau, et remontant avec lui au Foyer de l'Amour, tu le plongeras pour l'éternité dans le brûlant Abîme de cet Amour auquel il s'est offert en victime [5].

---

1. Jn 13, 1.
2. Dt 32, 11.
3. *Cant. Spir.*, str. XXII, p. 815.
4. Ep 4, 8-10.
5. *Man. Autob.*, B fol. 5 v°.

Sainteté pour l'Église

Cette parabole de l'Aigle divin qui descend pour saisir sa proie et l'emporter en remontant vers les cieux, c'est le geste que l'amour renouvelle sans cesse par ceux qu'il a conquis et identifiés au Christ Jésus. En même temps qu'il les introduit dans les profondeurs de la vie qui est en Dieu, il les fait descendre vers les profondeurs du péché de l'humanité ici-bas. Avec eux et par eux il continue à incarner la vie divine dans les âmes, à gémir et à lutter jusqu'à ce triomphe complet désiré par le Père.

L'union transformante n'isole pas du monde en introduisant en Dieu. Elle associe à la vie intense de l'Église ici-bas. Plus les saints sont pris par l'amour, plus ils sont près de nous, car en les divinisant, la charité les fait entrer dans les profondeurs du péché, la grande souffrance de l'humanité. S'il en était autrement, il ne serait pas vrai qu'ils sont identifiés au Christ et leur charité ne serait pas chrétienne, car Jésus l'a dit formellement :

C'est à ceci que tout le monde vous reconnaîtra pour mes disciples, si vous avez de l'amour les uns pour les autres [1].

La mesure de cet amour pour le prochain, c'est la sienne, celle qu'il a donnée Lui-même :

Mon commandement à moi, c'est que vous vous aimiez les uns les autres comme je vous ai aimés [2].

Nous connaissons cette mesure. Une simple allusion suffit à la préciser :

Il n'y a pas de plus grand amour que celui de donner sa vie pour ses amis [3].

Au soir de cette vie, nous serons jugés sur l'amour, pour que le degré d'amour devienne le degré de notre gloire et de notre puissance de vision béatifique. Mais Jésus décrivant les circonstances de ce jugement, précise la preuve d'amour qui sera demandée :

Venez, les bénis de mon Père, entrez en possession du royaume qui vous est préparé depuis la création du monde. Car j'ai eu faim et vous m'avez donné à manger, j'ai eu soif et vous m'avez donné à boire [4].

Le choix d'un tel critérium nous surprend, de même qu'il étonne ceux qui en sont l'objet :

---

1. Jn 13, 35.
2. *Ibid.*, 15, 12.
3. *Ibid.*, 13.
4. Mt 25, 34-35.

Alors les justes répondront : Seigneur, quand est-ce que nous vous avons vu affamé, et vous avons-nous donné à manger... Le roi leur répondra : Je vous le dis en vérité, tout ce que vous avez fait au moindre de mes frères que voilà, c'est à moi-même que vous l'avez fait [1].

L'objection nous a valu une insistance qui ne laisse plus aucun doute, et une heureuse précision. L'amour sur lequel nous serons jugés est celui que nous aurons donné à Dieu dans nos frères.

Des deux mouvements de la charité qui est en nous, le premier lui est essentiel, le deuxième lui est imposé par l'Esprit d'amour et par le Christ Jésus auquel elle identifie. Les deux sont sanctionnés par un précepte :

Jésus répondit : « Tu aimeras le Seigneur ton Dieu de tout ton cœur, de toute ton âme, de tout ton esprit, c'est le premier et le plus grand commandement. Le second est semblable au premier : Tu aimeras ton prochain comme toi-même. En ces deux commandements consistent toute la Loi et les Prophètes [2] ».

De ces deux commandements semblables qui résument toute la loi, le premier est le plus grand, mais c'est l'accomplissement du second qui garantit la valeur et la qualité de la charité en révélant son efficacité.

III. — *Ces deux mouvements s'unissent dans l'amour du Christ.*

Double commandement correspondant au double mouvement de l'amour divin. Ces deux mouvements sont-ils contraires l'un à l'autre ? Notre esprit cède si facilement au besoin d'opposer pour mieux distinguer, surtout lorsque les symboles qui traduisent les réalités s'opposent réellement entre eux. C'est le cas ici. L'amour filial pour Dieu semble monter et nous soulever, l'amour pour le prochain semble descendre et nous attirer en bas. Le premier divinise ; le second s'incarne. Ne laissons pas notre esprit jouer sur les symboles. Allons à la réalité vivante et concrète de l'amour et de son activité.

Le saint parvenu à l'union transformante n'est plus sur la berge où l'esprit considère et discute. Il est plongé dans l'œuvre de l'amour et en son expérience il trouve une lumière qui aveugle l'intelligence, mais réduit toutes les antinomies.

---

1. Mt 25, 37 et 40.
2. *Ibid.*, 22, 37-40.

Sainteté pour l'Église

Ces antinomies ou oppositions apparentes sont une des lois de l'amour divin qui les porte en lui comme une de ses richesses et qui en marque ses œuvres comme d'un sceau personnel. Cet amour s'incarne et divinise, il répand la joie et la tribulation, il produit une lumière qui est obscurité. Le Christ Jésus qui assure son règne ici-bas est le Verbe fait chair qui, sans cesser de jouir de la vision béatifique, a connu la plus douloureuse souffrance qu'un homme ait portée ici-bas, qui a triomphé enfin en mourant sur la croix.

Comment le saint transformé par l'amour et identifié au Christ Jésus ne porterait-il pas en lui ces richesses caractéristiques de l'amour divin ici-bas ? De fait, l'amour qui le divinise le laisse un homme comme nous ; il porte en lui le Thabor et Gethsémani ; il est le plus heureux des hommes parce qu'il jouit du Verbe en son sein et le plus malheureux parce qu'il porte le péché du monde. Fixé en Dieu par l'union transformante, il est cependant l'homme et le saint d'une époque, d'un peuple, d'un âge bien déterminé du corps mystique du Christ en pleine croissance. Le divin et l'éternel qui sont en lui ne l'empêchent pas ou plutôt l'obligent à s'incarner dans le temporel le plus humain de son époque.

Les signes et les paroles qui accompagnent et expliquent la faveur du mariage spirituel accordée à sainte Thérèse, mettent en relief et éclairent ces admirables antinomies :

Le Seigneur, écrit la Sainte, m'apparut alors dans une vision imaginative, comme d'autres fois, au plus intime de l'âme, et, me donnant sa main droite, il me dit : Vois ce clou ; c'est un signe qu'à partir de ce moment tu seras mon Épouse ; jusqu'à présent, tu ne l'avais pas mérité ; à l'avenir, non seulement tu verras en moi ton Créateur, ton Roi et ton Dieu, mais tu auras soin de mon honneur, comme ma véritable Épouse : mon honneur est le tien, et ton honneur est le mien [1].

L'union est désormais parfaite et définitive. Thérèse appartient au Christ et le Christ lui appartient. Jésus lui apparaît pour lui en donner l'assurance. Mais regardons le fait, considérons le sens des paroles. En l'emportant avec lui dans le sein de Dieu, le Verbe incarné la voue au service de son honneur ici-bas comme une véritable épouse. L'anneau d'alliance est remplacé par un clou qui fixe à la croix. Contradictions ? Qui oserait l'affirmer ? Thérèse n'est pas surprise. Elle connaît les privilèges et les devoirs de l'amour ici-bas. Le Christ Jésus qui l'unit

---

1. *Relations*, XXVIII, p. 552.

parfaitement à lui, c'est le Christ Jésus qui triomphe dans le Ciel et celui qui milite et souffre sur la terre. C'est plutôt ce dernier qu'elle doit vivre et prolonger, tandis qu'elle est sur la terre. Le mariage spirituel ici-bas réalise l'union parfaite au Christ Jésus dans la plénitude de son corps mystique.

Les divergences signalées entre saint Jean de la Croix et sainte Thérèse se résolvent dans cette lumière. Parvenus à l'union transformante, tous deux portent en eux la plénitude du Christ avec ses richesses antinomiques et le double mouvement de son amour pour Dieu et pour les âmes. Pour expliquer que telle richesse ou l'un des mouvements de l'amour s'explicite plus nettement chez l'un ou chez l'autre, il suffit de rappeler que les dons de Dieu s'étalent chez les saints avec des tonalités diverses qui correspondent à la grâce particulière, à la mission et au tempérament de chacun.

Saint Jean de la Croix, réformateur, confesseur, écrivain, supérieur de couvent, donne ses journées à des travaux apostoliques, est pris par les soucis de ses charges, par les angoisses du gouvernement et de l'avenir de la réforme entreprise. Comment, en ces travaux et ces préoccupations, si lourdes parfois, ce contemplatif au regard si pénétrant, aux sens spirituels affinés, ne nourrirait-il pas le désir ardent de se reposer en entrant dans les profondeurs de la pénombre lumineuse du Bien-Aimé qui paraissant dormir en son sein, lui livre tant et de si suaves secrets ?

D'ailleurs, c'est sa mission à lui de dévoiler les secrètes opérations que l'Esprit d'amour réalise en tous ceux qui se livrent à lui et le laissent opérer dans le silence de la nuit. Il lui appartient de réveiller ceux qui dorment, de venir en aide à tous ceux que leur ignorance attarde, d'interpeller vigoureusement les agités et les passionnés de son siècle, les activistes de tous les temps, les spirituels superficiels qui vivent à la périphérie de leur âme, les illuminés en quête de faveurs extraordinaires, les quiétistes noyés dans la saveur. Il doit faire entendre la voix de la Sagesse qui, des régions profondes où elle distribue ses trésors, leur crie :

Ô âmes créées pour de telles grandeurs ! ô vous qui êtes appelées à les posséder ! Que faites-vous ? A quoi vous occupez-vous ? Vos prétentions ne sont que bassesse, et vos biens ne sont que misère. Ô triste aveuglement ! Les yeux de votre âme ne voient plus ! En présence d'une lumière si éclatante vous restez aveuglés ! Quand des voix si puissantes se font entendre, vous restez sourds ! Comment ne voyez-vous pas que si vous recherchez les grandeurs et la gloire de ce monde, vous resterez vils et misérables, ignorants de tous ces trésors du ciel et indignes de les posséder ? [1]

Saint Jean de la Croix s'attache à exalter les richesses divines de la Sagesse parce qu'il a reçu mission de les découvrir au monde et d'en attiser le désir ; il proclame combien sont peu nombreux ceux qui les connaissent et nombreux, par contre, ceux qui s'attardent sur la route, parce qu'il a reçu mission de conduire les âmes à la source par le sentier douloureux de la nuit. Il gémit lui-même devant ces trésors parce que, aux prises avec le péché du monde, il ne les possède pas encore à la mesure de son immense espérance.

Le saint Curé d'Ars lui-même ne soupirait-il pas lui aussi après la solitude de la Trappe vers laquelle il s'échappa deux fois ? Nous comprenons l'angoisse et la fuite de cet homme, attaché par l'amour en son confessionnal où affluait le péché et d'où jaillissait abondante, la miséricorde. Des deux aspirations de l'amour vers Dieu et les âmes, celle-là gémit et s'explicite douloureusement qui n'est pas satisfaite.

C'est ce qui nous explique que sainte Thérèse d'Avila, entendant parler des ruines accumulées en France par les guerres de religion, gémissait en son cloître sur son impuissance et sur sa qualité de femme qui lui interdisaient de porter secours.

Comme si j'eusse pu, ou que j'eusse été quelque chose, je répandais mes larmes aux pieds du Seigneur et le suppliais d'apporter un remède à un tel mal. Il me semblait que j'aurais sacrifié volontiers mille vies pour sauver une seule de ces âmes qui s'y perdaient en grand nombre. Mais étant femme et bien imparfaite encore, je me voyais impuissante à réaliser ce que j'aurais voulu pour la gloire de Dieu...

O mon Rédempteur, je ne puis supporter ce spectacle sans que mon cœur soit brisé de douleur ! [2]

Quelques années passées dans le monastère réformé de Saint-Joseph que sainte Thérèse a fondé, ont suffi pour développer d'une façon prodigieuse son amour pour Dieu et lui découvrir à lui-même ses richesses et ses exigences.

Au fur et à mesure que le temps s'écoulait, s'allumaient en moi les plus ardents désirs de contribuer au salut de quelques âmes. Il me semblait souvent que j'étais comme une personne qui, ayant

---

1. *Cant. Spir.*, str. XXXVIII, pp. 893-894.
2. *Chem. Perf.*, ch. I, pp. 583-584.

un riche trésor en réserve et voulant en faire part à tout le monde, se trouverait les mains liées, sans pouvoir le distribuer. Mon âme me semblait donc ainsi enchaînée. Les grâces dont le Seigneur la favorisait à cette époque étaient très élevées, mais, demeurant en moi seule, elles me paraissaient mal employées [1].

C'est une surprise pour sainte Thérèse plus que pour nous-mêmes. Cet amour a besoin de se répandre. Il a reçu une mission de conquête. La clôture qu'il s'est construite lui-même pour assurer son intimité avec Dieu et son développement, ne fait maintenant qu'aviver ses désirs.

Mais il n'y a pas de doute ; ses désirs d'expansion ne sont point des velléités passagères, un besoin naturel de changement. Ils sont le témoignage authentique d'une mission divine. Faits extérieurs et réactions intérieures de sainte Thérèse le prouvent surabondamment.

Voici qu'en effet les récits du franciscain Maldonado jettent de l'huile sur ce brasier ardent :

Ce Père n'était arrivé des Indes que depuis peu. Il me raconta combien de millions d'âmes s'y perdaient faute d'instruction religieuse. Il nous adressa ensuite à toutes un sermon pour nous exhorter à la pénitence ; puis il partit. Je fus si affligée de la perte de tant d'âmes que je ne savais que devenir. Je me retirai dans un ermitage où je répandis des larmes en abondance. Je suppliai Notre-Seigneur à grands cris de me procurer le moyen de travailler un peu à lui gagner quelques âmes, puisque le démon lui en ravissait un si grand nombre... Je portais beaucoup d'envie à ceux qui, animés de son amour, avaient la liberté de se consacrer à cette œuvre, même au prix de mille morts. Aussi les conversions opérées par les saints dont nous lisons la vie excitent beaucoup plus ma dévotion, mes larmes, mes désirs, que tous les martyres qu'ils endurent. Telle est la disposition que Notre-Seigneur a mise en moi. Il estime plus, ce me semble, une âme que notre industrie et notre oraison lui attirent avec l'aide de sa miséricorde, que tous les services que nous pouvons lui rendre [2].

Obéissant au mouvement impérieux de son amour, cette contemplative qui ne rêvait qu'intimité seule à seul et solitude, entreprend la fondation de multiples monastères. A ses filles, elle donne comme vocation le fruit de ses découvertes successives. Elle leur procure la solitude afin qu'en des contacts profonds avec Dieu, leur amour s'embrase et qu'il se mette au service de l'Église. Les œuvres extérieures qu'elle ne peut faire elle-même, cette femme géniale les réalisera en étendant sa Réforme aux religieux animés de son esprit et de ses désirs. Cette

1. *Fondat.*, ch. I, p. 1074.
2. *Ibid.*, p. 1075.

contemplative poursuit sa marche, sacrifiant sa tranquillité et son âme pour une œuvre qui ne veut être que pour l'Église. C'est lorsqu'elle aura tout sacrifié, même l'œuvre de sa Réforme en acceptant de revenir comme prieure au monastère de l'Incarnation, que Jésus viendra à elle pour l'union parfaite du mariage spirituel. Il apparaît alors clairement que les deux mouvements de l'amour ne divergent qu'apparemment et sur le plan extérieur seulement, qu'en réalité ils se nourrissent mutuellement et que leur diversité est harmonie et richesse profondes.

Sainte Thérèse de l'Enfant-Jésus nous présente un exemple suggestif de cette synthèse harmonieuse des deux mouvements de l'amour vers Dieu et vers les âmes. Dieu procède par touches successives, délicates, mais combien profondes pour réaliser le chef-d'œuvre qu'est ce grand apôtre des temps modernes.

La grâce de conversion de Noël 1886 est suivie de la grâce qui l'embrase du zèle des âmes [1], cette soif qui augmente sans cesse après la conversion de Pranzini [2]. Mais elle refuse, au cours du voyage à Rome, de lire les *Annales* des religieuses missionnaires car elle veut tout sacrifier pour l'instant au développement de l'amour. Elle entre cependant au Carmel « pour sauver les âmes et surtout afin de prier pour les prêtres [3] ». Les grands désirs augmentent avec l'amour, désirs de souffrances pour le Christ et les âmes, désirs immenses d'apostolat

---

1. « Jésus... fit de moi un pêcheur d'âmes, je sentis un grand désir de travailler à la conversion des pécheurs, je n'avais pas senti aussi vivement... Un Dimanche en regardant une photographie de Notre-Seigneur en Croix, je fus frappée par le sang qui tombait d'une de ses mains Divines ; j'éprouvai une grande peine en pensant que ce sang tombait à terre sans que personne ne s'empresse de le recueillir, et je résolus de me tenir en esprit au pied de la Croix pour recevoir la Divine rosée qui en découlait comprenant qu'il me faudrait ensuite la répandre sur les âmes... Le cri de Jésus sur la Croix retentissait aussi continuellement dans mon cœur : " J'ai soif ! " Ces paroles allumaient en moi une ardeur inconnue et très vive... Je voulais donner à boire à mon Bien-Aimé, et je me sentais moi-même dévorée de la soif des âmes... Ce n'était pas encore les âmes de prêtres qui m'attiraient, mais celles des grands pécheurs, je brûlais du désir de les arracher aux flammes éternelles... » *Man. Autob.*, A fol. 45 v°.

2. « Depuis cette grâce unique, mon désir de sauver les âmes grandit chaque jour, il me semblait entendre Jésus me dire comme à la samaritaine : " Donne-moi à boire ! " C'était un véritable échange d'amour ; aux âmes je donnais le sang de Jésus, à Jésus j'offrais ces mêmes âmes rafraîchies par sa rosée Divine, ainsi il me semblait le désaltérer et plus je lui donnais à boire, plus la soif de ma pauvre petite âme augmentait et c'était cette soif ardente qu'il me donnait comme le plus délicieux breuvage de son amour... » *Man. Autob.*, A fol. 46 v°.

3. *Man. Autob.*, A fol. 69 v°.

qui deviennent un véritable martyre [1]. L'amour lui permet de réaliser toutes ses aspirations, cet amour qui la place au centre de l'Église pour y répandre la vie, comme le cœur dans le corps tout entier. Ce don à l'Église aspire encore à prendre toutes les formes et tous les moyens pour être efficace et complet. Quelques semaines avant sa mort, elle contemple un tableau de Jeanne d'Arc dans sa prison :

> Les saints, dit-elle, m'encouragent moi aussi dans ma prison. Ils me disent : Tant que tu es dans les fers, tu ne peux remplir ta mission ; mais plus tard, après ta mort, ce sera le temps de tes travaux et de tes conquêtes [2].

L'amour a emprisonné Thérèse de l'Enfant-Jésus et lui a forgé des fers dont il ne peut dissimuler lui-même qu'ils lui sont une contrainte. La survie lui assurera de fait toute la liberté qu'il réclame pour étaler toutes ses puissances et exercer toutes ses virtualités. Thérèse reviendra pour aider tous les apôtres, surtout les conquérants. Ce sera toujours pour donner et faire aimer l'Amour.

Aimer, être aimée et revenir sur la terre pour faire aimer l'Amour [3].

Ce qui l'attire vers le ciel, c'est la certitude de pouvoir réaliser cette mission jusqu'à la fin des temps.

Ce geste de l'amour qui descend pour conquérir en aimant et qui remporte dans les hauteurs sa proie devenue ardente, c'est la synthèse du double mouvement de l'amour, c'est le geste de l'apostolat qui est parfait parce qu'il se confond avec le geste et l'action de Jésus lui-même.

Mais faut-il attendre d'être parvenu sur ces sommets pour que s'harmonisent dans la vie spirituelle ces deux aspirations ou mouvements de l'amour ? Faut-il attendre l'identification parfaite au Christ Jésus pour travailler efficacement à l'édification du corps mystique ? En d'autres termes, l'apostolat est-il le privilège exclusif de l'amour et de l'amour en sa plénitude débordante ? Problèmes difficiles, certes, mais d'une telle importance pratique que nous croyons devoir les examiner sous la lumière qui nous vient de ces sommets de l'union transformante.

---

1. *Man. Autob.*, B fol. 3 r°.
2. *Dern. Ent.*, CJ 10.8.4.
3. *Procès Apostolique*, p. 316 ; cf. aussi *Conseils et Souvenirs*, p. 184 et *Dern. Ent.*, DE/G 7.4, p. 596 et p. 721, note 148.

B. — *APOSTOLAT DE L'AMOUR*
ET MISSIONS D'APOSTOLAT

Devant la complexité de ce problème, nous ne pouvons procéder que par affirmations successives. C'est le seul moyen en notre pouvoir, pour essayer de mettre un peu de clarté dans la multiplicité de pensées qu'il soulève.

I. — *Il existe des missions divines d'apostolat distinctes de l'apostolat de l'amour.*

S'il est incontestable en effet que l'union transformante, en soumettant parfaitement le saint à l'Esprit Saint et en l'identifiant au Christ Jésus, en fait un apôtre parfait, il est vrai aussi que la fécondité spirituelle n'est pas le privilège exclusif de l'amour parvenu à ce degré, vrai encore que la puissance efficace d'action de l'Église n'est pas réservée à la charité surnaturelle. L'apostolat est en effet un devoir, non seulement pour le saint, mais pour tout chrétien quel que soit son degré de charité. L'Esprit Saint utilise de fait pour son œuvre dans l'Église, les âmes à toutes les étapes de leur vie spirituelle et les missions qu'il leur confie ne sont pas à la mesure de leur amour.

Partant du principe qui l'anime il faut donc distinguer deux formes d'apostolat : celui qui procède directement de la charité surnaturelle et celui qui est exercé en vertu d'une mission confiée par Dieu.

On pourrait trouver déjà un fondement à cette distinction dans les deux aspects de la médiation sacerdotale exercée par le Christ Jésus. Jésus est en effet médiateur par l'union en la personne du Verbe des deux termes à unir, la divinité et l'humanité. Cette médiation d'ordre physique dans le Christ a été réalisée à la suite d'un choix ou mission conférée par Dieu.

Nul ne s'arroge cette dignité, écrit l'apôtre, il faut y être appelé de Dieu comme Aaron.

Ainsi le Christ n'a pas eu la présomption de devenir grand-prêtre de son propre chef, mais il y a Quelqu'un qui lui a dit : Vous êtes mon Fils, je vous ai engendré aujourd'hui, comme il est dit ailleurs : Vous êtes prêtre pour l'éternité selon l'ordre de Melchisédech. C'est lui qui, durant sa vie mortelle, multipliait prières et supplications... Et maintenant parvenu à son terme, il est devenu pour tous ceux qui lui obéissent cause de salut éternel, Dieu l'ayant proclamé grand-prêtre selon l'ordre de Melchisédech[1].

Dans le Christ Jésus mission de médiation et sa réalisation par l'union hypostatique et la plénitude de grâce, se recouvrent parfaitement et ainsi se confondent. Cette union parfaite est un idéal qui est offert au chrétien chez qui mission confiée et plénitude de charité pour la remplir parfaitement restent deux réalités distinctes[2].

L'Esprit Saint, l'intendant chargé de l'exécution des desseins divins, confie des missions importantes pour la réalisation de ces desseins et pour le bien de l'ensemble, à des personnages dont les antécédents ne semblent pas justifier un tel choix et dont la vie ne se trouve pas transformée par l'imposition d'une telle mission. La distinction entre la mission reçue et la charité apparaît nettement par un décalage au détriment de cette dernière. Il suffit de lire les livres de l'Ancien Testament pour s'en convaincre. Juges, rois, prophètes même, ancêtres du Christ ne sont pas toujours dignes de la haute mission qui leur est confiée. Leurs fautes et même leur idolâtrie ne mettent cependant aucun doute sur la légitimité et l'efficacité de la mission qu'ils auront à remplir.

L'apôtre saint Paul s'est plu à souligner comment, dans l'Église, l'Esprit Saint distribue les dons ou charismes pour le bien de l'ensemble.

Il y a diversité d'opérations, écrit-il, mais c'est le même Dieu qui opère tout en tous. Et toujours ces manifestations de l'Esprit sont départies en vue du bien commun. A l'un, l'Esprit donne le discours de sagesse ; à un autre, le même Esprit donne le discours de science ; à un autre encore, l'Esprit donne la foi ; à un autre, toujours, cet Esprit unique départit le charisme des guérisons. Il donne encore tantôt le don d'opérer des miracles, tantôt la prophétie, tantôt le discernement des esprits, tantôt le don des langues, ou le don de les interpréter[3].

Auprès de ces dons charismatiques donnés par l'Esprit pour l'édification de l'Église, saint Paul place certaines fonctions pastorales.

Dieu a établi dans l'Église premièrement des apôtres, secondement des prophètes, troisièmement des docteurs, ensuite ceux qui

---

1. He 5, 4-10.
2. Le caractère sacerdotal laisse subsister la distinction entre mission et grâce. Ce caractère est un caractère du Christ, dit saint Thomas ; il configure au Christ et fait participer au sacerdoce dont le Christ possède la plénitude par sa nature en donnant au prêtre ordonné une certaine puissance spirituelle en rapport avec les sacrements et ce qui concerne le culte divin (*Sum. th.*, IIIa, qu.63, art.3-5).
3. 1 Co 12, 6-10.

ont les dons de guérir, d'assister, de gouverner, de parler diverses langues [1].

Pouvoirs donnés à la hiérarchie, augustes fonctions du sacerdoce, charismes, sont tous distincts de la charité ; les développements subséquents de l'Apôtre en témoignent :

Aspirez aux dons les plus parfaits, poursuit-il en effet, (parlant de ces charismes d'apostolat). Aussi bien je vais vous montrer une voie excellente entre toutes [2].

Cette voie excellente entre toutes c'est la charité dont l'éloge remplit le chapitre suivant.

Bien que conférées et exercées en des formes extérieures moins extraordinaires, ces fonctions et ces grâces charismatiques subsistent dans l'Église. L'Église pourvoit elle-même au choix de ses ministres. Les vocations particulières d'apostolat se sont groupées et organisées en des institutions et des ordres religieux. L'action directe de l'Esprit ne se révèle plus que rarement en des charismes extraordinaires. Pour être moins apparente et marquée de signes moins brillants, elle n'en est que plus profonde et plus certaine dans le choix des vocations et la collation des pouvoirs. Mais l'organisation dont l'entoure désormais la prudence humaine laisse subsister entre la fonction et la charité la distinction de droit, et même un décalage de fait que l'on peut hélas parfois constater.

Pour distinguer comme il convient, évitons cependant de séparer. Les fonctions d'apostolat qui peuvent être appelées grâces charismatiques au sens générique du mot, sont accompagnées d'une grâce et doivent normalement contribuer à la sanctification de l'âme qui les reçoit. D'où une deuxième affirmation.

II. — *Une grâce accompagne les missions d'apostolat.*

Cette grâce peut élever immédiatement l'âme à la hauteur de sa mission, c'est-à-dire établir une égalité entre la charité de l'âme et les fonctions qui lui sont confiées. L'âme devient aussitôt un parfait instrument. Charité et fonction se recouvrent parfaitement comme dans le Christ Jésus lui-même où la fonction de médiateur peut se greffer sur l'union hypostatique qui est déjà une

1. 1 Co 12, 28.
2. *Ibid.*, 31.

médiation d'ordre physique. Il en fut ainsi pour la Vierge Marie dont la plénitude de grâce fut dilatée par l'action de l'Esprit au jour de l'Annonciation, à la mesure de sa dignité et de ses fonctions de Mère de Dieu.

Privilège assuré à la Vierge Mère de Dieu, nous en avons la certitude. Même si quelque saint en a été favorisé, ce privilège reste exceptionnel. Habituellement, grâce et fonction restent non seulement distinctes, mais sont conférées au début en des proportions inégales.

La grâce existe cependant. Essayons de l'analyser.

1. *Grâce de préparation.* — L'Esprit Saint ne fait rien au hasard. Il prépare ses instruments. Abraham quitte son pays par étapes successives sur l'ordre de Dieu, pour prendre possession du pays qui doit devenir l'héritage de la postérité nombreuse dont il doit être le père. Moïse est sauvé des eaux, élevé à la cour de Pharaon où il reçoit la meilleure éducation de son temps ; il est entraîné au désert où pendant quarante ans il vivra la vie solitaire de berger, avant que Dieu ne se découvre à lui dans le buisson ardent et ne lui confère sa mission de libérateur et de conducteur du peuple hébreu. Combien admirables aussi les voies que l'Esprit Saint fait suivre à saint Jean-Baptiste, à saint Paul pour les préparer à leur mission exceptionnelle.

Guidée par l'Esprit Saint, l'Église impose à ses ministres une période de préparation obligatoire avant de leur conférer les pouvoirs du sacerdoce. Précédée d'un choix divin cette préparation extérieure s'inscrit dans le déroulement d'événements providentiels et sur une action intérieure de l'Esprit Saint qu'elle doit favoriser et épanouir.

2. *Dieu confère des pouvoirs.* — En conférant le charisme ou mission d'apostolat, Dieu donne des pouvoirs qui ont une efficacité certaine. Les juges choisis par Dieu délivrent chaque fois Israël de ses ennemis. Le roi sacré sur l'ordre de Dieu est revêtu d'une puissance qui lui permet de dominer sur son peuple et de vaincre ses ennemis. Dieu veut que ses envoyés soient convaincus de l'efficacité de la mission qui leur est conférée. Gédéon peut demander des signes contradictoires [1]. Dieu ne se lasse pas de les lui accorder. Dieu répond aux objections que lui fait Moïse et lui dévoile la puissance de thaumaturge qu'il lui confère. [2] La victoire que Gédéon remporte

---

1. Jg 6.
2. Ex 3 et 4.

avec quelques soldats sans armes et les récits merveilleux de l'Exode montrent que les signes donnés par Dieu avaient authentiqué une mission divine et une puissance surnaturelle.

C'est en cette mission et en ce pouvoir que réside essentiellement le charisme conféré par l'Esprit Saint pour le bien de l'ensemble et dont on ne saurait nier l'efficacité et la fécondité propres. Le juge de l'Ancien Testament, Gédéon ou Jephté, agissait au nom de Dieu et libérait son peuple, quelles que fussent ses dispositions.

Dans la loi nouvelle, le prêtre reçoit au jour de son ordination tous pouvoirs sur le corps du Christ pour répandre la vie divine. Il consacre, absout validement, répand en effet la grâce dans les âmes, même s'il l'avait perdue lui-même. Avec le charisme de sa vocation le religieux enseignant peut faire pénétrer la lumière dans les intelligences avec une certaine efficacité sans que sa vie spirituelle entre directement en jeu. Une activité apostolique peut porter des fruits quel que soit le degré de charité qui l'anime.

La fécondité n'est pas liée nécessairement à la charité surnaturelle de l'instrument. C'est Dieu qui la donne [1]. Il peut l'attacher d'une façon permanente à des dons comme les grâces charismatiques, comme aussi à toute activité humaine de son choix.

3. *Grâce pour l'accomplissement de la mission.* — Dieu doit à l'instrument de soutenir sa faiblesse et de l'aider à remplir dignement la mission ou les fonctions qu'il lui a confiées. Aussi, avec ces pouvoirs et cette mission, Dieu donne toujours une grâce appropriée pour les exercer dignement selon les vouloirs divins.

Il est touchant de constater dans la sainte Écriture avec quelle sollicitude affectueuse Dieu se penche sur les instruments qu'il s'est choisis. « Je serai avec toi », dit-il à Moïse qui s'inquiète des difficultés de sa mission [2]. Il était aussi avec Abraham, avec Jacob, avec Joseph, avec Samuel le juge. Il s'empare de Saül aussitôt après son sacre [3]. Lorsque Samuel eut sacré David, « l'Esprit de Yahweh fondit sur David à partir de ce jour et dans la suite [4] ». Cette assistance s'étale extérieurement par des œuvres au point qu'elle devient un fait que chacun peut

1. « Dieu donne l'accroissement », 1 Co 3, 6.
2. Ex 3, 12.
3. 1 S 10, 9.
4. *Ibid.*, 16, 13.

constater et qui est maintes fois souligné dans les saintes Lettres.

Cette assistance ou présence de Dieu avec son serviteur se manifeste dans les bénédictions dont il le comble, dans les grâces de fidélité et la protection qu'il lui assure. Elle est distincte, semble-t-il, des pouvoirs conférés. Il n'est pas écrit de tous les envoyés que Dieu est avec eux. Lorsque Saül a été infidèle, Dieu n'est plus avec lui et son esprit se repose sur David, tandis que Saül continue cependant à exercer la royauté[1].

Cette emprise de Dieu presque visible sur le patriarche, le roi ou le prophète de l'Ancien Testament, fait songer au caractère imprimé par le sacrement de l'Ordre dans l'âme du prêtre. Caractère dont l'effet premier est la collation des pouvoirs, mais qui comporte aussi la grâce pour les exercer dignement. L'onction sacerdotale met le prêtre au service de Dieu et de son peuple ; elle pénètre profondément en lui, l'entoure d'un nimbe lumineux qui le fait resplendir aux yeux de tous, et lui assure tous moyens efficaces pour devenir un autre Christ vivant.

Dans le sentiment de l'onction qui s'est répandue en tout son être, le nouveau prêtre pourrait croire qu'il est déjà parvenu à l'identification avec le Christ qu'il souhaite si ardemment. L'illusion est facile, aussi facile qu'au religieux qui peut penser dans la ferveur de sa profession, avoir trouvé la réalisation du don parfait de soi qu'il rêve. Pour sensible et puissante que soit cette grâce, elle n'est ordinairement qu'un bourgeon en fleurs, qu'une grâce de prémices destinée à assurer la fidélité dans l'exercice des fonctions et dans la réalisation du don de soi. Ce n'est que plus tard, peut-être après de longues années de fidélité, que le prêtre pourra mettre à la disposition du sacerdoce une charité surnaturelle qui lui fera réaliser en sa plénitude féconde le sacerdoce du Christ.

III. — *L'accomplissement de la mission et la perfection de la charité.*

A insister longuement sur les distinctions, on finit par créer des oppositions. C'est ainsi que mission d'apostolat et charité surnaturelle pourraient bien maintenant nous paraître puissances ennemies qu'il faut maintenir à distance l'une de l'autre, de crainte qu'elles ne se

---

1. 1 S 18, 12.

nuisent. Cependant, c'est dans leur union que chacune trouve sa perfection et que réside le secret de la sainteté. Essayons de déterminer leurs intimes rapports.

Le soin que Dieu met dans les préparations providentielles de ses instruments indique le prix qu'il attache à cette collaboration humaine. Cette action de l'instrument est inscrite dans les desseins divins comme un moyen indispensable de leur réalisation. Aussi l'Esprit Saint fait-il de la fidélité de son instrument à la mission qu'il lui a confiée, la condition de son amitié. Cette fidélité est la grande preuve d'amour que Dieu réclame. « Si vous m'aimez vous garderez mes commandements », affirme Notre-Seigneur [1]. Est-il commandements plus importants que ceux qui découlent du choix divin et qui fixent notre tâche et notre mission ici-bas ? La preuve d'amour comme le précepte ne se limite pas à un point particulier, mais s'étend à une vie entière et atteint la réalisation même du plan divin.

Les choix divins sont lourds de toute la richesse de la grâce et de la mission dont ils sont chargés. Aussi Saül, objet d'un choix divin extraordinaire, est rejeté pour avoir épargné Agag roi d'Amalec qu'il aurait dû exterminer avec son peuple [2] et Dieu reprend vivement Samuel qui s'attarde à pleurer sur le rejet de ce premier roi qu'il a oint lui-même au nom du Seigneur [3]. David et son peuple sont sévèrement châtiés à cause de l'adultère royal qui a « fait mépriser Yahweh par ses ennemis [4] ». Moïse et Aaron n'entreront pas dans la terre promise,

parce que, dit le Seigneur, dans le désert de Sin lors de la contestation de l'assemblée, vous avez été tous deux rebelles à l'ordre que j'avais donné de me sanctifier devant eux à l'occasion des eaux [5].

C'est dans la lumière du don fait par Dieu, de l'importance de la mission et des exigences divines qui l'accompagnent, qu'il faut juger ces sévérités de Dieu.

Dans l'Église primitive, l'Esprit Saint étale au grand jour son action de véritable fondateur de l'Église. Ananie et Saphire sa femme, ont vendu leurs biens et ont apporté une partie du fruit de la vente aux apôtres en disant qu'ils ont tout donné :

1. Jn 14, 15.
2. 1 S 15, 20-30.
3. *Ibid.*, 16, 1.
4. 2 S 12, 14.
5. Nb 27, 14.

Ce n'est point aux hommes que tu as menti, mais à Dieu, lui dit l'apôtre Pierre. En entendant ces paroles, Ananie tomba et expira, et tous ceux qui apprirent la chose furent pris d'une grande terreur[1].

Quelques instants après, Saphire arrive et expire à son tour. Le châtiment est à la mesure de l'action de l'Esprit Saint qui a été offensé, puissant et extérieur comme elle, pour que soit assurée une digne réparation.

Sainte Thérèse a une vision de l'enfer, « une des grâces les plus insignes, dit-elle, que le Seigneur m'ait accordées[2] ». Elle y voit la place que lui aurait méritée l'infidélité aux grâces divines.

Ces exemples terrifiants nous montrent la valeur que Dieu attache aux missions qu'il confère et la réponse de droiture et de fidélité généreuse qu'il exige de ceux auxquels il a révélé la puissance de sa grâce.

Mais aussi quelles bénédictions et quel épanouissement de la charité divine pour l'âme qui donne la fidélité que Dieu attend. Avec le succès de la mission qui prend des extensions merveilleuses, c'est la sainteté de l'âme que réalise cette fidélité d'amour.

Dieu ne se lasse pas de récompenser le bon serviteur qui a rempli sa tâche. Avoir enfoui le talent reçu entraîne la peine de l'enfer, en avoir fait fructifier quelques-uns pour le maître assure le gouvernement d'un royaume[3].

Abraham montre une foi héroïque en la parole de Dieu :

Abraham eut foi en Dieu, dit l'apôtre, et ce lui fut imputé à justice... C'est lui qui, espérant contre toute espérance eut foi, si bien qu'il devint père d'un grand nombre de nations[4].

Cette paternité non seulement s'étend à tout le peuple hébreu, mais saint Paul la réclame jalousement pour tous les croyants et donc pour tous les chrétiens[5]. Cette justice a valu à Abraham de devenir un ami de Dieu dont l'intercession sera puissante pour tous ses fils selon la chair et selon sa foi.

Moïse, malgré un oubli passager, donne à Dieu une fidélité à sa mission qui fait de lui un incomparable conducteur de peuple, le législateur d'Israël, un prophète tel qu'il

---

1. Ac 5, 4-5.
2. *Vie*, ch. XXXII, p. 347.
3. Mt 25, 14-30.
4. Rm 4, 22 et 18.
5. Ga 4, 22-31 ; Rm 4, 16.

ne s'en est plus levé de semblable en Israël et que Yahweh connaissait face à face [1].

Devenu le confident et le familier, il ose demander de voir la face de Dieu. L'Esprit lui rend en effet ce témoignage :

Il est reconnu fidèle dans toute ma maison. Je lui parle bouche à bouche en me faisant voir et non par énigmes, et il contemple la figure de Yahweh [2].

Le trône de David est affermi en toute sa postérité en raison aussi de sa fidélité et ses psaumes nous disent la profondeur et l'intimité suave de ses relations avec Dieu. Le vase d'élection qu'est saint Paul devient par ses travaux le véritable apôtre des Gentils et les épîtres contemplatives dites de la captivité, nous montrent combien en cette fidélité à sa mission, son regard est devenu pénétrant pour sonder les profondeurs du grand mystère dont il est le prédicateur et combien ardente est devenue sa charité dans l'union parfaite réalisée avec le Christ Jésus. Sainte Thérèse, nous l'avons dit, est élevée au mariage spirituel lorsque depuis dix ans elle se donne à sa tâche de fondatrice et qu'elle a tout sacrifié à l'Église.

Une mission divine d'apostolat est un poids douloureux de grâce qui peut précipiter l'âme dans des abîmes de perdition ; par la fidélité humble et amoureuse, il porte l'âme vers les profondeurs insondables de l'intimité et de la familiarité avec Dieu. Le charisme par cette fidélité, conduit à l'union transformante.

L'accomplissement parfait de la mission est donc la grande preuve d'amour que Dieu exige de ceux à qui il l'a conférée. En une de ses dernières apparitions, Jésus demande à Pierre :

« Simon, fils de Jean, m'aimes-tu plus que ceux-ci ? » Sur la réponse affirmative de Pierre, Jésus lui dit : « Pais mes agneaux ». Trois fois la demande est renouvelée. Pierre s'en afflige. La conclusion de Jésus reste la même : « Pais mes brebis » [3].

Probablement, réparation pour le triple reniement de Pierre, mais surtout indication précise que la preuve de plus grand amour qui est demandée à Pierre, c'est de remplir sa mission de pasteur de toutes les âmes.

---

1. Dt 34, 10.
2. Nb 12, 7-8.
3. Jn 21, 15-17.

La vérité mise en relief par ces paroles et ces grands exemples dépasse le cas particulier des missions divines extraordinaires. Elle s'applique à toutes les âmes. Chaque chrétien incorporé au Christ total par son baptême, a sa mission, sa vocation dans l'Église. Ce rôle social est sa raison d'être puisque dans le plan divin l'Église est la fin de toutes choses. La réalisation de sa vocation, l'accomplissement du devoir d'état, l'acceptation des charges providentielles, la fidélité à tous les devoirs qui lui viennent de son appartenance à l'Église constituent la preuve d'amour que Dieu impose à chaque chrétien.

N'avoir reçu qu'un talent tandis que d'autres en reçoivent deux ou cinq expose davantage à la tentation de l'enfouir : c'est ce que semble suggérer la parabole évangélique des talents. Cependant l'obligation est la même pour tous. Celui qui a reçu moins sera sévèrement puni lui aussi. L'unique talent reçu l'oblige au travail pour le maître, à la fidélité qui tue l'égoïsme et qui nourrit l'amour. Ce sont ces services rendus à Dieu qui obtiendront, assure saint Jean de la Croix, la lumière et les épreuves qui purifient le regard simple de la foi qui attire irrésistiblement Dieu ; c'est cette humble fidélité quotidienne qui tisse ce fil ténu de l'amour qui enchaîne Dieu définitivement dans l'union parfaite.

Ces vérités apparaissent évidentes lorsqu'on a l'avantage de rencontrer sur sa route un de ces humbles ouvriers de la Providence qui ont consumé leur vie dans l'accomplissement des ordinaires devoirs de la vie religieuse ou sacerdotale, d'une vie familiale plus complexe encore, et qui inconsciemment mais avec un charme surnaturel si prenant, étalent dans la simplicité limpide de leur regard de foi, dans la paix débordante de leur charité, les fruits de leur fidélité amoureuse et les clartés d'aurore de l'union réalisée. Ils témoignent ainsi à leur façon que pour aimer il faut servir, et qu'en servant on parvient à la perfection de l'amour.

En ce domaine, les illusions restent nombreuses et répandues. Il est si facile de croire que pour servir il faut faire des choses extraordinaires ou sacrifier tout à des œuvres particulières, bonnes d'ailleurs, mais en marge du devoir d'état personnel qui est la part la plus importante et imprescriptible du devoir d'apostolat que nous devons à Dieu et à l'Église ; si facile aussi pour la générosité authentique de dévier sous l'influence des tendances de tempérament ou sous la lumière de ces demi-vérités aussi dangereuses que les demi-savants que craignait sainte Thérèse.

Aussi à ces affirmations ajoutons quelques corollaires pratiques qui en préciseront certains aspects.

Sainteté pour l'Église

IV. — *Corollaires.*

1. C'est une fidélité d'amour que Dieu demande dans l'accomplissement de la mission qui nous est confiée.

Cette fidélité est une collaboration à l'action de l'Esprit Saint qui construit l'Église. L'Esprit Saint est l'Esprit d'amour qui construit avec l'amour. La collaboration doit être de même nature que l'action principale. L'instrument doit se plier aux modes d'agir de l'ouvrier. Il ne sera instrument parfait que lorsqu'il sera lui-même agi et animé uniquement par l'amour.

Dieu peut féconder toute activité humaine et l'utiliser pour ses fins. Il oriente vers la réalisation de ses desseins l'action des causes physiques et celle même du démon. Mais d'une collaboration sans amour l'instrument humain ne retire rien pour lui-même sinon le châtiment de son refus de donner à Dieu l'amour qu'il attendait de lui. La scène du jugement dernier décrite par Notre-Seigneur verse une lumière crue et dure sur ce problème :

Beaucoup me diront en ce jour-là : Seigneur, Seigneur ! N'est-ce pas en votre nom que nous avons prophétisé ? N'est-ce pas en votre nom que nous avons chassé les démons ? Et n'avons-nous pas en votre nom fait beaucoup de miracles ? Alors je leur dirai hautement : Je ne vous ai jamais connus. Éloignez-vous de moi, artisans d'iniquité [1].

Les merveilles faites en son nom n'assurent donc point l'amitié de Dieu et la récompense éternelle. Cette récompense est destinée à celui-là seul qui aime en faisant la volonté de Dieu. Jésus l'a précisé avant de prononcer cette condamnation :

Ce n'est pas celui qui m'aura dit : Seigneur ! Seigneur ! qui entrera dans le royaume des cieux, mais celui qui aura fait la volonté de mon Père qui est dans les cieux [2].

L'éloge bien connu de la charité fait par l'apôtre saint Paul est placé dans la première épître aux Corinthiens à la suite de la doctrine sur les charismes et pour la compléter en mettant ceux-ci en parallèle avec la charité.

Quand je parlerais les langues des hommes et des anges, si je n'ai pas la charité je suis un airain qui résonne ou une cymbale qui retentit. Quand j'aurais le don de prophétie, que je connaîtrais

---

1. Mt 7, 22-23.
2. *Ibid.*, 21.

tous les mystères et que je possèderais toute science... je ne suis rien. Quand je distribuerais tous mes biens pour la nourriture des pauvres, quand je livrerais mon corps aux flammes, si je n'ai pas la charité tout cela ne me sert de rien [1].

La doctrine est très claire : les charismes les plus brillants, quelle que soit leur efficacité pratique pour le bien du prochain et pour l'édification de l'Église, n'ont aucune valeur pour celui qui les possède sans la charité. La charité seule reste et a une valeur d'éternité, parce qu'elle est participation de la vie de Dieu.

Cet enseignement est commenté en ces termes par sainte Thérèse :

Dieu ne regarde pas tant à la grandeur de nos œuvres qu'à l'amour avec lequel nous les accomplissons [2].

Quant à sainte Thérèse de l'Enfant-Jésus, elle est inépuisable lorsqu'elle aborde ce thème qui est un des fondements de sa voie d'enfance spirituelle :

Ah ! si toutes les âmes faibles et imparfaites sentaient ce que sent la plus petite de toutes les âmes, l'âme de votre petite Thérèse, pas une seule ne désespérerait d'arriver au sommet de la montagne de l'amour, puisque Jésus ne demande pas de grandes actions, mais seulement l'abandon et la reconnaissance, puisqu'il a dit dans le Ps XLIX : « Je n'ai nul besoin des boucs de vos troupeaux, parce que toutes les bêtes des forêts m'appartiennent... Immolez à Dieu des sacrifices de louanges et d'actions de grâces [3] ».

Voilà donc tout ce que Jésus réclame de nous, il n'a point besoin de nos œuvres, mais seulement de notre amour [4].

L'activisme qui, dans l'apostolat, place les œuvres au-dessus de l'union à Dieu, source de charité, en sacrifiant pratiquement celle-ci à celles-là, trouve en ces textes une condamnation si évidente qu'il est inutile d'insister. Les œuvres sans l'amour, ou les œuvres qui empêchent de s'alimenter aux sources de la vie divine ne peuvent être qu'une cause de perdition pour celui qui en est l'instrument, serait-il favorisé des plus puissants charismes.

2. D'autre part ces œuvres ont une valeur et sont nécessaires. Guerroyer sans cesse contre l'activisme peut devenir un jeu périlleux. N'exalter que l'amour au détriment des œuvres peut conduire à déprécier l'activité

---

1. 1 Co 13, 1-3.
2. VIIe Dem., ch. IV, p. 1059.
3. Ps 49, 9.14.
4. *Man. Autob.*, B fol. 1 v°.

et à fausser les valeurs. Le danger existe. Certaines tendances idéalistes n'y échappent pas.

Pour cet idéalisme l'amour est un parfum, un fil ténu, un reflet, un sentiment élevé et très pur qui exige d'être dégagé de tout ce qui pourrait le ternir ou l'altérer. Il ne resplendit en toute sa beauté et ne donne toute sa fécondité que dans le repos de l'inactivité. La vie d'amour doit être à l'abri de tout contact qui peut souiller et de toute activité qui peut dissiper. La mort d'amour, c'est ce souffle désincarné à peine saisi, qui monte d'un visage diaphane, c'est ce dernier regard brillant des ardeurs qui ont fini de consumer.

Certes, il n'est pas question de diminuer la valeur d'un amour qui a si bien usé et affiné l'enveloppe corporelle qu'il peut à travers sa transparence montrer ses jeux lumineux. Mais d'une telle désincarnation et de tels effets visibles, faire une exigence absolue de l'amour et une condition de sa perfection, c'est confondre, nous semble-t-il, une de ses formes et de ses expressions avec sa réalité surnaturelle, c'est surtout fausser la véritable notion et les exigences de la charité surnaturelle.

L'amour a fait descendre le Verbe pour s'incarner au milieu de nous. Jésus s'est manifesté avec sa nature humaine conquérante par tout ce qu'elle dégageait de force et de vie, de dons humains et de rayonnement divin. En la synagogue de Nazareth il se présente à ses compatriotes en lisant les paroles qu'Isaïe a écrites de lui :

L'Esprit du Seigneur est sur moi, parce qu'il m'a oint pour annoncer la bonne nouvelle aux pauvres ; il m'a envoyé publier aux captifs la délivrance, aux aveugles le retour à la vue, renvoyer libres les opprimés, publier l'année favorable du Seigneur [1].

Affirmation très claire : l'onction de la divinité lui a été donnée pour qu'il aille vers son peuple, vers la pauvreté et la misère du pécheur. Jésus y va en effet. Il mangeait avec les pécheurs. Ce fut sa vie d'amour. Il meurt d'amour sur la croix en des circonstances qui déconcertent nos idéalisations terrestres et toutes nos conceptions humaines. Sur le gibet il apparaît en sa chair humaine dont les déchirures et le sang voilent seuls la nudité. En cette boue de péché qu'il avait prise sur lui, son amour incarné n'hésite pas à se montrer accablé, enseveli jusqu'à l'étouffement de l'agonie. Avant de mourir, il murmure les versets du psaume que le prophète avait composé pour lui et pour cette heure : « Mon Dieu, mon Dieu, pourquoi

---

1. Lc 4, 18-19 ; Is 61, 1-2.

m'avez-vous abandonné ? [1] » Lutte sublime, mais quelle incarnation de l'amour en notre chair de misère et de péché ! L'amour se libère enfin dans un cri qui dit en même temps que son triomphe, la réalité et la profondeur de son incarnation.

Devant cette vie et cette mort d'amour de Jésus, combien pauvres du véritable amour nous apparaissent ces idéalisations vaporeuses qui, pour vivre d'amour en plénitude et être consumées complètement par l'amour, refusent toute incarnation en notre terre de péché, et les travaux et les souffrances qui en sont la conséquence. Illusions de la paresse ou de la générosité, prodromes d'une psychose qui s'annonce ? Qui pourrait le dire ?

Du moins affirmons contre ces tendances que l'amour est une onction qui descend sur toute misère ici-bas, y compris le péché pour le guérir ; qu'il est un fil ténu, mais un fil puissant qui lie la gerbe des bonnes œuvres ; un parfum, mais un parfum qui monte des champs fécondés par ses travaux et par sa souffrance. Les œuvres et les plus grands charismes ne sont rien sans cette onction, sans ce fil et ce parfum qu'est l'amour. La grandeur des œuvres importe peu ; seule à une valeur en soi la qualité de l'amour. Mais cet amour ne saurait vivre, se développer et arriver à sa plénitude ici-bas sans accomplir parfaitement toute l'œuvre que Dieu lui a confiée en ses desseins éternels.

C. — *APOSTOLAT ET DÉVELOPPEMENT DE L'AMOUR*

Apostolat et amour ne s'harmonisent parfaitement que sur les sommets de l'union transformante. Sainte Thérèse partie pour voir Dieu ne le trouvera en plénitude qu'après avoir découvert l'Église et s'être donnée complètement à la mission qu'elle doit y remplir. Elle remplira parfaitement cette mission lorsqu'elle sera parvenue à l'union transformante. Sur les pentes de la montagne, les antinomies subsistent. Nos essais pour fixer les droits et la valeur de l'apostolat et de l'amour restent sur un plan théorique et ne sauraient fournir la lumière pratique nécessaire à chaque étape.

Un problème reste donc à résoudre : celui de l'apostolat en fonction du développement de l'amour. L'apostolat

1. Ps 21,2.

s'impose. Seul l'amour a une valeur d'éternité. Comment remplir son devoir d'apostolat en développant l'amour ?

Les solutions de ce problème peuvent être nombreuses. Chaque école de spiritualité en présente une, conforme à son génie et à sa grâce. A dire vrai, sainte Thérèse ne nous présente pas la sienne. Cette contemplative qui s'était bâti pour elle et pour ses filles une clôture, était trop humble pour oser construire une doctrine d'apostolat. D'autre part, elle avait un amour trop grand des âmes, un souci trop ardent de la perfection de celles avec lesquelles elle était en contact, pour ne pas leur donner à l'occasion dans ses écrits, les conseils appropriés à leurs fonctions d'apostolat extérieur. Ces conseils se trouvent dans la progression de ses ascensions contemplatives. Ils sont si précis à chaque étape, si lumineux dans la ligne qu'ils tracent qu'à les réunir et à les codifier, on pourrait, pensons-nous, rédiger un véritable traité pour la formation d'apôtres qui, restant des contemplatifs sous l'action de l'Esprit Saint, n'en seraient que des apôtres de plus haute qualité.

Aussi pensons-nous que les pages qui vont suivre ne seront pas les moins importantes de ce commentaire de la pensée thérésienne.

I. — *L'apostolat aux trois premières Demeures.*

En ces trois premières Demeures ou première phase caractérisée par le secours général de Dieu, l'action de Dieu reste au second plan, laissant à l'âme l'initiative et la direction de sa vie spirituelle. Notons que cette réserve de Dieu ne résulte pas d'une volonté particulière de sa part, mais des déficiences de la charité dans l'âme.

La charité en cette âme est faible encore et tous ses efforts d'accroissement rencontrent de nombreux obstacles. Les tendances ne sont pas encore dominées ; le démon, par elles, a une action facile sur les facultés et sur les sens. Elle ne se préservera du mal et ne réussira à puiser habituellement aux sources de la grâce divine dans les sacrements et l'oraison que grâce à une organisation forte qui assurera la mortification de ses passions et son union habituelle avec Dieu. Cette organisation exige des efforts et une longue patience. Même lorsque cette organisation sera faite aux troisièmes Demeures et aura triomphé des ennemis intérieurs et extérieurs, sainte Thérèse estime que la charité de l'âme est trop faible pour donner aux autres de sa vie personnelle. A son avis, pendant cette période, la vie spirituelle personnelle et la recherche de Dieu doivent absorber toutes les énergies et rester l'unique et constante préoccupation. Elle ne songe même pas à parler d'apostolat tellement il apparaît qu'il serait périlleux pour l'âme et peu fécond pour le prochain.

Faut-il nous rappeler que sainte Thérèse ne légifère pas pour les chrétiens en général, mais qu'elle s'adresse à ses filles qui sont des contemplatives. La contemplation a des exigences particulières de silence et de solitude. Les bruits du monde et les tracas des affaires la troublent ou même l'étouffent en ses débuts. Ces contemplatives d'ailleurs n'ont pas de mission d'apostolat extérieur. Leur apostolat ne peut et ne doit procéder que de la puissance rayonnante de leur charité surnaturelle. Or, il est évident qu'en ces débuts, leur amour en est encore à ses premiers balbutiements humains. Il n'avance que soutenu par la raison, comme l'enfant que sa mère doit soutenir encore pour qu'il puisse faire ses premiers pas. Il ne trouvera que plus tard sa perfection et sa liberté d'enfant de Dieu. Comme toute vie qui commence, il a le devoir de pourvoir uniquement pour l'instant à sa propre croissance et il ne peut trouver sa fécondité qu'après avoir atteint une certaine maturité.

Assez notablement différente apparaît la situation de l'âme engagée par vocation dans l'apostolat. Elle a reçu le caractère sacerdotal ou le charisme afférent à sa vocation particulière. Elle doit l'utiliser et l'exercer pour le bien de l'Église. Le prêtre doit administrer les sacrements et y préparer les chrétiens ; le religieux ou la religieuse doit se donner aux œuvres confiées à son Institut ; le chrétien a un devoir d'apostolat à exercer dans son milieu familial et social. Ces devoirs sont indépendants du degré de charité de celui à qui ils incombent. Mieux encore, cet apostolat constitue un exercice obligatoire de la charité envers le prochain et assure à l'amour un heureux accroissement. L'apôtre aime en travaillant pour ses frères et il manquerait à l'amour qu'il leur doit s'il se dérobait à cette tâche essentielle de sa vocation.

Et cependant l'apôtre a-t-il le droit de négliger les remarques faites par sainte Thérèse et les conclusions pratiques qu'elle en dégage pour les contemplatives ? Ces remarques soulignent un état spirituel qui est identique chez l'apôtre et chez le contemplatif. En l'un comme dans l'autre la chair est faible, les passions point encore dominées, et la charité surnaturelle livrée à ses modes imparfaits d'agir qui la soumettent plus étroitement aux influences extérieures.

Sainteté pour l'Église

Le charisme d'apostolat et le sacerdoce ont leur efficacité propre et assurent une grâce de fidélité. Mais il n'est pas exact qu'ils préservent des dangers du monde. Chez l'apôtre et parfois avec plus d'acharnement que chez le contemplatif, la chair et l'esprit s'affrontent. Le péché du monde avec lequel l'apôtre a le devoir de prendre contact et sur lequel il remporte des victoires, lui présente ses séductions en même temps que ses laideurs, et en offrant un aliment à son zèle, fournit insidieusement un appui et un aliment à ses tendances. Celles-ci non encore purifiées, ne savent pas le refuser complètement et s'en nourrissent. A n'en pas douter, les sollicitations du monde sont beaucoup plus dangereuses pour l'apôtre que pour le contemplatif abrité par sa solitude.

La charité de l'apôtre en ces débuts reste faible. Les ardeurs sensibles qui l'animent ne doivent pas créer d'illusion. Le décalage entre sa mission et la charité qui est à son service est certain. Il doit être comblé. Le charisme appelle une union au Christ correspondant à sa puissance. Le sacerdoce requiert pour son exercice parfait l'identification au Christ prêtre et victime. Certes, l'exercice même du charisme assure à la charité un aliment précieux dont on ne peut méconnaître la valeur. Cet aliment n'est certainement pas suffisant. La charité jaillit du sein de Dieu. L'apôtre doit aller vers les sources de cette vie divine que sont les sacrements. Moins que tout autre, il ne saurait s'en contenter. Ami de Dieu, il a le devoir de se tenir habituellement auprès de l'Hôte intérieur qui diffuse cette charité en nos âmes. Instrument choisi par l'Esprit Saint, intendant des œuvres divines et constructeur de l'Église, il ne peut remplir dignement sa mission qu'en cultivant une intimité qui lui permettra de recevoir constamment ses lumières et ses motions. Plus que tout autre, l'apôtre a besoin du commerce habituel avec Dieu qu'est l'oraison et doit se plier aux conditions essentielles qu'elle exige.

Qu'en serait-il donc de l'apôtre qui, s'appuyant sur les jeunes ardeurs de sa grâce et le dynamisme conquérant de son zèle, se lancerait au combat sans autre mesure que la victoire à remporter sur le mal qu'il découvre, sans autre protection que sa confiance en son amour pour Dieu et les âmes ? En ce combat engagé avec présomption et conduit sans prudence, les énergies ne peuvent que s'user et s'affaiblir progressivement. Les ardeurs trop naturelles tomberont normalement ; les tendances se développeront et la charité surnaturelle peu ou irrégulièrement alimentée s'anémiera. Plaise à Dieu que l'apôtre ne sombre pas lui-même, victime du péché contre lequel il a lutté, et enseveli sous des triomphes extérieurs qui semblaient complets parce que brillants.

Pour éviter ces dangers et assurer la croissance de sa charité surnaturelle, l'apôtre en cette période a le devoir impérieux de préserver son âme du péché qu'il aborde et de se suralimenter spirituellement. La prudence l'oblige à remplacer la solitude qui garde le contemplatif par une organisation d'autant plus forte qu'il est plus faible et que les dangers sont plus grands. En pays ennemi, une armée se garde avec plus de soin que le bataillon enfermé en une forteresse. La vigilance et l'ascèse sont nécessaires pour veiller sur les sens qui sont les fenêtres de l'âme, et empêcher la dissipation des facultés. Sans un règlement, il ne lui est pas possible de ramener fréquemment son âme vers les sources de la grâce et de l'y maintenir.

Ces précautions et ce règlement sont-ils suffisants ? Ceux-là pourraient nous le dire qui ont charge de fournir d'ouvriers les champs d'apostolat et peuvent suivre ensuite les vicissitudes des combats intérieurs. Mais une leçon d'une valeur et d'une portée incomparablement supérieure nous est donnée par Jésus lui-même qui se chargea de former ses apôtres.

Pendant trois ans, Jésus garde auprès de lui ceux qu'il a choisis comme apôtres, les faisant témoins de tous ses enseignements et de ses gestes, les instruisant souvent à part. Il les envoie en mission parfois comme timidement, leur fixant le rendez-vous du retour. Avant sa passion, il leur donne son sacerdoce et les établit ses continuateurs. Les débordements de la grâce, les confidences intimes de la dernière heure, les ardeurs présomptueuses de Pierre, ne les empêchent pas de faiblir devant le mystère de la croix. L'expérience semble concluante. Jésus avait prévu et annoncé l'abandon. Il y fait à peine allusion après la résurrection en apportant la paix du pardon. Il confirme la mission déjà confiée, mais avant que les apôtres ne l'exercent ils doivent attendre à Jérusalem dans la prière, la venue de l'Esprit Saint. C'est au jour de la Pentecôte, lorsque l'Esprit Saint est descendu sur eux et les a transformés, qu'ils deviennent de véritables apôtres et peuvent réaliser la mission qui leur a été confiée. Ce n'est que trois ans après sa conversion que l'apôtre saint Paul sera investi officiellement de sa mission de prêcher aux Gentils et au cours de ces trois ans se place un séjour en Arabie. C'est de la solitude que sont sortis la plupart des grands évêques bâtisseurs de la civilisation chrétienne dans les grandes nations d'Occident.

Sainteté pour l'Église

Telles sont les lois mises en lumière par l'enseignement pratique de Jésus et par la tradition des âges apostoliques. On devient apôtre parfait par une emprise qui est une prise de possession de l'Esprit Saint. Cette emprise est distincte de la collation de la mission et même de l'ordination sacerdotale. L'Esprit ne descend que lorsqu'on s'est préparé à le recevoir. Ces lois pour la formation des apôtres sont pour tous les temps. L'urgence et l'étendue des besoins de notre temps, la puissance intelligente et organisatrice de la haine qui nous menace devraient nous les rappeler et nous les faire méditer. Ces menaces orientent heureusement vers la recherche de techniques nouvelles d'apostolat. Mais si ces techniques nous faisaient oublier et négliger la technique de formation spirituelle inaugurée par le Christ Jésus, elles ne seraient plus entre nos mains, comme le glaive de Pierre, qu'un vain appui pour la présomption orgueilleuse et bavarde.

La pensée thérésienne sur l'apostolat et ses directives sont calquées, nous semble-t-il, sur cette technique spirituelle de Jésus pour la formation des apôtres et en précisent les incidences pratiques pour chaque étape de la vie spirituelle. C'est ce qui fait la valeur incomparable de cet enseignement ; valeur de fond et valeur pratique que l'exposé qui va suivre, en restant succinct, ne voudrait pas diminuer.

II. — L'apostolat sous les premières emprises divines.

Aux quatrièmes Demeures, la Sagesse d'amour intervient directement dans la vie spirituelle de l'âme par le secours spécial. Sainte Thérèse et saint Jean de la Croix signalent les effets de ces interventions divines spécialement dans l'oraison qu'elles transforment en contemplation. Il n'est pas douteux cependant que ces interventions se développent parallèlement à travers tous les dons du Saint-Esprit, intellectuels et pratiques, et qu'elles fassent en même temps le contemplatif et l'apôtre.

Sainte Thérèse, d'ailleurs, se plaît à souligner comment, dans la quiétude qui est la forme de contemplation caractéristique de cette période, c'est la volonté qui est seule enchaînée par les flots de l'amour. C'est une saveur, eau vivifiante qui monte, une flamme qui brûle dans les profondeurs et qui apporte des richesses de lumière et de force à la volonté qui en devient captive. L'emprise ne dure que le temps de l'oraison, mais des richesses restent acquises. L'âme peut-elle déjà les distribuer ? Est-elle vraiment sous l'action de Dieu ? Est-elle vraiment apte à l'apostolat ?

Elle pourrait le croire, tellement la saveur et la lumière surnaturelles débordent parfois de ses facultés et déjà en son action. Elle a des pensées lumineuses et profondes, des mots pleins et savoureux, des vues dont la pénétration dépasse certainement celle d'une intelligence ordinaire. C'est une fête pour ceux qui l'écoutent, une réussite pour ceux qui suivent ses conseils. L'Esprit de Dieu est là et son action transparaît souvent et clairement. Aussi l'apostolat de cette âme est fructueux. Comment ne pas l'encourager à s'y adonner avec zèle puisque Dieu déjà la conduit. Écoutons l'avis de sainte Thérèse.

Je voudrais, écrit-elle, donner un avis très important à l'âme qui se verrait arrivée à cet état. Elle doit veiller avec un soin extrême à ne pas se mettre dans l'occasion d'offenser Dieu, car elle n'est pas encore formée ; elle est semblable au petit enfant qui commence à téter ; s'il s'éloigne du sein de sa mère, que lui adviendra-t-il sinon la mort ? Je redoute beaucoup qu'une âme à qui Dieu accorde une telle faveur ne tombe dans ce malheur si elle s'éloigne de l'oraison sans une pressante nécessité... J'insiste donc pour que l'on ne s'expose pas au danger, car le démon travaille beaucoup plus à séduire une seule de ces âmes qu'un grand nombre d'autres à qui le Seigneur n'accorde pas de telles faveurs [1].

Dans le livre de sa *Vie*, la Sainte signale le piège que le démon tend à ces âmes :

Une âme se voit très rapprochée de Dieu... Il lui semble voir déjà la récompense dans toute sa clarté ; elle regarde comme impossible d'échanger un bien si délicieux et si suave même dès cette vie, pour des biens aussi vils et aussi bas que les plaisirs du monde. C'est par cette confiance que le démon arrive à lui faire perdre la défiance qu'elle doit avoir d'elle-même ; et ainsi, je le répète, elle s'expose aux dangers ; animée d'un beau zèle, elle commence à distribuer sans mesure les fruits de son jardin ; elle s'imagine qu'elle n'a plus rien à craindre pour elle-même. Ce n'est point l'orgueil qui la guide, car elle comprend bien qu'elle ne peut rien par elle-même ; mais la grande confiance qu'elle a en Dieu n'est pas réglée par la discrétion. Cette âme ne considère pas que ses ailes sont trop débiles. Elle peut bien sortir du nid, et Dieu l'en tire parfois ; mais elle est incapable de voler. Elle n'a pas encore des vertus solides ; elle ne possède pas assez d'expérience pour connaître les dangers et elle ignore les dommages qu'elle se fait en se confiant en elle-même [2].

L'avertissement est clair et motivé. Bien que parfois sous l'emprise divine, et déjà comblée de richesses surna-

---

1. IV⁰ Dem., ch. III, p. 887-888.
2. *Vie*, ch. XIX, pp. 191-192.

turelles authentiques qui fécondent son action, cette âme ne doit se donner à l'apostolat qu'avec prudence et réserve. Les interventions de Dieu ne sont en effet qu'intermittentes ; l'âme n'est pas encore assez forte pour résister dans les occasions de péché. Elle s'épuise en donnant ses trésors et elle céderait à une tentation subtile de présomption en distribuant sans mesure des richesses qui lui sont nécessaires et dont la source qui les renouvelle, n'est qu'intermittente et ne jaillit pas à son gré.

Combien plus utiles pour l'apôtre ces avertissements graves de sainte Thérèse. Si les dangers qu'elle signale sont occasionnels pour le contemplatif, ils sont quasi constants et pressants pour celui qui est engagé dans les travaux de l'apostolat. Donner ce qu'il possède de spirituel est pour lui un devoir de sa charge. Comment réglera-t-il ce don ? Saura-t-il trouver la mesure ? Aura-t-il le courage de se refuser aux sollicitations de ceux qu'il a le devoir de nourrir et qui viennent nombreux, parce qu'affriandés par la saveur surnaturelle des richesses qu'il répand ? La Sagesse lui donnera force, lumière et conseil. Elle lui redira avec insistance par sainte Thérèse :

> Ils ne sont pas suffisamment formés ; ils doivent se fortifier plus longtemps avec le lait dont j'ai parlé au commencement. Qu'ils se tiennent donc près des divines mamelles, et le Seigneur aura soin, dès qu'ils auront les forces suffisantes, de les élever plus haut. Sans cela, ils ne feraient pas aux autres le bien qu'ils s'imaginent, mais se nuiraient plutôt à eux-mêmes [1].

Donner sans mesure, serait s'épuiser avant l'heure, pécher par présomption et se priver peut-être de la grâce et de la force pour monter plus haut. Ce serait couper le blé en herbe et se priver de la moisson pour n'avoir point su attendre la saison de la maturité.

III. — *L'apostolat dans l'union de volonté.*

L'union de volonté réalisée aux cinquièmes Demeures assure-t-elle cette maturation parfaite qui permet de cueillir tous les fruits ? Pour le moins, elle nous la promet comme prochaine.

L'union de volonté est déjà une emprise de Dieu habituelle, bien qu'elle reste partielle. Fruit d'un contact

---

1. *Pensées sur l'Amour de Dieu*, ch. VII, p. 1453. Voir aussi *Vie*, ch. XIII, pp. 126-127.

profond qui a fait déborder une abondante effusion d'amour, elle remet la volonté entre les mains de Dieu. Seule la volonté est prise, mais c'est la faculté maîtresse qui commande dans l'âme. Par la volonté l'emprise divine exerce son influence sur les autres facultés qui ne sont pas encore pleinement purifiées ni soumises.

Une telle influence habituelle de Dieu doit porter de grands fruits. Sainte Thérèse le signale :

> Je suis persuadée, en effet, que Dieu ne veut pas qu'une faveur aussi haute que celle de l'union soit donnée en vain, et que, si elle ne sert à l'âme qui en est l'objet, d'autres au moins puissent en profiter. Durant le temps qu'elle persévère dans le bien et possède les désirs et les vertus dont j'ai parlé, elle est toujours utile aux autres et leur communique le feu divin qui la consume ; mais alors même qu'elle ait déjà perdu ces biens, il lui arrive de conserver encore le désir d'être utile au prochain [1].

Ces âmes sont déjà conquises. Elles travaillent pour Dieu, même si elles sont descendues à un état de moindre ferveur ainsi que la Sainte le dit d'elle-même :

> Cette personne (elle-même) était très contente d'être utile aux autres en les faisant profiter des grâces qu'elle avait reçues et en montrant le chemin de l'oraison à ceux qui ne le connaissaient pas. De la sorte, elle fit beaucoup de bien, oui beaucoup [2].

Dieu utilise donc son emprise sur cette âme pour l'apostolat. Sainte Thérèse l'affirme d'abord par une allusion :

> Combien ne doit-il pas y en avoir qui reçoivent des communications de Notre-Seigneur, qui sont appelés à l'apostolat comme Judas ou à la royauté comme Saül, et qui se perdent ensuite par leur faute [3] ?

Cette façon d'affirmer est assez fréquente chez sainte Thérèse. Une allusion, une comparaison, un trait ou une description font émerger une pensée maîtresse qui était subjacente. L'allusion à Judas et à Saül montre que pour sainte Thérèse l'union de volonté est une emprise, une onction, un sceau [4] qui marque une âme pour une mission. En cette allusion paraît aussi la préoccupation douloureuse qui afflige la Sainte, de l'infidélité possible encore et qui aboutit à une chute irrémédiable. La pensée et la préoccupation vont d'ailleurs s'expliciter clairement.

Cette emprise de Dieu est une grâce de choix qui voue l'âme à de grandes choses. Sa puissance s'affirme déjà et

---

1. Vᵉ Dem., ch. III, p. 911-912.
2. *Ibid.*, p. 912.
3. *Ibid.*
4. *Ibid.*, ch. II, p. 908.

inquiète la haine jalouse du démon. Quelles défaites pour lui dans l'avenir si elle lui échappe et quel profit s'il réussit à la faire déchoir ou du moins à l'arrêter !

Si le démon perd une seule de ces âmes, il en perd en même temps une foule d'autres, comme l'expérience le lui a prouvé. Considérez cette multitude d'âmes que Dieu a attirées à son service par le moyen d'une seule, et vous lui rendrez une infinité d'actions de grâces. Voyez les milliers de conversions opérées par les martyrs ou par une vierge comme sainte Ursule ! Qui pourra dire combien d'âmes ont été retirées des mains du démon par saint Dominique, par saint François et d'autres fondateurs d'Ordres, ou sont encore maintenant soustraites à son empire par le Père Ignace, fondateur de la Compagnie de Jésus ? [1]

Aussi le démon va-t-il engager contre cette âme qui prochainement lui échappera définitivement, un combat dans lequel pour la dernière fois peut-être, il pourra déployer toute sa puissance et le réseau serré et subtil de ses ruses. Il peut encore l'atteindre. Comment ?

C'est un problème que sainte Thérèse juge difficile à résoudre. Elle le juge assez important pour s'y attarder [2].

L'emprise de Dieu dans l'union de volonté n'est cependant que le commencement et le principe des grandes choses qui se dérouleront plus tard. La nouveauté du fait, la rareté des emprises actualisées dans toutes les facultés et l'obscurité dans laquelle elles se réalisent, font l'âme plus inquiète et ardente qu'apaisée et satisfaite et lui laissent le sentiment d'un détachement de tout, plutôt que l'expérience positive d'une union réalisée.

Malgré ce que j'ai dit de cette Demeure, écrit la Sainte, elle reste encore, ce me semble, quelque peu obscure [3].

C'est cette obscurité qui la distingue des Demeures suivantes où règne la lumière d'aurore. Le démon utilisera donc cette obscurité pour tendre ses pièges invisibles.

Le démon arrive avec tous ses artifices, écrit-elle, et sous prétexte de bien, il la fait se séparer de cette volonté divine en de petites choses, et l'engage dans d'autres qu'il lui représente comme n'étant pas mauvaises ; peu à peu il en arrive à obscurcir son entendement, et à refroidir sa volonté ; il développe en elle l'amour-propre, jusqu'à ce qu'il l'éloigne enfin par des manquements successifs de la volonté de Dieu et l'amène à faire la sienne... [4]

---

1. Vᵉ Dem., ch. IV, p. 922-923.
2. *Ibid.*, pp. 923-926.
3. *Ibid.*, ch. III, p. 912.
4. *Ibid.*, ch. IV, p. 924.

Je vous l'assure, mes filles, j'ai connu des âmes très élevées qui étaient arrivées à cet état. Or le démon à force de ruses et de pièges les a fait tomber ; tout l'enfer se ligue pour les séduire [1].

La prudence est donc encore nécessaire. Cette âme contemplative ou apôtre, les deux à la fois probablement, ne peut s'endormir en une fausse sécurité. Elle doit veiller pour ne pas tout perdre comme il en fut de Saül et de Judas. Les objurgations de sainte Thérèse se font plus pressantes que jamais. L'enjeu est de première importance et ce sont les derniers combats où elle risque encore de tout perdre.

Aussi, âmes chrétiennes, que le Seigneur a élevées à cet état, je vous en conjure par amour pour Lui, ne vous négligez point ; éloignez-vous des occasions dangereuses, car même en cet état l'âme n'est pas tellement forte qu'elle puisse s'exposer aux dangers, comme elle le pourra après les fiançailles dont nous parlerons dans la Demeure suivante [2].

V. — *L'apostolat parfait des sixièmes et septièmes Demeures.*

Longuement ces hautes régions ont été décrites. Il nous suffira donc de souligner ce qui a trait à l'apostolat.

Rappelons d'abord que d'après sainte Thérèse, il n'y a pas de porte de séparation entre les sixièmes et les septièmes Demeures. En ces dernières seulement l'amour atteint la perfection qui le fait complètement transformant et qui assure à l'union toute sa stabilité. Toutefois, dès les fiançailles spirituelles des sixièmes Demeures, Dieu touche les profondeurs de l'âme et y réalise une union habituelle. Aussi, bien que les manifestations et les effets de l'amour soient de plus haute qualité dans le mariage spirituel, ils ne sont pas spécifiquement différents aux sixièmes et septièmes Demeures. La perfection de la contemplation et la perfection de l'apostolat, bien qu'en des degrés différents, sont réalisées dans les deux. Nous sommes donc autorisés à unir ces deux Demeures pour dégager les traits caractéristiques de l'apostolat parfait qui est propre aux sommets de la vie spirituelle.

1. *L'apostolat parfait est le fruit de la perfection de l'amour.* — L'amour en ces régions, parce que parfait, est transformant et unissant. L'âme est devenue le rameau vivant de la vigne, le bois jeté dans le brasier et complète-

---

1. Ve Dem., ch. IV, p. 922.
2. *Ibid.*

ment embrasé comme lui. L'union est établie en ces profondeurs qui sont la substance de l'âme. Cette union produit une certaine égalité entre Dieu et l'âme mais par une assimilation de l'âme par Dieu. La transcendance de Dieu s'est exercée avec toute sa puissance. La goutte d'eau s'est jetée dans l'océan ; elle en reste distincte, mais en la prenant en son sein l'océan lui a communiqué ses propriétés et ses qualités. L'âme est devenue Dieu par participation.

Cette transformation atteint la substance de l'âme. Or, dit l'École, l'opération suit l'être. La transformation réalisée dans l'être a ses répercussions normales dans les facultés. L'emprise de Dieu sur l'âme, réalisée par l'amour, s'affirme jusque sur les opérations. Saint Jean de la Croix écrit :

« Celui qui s'unit à Dieu ne fait qu'un esprit avec lui [1] ». De là il résulte que les opérations de l'âme qui est dans l'union proviennent du Saint-Esprit et par conséquent sont divines [2].

Cette emprise de Dieu sur l'âme tout entière trouve celle-ci parfaitement docile. L'amour transformant réalise à la fois l'emprise amoureuse et la soumission amoureuse. Sainte Thérèse se plaît à insister sur cette soumission parfaite comme sur un des caractères de la perfection des sommets.

La souveraine perfection, écrit-elle, ne consiste pas évidemment dans les joies intérieures, ni dans les grandes extases, ni dans les visions, ni dans l'esprit de prophétie. Elle consiste à rendre notre volonté tellement conforme à celle de Dieu que nous embrassions de tout notre cœur ce que nous croyons qu'il veut, et que nous acceptions avec la même allégresse ce qui est amer et ce qui est doux, dès que nous comprenons que Sa Majesté le veut [3].

Cette disposition n'est pas seulement soumission à la volonté de Dieu, elle est une disponibilité complète de l'âme pour tous les vouloirs divins.

Savez-vous ce qu'on est vraiment spirituel ? écrit sainte Thérèse. C'est quand on se fait l'esclave de Dieu et que, à ce titre, non seulement on porte son empreinte qui est celle de la croix, mais qu'on lui remet sa liberté afin qu'il puisse nous vendre comme les esclaves de l'univers tout entier, ainsi qu'il l'a été lui-même [4].

Sainte Thérèse de l'Enfant-Jésus trouve dans l'hypnotisme qui livre le patient aux vouloirs d'un autre, une

---

1. 1 Co 6, 17.
2. *Montée du Carm.*, Liv. III, ch. I, p. 309.
3. *Fondat.*, ch. IV, p. 1103.
4. VIIe Dem., ch. IV, p. 1054.

comparaison qui illustre ce qu'elle veut être sous l'action de Dieu. Dans l'union transformante en effet, l'amour a répandu dans tout l'être et dans les facultés une onction de souplesse qui les tient ouvertes à ses lumières et dociles à ses subtiles motions.

Dans le plan divin, l'union que l'amour réalise entre deux êtres vivants est orientée vers la fécondité. L'union transformante de Dieu et de l'âme n'échappe pas à cette loi. L'emprise de l'Esprit Saint et la disponibilité de l'âme créent une collaboration pour la réalisation du grand dessein qu'est l'Église. Le fruit de l'emprise de l'Esprit Saint et du *fiat* de la Vierge a été le Christ Jésus et le Christ total qui se construit tous les jours.

Par ses emprise parfaites de l'union transformante, l'Esprit Saint associe les âmes à sa fécondité et à celle de la Vierge Mère. Avec ces agents divins supérieurs, les âmes qui se livrent à l'amour construisent l'Église.

Sainte Thérèse a fort bien saisi cette finalité de l'union parfaite qui libère de soi et livre au dessein de Dieu.

O mes Sœurs, comme elle néglige son propre repos, comme elle est indifférente aux honneurs et éloignée de rechercher l'estime, l'âme en qui le Seigneur habite d'une manière si particulière ! Dès lors qu'elle se tient constamment en sa compagnie, comme il convient, elle doit songer bien peu à elle-même. Toute sa pensée est de chercher comment elle lui plaira de plus en plus, en quoi et par quel moyen elle lui témoignera son amour. Tel est le but de l'oraison, mes filles ; voilà à quoi sert le mariage spirituel qui doit toujours produire des œuvres, et encore des œuvres [1].

Par son emprise et la charité qu'il répand, l'Esprit Saint a identifié l'âme au Christ Jésus. Elle doit suivre la route tracée par le Christ Verbe incarné qui s'en fut par le mystère de la Rédemption vers la réalisation du mystère de l'Église. Ces trois mystères sont liés l'un à l'autre. Comment changer cette ordonnance divine sanctionnée par les réalisations de Jésus ? Toute la diffusion de la grâce est orientée vers cela, qui apparaît clairement à sainte Thérèse :

Il sera bon maintenant, mes Sœurs, de vous dire le but pour lequel Notre-Seigneur accorde tant de faveurs en ce monde... Aucune d'entre vous ne doit s'imaginer qu'il veut seulement combler l'âme de délices, ce serait une erreur profonde. Sa Majesté ne saurait nous faire une plus haute faveur que celle de nous donner une vie qui soit semblable à celle que son Fils bien-aimé a menée sur la terre. Aussi je regarde comme certain que ces faveurs ont pour but de fortifier notre faiblesse... afin de pouvoir endurer à son exemple beaucoup de souffrances [2].

1. VII⁰ Dem., ch. IV, p. 1053.
2. *Ibid.*, pp. 1051-1052.

Sainteté pour l'Église

L'activité de cette âme parfaitement disponible sous l'emprise de l'Esprit Saint constructeur de l'Église, constitue l'apostolat de ces sommets de la vie spirituelle. Il est le fruit de l'union transformante devenue féconde. C'est l'amour parfait qui en est l'élément actif ; c'est lui qui en fait la qualité et lui donne ses notes caractéristiques.

2. *Cet apostolat parfait s'exerce dans la réalisation d'une mission particulière.* — Dans la construction de l'Église, seuls le Christ Jésus et sa divine Mère sont établis sur le plan de la causalité universelle. A tous les membres indistinctement qui participent à la plénitude de l'Esprit et du sacerdoce du Christ, s'applique la loi énoncée par l'Apôtre, de la diversité des fonctions et des grâces. Cette loi se détache en traits lumineux sur les sommets de l'union transformante. La perfection de l'amour en chaque saint fait resplendir dans l'identification au Christ les profondeurs de l'unité de son corps mystique ; elle révèle en même temps, dans la grâce et la mission spéciales données à chacun d'eux la division en chacun de ses membres, des richesses de la plénitude incomparable du Christ.

De même qu'en son premier regard de vision intuitive, le Christ entrant en ce monde découvrit l'onction de la divinité qui le pénétrait et la mission rédemptrice qui lui était confiée et qui était le but de l'Incarnation [1], de même l'âme en ces ravissements des sixièmes Demeures qui livrent des secrets divins, ou mieux encore dans la lumière d'aurore naissante, qui est propre à ces régions, l'âme découvre quelques-unes des richesses de sa grâce et la place qu'elle lui assure dans le Christ total. Découverte précieuse qui se fait avec des modes différents et sous une lumière plus ou moins précise.

Sainte Thérèse évoque à ce sujet la vision éblouissante dont l'apôtre saint Paul est favorisé sur le chemin de Damas. Cette vision qui le terrasse, le convertit et lui révèle sa mission, est une grâce des sixièmes Demeures assure la Sainte :

Notre-Seigneur, écrit-elle, appelle quelquefois une personne à une vocation extraordinaire comme saint Paul qu'il place en un instant au sommet de la contemplation ; il lui apparaît et lui parle de telle sorte qu'il l'élève à une sainteté éminente [2].

Cette vision comporte cependant au jugement de sainte Thérèse une faveur exceptionnelle. Saint Paul reçoit immédiatement la charité qui le place d'emblée en ces

---

1. He 10, 5-9.
2. *Pensées sur l'Amour de Dieu*, ch. v, p. 1435.

hautes régions de la vie spirituelle. Il est dès lors le vase d'élection, élevé par la grâce à la hauteur de sa mission. Habituellement, il n'en est pas ainsi :

> Ordinairement, Dieu accorde des faveurs si élevées et des grâces si hautes aux âmes qui ont beaucoup souffert pour son service, désiré son amour et fait les plus sérieux efforts pour être agréables en tout à sa divine Majesté ; or, ces âmes se sont depuis des années fatiguées à la méditation et à la recherche de cet Époux [1].

Ces travaux qui ont précédé, ont préparé l'âme mais n'ont pas, à proprement parler, mérité cette faveur qui comporte une infusion de charité lumineuse pour remplir une mission dont elle livre déjà le secret. Pourrait-on croire que la descente du Saint-Esprit sur les apôtres au jour de la Pentecôte fut une grâce de ce genre ? Ou bien était-elle déjà une grâce d'union transformante ? Il est difficile d'en juger ; la première hypothèse semble la plus plausible car elle met Paul et tous les apôtres sur le même palier au début de leur apostolat [2].

Quoi qu'il en soit, c'est en ces sixièmes Demeures que sainte Thérèse découvre sa mission de fondatrice. Les ravissements des fiançailles qui la séparent de tout [3] créent chez elle des exigences nouvelles. Les assauts du chérubin ou transverbération qui en font une mère spirituelle, se produisent aussi pour la première fois du moins, en cette période [4].

De la description que saint Jean de la Croix fait de cette faveur dans la *Vive Flamme*, on peut, nous semble-t-il, tirer des indications précieuses sur la nature de la grâce qui spécialise une âme pour une mission particulière :

> Quand l'âme, écrit-il, est embrasée de l'amour de Dieu... il arrive qu'elle se sent attaquée intérieurement par un séraphin. Cet esprit céleste, armé d'une flèche ou d'un dard tout embrasé du feu de l'amour, transperce l'âme qui est déjà toute en feu comme un charbon rougi, ou plutôt qui n'est plus qu'une flamme ; il la brûle d'une manière sublime... L'âme sent là comme un grain tout petit, semblable à un grain de sénevé, mais extrêmement actif et embrasé qui projette autour de lui les flammes les plus vives d'un feu tout embrasé d'amour. Ce feu provient de la substance et de la vertu

---

1. *Pensées sur l'Amour de Dieu*, ch. v, p. 1435.
2. Il est nécessaire de noter à ce propos que les faveurs peuvent être du même genre, par conséquent être placées dans la même catégorie, et cependant comporter une infusion de charité de qualité et d'intensité différentes. C'est ainsi qu'il serait puéril d'assimiler à la vision du chemin de Damas tout ravissement qui comporte la découverte d'une mission.
3. *Vie*, ch. XXIV, p. 250. Voir supra, ch. VII « Fiançailles et mariage spirituels », p. 966. Nous avons situé cette grâce vers 1558-1560.
4. Sainte Thérèse décrit la transverbération en parlant des ravissements dans le livre de sa *Vie* (ch. XXIX, pp. 308-309) qu'elle écrivait vers 1565, donc avant d'être parvenue au mariage spirituel.

de ce point brûlant où se trouvent la substance et la vertu de cette herbe dont nous avons parlé. L'âme sent qu'il se répand d'une manière subtile dans toutes ses veines spirituelles et substantielles, mais selon sa puissance et son énergie...

Les délices dont l'âme est comblée en cet état sont quelque chose d'inexprimable. Tout ce qu'on en peut dire, c'est qu'elle comprend combien l'Évangile a raison quand il compare le royaume des cieux à un grain de sénevé qui, tout petit qu'il est, renferme tant de vigueur qu'il devient un grand arbre.

Il y a peu d'âmes qui arrivent à un degré si éminent. Il y en a cependant quelques-unes qui y sont parvenues ; ce sont surtout celles de ces personnages dont la vertu et l'esprit devaient se transmettre dans la succession de leurs disciples. Dieu, en donnant à ces chefs de familles les prémices de son esprit, leur a conféré des trésors et des grandeurs en rapport avec la succession plus ou moins grande d'enfants qui devaient embrasser leur règle et leur esprit[1].

C'est évidemment une faveur extraordinaire que saint Jean de la Croix décrit en ces pages. Plusieurs fois nous avons souligné que le symbolisme de ces faveurs extraordinaires et la forme d'expérience qui les accompagne, découvrent ordinairement et illustrent admirablement la grâce surnaturelle qu'elles apportent et qui caractérise la période où ces faveurs se situent. Aussi il ne semble pas téméraire de chercher en cette description les caractères de la grâce de fécondité qui, en cette période, spécialise une âme pour une mission particulière et de conclure que cette grâce donnée à une âme déjà embrasée d'amour, par la causalité instrumentale de l'ange, consiste en une infusion particulière d'amour qui porte en elle des richesses surnaturelles et la puissance pour les communiquer à d'autres.

La concession d'une grâce particulière de fécondité n'est pas liée à ce mode extraordinaire décrit par saint Jean de la Croix ou à un autre. Elle peut ne pas être accompagnée d'une nette prise de conscience. C'est ainsi qu'en suivant les ascensions spirituelles de sainte Thérèse de l'Enfant-Jésus, on se rend compte que la Sainte découvre progressivement et en un moment qu'il est difficile de déterminer avant son offrande à l'Amour miséricordieux, la voie d'enfance spirituelle et sa mission de l'enseigner aux âmes.

Ces grâces de fécondité et d'apostolat données en ces régions doivent, nous semble-t-il, être distinguées des missions charismatiques confiées précédemment. Ces dernières confèrent des pouvoirs et une grâce de fidélité ;

---

1. *Vive Fl.*, str. II, pp. 950-951.

l'emprise divine y reste en soi extérieure à la grâce sanctifiante si bien que l'âme peut exercer ses pouvoirs sans la posséder.

Les missions conférées aux sixièmes Demeures jaillissent de la grâce sanctifiante elle-même. Elles sont une découverte des virtualités spéciales de la charité qui est donnée. Sous la lumière des sixièmes Demeures, l'âme voit dans la richesse et la qualité de sa grâce, sa place dans le plan divin et la coopération particulière que l'Esprit Saint attend d'elle.

Cette mission donnée à l'âme ne date pas de cette heure. Elle a pu être montrée à l'avance comme à saint Jean de la Croix à qui avait été annoncé qu'il réformerait l'Ordre dans lequel il entrerait, ou même conférée réellement par un charisme extraordinaire ou une vocation particulière d'apostolat. En ces sixièmes Demeures, l'âme reçoit la grâce adéquate pour la réaliser parfaitement et dans cette grâce trouve la lumière qui la confirme et la précise.

Nous avons distingué dans le Christ Jésus la médiation d'ordre physique que réalise l'union hypostatique et la médiation d'ordre moral qui est la mission sacerdotale qu'il a reçue du Père, celle-ci trouvant dans la première son efficacité. Nous observons dans l'âme l'ordre inverse. La mission est donnée à l'avance avec les pouvoirs ; la plénitude de grâce pour l'exercer parfaitement n'est reçue que sur les sommets de la vie spirituelle.

Désormais l'apôtre sera apôtre parfait avec l'efficacité de ses pouvoirs et les dons spéciaux de la charité qui leur correspondent. Le prêtre n'exerce plus seulement les fonctions de son sacerdoce avec le caractère sacerdotal de son ordination et la grâce afférente, mais avec une identification au Christ déjà réalisée qui lui permet vraiment de le reproduire devant Dieu et aux yeux des fidèles.

La lumière de cette découverte va se précisant et les richesses de cette grâce d'apostolat se développent à mesure que l'amour opère son œuvre de transformation. L'apôtre saint Paul explicite dans son enseignement et réalise progressivement la mission découverte sur le chemin de Damas. Sainte Thérèse, après avoir fondé son premier monastère réformé, découvre l'Église et étend sa réforme pour la mettre à la mesure de sa mission et des besoins de l'Église.

Ces approfondissements et ces explications de la mission jaillissent des chocs intérieurs de la grâce et des événements qui viennent en préciser et en confirmer les intuitions. L'âme se découvre au point de convergence d'admirables préparations providentielles. Leur rencontre en des faits qui paraissent, éclaire l'harmonie du plan divin. Il est bien vrai que la Sagesse d'amour conduit toutes choses à la fin qu'elle leur a assignée, de loin comme de près, par des voies qui sont toutes de force et de suavité.

Pour apprécier la simplicité et la profondeur de cette lumière qui jaillit de l'expérience intérieure confirmée par les événements providentiels, il faut relire les épîtres de l'apôtre saint Paul : « Dieu fait tout concourir au bien de ceux qu'il aime », écrit-il aux Romains [1]. Dans ses épîtres aux Galates, aux Éphésiens, aux Colossiens, il ne se lasse pas de redire ce grand mystère de Dieu que la miséricorde divine lui a révélé expérimentalement pour qu'il en devienne le héraut.

Le charme surnaturel si prenant de son autobiographie vient de la lumière que sainte Thérèse de l'Enfant-Jésus détaille sur cet amour dont Dieu l'a prévenue dès son enfance : « il a grandi avec moi et maintenant c'est un abîme dont je ne puis sonder la profondeur [2] ».

« Ma vocation enfin je l'ai trouvée, s'écrie-t-elle, ma vocation, c'est l'Amour ! [3] ». Cette découverte est source de joie, d'un enthousiasme paisible et intarissable parce que jaillissant des profondeurs de la vérité des desseins de Dieu. Toutes les réserves de l'humilité tombent pour proclamer audacieusement ces desseins de Dieu. Sainte Thérèse de l'Enfant-Jésus à la fin de sa vie, affirme sa mission avec une clarté et une assurance qui pourraient nous déconcerter en une âme si petitement humble et pauvre. Avant elle, saint Paul avait affirmé lui aussi avec une fermeté puissante sa qualité d'apôtre et l'étendue de sa mission spéciale.

La force de ces affirmations procède de certitudes intérieures dont l'âme fait volontiers état. Certitudes de la mission, certitudes de l'amour qui l'envahit, les deux vont de pair car elles s'engendrent mutuellement.

Qui me séparera de l'amour du Christ ? s'écrie l'Apôtre, tribulation, angoisse, persécution, faim, nudité, péril, glaive ? Comme il est écrit : A cause de lui nous sommes mis à mort à longueur de journée. On nous a traités comme des brebis pour l'abattoir [4]. Mais en tout cela nous sommes plus que vainqueurs, grâce à celui qui nous a aimés [5].

Sainte Thérèse trouve dans la vision intellectuelle de la Trinité sainte le même appui et le même secours :

1. Rm 8, 28.
2. *Man. Autob.*, C fol. 35 r°.
3. *Ibid.*, B fol. 3 v°.
4. Ps 43, 22.
5. Rm 8, 35-37.

Ombre dont l'âme se sent enveloppée et protégée qui est comme une nuée de la divinité... d'où découlent pour elle des influences et une rosée si délicieuse qu'elle lui enlève très justement la fatigue que lui avaient causée les choses du monde [1].

Sainte Thérèse de l'Enfant-Jésus se sent constamment pénétrée et purifiée par la miséricorde et cela lui permet de garder dans le trou noir des tentations contre la foi, toute sa paix et la certitude de sa mission.

3. *En cet apostolat action et contemplation s'unissent.* Les missions particulières que l'Esprit Saint impose aux âmes sont aussi diverses que les fonctions du sacerdoce du Christ et que les besoins de l'Église. Mission de prière silencieuse et d'immolation obscure, mission d'enseignement ou d'activité pour exercer les œuvres spirituelles ou corporelles de miséricorde, toutes missions divines par lesquelles l'Esprit édifie l'Église en chaque époque de sa croissance.

La disponibilité de l'âme se laisse conduire par le bon vouloir de l'Esprit Saint et si elle avait à manifester des désirs, ce serait, assure sainte Thérèse, pour entreprendre des travaux et soutenir des luttes pour le règne de Dieu :

C'est pour l'âme un profond soulagement d'être environnée de croix, de travaux et de persécutions afin de n'être pas toujours dans les délices de la contemplation... Pour moi, voici ce que je découvre en certaines personnes qui malheureusement à cause de nos péchés, ne sont pas nombreuses. Plus elles sont avancées dans cette oraison et favorisées des joies de Notre-Seigneur, plus elles se dévouent aux nécessités du prochain, et surtout à celles des âmes. Aussi pour en tirer une seule du péché mortel, elles donneraient, ce semble, mille vies, comme je l'ai dit au commencement [2].

Sur ces sommets d'ailleurs, Marthe et Marie se ressemblent et s'unissent pour remplir le même office.

Croyez-moi, écrit sainte Thérèse, Marthe et Marie doivent aller ensemble pour donner l'hospitalité à Notre-Seigneur, l'avoir toujours en leur compagnie et ne pas lui réserver un mauvais accueil en ne lui donnant pas à manger... Sa nourriture est que nous prenions tous les moyens possibles pour lui amener des âmes, afin qu'elles se sauvent et chantent à jamais ses louanges [3].

Action et contemplation s'unissent et se fondent. Pour rester avec Dieu l'âme doit obéir à la motion de l'Esprit Saint qui la mène ici ou là pour réaliser son œuvre. Partout où elle est ainsi conduite, elle trouve Dieu qu'elle

---

1. *Pensées sur l'Amour de Dieu*, ch. v, pp. 1435-1436.
2. *Ibid.*, ch. vii, p. 1452.
3. VII⁰ Dem., ch. iv, pp. 1056-1057.

porte en elle et elle en jouit dans la douce clarté de son expérience intime. Elle n'est jamais plus active et plus puissante que lorsque Dieu la maintient dans la solitude de la contemplation ; elle n'est jamais plus unie à Dieu et plus contemplative que lorsqu'elle est engagée dans les travaux pour faire la volonté de Dieu et sous l'emprise de l'Esprit Saint :

C'est ici, mes filles, que doit se montrer votre amour pour Dieu. Vous le prouverez mieux au milieu des occasions que dans les recoins de la solitude. Croyez-moi, viendriez-vous à commettre plus de fautes et même à faire quelques petites chutes, vous gagneriez d'un autre côté incomparablement plus. Quand je m'exprime ainsi, je suppose toujours que si nous nous livrons aux œuvres extérieures, c'est par obéissance ou par charité ; sans cela, j'estime que la solitude est préférable [1].

Elle ajoute :

Ce serait bien malheureux si nous ne pouvions faire oraison que dans les recoins de la solitude [2].

Mais la Sainte craint que de telles affirmations ne paraissent contraires à ce qu'elle a dit sur la nécessité du recueillement et de la solitude pour les contemplatifs et qu'elles ne scandalisent certaines âmes :

Mais qui fera croire cette vérité à ceux que Notre-Seigneur commence à favoriser de ces grâces ? Il leur semblera peut-être que de telles âmes ont une vie mal employée, et qu'il est plus avantageux de rester dans son coin à jouir de faveurs si élevées. Je crois que c'est par un effet de la miséricorde de Dieu que ceux-là ne comprennent pas le degré de perfection où sont parvenues de telles âmes ; car avec la ferveur qui les anime dans ces débuts, ils voudraient aussitôt arriver d'un bond à la même hauteur, et cela ne leur convient pas. Ils ne sont pas suffisamment formés ; ils doivent se fortifier plus longtemps avec le lait dont j'ai parlé au commencement. Qu'ils se tiennent donc près des divines mamelles, et le Seigneur aura soin, dès qu'ils auront les forces suffisantes, de les élever plus haut. Sans cela, ils ne feraient pas aux autres le bien qu'ils s'imaginent, mais se nuiraient plutôt à eux-mêmes [3].

En ces avis apparaît la prudence de la sainte Mère en même temps que la souplesse de son enseignement. Chaque étape a sa grâce et ses exigences. L'amour a acquis dans l'union transformante une liberté dont il a le devoir de profiter pour obéir aux motions de l'Esprit d'amour. « ... Aime et fais ce que tu voudras », disait saint Augustin.

---

1. *Fondat.*, ch. v, p. 1106.
2. *Ibid.*, p. 1107.
3. *Pensées sur l'Amour de Dieu*, ch. VII, pp. 1452-1453.

L'amour, sur ces sommets, a droit à cette liberté car ses vouloirs sont les vouloirs de Dieu et rien ne saurait plus lui nuire car il a désormais tout dominé.

4. *Apostolat fécond et collaboration délicate.* A peine est-il besoin d'affirmer la fécondité de cet apostolat tellement elle paraît évidente. Grâce à la disponibilité parfaite de l'âme, l'Esprit Saint peut la conduire comme il veut et où il veut. Qu'elle prie ou qu'elle agisse, cette âme le fait sous la lumière et la motion de l'Esprit. Ses actes sont devenus divins au témoignage de saint Jean de la Croix et ainsi ils portent en eux l'efficacité que leur assure la puissance divine. D'ailleurs cette emprise de Dieu a pour but d'utiliser l'âme pour la réalisation de son grand œuvre qu'est l'Église. L'activité de l'âme sous la motion de l'Esprit rejoint le dessein de Dieu et se revêt ainsi de la force souveraine que Dieu met dans la réalisation de ses décrets éternels.

Emprise de Dieu par l'union transformante, emprise spéciale de l'Esprit pour la réalisation de sa mission particulière, réalise en cette âme transformée devenue apôtre, une plénitude de Dieu qui ne peut que transparaître en ses gestes et en ses paroles et s'affirmer dans les effets. C'est ainsi qu'après avoir lu la lettre dans laquelle sainte Thérèse de l'Enfant-Jésus lui disait ses aspirations, sœur Marie du Sacré-Cœur, sa sœur, pouvait lui écrire en toute vérité :

Voulez-vous que je vous dise ? Eh bien, vous êtes possédée par le bon Dieu, mais possédée, ce qui s'appelle... absolument comme les méchants le sont du vilain[1].

Les saints sont en effet vraiment possédés par Dieu. « Voici que je suis avec vous jusqu'à la consommation des siècles » a assuré Notre-Seigneur[2]. Sa présence mystérieuse est dévoilée par la fécondité. « Vous les connaîtrez à leurs fruits[3] ». C'est le signe qu'il donne pour reconnaître ses véritables envoyés. Et ce fruit est un fruit qui doit affirmer sa qualité par la pérennité. « Je vous ai établis pour que vous alliez et que vous portiez du fruit et un fruit qui demeure[4] ».

Ce fruit qui demeure, ce sont ces grandes œuvres, ces institutions, ces puissantes organisations que la sainteté

---

1. Lettre de sœur Marie du Sacré-Cœur à Thérèse, 17 septembre 1896 (CG II, p. 893).
2. Mt 28, 20.
3. *Ibid.*, 7, 16.
4. Jn 15, 16.

réalise à chaque époque et qui défient les siècles, c'est l'Église elle-même que l'Esprit Saint construit constamment avec l'activité des saints qu'il a transformés et conquis dans l'amour dont il les a envahis. Nous avons le devoir de le remarquer : la puissance d'un thaumaturge qui réalise quelques prodiges est bien peu de chose comparée à cette fécondité qui s'attache à l'activité quotidienne des saints par laquelle l'Esprit, mystérieusement mais sûrement, affirme sa puissance et réalise son dessein.

Cette toute-puissance, cette présence divine n'écrase pas l'apôtre qu'elle utilise. Cet apôtre n'est pas un vulgaire instrument, encore moins un esclave, ou même un simple ouvrier.

Je ne vous appellerai plus serviteurs, car le serviteur ne sait pas ce que va faire son maître ; mais je vous ai appelés amis parce que tout ce que j'ai appris de mon Père, je vous l'ai fait connaître [1],

dit Jésus à ses apôtres après la Cène. L'apôtre est l'ami du Maître. La confiance affectueuse va plus loin que ces confidences sur le dessein de Dieu. C'est une véritable amitié avec toute l'affection et aussi le respect mutuel qu'elle comporte. L'âme est toute disponible entre les mains de Dieu, et Dieu lui-même se soumet aux volontés de l'âme. Écoutons sainte Thérèse nous faire ses confidences personnelles sur ce point.

Dieu commence à montrer à l'âme tant d'amitié que non seulement il lui rend sa volonté, mais il lui donne en même temps la sienne propre. Dès lors qu'il la traite ainsi, il prend plaisir à voir ces deux volontés commander pour ainsi dire à tour de rôle [2].

Sainte Thérèse de l'Enfant-Jésus a un tel sentiment de sa puissance sur la volonté de Dieu que par délicatesse, pour ne pas le gêner, elle évitera de lui présenter directement ses demandes et les fait passer par la Sainte Vierge afin qu'avant de les présenter, celle-ci puisse regarder si elles sont bien dans la volonté de Dieu.

Assauts de délicatesse, jeux admirables de l'amour qui n'a pas de désir plus ardent que de fondre sa volonté dans celle de celui qu'il aime. Ceci est vrai de l'amour que Dieu nous porte comme de celui que nous devons lui donner.

Aussi l'Esprit de Jésus qui est venu non pour être servi mais pour nous servir [3], après avoir conquis par l'amour

---

1. Jn 15, 15.
2. *Chem. Perf.*, ch. XXXIV, p. 752.
3. Mt 20, 28.

ses apôtres, disparaît volontiers derrière leur personnalité et leur action. L'amour se fait humble même lorsqu'il est tout-puissant, pour exalter ceux qu'il aime.

L'apôtre comme le Christ Jésus, est glorifié par l'Esprit d'amour qui le possède. Sa personnalité humaine est exaltée et grandie par cette présence et cette emprise de l'Esprit. Ses sens sont purifiés, son intelligence est affinée, sa volonté est affermie, tout un équilibre humain s'établit, un certain don d'intégrité est retrouvé sous l'influence mystérieuse de la présence divine. Les pêcheurs de Galilée deviennent des apôtres qui parcourent le monde et transforment l'empire romain. Les dons naturels de Saul, le jeune et brillant pharisien, sont élevés jusqu'à la hauteur du génie de Paul, l'apôtre universel. On peut douter qu'il soit au pouvoir de l'homme de réaliser le sur-homme, cette hantise de son orgueil, mais il est certain que l'emprise de l'Esprit Saint le produit à chaque époque dans les saints qu'elle a saisis. Il suffit de regarder pour s'en rendre compte, saint Benoît, saint François d'Assise, saint Dominique, sainte Thérèse, saint Jean de la Croix, saint Vincent de Paul et tant d'autres types achevés d'un siècle, d'une civilisation dont ils incarnent heureusement les plus hautes qualités et le plus bel idéal.

C'est surtout dans leur œuvre commune que l'Esprit Saint glorifie les instruments qu'il a saisis. L'Esprit Saint se fait humble avec les saints pour les glorifier. Inspirateur de l'œuvre par sa lumière, agent efficace par sa toute-puissance, il se dissimule sous les traits humains de l'apôtre. Qui voudrait analyser les caractères de cette œuvre pourrait trouver de fait la raison d'être de chacun d'eux dans la personnalité du saint. Ces œuvres et institutions multiples dans lesquelles l'Esprit a mis son levain d'immortalité et dont se glorifie l'Église, étalent admirablement les dons, les tendances, le génie divers de leur fondateur. L'Esprit paraît en ce monde sous mille visages humains sur lesquels sa présence cachée imprime le reflet de sa puissance et de sa grâce. Cet Esprit ne se répète jamais dans les formes extérieures qu'il choisit. N'est-ce pas pour cela que saint Jean de la Croix demande qu'on ne prenne jamais un saint pour modèle. Ce serait s'exposer à manquer de souplesse, être infidèle à la motion de l'Esprit qui manifeste sa puissance et sa qualité d'Esprit dans la variété de ses œuvres et dans la perfection de son incarnation en chacun de ses instruments.

Les charmes délicats de cette collaboration affectueuse de Dieu et de l'âme, ces jeux tour à tour brillants et cachés de l'amour qui les unit, toutes ces splendeurs d'humilité et de puissance ne sont que beautés d'ici-bas, un reflet qui nous parvient de la beauté de l'œuvre que l'Esprit Saint édifie. Cette œuvre, c'est l'Épouse qui monte du désert appuyée sur son Bien-Aimé [1], c'est le chef-d'œuvre de la Miséricorde divine, le Christ total en qui il a réuni et vers lequel il a orienté toutes choses. Pour la beauté de cette Église de Dieu, Jésus a donné son sang, et l'Esprit continue à immoler ses victimes après les avoir chargées des dons merveilleux de sa grâce [2]. C'est à la consommation de cette œuvre que nous sommes tous voués. C'est sur elle que nos regards doivent rester amoureusement et obstinément fixés.

Le saint n'est tel que parce qu'il est entré par l'union transformante dans le Christ total. Identifié au Christ Jésus, il continue sa prière sacerdotale d'union ; avec l'Esprit d'amour il gémit « dans l'attente de l'adoption [3] » et travaille sous son emprise à consommer dans l'unité tous ceux « qui sont prédestinés à reproduire par ressemblance l'image du Fils [4] ».

Sainte Thérèse de l'Enfant-Jésus, cette victime de l'Esprit d'amour, qui en a épousé les mouvements avec une si admirable souplesse et en a exprimé les aspirations avec tant de délicatesse, disait quelques semaines avant sa mort :

> Je ne peux pas me reposer tant qu'il y aura des âmes à sauver... Mais lorsque l'Ange aura dit : le temps n'est plus ! alors je me reposerai, je pourrai jouir, parce que le nombre des élus sera complet et que tous seront entrés dans la joie et dans le repos. Mon cœur tressaille à cette pensée [5].

Comme le Christ Jésus, le saint ne jouira en effet de tout l'épanouissement des richesses de sa grâce et ne sera parfaitement glorifié que lorsque le Christ sera parvenu à sa taille d'homme parfait. Dans le Christ total, qui est l'Église, lui aussi trouve sa fin, sa perfection et sa gloire.

En attendant le jour où Jésus apparaîtra sur les nuées en sa plénitude glorieuse, le saint s'épanouit ici-bas dans la clarté d'aurore qui lui découvre son appartenance à l'Église et lui donne l'assurance de son triomphe.

---

1. Ct 8, 5.
2. « La Sagesse a bâti sa demeure, a taillé sept colonnes et a immolé ses victimes », Pr 9, 1-2.
3. Rm 8, 23.
4. *Ibid.*, 29.
5. *Dern. Ent.*, CJ 17.7.

Dans le Christ total

Je suis fille de l'Église

répétait sainte Thérèse sur son lit de mort dans la joie débordante de l'extase. Complétant la pensée de la Réformatrice du Carmel, sainte Thérèse de l'Enfant-Jésus écrivait :

Je suis l'Enfant de l'Église...

Et elle ne voulait d'autre gloire que

le reflet de celle qui jaillira du front de sa Mère [1].

---

1. *Man. Autob.*, B fol. 4 r°.

TABLES

TABLES

TABLE ANALYTIQUE

A

ACTE

Dieu acte pur 375.

Actes révèlent l'union de l'âme avec Dieu 35 ; actes divins sous l'emprise de l'Esprit Saint 286-287, 915, 1030 ; actes parfaits du saint 290.

Actes des vertus théologales 286, 305-306 ; liés à l'opération des facultés 286, 306 ; seront parfaits quand soumis à domination de l'Esprit Saint 286, 307-308, 920, 1014. Acte de foi 286, 409, 462 et s., 582, 584 ; genèse 460-464. Acte d'espérance 824, tendu vers Dieu par mouvement vers Lui ou aspiration pour L'attirer 825. Actes d'amour, preuve d'amour 847 ; actes découlant de l'amour 35. Actes anagogiques (cf. Anagogique).

Acte d'obéissance (cf. Obéissance), unissant 623, parfait 633 ; comment le poser 634-635.

Acte d'humilité attire miséricorde 315, agréable à Dieu 359.

Importance des actes pour réaliser union de volonté 604-606 ; pour le développement de l'amour : actes forts, actes faibles 649-651 ; acte minime exigé par l'amour, son importance aux quatrièmes Demeures 604-606 ; acte vigoureux mais ordinaires dans ascèse de petitesse 850-856 ; actes de charité préférables à dévotions 655 ; valeur des actes de renoncement 846-847 ; nous serons jugés sur l'amour exprimé par des actes 375.

Actes extraordinaires ne font pas la sainteté 290, 852.

Acte d'offrande à l'Amour miséricordieux 836.

Actes du Christ Jésus 78 (cf. Christ Jésus).

ACTION

Action de Dieu : de l'être même de Dieu 300, 301, 476 ; sage, toute-puissante, efficace 298 ; s'étend à tout 294, 608 ; création et conservation des êtres 28, 294 ; sanctification des âmes, construction de l'Église, 301, 662, 672. Action souveraine de Dieu dans l'activité des vertus 849-850. Action de Dieu dans les âmes réglée par la miséricorde libre, gratuite et sage 135, 258, 494, 508 ; mystérieuse 133, 363, 364, 517 ; action progressive par : secours général dans première phase et secours particulier dans deuxième phase 64, 129, 141, 494. Action de Dieu dans la substance de l'âme 680 note 3. Modalités (cf. Grâce, Faveurs). Effets (cf. Oraison, Contemplation).

Action du Christ Jésus dans l'oraison (cf. ch. Bon Jésus 66-79) ; secours dans la nuit 860-880 ; identification au Christ 1016-1023 ; action sacerdotale du Christ 886.

Action de Marie dans la nuit universelle 887, maternelle 889-895.

Action des anges (cf. Ange).

Action du démon (cf. Démon).

Action de l'âme (cf. Activité).

ACTIVITÉ

Activité de Dieu (cf. Action).

Activité de l'âme : complexe comme les facultés 42, 536 ; dans la vie spirituelle : première phase, activité de la nature secondée par la grâce, deuxième phase, coopération à l'action de Dieu 29, 64, 129, 141, 383 et s., 539 et s., 609, 759 ; activité pendant l'oraison (cf. Oraison, Contemplation), en dehors de l'oraison (cf. Nuit, Ascèse absolue, Ascèse mystique).

Activité apostolique (cf. Apostolat).

Activité intellectuelle 446-447 (cf. ch. Lectures spirituelles 196 et s. ; ch. Théologie et contemplation 433 et s.).

ÂME

Créée à l'image de Dieu 46 ; Château 19, 20, 27, 30, 47, 155 ; globe de cristal 19, 39, 47 ; reçoit la grâce 29, 33, 35 (cf. Grâce) ; temple du Saint-Esprit 30, 366 (cf. Présence) ; Dieu dans l'âme : fontaine jaillissante 32, source 26, 31, 194-195, 500 ; vie 26, 28.

Vision d'une âme en état de grâce par sainte Thérèse 18, 148, 155, 722 ; d'une âme en état de péché mortel 146 et s., 722.

Connaissance de la présence de Dieu dans l'âme 27.

Connaissance psychologique : distinction des facultés 41-43 ; distinction entre âme et esprit 43-44.

Connaissance spirituelle : ce que nous sommes devant Dieu 44, tendances mauvaises 48, 49 (cf. Tendances) ; richesses surnaturelles 46.

Connaissance par lumière et expérience mystique 27, 41, 43, 45 ; elle est la meilleure 50.

Âme aux différentes Demeures (cf. Demeures).

Intériorisation progressive 32-34 ; centre de l'âme à atteindre 681 et note, 1003.

Croissance spirituelle 127-132 (cf. Croissance).

Diverses profondeurs de l'âme (cf. Profondeur).

Localisation de l'action de Dieu 30 (cf. Centre).

Diversité des âmes 253-254, 584-585, 661, 1019 ; instabilité 134, 135 note 2 ; mystère des âmes (cf. Mystère).

AMOUR

Dieu est Amour 57, 58, 678 ; amour, bien diffusif de soi 32, 37, 300, 324, 422, 476, 834, 836 ; dynamique et dynamogène 32, 301 ; éternel et immuable 33 ; conquérant 37, 703, 835 ; gratuit 837-838 ; libre dans ses choix et ses dons 135. Amour de Dieu pour l'âme et de l'âme pour Dieu 129 et s., 927, 1003, 1013. Amour expérimenté par le don de sagesse 509.

Formes de l'amour (cf. ch. Amitiés 234 et s.) ; amour sensible 237, amour sensible spirituel 237-238 ; amour spirituel, forme idéale, signe de haute perfection 241-245.

Développement de l'amour surnaturel (cf. Charité) : aux trois premières Demeures, amour dominé par la raison 278-282, 289 ; dans la deuxième phase, intervention de la Sagesse d'amour aux quatrièmes Demeures 298, 300, amour angoissé 553, enchaîne volonté puis quiétude 499-502 (cf. Sagesse). Aux cinquièmes Demeures 644-652 : emprise divine 644 ; exercice par les actes 649-650 ; amour ardent, inquiet, apostolique 646-647, orienté vers l'Église, Christ total 654-666. Aux sixièmes Demeures, amour qualifié par profondeur 679-682, 925 ; produit la nuit de l'esprit 764-771 ; triomphe de l'amour 924 ; promesse d'union 939 (cf. Fiançailles). Aux septièmes Demeures, union parfaite d'amour au mariage spirituel 967-988 ; amour plus dynamique que jamais, Vive Flamme 927-928, 982-988, 992-993 ; continue à progresser après union transformante 1006-1007 ; transcende tous les biens d'ici-bas 998.

Effets de l'amour : purifiant (cf. Nuit). Unissant et transformant 926, dans quiétude 499, dans union de volonté 651-652, dans fiançailles spirituelles 944 et s., dans union transformante 1001 et s. Union par ressemblance d'amour 411-412, 471, 512, 685, 687, 1002-1007. Domination de l'Esprit Saint 1013-1016. Identification au Christ Jésus 1016-1023. Amour forme apôtre parfait 689, 928, 1063 et s.

Amour source de lumière 682 et s. Don d'intelligence et vie contemplative 307, 509 et s., 974-978 (cf. Foi) ; connaissance de connaturalité 992-997 ; réalise présence divine 686 ; vision intellectuelle de la Trinité sainte 972-977 ; vision face à face à la mesure de l'amour 997.

Amour et apostolat (cf. Apostolat). Double mouvement de l'amour : vers Dieu 1028, vers les âmes 1029 ; ces deux mouvements unis dans l'amour de l'Église 1037-1039. Apostolat de l'amour et mission d'apostolat 1040 et

s. ; perfection de l'amour 1039 et accomplissement de la mission d'apostolat 1045 et s. ; activisme et amour 1056-1058 ; apostolat et développement de l'amour 1053-1077.

ANAGOGIQUE

Actes anagogiques : actes simples des vertus théologales... vont directement vers leur objet divin 583, assurent diversion et prompt recours à Dieu contre la tentation 113.

Actes anagogiques d'amour utilisés dans aspiration conviennent aux tempéraments affectifs 584 ; actes anagogiques de foi conviennent aux tempéraments intellectuels 585 ; recommandés par saint Pierre 112 et par saint Jean de la Croix 113, 589.

Actes anagogiques pas toujours efficaces 592 ; exercice nécessaire pour acquérir puissance pour abstraire l'âme et la soulever 113 ; soulèvent l'âme en une région que le démon ne peut atteindre 112. Dépassement par les actes anagogiques dans les cas de troubles psychologiques 807.

ANGE

Purs esprits, êtres de lumière, nombre incalculable 95 ; anges fidèles 95, anges gardiens 110 ; anges rebelles 111 (cf. Démon) ; faux anges de lumière 107, 745 ; ange de Satan 549. Chute des anges et création de l'homme 657. Puissance du pur esprit sur le monde, la matière et les sens 95. Lumière de Dieu conférée par le bon ange permet au démon de tenter l'âme pour la purifier 115. Ni bon ange, ni démon ne peuvent comprendre ce qui se passe dans la nuit de l'esprit 933.

Action : lumière de Dieu et infusion d'amour descendent par hiérarchies des anges jusqu'à l'homme 675, 926 ; ange cause instrumentale dans faveurs extraordinaires et charismatiques 675, 742, 743 ; action du bon ange peut être imitée par le démon, discernement 105, 744, stigmates 792-794 ; parfois corps d'emprunt 739 ; ange de l'Annonciation 636 ; ange de Daniel 711 ; ange apporte le pain à Élie 397.

Âme s'adresse aux anges de Dieu (Cant. spir.) 959 ; « Je veux que tu converses avec les anges » 728, 945, 966.

Ange dans visions imaginaires 717.

ANTINOMIE

Loi du contact du divin avec l'humain 300, 756, 758, 761-762, 1034 ; petitesse de la créature et grandeur de Dieu, péché et miséricorde 45, 46, 317.

Richesses antinomiques de l'amour 1033-1035 ; antinomies dans les richesses de la Sagesse 871 ; antinomies caractéristiques dans exercice et expérience des dons du Saint-Esprit 316 et note 3 : expérience positive, expérience négative des dons 315-318 ; antinomie entre dons et béatitudes 316 ; Dieu-Lumière, don d'intelligence, obscur 510-511. Antinomies accumulées dans la nuit de l'esprit 756, 758-762, 781, 801 ; nuit et harmonie 893. Antinomie entre les deux mouvements de l'amour 1034 ; entre apostolat et développement de l'amour 1053 ; entre activité et charité, entre activité et union à Dieu 1051. Antinomies chez le saint Curé d'Ars et sainte Thérèse d'Avila 1036, 1037.

APOSTOLAT

Collaboration avec la Sagesse d'amour pour l'édification de l'Église 301, 302, 1030, 1050 ; devoir pour tout chrétien 1040 ; apostolat conséquence et synthèse du double mouvement de l'amour 301, 1032-1033, 1038, 1039.

Mission d'apostolat 1040 ; tout chrétien a sa mission 1049 ; charisme d'apostolat (cf. Charisme), pouvoir efficace 1043, indépendant du degré de charité 1044, 1050-1051, 1055-1056, accompagné de grâce de préparation 1043 et d'une grâce pour l'accomplissement 1044, 1045 ; exige fidélité amoureuse 1045, 1048-1049, 1053.

Apostolat de l'amour, procède directement de la charité surnaturelle ou est exercé en vertu de mission d'apostolat 1040 ; exercice de l'apostolat : exercice de la charité et preuve de l'amour 1046.

Apostolat aux trois premières Demeures exercé avec activité naturelle secondée par grâce ordinaire et charisme 131, 1054 ; exercice accroît charité 1055 ; dangers 613, 663, 1056-1057. Apostolat aux quatrièmes Demeures, âme éprouve besoin de donner, dangers 131, 612-615, 1058-1060.

Apostolat aux cinquièmes Demeures 614, 1061, prudence encore nécessaire 1062, 1063 ; Dieu utilise l'âme comme instrument 132, 665, 666, 1061.

Apostolat parfait aux sixièmes et septièmes Demeures 130, 1063, 1065 ; fruit de la perfection de l'amour 1064-1066 ; découverte de la mission 1069-1070 ; apostolat s'unit à contemplation 1071, 1072 ; fécond parce que collaboration à l'Esprit Saint 1073, 1074 ; apostolat et amour s'harmonisent dans l'union transformante 1053 (cf. Union transformante) ; réalise équilibre 401-402, 689.

Apostolat carmélitain, esprit thérésien, par la prière contemplative 119-121, 124, 664, et par le zèle 122-123, 125-126 ; esprit élianique 396, 397, 398 ; esprit de sainte Thérèse de l'Enfant-Jésus 1038, 1039.

Apostolat missionnaire, P. Thomas de Jésus 399-402.

Apostolat de l'amitié (cf. Amour).

APPEL

Appel à la vie mystique et à la contemplation 419 ; appel général : tous les baptisés 421-423, 432 ; appel prochain 423-425 ; voies diverses 423, 424 ; mystère de l'appel 424, 554.

Appel aux âmes hors du château 426 ; aux âmes dans première phase 427, 428 ; aux âmes dans deuxième phase 429, petit nombre 430, manquent de lumière et de générosité 431, 432.

Appel de la grâce filiale à Dieu 592, 593, 843-844, à Marie 892, 895 ; dans la nuit 845.

Double appel : intérieur et extérieur 381, 382.

Appels désolés de saint Jean de la Croix pour nous convaincre de la nécessité du dégagement des créatures 525, 555.

APPROPRIATION

Forme particulière d'activité divine attribuée à une Personne divine 1008.

Appropriation à chacune des Personnes divines. Vive flamme 985-988, 675, 873.

Au Verbe : dans la création : puissance créatrice et conservatrice 28, dans l'âme, présence du Verbe endormi 987, réveil 987-988 ; dans l'Église (cf. Christ total, Église).

À l'Esprit Saint : toutes les œuvres de sanctification qui procèdent de l'Amour 30 et note ; dans l'âme : présence sanctificatrice, dominatrice (cf. Esprit Saint), intendant de l'Époux 1011 ; dans l'Église (cf. Esprit Saint, Christ total).

ASCÈSE

Détruit péché en nous 88 ; motivée par tendances 49 ; guidée par obéissance 57 ; coopération à action de Dieu 830-832.

Ascèse thérésienne : absolue 80-86, 159 ; adaptée aux tempéraments, époques, spiritualités 87-91, à action de Dieu 321 ; progressive 80, 92, 93.

Ascèse différente pour oraison mentale et pour contemplation 82, 600 ; modérée, prudente pour oraison mentale 82, 164 (cf. ch. Base de départ 154-167) ; absolue pour contemplation 599-603, pour préparer l'âme à l'action de Dieu, collaborer et utiliser cette action 602.

Formes : mortifications physiques 88-91 ; mortifications du cœur 90, 236, 245 (cf. Amour) ; ascèse de recueillement 187-189 ; de la langue 369-372 ; de l'activité naturelle 373-381 ; ascèse mystique 823, 824 ; ascèse de petitesse 846-859.

Ascèse aux diverses étapes : aux premières et deuxièmes Demeures, subordonnée à la recherche de Dieu 130, 154, 157-159 ; orientation vers Dieu 167, 168 ; ascèse de recueillement 187-189 ; fuite des occasions 157 ; fuite du péché 144-150 ; énergie nécessaire 160-163 ; règlement de vie pour l'oraison 157-158 ; ascèse discrète 164, 165 ; en cultivant les grands désirs 165-167.

Aux troisièmes Demeures, ascèse pour oraison simplifiée 187-191 ; détachement à réaliser 276-279, dépasser sagesse de la raison 286-290 et note 1.

Aux quatrièmes Demeures, ascèse absolue 82, 158, 159, 522-539, 599-602 (cf. Tendances, ch. Nuit active du sens 556-559) ; don de soi, absolu 329-331, indéterminé 331-333, souvent renouvelé 333-335 ; humilité raisonnable 346, 347 ; humilité fervente, fruit de la lumière de Dieu, 45, 50, 346-349, 358-361 ; silence 362-388 ; solitude du désert 390, pas nécessairement continue 394, peut être intermittente mais renforcée 401. Ascèse dans oraison 560-598 ; respecter action de Dieu 560-562 ; faire agir les facultés quand cesse la contemplation 562, 563 ; attitude d'humilité 71, 225, 479, 564 ; reprendre oraison d'activité paisible sans gêner emprise divine, préparation de l'oraison 566-567 ; persévérance 568, 569 ; dans le cours de l'oraison revenir à la méditation 569, 570 ; assurer la paix des facultés qui sont sous l'emprise de Dieu et faire agir les puissances libres 570-572 ; application aux oraisons contemplatives 572-578. Ascèse en dehors de l'oraison 603-619 ; guidée par la lumière intérieure 604, 605 ; situations et événements providentiels 606-611 ; prudence et persévérance 611-619.

Aux cinquièmes Demeures : pour l'union de volonté détachement absolu 648, 649 ; exercice de l'amour 649-651 ; actes intenses et actes faibles (cf. Acte) ; exercice du zèle 663-666 ; modération dans l'apostolat 1060-1063 ; ascèse d'obéissance (cf. Obéissance).

Aux sixièmes Demeures : nuit de l'esprit (cf. Nuit de l'esprit) ; ascèse de patience et d'espérance 823-827. Pour coopérer à la nuit de l'esprit, ascèse de petitesse : regard obstinément fixé sur Dieu dans la nuit 847 ; abandon 849 ; lever son petit pied 847-850 ; écarter l'extraordinaire 852, 853 ; ascèse héroïque et joyeuse 856-859 ; recours aux maîtres et modèles 860 ; Jésus modèle parfait dans la nuit 869, 870 ; difficultés, impuissance des facultés 876-879 ; regard sur la Passion 880, la Sainte-Face 881, 882, la Sainte Vierge 889, 894 ; patience dans les dernières angoisses 956-961 ; exercice des vertus théologales 917-920 ; fidélité du regard et de l'amour 953-956.

Aux septièmes Demeures : fidélité dans l'accomplissement de la mission 1046 ; souffrances rédemptrices 817 note, 1071 ; union au Christ Sauveur 1018-1023, 1030-1032, 1034, 1035, 1065.

C

CENTRE

Centre de l'âme région la plus profonde 31, 32, 42, 43, 536, 681 (cf. Âme) ; vision du château intérieur 19, 26 ; lieu de l'habitation de Dieu, présence objective 29-32, 192, 680 ; action de Dieu y est localisée 30-31. Lieu de l'union mystique des cinquièmes Demeures 31-35, 643, 679, 943 ; des grâces des sixièmes Demeures 679 ; de l'union parfaite avec Dieu des septièmes Demeures 723, 967-971.

Au centre de l'âme : perception de présence des trois Personnes divines, vision intellectuelle de la Trinité sainte 34, 35, 972, 975 ; brasier, Esprit Saint, Vive Flamme 984 ; manifestation du Verbe époux 986, 987 ; région paisible 971, 978-979, 981-982, 1014 ; à l'abri du démon 979 (cf. Profondeur).

CHARISME

Don de l'Esprit Saint pour le bien de l'ensemble 1041, 1044 ; comporte un pouvoir, assure efficacité de l'action 1044 ; peut être attaché à une activité humaine 1044 ; accompagné d'une grâce de préparation 1043 ; distinct de charité 1041, 1045 ; inférieur à charité 1050-1051 ; sans charité, charisme est sans valeur pour l'âme 1050-1051, 1053.

Exercice surnaturel du charisme : exerce et développe la charité 1047-1048, 1055 ; conduit à la perfection et à l'union transformante 1047-1049. Charisme ne préserve pas du péché 1046, 1055, 1059, 1061, 1063 ; ni de l'activisme 1051, 1056, 1060 ; ni du péché de présomption 1056-1057, 1059-1060 ; exige ascèse 1054 ; vigilance 1055, 1060, 1063 ; suralimentation spirituelle 1055-1057, 1060.

Charisme inscrit dans la grâce de l'apôtre parfait, découvert et exercé parfaitement 1069 et s.

Charisme et grâce d'apostolat 732, 1042, 1055 et s.

Charisme et faveurs extraordinaires 689, 731-732.

Charisme et sacerdoce 1044, 1045, 1056.

Charisme et mission, et vocation 732, 1044-1045.

CHARITÉ

Participation à la vie de Dieu (cf. Grâce) 33, 685, 926, 1003, 1051 ; a sa source en Dieu 1056 ; communiquée par la Sagesse 300, 924, 925 ; diffusée par l'Esprit Saint dans nos cœurs 30, 33, 924, 1009, 1030 ; faite pour l'union 33, 304, 1003 ; remonte vers Dieu 33, 1028-1029 ; diffusive 375, 661, 1029-1030 ; seul don parfait 925 ; capacité réceptive de la charité fondement des dons 304, 310 note (cf. Don) ; perfectionne la foi par les dons 505 (cf. Théologal) ; terme de tout 997-998 ; telle ici-bas que dans la vision intuitive 38, 997.

Charité vertu théologale 285-286 ; (cf. Amour spirituel 241 et s.) ; greffée sur la volonté 918, 920 ; symbole, tunique rouge 920 ; seule compte 512, 998 ; supérieure aux dons et aux charismes 1050, 1051, 1053 ; produit connaissance de connaturalité (cf. Connaturalité, Contemplation).

Effets : charité est purifiante 325, 910, 920 ; unissante 38, 926 ; transformante 34, 926, 927 ; assure identification au Christ 1020, 1022, 1065 ; présence dominatrice et règne parfait de l'Esprit Saint 1013 ; réalise perfection 927, 929 ; fait degré de vision intuitive 38, 997 (cf. Amour).

Degré de charité détermine perfection 925, 1002, 1006, 1007. Progression dans les Demeures 131, 132, 1010 (cf. Croissance spirituelle) ; charité paralysée aux premières Demeures 144, 1054 ; triomphe par la raison aux troisièmes Demeures 273, 280 ; réalise union imparfaite et intermittente aux quatrièmes Demeures 557, union de volonté aux cinquièmes Demeures 649, 650 ; charité purifiante réalise fiançailles aux sixièmes Demeures 940 et s. ; union transformante aux septièmes Demeures 989, 998 ; se développe toujours ici-bas 982, 1006-1007, 1016.

Charité et apostolat (cf. Apostolat de l'amour 1040, 1053).

CHRIST JÉSUS

Homme-Dieu 77 ; Dieu : Verbe au sein de la Trinité Sainte 77, 928 ; Parole de Dieu 202, 205 ; Homme : fait chair 657, 1034 ; Christ Jésus chef-d'œuvre de la Sagesse d'amour 302, de l'Esprit Saint 1017 ; profondeurs et richesses 133, 326, 661, 1021, 1022.

Médiateur universel et unique 72, 75, 78, 193, 203, 860, 861, 863, 868, 886 ; Prêtre 327, 860, 884, 886, 1040, 1066 ; Victime 85, 326-328, 863, 870 ; Rédempteur 77, 301, 883 ; vie et mort d'amour 880, 1052 ; Pain de Vie 76, 85, 658, 1018.

Sa Vie offrande de lui-même à son Père 326-328, 330.

Vie cachée 389, Jésus et Marie 886, 887, 1066 ; réserves de silence 367 ; obéissance 627 ; humilité 45, 337, 3360, 361.

Vie publique 337, Nicodème 338, 339 ; Samaritaine 339-341 ; lois qui guident son action 341, 342. Prière sacerdotale 76-77, 659 ; prière à Gethsémani 123-124, 149-150, 762, 870. Jésus immolé, crucifié, type de l'humanité régénérée 85, 86.

Christ Jésus Livre vivant 201, connaissance du Christ but de lecture spirituelle 205 ; personne du Christ dans Saintes Écritures 205-207 ; Christ Vérité dans livres dogmatiques 207-209 ; Christ Voie dans livres de spiritualité 209-211 ; Christ Vie dans l'Église et les saints 211-212.

Christ Jésus et oraison : nécessaire à toutes les étapes 66, 67, 78, 79, 861, 864 et s., 868 ; pour les commençants 66, 67 ; dans oraison de recueillement 184, 185, 861 ; Christ Jésus modèle parfait dans la nuit de l'esprit 869-870, 879-880 ; la Sainte Face 206, 870, 873-876, 881 et s. ; vision intellectuelle 713, 714 et vision imaginaire du Christ Jésus 715-716, 968 ; vision plus haute dans le mariage spirituel 968-970, 985-988 ; identification au Christ Jésus dans union transformante 1016-1023.

CHRIST TOTAL

Christ diffusé en ses membres 77 ; dessein éternel de Dieu 130, 298, 302, 657 ; grand mystère proclamé par saint Paul 77, 298, 862 ; but de l'Incarnation 302, 1065-1066.

Christ Jésus tête et unité du corps mystique 657, 661.

Christ total construit par Esprit Saint 867, 868, 928, 1017-1019 ; but de l'apostolat 689, 928, 1030, 1065.

Christ total dans la spiritualité thérésienne 662-664 : découverte.

Aux cinquièmes Demeures 662 ; découverte de l'incorporation au

Christ total 656 ; mystère de l'Église, réalisation du décret divin 658-660 ; participation du corps et du sang du Christ 660, 1018, lien de vie profonde entre le Christ et les âmes 664 ; diversité des membres 660, 661 ; mission de chacun 662, 1049.

Aux sixièmes Demeures, âme découvre sa mission dans Christ total 1066.

Aux septièmes Demeures, union au Christ total 1022 ; sainteté dans le Christ total 1024-1077 ; apostolat : vigne et branches 1024 ; double mouvement de l'amour 1028-1029 ; apostolat parfait 1063-1076.

Manifestation glorieuse du Christ total au jugement dernier 661-662.

Christ total et Vierge Marie 887, 888 (cf. Vierge Marie) ; toute mère dans le plan divin 883, 885, 1065.

Christ total et saints : Curé d'Ars 1036 ; Thérèse d'Avila 118, 1034, 1037, 1077 ; Thérèse de l'Enfant-Jésus 1038-1039, 1074, 1076.

CONNAISSANCE

Vision de la vérité 713 ; aliment de la foi et stimulant de l'amour 197, 198.

Connaissance de soi 39-52 ; avec la connaissance de Dieu, fondement de la vie spirituelle 53 ; fait triompher la vérité (humilité) dans attitudes et actes 40, 41, 46 ; assure équilibre de la vie spirituelle 41. Connaissance psychologique 41-43, connaissance spirituelle 44-49 (cf. ch. Humilité 336-361), s'acquièrent par raison 40, 346, par lumière de Dieu 49-52, 346-349, 550. Action du démon (fausse humilité) 51-52, 114, 748.

Connaissance de Dieu « connaître Dieu, c'est la vie éternelle » 1029 ; ignorance religieuse de notre temps 199-200.

Connaissance par la foi 468 et s., 683-684 ; par les vérités dogmatiques 198 ; par lectures (cf. ch. Lectures spirituelles 196-212) ; par négation 930-931. Connaissance mystique ou lumière contemplative 433 ; fruit de l'amour ou contemplation par connaturalité 410, 685, 687-688, 725-726, 973-976 (cf. Connaturalité, Contemplation) ; connaissance amoureuse 405, 503 ; par faveurs extraordinaires 706, 729 ; fruit de l'union 995-996 ; engendrée par

l'amour 410 ; connaissance expérimentale de l'absolu 601 ; perception de l'esprit purifié 932.

Connaissance par fiançailles 938 et s., par touches substantielles 725, 949, 964, 992.

Connaissance par union transformante, clarté d'aurore, vision intellectuelle 973-975, 1021-1022.

Connaissance par vision face à face 929, 997.

CONNATURALITE

Connaturalité avec Dieu assurée par la grâce 410, 513 ; connaturalité entre Christ Jésus et nous 879.

Connaturalité engendre connaissance 685, 687 ; connaissance de connaturalité produite par contemplation 909, 929, 931-932 ; actualisée par touches substantielles 725-726. Connaturalité parfaite dans mariage spirituel 902, 993 ; vision intellectuelle de la Trinité sainte fruit de la connaturalité établie par l'union 972-977 ; lumière jaillie de connaturalité parfaite 974. Connaissance de connaturalité a besoin de formule dogmatique pour s'expliciter, mais l'éclaire 976 ; connaissance de connaturalité subsiste au ciel dans un plan inférieur à la vision 997, 998.

CONTEMPLATION

Vue globale, pénétrante, amoureuse (Richard de St-Victor) ; regard simple sur la vérité (S. Thomas) sous l'influence de l'amour (Salmanticenses) 405 ; exercice de la vertu de foi 466-468.

Contemplation esthétique 406 ; **Contemplation intellectuelle** 407 ; **Contemplation théologique** 407, 446, 879 (cf. Théologie) ; contemplation dans oraison de simplicité : simple regard, recueillement actif 269-272, 429 ; comparaison entre sainte Thérèse de l'Enfant-Jésus et sœur Élisabeth de la Trinité 452-454 ; **Contemplation surnaturelle ou infuse** 408 et s., 507 et s. : foi perfectionnée en son exercice par les dons du Saint Esprit 409, 479, 507, 509 ; science d'amour, échelle secrète 440 ; langage de Dieu à l'âme ou de pur esprit à esprit pur 680, 696, 757, 931, 932 ; connaissance générale, confuse et amoureuse 511 ; peut être reçue sans expérience 481, 511, 695.

Appel à la Contemplation, en droit, toutes les âmes baptisées 421-422 ; en fait, pas la moitié entrent aux quatrièmes Demeures 430 ; peu les dépassent 431 ; défaut de lumière et de générosité 431-432 (cf. Appel).

Signes de l'entrée dans la contemplation surnaturelle, trois : deux négatifs : impuissance pour l'oraison et dégoût général 412-416, 513-514 ; un positif : saveurs 415, 506.

Contemplation et vie mystique : à partir des quatrièmes Demeures, royaume de la Sagesse d'amour 293, 298-299 (cf. Sagesse) ; sanctifie les âmes pour l'Église 301 ; Sagesse intervient dans la vie de l'âme par les dons du Saint-Esprit 303 ; vie mystique marquée par interventions du Saint-Esprit par les dons 308-309, soit actifs, soit contemplatifs 312, 313, 318 ; distinction entre vie contemplative et vie mystique 420.

Contemplation et foi : identité d'objet ; foi : possession de Dieu dans l'obscur 466, contemplation : perception obscure de Dieu objet de la foi 479 ; mêmes caractères, obscurité et certitude 479-480 ; contemplation, foi illustrée par les dons du Saint-Esprit 409, doctrine contemplative de saint Jean de la Croix 469 et s. ; contemplation surnaturelle et perfectionnement de la foi dans son exercice 307, 409, 468.

Exigences : folie et perfection, premières exigences 279-283 ; ascèse absolue 81-87, 599-611 (cf. Ascèse) ; don de soi 322-335 ; humilité 336-361 ; silence 362-388 ; solitude 389-402 ; direction spirituelle 246-266 ; théologie 433 et s. (cf. Théologie).

Étapes : formes passives imparfaites et intermittentes 557 ; recueillement passif 496-498, 508 ; quiétude et goûts divins 499-502 ; sécheresses contemplatives 503-505 ; aux cinquièmes Demeures :

entrevue dans l'obscur 644-647, 662 (cf. Union) ; aux sixièmes Demeures : enrichissements divins 671-704 ; ravissements, rapts 776, 777, 778 ; entrevue dans la lumière 947 (cf. Fiançailles) ; aux septièmes Demeures : vision intellectuelle de la Trinité sainte 36, 720-722, 972, 1006 ; mariage spirituel 967 et vision face à face 997-998.

Effets : lumière et amour 921 et s., pénétration dans l'or de vérité substantielle 436-441 ; saveur dans la quiétude 415, 579 ; humilité fervente 346-349, 910 ; angoisse 546-549 ; nuit du sens 540, 541 et s. ; adaptation du sens à l'esprit 581, 758 ; nuit de l'esprit 756 et s. ; adaptation de l'esprit à Dieu 759, 760 ; purification morale 908-913 ; retournement psychologique 760, 913-920 ; contemplation surnaturelle conduit à l'union parfaite 411, 989 et s., à l'apostolat parfait 398, 402, 689, 1029-1033, 1063.

CROISSANCE SPIRITUELLE

Croissance de la grâce dans l'âme 32-34, 127, 421, 422 ; réalisée par activité de Dieu et de l'âme 129, 130 ; caractérisée par progrès dans l'union 128-130 ; par transformation de l'âme 131, 132.

Processus régulier indiqué par sainte Thérèse à travers les Demeures 128-130 (cf. Tableau). L'âme ne croît pas à la manière des corps 134-135, 136, 429, 934-935.

Difficulté de découvrir les signes de croissance 133-135, 934, 935. Signes psychologiques 934-937.

Mystère de cette croissance 127, 132-136, 1019 ; jalons lumineux 136-138.

Croissance du Christ 133.

Croissance de l'Église, Christ total 661, 662, 1034 (cf. Christ Total ; ch. Mystère de l'Église 653-666).

D

DEMEURES

Livre des Demeures ou Château Intérieur, circonstances historiques 15-19 ; composition et

divisions de l'ouvrage 19-22 ; valeur de l'ouvrage d'après sainte Thérèse 22-23, action de sa grâce de maternité spirituelle 24.

Vision du Château 18. Sept

Demeures ou étapes : base de départ 128 ; trois Demeures de transition : deuxièmes, quatrièmes, sixièmes 128 ; trois états d'union : troisièmes, cinquièmes, septièmes 128.

Demeures marquent étapes de progression spirituelle 129-130, 138.

Première phase (trois premières Demeures) : âme active, secours général de Dieu 129, 141.

Premières Demeures. Antichambre du Château, description 143 ; état de grâce 143, 144 ; règne des tendances 48, 49, 145, 156-157 ; action ténébreuse du démon 145 ; danger grave de péché mortel 146-153 ; base de départ : l'âme se lève pour aller vers Dieu 154, 168.

Deuxièmes Demeures. Oraison y introduit 155, 168 ; tendances irritées 49 ; difficultés, tentations, luttes, souffrances 160-161 ; démons nombreux 162 ; oraison pénible, sécheresse 161 ; ascèse subordonnée à recherche de Dieu 158, 159. Progrès : âme fait oraison 156 ; dégagement des choses extérieures 157 ; appels du Maître mieux perçus 161. Oraison : prière vocale, prière liturgique 171, 176 ; lecture méditée 176-178 ; effort de recueillement et recherche de Dieu 182-186. Dispositions nécessaires 167, persévérance malgré les chutes 163.

Troisièmes Demeures. Vie extérieure réglée 267, 268 ; en garde contre le péché véniel, mortifications 268 ; fidélité aux heures de recueillement 269 ; oraison active simplifiée 271-272 ; déficience et malaise 273-276 ; « si tu veux être parfait » 277 ; raison encore trop maîtresse d'elle-même 278.

Deuxième phase (des quatrièmes Demeures aux septièmes Demeures) : secours particulier de Dieu 129, 141.

Quatrièmes Demeures. Dieu intervient progressivement dans l'âme 141, 293 (cf. Tableau) par les dons du Saint-Esprit 303 ; produit recueillement passif 496, quiétude 499, sécheresse contemplative 503, climat habituel 505. Expérience de lumière et d'amour 513, emprise habituelle de la volonté et obscurité dans intelligence raisonneuse 515 ; action intermittente et partielle de Dieu 544, 557, produit nuit passive du sens 539-553. Ascèse pendant et en dehors de l'oraison (cf. Ascèse),

obéissance, vertu de ces Demeures 620 ; un grand nombre d'âmes y entrent, peu les dépassent 431-432, 554-555.

Cinquièmes Demeures. Union de volonté 637-640, réalisée par grâce mystique 642 et s., ou par voie ordinaire d'ascèse 648 et s. ; âme introduite dans mystère de l'Église 656, 662 (cf. ch. Mystère de l'Église 653-666) ; zèle 653, 654.

Sixièmes Demeures 669. Nuit de l'esprit 671 (cf. Nuit) ; faveurs extraordinaires (cf. Faveurs), fiançailles spirituelles (cf. Fiançailles). Pas de porte fermée avec les septièmes Demeures 946.

Septièmes Demeures. L'âme est introduite dans le centre d'elle-même où est Dieu 34, 366 ; mariage spirituel 967-971, 975, vision intellectuelle de la Trinité sainte 34, 972-978 ; union transformante 989-1023, ressemblance d'amour 926 ; identification au Christ Jésus 1016-1023 ; union à l'Esprit Saint 1008-1016 ; la progression se poursuit, Vive Flamme 982-988, 1006-1007.

DÉMON

Pur esprit, ange déchu 95 ; fixé dans attitude de révolte 95, 352 ; privé de l'amour infini 95 ; puissance de haine 95, 784 ; puissance de ténèbres 100 ; menteur et père du mensonge 104-106, 107, 784.

Puissance de sa nature angélique 95 (cf. Ange). Pouvoir d'intervention donné par Dieu pour entraver œuvre divine 95-96, 768, 783 ; action sur sensibilité, imagination, mémoire, sur activité des facultés 95, 96, 103 ; connaît pensées, désirs, faveurs surnaturelles par leurs manifestations sensibles qu'il interprète 96 ; ne peut approcher du centre de l'âme 31, 100 et note 2, 933 ; ne peut pénétrer lois du monde surnaturel, ni imiter communications purement spirituelles 96, 933.

Rôle providentiel et purificateur 95, 114-115, 785 ; dans la tentation 101 ; règne dans les ténèbres et par mensonge 104, 105, 784 ; trouble et trompe 102-104 ; produit fausse humilité 51, 114, 563, 748 ; agit par impressions 96, dans la maladie de sainte Thérèse de l'Enfant-Jésus 96 ; stigmates 792, 797. Agit d'une façon spirituelle, lutte d'esprit à esprit 769.

Possession 100, 101. Sociétés, âmes vouées au démon 101 note.

Action à toutes les étapes de la vie spirituelle.

Premières Demeures : démon dresse embûches dans leur confusion 145-146 ; livre combats et tentations intérieures 162.

Aux troisièmes Demeures, utilise les bons désirs pour user énergie en efforts inutiles 164 ; détourne à son profit tendances non dominées 221, 1054 ; distractions, troubles excessifs, inquiétude de l'âme 221.

Aux quatrièmes Demeures, exploite désirs présomptueux d'apostolat 1059 ; saisit l'âme dans passage du sens à l'esprit 105, 612.

Aux cinquièmes Demeures, cherche à faire perdre emprise divine 98, 644 ; à séparer l'âme de la volonté de Dieu 1062.

Aux sixièmes Demeures, s'efforce d'empêcher purification 98, 671 (cf. Nuit de l'esprit) ; intervient dans rencontre du divin et de l'humain 761-762 ; crée troubles spirituels et extérieurs 783-784, 933 ; contrefaçons de faveurs extraordinaires 744, 745 ; perception de la présence du démon 933 ; après fiançailles âme invulnérable 952.

Discernement : dans le doute se défier 107 ; on le reconnaît à son action : manque de mesure, étrangeté, orgueil 747 ; et à ses fruits : mensonge, trouble, inquiétude dans manifestations ordinaires et extraordinaires 107 ; don de discernement des esprits nécessaire 783-784.

Combattre par prière et vigilance, jeûne, eau bénite 109, 110 ; tactique : actes anagogiques 111 ; 113 (cf. Anagogique) ; humilité 114 ; lutte, ne pas la rechercher 109, 111, fuite 112.

DÉPASSEMENT

Attitude essentielle de l'âme thérésienne 32, 38 ; technique spirituelle de saint Jean de la Croix 680 ; chez sainte Thérèse de l'Enfant-Jésus (cf. Pauvreté, Espérance, Enfance spirituelle, Détachement).

Dépassement de l'agitation et du bruit des facultés 386-388, 576, 577 ; dépassement de la région du sens vers la région paisible de l'esprit par actes anagogiques 581-583, 589, 592 ; dépassement des lumières distinctes 480 (cf. Foi) ; dépassement dans les faveurs extraordinaires, conseils de saint Jean de la Croix 751, 752.

Attitude de dépassement de tous les phénomènes sensibles par une orientation continuelles vers Dieu 807.

Moyens de dépassement différents pour chaque âme 595.

DÉTACHEMENT

Nécessaire pour l'union 83, 908 ; une seule attache voluntaire empêche l'union 906 et s. (Cf. Tendances) ; doctrine de saint Jean de la Croix 601 ; nécessaire pour s'engager dans la voie de la perfection 278 ; pour la contemplation habituelle 599-601 ; pour que Dieu se donne 322, 586, 587.

Détachement des biens : matériels 277 ; intellectuels 353 ; moraux et spirituels 83, 364 ; de tous les biens 828.

Étapes. Premières Demeures : efforts de dégagement 157.

Troisièmes Demeures : détachement incomplet 275-277.

Quatrièmes Demeures : acte de détachement complet en permet l'accès 290 note.

Cinquièmes Demeures : grâce mystique d'union, détachement par emprise d'amour 642-646, 652, donne sollicitude pour Dieu et les âmes 654.

Sixièmes Demeures : détachement parfait dans nuit de l'esprit 903, 904, 907 (cf. Pauvreté).

Ascèse mystique de détachement, pratique de la vertu d'espérance 824-825, 848 (Cf. Ascèse).

Purification de la mémoire 829-832 (cf. Pauvreté).

DIRECTION SPIRITUELLE

Importance et nécessité 246-251 ; entre dans le plan providentiel 249 ; moins nécessaire pour chrétien ordinaire 251 ; pour religieux 251 ; nécessaire au début de vie spirituelle 247-248 ; pour éclairer, régler l'ascèse 92, équilibrer humilité et grands désirs 167, aider dans premières difficultés du recueillement 247 ; besoin plus grand dans périodes d'obscurité, quatrièmes et sixièmes Demeures 247-248 ; soumettre lumières intérieures sur les exigences divines 605-606 ; indispensable pour toutes faveurs extraordinaires 753-755.

Choix du directeur, lumières données à l'âme 252.

Rôle du directeur : guide 246, père 249 ; soutien dans les souffrances, les désordres physiques des purifications 779 ; action combinée du directeur et du médecin dans cas pathologiques 224, 778-779.

Qualités du directeur : sainteté affirmée par humilité et charité 253-254 ; prudence 255 ; discrétion 256-257 ; éviter autoritarisme accapareur 254 note 1, expérience 257, 259 ; science 259 ; ignorance sévèrement condamnée 448, 449.

Devoirs du dirigé : esprit de foi 262 ; confiance affectueuse, simplicité et discrétion 262-264 ; obéissance 265, 266, 631 (cf. Obéissance).

DOCTRINE

Base de la vie spirituelle 27, 197 ; lectures spirituelles 207 ; nécessaire aux spirituels débutants, aux contemplatifs 444-445 ; mouvement moderne pour vulgariser la doctrine 450 ; danger des études entreprises par snobisme, curiosité 450-451 (cf. Dogme, Contemplation, Connaissance).

Doctrine de saint Paul, christocentrique 202-203, 731, 862-863 ; doctrine sur les charismes 1050 ; sur la folie de la croix 281-282 ; sur le Corps Mystique 211, 298, 656 et s., 1017, 1018 ; sur la charité 998, 1007, 1012 ; sur la grâce 421.

Doctrine de sainte Thérèse d'Avila : sur la perfection 128 ; intériorisation et perfection (cf. ch. Croissance spirituelle 127-132) ; doctrine sur l'oraison 182 et s. ; sur le Bon Jésus 66 et s. ; doctrine sur l'ascèse (cf. ch. Ascèse thérésienne 80 et s.) ; doctrine sur la contemplation, divers degrés : recueillement 191, 496 et s., quiétude 499 et s., faveurs extraordinaires 705 ; fiançailles et mariage spirituel 938 et s. ; doctrine sur l'apostolat 123, 689, 690, 1040 (cf. ch. Esprit thérésien 117-126).

Doctrine de saint Jean de la Croix : Doctrine sur nuits (cf. Nuit) ; sur l'ascèse absolue : graphique de la Montée du Carmel, au tout par le rien 600, 601 ; les vertus théologales : symbolique des trois couleurs 917-920 ; doctrine sur la foi 456, 468-473 (cf. Foi) ; les actes anagogiques 112-113, 581-583 ; doctrine sur l'espérance 827 (cf. Espérance) ;

la charité 440, 924 ; amour et développement de l'amour après mariage spirituel, Vive Flamme 982 et s. (cf. Oraison, Contemplation, Sécheresse contemplative 579 et s.), doctrine sur les grâces extraordinaires (cf. Faveur, Grâce) ; sur union transformante 1011-1014 (cf. Union) ; différence apparente entre sainte Thérèse et saint Jean de la Croix 513 et s., 694 et s.

Doctrine de sainte Thérèse de l'Enfant-Jésus : enfance spirituelle 832 et s. (cf. Enfance spirituelle) ; comparaison avec sœur Elisabeth de la Trinité 452-454. Oraison : définition 62 ; oraison de foi 476, 845-847 ; petits moyens 74, 452, 595-597 ; regard sur le Christ Jésus 74, 271, 454 ; sur la Sainte Face 873-876, 881-882 ; doctrine sur contemplation, simple regard sur Jésus, attitude de l'oiseau 845 ; les grâces extraordinaires 308 et note 5, 845 ; doctrine sur la pauvreté 343, 838, 841, 846-847 ; désir de vérité 208 (être et paraître) 990 ; doctrine sur l'ascèse, ascèse de petitesse 847 et s. ; doctrine de sainte Thérèse de l'Enfant-Jésus s'appuie sur doctrine de saint Jean de la Croix 700, 833, 846, 859 ; sur le rien 835, 858.

DOGME

Expression de la vérité révélée, expression parfaite en termes humains, analogiques, de la vérité divine, porte la lumière du Verbe 207, 218, 409, 435-437, 444, 467 ; contient richesse de lumière qui éclaire intelligence 207, 285-286, 467, 471, 977.

Symbole : surfaces argentées et or de la substance, formule et lumière divine (Cant. Spir.) 409, 437.

Dogme aliment nécessaire à la foi 197-198 ; base qui étaye la foi 199 ; éclaire la marche vers Dieu 436 (cf. Foi).

Étude du dogme nécessaire à l'oraison surtout au début 207 (cf. ch. Lectures spirituelles 196-212).

Dogme et contemplation. Contemplation s'appuie sur dogme 259 ; mystique sans dogme, mystique hindoue 433, 434, notes 436, 438 et 588, 444 ; exposé de J. Paliard 438 (cf. Contemplation, Théologie) ; contemplation dépasse surfaces argentées, va à l'or de la substance. Faveurs extraordinaires déchirent écorce de la formule 730 ; dogme traduit lumière de la contemplation 453 ;

fusion harmonieuse de la lumière du dogme et de la contemplation 976-977 ; dogme à la lumière du brasier de l'union transformante 984.

Culture dogmatique (cf. Lectures spirituelles) danger d'intellectualisme 447 ; de curiosité, d'orgueil 449 ; peut nuire à contemplation 450.

Dogme et vie de l'Église 441-442 ; préférence d'une époque pour un dogme particulier 209. Dogme de la médiation universelle et unique du Christ 861 ; dogme de la Trinité 460-461, 436 note ; les dogmes concernant le Christ et la Vierge s'explicitent à travers les siècles en même temps 883 et s.

Le dogme et les saints : soumission complète au dogme 435, 438, 441, 443 ; sainte Thérèse d'Avila, 208, 436 ; saint Jean de la Croix 437 ; sainte Thérèse de l'Enfant-Jésus 75, 208, 436 ; sœur Élisabeth de la Trinité 452-454.

DON

Dons du Saint-Esprit 303 ou « esprits » 304 ; font partie de l'organisme surnaturel reçu au baptême 421 ; habitus 304 ; passivités 304, 410, 468 ; capacités réceptives de l'action de Dieu 310 note, 319, 422, 680 note ; souplesses et énergies 305 ; portes sur l'Infini 318 ; voiles hissées au souffle de l'Esprit Saint 319. Distinction : non essentielle, diversité de l'objet et du but 309-313 ; 310 note, 424. Dons contemplatifs : intelligence 309, 317, 509 et s., 923, 972 ; sagesse 309, 317, 509, 512-513, 685 ; science 309, 317, 995, 996. Dons actifs : conseil 310, 317, 751 ; force 310, dans sainte Thérèse de l'Enfant-Jésus 316 notes 1 et 3, 317 ; crainte 310,

1013 ; piété 310, 311. Action de Dieu identique et diversité de dons chez Don Bosco et sainte Thérèse 313. Dons et vertus 285, 286 ; différences 305, 306 ; dons perfectionnent vertus dans leur exercice 307 (cf. Foi vive, humilité fervente). Dons et béatitudes 310.

Exercice des dons, sainte Thérèse de l'Enfant-Jésus 321 note ; vie mystique 287, 420 (cf. Mystique : vie, grâce et expérience), élévations passagères des âmes des trois premières Demeures à Demeures supérieures 429 ; aux quatrièmes Demeures, Dieu envahit l'âme, perfectionne les vertus 307, 308, 319 ; emprise de l'Esprit Saint par les dons et fécondité de l'âme 955, 1024 et s. Expérience des dons (cf. Expérience) négative 315-317 ; positive 317-318 ; Dieu lumière et Dieu amour 506 et s. ; expérience du don par le vide 315 et note.

Dons de Dieu 37, 135, 300, 686, 924, 993 ; joyaux des fiançailles 946 et s. ; don parfait et mutuel 367 (cf. Mariage spirituel) ; dons surnaturels 48 (cf. Grâce), dons préternaturels 48 ; naturels 350 et s. ; dons spirituels 355 et s. ; aspirez aux dons supérieurs 927 (cf. Charité).

Don de soi 322-335 ; nécessité 323, 324 ; placé sous lumière d'oblation du Christ 325-328 ; de la Vierge 334, 636 ; qualités 329, 330 ; absolu, indéterminé 330-332, souvent renouvelé 333-334 ; produit désappropriation, livre à l'action de l'Esprit Saint 332, provoque emprises divines 334 ; ascèse nécessaire pour contemplation 599 ; doit être complet à l'union de volonté 649 ; parfait aux fiançailles spirituelles 950 et s., 927, 928 ; disponibilité complète de l'âme 1064, 1071.

Acte d'offrande à l'Amour miséricordieux 700, 845.

E

ÉBRANLEMENT

Ébranlements : par action intense de Dieu, pression constante de la grâce ou effusions extraordinaires ; par faiblesse ou déficience du patient 779.

Chez les débutants (cf. ch.

Distractions et sécheresses, 213-226). Aux quatrièmes Demeures : agitations dans quiétude 499-502 ; sécheresses contemplatives 503-505 ; dans tempéraments faibles, ébranlements produisent des effets semblables aux ravissements : descriptions et remèdes 616-619 (cf. Nuit du sens). Aux cinquièmes et sixièmes Demeures : **Phénomènes physiques** 775, 776 : effets de l'ébranlement subit par les sens et le corps 787-798 ; maladies 775 ; ravissements 776, 777, 948, 949 ; stigmates 787-798. Ébranlements donnant lieu à des phénomènes extraordinaires 785-787. **Phénomènes psychologiques** 772-775 ; transitoires avant la nuit de l'esprit 773, après le retournement psychologique 775, 914, 915. Ébranlements et **Phénomènes psychiques** 803-814. Troubles psychiques de la nuit de l'esprit et psychoses : ressemblances et distinctions 803-808 ; libération du pathologique par nuit de l'esprit 810-814 (cf. Nuit de l'esprit).

ÉGLISE

(Cf. Christ Total). Fin de toutes choses 657, dernier anneau de chaîne des mystères : Incarnation, Rédemption, Église 666, 1030, 1065.

Église et Christ Jésus 176, 657-661 (cf. Christ Jésus).

Église et Esprit Saint (cf. Esprit Saint).

Église, Christ diffusé 77 ; société hiérarchisée 249 ; puissance, mission 621 ; magistère infaillible 207-208, 441 ; conserve vérité 440-441 ; Église et hérésies 442.

Amour de l'Église 664-666, 1031, 1066, 1069.

Apostolat dans l'Église (cf. Apostolat).

Découverte de l'Église 662 (cf. Union de volonté).

Carmel et Église : esprit thérésien 116 et s.

Sainte Thérèse d'Avila, sainte Thérèse de l'Enfant-Jésus et l'Église 1038, 1077.

ENFANCE SPIRITUELLE

Doctrine spirituelle de sainte Thérèse de l'Enfant-Jésus 832 et s. ; voie de sainteté 166, 843 ; coopération à la nuit de l'esprit 859 ; conduit à l'union transformante 847.

Fondement : connaissance expérimentale de Dieu-Amour 843 et de la pauvreté de l'âme 838, 842 ; espérance purifiée par la pauvreté spirituelle 827, crée une attitude foncière d'enfance qui attire la miséricorde 849 ; enfant présenté comme modèle 840 ; nécessité d'une

renaissance spirituelle 822, 841-842 ; repose sur la doctrine de saint Jean de la Croix du tout par le rien 828.

Réalisation : cultiver la confiance et la pauvreté 828, 837-839 ; maintenir le regard sur Dieu constamment et à travers tout 827 ; pratiquer l'ascèse de petitesse : persévérer dans l'effort énergique et dans la confiance malgré l'échec, lever son petit pied en comptant sur Dieu pour le succès 850, 851 ; ne pas aller vers l'extraordinaire 852, 853 ; accepter les mortifications imposées 854, 855 ; remplir tout son devoir d'état 854 ; aller aux actions de charité 855 ; dans la joie 857 (cf. Ascèse, Oraison).

ENTENDEMENT

Intelligence qui raisonne 42, 179, 180, 215 ; travaille sur des images 215, 536 ; fait partie des faubourgs de l'âme 42, 385, 537, 680. Démon agit puissamment sur entendement 103, 221.

Entendement et foi. Fournit aliment et base de la foi 197, 286, 461, 467, 918 ; subit effets privatifs de la lumière divine 510, 512, 579 ; aveuglé dans la nuit des sens 542-544 ; souffrance aiguë dans la nuit de l'esprit 765, 774-775.

Entendement et oraison. Aide au recueillement dans les débuts 63, 189, 194, 573 ; soutient la volonté, la gêne parfois 215, alimente méditation 196-200 ; discipline dans oraisons simplifiées 270 ; impuissant dans oraison de recueillement passif 497 ; entendement et distractions et sécheresses 215 ; entendement dans oraison de quiétude 501-502 ; excité comme un fou 385, 501 et note, 575-576 ; entendement et troubles pathologiques 219-220 ; entendement et paroles successives 709-710 ; entendement et action de la Sagesse 914-915, 931.

ESPÉRANCE

Vertu théologale infuse 824, greffée sur mémoire et imagination 388, 918 ; repose sur appétit irascible, désir ardent bien suprême 825 ; vertu de marche 825.

Symbole de l'espérance : tunique verte 827, 919 ; casque du salut 919.

Deux formes : active, mouvement vers Dieu 825 ; **passive,** immobile, attire en soupirant 825, 826.

Espérance perfectionnée par

pauvreté 831, 832 ; ne possède pas 827 ; purification de la mémoire par touches divines 830 ; pauvreté totale fait espérance parfaite 827-828 ; espérance obtient tout 827, 832, 837 ; doctrine du rien de saint Jean de la Croix 830, 831.

Vertu des sixièmes Demeures et de la nuit de l'esprit 130, 832 ; disposition foncière de la spiritualité de sainte Thérèse de l'Enfant-Jésus 837, 838 (cf. Enfance spirituelle, Pauvreté).

Mouvement de l'espérance dans union transformante 832.

Espérance et Nicodème 821, 822.
La Sainte Vierge, espérance dans la nuit de l'esprit 889 et s.

ESPRIT

Esprit de Dieu (cf. Esprit Saint).

Esprits : purs esprits 95 ; présents où ils agissent 27, 744 (cf. Ange, Démon) ; présence d'esprit impur perçue par esprit purifié 221 ; lutte d'esprit à esprit 769 ; esprit et désert 389-399.

Esprit : région de l'âme la plus intérieure 42-43, 536, 581 (cf. Centre) ; esprit et âme 43-44 ; cachette de la foi 581 et s., 589 ; solitude de l'âme 586, 680, 925 ; langage de pur esprit à esprit pur 680, 696, 757, 932.

Sens et esprit, distinction 43, 536-537, 544, 582, 680 ; dualité 48, 71, 588, 602 ; esprit troublé par les sens 744, 769 ; tendances ont leur racine dans l'esprit 760, 904 ; démon se porte sur passage du sens à l'esprit 105-106, 761.

Purification de l'esprit 431, 535-538, 903 (cf. Nuit de l'esprit) ; feu de l'amour s'enflamme dans l'esprit 902, 910-911.

Divagations d'esprit 42, 214, 220-221.

Orgueil de l'esprit : péché originel 48, 102 ; péché angélique 352-353 ; du pharisien 354 ; prétentions intellectuelles 450, orgueil de l'esprit après nuit du sens 761.

Soumission de l'esprit par l'obéissance 624 ; soumission au dogme 436.

Paix de l'esprit 562, 582, 981.

Vol de l'esprit et ravissement des fiançailles 680, 693, 942 ; chez sainte Thérèse de l'Enfant-Jésus 845.

Prémices de l'esprit 24, 675, 743-744, 985, 1028, 1067-1068.

Esprit filial 33, 77, 843, 1028 ; vient du Christ 193.

Esprit égaré, imparfait 83, 991 ; esprit de propriété 532, 829 ; esprit critique 450-451 ; esprit de fornication, de blasphème, de vertige, tourment de l'esprit 549.

Esprits modernes 59, 179, 519, 741.

Esprit thérésien 116-126, 210 ; esprit du Carmel 320-321 ; esprit d'Élie 395, 397-398.

ESPRIT SAINT

Troisième Personne de la Trinité sainte 30 note ; Amour substantiel et personnifié 197, 1030 ; spiration d'amour du Père et du Fils 1008, 1011 ; flamme d'amour, brasier qui consume 675, 984, 1011 ; don parfait de Dieu 37 ; souffle de la Sagesse d'amour, de la miséricorde infinie 318 ; reconnu en Jésus par Nicodème 821 ; on ne sait d'où il vient ni où il va 822.

Présence de l'Esprit Saint.

Dans l'âme : présence active d'immensité 27, 28, 1008, 1009 ; objective 29 et s., 1010 et s. ; dominatrice 1013-1016.

Action sanctificatrice : par le secours général 64, 129, par le secours particulier 64, 129-130 ; par dons du Saint-Esprit (cf. Don) ; par illuminations et motions dans acte de foi 286-287 ; par faveurs extraordinaires et ordinaires (cf. Faveurs) ; par identification au Christ Jésus 1016-1023 ; 1028-1029.

Dans l'Église : âme de l'Église 319, 1008 ; action constructrice 928, 1018, 1030, 1034, 1035, 1041, 1065, 1071 ; Pentecôte 319, 1008, 1057, 1067 ; Esprit Saint et primitive Église 319, 1008-1009, 1046 ; action plus cachée actuellement 320, 1009 ; Esprit Saint, apostolat d'amour et mission d'apostolat (cf. Charisme, Apostolat) ; formation de l'apôtre (cf. Instrument).

Expérience de la présence :

Aux quatrièmes Demeures, saisie dans saveurs de quiétude 499, 502, 504, 508, 1010 ; obscurément dans sécheresse contemplative 503-505.

Aux cinquièmes Demeures, contact dans l'obscur 642, 643 et s., 1010.

Aux sixièmes Demeures, perception dans la lumière 683, 1010 (cf. Visions, Ravissements).

Aux septièmes Demeures, vision intellectuelle de la Trinité sainte 972-977 ; réveil du Verbe 987, 988 ; aspiration d'amour 988.

Expérience de Dieu-Amour chez sainte Thérèse de l'Enfant-Jésus 698-704.

EUCHARISTIE

Humanité vivante et immolée du Christ en nourriture aux âmes 76, 658 (cf. Christ Jésus, Sacerdoce) ; fin de tous les sacrements (définition du Concile de Trente) 76 note ; source par excellence de la vie divine, canal principal de la grâce, condition nécessaire de la vie surnaturelle 1018 ; triomphe de la Sagesse d'amour 302, 1031.

Présence du Christ immolé 85 ; après la Cène 659.

Présence eucharistique et présence de la Trinité sainte dans l'âme 30 note.

Influence apaisante de l'Eucharistie (Jésus sacramenté), dans sécheresse contemplative 594 ; Eucharistie et gourmandise spirituelle 534.

Efficacité unissante, fait les saints et construit l'Église 76-77, 624-625, 660, 1018 ; par la foi nous unit au Christ 477, 632, 863 ; communique la vie divine 658 ; fait entrer dans le Christ 660 ; nous assure le bénéfice de sa souffrance rédemptrice 659, 886.

EXERCICE

Oraison exercice de la vie spirituelle : pas exercice d'école 56, 192, mais s'apprend par exercices persévérants 168 ; oraison thérésienne est exercice réel de la vie surnaturelle et déjà de la vie céleste 192-193 ; oraison de recueillement n'est pas exercice transitoire mais vise à l'union constante 55, 186.

Exercice de l'aspiration 583. Exercice de présence de Dieu (cf. Présence). Prière vocale, exercice d'humilité pour le contemplatif 171. Exercice humble et quotidien de l'obéissance purifie et assouplit les facultés 636. Exercice des dons du Saint-Esprit dépend de la libre intervention de Dieu 421.

Exercice des vertus : nécessaire au début 306.

Exercice de la foi : deux modes, rationnel et imparfait : purement surnaturel et parfait 286-287, 466 et s. Exercice de la foi par regard pénétrant sur la Réalité perçue ou soupçonnée 585-586. Exercice de la foi convient aux tempéraments intellectuels dans les sécheresses contemplatives 585.

Exercice de l'espérance, actif et passif 825 (cf. Espérance), action de l'Esprit appelle coopération active dans exercice de la vertu d'espérance aux sixièmes Demeures 826-827 (cf. Nuit de l'esprit, Pauvreté, Enfance spirituelle).

Exercice de l'amour : il est important de s'exercer à l'amour (saint Jean de la Croix) 649-651, 927. Exercice de l'amour par des actes 650 ; ascèse de petitesse de sainte Thérèse de l'Enfant-Jésus 847-851.

Les interventions miséricordieuses de Dieu perfectionnent l'exercice des vertus 468 ; mode parfait d'exercice des vertus ou retournement psychologique 917. Exercice de la vertu reste possible dans certains troubles psychiques 810, 811.

EXPÉRIENCE

Expérience mystique : perception par la conscience psychologique de l'action de Dieu par les dons du Saint-Esprit 314 ; expérience mystique et vie mystique 314, 315 ; expérience mystique et vision face à face 997-998 ; expérience mystique différente chez les saints et les âmes, due aux tempéraments 506, 516-519 ; sainte Thérèse 502, Dieu-Amour 512 ; saint Jean de la Croix 503, Dieu-Lumière 509-512.

Expérience des dons du Saint-Esprit 313 et s.

Expérience négative : la plus constante, la plus authentique 316 et note ; expérience de Dieu-Lumière par don de science 346-349 (cf. Humilité fervente), par le don d'intelligence 922-924, 929-932 (cf. Nuit de l'esprit, Effets) ; expérience du don lui-même par le vide 315, 316, 959, 960.

Expérience positive par le don de sagesse (cf. Dons du Saint-Esprit, Expérience) ; expérience de Dieu-Amour 512-513, jaillie de la connaturalité 977, 992-993.

Aux quatrièmes Demeures : recueillement passif 498, quiétude 500 ; action de Dieu dans les facultés 508 ; expérience de la source profonde restée lointaine 508 ; sécheresse contemplative, troisième signe de saint Jean de la Croix 542, 543 (cf. Nuit passive du sens).

Aux cinquièmes Demeures : expérience du contact avec Dieu 672, 679 ; certitude et obscurité 642-643.

Aux sixièmes Demeures : expérience douloureuse des purifications

756-820 ; grâces extraordinaires : ravissements 943-944 ; visions 712-724 ; touches substantielles 964 ; fiançailles spirituelles 940 et s., paisible dans obscurité de la foi 929-932.

Aux septièmes Demeures, expérience trinitaire : vision intellectuelle 972-978 ; paix 978-981 ; la main du Père 985 ; Verbe endormi 987 ; Esprit Saint, flamme, brasier 984-985, aspiration de l'Esprit Saint 988.

Expérience du double mouvement de l'amour 1033-1039.

Expérience de la Miséricorde 833 et s.

Expérience de la pauvreté spirituelle 843 ; sainte Thérèse de l'Enfant-Jésus et saint Jean de la Croix 811, 843, 833-834.

F

FACULTÉS

Leur place dans l'âme 42 ; distinction des facultés et puissances 42, 216, 536 ; péché originel a détruit harmonie 48, 219 ; facultés subissant influence du démon 96, 106, 162 ; vertus infuses greffées sur facultés 286, 306 ; intervention de Dieu par les dons du Saint-Esprit 306-307.

Facultés et oraison.

Trois premières Demeures : facultés en activité dans oraison 168 ; faiblesse et difficultés des facultés 50, 144, 145 ; facultés nourries par lectures spirituelles et étude de la vérité 198-199, 478 ; soutenues par prière vocale 172 et lecture méditée 177 ; passent à la méditation 178 ; danger d'excès d'activité intellectuelle 181 et note ; exercice du recueillement 183, 187-195 ; distractions et sécheresses 214-218. Ascèse de détachement 160-164, 383. Apaisement dans oraisons simplifiées 269-272.

Quatrièmes Demeures : apaisement et agitation dans quiétude 499, 500, 574-578. Ascèse de solitude et de silence 384-388. Impuissance dans sécheresses contemplatives 503-504, 510-511, 546-548 ; souffrances dans nuit du sens 536, 544-547, 571, 592 ; apaisement et adaptation à l'esprit 549-550, 552-553 ; devoirs de l'âme dans la nuit 566, 573, 579-598 ; facultés et foi vive 582-583 ; actes anagogiques 584-585.

Cinquièmes Demeures (cf. Grâce mystique 642) ; dépaysement du papillon 646, 653, 654.

Sixièmes et septièmes Demeures : facultés et nuit de l'esprit (cf. ch. Nuit de l'esprit 756-820) ; retournement psychologique 913-917 ; paix et agitation des facultés 978-982. Suspension des facultés dans union mystique 941-943, 963 et faveurs extraordinaires (cf. Fiançailles) ; renardeaux 958-959 ; jamais apaisées complètement 36, 386, 980-981.

FAIBLESSE

Conséquence du péché 307, attachée à la condition humaine 87, 92, 227.

Faiblesse sous l'action de Dieu 693, 763, 788, 960, 963 ; due au tempérament 599, 615-617 ; peut être pathologique 101, 219-220, 801, 803-804 (cf. Pathologique) ; faiblesse physique 775-778 ; le dirigé doit faire connaître ses faiblesses 263 ; faiblesses sous l'action de Dieu disparaissant aux sommets 979-980.

Faiblesse de l'âme, cause d'épreuves 163, 221, 225 ; expérimentée douloureusement 473, 785, 826 ; n'étonne pas Dieu 546, 554 ; attire la miséricorde 343-344 ; n'empêche pas la sainteté 781-785, 782 note, 801, 808 et note, 811-815.

Faiblesse de l'enfant : confiante 597 ; acceptée 343, 842 ; audacieuse 841 ; éveille l'esprit filial 843-847 ; s'appuie sur Dieu seul 848-852 (cf. Enfance spirituelle) ; don de délicatesse et du sourire 857.

Dieu s'est adapté à notre faiblesse : en s'incarnant 192, 238 ; en nous ménageant les secours des communications et

faveurs 763, 1025, 1065 (cf. Faveurs) ;
l'Esprit Saint vient en aide à notre
faiblesse 423, 826, 1028 ; « Ma grâce
te suffit » 912.

**Faiblesse du regard et de la
connaissance** 424, 469, 685.

FAVEURS
SURNATURELLES

**Toute forme de l'action de Dieu
dans l'âme.** Définition 706-707 ; nous
font entrer dans la connaissance de
nous-mêmes 50-51.

Faveurs ordinaires, infusion de
charité avec contact qu'elle produit
706-707, quiétude 47, 502 ; union
de volonté 651-652 ; connaissance de
connaturalité 410, 513 (cf.
Connaturalité) ; contemplation 410,
695-696 ; onctions délicates de
l'Esprit Saint 696-698 ; paroles successives 709 (cf. Parole). Vision intellectuelle de la Trinité sainte 727 (cf.
Visions 726).

Faveurs extraordinaires : action
de Dieu directe sur les facultés ou
les sens pour produire connaissance
distincte 706-707 ; classification de
saint Jean de la Croix 707-708 ; de
sainte Thérèse 708 ; paroles formelles
710 ; substantielles 711 ; visions intellectuelles, imaginaires (cf. Visions
712-727) 713, 715, 718, 719 ; révélations 717, 724 ; touches substantielles (cf. Touche).

Modes de l'action de Dieu : Dieu
agit sur les facultés directement 706,
736-738 ; par des perceptions sensibles 738 ; utilisation des archives
de la mémoire 740-741 ; Dieu s'adapte
à l'âme 741-742 ; Dieu utilise causalité instrumentale des anges 742-
744.

Effets : Chemins de traverse 20,
640 ; grâce mystique des cinquièmes
Demeures 642 et s. ; saint Paul sur
le chemin de Damas 341, 1066. Jalons
lumineux 21, 640, 683, 693, 705.
Sanctification de l'âme 728-729.
Lumière 729-731. Effets charismatiques 731-733.

Discernement : Signe certain de
l'action de Dieu : humilité 748, 749.
Action du démon 744-750 (passim).

Attitude de l'âme : Ne pas s'y
complaire 751 ; ne pas les désirer
753 ; les faire contrôler 753.

FÉCONDITÉ

But de la vie spirituelle 123 ; réalisée par l'union d'amour entre

deux êtres vivants 1065. Raison du
choix des apôtres 1024. Fécondité
accompagne action de l'Esprit Saint
318-319 ; Sagesse d'amour 298-302.
Fécondité de la Sainte Vierge : sa
maternité spirituelle 334-335, 885-
888, 898.

Fécondité du charisme 1042-1045.

Fécondité de l'obéissance 626-628.

Fécondité de l'âme sous les premières emprises divines 1058-1059.

Fécondité de l'âme aux cinquièmes
Demeures 646-647, 662-666, 1060-
1063 ; aux sixièmes et septièmes
Demeures 1065-1076 ; grâce de maternité aux sixièmes Demeures : faveur
charismatique produite par l'intermédiaire d'un ange 743-744, 1067-
1068 ; non liée à un mode
extraordinaire 1068 ; donnée pour la
transmission d'un esprit 24, 743, 985,
1068 : transverbération de sainte
Thérèse 24, 663, 743, 1067 ; grâce
de fécondité de saint Jean de la Croix
1067-1068. Fécondité des missions
d'apostolat 1044 et de l'apostolat à
l'union transformante 130, 1015,
1073-1074.

FIANÇAILLES
SPIRITUELLES

Symbolisme des fiançailles 939 ;
touches de Dieu à la substance de
l'âme 948-949, 964, 992-993 ; accompagnées souvent de faveurs extraordinaires 945 ; caractérisées par qualité
de l'union et de la lumière 946-950 ;
échange de promesse et de fidélité
mutuelle 686-688, 950 et s. ; comparaison entre union des fiançailles
et union mystique des cinquièmes
Demeures 942-944 et union du
mariage spirituel 942 et s., 970 et s. ;
pas de porte fermée entre les sixièmes
et septièmes Demeures 946-947,
1063 ; grâce des fiançailles chez sainte
Thérèse 946, 966 ; prend formes
diverses chez les saints 977-978, 993.
Moment des fiançailles : fait central des sixièmes Demeures 961-962 ;
s'inscrivent dans la nuit de l'esprit
963 ; préparées par Sagesse d'amour
959 ; moment où elles sont conclues
963, 964. **Préparation positive** au
mariage spirituel 963 et s. ; apportent richesse : découverte de Dieu
dans l'union 946 ; fidélité d'amour
dans les œuvres 955-956, 1050 ; âme
invulnérable au démon 951-952 ;
fécondité pour l'apostolat 783, 955 ;
apostolat parfait 1063 et s. ; désirs
ardents et angoisses 956 et s.

Définition du catéchisme : vertu infuse théologale 460, greffée sur intelligence 197, 463 ; qualité opérative et participation à la vie divine comme connaissance 462. Définition du Concile de Trente 456 note 3, 460 note 2. Définition de saint Jean de la Croix : habitude de l'âme certaine et obscure 468, 473 ; seul moyen prochain et proportionné pour l'union de l'âme avec Dieu 455-456, 473, 582 ; possession de Dieu à l'état obscur 464, 466 ; symbole : tunique blanche 112, 918-919.

Acte de foi : genèse 460-462 ; point de départ : les sens 197, 370, 460, 913 ; enquête de l'intelligence 461 ; vertu de foi éclaire intelligence, soutient bonne volonté 462 ; acte de foi proprement dit : adhésion 462, 464 ; contact avec Dieu 464-465 ; pénétration en Dieu 466.

Connaissance de la foi, caractères : **Obscure,** en son objet premier, mystère de Dieu 460 note 3, 468-470 ; lumineuse en son objet secondaire 471, en la formule dogmatique 471. Symbole : or de la substance sous surfaces argentées 306, 471 ; frange lumineuse 471 ; nuée 457, 930-931 « nuée lumineuse qui éclaire la nuit » 471. La foi est lumière, l'obscurité n'est qu'un effet 473. **Certaine :** certitude objective absolue 473 ; certitude subjective par ferme adhésion de la volonté appuyée sur l'autorité de Dieu, adhésion affermie par expérience 474 ; peut comporter troubles et tentations 475-476 (épreuve de sainte Thérèse de l'Enfant-Jésus).

Mode imparfait : foi conceptuelle appuyée sur lumière de l'intelligence 306 ; assure contact intermittent avec Réalité divine 478 ; foi des trois premières Demeures ; mode imparfait exige nourriture de la vérité révélée 199, 286 ; à des degrés divers 197, 478 ; besoin de lecture (cf. Lectures spirituelles 196-200) ; de l'étude du livre vivant, le Christ Jésus 201-212 (cf. Christ Jésus) ; danger de sentimentalisme égoïste 199 ; d'anémie par ignorance 199-200. Conduit à contemplation théologique 407-408, 450 ; cas du théologien contemplatif 407, 447, 451.

Mode parfait : foi vive perfectionnée en son exercice par les dons du Saint-Esprit 286, 307, 468, 507 ; dégagée des opérations de l'intelligence 307, 409 ; pénètre dans l'obscurité du mystère 439 ; dans or de la substance 437,471.

Foi et don d'intelligence : Dieu-Lumière 509-512 ; produit sécheresse contemplative 582 ; nuit du sens et nuit de l'esprit 472-473.

Foi et don de sagesse : Dieu-Amour 506-509 ; conduit à contemplation infuse (cf. Contemplation). Triomphe de la foi vive dans vision intellectuelle de la Trinité sainte 976.

Foi vive et lumen gloriæ 133, 997-998.

Foi et actes anagogiques 584-588 (cf. Anagogique).

Foi et faveurs extraordinaires 741, 751.

Foi de la Sainte Vierge 470, 481 ; foi héroïque d'Abraham, divinement récompensée 1047 ; foi chez sainte Thérèse de l'Enfant-Jésus 845, 847, 856-857 ; foi chez saint Jean de la Croix 468 et s.

G

GRÂCE

Grâce sanctifiante, participation à la vie divine 29, 31 note, 986, 1001, 1003, 1010 ; bien diffusif, amour, vie 33 ; diffusée par l'Esprit Saint, nous apparente au Christ 986, 1018, au Christ immolé et ressuscité 85 ; gage d'adoption divine 1018 ; vie du Christ en nous 1019 (cf. Amour, Charité) ; donnée au baptême 33, 364, 1001 ; insérée au titre de qualité entitative sur l'essence de l'âme 31, 310 note, 463, 1001 ; greffée sur la nature humaine 33, 137 ; possède un organisme : vertus théologales et dons du Saint-Esprit 33, 304, 305, 462 ; est filiale 56, 77, 308, 661, 843, 844,

1018, 1028 ; envahissante, levain 33, 1002 ; grain de sénevé 33 ; conquérante opère progressivement œuvre de transformation et d'union 33-34, 1002 (cf. ch. Croissance spirituelle 127-138) ; étapes de croissance signifiées par Demeures 32 (cf. Demeures) ; développement va jusqu'à plénitude transformante 1001-1007 ; grâce et degrés d'union 34-38 (cf. Union) ; au sommet, union transformante unit au Christ 1016 et s., soumet à l'Esprit d'amour 1013, 1030 ; épanouissement chez le saint 1019, 1076.

Grâce ordinaire ou secours général : première phase 64, 141.

Secours particulier (cf. Tableau), deuxième phase 64, 141 ; premières grâces contemplatives : dans les facultés, infusion d'amour 500-502, de lumière 503, 504 (cf. ch. Dieu-Lumière et Dieu-Amour 506-519).

Grâces d'union : dans le centre de l'âme 643, 679, 682, 695-696 (cf. Union) ; union de volonté : emprise de Dieu sur la volonté 129, 645, cinquièmes Demeures (cf. Union de volonté 644-647) ; touches substantielles des sixièmes Demeures 948-949 ; union transformante 34-35, 1003, pénétration substantielle 973, emprise de l'Esprit Saint sur l'âme 1013, 1016 (cf. Union transformante), septième Demeures.

Grâces extraordinaires : paroles, visions (cf. Faveurs extraordinaires 705-727) ; grâce mystique des cinquièmes Demeures (cf. Union de volonté 642) ; grâce des fiançailles 692, 941-943 (cf. Fiançailles) ; grâce du mariage spirituel (cf. Mariage spirituel 968-972).

Grâces charismatiques (cf. Charisme).

H

HABITATION

Habitation de Dieu dans l'âme, centre de la spiritualité thérésienne 27 ; découverte dans vision de l'âme juste 18 note, 19, vision du Château (cf. Demeures).

Habitation : présence active d'immensité 27-28, présence objective 29-30. Localisation dans le centre de l'âme (cf. Centre) ; localisation au mariage spirituel 972.

Habitation du Christ dans l'âme 687 note.

Habitation de la divinité dans l'humanité du Christ Jésus 45.

HABITUDE

Habitude ou habitus, définition des dons du Saint-Esprit d'après saint Thomas 303-304.

Habitus surnaturel greffé sur les facultés 197 (cf. Don, Vertu).

Habitude de l'âme certaine et obscure : la foi 468 (cf. Foi).

Habitudes et tendances (cf. Tendances) ; renoncement à des habitudes aux deuxièmes Demeures 161 ; habitudes imparfaites se purifient dans nuit de l'esprit 905.

HUMILITÉ

Attitude de vérité devant Dieu 44, 52, 345, 353, 354 ; signe du divin 345, 361 ; effet et signe de l'action de Dieu dans faveurs extraordinaires 747-748 ; parfum de Dieu 750 ; a le goût de Dieu 344 ; humilité ignorée du démon 114.

Nécessaire dès les premières Demeures 336 ; humilité et grands désirs 167 ; surtout à l'entrée des quatrièmes Demeures 337, 349 ; aux sixièmes Demeures 351, 909, 910. Manque d'humilité arrête âme aux troisièmes Demeures 274, 336. Humilité, disposition fondamentale pour la contemplation 71, 225, 321, 479, 564 ; gagne-pain des spirituels 345 ; pain avec lequel il faut prendre tous les autres mets 51 ; s'acquiert par exercice, prière, contemplation, contact avec Jésus (cf. Moyens pour acquérir l'humilité 358-360).

Vérité et humilité 47, 52, 348.

Degrés divers suivant nature de la lumière qui la produit 349.

Humilité raisonnable : à la lumière de la vérité découverte par intelligence 45, 346. **Vraie :** âme se connaît dans perspective de l'Infini 45 (cf. Connaissance de soi), voit ses fautes, le péché en elle 346 ; humilité vraie s'acquiert en portant le regard sur les abaissements du Christ 51, 346 ; n'inquiète pas, produit paix et joie 52, crainte filiale 46. **Fausse** humilité suggérée par le démon, jette dans vives inquiétudes, découragement 51, 114, 748 ; causée par mélancolie 51.

Humilité fervente 347-349 ; la lumière vient de Dieu 51 par les dons du Saint-Esprit 347, par la Sagesse d'amour 347 et s., 550-551, 910. Elle est éclairante 348-349, profonde et efficace 343, 749. Humilité fervente augmente coopération de l'âme à l'action de Dieu

345, attire dons de Dieu 344-346 et miséricorde 343, 479 ; met à l'abri du démon 114. Humiliations, source de grâce 359-360, 388 ; source de lumière 342 et s. ; saint Paul 341, 427, la Samaritaine 340-341, Nicodème 338-339. Double abîme 45, 46 et note, 343, 345.

Formes d'humilité d'après les formes d'orgueil qu'elle combat 349-357 : des biens extérieurs 350-351, de la volonté 351-352, de l'intelligence 352-353, spirituel 354-357 (cf. Orgueil).

Humilité du Christ Jésus doux et humble 45, 352, 360-361 ; de la Sainte Vierge 45, 343 ; de sainte Thérèse de l'Enfant-Jésus 343-344, 348-349, 357, 842 ; de sainte Angèle de Foligno 357.

I

IMAGINATION

Puissance sensible 42, 536 ; crée et fournit images, faculté volage 218, 537 ; distincte de l'entendement 42 (cf. Entendement).

Vertu d'espérance greffée sur imagination et mémoire 388 (cf. Espérance, Mémoire, Silence).

Imagination et démon, influence 95, 96, 101, 102 ; par obsessions imaginaires 774 ; crée fantômes 102, 103 : produit visions et paroles (cf. Démon).

Imagination et mélancolie 51, 220, 221.

Imagination et oraison (cf. Oraison) agitation, vagabondage, divagation 575-576 (cf. ch. Distractions et Sécheresses 213-226. Silence) ; simplification des images aux troisièmes Demeures 269, 414 ; imagination peut aider au recueillement actif 189.

Imagination et contemplation, ne peut procurer le recueillement passif 497 (cf. Recueillement) ; imagination et quiétude 499-502 ; et sécheresses contemplatives 503-505 ; imagination dans nuit du sens 544, dans nuit de l'esprit 914, 915 ; imagination et grâces extraordinaires 707 ; visions imaginaires 707, 713 et s.

INCARNATION

Mystère : union de la nature divine et de la nature humaine dans la personne du Verbe 75 et s., 326, 330, 360, 367, 1030, 1040 ; triomphe de la Sagesse d'amour 302, premier anneau de chaîne des mystères chrétiens : Incarnation, Rédemption, Église 666, 870, 1030, 1065 ; coopération de Marie par le fiat 324, 334, 635, 886, 887, 1065 ; œuvre de l'Esprit Saint 1017 ; Verbe a pris une nature humaine pour l'entraîner au sein de la Trinité sainte 77, 1031 ; Incarnation n'a pas été connue par l'Ancien Testament 293 ; sa révélation progressive par Jésus (Nicodème) 821-822, 871 ; union transformante fait pénétrer l'âme dans le mystère de l'Incarnation 1021-1022.

Incarnation du divin dans la nature humaine réalisée par l'Esprit Saint 1017-1018 ; épouse les formes de la nature humaine individuelle qui le reçoit 133, 137, 922 note, 1075 ; s'adapte à notre faiblesse 238, conquiert pour élever 1032, 1039 ; produit chocs avec l'humain 1033 et s., 1069 (cf. Ébranlement) ; se réalise dans pauvreté 872, humilité, douceur 1048-1049 ; réalise union transformante 1030 et s.

INFUS

Qui pénètre dans les profondeurs comme huile répandue, comme levain dans pâte 681 note, 1001-1002 (cf. Grâce) ; mode d'agir divin silencieux et obscur 694 et s. (cf. Contemplation) ; toute action de Dieu est infusion d'amour 678 ; infusion de grâce par sacrement de pénitence 904 ; infusions profondes de grâce créent nuit de l'esprit 914.

Vertus infuses ou théologales 285 (cf. Vertu) puissances données au baptême 421 ; foi : lumière divinement infuse dans l'esprit de l'homme 462 ; cause principale de l'acte de foi 462 (cf. Foi) ; toute infusion de charité reste dans mode ordinaire d'agir divin 707 ; infusions d'amour méritées par travaux et souffrances 701 ; détachement, fruit d'infusion d'amour 649 ; infusion d'amour dans la volonté 652, 677 (cf. ch. Union de volonté 637-652) ; amour infus dans la nuit de l'esprit : incendie d'amour 901 ; infusion d'amour de plus en plus qualifié aux sixièmes Demeures 705.

Contemplation infuse (cf. Contemplation surnaturelle 408 et s.) forme de la contemplation à partir des quatrièmes Demeures 406, 408, 409, 683, 684, 702, 703, 909, 943.

Connaissances : lumières infusées par Dieu passivement 929-934 ; infusion directe par Dieu d'une lumière dans l'âme 707, 717, 719, 727 (cf. Visions intellectuelles 713 et s.).

Humilité fervente plus infuse qu'acquise 346.

Science infuse du Christ 204.

INSTRUMENT

Dieu utilise habituellement instrument pour son action 740, 818.

Humanité du Christ cause instrumentale physique de l'effusion de la vie divine 76.

Vierge Marie cause instrumentale 886, 887.

Anges causes instrumentales dans transmission de la vie divine, dans faveurs charismatiques 742-744.

Instruments humains choisis par Dieu 395 (cf. Apostolat), Dieu les choisit 301 ; les saisit 666 ; les prépare 1043 et s. ; Il les conduit au désert 389 ; les entoure de sollicitude 397, 607, 1046.

Qualités requises : fidélité attentive et souplesse forte 397, 1049, 1050 ; fidélité de l'instrument condition de l'amitié de Dieu fait réaliser la perfection 1045-1048.

Instrument imparfait peut être fécond 1044, charismes 1041-1044 (cf. Charisme) ; instrument humain peut être faible, sa fécondité appartient à la Sagesse elle-même 627.

Instrument parfait aux sixièmes et septièmes Demeures 1063-1077, grâce élève l'âme à la hauteur de sa mission 1043.

Prophètes 396 ; Juges 1041-1043 ; Saint Paul, privilège exceptionnel 1066.

INTELLIGENCE

Faculté de l'âme distincte de l'essence de l'âme 43 ; distincte des puissances sensibles 536 ; deux aspects de l'intelligence 215 ; ne peut pas nous unir à Dieu 78, 458, 459 ; ni pénétrer le dessein de Dieu 299 ; le démon n'y pénètre pas 95, 96, 100 note ; la loi morale est révélée à l'intelligence 283, 323.

Nécessité de culture (cf. Doctrine, ch. Lectures spirituelles 196-212) ; danger d'ignorance religieuse 199, 200, danger d'intellectualisme 433-437, 586 ; intelligence et sécheresses (cf. ch. Distractions et Sécheresses 213-226, Sécheresse contemplative 579, 580).

Intelligence et foi : greffon 463 ; intelligence nécessaire 197-198 ; curiosité ou orgueil de l'intelligence gêne la foi 449, 450 ; intelligence savoure mais épuise rapidement les lumières 218 ; surfaces argentées ou formules adaptées à l'intelligence 409 ; opérations de l'intelligence dans l'acte de foi 461-463 et note, 464, 467 ; objet de la foi met intelligence dans l'obscurité 469, 472 ; clartés pour l'intelligence à la frange du mystère 471 ; malaise de l'intelligence dans l'obscurité du mystère 474 ; soumission complète exigée 473 (cf. Foi).

Intelligence et oraison : travail de l'intelligence sur les données des sens 457 ; activité de l'intelligence prédominante dans oraisons actives 477 ; dans recueillement actif 216 ; dans oraisons simplifiées 270-272 ; intuition 272 et note ; amour pousse à connaître 198.

L

LIBERTÉ

LOCALISATION

M

MARIAGE SPIRITUEL

elle se trouve et les trois Personnes divines 974 ; vision intellectuelle de la Trinité sainte 972-978, 985, 986. Vision imaginaire inaugurale est un symbole 970 (cf. Visions). Toute l'âme entre en son centre où est Dieu 971.

Comparaison entre mariage spirituel et union transformante 989-998 ; même état spirituel 989 ; lumières et richesses qui accompagnent mariage spirituel jaillissent de l'union transformante 992-994.

Effets : paix dans le centre de l'âme, lumière d'aurore 978-982 ; l'âme explore la vie divine trinitaire 984 ; manifestation du Verbe Époux 986 et s. ; action transformante de l'amour 985 ; l'âme continue sa marche vers Dieu, exercice parfait des vertus théologales 982, 983 ; apostolat parfait 1063 et s. (Cf. Apostolat).

MATERNITÉ

Maternité de la Vierge Marie (cf. Vierge Marie).

Grâce de **Maternité** (cf. Grâce, Charisme).

MÉMOIRE

Faculté sensible (cf. Imagination) ; dépôt d'archives 829 ; puissance volage 537 ; atteinte par les tendances qui l'engourdissent 527, et par la nuit du sens 544 (cf. Puissance, Facultés). N'échappe pas à l'influence du démon 95, 102, 162, 744.

Espérance greffée sur mémoire et imagination 388, 918.

Mémoire et oraison : souvenirs de la mémoire provoquent distractions 218 ; effort de dégagement à la base de départ 157 ; rappels de la présence de Dieu 190 ; mémoire agitée dans quiétude 501.

Mémoire et contemplation. Dans contemplation la volonté seule est unie et la mémoire peut s'agiter sans lui nuire 572 ; si la mémoire participe à la jouissance, elle trouble 561, 575, 587 ; touchée substantiellement par Dieu, la mémoire enivrée oublie tout 830-831.

Purification de la mémoire. Dans la nuit Dieu ôte tout raisonnement à la mémoire 542 ; trous dans la mémoire 773, 774.

Ascèse de mortification et de silence intérieur où s'enfouissent les opérations de la mémoire 831 ; dégagement parfait chez sainte Thérèse de l'Enfant-Jésus 846, 847.

Actes de la vertu d'espérance purifient la mémoire 388, 918, 919. Après le retournement psychologique la mémoire a perdu complètement ses opérations naturelles 915-916.

Enrichissement de la mémoire par visions imaginaires (cf. Visions). Souvenir des visions imaginaires du Christ Jésus imprimé dans la mémoire de sainte Thérèse 878.

MISSION
(cf. Apostolat)

MORTIFICATION

Destruction du péché en nous 88.

Mortifications physiques 88-90 ; démon porte l'âme aux excès 105, 164 ; âme risque de s'y briser 164 note, 622, 623 ; de les faire à contretemps 617, 618.

Mortification du sens faite sous lumière de l'oraison 388 (cf. Nuit du sens) ; mortification du goût 521, de l'appétit 522, 539, des tendances 521-530, (cf. Tendances) ; mortification de la langue 369-370 ; mortification de l'activité naturelle 373 et s. ; mortification du cœur 854-855.

Mortification dans les Demeures : troisièmes 268-272 ; quatrièmes 538 ; cinquièmes (cf. Ascèse).

Effets : arme contre le démon 110 ; prépare appauvrissement spirituel 831 ; fait entrer dès ici-bas dans intimité divine 80.

Mortification plus difficile imposée que choisie 855 ; refus de la mortification 431, 603 ; rôle du directeur dans la pratique 258, 259.

Mortification et sainte Thérèse d'Avila 92.

Mortification et sainte Thérèse de l'Enfant-Jésus 847-859.

Dieu ne mortifie que pour donner la vie 115 (cf. Détachement, Nuit active).

MYSTÈRE

Mystère de Dieu et Ancien Testament 293 ; expérience mystique découvre transcendance divine 481, 932 ; vision intellectuelle de la Trinité sainte 972.

Mystère de la Sagesse 293, 299, 439, 440, 819, 820, 872, 873 (cf. Sagesse d'amour).

Mystère de l'Incarnation 1031 ; consentement de la Vierge 334, 335, 635, 636, 886 ; Nicodème 339, 822, 871 ; oblation du Christ 328.

Mystère de la Rédemption et la Vierge Marie 885, 886 ; Rédemption, mystère de miséricorde 657 ; les trois mystères sont liés : Incarnation, Rédemption, Église 300, 301, 666, 1065.

Mystère du Christ révélé aux apôtres 235 ; mystère de la porte et du chemin 775, 872 ; hautes cavernes de la pierre 872, 987, 1021 ; Nicodème 871 ; nécessité et possibilité de pénétrer dans mystères du Christ 73, 74, 202, 878, 880 ; entrée effective 987. Saint Paul et mystère du Christ 77, 441, 1070 ; y entre par humiliation 341 ; enseigne ces mystères 206, 453, 656, 872 ; Damas, vision initiale et Christ total 731.

Mystère de la Sainte Face et sainte Thérèse de l'Enfant-Jésus 74, 206, 585, 873 et s.

Mystère de l'Église 653-666 ; découverte à l'union de volonté 655, 656 ; âme y entre aux sixièmes Demeures 130, 689 ; mystère des souffrances de l'Église militante 118 ; mystère de l'union du Christ avec les âmes et toute l'Église 76, 77 ; adhésion de la Vierge au mystère de l'Église 335 ; sa coopération 885, 886 (cf. Église, Christ total).

Mystère des âmes 254, 424, 426 ; mystère de l'adoption divine (cf. Trinité sainte) ; mystère de la vie divine dans l'âme 30, 253 ; mystère de l'action de Dieu sur les âmes : appel 424 ; participent aux mystères du Christ par don de soi 328 ; s'offrent au dessein de Dieu 332, 333 note ; mystère de croissance spirituelle 127, 132-136 (cf. Croissance) ; mystère de la grâce 133-135 (cf. Grâce).

Mystère entoure toutes les réalités surnaturelles 134, 471 ; révélations, manifestations des mystères concernant Dieu 725. Contemplation surnaturelle et obscurité du mystère de Dieu 439 (cf. Trinité sainte). Foi et mystère de Dieu 469 ; lumière transcendante de Dieu et son mystère 472-473.

Mystère de la miséricorde, vocation de sainte Thérèse de l'Enfant-Jésus 676.

Mystère de la Croix 85.

MYSTIQUE

Vie mystique, définition 420 ; distinction entre vie mystique et vie contemplative 419, 420 ; entre vie mystique et expérience mystique 314 et note, appel à la vie mystique 419-432 (cf. Appel).

Grâce mystique (cf. Grâce, Faveurs extraordinaires).

Expérience mystique (cf. Expérience).

Ascèse mystique, définition 824 ; pratique de la vertu d'espérance 824-828 (cf. Espérance, Pauvreté) ; purification de la mémoire 828-832 ; vertu de foi (obéissance surnaturelle) 631-633 ; don de soi 322 et s. ; humilité 336 et s. ; silence 382 et s. ; solitude 389 et s. ; ascèse de petitesse 847-859 ; totalement pratiquée par sainte Thérèse de l'Enfant-Jésus 856 ; ascèse mystique et vertus théologales (saint Jean de la Croix) 917-918.

Lumière mystique fruit de l'union 995 ; jaillit de l'amour, science d'amour 996 ; sainte Thérèse d'Avila, saint Jean de la Croix, sainte Thérèse de l'Enfant-Jésus ont composé leurs écrits sous lumière mystique abondante 19-24, 996 ; lumière mystique découvre les forces profondes du péché 909, 910.

Science mystique remise en honneur et haute estime à notre époque 320 ; science mystique de sainte Thérèse d'Avila et de saint Jean de la Croix est pour tous les temps 88.

Théologie mystique (cf. Théologie).

La Mystique : mystique sans dogme 430, 437 ; mystique catholique et mystiques naturelles 435-438, 438 note, 588 note, 1029.

Corps Mystique (cf. Christ total).

NATURE

Nature divine : une seule nature en Dieu et trois Personnes : Trinité 461. Activité appartient à nature divine 1008. Mouvement essentiel de la nature de Dieu : se donner 422.

Nature humaine blessée par le péché, privée de dons préternaturels et surnaturels 48, 219 ; tendances de nature ou premiers mouvements non volontaires 529. Prise par le Verbe 238 (cf. Incarnation). Grâce de même nature que Dieu 28, 29, 31, greffée sur notre nature 33, 137, adaptée à notre nature 234, ne détruit pas la nature 981, 1023.

NUIT

Privation, nudité 520, 521 ; seul chemin pour l'union 520-522 ; exigée par tendances 523 et s., inaptitude de l'âme 758-760, vices capitaux 530-535.

Nuit active : activité de l'âme, mortification 521, 522 ; coopération à l'action de Dieu 553.

Nuit passive, influence de Dieu sur l'âme 537, 542, 544, 902, qui trouve tendances 548, 760, vices 552 ; jeu de contraste et d'opposition 758.

Diverses suivant localisation et effets : du sens et de l'esprit 535, 536.

Nuit du sens 554-557 ; n'est qu'un prélude 759 ; atteint facultés sensibles et facultés intellectuelles en bordure des sens 535, 536 ; débute par nuit active, se poursuit par nuit passive, et par passive et active conjointes 539.

Active : conduite de l'âme : ascèse absolue, adaptée, progressive 80-93 (cf. Ascèse thérésienne) à la base de départ ascèse de dégagement 156-159, énergie 160-163, discrétion 164, grands désirs 165-167 ; aux troisièmes Demeures, danger de manquer l'ascèse 275-277 ; ascèse et connaissance de soi 49-51.

Passive 540 ; signes : les mêmes que ceux de contemplation 413-418 ; effets douloureux 546, 547, impuissance, angoisse, mélancolie ; tendances pathologiques 548, nuit violente pour les vaillants 548-549 ; effets bienfaisants, apaisement 549-550 ; saveur subtile 550, 582 ; adaptation du sens à l'esprit 550, 581, 582 ; lumière sur l'âme et sur Dieu crée attitude respectueuse de l'âme 551 ; amour prend en partie possession de l'âme 553 ; ces effets sont limités 758-759 ; tendances émondées 760, 905.

Passive et active conjointes

Pendant l'oraison 554 et s. : région sans sentiers 557 ; difficultés : intermittence et forme imparfaite de la contemplation 556-560 ; abandon et activité : respect de l'action de Dieu dans la paix et l'abandon, oraison d'activité paisible, préparer l'oraison 566 et s. ; persévérer dans l'oraison active 568, soutenir attention générale à Dieu (cf. Recueillement passif et quiétude 572-578) ; exercice de l'aspiration 583 ; actes de foi anagogiques 584 ; influences apaisantes 592 ; humble patience 592 et s.

En dehors de l'oraison : ascèse absolue 599-603 (cf. Ascèse) ; prudence 611 et s. ; obéissance collaboration à la Sagesse 628 (cf. Obéissance) ; pratiquer humilité, don de soi, silence (cf. Humilité, Don, Silence).

Nuit de l'esprit 756-820. **Passive :** irruption de Dieu dans les profondeurs de l'âme 756-760 ; rencontre de deux contraires 765, 900 ; drame 673 et s. ; souffrances intérieures 764-771 ; souffrances extérieures 771 et s.; ébranlements ordinaires 772-780 ; agents extérieurs : entourage et démon 780-785, phénomènes physiques et psychiques extraordinaires 787-815 (cf. Pathologique).

Active, conduite de l'âme 821-859 (cf. Espérance, Pauvreté, Enfance spirituelle).

Secours et modèles : recours au Christ Jésus ; dévotion à la Vierge Marie (cf. Vierge Marie).

Effets de la Nuit de l'esprit.

Purification morale 902-913, purification de l'esprit seule efficace 904 ; se porte aux sources du péché 905, 906 ; expérimentation de la pauvreté de l'âme 909 ; tendances et leurs racines mises à nu 910 ; domination parfaite de la volonté 911 ; aptitude à recevoir charité parfaite 913.

Retournement psychologique : parfaite libération de la volonté à l'égard des tendances 913 ; assure aux vertus théologales leur exercice parfait 916-920.

Triomphe de la Sagesse d'amour 921 et s. ; amour 924, lumière 929 ; symbolisme de l'escalier secret 935 ; préparation aux fiançailles spirituelles 935-936 et à l'union transformante 999, 1000.

Rythme et durée des nuits : nuit active du sens prépare et mérite nuit passive 538, 545, 546 ; durée variable : âmes faibles, intermittente, longue ; âmes vaillantes, dure et courte 545, 546. Nuit passive du sens commence avec la contemplation 544 et commande nuit active dans cette période 539-540. Temps long entre nuit du sens et nuit de l'esprit 638, 639 et note ; petit nombre des âmes qui entrent dans nuit de l'esprit 431, 432, 554, 555 ; début de nuit de l'esprit 671, durée jusqu'aux fiançailles spirituelles 961, 962.

O

OBÉISSANCE

Soumission de la volonté de l'homme à la volonté de Dieu manifestée par loi ou supérieur 624 ; première vertu morale, presque théologale 622 ; établit ordre extérieur et intérieur 622 ; unit à Dieu, preuve d'amour 623 ; communie à la Sagesse qui communique lumière, force, puissance efficace 625-627 ; le meilleur des sacrifices 623 ; coopération humaine aux œuvres de Dieu 628.

Qualités : Ordonnée : retrouve l'ordre divin en obéissant à l'autorité légitime 628-629 ; surnaturelle : découvre Dieu dans les lois et supérieurs, fait monter jusqu'à lui sa soumission 631-632 ; complète : obéissance complète de la volonté, de l'intelligence (jugement spéculatif et jugement pratique) 633-634. Problème particulier de l'obéissance : opposition entre attraits, lumières intérieures et ordres des supérieurs 381, 611. Obéissance complète d'Abraham 635 ; de sainte Thérèse 635 ; conduit à l'union de volonté 636.

Obéissance du Christ Jésus 627.

Obéissance de la Sainte Vierge 334-335, 635-636.

OPÉRATION

Opération suit l'être 1064 ; Dieu réalise ses opérations divines dans le silence 363 et s. ; opération de sanctification commune aux trois Personnes divines 193, 985-986.

Incarnation par l'opération du Saint-Esprit 1017, 1030, 1065.

Dons du Saint-Esprit, points d'appui permanents pour les opérations de Dieu dans l'âme 304, 306 ; Saint-Esprit assure perfection des opérations des vertus 307.

Le Verbe incarné veut nous emporter dans l'unité de la Trinité sainte pour y partager ses opérations 77, 1031.

Opérations de l'âme à l'union transformante, toutes divines 1064. Enfant de Dieu a perdu ses opérations naturelles 843. Touches divines suspendent les opérations naturelles 830 : mémoire et puissances perdent leurs opérations naturelles 914, 1014. Plus on est faible, plus on est propre aux opérations de l'amour 838 (sainte Thérèse de l'Enfant-Jésus) ; âmes livrées entièrement aux opérations de l'amour sont rares 670.

ORAISON

Commerce intime d'amitié avec Dieu dont on se sait aimé 57, 60-62, 102 ; mouvement filial de la grâce vers Dieu 56, 168 ; libre expression de deux amours 59, 651, 674 ; exercice de la vie surnaturelle 56 ; élan du cœur, dit sainte Thérèse de l'Enfant-Jésus 62 ; porte du Château intérieur 53 : chemin de la perfection

55-57, 123 ; se fait par la foi 61-62, 477 ; épouse les formes diverses de nos dispositions 58.

Quatre degrés ou quatre façons d'arroser le jardin 63-64, 216, 415-416, 502.

Deux phases 64, 130, 383-384.

Première phase, secours général (cf. Tableau).

Premières oraisons 168 ; prière vocale 169-172 ; liturgique 173-176 ; lecture méditée 177 ; méditation 178 ; oraison de recueillement 192 (cf. Recueillement actif 182-195) ; oraisons simplifiées : simple regard, recueillement 269-277, 408 ; foi imparfaite s'éclaire aux lumières de la raison 477 ; difficultés, distractions et sécheresse 213-222 ; remèdes 223-226 ; méthodes d'oraison, leur rôle 59, 60 et note, 66-71, 175-177, 183 et s.

Exigences : lectures 196-211 ; direction spirituelle 246-251 ; connaissance de soi 39-52 ; ascèse à la base de départ 159-167 (cf. Ascèse).

Effets : orientation vers Dieu 154-159 ; entrée dans le château, dans la vie spirituelle 155 ; lumière de Dieu donne connaissance de soi 49-50 ; péché évité 268 ; prépare à contemplation 272.

Déficiences et malaise 273-277 : raison trop maîtresse d'elle même 276-278.

Folie et perfection 279-282.

Deuxième phase, secours particulier. Oraisons passives ou contemplatives 493-494.

Dieu intervient progressivement dans l'âme 64, 129, 384 ; trois signes, ceux de la contemplation 412 et s. ; discernement difficile 417.

Exigences (cf. Contemplation).

Formes : Recueillement passif 496-498, 508 ; devoir de l'âme 572-574.

Quiétude ou goûts divins : action de Dieu dans la volonté 499-502, 574-578 ; expérimentation de Dieu-Amour par don de Sagesse 512-513 ; conduite de l'âme 571, 572, 574-578.

Sécheresse contemplative : oraison de foi, action de Dieu dans intelligence 503-505 ; expérimentation de Dieu-Lumière par don d'intelligence 510, fréquente de nos jours 518. Caractéristiques : Dieu, source lointaine ; contemplation intermittente, imparfaite 504-505. Conduite de l'âme endehors de l'oraison : ascèse absolue 599-603, pendant l'oraison : respecter

action de Dieu par silence, et activer les facultés libres 560-566.

Oraisons d'union 679 : peu y arrivent 431-432 ; aux cinquièmes Demeures, grâce mystique d'union 642-648, découverte de Dieu dans l'obscur 643, 682-683 ; aux sixièmes Demeures, découverte de Dieu dans la lumière 677, 683-684 ; contemplation parfaite 696 ; ravissements, visions, paroles, lumières, entrevues des fiançailles 692-693, 942-943 ; aux septièmes Demeures, vision intellectuelle de la Trinité sainte, oraison parfaite 693, 972-978.

Oraison du Christ Jésus 169-170, 659 (cf. Christ Jésus).

Oraison de la Sainte Vierge 481.

Oraison de sainte Thérèse de l'Enfant-Jésus, sa prière 62 ; prière vocale 172 ; oraison de sécheresse et de foi 845 (cf. Enfance spirituelle).

ORGUEIL

Péché des anges 95 ; et péché de nos premiers parents 48 ; l'un des sept péchés capitaux 531 ; opposé à perfection 91.

Formes : orgueil des biens extérieurs 350 note ; arrête âmes aux troisièmes Demeures 351. Orgueil de la volonté 351-352. Orgueil de l'intelligence 352 ; cause de l'apostasie des masses 353. Orgueil de l'esprit : péché de Lucifer 95. Orgueil spirituel 354-357, 531, danger des dons spirituels, des lumières dans l'oraison 355, attitude du pharisien 354, péché de Luther 356, gravité, sévérité des sentences divines 356 ; crainte de ce péché chez sainte Thérèse de l'Enfant-Jésus 357.

Orgueil combattu par humilité 349 (cf. Humilité) ; voie d'enfance remède à l'orgueil de notre temps 91 (cf. Enfance spirituelle).

Grands désirs 166.

Danger d'orgueil au débordement des premières oraisons 663 ; orgueil aux troisièmes Demeures 274 ; tentations et fautes des spirituels 761.

Orgueil purifié par lumière de Dieu 358 ; attaqué par nuit du sens 531-532, 550, 551 ; atteint dans ses racines par nuit de l'esprit 910.

Orgueil et pauvreté spirituelle 994.

PAROLE

Verbe, Parole de Dieu, 75, 202.

Paroles successives, produites par l'âme recueillie sous influence de l'Esprit Saint 709 ; ne sont pas des faveurs extraordinaires 724 ; sujettes à illusions 101, 709-710, 744.

Formelles, de Dieu à l'âme, produites par impression surnaturelle d'une perception auditive 710, 740 ; sont des faveurs extraordinaires 724 ; extérieures ou intérieures 708-709 ; doivent être soumises au directeur 753-755. Simplement formelles, démon peut les produire 710 ; ne pas juger leur qualité par l'expression 724.

Formelles substantielles 711 claires, distinctes 749, efficaces 711 ; produisent paix, lumière, force, humilité 108, 728, paroles et œuvres 692, 712, 747, 749 ; authentiquement divines 692, 711, 724, 737.

Les paroles du démon produisent dégoût, inquiétude 107, 748.

Paroles de Notre-Seigneur à sainte Thérèse d'Avila 118, 121, 201, 232, 302, 712, 713, 728, 945, 966, 968 ; toutes sont formelles substantielles 708, 712.

PASSIVITÉ

Passivité de la charité base des dons du Saint-Esprit 304, 310 note, 468, 680 note ; passivité et paresse dans l'oraison 413 ; passivité de certains tempéraments 184, 265 ; effort présomptueux pour réaliser passivité 563-566, 570, 589.

Infusion d'amour dans l'âme progressivement passive 64, 678.

Recueillement passif 497 ; passivité de la volonté dans oraison de quiétude 500 ; passivité et agitation des quatrièmes Demeures 501, dans la nuit du sens 543 ; passivité et foi éveillée dans sécheresse contemplative 586.

Passivité complète dans grâces d'union mystique des cinquièmes Demeures 642, 644 et s., 943. Mort du ver mystique 638.

Enrichissements divins des sixièmes Demeures, faveurs extraordinaires dans âme passive 677-678, 736-737 ; passivité de l'âme et des facultés 719, 738 ; passivité douloureuse de nuit de l'esprit 596-597, 678 ; passivité sous les touches divines 921-922 ; passivité et frénésie des facultés 385, 589, 773 ; passivité et espérance 825 ; passivité et pauvreté 830-831, 847 ; passivité et vide des cavernes avant union parfaite 959.

Passivité et liberté sous l'emprise de l'Esprit Saint dans union transformante 1016.

Danger de passivité dans l'obéissance 262, 632.

Lumières contemplatives reçues passivement par l'intellect 930, 948.

Passivité dans les épreuves, Jésus à Gethsémani 870. Sainte Thérèse de l'Enfant-Jésus 855-856.

PATHOLOGIQUE

(cf. Tendances, Troubles)

Tendances pathologiques largement répandues dans la nature humaine, conséquence du péché originel 22, 804 ; provoquent distractions et sécheresses 219-220, à l'état aigu dans purifications 417-418, 548, 805-807.

Pathologique et silence 377-378 ; pathologique et solitude, expérience du désert 393 ; action du démon 101.

État pathologique et sécheresses 220, 223-224 ; maintien dans l'humilité 812-813 ; peut produire de faux ravissements 615-619 ; stigmates 793, 801-802 ; possibilités de vie spirituelle 810 et s.

Désordres pathologiques et grâces extraordinaires 745, 751.

Troubles pathologiques et signes de contemplation 804-807 ; effets psychologiques de la nuit de l'esprit 772-775, 778-779, 910-

11 ; esprit purifié en grande partie 21 note 1, 911, 917 ; libération du atholique 807-808, 916 ; certaines ndances subsistent (P. Surin) 786, 08, 912.

PAUVRETÉ

Vertu et béatitude 828 ; néces-saire pour entrer dans voie de la per-ection 81, 277 ; pour arriver à l'union divine 159.

Pauvreté matérielle, dénuement total 83, 277 (cf. Détachement).

Pauvreté spirituelle : dégagement de tous biens moraux, intellectuels et spirituels 828 ; sentier du rien (rien quatre fois répété) de saint Jean de la Croix 83, 601, 828 (cf. Ascèse absolue 600 et s.) ; vertu des sixièmes Demeures 130, 827-832 ; réalisée par ascèse et nuit de l'esprit 903 ; prati-quée parfaitement par ascèse de peti-tesse 841-853 (passim).

Pauvreté et purification de la mémoire 829-830.

Pauvreté et confiance, espérance 831-832.

Effets : fait expérimenter condi-tion humaine de l'homme créature et pécheur 838, 842, 912 ; assure pureté et perfection de l'espérance 827 et s., 846-847 (cf. Espérance) ; attire la miséricorde 838 ; libère instinct filial de la grâce sanctifiante 843 ; pau-vreté conduit à l'union transformante 847 ; assure le royaume de Dieu 828.

Pauvreté spirituelle, disposition fondamentale de la voie de sainte Thérèse de l'Enfant-Jésus 343 (cf. Enfance spirituelle) ; réalisation par-faite de l'enseignement de saint Jean de la Croix 831, 837, 847.

PÉCHÉ

Éloignement de Dieu par retour vers créature 147-148.

Péché affecte relation de l'âme avec Dieu 147 ; blessures du péché provoquent miséricorde, lumière de Dieu, 913.

Péché mortel : cécité complète 148, morsure du démon 146 ; des-cription symbolique 146-148 ; l'en-fer 151-152 ; pitié de sainte Thérèse pour l'âme en état de péché mortel 153.

Péché originel : péché de nos pre-miers parents 48 ; en nous, blessure accentue division des forces, source de tendances (cf. Tendances).

Péchés capitaux 530-535 : exigent purification (cf. Ascèse, Purification) : orgueil 531 ; avarice et luxure 533 ; colère, gourmandise 534 ; envie et paresse 535.

Découverte du péché : par connaissance de soi sous la lumière de Dieu 49-52 ; humilité fervente 347 ; purification de l'esprit 765, 909.

Jésus et péché : Incarnation, Rédemption 1030-1031 ; souffrance du péché à Gethsémani 150, 762-763, 870 ; Jésus fait péché 1030 ; porte le péché du monde 124, 149, 870 ; aborde le péché, refuse le contact de l'orgueil 342.

Péché et les saints : le Curé d'Ars 1036 ; sainte Thérèse d'Avila 1037 ; sainte Thérèse de l'Enfant-Jésus et pécheurs 1038.

PERFECTION

Perfection de Dieu 285, 459, 909 ; modèle de notre perfection 374 ; per-fection de la Sagesse 293 et s.

Perfection de l'âme, adhésion au souverain Bien 623 ; réside dans cha-rité, union à Dieu 128, conformité à volonté de Dieu 1064 (cf. Amour, Charité, Sainteté, Union Trans-formante) ; royaume de Dieu, état de perfection 917 ; le Tout de Dieu et le rien de l'homme 46 et note, 344.

Dangers : erreurs sur nature de la perfection 990-991 ; fausse humilité 51 ; égoïsme 665, 700 ; orgueil 336, 663 ; ignorance, faute de guide 248 ; action et ruses du démon 99, 105, 164.

Échelle de perfection 697, 936, (cf. Croissance spirituelle : progres-sion spirituelle 32-34) ; unique souci de l'âme au début de vie spirituelle 613, 663 ; vie réglée, pas encore voie de perfection 267 ; jeune homme de l'Évangile 277, 329 ; entrée dans voie de perfection 141-142, 278 ; folie et perfection 279-283, 288-290. Perfectionnements successifs 734-735 ; perfection de l'âme, enjeu de nuit de l'esprit 762-763 ; amour, lien de la perfection 955-956 ; plénitude de la perfection 1013-1014, 1029 ; le plus haut état de la perfection est la transformation en Dieu 982, 1022.

Moyens : Christ Jésus, voie, modèle, terme de la perfection

74, 78, 869-870, 1017-1022 ; oraison et perfection 57 ; enseignement des maîtres de la vie spirituelle 210-211 ; sainte Thérèse d'Avila 125-126, 141-142, 1053-1054 ; Chemin de la Perfection 17, saint Jean de la Croix, Montée du Carmel 83 ; sainte Thérèse de l'Enfant-Jésus : voie d'enfance 839-859 ; perfection et vertus théologales 917-921.

Perfection de l'amour : qualité de l'amour fait sa perfection 677, 925 ; on y parvient en servant 955-956, 1049 ; apostolat parfait fruit de la perfection de l'amour 1063-1064 ; perfection de l'amour et unité du Corps Mystique 1066 ; lumière d'aurore qui monte de la perfection de l'amour unissant 727.

Perfection des anges 95.

PRÉSENCE DE DIEU

Modes distincts créés par diversité des relations des créatures avec Dieu 28 et note.

Présence active d'immensité : créatrice et conservatrice, produit en chaque être un degré différent de participation de l'Être de Dieu 28, 299 ; grande réalité de l'âme, soutient l'être 28, 32, 147.

Présence objective : présence de Dieu, Père, auteur de la vie surnaturelle saisi par grâce filiale comme objet de connaissance et d'amour dans le centre profond de l'âme 27, 29-32, 183, 508, 581 (cf. Localisation) ; fontaine jaillissante, soleil qui éclaire, vivifie 32 ; réalisée progressivement par intériorisation, se confond avec progrès de la vie spirituelle 32, 58, 677.

Étapes : orientation vers Dieu dès premières étapes 127, 154 ; révélée par premières grâces mystiques 495 ; oraison de recueillement centrée sur présence objective (cf. ch. Oraison de recueillement 182-195) ; exercice de la présence de Dieu 190 ; conditions pour réaliser cette présence : silence 365, solitude 391.

Présence dans les premières oraisons contemplatives 498-499 ; dans la nuit du sens 551, 569 ; sécheresses contemplatives 582-590, 596 ; découverte dans grâce d'union 25, 643 ; à l'entrée dans nuit de l'esprit, irruption de Dieu dans l'âme 756-760 ; découverte d'une présence amie 820, 932 ; présence révélée dans visions qui ouvrent l'écrin 682-687, 693, 713, 714, 723, 730, 738 (cf. Vision du château), présence divine réalisée progressivement par l'amour 686-688 réalisée parfaitement aux septièmes Demeures par vision intellectuelle 972 et s.

Présence de la Trinité sainte 286, 720 ; dans fiançailles spirituelles 985 ; du Verbe et de l'Esprit Saint 986-988, 1006, 1021-1022 ; présence dominatrice de l'Esprit Saint 1007 et s., 1075. Vision intellectuelle aux septièmes Demeures 972 et s.

Présence eucharistique et présence de la Trinité sainte 30 note.

Présence du Christ Jésus dans la nuit de l'esprit : Sainte Face 875, 882.

Présence de la Vierge 894-898.

PRIÈRE

Élan du cœur, simple regard vers le ciel, cri de reconnaissance et d'amour (sainte Thérèse de l'Enfant-Jésus) 62 (cf. Oraison).

Utilité et excellence : arme contre le démon 109, moyen recommandé par Notre-Seigneur pour obtenir les faveurs divines 359, moyen pour acquérir l'humilité 359 ; prière et activisme 374. Efficacité dépend de la sainteté 38, 120 ; puissance de la prière parfaite et immolée 123-124.

Prière vocale 169 et s. ; « Pater », enseigné par Notre-Seigneur, prière des petits et des saints 169 ; prière des foules 170 ; prière vocale de sainte Thérèse de l'Enfant-Jésus dans les sécheresses 454, 592 ; nécessaire à certaines âmes, apaise dans l'oraison 171-172, 593 ; prière et aspiration amoureuse 583-584 ; s'unit parfois à haute contemplation 172.

Prière liturgique 173-176 ; prière liturgique et contemplation chez sainte Thérèse d'Avila 174-176.

Prière et Oraison (cf. Oraison).

Prière et contemplation (cf. Contemplation).

Prière du Christ Jésus à Nazareth 170 ; prière sacerdotale d'union 76, 123, 659 ; prière à Gethsémani 123-124, 150, 170, 762, 870.

Prière du prophète 397.

Prière et Carmel : mission de prière 119-120 ; prière pour l'Église 122, 124.

Prière à la Sainte Vierge 593, 894-895.

PROFONDEUR

Région de l'âme, siège de la présence de Dieu 32, 688, 723 ; centre de l'âme 679, 680 et note ; symbolise perfection de l'amour 677, 679-682, 984 ; exclusivité et qualité d'action de Dieu 925.

Profondeur de Dieu. Intelligence avec lumière divine découvre profondeur de Dieu 35, 995 ; l'amour introduit dans les profondeurs de la vie qui est en Dieu 984, 1032, dans les mystères du Christ 987 ; « Pénétrons plus avant dans la profondeur » 984-985, 987. Esprit Saint dissimulé dans les profondeurs du mystère de l'Église 319-320 ; le saint aspire aux profondeurs de Dieu 1032, 1035, pénètre dans les profondeurs du péché 1032.

Profondeur de l'âme. Vie spirituelle est une intériorisation progressive 32, 365 (Cantique Spirituel) ; grâce sanctifiante dans les profondeurs de l'âme 32, 132, 809 note, 1001, 1002 ; Dieu agit dans les profondeurs de l'âme 61, 192 ; lumière de Dieu éclaire les profondeurs de l'âme 42, 347, produit la nuit de l'esprit 761, 766 ; Dieu infuse amour dans les profondeurs 677-681, 926 ; saveur de la quiétude monte des profondeurs 508 ; paix de l'action de Dieu dans les profondeurs de l'âme 572, 820, 980-982, amour réalisant les présences divines 686-688, 1009-1010. Touches substantielles dans les profondeurs 130, 675, 725, 922, 926 ; à l'union transformante 1063-1064 ; profondeurs éclairées par visions 203, 931, par ravissements et paroles 945, 973 ; onctions de l'Esprit Saint dans les profondeurs 594, 674 ; Esprit Saint, brasier 984, 1011, célèbre fêtes de l'amour dans les profondeurs 675, 1012 ; Verbe-Époux, endormi, se soulève en réveils admirables 675, 688, 987-988: amour creuse de nouvelles profondeurs 681-682, 984.

Profondeur, sommet de la montagne mystique de saint Jean de la Croix 967.

Humilité, profondeur du mépris de l'homme 342.

Hauteur et profondeur s'enfantent 345.

PUISSANCE

Puissances de l'âme avides de divin 192.

Puissances sensibles : région du sens à la périphérie de l'âme 42-43, 536, 581-582 ; volages 36, 218, 385, 980 ; reçoivent l'espérance 388, 918.

Puissances intellectuelles : région de l'esprit 42-43, 536, 581-582 ; siège de la foi 197, de la charité 918

Puissances et oraison : orientation vers Dieu: recueillement actif 183-184 ; recueillement passif 496-497 ; oraison de quiétude 499-501 ; grâce mystique d'union 642.

Purification des puissances : en surface par nuit du sens (cf. Nuit du sens), à la racine par nuit de l'esprit (cf. Nuit de l'esprit) ; résistance puissances et don de soi 334 ; technique de recueillement (cf. Recueillement) ; technique de silence (cf. Silence) ; retournement psychologique 913-917 ; les renardeaux 958-959 ; après mariage spirituel jamais apaisées complètement 980-982.

Puissances extérieures du mal 144, 819, du péché (cf. Péché) ; du démon (cf. Démon).

PURIFICATION

Purification par les sacrements 904.

Purification du sens (cf. Nuit du sens) 521 et s. ; « porte sur tous les appétits » atteint sens, imagination, entendement et volonté 543-544, 599 et s., amère et terrible 546 et s., 763 ; effets bienfaisants : infusion de lumière et d'amour 549 et s. ; connaissance de soi et de Dieu 550-551 ; tendances apaisées 550 ; adaptation du sens à l'esprit 536, 550.

Purification du sens n'est qu'un prélude 759.

Purification de l'esprit (cf. Nuit de l'esprit) nécessitée par racine des tendances dans l'esprit 760, 903, 905 ; bouleversement 767 ; souffrance 768 ; opère purification morale 902-912 ; atteint. la volonté 906-908 ; seule véritable et efficace 903-904 ; conduit au retournement psychologique 915-917.

Action purificatrice de la lumière met à nu les tendances et déjà les détruit 909-910 ; action purificatrice de l'amour 910-913.

Formes individuelles de purification de l'esprit 817 ; souvent immergée dans la vie ordinaire 818 ; cachée aux regards 819 ; éclairée par lumière et présence de l'amour 820 ; souffrance purificatrice et rédemptrice jusqu'à

union transformante 817 note.

Purification de la mémoire (cf. Mémoire) et purification de l'espérance 829 ; impossible à réaliser pour l'âme seule 830 ; fruit du retournement psychologique 915-917.

RAVISSEMENTS

Description : « entrevue » au seuil des fiançailles spirituelles 940-946.

Effet des communications spirituelles les plus intenses 946-961, avant le feu des purifications 788 ; signe de faiblesse 777-778, 963.

Différence avec grâce d'union des cinquièmes Demeures 942-943, 946 ; différence avec l'union des septièmes Demeures 970-971, 980.

Faux ravissements des quatrièmes Demeures :

Description 615-616, 942. Discernement : faux ravissement peut être arrêté 618, vrai ravissement ne peut pas être arrêté 618, 776, dure peu et produit humilité 618, apporte à l'âme une lumière 683. Remède : nourriture, sommeil 618 ; réduire oraison, éloigner de la vie contemplative, diversion par le travail 618.

RECUEILLEMENT

À toutes les étapes : rassemblement des puissances de l'âme 183, 190, 192, 195, 496-497, 1026.

Nécessité 214, 362, 363 (cf. Silence) ; facilite l'oraison 497 ; produit impression de saveur 71, 184, 271, 498 ; discipline les facultés ; précède et prépare action de Dieu 194, 497-498.

Recueillement actif : réalisé par effet de la volonté 183, 187, 269, 497 ; description 182 et s.

Ascèse : 187-188 ; sur l'intelligence 216 ; sur l'imagination et l'entendement 218, 224, 383-384 ; ménager activité et silence 271 ; épreuve des distractions et sécheresses 214-223 ; bruit et activité extérieure 369-382 ; quelques influences apaisantes 172, 177, 188-191 ; discrétion 223 ; persévérance 224, 568.

Recueillement passif : effet de l'action de Dieu 498-499, 508 : disposition à écouter et recevoir les manifestations divines 498, 572-573.

Ascèse : 321, 386-388, 581 et s., 595-596 ; adhésion de la volonté à l'emprise de Dieu 384, activité modérée et limitée 271, 560-573, 581 ; quelques influences apaisantes (cf. recueillement actif), 592 et s. ; discrétion 589-590 et patience 591 (cf. Ascèse, Silence Contemplation).

Nécessité de la direction spirituelle 247.

Effet : oraison de recueillement (cf. Tableau).

REGARD

Regard de l'âme : Ne peut embrasser perfection de Dieu 459, ébloui par lumière de Dieu 299, 332, 510, 764. Contemplation : regard simple sur la vérité 405, 409, 845 ; oraison de simple regard 270-273, 408 ; regard sur Notre-Seigneur 68-69, 189, 190, 192, 194, 870, 879-880 ; sur la Sainte Face 870, 874, 881-882 ; sur une attitude du Christ 567 ; sur le tabernacle 388, 594 ; regard sur la Sainte Vierge 897.

Regard de foi perfectionné par dons du Saint-Esprit 409-410, 466-468, 507, 509; atteint objet divin dans la nuit 307, 467 et s., 847 ; espérance : regard vers Dieu 825-827 ; Dieu conquis par regard silencieux et ardent 956.

Regard purifié des saints 357, 411, 933, 995; de saint Paul 441, de saint Élie 367, de saint Jean de la Croix 396, 818, 986 ; de sainte Thérèse de l'Enfant-Jésus 443, 845. Regard du contemplatif 696-697.

Vie du Christ est enclose entre deux regards sur les décrets divins 327.

REVEIL

« Réveils » de Dieu dans l'âme, premières grâces 494-495 ; recueillement surnaturel 496 ; quiétude 499, 500 : grâce mystique d'union 642 ; blessure 691 ; ravissements 693, 941,943 ; paroles 692, 708 et s.; visions imaginaires 715, 945 ; réveils du Verbe-Époux 675, 688, 987, 988, 1006 (Vive Flamme).

Réveil de l'âme : en réalité, c'est l'âme qui s'éveille dans ces réveils du Verbe 987 ; réveil plein d'angoisse après grâce d'union mystique 642 ; foi éveillée dans contemplation 582 ; dans actes anagogiques 585 ; brusques réveils de l'âme dans cheminements de la faiblesse humaine 554, 558-559 ; prise de conscience des richesses reçues après sécheresses contemplatives ressemble à un réveil joyeux 591 et note ; choisir pour l'oraison livre qui tienne l'âme éveillée 177.

Mission de saint Jean de la Croix : éveiller les âmes 1035.

RIEN

Tout de Dieu, rien de l'homme 45-46, 344.

Doctrine du rien :

— chez saint Jean de la Croix 344, 827 et s.; sentier du rien, graphique de la Montée du Carmel 83, 601 ; conduit vers les sommets 278, 412, 828 ; l'âme croit qu'elle ne fait rien 448, 561 ; dans les sécheresses n'être attaché à rien 586 ;

— chez sainte Thérèse d'Avila 45, 278, 329, 350 ; âme humble qui n'a rien et n'a droit à rien 564, 565 ;

— chez sainte Thérèse de l'Enfant-Jésus (cf. Pauvreté spirituelle) 343, 698, 699, 835, 846, 847, 848.

Sainte Angèle de Foligno 46 note, 470 note.

Sainte Catherine de Sienne 45.

Les riens :

— petits riens, obstacles : arrêtent les onctions délicates de l'Esprit Saint 37 note, 448, et l'action de Dieu 906, 907 ; causent de graves dommages 561, 587 ;

— petits riens, preuves d'amour 650; unis à la grandeur de Dieu 638.

S

SACERDOCE

Sacerdoce du Christ, parfait, universel 75, 861 et s., 886 ; repose sur union hypostatique : Christ médiateur 861-864 par l'union hypostatique et par la mission reçue 1040 (cf. Christ Jésus), Christ continué par Église, exercice du sacerdoce 77, 661.

Caractère sacerdotal comporte collation des pouvoirs et grâce pour les exercer 1042-1044, 1055 ; laisse subsister distinction entre fonction et charité 1042, 1043, 1045, 1058.

Exercice du sacerdoce et sainteté (cf. Apostolat) 1045 et s. ; le sacerdoce requiert pour son exercice parfait l'identification au Christ, prêtre et victime 1056, 1069 ; sacerdoce et sainteté du directeur 253.

Sacerdoce du chrétien 173, 661.

Sacerdoce du Christ et maternité de grâce en Marie 886.

SACRIFICE

Acte religieux par excellence 325.

Sacrifice du Christ et dessein éternel de Dieu 862, 863 ; Christ désire son sacrifice 86 ; sacrifice du Christ fait unité du Corps Mystique 77, 659 ; Christ immolé, modèle de l'humanité 85 note, 302, 870-871 ; « la plus grande preuve d'amour... » 1032 ; sacrifice de la Croix commencé par oblation du Christ 327.

Sacrifice de la Messe, centre de la vie liturgique 173, 175 ; prolonge le sacrifice du Calvaire 863 ; Église unie au sacrifice du Christ 85.

Sacrifice : loi de la vie chrétienne 84-85, 300-301, 302 ; sacrifice le plus parfait : don de soi 80, 325 (cf. Don de soi), obéissance 325, 623 (cf. Obéissance) ; sacrifice et perfection 86 ; infusions d'amour méritées par sacrifice 701 ; sacrifices unissent à l'immolation du Christ 328, 785 ; sacrifice et apostolat 666, 1065 ; prière pour l'Église trouve son efficacité dans le sacrifice 120, 123-124.

Sacrifice et Vierge Marie 335, 886-887.

SAGESSE

Pensée de Dieu 625, 656 ; Verbe au sein de la Trinité sainte 624 ; ses origines éternelles 294-296 ; découverte dans l'Ancien Testament 293-297 ; révélée par son œuvre 255, 294-297 ; lumière et mystère 299-300, 332, 625 ; force, fécondité 626 ; les trois sagesses 283-287 ; sagesse du monde opposée à Sagesse de Dieu : Sagesse du Christ en croix 280-282, 288-289.

Action : « atteint tout d'une extrémité du monde à l'autre » 294, 298, 607, 608, 627, « avec force et douceur » 428-429, 608 ; conduit les êtres vers leur fin et met de l'ordre dans le monde 283, 1070 ; donne lumière pratique par la loi 626, 628 ; a ses représentants autorisés 628-631. Son dessein : réalise le plan éternel de Dieu, l'Église 298-302, 657 ; Incarnation, Rédemption, Église 302, 666. Sanctification des âmes 294, 424, 672 et s. ; appelle aux sources d'eau vive 392, les humbles et les petits 345, 424, 451 ; se penche sur chaque âme 604, 607, 611, l'appelle par son nom 254 ; conduit tout pour le bien de ceux qui l'aiment 222 ; donne lumière pour choix d'un directeur 252 ; intervient directement dans les opérations surnaturelles de l'âme 286-287 ; diffuse l'amour 300, 677-678 ; conquiert et transforme 301.

Action à travers les Demeures : arrêtée par règne de la raison aux troisièmes Demeures 282 ; prend direction de l'âme aux quatrièmes Demeures 129, 293, 299, 556, 611, 1058 ; agit sur l'âme entière 363, produit la nuit du sens 416, 549 et s., 559 ; aux cinquièmes Demeures étend son règne sur la volonté 129, 656 ; maîtresse aux sixièmes Demeures 669, 673, 690, 815, produit la nuit de l'esprit 757 et s., 817, 914-915, torture amoureusement ceux qu'elle appelle à l'union parfaite 649, 820 note, mène le combat dans la nuit de l'esprit 758, 762, 815 et s., répand l'amour 677, 924-925 ; creuse les capacités profondes semblables à des cavernes 959, triomphe dans l'âme après retournement psychologique 921. Le saint est mû par Sagesse divine qui assure perfection de ses actes 290. Sagesse fait expérimenter Dieu Amour 35-36 ; livre à l'Église 130, 301, 1076.

Réponse de l'âme : doit se disposer à ses emprises 337, 345, 555, 559, 598 ; se soumettre 603-610, 620 ; obéissance, communion à la Sagesse 624-625, 627 (cf. Obéissance).

Don de sagesse 309-310, 512-513, don contemplatif (cf. Don).

Sagesse secrète ou contemplation 410.

SAINTETÉ

Perfection de la charité 925, 1028 et s. ; réalisation de la capacité d'union donnée par Dieu à l'âme 24, 38, 424, 1000 ; union transformante 34, 998 et s. (cf. Union transformante) ; mariage spirituel : union par ressemblance d'amour, identification au Christ Jésus 411, 879-880, 1016-1024 ; présence dominatrice de l'Esprit Saint 1013-1016 ; parfaits enfants de Dieu mus par l'Esprit de Dieu 34, 290, 843, 879, 1014-1016, 1028 ; rend esclave de Dieu 35, 83, 1030, 1064 et s.

Action et contemplation s'unissent dans le saint 1071 ; apostolat parfait 1063 et s. (cf. Sanctification, Perfection).

Appel universel à la sainteté 209 et s., 419 et s.

Schéma de la Montée du Carmel 83, 84, 601.

Une seule sainteté, voies différentes 424-425. Exemple des trois saints du Carmel 690-704.

Itinéraire et étapes (cf. Croissance spirituelle).

Sagesse ouvrière de sainteté 301, 672 et s. ; réalisation de sainteté exige réponse adaptée de l'âme (cf. Sagesse : réponse de l'âme) ; fidélité d'amour réalise sainteté 1047 et s.

Folie de la croix et sainteté 82-86, 280-283, 288-289.

Pauvreté et espérance fondement de la sainteté (sainte Thérèse de l'Enfant-Jésus) 838-839 ; sainteté et enfance spirituelle 843 et s.

Effets et signes : sur la volonté et l'intelligence 35-36, sur les facultés sensibles 36 (cf. Union transformante, effets).

Sainteté indépendante de faveurs extraordinaires 727, 735, 991 ; de phénomènes extérieurs 802-803 ; de charismes 1042.

Sainteté et manifestations du démon 100.

Sainteté du Christ Jésus 75, 202 (cf. Christ Jésus).

Sainteté de l'Église (cf. Église).

Sainteté dans l'Église (cf. Christ total).

1114

Sainteté et intimité avec Marie 897-899.

Sainteté du directeur 255.

SANCTIFICATION

(cf. Sainteté)

Volonté de Dieu 32-33, 137-138, 422, 424, 676 ; œuvre des trois Personnes 297-298, 985-986, attribuée à l'Esprit-Saint 30 note, 376, 1008, 1018 (cf. Esprit Saint) ; sanctification par médiation du Verbe incarné 75 et s., 861 et s., 886 (cf. Christ Jésus) ; est ordonnée à l'Église 1024 et s.

Dieu artisan utilise tous moyens 222, 422, 604, 606, 607 ; demande collaboration de l'âme, 130 et s. (cf. Activité, Ascèse) ; trois moyens 624 et s. (cf. Eucharistie, Contemplation, Obéissance) ; voies particulières 209 et s. ; sanctification peut dépendre du directeur 252.

Charisme et sanctification (cf. Charisme) ; faveurs extraordinaires et sanctification 693, 705, 728 (cf. Faveurs extraordinaires).

Profession (cf. Croissance spirituelle).

Étapes (cf. Demeures, Perfection).

SENS

Région la plus extérieure de l'âme, faubourgs 42, 385, 581-582, 680 ; distinction entre sens et esprit 214 et s., 543, 581-582, 680 ; démon peut agir sur le sens 96, 110, 221, 387, 388, 744 (cf. Démon) ; les sens « fenêtres de l'âme » 521, 544 ; fournissent aliment à la foi 197, 367, 460-461, 463, à l'oraison 59, 457-458.

Le sens et les vertus surnaturelles infuses 286, 306, 457, 916-918 (cf. Foi).

Amour sensible 237-241, 244, 262-263 (cf. Amitiés spirituelles).

Sens et oraison : Troubles dans le sens, venus du démon 221, 222 ; dans les faveurs extraordinaires 744 ; agitation et frénésie causées par l'emprise de Dieu 385, 589, 772 et s.

Recueillement actif, difficultés 63, 188, 218, 223 (cf. Distractions et sécheresses contemplatives 214 et s.). Recueillement passif, sens et quiétude 496-502 ; sécheresses contemplatives 503-505, 582, 587 et s.

Sens et contemplation : action de Dieu déborde dans les sens 444-445, 501, danger de suivre saveurs 586, 686 ; exaltation, illuminisme, angoisses 89, 442, 445 ; faux ravissements (cf. Ravissements) ; passage du sens à l'esprit 546, 550, 581, 612.

Sens et communications divines : perceptions sensibles 713 et s., 734, 738-744 ; paroles 708 et s., 737, 749 ; visions 712 et s., 730. Suspension des sens : grâce mystique d'union 642, 772, 943 ; ravissements (cf. Ravissements), extase 960.

Purification du sens : Active : pratique du silence 382-383, 560-562 ; actes anagogiques dégagent des sens 584-588 ; **Passive** 539 et s. ; signes 414-416, 541, 542 ; effets 549 et s. (cf. Nuit du sens) s'achève dans nuit de l'esprit 903, 904.

Souffrance des sens dans nuit de l'esprit 771-778, 786-799.

Retournement psychologique dégage de l'influence du sens 913-917.

Caverne des sens ; angoisse et faim avant mariage spirituel 959.

Agitation et paix au sein de l'union 979-981, 1015-1016.

SILENCE

Accompagne opérations divines 363, 696, 1035 ; fruit et exigence de la sainteté 372 ; disposition fondamentale exigée par l'action de Dieu dans l'âme 257, 321, 362, 364, 559, 560, 580, 582, 586 ; silence et Dieu semblent s'identifier pour le spirituel 365.

Nécessité 362-368 ; pour entendre la parole de Dieu 363-364, 390 ; exemple du Christ Jésus 363 ; indispensable à contemplation 379-382, 391, 580, 1055 ; réalisations des débutants : oraisons simplifiées 270-271, 408, 561 ; dans les nuits purificatrices 560, 561, 582 et s., 604, 823, 824, 832, 870 ; sacrifice du silence parfois exigé 378, 381.

Silence extérieur : de la langue 369-373 ; de l'activité 373-382, danger de l'activisme 374 ; valeur et nécessité de l'action 374-378, solutions pratiques 379-382. Silence de la partie sensitive dû à communications spirituelles 498, 502 note. Silence du désert 390, 594.

Silence intérieur : le plus important 382, silence des puissances de l'âme 183, 382 et s., 570-576 ; silence des profondeurs de l'esprit 582, 588, 589, 593, 595,

696 ; pratique dans la première phase de la vie spirituelle 383, dans la deuxième phase 384-389, 831.

Silence et solitude 389 et s. ; silence amplifie bruit et affine puissances qui le reçoivent 392 ; oblige à entrer dans le monde intérieur 390 ; garde intactes et pures les énergies de l'âme 371-372.

Ascèse du silence dans les règles monastiques 372, 399 ; règle de saint Albert 368, 371 ; règle de sainte Thérèse 54, 91-92 note, 367-368.

SOLITUDE

Exigée par action de Dieu dans l'âme 389-390 ; nécessaire pour la prière et toute vie contemplative 26, 184, 196, 363, 401, 496, 577, 647 ; favorable pour opérations intérieures de la Sagesse 818 ; recherchée par sainte Thérèse 54, 299, 663, 1037 ; exemple des religieux du Mont-Carmel 54, 368, de tous les instruments choisis par Dieu 367, 389, 390, 395, 666, 1057, solitude du Christ Jésus lui-même 367.

Dangers : cultiver amour-propre, égoïsme et paresse 374 note, 399 ; favorise égocentrisme 392 et action du démon 393 ; brise certains tempéraments 394.

Exigences : force et qualités réservées à élite 394 ; amitiés spirituelles, appui et secours pour porter solitude 227.

Solitude extérieure et contemplation 394 ; irréalisable pour beaucoup 392 ; solitude intermittente suffit 401 ; exemple du prophète 395-401.

Solitude et apostolat 117, 655, 1056-1057, 1071-1072 (cf. Apostolat).

Solitude intérieure, région de l'esprit 680, réalisée par silence intérieur 382-387, par grâce d'union cinquièmes Demeures 646, par contemplation 439, 696, 697 et nuit de l'esprit 925-926, par union transformante 979.

SOUPLESSE

Dons du Saint-Esprit sont souplesses et énergies (Mgr Gay) 305.

Souplesse exigée par action de Dieu 598, 619, 690.

Manque de souplesse cause des purifications de l'âme 779, 908 ; des ravissements 778.

Effort de l'âme ne saurait la produire 651.

Fruit de l'obéissance 633-636 ; du don de soi 332-333 ; de l'humilité (pour le directeur) 253 ; de l'union de volonté 645, 651 ; nuit de l'esprit produit souplesse pour apostolat 772 ; union transformante produit souplesse parfaite de la volonté 35, 1065-1066.

Technique de la mystique catholique est technique de souplesse non de force 588 note.

Souplesse de l'enseignement de sainte Thérèse 138, 1072.

Souplesse vivante de la spiritualité du Carmel 87-91.

Souplesse de sainte Thérèse de l'Enfant-Jésus 321 note.

Souplesse de la Vierge Marie 335.

STIGMATES

Blessures apparentes représentant un ou plusieurs traits de la Passion, cas de Thérèse Neumann 789-791.

Explications possibles : action de Dieu directe par un ange, cause instrumentale, ou indirecte par processus psycho-physiologique ; contrefaçon du démon possible dans les deux cas 792, 793.

Discussion. Impuissance du processus psycho-physiologique 794 ; stigmates par suggestion 795 (note 3) 798 ; stigmates intérieurs par compassion ou commotion 796, puissance de la vision dans l'extase 796, 797 ; force plastique imprime stigmates 796-798, hypothèse conforme à certains faits 794-800 ; opinion de saint Jean de la Croix 798-800.

Conclusion. Cas de rejaillissement du spirituel sur les sens 802 ; possibilité de causes psychopathologiques 797, 800-802 ; cas singulier de saint François d'Assise 793, 802 note ; prudence dans jugement apporté sur cas particulier 802, 803.

SUBSTANCE

Substance de l'âme n'a ni haut ni bas 681 ; reçoit la grâce comme qualité entitative 1001, 1002 ; habitation de Dieu 28, 999.

Action de Dieu se situe dans substance de l'âme 681 note, 759, 927 ; onction qui la purifie 679, 680 ; amour y creuse des profondeurs 681-682 ; connaturalité réalisée dans substance de l'âme 35, 931, 992 ; communications les plus hautes 509, 932, 992 ; blessure de fécondité 985 ; union substantielle 927 ; touches substantielles 685, 725, 931, 992, 995.

Verbe endormi dans substance de l'âme se réveille 987. Vie intime avec l'Esprit Saint 1013. Fête de l'amour 1011, 1012.

Or de la substance et surfaces argentées dans vérités dogmatiques (cf. Dogme).

Vision de substances corporelles et de substances spirituelles (cf. Visions).

SURNATUREL

Ce qui est donné par Dieu, surajouté à nos facultés naturelles 460 ; vie naturelle 28 ; organisme surnaturel 33, 305 et s., 462 ; vertus surnaturelles 285, 286 ; participation à la vie trinitaire fin surnaturelle de l'homme 285 ; oraison, exercice de la vie surnaturelle 56-65

Définition thérésienne : ce que nous ne saurions atteindre par notre activité 494 (cf. Tableau, Oraison 2e phase).

Surnaturel ordinaire, par les dons du Saint-Esprit (cf. Don) ; surnaturel extraordinaire, par action directe de Dieu sur les facultés (cf. Faveurs).

Surnaturel épouse forme de la nature qui le reçoit 133 et note 1 (cf. Croissance spirituelle). Réalités surnaturelles exprimées en formules dogmatiques empruntant au monde créé idées et symboles 409.

Effet du surnaturel dans le domaine naturel physique et psychologique (cf. Nuit de l'esprit) ; répercussions sensibles 616 (cf. Ébranlement) ; démon 96, 113 (cf. Obéissance surnaturelle, Foi, Charité, Contemplation, Recueillement surnaturel, Faveurs).

T

TECHNIQUE

Technique nécessaire 168 ; technique non de force mais de souplesse 59, 60 note, 589.

Technique et oraison.

Première phase (cf. Ascèse thérésienne) 80 et s. ; base de départ 154 et s. ; façon de prier vocalement 169, 170 ; mouvement actif des puissances 182, 183 ; se tenir en compagnie du Sauveur 66 et s. , 188, 192 ; s'aider d'un livre 176-178, 189 ; exercice de présence de Dieu 190, 194 ; effort persévérant pour entrer dans recueillement actif 383, 384.

Deuxième phase, conduite de l'âme hors de l'oraison 599 et s. ; pendant l'oraison, dans les sécheresses 581 et s.

Technique et silence 382-388.

Technique de dépassement. Technique spirituelle de saint Jean de la Croix 680.

Technique chrétienne différente des techniques naturelles 437, 438 note, 588 note.

Technique pour la formation des apôtres, de Notre-Seigneur 1057, de sainte Thérèse d'Avila 1059.

Technique d'apostolat (cf. Apostolat).

Techniques nouvelles ne doivent pas faire oublier celle de Notre-Seigneur 1058.

TENDANCES

Forces du mal installées dans l'âme 48, 49 ; conséquences du péché originel, ou de péchés personnels 48, 904 ; tendances naturelles 529, 905 ; tendances volontaires 528, 905-906, seules empêchent l'union 529, même petite, arrête l'œuvre divine 530, 906, « qu'importe que l'oiseau soit retenu par un fil » 530, 907.

Dommages causés par tendances en général, et par vices capitaux 523-535 ; dommages privatifs 523-525, 906 ; dommages positifs 49, 523, 906.

Découvertes par connaissance de soi sous lumière de Dieu 50 ; exigent ascèse 49, 80 (cf. ch. Ascèse thérésienne 80-93) et purification 520, 522, 525, 904, 907.

A travers les Demeures. Aux premières Demeures, règne paisible des tendances 49, 145, 156, 157 ; irritées aux deuxièmes 49, 159, 160 ; déjà mortifiées aux troisièmes 49.

Aux quatrièmes Demeures, lumière divine les découvre dans nuit passive du sens 550 et commence purification 521-522, 552 (cf. Ascèse absolue 599 et s.).

Aux cinquièmes Demeures détachement réalisé à l'union de volonté par grâce mystique 646 ou pratique de l'ascèse 648, 649.

Aux sixièmes Demeures, nuit de l'esprit opère purification foncière 761, 903, 904, 905-908 ; atteint racines du péché pour cicatriser et guérir 771, 909-910 ; purification morale et retournement psychologique 908, rendent tendances inoffensives 916, fortifient la volonté 911.

Tendances et apostolat, tendances se manifestent et prennent plus de relief dans rapports avec le prochain 781, scandale des faibles 782 ; peuvent se nourrir des séductions que présentent le monde et son péché 1056 et se développer 1056 ; utilisées par le démon 1054, 1063 ; prudence et vigilance jusqu'aux sixièmes et septièmes Demeures 1057-1063.

Tendances pathologiques naturelles, fréquentes 219, 804, 807 ; manifestent leur force et portent préjudice à l'oraison 219, 220, remèdes 223 ; portées à leur état aigu dans purifications 417, produisent marasme 378 ; causes secondaires de la nuit du sens qui les émonde 550 ; apparaissent dans la nuit de l'esprit 803, 804, normalement purifiées par elle 548, 806, 807 ; cas frontières et troubles mentaux 219, 808 et s. ; effet du retournement psychologique 916, 917 (cf. Retournement psychologique 913-917) : ne détruisent pas la fécondité 781-782 ; sources de grâce et d'humilité 222, 360.

THÉOLOGIE

Pénètre et explore vérité révélée 467.

Théologie et foi 446, 450 (cf. Foi).

Théologie et vie spirituelle 449-450.

Théologie et oraison : lectures spirituelles nécessaires 196-200.

Théologie et contemplation ; contemplation théologique 407-408, 446, 449, 880.

Théologie et contemplation surnaturelle : fournit aliment, doit entretenir, soutenir, contrôler, régulariser 435-446 ; contemplation pénètre plus profondément dans vérité que science théologique 411, 435 ; souvent précède théologie 441 ; se complètent 437 ; culture théologique peut nuire à contemplation 449-450.

Théologie mystique : science mystérieuse 403 ; ses principes en l'enseignement de saint Thomas, de saint Jean de la Croix, de sainte Thérèse de l'Enfant-Jésus 404, 441-443 ; tous docteurs ès-science mystique 320, 321, a pour but d'établir le règne de l'Esprit Saint dans l'âme, d'apprendre à utiliser les dons du Saint-Esprit 320, 321.

Théologie de saint Paul 656 et s., 862, 1009 (cf. Doctrine).

Théologie et Christ Jésus 75 et s., 860-883, découverte du Christ total 656-666.

Théologie mariale 883-890.

TOUCHE

Communication de Dieu sensible ou spirituelle 308-309 ; aux âmes imparfaites 494 ; à sainte Thérèse de l'Enfant-Jésus 833-834. Touches substantielles, contact de deux substances 725-726, 931, 992 ; réservées à Dieu seul 933 ; enrichissement 964 ; dans l'union de volonté 644, dans les fiançailles, touches passagères 948, 964 ; différence avec union transformante où le contact est permanent 1004.

Dans union transformante, touche du Verbe qui est brûlure 985 ; de la main du Père 985 ; de l'Esprit Saint 988.

TRINITÉ SAINTE

Trois Personnes distinctes 975, 985. Rythme immuable de sa vie 193.

Trinité dans l'âme. Âme temple de la Trinité 293 ; vision du Château 18 et note ; présence objective 29-30 ; présence de la Trinité et présence eucharistique 30 note.

Activité : unique 985, 1008 ; appropriation aux Personnes 984-986, 1008 ; diverse en ses effets 986 ; silence des opérations divines 363.

Dogme de la Trinité et acte de foi 460-464.

Vision de la Trinité, imaginaire 722 ; intellectuelle 720, 972. (Cf. Visions) ; face à face par lumen gloriæ 997-998 ; expérience trinitaire 973, explicitation différente suivant les saints 977 ; terme et but de la vie spirituelle 36, 1006.

TROUBLES

(Cf. Tendances). Agitation des facultés dans sécheresses contemplatives 215 ; troubles de l'imagination 43, 385, 576 ; troubles dans quiétude 501 ; dans passage du sens à l'esprit 222, 548-549 ; désordres psychopathologiques 745-746 ; troubles dans l'âme après vision imaginaire de l'humanité de Notre-Seigneur 715 ; dans la nuit de l'esprit (cf. Nuit) : troubles psychologiques 772-774, physiques 775-780 ; stigmates 801-802 ; troubles venus des agents extérieurs 104, 780 ; causés par chocs mystiques, frénésie des facultés 589, 773, 777-778 ; par directeur maladroit 258, 770 et note ; inquiétude du papillon mystique 646, 653-654 ; après fiançailles spirituelles : renardeaux 958-959 ; au mariage spirituel 979-980 ; troubles disparaissent généralement (union transformante) 36, 37 note, 982.

Troubles pathologiques, causes de sécheresse et de distractions 219, conséquences de la nuit 804-813 ; phénomènes psychiques et troubles mentaux 803-807 ; démence complète 813-814 (cf. Pathologique).

Troubles causés par le démon : son arme ordinaire 101-104, signe de son intervention 107 ; impressions, fantômes, terreurs dans puissances sensibles 102 ; fausse humilité produit troubles 51-52, 102, 748 ; troubles excessifs dans l'entendement 221-222, 769 ; perception de la présence dans la nuit 933 (cf. Démon).

Aux heures de trouble, puissance maternelle de la Vierge 889 et s.

U

UNION

Union hypostatique, humanité du Christ unie au Verbe, deuxième Personne de la sainte Trinité 302 ; découverte par le Christ arrivant à l'existence 326 ; union indissoluble 327 ; actes de la nature humaine attribués à la Personne du Verbe 330 ; procure à nature humaine du Christ la vision béatifique 367 ; réalise médiation d'ordre physique 1040, 1042, 1043, 1069.

Union de l'âme réalisée par grâce sanctifiante 1001-1002 ; avec Dieu présent en elle 29-32 ; degrés d'union nombreux 34, 1000 ; capacité d'union varie avec chaque âme, fixée par dessein de Dieu 38, 1000 ; union et transformation vont de pair 1002 ; union : critère de croissance spirituelle et de perfection 127-132.

Exigence : pureté 129, 1000.

Étapes : vision du Château 18 note, 19, 127-128.

Avec secours général (cf. Tableau). Premières Demeures union simple de grâce 143, 144 ; troisièmes Demeures, union par triomphe de l'activité naturelle 128, 268.

Avec secours particulier 128, 129.

Quatrièmes Demeures, union partielle et transitoire dans la volonté par la quiétude 499-502, dans l'intelligence par foi et contemplation 503-505.

Cinquièmes Demeures, union de volonté 642-644, 679, 759, 951, 963 ; emprise de Dieu sur la volonté, réalisée par infusion abondante de charité 644, 652 ; fruit de la grâce mystique d'union 644, contact avec Dieu dans l'obscur 642, 677, ou fruit de l'ascèse de détachement, de l'exercice de l'amour avec intervention de Dieu 651-652.

Effets de l'union de volonté : orientation vers l'Église 679 ; zèle des âmes, désarroi du papillon mystique 653-654, 665-666.

Sixièmes Demeures : union parfaite mais transitoire dans la lumière 669, 673, 682 et s. ; envahissements divins, ravissement, vol de l'esprit 675, 677, 680 ; promesse d'union parfaite 950-951, fiançailles 686 (cf. Fiançailles).

Septièmes Demeures, union parfaite définitive, mariage spirituel 967. Union transformante ou union par ressemblance d'amour 34, 411-412, 687 ; union par communication des deux natures 1003-1004, symboles : les deux cierges 34, 1004, éponge dans l'océan 35, 411, 973 ; union stable, définitive 1003-1006 ; union habituelle permanente et union actualisée 1015-1016, amour progresse constamment 1006-1007.

Effets de l'union transformante : paix, équilibre 1001, 1014, 1026 ; identification au Christ Jésus 1016, 1022, 1030, 1065 ; âme livrée au Christ total, Église 1029-1030, 1040, 1064, 1070 ; union de l'action et de la contemplation 1071 ; lumières contemplatives sur Dieu, sur le monde 36, 992, 995-996 ;

vision face à face à la mesure de l'union d'amour 35, 997-998.

Comparaisons entre union simple de grâce et union des troisièmes Demeures 267, entre grâce mystique et union de volonté 642-652 ; union mystique et fiançailles 942-343.

Différence entre fiançailles et mariage spirituels 970 (cf. Fiançailles, Mariage spirituel) ; entre union transformante et mariage spirituel 989-998.

Union des âmes dans le Christ, mystère de l'Église, du Christ total 656-666.

Union de l'âme avec le Christ dans le Christ total 1030, 1034, 1074, 1077.

Union eucharistique 76, 660, 1018.

Union par l'obéissance (cf. Obéissance). Union par l'oraison (cf. Oraison). Union par la foi (cf. Foi).

Union à la Vierge Marie 897 et s.

V

VERTU

Naturelle : facilité acquise par répétition des actes 460 ; vise à respecter l'ordre moral naturel 283, 284.

Vertu surnaturelle : puissance de poser l'acte surnaturel 306, 460 ; de faire opérations divines 285 ; ordonnée à un objet déterminé 312 note.

Vertus surnaturelles infuses font partie de l'organisme surnaturel reçu au baptême 33, 421 ; se greffent sur les facultés et puissances humaines 285-286, 810-811 ; produisent actes propres spécifiquement distincts, en utilisant les facultés sur lesquelles elles sont greffées 306 ; agissent d'abord en dépendance des lumières de la raison 306 ; agissent perfectionnées ensuite par dons du Saint-Esprit 307, 308, 319 ; mode nouveau d'agir après retournement psychologique 918 et s.

Vertus théologales : foi, espérance,

charité greffées sur entendement, mémoire et volonté 918 ; mode d'agir parfait avec les dons du Saint-Esprit 286, 307 (cf. Foi, Espérance, Charité). Trois vêtements de couleurs différentes 918-921 ; actes des vertus théologales ou actes anagogiques 112, 113, 583 (cf. Anagogique).

Pratique des vertus. Dans la première phase (cf. Ascèse adaptée 87 et s.) ; vertus nécessaires à l'oraison et subordonnées à elle aux premières Demeures 130, 156-167 (cf. Ascèse thérésienne). Pratique réglée par la raison 289, 290, triomphe de la vertu raisonnable 273, illusions 275.

Aux quatrièmes Demeures imperfections des commençants dans la pratique des vertus 523-528. Foi, vertu des quatrièmes Demeures 130, 477, 478.

Aux cinquièmes Demeures obéissance 130, 620 ; se rattache à la vertu de justice 621 ; actes qui développent la vertu 650 (actes intenses).

Aux sixièmes Demeures vertu d'espérance 130, 823 et s. ; ascèse des vertus 848 (cf. Pauvreté et Enfance spirituelle) ; vertus qui accompagnent les fiançailles spirituelles 947-948, 955, 1010.

Aux septièmes Demeures chasteté et charité parfaites 130 ; vertus et mariage spirituel 982, 983 ; régime parfait des vertus sous l'action et la lumière constantes du Saint-Esprit 1014.

VIERGE MARIE

Théologie mariale 883-896.

Primauté de dignité 883-885, d'efficience 886, 888, de finalité 888, 889.

Mission : maternité source de tous ses privilèges 302. Immaculée Conception, intégrité, soumission des facultés 219, plénitude de grâce 45, 319, réalisée par l'Esprit Saint 1043, affirmée par l'archange Gabriel 1007, Annonciation et fiat 334, 335, 636. Foi de la Vierge Marie 470, son humilité 45.

Son rôle dans l'Église : collaboratrice de Jésus dans réalisation du plan divin 302, 883 ; collaboratrice de toute fécondité divine 324, 885, 886, 888 ; reine dans le ciel 889.

Son rôle dans le domaine intérieur des âmes : secours dans la nuit 889-894 ; formes diverses de l'intimité avec Marie 896-899.

Faveurs extraordinaires : sainte Bernadette 713, 731 ; sainte Thérèse de l'Enfant-Jésus 735, 786 ; saint Jean de la Croix dans la prison de Tolède, 892, 893.

VICE

(cf. péché).

VISIONS

Sens large : toute connaissance est une vision de la vérité 712.

Sens restreint : perception par le sens de la vue ou l'imagination d'une forme corporelle, ou perception d'une présence sans image sensible 712.

Visions thérésiennes.

Intellectuelles, imaginaires, imaginaires-intellectuelles 713 ; de substances corporelles 713 ; de substances spirituelles 717.

Visions intellectuelles, de substances corporelles : présence sentie du Christ (sainte Thérèse) véritable perception d'une présence rapprochée et agissante 713.

Intellectuelles de substances spirituelles 717 sur vérités, anges ou Dieu.

Dieu Vérité, 718 ; vision de la Trinité sainte 720-722, 972-975 ; vision de présence de Dieu dans l'âme 723.

Visions imaginaires de substances corporelles : rapide de l'humanité de Notre-Seigneur 715, 716 ; vision inaugurale du mariage spirituel 723.

Imaginaires de substances spirituelles : de la Trinité sainte 717.

Visions intellectuelles-imaginaires, de substances corporelles, vision imaginaire recouvre habituellement vision intellectuelle 715-717 ; de substances spirituelles : âme habitée par Dieu 720, perfectionne vision intellectuelle qui la précède 720.

Nature des visions thérésiennes.

Intellectuelles de substances corporelles : faveurs extraordinaires 726.

Intellectuelles de substances spirituelles : vision de la Trinité sainte à l'entrée des septièmes Demeures n'est pas une faveur extraordinaire 727.

Imaginaires de substances spirituelles : vision de l'avenir, de l'âme, imaginaire de la Trinité sainte sont des faveurs extraordinaires 727.

De connaissances spirituelles provenant de l'union à Dieu ne sont pas des faveurs extraordinaires 727.

Visions san-johanniques.

Visions proprement dites : pénétrant choses du ciel et de la terre, portant sur Dieu, réalités corporelles et réalités spirituelles : sont des faveurs extraordinaires 724.

Révélations sont des faveurs extraordinaires 725.

Connaissances de vérité : de choses en soi, sur Dieu, fruits de l'amour unissant ne sont pas des faveurs extraordinaires 723-727.

Visions sensibles extérieures chez sainte Bernadette, sainte Marguerite-Marie, sont constituées par une image que Dieu imprime dans le sens, invisibilité du corps réel et création de la vision par impression d'image 738, 739.

Effets, Rôle, Modes (cf. Faveurs extraordinaires).

Z

ZÈLE

LISTE DES MOTS
DE LA TABLE ANALYTIQUE

1123

INDEX DES CITATIONS

Éditions utilisées dans l'ouvrage
(Indications de l'éditeur pour l'édition de 1998)

ÉCRITURE SAINTE

Les sigles utilisés, titres et abréviations, sont ceux de la Bible de Jérusalem ; la numérotation courante en chiffres arabes a été adoptée, mais on a conservé les références utilisées par les éditions précédentes, et qui se rapportent à la Vulgate.

On a également conservé les différentes traductions utilisées par l'auteur au cours de l'ouvrage.

ŒUVRES DE SAINTE THÉRÈSE D'AVILA

Sauf mention contraire, les citations des écrits de sainte Thérèse d'Avila sont faites d'après la traduction du P. Grégoire de Saint-Joseph :

Œuvres Complètes, Éd. du Seuil, 1949.

Les citations des *Lettres* de sainte Thérèse, se rapportent à l'édition en 4 volumes par le même traducteur, Éd. du Cerf, s.d.

ŒUVRES DE SAINT JEAN DE LA CROIX

Les citations des écrits de saint Jean de la Croix sont habituellement faites d'après la traduction du P. Grégoire de Saint-Joseph :

Œuvres spirituelles de saint Jean de la Croix, Éd. du Seuil, 1947.

Cependant, à plusieurs reprises au cours de l'ouvrage, d'autres traductions sont utilisées (toujours indiquées en note) :

— *Œuvres Complètes,* traduction par le P. Cyprien de la Nativité de la Vierge, édition établie par le P. Lucien-Marie de Saint-Joseph, Desclée de Brouwer, 1949.

— *Œuvres spirituelles de Saint Jean de la Croix,* en 4 volumes. Traduction nouvelle par le chanoine H. Hoornaert, Desclée de Brouwer et Cie, 1922-1923.

— *Œuvres de saint Jean de la Croix,* Traduction nouvelle par Mère Marie du Saint-Sacrement, carmélite, Imprimerie Saint-Paul, Bar-le-Duc, 1934.

ŒUVRES DE SAINTE THÉRÈSE DE L'ENFANT-JÉSUS

Toutes les citations des écrits (et paroles) de sainte Thérèse de l'Enfant-Jésus sont faites à partir de l'Édition du Centenaire :

Thérèse de Lisieux — *Œuvres complètes,* en un volume, Cerf/DDB, 1992.

Dans la présente édition de *Je veux voir Dieu* (1998), les textes cités des *Derniers Entretiens* (jusque là empruntés à la publication intitulée *Novissima Verba*) ont été rendus conformes à l'Édition du Centenaire et référencés en conséquence dans les notes. Ce travail avait déjà été effectué, dans les éditions précédentes, pour les citations de sainte Thérèse, à mesure que les textes authentiques ont été publiés (dès l'édition de 1957 pour le texte des *Manuscrits Autobiographiques*). Quelques notes renvoient au volume intitulé *Derniers Entretiens*, DDB/Cerf, 1971.

Par ailleurs, les témoignages sur Thérèse sont cités et référencés d'après les sources actuellement encore disponibles :

— *Conseils et Souvenirs,* Cerf/DDB, « Foi vivante », 1973.

— Les deux volumes :

Procès de béatification et canonisation de sainte Thérèse de l'Enfant-Jésus et de la Sainte-Face

    I — Procès informatif ordinaire

    II — Procès apostolique

publiés par les Pères carmes du Teresianum, Rome, 1973 et 1976.

N.B. Les indications mises entre crochets dans les notes sont de la présente édition (1998).

INDEX SCRIPTURAIRE

Les références se rapportent à la Vulgate

CHÂTEAU INTÉRIEUR

INDEX DES CITATIONS
DE SAINT JEAN DE LA CROIX

1135

INDEX DES CITATIONS
DE SAINTE THÉRÈSE
DE L'ENFANT-JÉSUS

INDEX DES NOMS PROPRES
DE PERSONNES

Les noms tels que *Christ Jésus, Esprit Saint, Thérèse d'Avila, Jean de la Croix, Thérèse de l'Enfant-Jésus...* ne sont pas signalés : ils sont cités tout au long de l'ouvrage. La table analytique ou les index de citations les mentionnent.

TABLE DES MATIÈRES

DEUXIÈME PARTIE

PREMIÈRES ÉTAPES

1149

JE SUIS FILLE DE L'ÉGLISE

QUATRIÈME PARTIE

JUSQU'À L'UNION DE VOLONTÉ

TABLES

Achevé d'imprimer sur les presses de

N° d'impression : 72111 - Dépôt légal : mai 1998